*Dicionário analítico
do Ocidente medieval*

FUNDAÇÃO EDITORA DA UNESP

Presidente do Conselho Curador
Mário Sérgio Vasconcelos

Diretor-Presidente
Jézio Hernani Bomfim Gutierre

Superintendente Administrativo e Financeiro
William de Souza Agostinho

Conselho Editorial Acadêmico
Danilo Rothberg
Luis Fernando Ayerbe
Marcelo Takeshi Yamashita
Maria Cristina Pereira Lima
Milton Terumitsu Sogabe
Newton La Scala Júnior
Pedro Angelo Pagni
Renata Junqueira de Souza
Sandra Aparecida Ferreira
Valéria dos Santos Guimarães

Editores-Adjuntos
Anderson Nobara
Leandro Rodrigues

JACQUES LE GOFF
JEAN-CLAUDE SCHMITT

Dicionário analítico do Ocidente medieval

Volume 2

Coordenação da tradução
Hilário Franco Júnior

Dictionnaire raisonné de l'Occident médiéval,
sob a direção de Jacques Le Goff e Jean-Claude Schmitt
© 1999 Librairie Arthème Fayard.

© 2017 Editora Unesp

Direitos de publicação reservados à:
Fundação Editora da Unesp (FEU)
Praça da Sé, 108
01001-900 – São Paulo – SP
Tel.: (0xx11) 3242-7171
Fax: (0xx11) 3242-7172
www.editoraunesp.com.br
www.livrariaunesp.com.br
atendimento.editora@unesp.br

Dados Internacionais de Catalogação na Publicação (CIP)
Vagner Rodolfo CRB-8/9410

D545
    Dicionário analítico do Ocidente medieval: volume 2 / Jacques Le Goff, Jean-Claude Schmitt (Orgs.); tradução coordenada por Hilário Franco Júnior. – São Paulo: Editora Unesp, 2017.

    Tradução de: *Dictionnaire raisonné de l'Occident médiéval*
    Inclui índice.
    ISBN: 978-85-393-0686-2

    1. História geral. 2. Europa. 3. Idade Média. 4. Ocidente Medieval. 5. Dicionário. I. Le Goff, Jacques. II. Schmitt, Jean-Claude. III. Franco Júnior, Hilário. IV. Título.

2017-346   CDD 940.1
                                          CDU 94(4)"04/14"

Editora afiliada:

Sumário

Jerusalém e as cruzadas . 9

Jogo . 30

Judeus . 43

Justiça e paz . 63

Liberdade e servidão . 72

Literatura(s) . 90

Mar . 108

Maravilhoso . 120

Marginais . 139

Masculino/feminino . 157

Medicina . 173

Memória . 191

Mercadores . 208

Milagre . 224

Moeda . *242*

Monges e religiosos . *256*

Morte e mortos . *276*

Natureza . *297*

Nobreza . *314*

Números . *329*

Ordem(ns) . *342*

Parentesco . *360*

Pecado . *378*

Peregrinação . *394*

Pregação . *410*

Razão . *423*

Rei . *441*

Ritos . *465*

Roma . *483*

Santidade . *504*

Senhorio . *522*

Sexualidade . *536*

Símbolo . *555*

Sonhos . *573*

Tempo . *595*

Terra . *607*

Trabalho . 624

Universidade . 639

Universo . 658

Violência . 676

Índice onomástico . 687

Sumário iconográfico . 697

Lista de autores . 703

Lista de tradutores . 707

Jerusalém e as cruzadas

Jerusalém ocupa lugar excepcional no espírito dos crentes das três religiões monoteístas: o judaísmo, o cristianismo e o islamismo. Para os judeus, ela continua a ser a cidade de Davi, lugar de eleição da realeza teocrática e centro político-religioso unificador do povo de Deus. Quando os romanos a conquistaram no ano de 70, seus edifícios religiosos, muralhas e o templo de Herodes foram destruídos a mando de Adriano, sendo a cidade santa profanada e consagrada a Apolo. Com a diáspora, aos crentes exilados restaram apenas lembranças dos vestígios intactos do Templo, isto é, das fundações do muro de sustentação da esplanada mais conhecido como Muro das Lamentações. Essa lembrança piamente conservada ligava-os às raízes e glórias passadas, preservava sua identidade e projetava-os num futuro "restabelecimento de Israel", aspiração dos crentes de todas as épocas. Malgrado a dispersão e as perseguições, a espera do tempo messiânico e a atenção meticulosa dedicada à preservação das tradições garantem a continuidade de sua identidade étnico-religiosa. Ligada a esses dois polos – o passado e o futuro – a peregrinação a Jerusalém continua uma constante nas comunidades judaicas da Idade Média, mesmo nas mais integradas às sociedades dos países em que viviam.

Para os cristãos da Igreja primitiva, em sua maior parte de origem judaica, Jerusalém acrescenta aos traços precedentes uma nova sacralidade, vinda de Jesus. Ela suplanta a primeira, sem destruí-la, quando o cristianismo, distanciando-se do judaísmo, tornou-se universal, supranacional e multiétnico, comportando uma esmagadora maioria de fiéis oriunda do paganismo. Para os cristãos, Jerusalém continua a ser a cidade de Davi, e, mais do que isso, a cidade santa dos últimos dias, quando o Messias glorioso retornará a este mundo para vencer Satã e o Anticristo antes de instaurar seu reino de justiça. Mas, antes de tudo, ela é a cidade de Jesus Cristo, onde ele surpreendeu os doutores do Templo pela sabedoria de seus conceitos; onde pregou durante três anos com poder e milagres a fim de conduzir o povo a Deus; onde celebrou a Santa Ceia com os doze apóstolos antes que um deles o entregasse às autoridades judaicas e romanas; onde foi preso, condenado, flagelado, desprezado, crucificado na parte mais alta da cidade, o Calvário; onde morreu na cruz para a salvação de todos os que acreditavam que era seu Salvador; onde seus restos mortais foram depositados num túmulo cavado na rocha, de onde ressuscitou na aurora do primeiro dia da semana, o domingo de Páscoa, que marca sua vitória sobre a morte que prefigura a de todos os fiéis para os quais estará reservada, graças a ele, uma vitoriosa ressurreição no dia do Juízo. Percebe-se bem o lugar fundamental de Jerusalém nas crenças cristãs, principalmente naquelas relativas à pregação de Jesus, sua paixão e ressurreição: o Templo (ou o que se acreditava que fosse); o Jordão, onde foi batizado aos 30 anos, antes de seu ministério; o Calvário ou Gólgota; o túmulo vazio, onde desde o princípio do século IV foi construída uma primeira igreja, depois reconstruída e modificada várias vezes, a igreja do Santo Sepulcro. Todos esses lugares santos tornaram-se pontos de peregrinação. Na espiritualidade cristã, a sacralidade de Jerusalém é incomparável. Ela ultrapassa infinitamente a de todos os demais santuários.

Para o islamismo, particularmente na época medieval, a sacralidade de Jerusalém é bem menor. O primeiro de todos os lugares santos, evidentemente, é Meca, centro da peregrinação à Caaba; depois vem Medina, a cidade do Profeta, da qual Maomé teve que fugir. Pouco mencionada pelo islamismo da Alta Idade Média, Jerusalém ocupava a terceira posição, com base numa tradição tardia segundo a qual a viagem noturna do Profeta ao Céu teria ocorrido a partir do lugar em que se situava a mesquita de Jerusalém, construída por Omar após a conquista da cidade em 638. Nenhum lugar santo compara-se a Meca, centro universal de peregrinações, embora Medina tenha lugar privilegiado nessa hierarquia.

Além de cidade santa para todos, estreitamente ligada à história de suas origens, Jerusalém é, para judeus e cristãos, uma cidade de peregrinação com conotação religiosa e mística, com ressonâncias soteriológicas e escatológicas.

As peregrinações a Jerusalém até o ano 1000

A diáspora e a paganização forçada de Jerusalém após a revolta nacionalista de 133 não puseram fim a seu prestígio entre os judeus, menos ainda entre os primeiros cristãos. A antiga cidade atraía visitantes desde a época da conversão do imperador Constantino, cuja mãe, Helena, fez-se acompanhar até lá por uma expedição destinada a honrar os lugares santos e procurar vestígios da vida e morte de Cristo. É ela que reencontra a Verdadeira Cruz e outros instrumentos da Paixão, levando-os para Constantinopla, a nova capital fundada pelo filho em 330. Edifícios religiosos, como o do Santo Sepulcro (de longe o mais famoso), são construídos em Jerusalém e suas imediações com o propósito de honrar e sacralizar tais lugares santos e receber peregrinos.

Depois de Helena, outros personagens importantes também vão aos lugares santos. Mas, na mentalidade religiosa da época, a visita a tais locais repletos de história ainda não tem a dimensão que ganharia posteriormente. Vai-se até lá por motivos ao mesmo tempo intelectuais e místicos, para seguir os passos de Cristo em seu ministério terreno, para encontrar uma atmosfera de espiritualidade, para reter na memória os fatos mencionados nos textos bíblicos e evangélicos. Por razões intelectuais desse tipo é que São Jerônimo deslocou-se à Palestina cercado de um grande número de discípulos e de damas da alta sociedade romana. Pouco a pouco, entretanto, apesar das fortes reticências de vários Pais da Igreja, ganha corpo a ideia de que as graças espirituais concedidas por Deus aos fiéis em qualquer parte podiam ser encontradas com maior facilidade em certos locais repletos de espiritualidade, particularmente nos lugares sagrados da Terra Santa. A voga das peregrinações aumenta então, nascida dessa aspiração espiritual.

A partir do século VII, ela está bem estabelecida e não se interrompe com a conquista de Jerusalém em 638. Ela se amplia ainda mais sob Carlos Magno, que obtém do califa Harun al-Rachid – com o qual estabeleceu boas relações diplomáticas – autorização para ali construir diversos edifícios religiosos ou de hospedagem, passando a considerar-se "protetor dos lugares santos". Em seguida, a lenda apropriou-se do fato, transformando o imperador em precursor da Cruzada.

Pode-se admirar a pouca repercussão nos textos contemporâneos da tomada de Jerusalém pelos muçulmanos. As razões são múltiplas. No Oriente cristão, já bem distanciado do Ocidente por razões de língua, cultura, práticas eclesiais e litúrgicas, Constantinopla, cidade imperial, sede de um governo que se considerava lugar-tenente de Deus e investido da missão universal de governar o mundo, ultrapassara largamente o prestígio de Jerusalém. Em Bizâncio, a tônica era colocada no poder do Cristo ressuscitado, e não em sua Paixão. Cristo reina. A Jerusalém celeste supera, portanto, a cidade santa da Palestina. A noção de peregrinação era igualmente menos desenvolvida no Oriente que no Ocidente. Jerusalém estava menos presente no coração dos orientais do que dos ocidentais.

No Ocidente, era a perenidade da peregrinação que importava. Ela foi assegurada pela tolerância dos muçulmanos para com as religiões reveladas, monoteístas. Os cristãos eram, em geral, autorizados a se deslocar aos lugares santos mediante o pagamento de uma taxa. Não quer dizer que a perda de Jerusalém e, de maneira geral, a derrota diante do Islã, tenham sido admitidas sem reclamações. Mas a própria amplitude e rapidez da vitória (em menos de um século, as conquistas do Islã estendiam-se dos Pireneus ao Indo) levou-os a considerá-la como vontade de Deus, como um castigo pelos pecados de seu povo. No Oriente e na Espanha, alguns escritos polêmicos relacionavam o islamismo com as calamidades do fim dos tempos, assimilando seu papel ao do Anticristo. Todavia, o Ocidente da época feudal, voltado para si mesmo, muito ocupado em proteger-se das invasões húngaras, sarracenas e sobretudo normandas, mergulhado em lutas frequentes e guerras privadas entre principados e senhorios vizinhos numa época em que o poder efetivo das monarquias declina, ignora tanto o Islã quanto Bizâncio, lançando-os num mundo de sonhos, de mito, revestindo-os de virtudes e vícios imaginários.

No entanto, viajantes não deixam de frequentar as rotas de Jerusalém. As peregrinações conhecem um prestígio crescente entre os cristãos do Ocidente. O primeiro impulso situa-se no século VIII com o desenvolvimento das penitências tarifadas. Para obter remissão plena dos pecados revelados em confissão, a Igreja exige a realização de uma penitência satisfatória. Esta pode ser a entrada do penitente num mosteiro, a abstinência alimentar ou sexual, o exílio, ou qualquer outra forma de sanção especificada nos penitenciais, que prescrevem para cada falta a correspondente punição. No caso das graves (assassinato, adultério, incesto), a Igreja exige cada vez mais como compensação a viagem até um lugar santificado, o túmulo de um santo por exemplo. Jerusalém é a peregrinação bem acima de todas, graças ao túmulo (vazio) do ressuscitado. As peregrinações são objeto de votos individuais, podem ter motivações pessoais diversas, ser voluntárias, intelectuais ou místicas. Elas contribuíram para perpetuar na mentalidade religiosa dos cristãos ocidentais o lugar privilegiado de Jerusalém.

Jerusalém e as peregrinações no século XI

A peregrinação ganhou considerável impulso no período feudal. Ela é facilitada pela conversão ao cristianismo, por volta do ano 1000, do reino da Hungria, que até então tornara perigosa ou mesmo impossível sua realização por via terrestre. Doravante, esse caminho está aberto aos peregrinos do centro e do noroeste da Europa, possibilitando assim as peregrinações em massa. Ela é muito mais barata que a efetuada por via marítima, além de menos perigosa, evitando naufrágios, piratas e incêndios que ameaçavam os navios. Vê-se então aparecer com frequência nos textos menções a peregrinações envolvendo grande número de pessoas pertencentes a todas categorias sociais. O crescente sucesso explica-se também por uma mudança de mentalidade religiosa. A peregrinação corresponde perfeitamente bem à espiritualidade dos leigos que aspiram pela salvação, particularmente os guerreiros, os cavaleiros, que a Igreja manteve por muito tempo sob suspeita em razão de sua profissão. No século III, Hipólito de Roma, Orígenes, Tertuliano e muitos outros não admitem que um cristão possa atuar como soldado, e os que persistem devem ser excluídos da Igreja. Mesmo depois da cristianização do Império Romano, Santo Agostinho teve que recorrer ao seu talento oratório para persuadir os soldados que Deus aceitava a condição deles, que podiam servi-lo com o uniforme militar, que quem matava numa guerra justa, declarada por autoridade legítima com o fim de defender o império, restabelecer a justiça ou retomar terras e bens espoliados, não era verdadeiramente culpado do pecado de homicídio, devendo contudo realizar penitência por ter tirado a vida de uma criatura de Deus.

Apesar dessa defesa, a interdição feita ao clero de derramar sangue e de manter relações sexuais exprime a desconfiança da Igreja com respeito aos dois polos de atração dos leigos, principalmente dos cavaleiros: o amor e a guerra. Não obstante a crescente promoção da atividade militar e o interesse da Igreja em sacralizar pela liturgia se não toda a cavalaria, pelo menos aquela que se colocava a serviço de estabelecimentos eclesiásticos (como protetores ou defensores de mosteiros e bispados), subsiste ainda nos séculos XI e XII forte prevenção nesse sentido. Para eminentes autores cristãos, *militia* (milícia) rima com *malitia* (malícia), não se podendo jamais exercer o ofício da guerra sem pecado. Apenas seriam puros e alcançariam o Paraíso aqueles que combatessem em nome de Deus pela prece, nas fortalezas da fé que são os mosteiros.

Ao mesmo tempo, a aspiração dos leigos à salvação e a necessidade que a Igreja tem de defensores armados para sua proteção e de guerreiros para fazer sua causa triunfar, levam-na a franquear o acesso ao reino de Deus àqueles que, no perigoso estado de guerreiro, levem uma vida honrada. Por volta de 930, o abade Eudes de Cluny traça o retrato de um leigo que ele dá como modelo aos monges: Geraldo de Aurillac, príncipe e santo apesar da sua condição e o uso da espada. Como veremos um século mais tarde, a valorização dos guerreiros irá muito mais longe, mas desde já os cavaleiros podem esperar, na sua condição, um acesso possível ao reino de Deus.

Isto se no exercício de sua profissão militar não infringirem as proibições da Igreja, lembradas pelas instituições de paz desde o fim do século X. Com a incapacidade das autoridades civis, particularmente na França, em assegurar a ordem, paz e proteção das igrejas, dos clérigos e das populações desarmadas, a Igreja, não podendo proibir, tentou limitar as guerras privadas entre os cavaleiros. Tais conflitos não se enquadram na categoria de guerras justas: não são promulgados por autoridade legítima e quase sempre têm como causa interesses particulares, desejos de vingança (*faide*) ou a busca da vanglória (como será mais tarde o caso do torneio); pior ainda, dão lugar a pilhagens, massacres, abusos diversos em que as vítimas são os inermes, os que não portam armas. Frequentemente lembradas nos concílios de paz que se multiplicam após o de Charroux (989), na Aquitânia, depois em todo o Sul da França e em toda a Europa ocidental, as prescrições da paz de Deus tentam interditar aos cavaleiros, sob pena de excomunhão, que roubem, ataquem, raptem ou exijam resgate de pessoas desarmadas. As prescrições da trégua de Deus buscam proibir toda ação guerreira da tarde de sexta-feira à manhã de segunda-feira, em memória da paixão de Cristo, bem como por ocasião das principais festas litúrgicas. Por esses meios, a Igreja quer se proteger de exações impostas por cavaleiros saqueadores e limitar os prejuízos causados às populações civis.

Entretanto, a própria frequência dos concílios de paz indica a existência de inúmeras infrações. A peregrinação era um dos meios empregados na reabilitação dos contraventores, sendo também prescrita a adúlteros, homicidas e para a maior parte das faltas graves ligadas ao sexo e ao sangue, às quais os cavaleiros estavam em geral expostos. Assumindo temporariamente a condição de penitente, vestido com traje característico, andando descalço (pelo menos na partida e na chegada), o cavaleiro abandonava por algum tempo o uso das armas e o exercício do poder, pegando as estradas para orar nos santuários indicados, tocar o túmulo de um santo, impregnar-se com a graça emanada dos eflúvios do perdão.

Jerusalém era o primeiro destino desses peregrinos. As crônicas dos séculos X e XI mencionam inúmeros casos de príncipes que procuravam no Sepulcro a remissão de seus pecados. Entre 1002 e 1039, Fulco, conde de Anjou, para lá se dirigiu três ou quatro vezes porque tinha derramado muito sangue e temia o Juízo e a Geena que estariam por vir. Em 1035, encontrou-se com Roberto, o Magnífico, da Normandia, pai de Guilherme, o Conquistador, que parece ter feito voto de peregrino após a acusação de ter mandado envenenar o irmão. Os príncipes laicos não eram os únicos a se lançar no caminho do Santo Sepulcro, pois sabe-se que, ao longo do século XI, vastos grupos de peregrinos laicos e eclesiásticos pegaram a estrada juntos. Em 1026, Ricardo, abade de Saint-Vanne de Verdun, levou um grupo com quase setecentas pessoas, entre as quais Guilherme Taillefer III, conde de Angoulême, com seus aquitanos, Eudes de Déols com seus franceses, além de flamengos, picardos etc. No caminho, ele é lapidado por realizar missa em terra muçulmana, mas sobrevive e leva uma relíquia da Verdadeira Cruz dentro de um saquinho disfarçado e pendurado no pescoço. Esse episódio ilustra bem o entusiasmo pela peregrinação a Jerusalém e pelas relíquias (falsas e verdadeiras) que abundavam no Oriente, e que o Ocidente desejava delirantemente para sacralizar seus santuários e suas cerimônias. Algumas dessas relíquias estão diretamente relacionadas com o Sepulcro e dão lugar, quando do retorno à França, à consagração de um santuário ou de uma igreja destinada a abrigá-las, com frequência construída à semelhança da do Santo Sepulcro. Segundo um cronista do Anjou, por ocasião de uma de suas peregrinações, Fulco Nerra teria sido impedido por muçulmanos de entrar no Sepulcro. Eles só autorizaram com uma condição: por derrisão, ele deveria urinar no rochedo do Sepulcro. Piedoso, mas astuto, Fulco escondeu entre as pernas um odre cheio de vinho e, simulando o gesto, conseguiu autorização para orar naquele lugar. Ele teve sua recompensa: ao beijar o rochedo, sentiu-o milagrosamente amolecido e arrancou um pedaço com os dentes, levando-o escondido para o Anjou junto com um pedaço da Verdadeira Cruz que comprara no caminho. Para guardar as relíquias e honrar o Santo Sepulcro, mandou construir a igreja de Beaulieu.

Esses poucos exemplos bastam para ilustrar a espiritualidade dos leigos, principalmente dos cavaleiros, no século que precedeu a Cruzada. Violentos, mas em sua maior parte piedosos, de uma piedade que pode nos parecer supersticiosa, cerimonial, formal, conscientes de praticar uma atividade arriscada e ainda malvista pela Igreja, eles aspiram à santificação, mas não querem trocar a couraça pelo hábito monacal. Sentindo-se mal interiormente, divididos entre o sentimento de culpa e o sentimento de orgulho por pertencer a uma condição social que veneram, estão dispostos a expiar suas faltas em sua própria condição, sem abandonar seu estatuto, por meio de obras piedosas, doações, fundação de igrejas e mosteiros, peregrinações distantes. A guerra santa e a Cruzada fornecerão a eles a satisfação de acumular de uma só vez, e sem abandonar as armas, as esperadas benesses espirituais para a remissão dos pecados.

Peregrinação e reconquista cristã no século XI

O estatuto do penitente parecia excluir qualquer possibilidade de união de dois estados tão opostos quanto o do guerreiro e do peregrino. Por definição, os penitentes estão de certa forma retirados do mundo, num exílio itinerante, renunciando às atividades mundanas, ao poder, às armas e aos prazeres da vida. A legislação canônica proíbe o uso de armas aos peregrinos, a não ser em caso de defesa contra os sarracenos. Assim, desde o princípio do século XI aparecem peregrinos armados ou, pelo menos, acompanhados de homens com armas. Foi o caso, por exemplo, da grande e rica peregrinação dos bispos alemães e flamengos de 1065, atacada por beduínos, o que leva certos participantes a se defenderem com armas, aliás sem grande sucesso. Essa e outras peregrinações, assim como os primeiros contingentes de cruzados, encontravam motivação numa esperança escatológica. Com efeito, a *Vita Altmani* evoca aqueles que, em 1065, "quiseram ir visitar o Sepulcro do Senhor, enganados pela opinião comum que anunciava a iminência do Juízo Final porque a Páscoa caía em 6 de abril, dia da ressurreição" (como no ano 33, data admitida para a Crucificação); por essa razão, "uma multidão de gente, não somente do povo, mas de príncipes, deixou pátria, família e riquezas e tomou a rota para seguir Cristo portando a cruz". Há nisso, sem dúvida, traços de mentalidade anunciadores da primeira cruzada. Todavia, ainda faltam alguns elementos fundamentais: a pregação pontifícia, a vontade declarada de organizar uma expedição destinada a socorrer as igrejas do Oriente e a libertar os lugares santos de Jerusalém, tudo isso no ambiente geral de uma guerra santa, de uma reconquista cristã que, no século XI, implanta-se nos espíritos e nos fatos.

Da guerra santa à Cruzada

A reconquista cristã iniciada na Espanha pelos pequenos reinos cristãos das Astúrias e do sopé dos Pireneus amplia-se no decurso do século XI com a ajuda episódica de cavaleiros de toda a Cristandade, com as alianças matrimoniais entre príncipes espanhóis e seus vizinhos da Aquitânia ou da França e com o apoio de Cluny. A *Reconquista* espanhola é encorajada na segunda metade do século XI por Alexandre II e seus sucessores, que reivindicam os direitos de São Pedro sobre as terras reconquistadas aos muçulmanos invocando a (falsa) "Doação de Constantino", pela qual o imperador teria em 330, antes de fundar sua nova capital (Constantinopla), legado ao bispo de Roma o palácio de Latrão e o ducado de Roma (o que é verdade), mas também toda a Itália, ilhas e províncias ocidentais (o que é falso). A reconquista que começa oferece ao papado um quadro propício a tais reivindicações, postas em prática com mais ou menos sucesso a propósito da Córsega, Sardenha, Sicília, Espanha, todas reconquistadas aos muçulmanos. O mesmo ocorreu com a Grã-Bretanha em 1066, tendo o duque Guilherme, o Conquistador, recebido do papa a bandeira de São Pedro em sinal de aprovação, como também foi o caso dos normandos na conquista da Sicília, dos pisanos e genoveses na expedição a Mahdia (Tunísia) em 1087.

Tais empresas guerreiras realizadas com o apoio do papa ou com sua garantia estão, evidentemente, sacralizadas. Para incitar os espanhóis a tomar parte com mais ardor na reconquista, Alexandre II, depois Gregório VII e Urbano II, acrescentam promessas espirituais. Esse último papa propôs aos príncipes catalães que desejassem ir a Jerusalém purgar os pecados, que dedicassem seus esforços na luta contra os mouros, comutando o voto de peregrinação pela defesa e fortalecimento de Tarragona, especificando que, ao fazê-lo, receberiam os mesmos privilégios e o mesmo perdão dos pecados, como se tivessem ido a Jerusalém.

O oferecimento de recompensas espirituais aos guerreiros que combatessem os muçulmanos em nome do papado não era totalmente novidade: já no século IX, Leão IV e João VIII tinham feito apelo aos guerreiros francos contra os piratas sarracenos que ameaçavam Roma, prometendo-lhes, em nome de São Pedro, a entrada no Paraíso caso morressem em combate. Os papas reformadores generalizaram a prática de recompensas espirituais e aplicaram-nas a todos aqueles que lutavam em defesa de sua causa, numa reconquista cristã entendida, em sentido lato, contra todos os inimigos da reforma, do papado, da Igreja Romana, da Igreja Universal, de toda a Cristandade, tratados indistintamente como "inimigos de Deus". Assim, em 1053, Leão IX afirma que os guerreiros por ele recrutados e mortos em combate contra os normandos – seus turbulentos vizinhos da Itália do sul – tinham sido admitidos no Paraíso entre os mártires da fé. Alexandre II e Gregório VII encorajam a luta armada dos patarinos de Milão, favoráveis às teses pontifícias, contra o clero hostil às reformas. Enviam o *vexillum* de São Pedro ao cavaleiro Erlembaldo, um dos chefes patarinos, garantindo--lhe que conduziria "a guerra de Deus" como *miles Christi* ("soldado de Cristo", termo em seguida aplicado aos cruzados), e logo depois de ser morto em combate em Milão declaram estar admitido entre os mártires. Ocorrem milagres em seu túmulo e, pouco antes de Clermont, Urbano II procede à sua beatificação. O combate contra os heréticos vê-se, portanto, santificado, malgrado as reticências de homens da Igreja como Sigeberto de Gembloux, que considera estranha novidade que um papa como Gregório VII pedisse a guerreiros que combatessem "cismáticos" em troca da remissão dos pecados.

A coisa podia parecer menos chocante se se tratasse do socorro aos cristãos ameaçados no Oriente, e, mais ainda, da libertação de Jerusalém e do Sepulcro. Ao contrário do que se pensa geralmente, foi Gregório VII e não Urbano II que manifestou essa intenção pela primeira vez. Depois da rude derrota dos exércitos bizantinos em Mantzikert no ano de 1071, as províncias gregas da Síria do norte e da Anatólia passaram para o controle dos turcos seldjúcidas e os muçulmanos aproximaram-se das margens do Bósforo. Refugiados, talvez peregrinos, espalham notícias sobre os horrores da invasão. Tendo sido informado, o papa decide organizar um exército de socorro aos cristãos orientais e ao Império Bizantino. Nesse sentido, em 1074 e 1075 escreve a diversos príncipes ocidentais declarados defensores do papa, os "fiéis de São Pedro", cujo laço de ligação com o pontífice continua a ser discutido pelos historiadores, tendo ao mesmo tempo algo de vassalidade e de patronato: entre outros, a condessa Matilde da Toscana, os duques da Lorena, Savoia e Borgonha, os condes de Toulouse e Provença.

Qualquer que seja a natureza desse laço, Gregório reclama deles o serviço militar na forma do envio de guerreiros, aos quais pretende comandar.

Ele prescreve aos príncipes fiéis tomar parte na operação militar "a serviço de São Pedro", assegurando-lhes que o porteiro do Paraíso saberia recompensá-los com privilégios eternos caso viessem a morrer no caminho. Gregório afirma ter podido reunir 50 mil cavaleiros, que espera poder conduzir ao Sepulcro do Senhor, em Jerusalém. A mesma informação encontra-se uma vez mais mencionada em carta dirigida ao imperador Henrique IV, com quem tinha se reconciliado temporariamente após Canossa, e a quem, paradoxalmente, confia a tarefa de proteger a Igreja de Deus no Ocidente enquanto ele, soberano pontífice, marcharia à frente do exército cristão rumo ao Oriente, até Jerusalém. A expedição nunca aconteceu devido ao recrudescimento das tensões entre o papado e o Império na querela das investiduras laicas, às quais o imperador alemão não queria renunciar. Mas a intenção pontifícia era muito clara: tratava-se de um apelo, acompanhado de considerações e promessas religiosas, para uma expedição armada com o escopo tanto de socorrer os cristãos e reconquistar territórios recentemente perdidos (até Antioquia), quanto libertar Jerusalém e o Sepulcro de Cristo, nas mãos dos muçulmanos desde 638.

Os cristãos do Ocidente não permaneciam indiferentes à sorte de Jerusalém e do Sepulcro. A prova encontra-se num acontecimento não muito divulgado. Em 1009, o califa al-Hakim ordenou a destruição de grande número de igrejas, entre as quais a do Santo Sepulcro. Alguns anos depois, ele voltou atrás, mandando reconstruir o edifício. Um documento até aqui conhecido pelo nome de "falsa encíclica de Sérgio IV" faz alusão ao episódio. Nele, o papa anuncia a destruição do Sepulcro do Senhor bem como diversas depredações e sevícias infligidas aos cristãos, conclamando os irmãos do Ocidente a tomar parte numa expedição armada (por mar, notemos!) à frente da qual estaria ele próprio, a fim de libertar Jerusalém, restaurar o Santo Sepulcro e castigar os sarracenos pela espada. Em 1991, um erudito alemão (H. M. Schaller) defendeu a autenticidade dos principais elementos da encíclica, que constituiria o primeiro apelo a uma guerra santa, acompanhado de recompensas espirituais, visando à libertação dos lugares santos. Entretanto, a maior parte dos medievalistas segue a opinião de A. Gieysztor (1948), segundo a qual se trataria de um entre os numerosos documentos "excitatórios" expedidos antes da Cruzada.

Teria sido composto no círculo pontifical de Urbano II, por ocasião de sua viagem a Moissac, pouco depois do apelo lançado em Clermont. Ainda assim, a alusão à destruição do Santo Sepulcro, quase um século depois dos fatos, com o fim de incitar os cristãos à Cruzada testemunharia pelo menos o impacto de um acontecimento desse gênero na mentalidade do tempo. Aí se encontra igualmente alusão à vingança que os cristãos deveriam exercer contra os senhores da Jerusalém contemporânea, como Tito e Vespasiano tinham feito em relação aos judeus, senhores de Jerusalém no passado, castigando-os pela morte do Filho de Deus. Essa noção será reencontrada em diversas obras do século XII, não sendo inútil mencionar sua existência nesse texto que, no mais tardar, data da época da pregação da primeira cruzada.

O lugar de Jerusalém na ideia de Cruzada

Certos historiadores tendem a minimizar o lugar de Jerusalém na ideia de Cruzada, destacando que os cronistas redigiram os textos após a tomada da cidade santa, o que teria influenciado sua concepção do acontecimento. Na origem, este teria sido essencialmente uma operação de socorro ao Império Bizantino visando à reconquista de territórios perdidos pouco antes, e não uma operação autônoma destinada a libertar a Palestina ou Jerusalém.

Entretanto, é impossível deixar de pensar que Urbano II tenha indicado Jerusalém como objetivo da expedição. Por diversas razões. A primeira é que dois testemunhos do discurso de Clermont referem-se clara e diretamente a isso. De acordo com um, o papa teria começado o discurso descrevendo os massacres de cristãos, a destruição de igrejas e dos lugares santos em Antioquia e Jerusalém, antes de evocar os tormentos que os turcos infligiam aos peregrinos e a profanação sacrílega do Santo Sepulcro. De acordo com o outro, Urbano teria revelado aos ouvintes a triste notícia de destruições e profanações ocorridas nas regiões situadas entre Jerusalém e Constantinopla: igrejas demolidas, altares conspurcados, cristãos massacrados etc. Teria dito ser necessário punir os autores dos crimes, retomar a terra que tinham invadido, acrescentando que o povo franco deveria sensibilizar-se com o Santo Sepulcro do Salvador – desonrado e profanado pelos ímpios –, cessar suas guerras fratricidas e, em remissão de seus pecados, rumar para lá e retomá-lo dos infiéis, submetendo-os ao seu poder e libertando Jerusalém, cidade régia mantida cativa pelos inimigos de Deus. Todas as outras crônicas que indiretamente relatam o discurso de Clermont mencionam Jerusalém. O cânone 9 de Clermont, redigido logo após o concílio, resume os elementos essenciais do projeto papal nos seguintes termos: "Qualquer um que, por piedade, e não esperando ganhar honras ou riquezas, tiver tomado o caminho de Jerusalém para libertar a Igreja de Deus, terá sua viagem contada como penitência". Trata-se bem de uma operação militar de reconquista destinada a socorrer os cristãos do Oriente pelas armas e retomar posse de Jerusalém, objetivo último de uma expedição que, por isso mesmo, parece-se muito com uma peregrinação, proporcionando as mesmas vantagens caso fosse realizada por motivos piedosos, e não por interesses pessoais.

Além disso, dispomos de uma confirmação autorizada das intenções de Urbano II na sua própria correspondência, em particular na carta aos flamengos, redigida um mês após Clermont. Aí ele afirma claramente ter feito conhecer aos cristãos os crimes dos infiéis que devastaram as igrejas de Deus no Oriente e na "santa cidade ilustrada pela paixão e ressurreição de Cristo"; que tinha visitado os príncipes na França a fim de incitá-los, "eles e seus dependentes, a ir libertar as igrejas do Oriente". E acrescenta: "Nós lhes ordenamos solenemente, por ocasião de um concílio reunido em Clermont, para a remissão de todos os seus pecados, que participassem dessa expedição". Em contrapartida, na carta aos bolonheses desaconselha aos clérigos e monges que se juntem a essa expedição, salvo com autorização de seus superiores. Outros testemunhos, por exemplo os relatos das pregações que Urbano II realizou na França entre novembro de 1095 e a primavera de 1096, trazem o mesmo sentido, a maior parte mencionando a exortação papal do combate aos sarracenos para socorro dos cristãos do Oriente e a libertação dos lugares santos de Jerusalém, exortação acompanhada da promessa de remissão completa das penitências de todos os pecados confessados. Os termos indicados nos documentos redigidos pelos monges por ocasião de vendas e penhoras destinadas ao financiamento dos cruzados indicam que estes também compreenderam exatamente dessa forma. Nesses documentos estão presentes os principais motivos da expedição: eles partem em remissão de seus pecados, para combater os sarracenos em Jerusalém, para libertar os cristãos oprimidos pela sua "tirania", para libertar as igrejas e os lugares santos, em particular o Santo Sepulcro.

Em todas as fontes, as indicações dos objetivos e motivações não variam muito, tratando-se quase sempre de uma guerra sacralizada tendo por objetivo a libertação de Jerusalém, das igrejas e lugares santos. As fontes alemãs não mencionam o Concílio de Clermont, atribuindo a Pedro, o Eremita (e não a Urbano II), a iniciativa da Cruzada, mas igualmente insistem sobre Jerusalém. Para elas, quando de sua peregrinação ao Santo Sepulcro, Pedro, o Eremita, teria ficado chocado ao ver peregrinos molestados, lugares santos profanados e arruinados. Jesus teria aparecido a ele no próprio Sepulcro, incumbindo-o de uma missão divina: pedir ao patriarca de Jerusalém cartas seladas para autenticar seu relato, depois retornar ao Ocidente e pregar aos príncipes uma expedição destinada a libertar os lugares santos, e, por fim, informar o papa sobre a vontade divina quando passasse por Roma.

Assim, todas as fontes indagadas revelam a mesma certeza: a Cruzada foi pregada como operação militar de reconquista dos lugares santos de Jerusalém, na qualidade de uma guerra santa prescrita aos guerreiros em troca da remissão de seus pecados, garantindo aos que dela participassem os mesmos privilégios de uma peregrinação pela simples razão de que também tinha por meta Jerusalém e os lugares santos. Não se pode falar já de uma "indulgência de Cruzada" porque essa denominação faz referência a noções teológicas ainda não definidas na época: o tesouro dos méritos dos santos, o Purgatório, a remissão das penas a sofrer no Além. Aqui se trata apenas do perdão das penas eclesiásticas prescritas para obter remissão dos pecados confessados. A sacralização da expedição não assegura méritos espirituais, pois aqueles que viessem a morrer deveriam ser incluídos entre os mártires, como já ocorria antes.

Apenas Guiberto de Nogent menciona outra motivação, de ordem escatológica. Em Clermont, o papa teria feito referência ao Anticristo, que, antes do fim dos tempos e do retorno glorioso de Jesus, deveria reagrupar em Jerusalém todos seus asseclas a fim de combater Cristo e seus fiéis.

Ora, teria dito o papa, como Jerusalém estava naquele momento dominada por "nações pagãs", quem poderia combater o Anticristo se os cristãos não marchassem para lá e se colocassem a serviço de Cristo, vencendo demônios e pagãos no combate final? A maior parte dos historiadores pensa que Guiberto de Nogent acrescentou por conta própria esse discurso eminentemente "monástico". Pelo contrário, não parece absurdo pensar que os outros cronistas tenham retirado do discurso papal toda alusão ao Anticristo e à iminência dos últimos dias por duas razões. A primeira é que o confronto final entre Anticristo e Cristo não ocorreu efetivamente; os últimos dias ainda estavam por vir, sendo assim preferível ocultar esse aspecto do discurso pontifício oficial, caso tenha sido mencionado. A segunda é que os cruzados "populares", mobilizados bem antes dos barões na Alemanha, ao longo do Reno e do Danúbio, sob a direção de Pedro, o Eremita e sobretudo de Emich de Flonheim, encontravam-se amplamente motivados por essa expectativa escatológica, embora tivessem se desviado um pouco dela. Emich acreditava-se ou dizia acreditar ser enviado de Deus para tornar-se rei dos últimos dias. Segundo as profecias extraídas da obra do Pseudo-Metódio, tal rei deveria unir gregos e latinos sob sua autoridade, converter os judeus e agregar em torno de si "toda Israel", inclusive judeus e pagãos convertidos, para ir enfim a Jerusalém entregar sua coroa a Cristo antes de participar, junto com ele, no grande combate final. Impregnados por tais ideias, Emich e seus êmulos tinham aterrorizado as comunidades judaicas do Mosela, Reno, Neckar e Danúbio, batizando crianças judias à força, deixando aos adultos a escolha entre o batismo ou a morte, ficando decepcionados e chocados ao vê-los preferir a morte e matarem-se entre si, num holocausto voluntário, em vez de negar sua fé. Os bandos de cruzados de Emich, de Volkmar e de Gottschalk não chegaram a Jerusalém nem mesmo a Constantinopla, sendo massacrados no caminho pelos exércitos húngaros devido aos seus excessos e desordens. Alguns sobreviventes, animados pelas mesmas intenções de conversão forçada e antissemitismo, juntaram-se às tropas de Godofredo de Bulhão. Não é impossível que tenham, em certa medida, inspirado as violências religiosas posteriores às cruzadas.

O tema da libertação de Jerusalém e dos lugares santos esteve no centro da ideia de Cruzada desenvolvida por Urbano II e da noção de guerra santa fixada por seus predecessores. Para ele, o tempo da ocupação muçulmana das terras cristãs chegara ao fim. Resultado de um castigo divino provocado pelos pecados do povo cristão, esse tempo passara: Deus convida agora seu povo a libertar a Igreja e a Cristandade, e a reconquistar as terras que um dia tinham sido cristãs, em particular os lugares santos de Jerusalém e o Santo Sepulcro. Operação militar de reconquista, a Cruzada também é, por sua própria destinação – Jerusalém – uma peregrinação. Essa dimensão junta-se com a da guerra santa, reforçando-a e não a ocultando.

A conquista de Jerusalém

As duas dimensões podem ser claramente notadas na tomada de Antioquia. A descoberta "milagrosa" da "santa lança" que teria perfurado o flanco de Cristo na cruz, encontrada no terreno da catedral, teve duplo efeito sobre os cruzados: dá-lhes a certeza da legitimidade de sua luta e do apoio divino, mas, após sete meses de assédio, desvia novamente sua atenção para Jerusalém, onde Cristo tinha sido crucificado. O sinal da cruz usado pelos participantes (*crucesignati*) já era um símbolo de sua destinação. Após a morte do legado papal Ademar, em 1º de agosto de 1098, os chefes cruzados interrogam-se sobre a conduta a adotar. Escrevem a Urbano II pedindo-lhe que fosse em pessoa acabar "sua guerra", enquanto por sua vitória em Antioquia eles têm, como "hierosolimitas de Jesus Cristo, vingado sobre os turcos a ofensa feita a Deus Todo-Poderoso". O papa convoca um concílio em Bari, mas não responde ao apelo. Os chefes cruzados instalam-se, tomam posse dos territórios conquistados, demoram a retomar a rota. Eles o fazem somente sob pressão da massa dos cavaleiros e peões, que demoliram as muralhas das fortalezas conquistadas. O objetivo foi enfim atingido em julho de 1099, um ano e um mês após a vitória decisiva em Antioquia contra os exércitos de Karbuqâ. A cidade santa foi tomada de assalto após a realização de procissões litúrgicas que lembram as da tomada de Jericó pelos hebreus da Bíblia. O massacre dos habitantes de Jerusalém, tanto judeus quanto muçulmanos, mesmo que tenha sido menos geral do que se acreditou, nem por isso deixou de tomar as feições de uma "consagração por interdito", imitando igualmente as guerras santas do Senhor dos tempos bíblicos. Os cronistas mencionam isso sem qualquer escrúpulo, justificando-o como um castigo pelas abominações morais e religiosas dos muçulmanos sobre os cristãos e os lugares santos. A menção, por parte dos cronistas participantes da Cruzada, da existência (evidentemente contrária à verdade) de um ídolo de Maomé no Templo (assimilado à mesquita de Omar), de acordo com o que se reproduzia nas epopeias, traduz igualmente a assimilação da Cruzada às guerras do Antigo Testamento contra os idólatras que ocupavam a Terra Santa prometida ao povo de Deus, com o qual os cruzados se identificavam. Só Jerusalém, tanto a terrestre quanto a celeste, podia ser capital da terra sagrada reconquistada, passagem obrigatória entre o mundo terreno do presente e o reino divino do futuro.

Alguns dias mais tarde, aconteceu em Ascalon uma batalha decisiva contra o exército egípcio. Enquanto os cruzados guerreavam, Pedro, o Eremita, encarregou-se de organizar em Jerusalém preces e liturgias propiciatórias do clero grego e latino a fim de obter ajuda celeste, como antes Moisés fizera por ocasião do combate de Josué contra os amalecitas. A vitória foi completa. Jerusalém permaneceu nas mãos dos cruzados. Depois, a maior parte retornou aos locais de origem convencida de ter cumprido o dever, embora talvez decepcionada ao constatar que Deus, que lhes tinha enviado exércitos celestes em Antioquia e Jerusalém, não fizera, contudo, Cristo descer do Céu com a esperada Jerusalém celeste. A vida cotidiana continuava nesta terra de sofrimentos.

Jerusalém e as cruzadas após 1100

As cruzadas posteriores resultaram desta situação: os Estados latinos de além-mar, cercados de vizinhos muçulmanos hostis, necessitavam do envio regular de contingentes armados. A divisão tradicional em oito "cruzadas" desde Urbano II até São Luís não dá conta do fluxo permanente de peregrinos que se deslocavam a Jerusalém como penitentes ou guerreiros voluntários, colocando sua espada a serviço de Deus. A criação de Ordens Religiosas Militares, templários, hospitalários, depois cavaleiros teutônicos em 1191, traduz da mesma forma essa necessidade de defesa constante dos Estados latinos. Sendo ao mesmo tempo monges e cavaleiros, segundo a própria expressão de São Bernardo, são cruzados permanentes, verdadeiros *milites Christi*, cavaleiros de Cristo, defensores de seu legado, protetores dos peregrinos de Jerusalém. Esta continua a estar no centro das preocupações e no centro das motivações dos peregrinos que vão, por algum tempo, de acordo com as indulgências de cruzada que foram definidas a partir de Eugênio IV, combater por Deus e pelo Santo Sepulcro. Os movimentos de massa, como as pregações pontificais mais notáveis, sempre estão ligados às novas ameaças dos muçulmanos sobre Jerusalém e os lugares santos, por vezes à própria conquista da cidade santa. Foi o caso da tomada de Edessa em 1147, que provocou a segunda cruzada; mais ainda a tomada da cidade santa por Saladino em 1187, prelúdio da terceira cruzada e do patético pedido do papa (na bula *Audita tremendi*) atribuindo uma vez mais a responsabilidade do desastre aos pecados dos cristãos. Todas as cruzadas posteriores, inclusive as que por vezes foram desviadas, tiveram o objetivo direto ou indireto de recuperar os lugares santos de Jerusalém. Nisto é que a Cruzada propriamente dita difere da guerra santa levada a cabo em outros teatros de operações militares, mesmo quando dão lugar a privilégios idênticos, a uma mesma pregação papal e a recompensas espirituais do mesmo tipo, fossem contra pagãos do Báltico, muçulmanos da Espanha ou "hereges", cátaros ou albigenses, valdenses e outros movimentos religiosos que reclamavam um evangelismo resolutamente hostil à Igreja Romana, por essa razão designados pelo papado como inimigos a serem combatidos em nome da Cruz.

O prestígio um pouco mitificado de Jerusalém e do Sepulcro subsistiu inclusive depois da perda definitiva dos Estados de além-mar, em 1291. No século XIV, era de bom-tom para certos cavaleiros ter sua cerimônia de adubamento realizada no Sepulcro do Senhor. A criação da Ordem dos Cavaleiros do Santo Sepulcro indica a persistência do ideal de Cruzada numa época em que a ideologia cavaleiresca expressa-se através das ordens laicas de cavalaria.

Jean Flori
Tradução de José Rivair Macedo

Ver também

Bizâncio e o Ocidente – Cavalaria – Centro/periferia – Deus – Escatologia e milenarismo – Fé – Guerra e cruzada – Igreja e papado – Peregrinação

Orientação bibliográfica

ALPHANDÉRY, Paul; DUPRONT, Alphonse. *La Chrétienté et l'idée de Croisade* [1954-1959]. Paris: Albin Michel, 1995. (Com posfácio de Michel Balard.)
BALARD, Michel. *Les Croisades*. Paris: MA Éditions, 1988.
BECKER, Alfons. *Papst Urban II. 1088-1099*. Stuttgart: Hiersemann, 1964 e 1988. 2v.
COWDREY, Herbert Edward John. *Popes, Monks and Crusaders*. Londres: Hambledon, 1984.
DELARUELLE, Étienne. *L'Idée de Croisade au Moyen Âge*. Turim: Bottega D'Erasmo, 1980.
DUPRONT, Alphonse. *Du Sacré. Croisades et pèlerinages*: images et langages. Paris: Gallimard, 1987.
FLORI, Jean. *La Première Croisade: l'Occident chrétien contre l'Islam*. Bruxelas: Complexe, 1997.
_____. *Pierre l'Ermite et la première croisade*. Paris: Fayard, 1999.
LABANDE, Edmond-René. Recherches sur les pèlerins dans l'Europe des XIᵉ et XIIᵉ siècles. *Cahiers de Civilisation Médiévale*, Poitiers, v.1, p.156-68, 339-47, 1958.
LOBRICHON, Guy. *La Prise de Jérusalem*. Paris: Seuil, 1998.
PELLEGRINAGGI E CULTO DEI SANTI IN EUROPA FINO ALLA 1ª CROCIATA. Convegni del Centro di Studi sulla Spiritualità Medievale, 8-11/10/1961. Todi: Accademia Tudertina, 1963.
PETERS, Francis E. *Jerusalem*: the Holy City in the Eyes of Chroniclers, Visitors, Pilgrims and Prophets from the Days of Abraham to the Beginnings of Modern Times. Princeton: Princeton University Press, 1985.
PRAWER, Joshua. *Histoire du royaume latin de Jérusalem*. Paris: Éditions du CNRS, 1969-1970. 2v.
RÉGNIER-BOHLER, Danielle. *Croisades et pèlerinages*: récits, chroniques et voyages en Terre Sainte, XIIᵉ-XVIᵉ siècle. Paris: Laffont, 1997.
REY-DELQUÉ, Monique (ed). *Les Croisades*: l'Orient et l'Occident d'Urbain II à Saint Louis, 1096-1270. Milão: Electa, 1997.
RICHARD, Jean. *Histoire des Croisades*. Paris: Fayard, 1996.

RILEY-SMITH, Jonathan Simon Christopher. *Les Croisades.* Tradução francesa. Paris: Pygmalion, 1990.

_____. *The First Crusaders*: 1095-1131. Londres: Cambridge University Press, 1997.

ROUSSET, Paul. *Les origines et les caractères de la première croisade.* Neuchâtel: Baconnière, 1945.

SIGAL, Pierre-André. *Les Marcheurs de Dieu.* Paris: Colin, 1974.

LE TEMPS DES CROISADES. *L'histoire,* Paris, fev. 1999. (Número especial.)

WILKINSON, John. *Jerusalem Pilgrims before the Crusades.* Warminster: Aris & Phillips, 1977.

Jogo

O duque Aymon conduziu seus quatro filhos à corte do imperador Carlos, que os armou cavaleiros. Durante os festejos que se seguiram ao adubamento, Renaud, depois do jogo da *quintaine*,[1] inicia uma partida de xadrez com Bertolai, sobrinho do imperador. Rapidamente, o tom sobe entre os dois jogadores. Bertolai agride Renaud, que, não obtendo justiça do imperador, apanha o tabuleiro e lança-o sobre seu parceiro, arrebentando-lhe o crânio, princípio de uma longa gesta de barões revoltados contra Carlos.

A anedota, tirada de uma lenda épica do começo do século XIII, lembra os três principais componentes do jogo. Em primeiro lugar, um dispositivo material que se utiliza para jogar — no caso, um tabuleiro. Em seguida, um corpo de regras, regras que parecem a origem da disputa entre os dois cavaleiros. Enfim, uma prática, quer dizer, um conjunto de gestos acompanhados pelos jogadores, conjunto que se situa num contexto espacial, temporal e social. Aqui, o jogo de xadrez inscreve-se quase no coração do adubamento, constituindo-se, assim, em um importante ato aristocrático.

Considerado às vezes como uma "invariável humana" (G. Gusdorf), o jogo representa uma especificidade no Ocidente medieval? Para responder a essa questão, é preciso seguir os três componentes evocados no parágra-

---

1 Jogo de armas que consiste em golpear — e desviar-se dele — um manequim que, encaixado em um pivô, movimenta-se sobre seu eixo e desfere contragolpes. [N.T.]

fo anterior. Não se pode esperar muita ajuda da terminologia, tanto que o termo latino *ludus*, que as línguas vulgares não retomaram, é polissêmico, aplicando-se a todas as formas de divertimento, em particular às peças de teatro. Apenas os jogos de azar, os jogos intelectuais e os jogos esportivos serão abordados aqui.

O dispositivo material

Inventários e contas dos príncipes, textos literários ou regulamentares, mas também buscas arqueológicas e representações iconográficas, dão a conhecer um material lúdico abundante e variado, sobretudo para o período que se estende do século XII ao XV. Para as épocas anteriores, a coleta é menos rica. Não concluamos disso, entretanto, que a Alta Idade Média tenha desconhecido qualquer atividade lúdica.

Nesse conjunto predominam os dados, objetos lúdicos mais que milenares e que as pesquisas arqueológicas exumam em abundância. Talhados geralmente em ossos, às vezes em madrepérola ou madeira, muito raramente em vidro ou metal, esses cubos distinguem-se de seus ancestrais romanos pelas dimensões sensivelmente menores, não ultrapassando mais do que 1 cm de lado. Eles são rigorosamente cúbicos, as arestas muito pouco marcadas. Fabricados por artesãos especializados (contam-se sete em Paris em 1292), vendidos por armarinheiros, os dados são objetos pessoais que se levam consigo. Alguns estatutos conservados desses artesãos permitem precisar melhor seu aspecto: eles devem ser corretamente "pontuados", quer dizer que a soma dos pontos das duas faces opostas deve ser sempre igual a sete; eles não devem nem ser lastreados com chumbo ou azougue, nem tornados mais leves por procedimentos diversos; suas arestas não devem ser arredondadas pela fricção com pedras. Tantas disposições visam deixar o dado perfeitamente aleatório e impedir todo tipo de trapaça. Como essa qualidade é difícil de ser obtida, não é surpreendente que os jogadores procedam frequentemente a um exame minucioso dos dados antes de se lançar numa partida, como testemunha um *fabliau*: *O padre e os dois malandros*.

É somente no século XI que aparecem no Ocidente os jogos de xadrez, introduzidos a partir do Oriente pela conquista árabe ou pelo comércio dos varegues. As peças conservadas dessa época são raras, raridade encoberta pelo brilho de algumas séries prestigiosas, como o chamado jogo de *"Charlemagne"*[2] (uma produção do Sul da Itália do final do século XI) ou o jogo de Lewis, em madrepérola de morsa, fabricado na Escandinávia no século XII. Quanto aos tabuleiros medievais, são sobretudo as descrições literárias, com todos os seus exageros, e os inventários principescos do fim da Idade Média que nos permitem conhecê-los. Objetos pesados, de grande tamanho (às vezes de 1 m de lado), são feitos de madeira preciosa, de azeviche e marfim, e sua decoração pode utilizar ouro, prata, jaspe, âmbar, cristal e pérolas. À semelhança daquele que é mencionado no inventário dos jogos do duque Luís de Anjou (1380), são obras de arte de grande luxo e de alto preço. Ao lado das peças finamente decoradas que devem acompanhar esses tabuleiros, mas que em geral não resistiram à avidez dos séculos posteriores, a arqueologia exuma peças sensivelmente menores, talhadas simplesmente na madeira e utilizadas nos meios mais modestos, como as peças descobertas em Charavines (Isère) e datadas do século XI.

Canções de gesta, literatura cortês e contos principescos fazem alusão aos jogos de mesa e de amarelinha cujos diagramas são frequentemente figurados em miniaturas, gravadas nas pedras, nos muros ou bancos dos claustros. A arqueologia, por seu lado, forneceu numerosas fichas – às vezes apressadamente associadas a peças do jogo – que certamente devem ter sido utilizados nos divertimentos que são os ancestrais do *trictrac*, do *jacquet*, do *backgammon*[3] e do "jogo do moinho".[4]

Deixando de lado os materiais utilizados durante as *quintaines* e os torneios, práticas lúdicas que se aparentam mais a treinamentos do combatente, e os que se prestam aos jogos de armas (arcos, balestras e escudos), o Ocidente medieval jogou, sobretudo, com objetos que a terminologia

---

2 Conjunto de peças de um jogo de xadrez que teria sido ofertado a Carlos Magno pelo califa de Bagdá, Harun al-Rachid, e que se encontra na Biblioteca Nacional de Paris. [N.T.]
3 Os três são variações do jogo de gamão. [N.T.]
4 Jogo de tabuleiro dividido em casas no qual há um percurso a ser seguido e cujas peças são movimentadas de acordo com os números obtidos com o lançamento de dados. [N.T.]

da época mal permite diferenciar. Bolinhas de gude, bolas e varas, tacos de madeira ou metal, pinos de madeira e bastões para derrubá-los são os instrumentos de numerosos jogos que se encontram às vezes na iconografia, em particular na margem dos manuscritos.

As bolas servem à *soule*, ancestral do rúgbi e, sobretudo, a partir do fim do século XIII, ao *jeu de paume*.[5] A bola da *soule*, uma grossa esfera da madeira, com mais frequência é uma esfera de couro recheada de estopa, espuma ou serragem, do tamanho de uma cabeça. Para o *jeu de paume*, as bolas utilizadas nos são mais ou menos conhecidas pelos diversos regulamentos impostos a seus fabricantes pelas autoridades, como a ordenança de 1480 concernente aos "fazedores de bolas" da cidade de Rouen. São pesadas bolas de couro, causadoras de numerosos acidentes, o que explica, sem dúvida, a intervenção das autoridades. O material interior, em geral crina, deve ser cuidadosamente comprimido para que o objeto possa saltar bastante. Para jogar com as bolas ou pelotas, utilizam-se luvas especiais e depois, por volta do final do século XV, raquetes. É possível praticar o *jeu de paume* em qualquer lugar, mas rapidamente impuseram-se locais arrumados seguindo as normas de uma arquitetura particular, nas cidades como nas moradias principescas, sobretudo a partir do século XV. A utilização de bexigas de porco ou de boi, introduzidas num envelope de couro e cheias de ar, é conhecida desde a Alta Idade Média, mas não se propaga antes do fim da época aqui considerada.

As cartas de baralho, que não aparecem antes do terceiro terço do século XIV, constituem a única verdadeira novidade no arsenal de jogos do Ocidente medieval. Sua origem exata não pôde ser determinada com certeza e continua a ser objeto de controvérsias. Aliás, raras são as cartas antigas conservadas. Para conhecê-las, é necessário recorrer às folhas dos moldes, bastante numerosas, e às indicações esparsas contidas em alguns estatutos conhecidos de fabricantes de cartas, datados do século XV.

Material sofisticado, em geral associando técnicas de diversos artesãos (carteiros, gravadores, pintores etc.), elas não são apenas imagens pintadas.

---

5 Jogo no qual os participantes utilizam a palma da mão para bater na bola e arremessá-la ao campo adversário. [N.T.]

Formadas de três papéis diferentes colados juntos, elas são mais produtos de arte que de indústria, o que explica seu custo elevado e sua difusão em círculos restritos da aristocracia, primeiro italiana (tarô dos Visconti), europeia em seguida (cartas das cortes dos príncipes germânicos). Na França, os centros especializados na produção de cartas de baralho rapidamente se manifestam: Lyon, Toulouse, Avignon, Rouen... As novas técnicas de impressão vão assegurar o sucesso dessa produção.

Sensivelmente mais longas e menos largas que as cartas atuais, as cartas medievais não obedecem a um sistema emblemático unificado e a "vitória", relativa mas rápida, do sistema francês (espada, coração, quadrado, trevo)[6] sobre outros sistemas (bastão, copa, moeda, espada) explica-se, antes de tudo, por razões técnicas (silhuetas monocromáticas, de tamanhos constantes e de formas simples, fáceis de compreender). Os primeiros jogos a utilizar tal sistema aparecem em Lyon no final do século XV. Assim como os emblemas [naipes], as honras ou figuras das cartas de baralho não seguem um modelo único. A diversidade ainda reina em todos os jogos de cartas do Ocidente medieval.

As regras

Os jogos constituem conjuntos de regras que têm sua coerência própria. As regras podem evoluir em função de pressões internas (exploração do conjunto de possibilidades) ou externas (impacto do contexto sociocultural). É por isso que elas revelam testemunhos e contestações de uma percepção do mundo, seja sobre um plano real ou simbólico. No decorrer da Idade Média ocidental, sua evolução situa-se em três níveis, às vezes complementares, às vezes contraditórios: a diversificação, a codificação e a complicação. Os jogos anteriormente citados servem de exemplo disso.

Praticado em todos os lugares e em todos os meios, talvez o mais simples de todos os jogos de sociedade, o jogo de dados ilustra a diversificação. Na Renascença, Polidoro Virgílio afirma que existem seiscentas maneiras de jogar dados! Alguns textos literários, como *Le jeu de Saint Nicolas* (come-

---

6 Esses dois últimos naipes são conhecidos em português por ouros e paus. [N.T.]

ço do século XIII) e as cartas de remissão da chancelaria real francesa nos séculos XIV e XV permitem conhecer diversas regras. Em compensação, o primeiro manual dos jogos medievais, o *Libro del ajedrez, de los dados y de tablas*, redigido em 1283 por ordem de Afonso X de Castela, só se interessam por eles quando os dados dizem respeito aos jogos de mesa.

Os jogos de dados vão dos mais simples, como a *"griesche"* (lançar três dados para obter a maior pontuação), até aqueles que supõem combinações complexas nas quais cada jogada tem repercussões sobre as jogadas seguintes (por exemplo, o jogo de *"hasart"*). Entre os dois existem todas as variantes, em função da quantidade de dados utilizados e dos totais ou combinações a obter (por exemplo, o "rapa", no qual é preciso obter o maior número de pontos, mas aquele que tira uma trinca pode pegar todas as apostas num só lance).

A diversidade das regras está na origem das múltiplas contestações e querelas indicadas nas cartas de remissão. Em todo caso, em torno do fim da Idade Média, as mesmas regras encontram-se mais ou menos por toda a Europa, sem dar lugar, entretanto, a uma codificação oficial.

Complexo por essência, o jogo de xadrez transforma-se assim que chega ao Ocidente. Sua nomenclatura árabo-persa adapta-se às realidades sociais da Europa. Se o rei, o cavaleiro e o peão mantêm-se como tais, a carruagem torna-se torre e o elefante é transformado em juiz ou bispo, antes de virar o louco em certos lugares, ao final da Idade Média. A transformação mais importante é a do vizir, que se torna rainha, dama ou mesmo virgem, sem ver, entretanto, seus poderes aumentarem. As regras estão apenas parcialmente unificadas e diversas *assises* (maneiras de jogar) coexistem até o século XIII, sem falar da capacidade admitida a cada peça de saltar um adversário e da possibilidade de se determinar o seu deslocamento com a ajuda de dados. De fato, esse primeiro jogo medieval é uma expressão do combate feudal, onde predomina o corpo a corpo, a pequena amplitude dos movimentos das peças e a necessidade de "liberar" o terreno, sem uma autêntica preocupação de ganhos intermediários. O jogo está, então, desprovido de amplitude estratégica, conferindo prioridade à defesa e aos finais das partidas.

A grande revolução situa-se no fim da Idade Média. Estimuladas pelo desenvolvimento da literatura dos "problemas de xadrez", marcadas pelo desenvolvimento das novas técnicas de combate e como reação ao tédio gerado pelas partidas tradicionais, as regras modificam-se a ponto de aproximarem-se bastante das regras modernas. À exceção do rei e do peão, todas as peças podem tomar de longe, e a rainha, combinando as virtudes ofensivas do louco e da torre, torna-se a peça essencial para a condução da batalha. O jogo atingiu sua maturidade, ganhando em complexidade, quer dizer, em interesse, enquanto as antigas *assises* desaparecem. De tático, o jogo transformou-se em estratégico. Com pequenas diferenças de nomenclatura, sua prática está quase unificada em toda a Europa.

O *jeu de paume*, sobretudo o de quadra, que ocorre em um terreno delimitado, não é uma simples troca de bolas. As modalidades de sua prática, a organização dos locais onde se joga, a contagem dos pontos, tudo demonstra uma evolução em direção a um sistema mais complexo, e o êxito desse jogo em fins da Idade Média remete, por seu turno, a uma sociedade mais inclinada a apreciar os divertimentos que combinam destreza, aptidão física e capacidade de raciocínio.

Os "terrenos de jogo", de dimensões grosseiramente normalizadas e de arquitetura específica que lembra o claustro, associando espaço livre regularmente quadriculado, grandes muros verticais e galerias cujo telhado desempenha um papel importante na condução da partida, falam por si mesmos sobre a tendência a uma crescente complicação. Vão se ajuntar, ao final da Idade Média, a "cerca", o "buraco" e a "grade", alvos que as bolas têm que acertar em cheio, permitindo marcar pontos: tudo isso também indica complicação. A codificação rigorosa do sistema de "caças", os pontos que importa defender, e o controle preciso pelas autoridades das normas de fabricação das bolas, depois das raquetes, conferem originalidade a esse jogo, que é o primeiro a se afastar dos jogos tradicionais para se transformar em esporte, esperando as regras escritas que se estabelecem no decorrer do século XVI.

Entre os jogos esportivos, somente a *soule* parece desmentir esse esquema evolutivo e mantém-se imutável. Essa situação explica-se, sem dúvida, tanto pelas lacunas da documentação quanto pelas significações simbólicas de que o divertimento é portador.

Recém-chegado ao Ocidente, o jogo de baralho só é verdadeiramente praticado a partir do século XV. O jogo moderno aparece, na maior parte dos casos, como uma judiciosa conjugação de acaso e reflexão. No fim da Idade Média, ainda não é exatamente desse modo.

Associação de cartas de figuras e cartas numerais agrupadas em quatro séries emblemáticas cuja composição interna já é clássica, a não ser a ausência do ás, os jogos de cartas medievais colocam-se logo sob o signo da diversidade. Em 1534, Rabelais distingue 35 entre os do jovem Gargântua. De fato, a terminologia é enganosa e, entre os jogos praticados no século XV, predominam aqueles relativamente simples nos quais o objetivo a atingir é ter em mãos, no decorrer de uma ou duas rodadas, um certo total de pontos efetivos ou simbolizados por determinado agrupamento de figuras ou determinada sequência lógica. Tal é o caso do "fluxo", do *"glic"*, da "sequência", do "trinta e um" etc., conjunto que podia conhecer combinações variadas, mas cujo princípio permanecia idêntico. Ao lado deles, jogos de vaza como a "condenada", a *"luette"* ou as "vacas" eram talvez mais jogados por serem mais simples. O encontro entre esses dois tipos de jogos, encontro do qual nascem os jogos modernos, começa nos albores da Renascença.

Uma revolução idêntica àquela conhecida pelo xadrez acontece no fim da Idade Média com a introdução da noção de trunfo, vantagem suplementar à distribuição que o acaso rege sozinho, mas que convém utilizar com discernimento. O "triunfo" e sobretudo o tarô, jogo no qual vem se acrescentar às cartas numerais e figuradas uma série de 22 trunfos ou arcanos representando estados do mundo e símbolos diversos, ilustram essa transformação. A mais antiga lista conhecida de arcanos data do terceiro terço do século XV.

A prática dos jogos

Um material lúdico, regras mais ou menos elaboradas, mais ou menos complexas, mais ou menos reconhecidas, não é suficiente para dar conta da realidade dos jogos. Ainda é preciso saber quem os utiliza, quem os produz e para quais desafios. Acrescentemos a isso que os jogos, como toda atividade humana, são objetos de controle social. Desde então, seu valor no seio da comunidade nos dá indicações sobre seu papel e sua função.

Quaisquer que sejam os silêncios da documentação, todo o período medieval coloca-se sob o signo de um crescimento lúdico. Ainda que, por natureza, esse tipo de prática tenha tendência a escapar ao documento escrito, não há fontes sem alusões lúdicas a partir de 1300. O vocabulário, em particular pelo viés das metáforas, está impregnado de jogos. Estes adquirem cidadania a tal ponto que os tratados teóricos consagrados a este ou aquele jogo multiplicam-se.

No plano teórico, a transformação mais importante é certamente esse reconhecimento da pluralidade dos jogos. Passou-se do "jogo aos jogos", quer dizer que o jogo não é mais concebido como uma prática uniforme, mas como utilizações diversificadas, suscetíveis de imprimir suas marcas a numerosos gestos humanos e que, de fato, a exemplo de São Tomás de Aquino, convém distinguir cuidadosamente. Enquanto os jogos de azar, considerados de origem diabólica, continuam a ser quase unanimemente reprovados por representarem desprezo a Deus, a si mesmo e ao próximo, os jogos esportivos, praticados com moderação e com respeito a certas condições, começam a ser reconhecidos como louvável recreação dos corpos e proveitoso treinamento. Os jogos intelectuais, de sua parte, ocupam uma posição intermediária.

Pode-se dizer exatamente quem joga na sociedade medieval? Se uma resposta global positiva pode ser considerada, ela não deixa de colocar numerosos problemas. Um jogo nobre provaria a valorização das práticas lúdicas no seio da elite. Um jogo de clérigos demonstraria o fraco impacto dos interditos eclesiásticos. Quanto ao jogo dos homens de labor, seja agrícola, artesanal ou comercial, ele indicaria a existência, desde a Idade Média, de um tempo livre, quer dizer, de um tempo suplementar ao tempo consagrado obrigatoriamente ao trabalho e às obrigações domésticas, sociais ou administrativas.

Por mais imperfeitas que sejam, as cartas de remissão permitem, contudo, perceber em grandes traços a composição da população dos jogadores: população jovem, seguramente mais masculina que feminina, os jogadores ocasionais recrutam-se em todas as categorias sociais. A paixão lúdica não poupa ninguém, a ponto de que aqueles, como Joana d'Arc, que passaram a manifestar uma marcada aversão aos jogadores, parecem notáveis exceções. Ainda por cima se trata, nesse último caso, apenas dos jogos de azar. Os jogadores profissionais continuam, ao contrário, bem raros e só aparecem episodicamente a partir do final do século XIV, notadamente na Itália.

É preciso, bem entendido, nuançar. As possibilidades de aceder à demanda dos favores reais e sobretudo de se beneficiar deles, e então de figurar nos documentos acessíveis ao historiador, não são as mesmas para todos. Admitindo que haja super-representação de certas categorias nesses tipos de documentos, certas profissões parecem, entretanto, mais inclinadas que outras a sucumbir ao charme dos jogos, jogos de dados ou de cartas em particular. Tais são os homens de guerra, os escolares e estudantes, os oficiais e os "funcionários" e os clérigos. Notemos enfim que, quase sempre, os jogos se desenrolam no seio de uma mesma categoria social, entre parceiros conhecidos e reconhecidos, não favorecendo uma amálgama entre populações de estatuto e profissões diferentes. Todos esses divertimentos dão lugar a apostas, na maioria das vezes pecuniárias. Entre algumas moedas apostadas no fim da jornada na taverna, e que servirão para pagar as consumações, e as somas colossais jogadas de uma só vez por alguns autênticos esbanjadores, como Filipe, o Ousado, ou Luís de Orleans, existem muitos níveis de aposta.

Não existe jogo que não tenha sido praticado pela nobreza com mais ou menos fervor. No alvorecer do século XV, o jovem Luís de Orleans joga, desenfreadamente, com dados, cartas e no *jeu de paume*. É pelo jogo que a nobreza se distingue, é no jogo que ela exibe seu poder, sua riqueza e seu brilho. A educação cavaleiresca já dava um grande espaço à aprendizagem dos jogos de mesa e do xadrez, colocados no mesmo plano que a caça, o manejo das armas, o serviço da dama e a defesa dos fracos. No outono da Idade Média, ainda é assim que funciona, mesmo se, pelo viés do processo de imitação social, a burguesia ascendente conteste esse verdadeiro monopólio. É sem dúvida para se defender que a aristocracia manda fechar e cobrir os *jeux de paume* e leva-os para dentro dos domínios principescos.

Alguns jogos escapam, entretanto, às regras de discriminação social e à supervalorização das apostas. Assim, o jogo esportivo das barras pode reunir todos os jovens de um lugar (Carlos, o Temerário, destaca-se particularmente nesse jogo) e os nobres não se recusam a participar da *soule* anual, ainda que, na maioria das vezes, eles se contentem em organizar o evento, como um rito que se desenrolava diante deles e que lhes era devido.

Para honra dos restritos círculos das elites dirigentes, quer sejam civis ou, em menor grau, eclesiásticas, os jogos não deixam de ser nelas objeto de uma longa repressão por parte dessas mesmas autoridades. Quando redige a regras dos templários, no século XII, São Bernardo confunde numa mesma reprovação, os jogos de dados e de xadrez. No século XIII, São Luís condena explicitamente a prática desses mesmos jogos por seus bailios, chegando até a proibir a fabricação de dados e a integrar na legislação civil as disposições enunciadas pelos clérigos desde as origens do cristianismo e constantemente repetidas desde então. Por outro lado, a totalidade das regulamentações municipais consagra alguns de seus artigos aos jogos, em geral para os condenar estritamente. O caráter repetitivo desses interditos traduz por si mesmo a hesitação dos poderes diante dos fenômenos lúdicos, ao mesmo tempo que revela sua pouca eficácia.

O que os poderes reprovam nas práticas lúdicas? Já se disse, as autoridades eclesiásticas veem nelas uma encarnação do mal. Os jogos são perda de tempo, dom divino por excelência, atividades geradoras de distúrbios morais e sociais diversos, eles afastam de Deus e dos labores que se fazem ao serviço do próximo. Já que se revela impossível extirpá-los, convém controlá-los e limitar seu uso: os clérigos devem se esquivar deles e o leigos se limitar a uma prática moderada, entre gente honesta e com apostas bastante reduzidas. Os jogos que permitem a intervenção do azar, quer dizer, todos aqueles que podem aparecer ao mesmo tempo como meios de tentar Deus e como atividade usurária, devem ser severamente proscritos. Esse discurso global da Igreja, cuja argumentação é bastante pobre, dificilmente convence, também em razão das fraquezas do próprio corpo eclesiástico em face das seduções do jogo.

Em relação aos jogos, os poderes civis ocupam uma posição ambígua. Ligados aos poderes eclesiásticos, eles se acham presos entre a tentação de eliminar uma atividade reputada antissocial e imoral e o desejo de controlar o que lhe escapa. Os jogos, com efeito, são perturbadores da ordem social. Não somente transtornam a ordem pública devido às numerosas dissensões que suscitam, mas, além disso, desviam das atividades úteis ao bem comum dando a ilusão de ganhos fáceis, tendendo a apagar a frágil fronteira entre o tempo do trabalho e o tempo do repouso, fronteiras pela defesa da qual resistem príncipes, senhores e autoridades municipais. Por todas essas características, o jogo é considerado subversivo.

Não tendo nem os meios, nem a vontade de lutar eficazmente contra a paixão do jogo, os poderes públicos, cansados de combater, encontram-se na obrigação de transigir. Já em 1369, Carlos V interdita todos os jogos com a finalidade de favorecer apenas um, o tiro com arco. Essa medida, inspirada por disposições idênticas dos príncipes ingleses, parece ainda se ligar à preocupação com o bem público, quer dizer, com a defesa do reino. Em seguida, de uma atitude repressiva para com os jogos, os poderes passam progressivamente a uma abordagem fiscal. Uma vez que os jogos existem e que não é possível lutar contra eles, melhor tentar tirar proveito material ou moral. Semelhante transformação explica a multiplicação das casas de jogos controladas pelas autoridades. Os duques de Borgonha, mais tarde imitados por outros príncipes, tornaram-se mestres na utilização das casas de jogos em seu proveito exclusivo, quer seja material ou político. Com efeito, essas casas foram seu instrumento preferido tanto para cobrir os déficits permanentes quanto para recompensar ou assegurar-se sólidas fidelidades.

Mais numerosos, mais diversificados, regrados e regulamentados, os jogos do Ocidente medieval traduzem a evolução geral da sociedade. Sua transformação interna dá conta da vontade de reduzir o papel do acaso, deixando-lhe, ao mesmo tempo, uma parte não negligenciável que permite assumir as prudências aborrecidas da vida cotidiana. A ela se acrescenta o êxito do gosto do risco nascido da emergência de práticas econômicas de marcadas características agonísticas e a ponto de se expandirem pelo mundo inteiro.

O futuro dos jogos é de início selado pelo reconhecimento de suas aptidões pedagógicas. "De todo homem se pode fazer um homem", dirá Comenius no século XVII. Por recorrerem a práticas imitativas, portanto instrutivas, por lembrarem a todo momento, ao mesmo tempo que os eufemizam, um certo número de interrogações fundamentais para o homem (a vida ou a morte, a graça ou a danação, a vitória ou a derrota), os jogos fazem parte da formação do indivíduo. A evolução do reconhecimento de tais capacidades confunde-se com a história dos jogos ao longo da Idade Média.

41

Tal história não pode ser separada da história do lento nascimento do Estado moderno, que visa pacificar o espaço social apoderando-se do controle dessa pacificação. Nesse sentido, a evolução dos jogos medievais traduz perfeitamente o processo de civilização evidenciado por Norbert Elias. Quando, no século XIII, os goliardos, *clerici vagantes*, celebravam o jogo por provocação, iam de encontro aos valores da sociedade feudal. No século XV, jogar é um gesto tolerado, se não reconhecido ou exaltado, que pode fazer parte de uma sociabilidade aristocrática ou burguesa. "As ruas da cidade estarão de novo cheias de homens jogando", já dizia o profeta Zacarias.

Jean-Michel Mehl
Tradução de Flavio de Campos

Ver também

Corte – Idades da vida – Nobreza – Violência

Orientação bibliográfica

CAVACIOCCHI, S. (ed.). *Il tempo libro*. Prato: Le Monnier, 1995.
DUMMETT, Michael. *The Game of Tarot*. Londres: Duckworth, 1980.
EALES, Richard. *Chess*: the History of a Game. Londres: Batsford, 1985.
ENDREI, Walter. *Spiele und Unterhaltung in alten Europa*. Hanau: Dausien, 1988.
FARENC, Évelyne. *Jeux en Angleterre au XIVᵉ siècle*. Paris, 1987. (datilografado).
GILLMEISTER, Heiner. *Kulturgeschichte des Tennis*. Munique: Fretz, 1990.
HEERS, Jacques. *Fêtes, jeux et joutes dans les sociétés d'Occident à la fin du Moyen Âge*. Paris: Vrin, 1982.
HUIZINGA, Johan. *Homo ludens*: o jogo como elemento da cultura [1938]. Tradução brasileira. 4.ed. São Paulo: Perspectiva, 2000.
CAILLOIS, Roger (org.). *Jeux et sports*. Paris: Gallimard, 1967. (Encyclopédie de la Pléiade.)
MEHL, Jean-Michel. *Les Jeux au royaume de France, du XIIIᵉ au début du XVIᵉ siècle*. Paris: Fayard, 1990.
RIZZI, A. *Ludus/ludere*: giocare in Itália alla fine del Medio Evo. Roma: Viella, 1995.
SEMRAU, Franz. *Würfel und Würfelspiel im alten Frankreich*. Halle: Niemeyer, 1909.
VERDON, Jean. *Les Loisirs au Moyen Âge*. Paris: Jules Tallandier, 1980.

Judeus

"A política medieval a respeito dos judeus seguiu um curso oposto ao da tendência econômica geral [...]. Sob esse aspecto, pode-se com certeza falar de lei histórica." Com essa fórmula lapidar, Wilhelm Roscher, historiador economista alemão do século XIX, quis sugerir a existência, na sociedade medieval, de uma relação ao mesmo tempo direta e inversa entre o destino reservado aos judeus e o progresso da economia. Os judeus, na opinião de Roscher, serviriam, numa primeira etapa, como tutores coletivos de povos "jovens". Desde que se envolveram em um processo geral de crescimento, estes teriam se libertado da relativa dependência à qual estiveram anteriormente submetidos, multiplicando as perseguições antijudaicas. Os grupos sociais em concorrência direta com quem os tinham iniciado nas práticas do comércio e do dinheiro seriam então os principais advogados e os protagonistas interessados nessas perseguições.

A tese claramente exagera a importância dos fenômenos sobre os quais chama a atenção. Mas ela tem pelo menos dois méritos. Primeiro, com razão ela sublinha o distanciamento entre uma primeira Idade Média em que, de fato, comunidades judaicas e sociedades majoritárias viviam próximas e livre de tensões, e uma outra Idade Média, que começa no século XII, época de expansão em ritmo acelerado e que marca a degradação constante das condições de inserção dos judeus, até o questionamento final dessa inserção com expulsões em série. Considerar as correlações que essa tese esclarece leva em seguida a se interrogar sobre a natureza e a eficácia relativa dos fatores que entram em jogo nessa deterioração contínua, deterioração cuja mais nítida expressão é provavelmente a constituição do que será aqui designado como "antissemitismo medieval", que substitui um antijudaísmo mais antigo, ele mesmo reativado nos séculos XII e XIII.

Esse antissemitismo procede do conjunto de representações cuja propagação é encorajada pelo poder eclesiástico, e das políticas que ele prescreve: tal conjunto as refunde e contesta ao mesmo tempo. É conveniente insistir aqui sobre as condições de sua "invenção", já que o antissemitismo moderno será, por sua vez, elaborado a partir dele, através de uma relação complexa, feita tanto de uma real renovação dos conteúdos como de um simples rejuvenescimento do vocabulário. Devemos ainda corrigir o esquema de Roscher distinguindo não dois, mas três períodos, e decompor a "segunda Idade Média" em duas épocas distintas: uma Idade Média central, que iria até a virada dos séculos XIII e XIV ou até a peste negra (1348), quando as políticas dos Estados a respeito dos judeus reproduzem as da Igreja, numa relação mimética e concorrencial; uma Idade Média tardia, que às hostilidades advindas do antijudaísmo "teológico" acrescenta suas transposições vulgarizadas, adaptadas à sensibilidade de massas recentemente penetradas por um cristianismo rudimentar, assim como um novo antissemitismo de influência mais ampla – daí uma "desestabilização" no fim da qual, em torno de 1520, a presença judaica na Europa ocidental e central será apenas residual.

A história intelectual e religiosa dos judeus está submetida a ritmos claramente independentes de rupturas que procuram definir uma periodização baseada nas mudanças de atitudes da sociedade majoritária a seu respeito. É um fenômeno notável o aprofundamento do estudo talmúdico marcado, na Europa do norte dos séculos X e XI, pela apropriação renovada dos conhecimentos e dos textos da Lei oral – no sentido mais amplo – e, em seguida, pela formação do círculo de autores de "adições" (ou "tossafistas"),[1] cuja obra coletiva imediatamente toma lugar no *corpus* proposto a cada um, no quadro da literatura rabínica. De outra parte, o

---

1 Comentadores do *Talmude*. [N.T.]

"pietismo renano" (entre 1170 e 1250, mais ou menos) oferece um corretivo à exasperação do intelectualismo legalista manifestado pela produção dos tossafistas, no sentido de uma reabilitação de valores religiosos diferentes daqueles que estão ligados unicamente às manifestações de um domínio do saber. O trabalho sobre o texto talmúdico e o pietismo testemunham a vitalidade das comunidades judaicas da Europa do norte, mas é preciso se conformar em apenas citá-los.

Destacar-se-á, pelo contrário, a constituição simétrica nos séculos XII e XIII, entre a França meridional e os países ibéricos, de duas correntes "metatalmúdicas", uma filosófica, outra cabalística: dado fundamental, pois vai levar à organização de um tipo de mapa intelectual do mundo judaico com configuração estável, que se encontrará ainda no século XVIII. Haverá, no centro, os "talmudistas", que se dedicam exclusivamente ao estudo dos textos da Lei oral. Uma ala é formada pelos "filósofos" adeptos das Luzes medievais, substituídos no século XVIII pelos adeptos das Luzes modernas (no quadro do movimento da Haskala). Do lado oposto, os cabalistas da Espanha do século XIII, os partidários das novas construções místicas desenvolvidas na Palestina do século XVI, e os hassidins da Europa oriental do século XVIII participam todos de uma mesma sensibilidade, situada além de inflexões doutrinais muito diversas e prodigiosamente complexas.

Surgidas na época que a história do Ocidente designa como medieval, essas duas correntes, filosófica e mística, marcariam, segundo Gershom Scholem, a chegada do momento propriamente medieval da história judaica, no sentido de que tais correntes corresponderiam à elaboração de ideologias capazes, ou desejosas, de oferecer uma nova garantia ou uma chance de revigoramento a uma cultura religiosa que não mais provoca uma adesão imediata e anterior à apreciação crítica – naturalmente, as ideologias intervieram numa segunda fase, depois daquela em que a concordância com o religioso visível era imediata.

Instalação tardia, desenvolvimento imediato

As comunidades judaicas instaladas nos reinos bárbaros desaparecem no decorrer do século VII. Mas os soberanos carolíngios favorecem a atividade de mercadores judeus, saídos do Oriente abássida. As comunidades judaicas estabelecidas nas regiões da antiga Mesopotâmia, que há séculos assumem a direção de outras diásporas, conhecem ali uma nova fase de prosperidade. Os comerciantes, que de início pertencem a essas poderosas comunidades, optam por se dirigir a regiões longínquas e novas, cujas elites procuram adquirir objetos preciosos que um nível inferior de civilização material os impedia de obter de outra forma que não recorrendo a fornecedores vindos do exterior.

Tal é o caso, por exemplo, dos judeus radanitas. Se sua origem permanece incerta (seu nome refere-se provavelmente a uma província das redondezas de Bagdá), seus itinerários comerciais nas terras pagãs da Europa eslava, do país "dos francos" e do mundo muçulmano são manifestamente idênticos aos itinerários de outros mercadores judeus nativos dos países do Islã – mesmo se eles apresentam a originalidade de alcançar toda a Eurásia, inclusive Índia e China. Ainda não se criara, na época carolíngia, uma implantação durável. Esta data, na realidade, do século X. Grupos familiares vindos das regiões do Mediterrâneo sob domínio bizantino e fixados na Itália do sul, sobem a península e, dirigidos por importantes figuras rabínicas, atravessam os Alpes. Fundam, então, entre a Bacia parisiense, a Champanha e a Renânia, comunidades destinadas a um rápido desenvolvimento: de cerca de 4 mil em torno do ano 1000, o número de judeus passaria para 20 mil nas regiões alemãs às vésperas da primeira cruzada (1096). Eles praticam também o grande comércio, mesmo que se perceba, através das fontes rabínicas que se multiplicam no século XI, que cada vez mais tomam parte nas trocas em escala local e na administração do patrimônio dos "poderosos", laicos ou eclesiásticos.

Assim, além da descontinuidade entre as duas vagas imigratórias que acabamos de distinguir, todo o período anterior à primeira cruzada apresenta os mesmos traços: seu papel econômico vale aos judeus uma proteção jurídica e a proximidade social com as classes dominantes; ao mesmo tempo, o prestígio dos modelos veterotestamentários em sociedades em curso de cristianização e ávidas por rituais, determina, nos fiéis simples de uma Igreja com deficientes estruturas de enquadramento, uma atração recorrente pelas práticas judaizantes.

A teologia da "servidão"

O aumento da violência descontrolada nas sociedades recentemente mobilizadas e tentadas no tempo das cruzadas a verem uma garantia de sua identidade religiosa na perseguição aos "inimigos" do cristianismo, leva a Igreja a especificar sua doutrina referente ao lugar dos judeus na Cristandade que ela tem a ambição de instituir. O rápido crescimento econômico, no século XII, é acompanhado por uma demanda de crédito sempre progressiva, e os judeus, destituídos no tempo da "revolução comercial" de seu antigo papel nos intercâmbios a longa distância, mas sempre detentores de liquidez, asseguram uma parte da oferta. Daí, para a Igreja, a necessidade – reconhecida com atraso – de tomar posição e de dar ou recusar-lhes autorização de praticar o empréstimo a juros. Daí também, para os Estados, o questionamento referente a seu direito de avalizar uma atividade da qual tiram proveito através da punção fiscal, fácil de exercer sobre os capitais e os lucros dos prestamistas judeus, desde então transformados em "intermediário[s] entre o fisco e as vítimas do fisco, bombeando o ouro de baixo e devolvendo-o ao rei em cima" (J. Michelet). Assim, as políticas da Igreja e dos Estados vão se ordenar, durante os dois grandes séculos da Idade Média central, em torno de uma noção – a da condenação dos judeus à "servidão" – e de um problema – o do empréstimo a juros. É, ao mesmo tempo, no prolongamento dessas políticas e contra elas que nasce o "antissemitismo".

O apelo à chamada "servidão perpétua" é solidária, do lado da Igreja, à aspiração a ver as práticas sociais se alinharem com a doutrina teológica da qual Santo Agostinho havia dado a mais clara formulação, utilizando uma referência escriturística que sublinhava a complementaridade de dois princípios opostos: "Não os mates, para que meu povo não esqueça! Com teu poder torna-os errantes, reprime-os..." (Salmo 59,12).

O primeiro princípio poderia ser qualificado de princípio de tolerância, caso se entenda o termo no sentido estrito de admissão da presença judaica. A primeira parte do versículo ("Não os mates") serve de garantia à ideia da utilidade da presença dos judeus, que atesta de forma independente a autenticidade das profecias bíblicas (consideradas como anunciadoras do mistério de Jesus) mesmo que eles não saibam decifrar o seu sentido. Inocêncio III toma, assim, o cuidado de mencionar o versículo nas primeiras linhas da bula de proteção aos judeus (*Constitutio pro Judeis*), publicada por cinco dos papas do século XII depois de Calisto II (1119-1124), e por todos do século seguinte. Assim, a ideia do testemunho involuntário feito pelos judeus em favor da verdade da religião cristão constitui a frágil base dessa afirmação de tolerância, que os detentores da autoridade monárquica têm em conta: uma cláusula do estatuto "Do judaísmo" (*De judeismo*), promulgado por Eduardo I da Inglaterra em 1275 e redigido em francês, lembra que *"par ceo Seinte Eglise velt et seoffre kil vivent et seient gardez, le Rey les prent en sa protection et lor doune sa pes"*.[2] O rei de Castela Afonso X sublinha igualmente, no seu código de leis *Las siete partidas*, que a Igreja e também "os imperadores, os reis e os outros príncipes permitem que os judeus vivam entre os cristãos" na condição de povo testemunha. Mas o testemunho ao qual se refere tem para ele um sentido completamente diferente: é o espetáculo do "cativeiro" (*cautiverio*) suportado pelos judeus para expiar o crime da Crucificação e o erro constituído pela insensibilidade deles, que deve convencer da verdade do cristianismo.

Uma teologia histórica, que reconhece nas prosperidades ou nos infortúnios do século o pagamento imediato dos méritos e deméritos acumulados, legitima então o segundo princípio, ao qual, supostamente, se refere a outra parte do versículo ("Com teu poder [...] reprime-os"): o princípio do aviltamento. Para a Igreja, ele deve ser respeitado em todas as relações entre judeus e cristãos, de forma que a inferioridade judia seja continuamente perceptível. Também convém proibir todos os tipos de relação que não respondam ao modelo prescrito, como a relação médico-paciente caso o médico seja judeu, e, para reduzir a frequência de relações que ofereçam muitas oportunidades de infração do código imposto, convém instituir uma rigorosa política de segregação. Daí, notadamente, a obrigação do uso de uma insígnia distintiva, editada durante o IV Concílio de Latrão (1215).

---

2 "Por isso a Santa Igreja quer e confirma que eles vivam e sejam protegidos, o rei toma-os sob sua proteção e lhes dá sua paz." [N.T.]

Ao mesmo tempo, a Igreja toma o partido de autorizar, se não encorajar, o empréstimo a juros praticado pelos judeus. De fato, ela só proíbe, ainda no Concílio de Latrão de 1215, as usuras "pesadas e excessivas", o que significa autorizar os juros moderados. Assim, ela criava uma exceção, que devia justificar, à regra geral que interditava o recebimento de juros no reembolso de um adiantamento de dinheiro, qualquer que fosse a taxa, e que não admitia distinção entre os grupos de prestamistas aos quais tal regra se aplicaria mais ou menos rigorosamente. Se o adiantamento de dinheiro constitui, antes de tudo, um empréstimo de consumo consentido a devedores aos quais se deve evitar cair na indigência, como admitir que o prestamista receba mais do que emprestou, e que seja assim traída a intenção caritativa? A Igreja considerava válida a distinção estabelecida no texto bíblico: "Não emprestes ao teu irmão com juros. [...] Poderás fazer um empréstimo com juros ao estrangeiro" (Deuteronômio 23,20-1). Mas era necessário, apesar de tudo, respeitar a proibição dos juros em todos os casos, já que a categoria de estrangeiro deixava de ser concretamente encarnada à medida que se instauravam relações uniformemente "fraternais". Recorreu-se, portanto, a um texto cuja interpretação extensiva confirmava e transformava ao mesmo tempo o sentido original. Ambrósio de Milão, no final do século IV, tinha explicado a autorização de empréstimo a juros ao "estrangeiro" aceito no parágrafo deuteronômico, relacionando-a às circunstâncias particulares da conquista da Terra Santa pelos hebreus. Estes, de acordo com o plano providencial, podiam e deviam prejudicar por todos os meios as populações que pretendiam expulsar: "Aquele que se vinga de um inimigo, que exige do adversário o pagamento de juros, combate sem espada. Onde há direito de guerra, há direito de juros". O decreto de Graciano (cerca de 1140) integrou o texto de Ambrósio, e considerou-se que as relações entre judeus e cristãos, marcadas pela hostilidade contínua, revelava-se de forma tal que os judeus tinham o direito de prejudicar aqueles que, para eles, entravam na categoria de "inimigos" – e, portanto, de praticar a usura.

Os Estados também usam a noção de "servidão": daí a redefinição, nos séculos XII e XIII, da condição jurídica dos judeus marcada pela presença de um elo de sujeição estreita ao poder central. No privilégio que concede aos judeus de Worms em 1090, o imperador Henrique IV sublinha que eles "pertencem ao nosso tesouro". O papa Gregório IX frequentemente utiliza a doutrina da "servidão perpétua" e a interpreta num sentido que destaca os direitos eminentes da Igreja; já Frederico II Hohenstaufen designa, em 1236, pela primeira vez, os judeus como "servos da Câmara" (*servi camerae nostrae*): a fórmula é em seguida de uso corrente nos atos da chancelaria imperial. Na França, São Luís considera que sua função real investe-o de uma responsabilidade especial com respeito aos judeus. Ele recusa autorizá-los a praticar o comércio do dinheiro, como lhe propõem alguns de seus conselheiros que ponderam que "o povo não pode viver sem empréstimos" e que a alma dos judeus está de qualquer maneira perdida. Para justificar sua posição, ele declara que "concerne [certamente] aos prelados cuidar dos cristãos e de suas usuras, [mas que] cabe [a ele adotar medidas] a respeito dos judeus, que lhe estão submetidos pelo jugo da servidão". Na Inglaterra, se a expressão *servi camerae* não é utilizada (mas "servo" está no estatuto "Do judaísmo", de 1275), inúmeros textos fazem referência às duas noções, de dependência exclusiva com respeito à autoridade real e de incapacidade de possuir e de adquirir. Na Península Ibérica, em compensação, é a formulação tanto quanto as noções às quais ela se refere que os textos constantemente registram: desde 1176, o *fuero* de Teruel menciona que os judeus são "servos do rei" e "pertencem ao tesouro". Ora, o enraizamento da noção de servidão que relaciona a admissão dos judeus aos serviços que prestam aos príncipes — "Que nenhum judeu permaneça na Inglaterra", ordena o rei Henrique III em 1253, "se não estiver a serviço do rei" — assegura a presença deles, transformando qualquer atentado à pessoa e aos bens dos judeus em prejuízo para aqueles a quem eles "pertencem", mas tal noção também fragiliza sua presença, já que a faz depender somente da vontade do detentor da autoridade pública.

O serviço ao príncipe consiste, antes de tudo, no exercício da usura. Para explicar a função do empréstimo judaico, os autores de um memorando submetido a Filipe de Hesse em 1538 utilizam a imagem da esponja absorvendo os recursos, e depois comprimida em benefício do poder: o texto é tardio, mas a ideia é antiga e tradicional (Michelet, entre outros, lança mão dela). As somas assim drenadas são consideráveis? Qual é o volume das atividades dos prestamistas judeus? O encorajamento dado pelos Estados é acompanhado de formas de taxação equivalentes ou chegam ao ponto de uma confiscação periódica dos bens? Tem-se a impressão de que o alcance das operações de crédito dos judeus encontrou um limite na origem quase sempre unicamente familiar dos capitais que usam os prestamistas, raramente associados (e nesse caso só servindo de testa de ferro para cristãos). Essas operações, ademais, nunca atingiram um grau de complexidade suficiente para permitir a aparição de meios de pagamento ou de técnicas bancárias de um novo tipo. Montesquieu atribuía aos judeus a invenção da letra de câmbio, destinada originalmente, na sua opinião, a contornar as consequências das expulsões, permitindo a transferência de capitais; via nela a primeira confirmação dessa vitória necessária da economia sobre a política, que deve obrigar os governos a "se curar do maquiavelismo". Ele certamente estava errado. Quanto às porcentagens de taxação, tal como se pode apreciá-las através dos raros dados disponíveis, variam sensivelmente, dependendo dos períodos e das regiões: os Estados podem recorrer ao expediente da taxação exorbitante para recompor, o mais rápido possível, as finanças públicas, ou renunciar a isso para proteger a promissora atividade de entradas fiscais contínuas. Por outro lado, a vulnerabilidade do capital judeu tem pelo menos essa clara consequência sobre o modo de estratificação social da comunidade judaica, atrapalhando a reprodução durável das fortunas, que circulam ou se recriam a um ritmo tal que entre seus beneficiários do momento e os outros, a distância social torna-se relativamente pequena.

Do lado dos detentores da autoridade que se aproveitam do comércio judaico de dinheiro, existe, é claro, uma dupla possibilidade de discussão: em primeiro lugar, se o príncipe tira proveito (através do imposto) de rendimentos provenientes de uma atividade assimilada ao roubo (a usura), ele não se torna cúmplice de um pecado? Por isso, São Luís não quer que "o pecado [dos usurários judeus] lhe seja imputado" e almeja, em 1257-1258, mandar restituir aos tomadores de empréstimos, quando for possível encontrá-los, as quantias que lhes foram "extorquidas". Sobre essa questão, a respeito da participação indireta do príncipe nos lucros obtidos em uma atividade pecaminosa, São Tomás, consultado pela duquesa de Brabante, adota uma atitude ambígua: uma boa utilização dos impostos cobrados sobre a usura, colocados a serviço do "bem comum", equivale a uma restituição aos devedores, ao menos no caso de não ser possível identificá-los com segurança. Isso é estabelecer a legalidade da taxação. Mas, então, vem a segunda dificuldade: com certeza, de imediato o príncipe comodamente se assegura das entradas de impostos por intermédio da usura dos judeus, mas se essa drena e taxa recursos que são matéria tributável, o príncipe, cuja riqueza depende da de seus súditos, não sai perdendo a longo prazo?

Contra essa tolerância embaraçosa, o antissemitismo medieval procura criar condições para uma desestabilização do estatuto dos judeus. Ele se organiza em torno de uma proposição principal: os judeus esforçam-se por todos os meios para dar prejuízo àqueles no meio dos quais vivem, e é sua tradição cultural e religiosa – o judaísmo – que os impele a essa intenção de prejudicar.

Rupturas: o antissemitismo medieval

Disso decorre o papel central da acusação de crime ritual. Quando ela surge no decorrer do século XII (pela primeira vez na Inglaterra, em 1144), ainda não tem um conteúdo preciso que colocasse em causa a obediência a um mandamento religioso específico; traduz sobretudo a ideia de que a hostilidade dos judeus para com as sociedades majoritárias é tal que eles seguramente procuram massacrar os cristãos sempre que têm oportunidade. Mas ela é rapidamente – e desde a primeira ocorrência – associada à repetição do crime primordial da Crucificação. O fantasma do uso ritual do sangue surge mais tarde, com a "questão" de Fulda, em 1236. Há nisso, provavelmente, um intercâmbio entre as representações ligadas aos judeus e aquelas concernentes à feitiçaria, já que, pouco antes de 1236, os "heréticos" da região de Oldenburg haviam sido acusados – pela reativação do antigo estereótipo que associava orgias sexuais e antropofagia – de constituir uma sociedade secreta praticante de um culto demonolátrico.

A ideia de que sua Lei oral ordena aos judeus expressar continuamente seu ódio ao cristianismo, está no centro do ataque dirigido contra a literatura talmúdica por volta de 1240. Certamente, os dois motivos alegados para a condenação do Talmude nos textos pontifícios que tratam disso parecem de outra ordem. De acordo com o primeiro, os judeus são culpados, considerando-os submetidos à obrigação de cumprir os mandamentos registrados num *corpus* escrito extrabíblico, de se afastar de sua própria religião: por isso, segundo o que declara Inocêncio IV, eles caem na heresia. A acusação ameaçava recolocar em questão o princípio de tolerância, fundado como se viu no testemunho trazido pelos judeus observando a Antiga Lei, até que ela foi finalmente abandonada. O segundo motivo poderia, em comparação, parecer negligenciável, já que se trata das "blasfêmias" anticristãs e corresponde a inquietações sem efetivo alcance. Mas o texto dos 35 detalhados motivos de acusação e o da relação hebraica da controvérsia que se desenrola em Paris em junho de 1240, mostram suficientemente que a noção de blasfêmia contra Cristo é utilizada em sentido ampliado: trata-se de estabelecer que os judeus adotam contra os cristãos um comportamento baseado em uma aversão ativa, prescrita por suas leis. Sob forma cristianizada, o que reaparece é a antiga acusação, corrente no mundo antigo, de "ódio ao gênero humano" (*odium humani generis*).

A "descoberta" da literatura rabínica leva à formação de um discurso erudito consagrado a seu estudo. É sobretudo na Espanha, no ambiente do secular enfrentamento das três religiões, que se multiplicam os tratados consagrados, inteiramente ou em parte, ao exame do judaísmo talmúdico. O esforço missionário, com todos os equívocos procedentes da associação entre uma curiosidade verdadeira pela cultura à qual se destina e uma ambição conquistadora, misturam-se às atitudes de denúncia veemente que oferecem uma garantia pseudoerudita — na ocasião fundada sobre um conhecimento pontual e real dos textos — às representações características do antissemitismo. Daí a contradição entre a tentação de um uso positivo de um *corpus* rabínico considerado digno de atenção e a orientação que preconiza uma condenação irrestrita.

À medida que se propaga a representação do judeu obstinado em arruinar a sociedade cristã, elabora-se todo um imaginário do complô. A ideia de conspiração surge desde o primeiro episódio de assassinato ritual. Não se dizia em Norwich, pouco depois de 1144, que representantes de todas as comunidades judaicas da Europa reúnem-se uma vez por ano e que, na sua última assembleia que ocorreu em Narbonne (onde se encontra uma comunidade muito antiga e ativa), encarregaram os judeus da Inglaterra de raptar e assassinar uma criança cristã? A escolha da comunidade de Norwich foi realizada, assegura Tomás de Monmouth, por sorteio, como se fazia todo ano. Relatos semelhantes circulam sobre as seitas heréticas descobertas em Colônia por volta de 1150, cujos chefes teriam confessado ser membros de uma contra-Igreja dirigida por um papa e bispos. As acusações de assassinatos rituais também colocam em causa não só a comunidade diretamente incriminada, mas todas as que se considera ter com ela cooperado, em escala nacional ou internacional. O complô no sentido pleno, projeto combinado e destinado a produzir a ruína da sociedade e dos Estados cristãos, só aparece no século XIV com a conspiração dos leprosos e dos judeus em 1321-1322 e com a ligada ao envenenamento dos poços em 1348.

Descrevendo os judeus sob os traços de um grupo animado por intenção maligna, o antissemitismo medieval procura pôr em funcionamento a causa de uma possível invalidação do princípio de tolerância: este não tinha, no quadro de endurecimento da atitude da Igreja nos séculos XII e XIII, adquirido um caráter condicional? Nos mais diversos textos, a mesma advertência havia sido repetida: se os judeus fossem tolerados pela misericórdia cristã (essa *pietas et gratia* sobre a qual os juristas notavam na ocasião que não era criadora de um engajamento definitivo), deviam em troca abster-se de causar prejuízos de qualquer tipo àqueles que os haviam acolhido e, para retomar a formulação de Inocêncio III, em nada "urdir a subversão da fé cristã". Desde então, a consideração das tramoias destrutivas dos judeus, que necessariamente ocorrem, pois respondem a um mandamento religioso, não deve levar à suspensão de um princípio na realidade inaplicável?

Em direção a uma época de intolerância?

As expulsões acontecidas em torno de 1300 (Inglaterra em 1290, França em 1306) são uma ruptura com a lógica das políticas seguidas nos dois séculos precedentes? Ou foram, ao final das contas, possibilitadas pelo encontro entre as ansiedades que nutriram as representações do novo antissemitismo e a preocupação dos Estados em agir pelo "bem comum", comprovando um engajamento religioso, garantia de uma transferência de sacralidade em seu proveito? Assinalemos, para dar uma ideia das realidades demográficas difíceis de avaliar, que a expulsão dos judeus da Inglaterra só atinge alguns milhares de pessoas e revela as dimensões de uma simples "operação de polícia", mas que o reino da França conta, em 1306, com mais de 100 mil judeus, conforme uma avaliação na verdade em grande parte hipotética. A estimativa do número de judeus na Espanha de 1492 é uma árdua operação: cálculos recentes, baseados em documentos fiscais de difícil utilização, concluem pela presença de uma população de menos de 100 mil pessoas – cifra surpreendentemente baixa se se considera que essa população de exilados está na origem do judaísmo sefardim.

Mais que as cifras absolutas, contam talvez dois dados relativos: ao menos na Península Ibérica, quanto mais as cidades são importantes, mais a população judaica é elevada, conforme uma "regra" encontrada na história dos judeus na época moderna. Os deslocamentos nos campos de judeus prestamistas, médicos, intermediários comerciais, dão à população judaica uma forte visibilidade, muito superior à sua presença quantitativamente negligenciável, já que os judeus constituem geralmente menos de 1% da população global (mesmo na Espanha, onde eles são proporcionalmente mais numerosos, chegam ao máximo de 2% a 3%).

Mas se a conjunção das formas de hostilidade em circulação nos séculos XII e XIII prepara o terreno para as decisões de expulsão tomadas na Europa do noroeste nos anos 1300, em que consiste a especificidade de um terceiro período, o da Idade Média tardia, que conclui o processo geral de erradicação? Provavelmente no caráter contínuo e não mais pontual de uma tal conjunção, que encontra expressões diferentes conforme os períodos. Aos massacres dos tempos da peste negra em 1348-1349, sucedem os tumultos antijudaicos que acompanham os enfrentamentos sociais dos anos 1380-1420, tal como, em particular, o ataque em 1391 aos bairros judeus em toda a Península Ibérica (com exceção de Portugal e Navarra). No tempo de novo progresso, após 1450, mantém-se um antissemitismo do qual uma das reivindicações características mais frequentemente formuladas é a exclusão dos judeus das atividades ligadas ao crédito e sua marginalização aos ofícios desprezados (*sordida oficia*). Em todo caso, é numa conjuntura de crescimento – possível confirmação da tese de Roscher – que a Europa central, por uma série de expulsões de caráter local, e a Europa mediterrânea, como resultado de decretos de expulsão que afetavam grandes conjuntos territoriais (Espanha e Sicília sob domínio espanhol em 1492, Provença em 1500-1501, reino de Nápoles em 1510) evacuaram suas populações judaicas.

Ainda nesse quadro de conjunto, a história dos judeus em terras ibéricas apresenta nessa época, como antes, traços distintos de outros lugares, à imagem da excepcionalidade da história espanhola geral. Nos séculos XII e XIII, as manifestações características de um "espírito de fronteira" que torna possível a inobservância das normas respeitadas em outras partes, e a estratégia de empréstimos à civilização muçulmana (que notadamente coloca à disposição do poder a contribuição de um círculo de judeus de corte), conjugavam seus efeitos para reduzir a severidade das leis e práticas de discriminação para com eles. Após 1391, as atitudes de abertura continuam bastante eficazes para que aqueles que apostam na inserção pela conversão possam se valer das chances de real desagregação oferecidas pela permeabilidade de uma sociedade bem organizada. A experiência integradora promovida na primeira metade do século XV provoca, em benefício dos convertidos (*conversos*), uma liberação social que traduz a concretização da promessa de acessibilidade dos centros distribuidores de poder e prestígio, promessa que tinha implicitamente acompanhado a ofensiva de enucleação de um judaísmo ibérico atingido primeiramente em suas elites.

Disso decorre a novidade simétrica de um antissemitismo afinado em seu teor com o fenômeno inédito de inclusão, que ele denuncia e combate, e cuja constituição – ao mesmo tempo no nível da elaboração de seus conteúdos e no de sua intervenção como força política e social mobilizadora – acompanha e provoca a inversão da tendência que faz a segunda metade do século XV ser para os "cristãos-novos" tempo de dificuldades e tragédia. Esse antissemitismo de novo tipo, que reage a uma promoção coletiva, superpõe-se ao que foi designado como "antissemitismo medieval". As manifestações de um e de outro encontram-se numa abundante produção escrita, que denuncia a entrada dos *conversos* na sociedade majoritária como resultado de um propósito partilhado por "cristãos-novos" e judeus, visando ou à conquista dela a partir do interior ou à sua destruição, e continuada sob múltiplas formas, das quais a mais temível é a do complô. Assim, um movimento contra a emancipação conduz à criação da Inquisição em 1478 e à expulsão dos judeus em 1492.

Filosofia e cabala: as oscilações

A cultura talmúdica organiza-se em dois conjuntos: aquele do qual surgem os textos e as práticas ligadas ao estudo do direito (*halacá*) e aquele formado pelos comentários exegéticos e pelos tipos de narrativas (*hagadá*) através dos quais se expressa o universo de representações transmitido pelo meio rabínico. Tem-se a impressão – e foi o diagnóstico de Scholem – de que a multiplicação e o agravamento das incertezas experimentadas, assim como um distanciamento para com a cultura talmúdica compreendida nos seus dois componentes, constituem realidades, na verdade difíceis de abarcar, em reação às quais filosofia e cabala mobilizam, mais ou menos ao mesmo tempo, seus discursos concorrentes: como se o projeto de uma e de outra fosse propor uma interpretação que permitisse a recondução aos conteúdos tradicionais. Não que se possa estabelecer uma correlação cronológica comprobatória. Os sinais de desafeição ou de perplexidade em relação à tradição são numerosos, em particular nas comunidades judias do espaço muçulmano na época de sua "primeira grandeza", acolhedor de todas as influências desde os séculos IX e X: ora, é bem mais tarde, no curso de um período precisamente circunscrito, entre o último terço do século XII e o começo do XIII, que se difunde a "filosofia" em um certo meio, transformado em "partido dos filósofos", e que se elabora definitivamente, em todo caso no nível de utilização atestado pelos textos, o conjunto de noções às quais a cabala não vai parar de se referir posteriormente. Pelo menos as circunstâncias imediatas que agem nessa curta conjuntura são claras: Maimônides oferece à filosofia a ajuda da autoridade devida ao reconhecimento que ele obtém como mestre dos estudos talmúdicos. Seu *Guia dos perplexos* suscita, logo após sua redação em árabe (1190-1191) ou sua tradução em hebraico (1204), entusiasmos ou oposições geradoras do mesmo tipo de perturbação de equilíbrio que o autor tinha – sem sucesso – tentado prevenir.

Quanto à cabala, a organização articulada de suas doutrinas opera-se, com certeza, independentemente das necessidades de uma sistematização que apelaria à ambição de oferecer uma "resposta" ao desafio lançado pela nova audiência da filosofia. Mas sua constituição como corrente de pensamento que recebe a adesão de um círculo de sensibilidade peculiar, notadamente obcecado pelo ódio à "filosofia" e ao seu espírito, insere-se bem numa fase de elaboração de contra-Luzes.

Para a filosofia como para a cabala, o período mais brilhante, o mais rico em renovações e enriquecimentos doutrinais, é o mesmo: o do século XIII prolongado até os anos 1320-1330. Assim mesmo, não há paralelismo rigoroso. A efervescência intelectual no meio filosófico não chega à elaboração de obras maiores: só se contam, para todo o período medieval pós-Maimônides, duas sínteses doutrinais poderosas, a de Gersônido e a de – aliás isolada e inspirada por uma recusa das posições correntemente partilhadas pelos "filósofos" – Hasdai Crescas. A cabala, ao contrário, produz seu monumento com o conjunto de escritos reunidos no *Zohar* (e redigidos no último quartel do século XIII e até pouco depois de 1300).

A recepção dos dois movimentos também é bem diferente. Os filósofos são geralmente suspeitos de alimentar um projeto de demolição, e suas intenções afirmadas são tomadas como habilidades que não devem enganar, enquanto a cabala não se choca com nenhuma oposição notável, fato um pouco misterioso mesmo se se levar em conta a capacidade das gnoses em se passar pela expressão mais fiel das religiões que invadem. Mas, mesmo sem conhecer uma aceitação idêntica, as duas orientações, apreendidas em seu conteúdo, têm um quê de simetria: ambas veem na aquisição de um tipo determinado de conhecimentos o termo de uma progressão que provoca um aumento de mérito religioso. Num caso, trata-se da apropriação argumentada dos conhecimentos filosóficos que os textos revelados presumivelmente apresentam de forma apodíctica. No outro, o acesso a um conhecimento teosófico que descreve as formas do desdobramento contínuo dos poderes em situação de equilíbrio dinâmico no interior da esfera intradivina. As duas orientações fazem assim, aparentemente, apelo a uma série de noções características, cujo emprego radicalizado conduz a questionamentos contrários ao anseio de uma revalidação da herança que partilhavam no começo.

É necessário dizer aqui uma palavra sobre os debates ligados ao que se chama, de maneira um pouco limitada, de "controvérsia em torno aos escritos de Maimônides", porque eles permitem apreciar ao mesmo tempo o poder da suspeição com que é vista a filosofia e a ambiguidade das posições defendidas por seus partidários. A controvérsia, que se desenrola entre os últimos anos do século XII e 1305, na Espanha e no Sul da França (mas na segunda etapa com intervenção dos rabinos da França do norte), passa por três fases. Num primeiro momento, e enquanto Maimônides ainda era vivo, é o problema do estatuto da crença na ressurreição que desempenha um papel deflagrador. A polêmica ampliou-se a seguir, e seus temas de fundo foram mais ou menos os mesmos na segunda e na terceira fase, ou seja, em 1230-1233 e em 1303-1305: denuncia-se uma "filosofia" que conduz a um desinteresse da prática religiosa e uma sobreposição, na interpretação das Escrituras, de um sentido último ligado à enunciação de verdades universais e atemporais, cuja decifração atribui uma insignificância relativa à narrativa da história particular de uma nação. Mas, no começo dos anos 1230, as obras de Maimônides são diretamente postas em discussão, e parece que o campo antirracionalista solicitou a intervenção das autoridades eclesiásticas, o que culmina num auto de fé dos exemplares do *Guia dos perplexos* – provocando assim, aliás, um efeito contrário, que contribuirá para tornar Maimônides mais ou menos inatacável. Nos primeiros anos do século XIV, a questão das formas possíveis de integração das disciplinas científicas e dos estudos "sagrados" no interior de um mesmo ensinamento chega ao primeiro plano: o anátema pronunciado em 1305, em Barcelona, atinge qualquer um que estudasse as ciências da natureza ou a filosofia antes de 25 anos de idade – de resto, não se tem certeza se a medida obteve efeitos concretos.

Percebe-se através do dossiê da controvérsia e do conjunto de textos nos quais os filósofos e seus adversários mutuamente se denunciam, que a "filosofia" serve de horizonte, ou de referência, para círculos de sensibilidade diferente. Na Espanha, alguns judeus cujas funções políticas e administrativas levaram-nos ao círculo dos soberanos e a frequentar as cortes, parecem atingidos pela incredulidade, e a libertinagem dos costumes surge entre eles com o desprezo que espíritos fortes têm pela religião e moral comuns. A maioria daqueles que receberam uma verdadeira formação filosófica aliam um intelectualismo exigente a uma prática impenetrável, e consideram a observância como condição indispensável da apreensão do divino – sendo frequentemente tentados a relegar o estudo talmúdico ao nível de uma disciplina peculiar, que não teria mais o privilégio de ver se organizar à sua volta o conjunto de uma cultura. Mas também existem filósofos que extraem, a partir de um fundo de ideias comum a todos aqueles que partilham a atitude filosófica, conclusões que alimentam uma crítica radical das religiões em geral, e da sua em particular.

Quanto aos cabalistas, seus métodos próprios permitem em princípio dar conta de um dos traços distintivos da tradição – a abundante prática ritual – e de incitar seu reforço. À exemplificação que estabelece uma relação de correspondência entre níveis de seres de condição superior e fenômenos do mundo sensível, acrescenta-se na cabala o princípio que reconhece às obras humanas, através da prática do comando, a capacidade de sustentar ou restaurar a harmonia entre as forças do Alto. O rito, desde então, não tem mais um simples valor subordinado, tornando-se a principal ferramenta graças à qual o homem, fiel ao seu próprio papel, institui um mundo divino agenciado em sua plenitude.

Filósofos como cabalistas distinguem, nos textos revelados, sentido manifesto e sentido oculto. Os filósofos admitem a dignidade positiva, no seu plano, do sentido aparente, e dão conta de sua utilidade, mas a lógica de sua abordagem, relacionando-se à necessidade de levar em conta as capacidades limitadas do senso comum, provoca uma desqualificação relativa do sentido literal. Da mesma forma, os cabalistas afirmam a legitimidade dos níveis de sentido situados aquém da interpretação mística, invólucros ou telas tornados indispensáveis pela própria sublimidade dessa última. Mas acontece que tal disposição dos níveis de sentido, de acordo com uma divisão quadripartida, transforma-se em oposição entre os três primeiros, denunciados por sua eficácia maléfica, e um sentido esotérico, único salutar. A cabala pode, assim, representar um papel que vai reforçar a tradição, como se passa na maioria dos casos no século XIII – mas suas tendências ou lógicas, reforçadas devido a uma reviravolta da tradição, podem se tornar as mais eficazes.

No tempo do Renascimento, o alargamento das curiosidades e a popularidade, no círculo do neoplatonismo, da ideia de uma verdade única e originária da qual seriam depositários os livros sagrados de antigas religiões, conduziram a atenção aos grandes textos da mística judaica e a seu estudo, do mesmo modo que aos escritos da tradição hermética, aos quais se dedicou tanto fervor por serem atribuídos a figuras bíblicas detentoras de uma revelação primordial. Interesse positivo ainda ambíguo, já que elege uma parte marginal da tradição judaica, que se presume testemunhar a presença de uma mensagem religiosa de sempre, que coincide com o cristianismo e volta-se, portanto, contra o judaísmo tomado na sua originalidade. Ao menos ele prepara o caminho para o deslocamento da inquietação do conhecimento em direção ao que é o centro do judaísmo pós-bíblico, ou seja, o estudo da Lei oral e de suas aplicações: a manifestação mais característica do "filossemitismo" no século XVII é a multiplicação das traduções de obras talmúdicas ou de tratados descrevendo as instituições da antiga sociedade judaica da época do Segundo Templo. Tal curiosidade pelas coisas do judaísmo acompanha a reviravolta das atitudes para com os judeus, marcada pela sua readmissão no seio da sociedade da Europa ocidental no decorrer do século XVII: readmissão que constitui uma primeira etapa no movimento de promoção que é ratificado pelos decretos de emancipação do fim do século seguinte.

Maurice Kriegel
Tradução de Flavio de Campos

Ver também

Estado – Fé – Igreja e papado – Império – Marginais

Orientação bibliográfica

BAER, Yitzhaq. *A History of the Jews in Christian Spain*. Tradução inglesa. Filadélfia: Jewish Publication Society of America, 1966. [Ed. original em hebraico, 1945.]

BLUMENKRANZ, Bernhard. *Juifs et chrétiens dans le monde occidental, 490-1096*. Paris: Mouton, 1960.

DAHAN, Gilbert. *Les Intellectuels chrétiens et les juifs au Moyen Âge*. Paris: Cerf, 1990.

IDEL, Mosché. *La Cabale*: nouvelles perspectives. Paris: Cerf, 1998.

JORDAN, William Chester. *The French Monarchy and the Jews from Philip Augustus to the Last Capetians*. Filadélfia: University of Pennsylvania Press, 1989.

KATZ, Jacob. *Exclusion et tolérance: chrétiens et juifs du Moyen Âge à l'ère des Lumières* [1960]. Tradução francesa. Paris: Lieux, 1989.

MARCUS, Ivan. *Piety and Society*: the Jewish Pietists of Medieval Germany. Leiden: Brill, 1981.

NAHON, Gérard. *Métropoles et périphéries sefarades d'Occident*. Paris: Cerf, 1993.

PINÈS, Shlomo. *La Liberté de philosopher: de Maïmonide à Spinoza*. Paris: Desclée de Brouwer, 1997.

SCHOLEM, Gershom. *As grandes correntes da mística judaica* [1941]. Tradução brasileira. São Paulo: Perspectiva, 1972.

SHATZMILLER, Joseph. *Shylock Reconsidered:* Jews, Moneylending, and Medieval Society. Berkeley: University of California Press, 1990.

STOW, Kenneth. *Alienated Minority*: the Jews of Medieval Latin Europe. Harvard: Harvard University Press, 1992.

YERUSHALMI, Yosef Hayim. *Sefardica*: essais sur l'histoire des juifs, des marranes et des nouveaux-chrétiens d'origine hispano-portugaise. Paris: Chandeigne-Librairie Portugaise, 1998.

Justiça e paz

No início do século XV, o teólogo francês João Gerson associou estreitamente paz e justiça para estabelecer os dois pilares da função real: "Justiça é o coração da paz, sua guardiã e sua nutriz", escreveu nos seus sermões. Na mesma ocasião, o Religioso de Saint-Denis, cronista atento do reinado de Carlos VI, fazia da paz a "irmã bem-amada" da justiça. A urgência dos tempos perturbados pelos confrontos do Grande Cisma, ou da guerra civil entre Armagnacs e Borguinhões, não explica sozinha essas preocupações teóricas. Desde os escritos de Santo Agostinho no século IV, poderosamente substituídos pelo sucesso das *Etimologias*, de Isidoro de Sevilha, a partir do século VII, os teóricos retomam os efeitos benéficos da união entre justiça e paz, que consideram necessárias ao bom governo. A partir do século XII, a difusão do direito romano deu-lhe novo fundamento testemunhadas pelas coleções de costumes redigidas a partir do século XIII. Contemporâneo de João Gerson, o jurista João Bouteiller, autor de uma dessas coleções, a *Suma rural*, fez o elogio da política, essa "ciência" que ensina "a governar o povo com justiça", isto é, "a saber manter o povo de uma cidade ou região em paz e união". Desde os tempos carolíngios, a união entre paz e justiça é da alçada da lei; de fato, a lei do príncipe tem por objetivo fazer reinar a paz, e a justiça serve, enfim, somente para aplicar a lei, indicando as distorções que lhe são feitas. A escutar-se os teóricos, a lei intervém, então, como ponto de apoio necessário à gênese do binômio justiça e paz. Os preâmbulos das cartas e ordenações dos reis de França renovam essa ideia. O rei justifica as reformas contidas nas ordenações, tomadas para "que nosso reino seja, em nosso tempo, governado em boa paz e justiça a fim de que nosso povo e nossos súditos possam ser aliviados de encargos, opressões e prejuízos indevidos, e viver em boa paz e união, como desejamos de todo nosso coração" (carta de Carlos VI, setembro de 1414). Que crédito conceder a essas exposições teóricas? Não se trata, de fato, de figuras de retórica que serviam para justificar o poder, mas de cuja eficiência prática se pode duvidar? A questão é saber o que implica a união da justiça com a paz, e se a justiça detém, sozinha, o monopólio da paz.

Em um primeiro momento, convém interrogar-se sobre a natureza e o campo de ação da justiça. Ela se funda na noção de autoridade pública e pelo seu caráter, a um só tempo oficial e legal, é fundamentalmente diferente da vingança, cujo objetivo é de ordem privada. Sua existência supõe que o poder esteja em condições de intervir para indicar a infração da lei, quer essa lei seja divina, civil ou natural, qualquer que seja a forma que tome a autoridade pública concernente, rei, senhor ou cidade. Mas a lei e a ordem podem ser identificadas somente com o sistema legal que representa a justiça pública? Teoricamente, a vingança não é um meio reconhecido para resolver conflitos porque, como diz ainda João Bouteiller, "não é conveniente aplicar a lei nem a vingança por uma falta cometida, mas deve-se recorrer à justiça". Para os teóricos do Estado ou do direito da época medieval, a vingança não pode, portanto, conduzir à paz, visto que a paz está ligada à justiça. Seu ponto de vista está amplamente confirmado em estudos atuais, que tradicionalmente ligam a vingança ao desencadeamento de uma violência ilimitada, em particular nas sociedades sem Estado, que por definição não teriam meios de possuir um aparelho administrativo judiciário. Por certo, a sociedade medieval, especialmente na França, não é uma sociedade sem Estado: este existe, mesmo quando no decorrer dos séculos X-XIII encontra-se fragmentado. E, paradoxalmente, esse Estado revela-se tão mais forte quanto mais pulverizado está; por exemplo, no quadro do senhorio banal cujo detentor exerce, em quadro geográfico modesto, poderes judiciários exorbitantes, que consistem em coagir, ordenar e punir.

A sociedade medieval permanece, entretanto, durante mil anos, uma sociedade em que a vingança foi um meio fundamental para resolver conflitos, simplesmente porque, além das necessidades inerentes ao aparelho do Estado, o laço social repousa em valores que legitimam de fato a prática da vingança. A sociedade medieval fundamenta-se no respeito às leis da honra. A honra ferida pelo adversário sob a forma de injúria implica réplica, um desmentido que pode ir até o derramamento de sangue. Às vezes, os crimes contra bens exigem também uma reparação imediata, sob pena de desonra. Assim, uma vingança pode degenerar em guerra privada. Esta conhece graus que variam segundo o objeto do delito, segundo o poder dos grupos que se formam e segundo a vontade de prosseguir dos participantes. Na sua forma extrema, ela se alimenta do ódio "mortal" e torna-se ela mesma uma "guerra mortal". Todas as camadas sociais são envolvidas por essas formas de violência, que alimentam o desejo de defender a reputação. O conflito que a vingança gera é por isso ilimitado?

As regras da vingança privada

Um estudo atento dos modos de resolução dos conflitos mostra que a vingança não tem livre curso sem suas próprias leis, que conduzem também à paz. O crime mais frequente, o homicídio cometido para vingar a honra ferida, é regulado pelo respeito a certo número de rituais que conduzem à paz. Esse procedimento começa pela fuga do culpado, que demonstra, assim, aos olhos de todos, a beleza de seu gesto – o homicídio é um "feito admirável" – e que marca a reabilitação necessária da honra. Essa partida purifica também o território que o sangue da vítima havia manchado. Permite, enfim, aos pais ou parentes das duas partes reparar o tecido social que o crime rasgou. A fuga do assassino é, portanto, o prelúdio necessário à instalação do processo de paz. Seguem-se discussões em que os "pais" e os "amigos" das duas partes negociam o acordo. Esse pode ser finalmente selado através de rituais que escapam em grande parte ao historiador, em particular quando se trata de simples transação que não deixou traços escritos. A paz é "acordada", isto é, jurada ao final da cerimônia, que quase sempre supunha a troca de uma refeição, de bebida, às vezes um beijo na boca, com eventual promessa de casamento, que une os pais e previne futuras guerras. O conhecido adágio dos antropólogos verifica-se aqui: casa-se com seus inimigos. Essas cerimônias ritualizadas são geradoras de esquecimento, de oscilação na direção do estado de paz, que cria o "bom amor" entre as partes. Compreendem também uma indenização material em dinheiro ou presentes, cujo significado não é apenas reparador. O preço do sangue é uma doação destinada a fazer renascer entre as partes o amor que o crime havia destruído. Assim nasce a transação, a paz privada entre as partes. Todos os tipos de delitos podem ser objeto de transações: roubos, estupros, ruptura de salvo-conduto etc. Com certeza, esse expediente não é obrigatoriamente rápido porque as palavras e as discussões entre as partes demandam tempo. O certo é que, durante esse período de espera, a paz é frágil, ameaçada pelas eventuais intervenções de "pais" e "amigos", que de um lado e do outro podem intervir para prolongar a vingança e transformá-la em *vendetta*. Ainda assim, o conflito está em curso de regularização. Para apressar, ou para proteger a paz ameaçada, as partes podem recorrer a um ou a vários árbitros. A transação assume, então, a forma de arbitragem. Quando a oficia, o árbitro não é um juiz, mesmo se frequentemente acontece de ele exercer essas funções em outros lugares. Os árbitros são, em geral, recrutados entre os *boni homini*, isto é, os notáveis da cidade, entre homens em contato com o direito, ou juristas qualificados, ou simplesmente entre os "especialistas" de fato, o taberneiro ou o pároco. Estes últimos impõem-se seja pelo seu saber, seja por pertencerem a redes de sociabilidade estreita, o que facilita a publicidade feita à paz privada. Nas cidades do norte, os árbitros, chamados de "pacificadores" ou "fabricantes de paz", constituem tribunais paralelos aos da justiça urbana. A transação, como a arbitragem, pode dar lugar à redação de um ato escrito, em geral passado diante do notário. Essas fontes estão conservadas sobretudo nas cidades francesas meridionais, mas são menos numerosas que na Itália ou na Espanha. Permanecem raras no norte, se bem que o domínio dessas transações, que dependem daquilo que os historiadores da época moderna chamam de "infrajustiça", tenha sido totalmente negligenciado pelos estudos medievais.

Conhece-se também muito mal os meios que os indivíduos e as coletividades usam para prevenir os conflitos entre grupos adversos, em particular a "trégua". Trata-se da promessa que um indivíduo faz de não atacar seu adversário, pessoalmente ou por meio de sua parentela. Romper uma trégua implica infringir tanto a lei tácita, frequentemente retomada pela justiça oficial, como a palavra dada. Durante muito tempo, os historiadores acreditaram que a trégua indicava uma prática empírica, que teria desaparecido no final da Idade Média. Na verdade, um estudo atento dos atos do Parlamento de Paris mostra que a trégua é um ato solene, praticado por todas as camadas sociais ao menos até o fim do século XV, e que para ser válida deve obedecer a um ritual que defina regras precisas, que variam segundo o costume da região concernente. A trégua não é a paz entre as partes contrárias, mas tenta evitar novos conflitos e pode chegar a uma paz privada quando as razões da desavença foram acertadas entre as partes, que podem recomeçar a compartilhar refeição e bebida.

A justiça pública

Como se situa a justiça oficial em relação a esses modos de resolução privados? O caso da trégua, que pode ser combinada na corte do Parlamento, mostra a estreita justaposição das resoluções privadas e das resoluções públicas. Nesse domínio, é preciso distinguir claramente a teoria da prática do poder judiciário. Na teoria, e à medida que se desenvolvem as referências ao direito romano, as decisões que dependem da alta justiça, em particular os crimes de sangue, não devem dar lugar a transações ou a arbitragens. "Todos os casos de crime estão excluídos", escreve Filipe de Beaumanoir, no século XIII. Efetivamente não é assim, e os modos de resolução privada para todos os tipos de crime, inclusive os de sangue, subsistem pelo menos até o século XVI. Essas práticas não são, como durante muito tempo se acreditou observando as sociedades baseadas na tradição, o prelúdio ao desenvolvimento de uma justiça oficial de Estado de que seria oriunda. Elas subsistem ao lado da justiça oficial de Estado quando esta se desenvolveu, imbricada nela, às vezes com o apoio teórico do direito canônico, que favorece a paz e a conciliação. O caso de acordos passados diante do Parlamento de Paris, ao final da Idade Média, é significativo. As duas partes, que estão empenhadas em processo no Parlamento, podem solicitar ao rei de França autorização para chegar a um acordo antes que a causa seja examinada. Julgado o requerimento das partes, a Chancelaria real pede então, em carta circunstanciada aos membros do Parlamento, que cedam ao pedido do requerente. Os motivos dados valorizam plenamente o poder pacificador do acordo e o papel de árbitro supremo que o rei desempenha nesse caso: o rei quer evitar o processo em curso para "alimentar a paz e o amor entre seus súditos".

Sem dúvida, a justiça legal é fonte de conflitos atenuados com sucesso pelo recurso à infrajustiça, com o assentimento do poder judiciário supremo. Os árbitros escolhidos frequentemente são membros do Parlamento, e em geral as partes devem trazer a carta do acordo diante do tribunal oficial, que verifica assim o valor do estatuto. Longe de se isolar no cível, os casos resolvidos podem tocar o criminal, é verdade que em pequena proporção. No Parlamento, os casos de processos criminais resolvidos por acordo não excedem 10% das petições, mas prosseguiram ao longo do século XV. Ora, o Parlamento deve dar o exemplo no reino. Portanto, a paz não está nos fatos, sendo filha exclusiva da justiça. Pode-se mesmo dizer que a paz é objeto de negociações, palavras e gestos que substituem iniciativas privadas, sem que predominasse por isso a anarquia no modo de resolução, porque tais iniciativas obedecem a regras tacitamente reconhecidas. Quem as promove? O povo, incontestavelmente, e, entre as pessoas do povo, os homens que atuam como negociadores. Mas as mulheres também participam amplamente, cozinhando o banquete da paz, condição necessária para que a transação tenha bom êxito. No século XI, por ter recusado preparar a refeição que poria fim a uma guerra privada, Adélia, grande dama da região de Gueldre, tinha atraído a vingança divina e provocado a fúria dos elementos até que foi obrigada a ceder; no final do século XIV, uma mulher de La Rochelle foi morta pelos golpes de seu marido por não haver cozinhado o pequeno ganso que fundava a transação que ele desejava concluir. Nessas condições, a mulher tem a paz em suas mãos, e seu grau de liberdade calcula-se em parte pela sua habilidade. Mas, à medida que a paz deixa a esfera do privado para entrar na do domínio do conhecimento público, o papel das mulheres acaba. A transação que se conclui é firmada por homens, na taverna, deixando que as mulheres, pelas alianças que se formam, sejam moeda de troca nos acordos. Enfim, o desenvolvimento da justiça oficial, que é um assunto quase exclusivamente masculino, marca o recuo das iniciativas femininas. De certa maneira, o respeito ao direito veio sufocar os fundamentos femininos da paz.

Os limites da justiça oficial

À medida que se desenvolve, pode a justiça oficial e legal impor a paz? A pergunta coloca o problema em termos políticos. As decisões judiciárias têm impacto suficiente para reparar o tecido social? Os objetivos que a justiça medieval persegue são aparentemente claros: entregar a cada um o que lhe é devido. Ainda nisso, as definições teóricas são repetitivas. João Bouteiller as resume perfeitamente, ao dar esta definição de justiça: "Justiça, segundo a lei escrita, é uma constante e perpétua vontade que confere a cada um seu direito". Decorre disso uma concepção retributiva da pena, quer dizer, o criminoso é, antes de tudo, punido porque cometeu um crime, mais do que para reprimir o crime ou preveni-lo. Contudo, a justiça ainda se exerce amplamente pelo exemplo e por meio de um terror coercitivo que o poder justiceiro pretende impor. A presença de cadáveres nas forcas tem um valor dissuasório. Os teóricos do final da Idade Média, como Cristina de Pisano, justificavam as virtudes de uma justiça exemplar: para que "os maus não ousem perseguir os bons", porque "eles bem saberão que a justiça do príncipe os perseguirá". Mas a justiça tem a eficiência que desejam os teóricos? A pena de morte é raramente aplicada e seu desenvolvimento precisa da adesão da população, que deve manifestar sua unanimidade diante da exclusão suprema, tanto ela a aterroriza. As condenações à morte podem ser, aliás, objeto de violentas críticas, conhecer tumultos populares que põem em causa a ação do juiz. Este, às vezes, é obrigado a mudar seu julgamento, estabelecendo uma multa honrosa sob pena de ver sua decisão ser considerada homicídio e tornar-se objeto de uma vingança. Essas ações contra a justiça oficial mostram que ela não é garantia total da paz e que a decisão do juiz ainda está longe de ser soberana.

De fato, a justiça oficial impregna a vida social por meios menos espetaculares. Pode se tratar do recurso às multas que sancionam os delitos mais simples, mas que, pela reincidência, colocam a justiça do rei na intimidade do privado, ou da ação dos oficiais de justiça que fazem aplicar a lei, por exemplo na interdição do porte de armas. Trata-se de uma obra de pacificação em profundidade e ao mesmo tempo uma aculturação política. Para melhor compreender o processo, convém refletir sobre os objetivos e os meios utilizados pelo poder. Na França, o rei não aspira a exercer o monopólio da violência, pois, como vimos, as formas privadas de resolução mantiveram-se até o fim da Idade Média e além. No entanto, o rei e os príncipes nos seus principados territoriais conservam um papel específico graças à justiça que mantêm. Eles são, ao mesmo tempo, juízes e árbitros, e como tais se inclinam mais ao perdão que à coerção. As cartas de remissão que emitem em grande número para todos os casos de crimes são o meio de conciliar a força do poder judiciário, que se afirma como soberano, com o espaço das resoluções privadas, visto que a satisfação da parte contrária é preservada ao cível. Os direitos do príncipe são exaltados por uma litania de fórmulas ao fim das quais o renome do culpado encontra-se restaurado, enquanto a paz entre as partes fica garantida. Mas a carta provoca também uma confissão obrigatória do crime, em um momento no qual a prática da confissão era rara. Esse diálogo que se estabelece entre o culpado e o príncipe cria uma relação privilegiada ao fim do qual o culpado torna-se um súdito ideal. Os resultados dessa aculturação política são lentos, mas seguros. As lições que a Igreja propaga contribuem consideravelmente para isso. No final do século XIV, o rei não apenas tem súditos, como pôde selecioná-los conforme suas qualidades. Entre estas, o bom súdito proclama-se "pacífico", sem querelas com seus vizinhos e pronto a recusar o "revide". O ideal de paz torna-se uma prioridade de seu comportamento. A justiça oficial, a dos juízes que impõem o poder, começa a tornar-se efetiva garantia de paz.

Claude Gauvard
Tradução de Daniel Valle Ribeiro

Ver também

Direito(s) – Masculino/feminino – Senhorio – Violência

Orientação bibliográfica

BOSSY, John (ed.). *Disputes and Settlements.* Cambridge: Cambridge University Press, 1983.

CHIFFOLEAU, Jacques. *Les Justices du pape*: délinquance et criminalité dans la région d'Avignon aux XIVe et XVe siècles. Paris: Publications de la Sorbonne, 1984.

GARNOT, Benoît (org.). *L'Infrajudiciaire du Moyen Âge à l'époque contemporaine.* Dijon: Universitaires de Dijon, 1996.

GAUVARD, Claude. *"De grace especial"*: crime, État et société en France à la fin du Moyen Âge. Paris: Publications de la Sorbonne, 1991. 2v.

GUENÉE, Bernard. *Tribunaux et gens de justice dans le bailliage de Senlis à la fin du Moyen Âge (vers 138-vers 1550).* Paris: Les Belles Lettres, 1963.

JACOB, Robert. *Image de la justice*: essai sur l'iconographie judiciaire du Moyen Âge à l'âge classique. Paris: Le Léopard d'Or, 1994.

LA JUSTICE AU MOYEN ÂGE (SANCTION OU IMPUNITÉ?). Aix-en-Provence: Presses Universitaires de Provence, 1986. (Col. Senefiance 16.)

KAEUPER, Richard W. *Guerre, justice et ordre public: la France et l'Angleterre à la fin du Moyen Âge.* Paris: Aubier, 1994.

KRYNEN, Jacques. *L'Empire du roi*: idées et croyances politiques en France, XIIIe-XVe siècle. Paris: Gallimard, 1993.

LÉVY, René; ROUSSAUX, Xavier (orgs.). *Le Pénal dans tous ses états*: justice, États et sociétés en Europe (XIIe-XXe siècle). Bruxelas: Facultés Universitaires Saint--Louis, 1997.

WHITE, Stephen D. Feuding and Peace-Making in the Touraine around the Year 1100. *Traditio*, Nova York, n.42, p.195-263, 1986.

Liberdade e servidão

No início, tudo está claro. A barreira que, na Antiguidade, separava liberdade e servidão não apenas se mantém como até se reforça. Os códigos jurídicos (lei sálica, lei dos visigodos, dos lombardos etc.) que os soberanos do Ocidente promulgam entre os séculos VI e VIII fundam todas as suas prescrições sobre essa clivagem essencial. A liberdade continua sendo definida segundo as normas da tradição romana, como demonstram claramente as fórmulas de alforria de escravos usadas na época merovíngia: "Eu absolvo este escravo de todo laço de servidão para que doravante, como se tivesse nascido de pais livres, vá a qualquer lugar que deseje e, como os outros cidadãos romanos, leve uma vida livre". O homem livre é aquele que pode circular livremente, que goza de capacidade jurídica alheia a entraves (poder de subscrever contratos, de transmitir herança...) e que, sobretudo, é protegido por um estatuto: ninguém pode castigá-lo arbitrariamente, posto que se submete apenas à jurisdição dos tribunais públicos. A essa concepção romana de liberdade acrescenta-se uma outra, de origem germânica: o homem livre é aquele que porta armas, participa das expedições guerreiras e é admitido na partilha do butim.

O escravo não tem estatuto. A escravidão não é uma condição, mas um estado. Sua definição só poderia ser negativa: inteiramente submetido ao poder de seu senhor, o escravo (*servus, ancilla, mancipium*) não possui recurso algum contra aquele que pode castigá-lo impunemente. Ademais, ele está ao mesmo tempo totalmente alienado em suas funções de produção (não pode possuir e, portanto, os frutos de seu trabalho escapam-lhe totalmente) e de reprodução (não pode escolher seu cônjuge e não detém poder algum sobre seus filhos, dos quais seu senhor dispõe à vontade). Longe de atenuar-se, a condição dos escravos parece, na verdade, agravar-se no decorrer dos séculos V e VI. A Igreja, de fato, encoraja as alforrias, mas ela própria não as pratica, coibindo-as no interior de seus domínios: libertar os escravos implicaria reduzir o patrimônio de Deus, repetem em uníssono os concílios da época. Pela voz de seus doutores (Santo Agostinho, Isidoro de Sevilha...), proclama ainda a legitimidade e a necessidade da escravidão, concebida como meio providencial de redenção da humanidade através da penitência. No âmbito da sociedade civil, o escravo é deliberadamente rebaixado ao nível de um animal. Nas leis dos séculos VI a VIII, as cláusulas relativas à venda de escravos encontram-se em meio àquelas que se referem ao comércio do gado. O mesmo acontece em relação aos furtos: na lei sálica, o roubo (ou o assassinato, pois o dano é equivalente) de um escravo é punido com uma multa de 35 soldos, maior do que a estabelecida para o caso de um porco (15 soldos), porém menor do que a relativa a um cavalo ou touro (45 soldos). Tal assimilação ao gado redunda em consequências diversas para a mão de obra escrava, dentre as quais a mais importante consiste em um processo de dessocialização, fenômeno observado em todas as sociedades escravistas: o homem livre reduzido à escravidão perde, por exemplo, todo vínculo familiar, e sua mulher pode casar-se novamente ao fim de um ano como se fosse viúva. Decorrem daí também todos os tipos de proibições de caráter sexual: as uniões entre mulheres livres e homens escravos são comparadas às práticas de bestialidade e reprimidas com a pena capital. Com relação aos castigos, o chicote e o porrete são recursos costumeiros. O direito de vida e morte do senhor sobre o escravo foi abolido apenas no reino visigótico da Espanha, mas mesmo lá a situação dele não melhorou: os senhores, privados do direito de matar seus escravos recalcitrantes, submetem-nos com frequência a terríveis mutilações.

Homens livres e escravos

Contudo, nem o grupo dos escravos, nem o dos homens livres é homogêneo. Em relação aos primeiros, os documentos distinguem claramente entre os "bons" ou "idôneos" (*idonei*) de um lado e os "vis" ou "vilíssimos" (*vilissimi*) de outro. São considerados "bons" os especialistas, escravos dotados de alguma habilidade técnica que lhes confere valor superior (ferreiros, carpinteiros, pastores, e mesmo guardas pessoais). Devem ser incluídos ainda nessa categoria os escravos régios, dos quais alguns – ou algumas – podem ascender a posições invejáveis (escrivães de chancelarias, domésticos palacianos, concubinas reais). Todos esses – embora sejam minoria – estão relativamente protegidos em razão de seu próprio prestígio. Os "vis" constituem a massa dos escravos rurais, mas deve-se ainda distinguir, nesse meio, os que trabalham em bandos nas reservas dos grandes domínios daqueles que, instalados em tenências,[1] podem desfrutar de uma precária vida familiar.

A sociedade dos livres é ainda mais dividida, atravessada pela linha de demarcação que separa os "poderosos" (*potentes*) dos "pobres" (*pauperes*). Essa fratura, ainda que seja menos radical do que aquela que faz a distinção entre livres e escravos – posto que define apenas duas classes de homens, não duas espécies –, não é menos determinante para o exercício da liberdade. Os *potentes* constituem uma alta, rara e riquíssima aristocracia. Eles são os Primeiros (*proceres, primates*), os Melhores (*optimates*), os Ilustríssimos (*clarissimi*). Detêm, sobretudo, em princípio por delegação régia, o monopólio quase integral das funções públicas. Sua vocação é comandar, e a liberdade de que desfrutam quase não conhece limites. Os *pauperes* são aqueles que trabalham e obedecem. A "pobreza", que define sua condição,

---

[1] O francês *tenure* (palavra que surge por volta de 1138, grafada *teneüre*), não tem equivalente preciso em português ("casal" é específico da história medieval de Portugal): apesar de nenhuma acepção dicionarizada de "tenência" designar uma terra concedida e recebida precariamente sob certas condições, usamos aqui a palavra na falta de outra melhor e porque, tendo também o sentido de "costume", não deixa de indiretamente se referir àquela complexa situação política, jurídica e econômica. [HFJ]

representa menos a indigência (são conhecidos *pauperes* proprietários de várias explorações agrícolas) do que a submissão, em níveis variados, a um poder. A insegurança e a miséria levam muitos deles a "encomendar-se", ato ritual que, em contrapartida da proteção e da subsistência recebidas, submete-os à dependência de um poderoso ao qual passam a dever obediência e serviço. Alguns, durante os anos particularmente difíceis, não possuem outra alternativa além de venderem-se – a si próprios e a sua descendência – como escravos. Os formulários merovíngios, e mesmo carolíngios, preservaram diferentes tipos desses contratos de alienação pessoal, e a lei justifica sempre tais práticas: "Qualquer um que pense em vender-se não é digno de ser livre", declara, por exemplo, a lei dos visigodos.

O quadro não poderia, contudo, ser excessivamente obscurecido. A decadência do Estado que veio após a queda do Império Romano não trouxe, para os humildes, apenas consequências nefastas: se, por um lado, ela precipitou vários deles na dependência dos grandes, por outro ocasionou também a liberação dos pequenos proprietários do peso extenuante dos tributos. O declínio das cidades significou igualmente o fim do parasitismo que faziam recair sobre os camponeses. Alguns setores do campesinato beneficiaram-se dessa conjuntura e desenvolveram formas originais de liberdade, como – ao menos entre os séculos VI e VIII – as comunidades de *ceorls* da Inglaterra anglo-saxônica ou as sociedades de *arimanni* (também chamadas "livres do rei") da Itália lombarda. Mas foi sobretudo nas regiões fronteiriças da Cristandade que esse campesinato independente adquiriu maior vigor. No reino das Astúrias, em Castela, na Catalunha, constituem-se nos séculos IX e X, diante do perigo muçulmano, robustas e dinâmicas comunidades de pioneiros. A liberdade desses homens fundamenta-se, inicialmente, na sua condição de camponeses-soldados, mas é fortalecida por uma intensa atividade arroteadora que lhes garante o domínio de até 80% do solo em certas regiões. Desenvolve-se, nesses casos, um regime de micropropriedade – o alódio camponês – sobre a base jurídica da *pressura* (em Castela) ou da *aprision* (na Catalunha), sistemas que conferem ao pioneiro a plena propriedade da terra desbravada ao fim de trinta anos de exploração ininterrupta. Nessas regiões, assim como em várias outras, muitos humildes foram capazes, durante muito tempo e até nos piores momentos, de preservar o essencial de sua liberdade enquanto se mantiveram armados, e a posse de um pouco de terra garantiu um mínimo de independência material.

Início das mutações

A rigor, as transformações delineiam-se desde a época carolíngia. Na Europa processam-se mutações decisivas que, ao avolumarem-se, terão por efeito revolucionar a ordem social e modificar radicalmente as próprias concepções da liberdade e da servidão.

A velha escravidão, cada vez mais inadequada e insuportável, declina, e em seguida agoniza. Tal decadência não constitui novidade. Ela não data, de fato, como afirmava a historiografia tradicional, da queda do Império Romano: não há dúvida de que jamais houve tantos escravos no Ocidente quanto no período consecutivo às invasões germânicas, situando-se nos séculos VI e VII o apogeu da instituição escravista. Contudo, pouco a pouco, modifica-se a atitude em relação ao escravo. Se a Igreja, nas suas altas esferas, mantém-se obstinada na legitimação da escravidão, a cristianização dos campos a humaniza. O escravo é batizado, admitido nos lugares santos, e sua ascensão à condição de cristão despoja-o da aparência bestial que lhe fora deliberadamente impingida pela sociedade dos livres. Seu destino aproxima-se ao dos mais humildes *pauperes*, de forma que daí em diante (a partir dos séculos VII e VIII) ele será progressivamente instalado em uma tenência – manso ou *censive* –, podendo levar vida em família. Nas camadas inferiores da sociedade, os matrimônios entre homens escravos e mulheres livres, e entre homens livres e mulheres escravas, ainda duramente reprimidos no século VII, tornam-se frequentes a partir do início do século IX. Por outro lado, vários progressos técnicos reduzem a necessidade do emprego maciço da mão de obra servil. A energia animal, utilizada de forma mais racional, e a energia hidráulica, cuja exploração aprimora-se constantemente, tendem a substituir o esforço humano nas tarefas mais árduas e fastidiosas. Para dar apenas um exemplo, a multiplicação de moinhos movidos a água libera as mulheres escravas da obrigação de passar uma grande parte do dia e da noite movendo as mós com seus próprios braços. Por fim, o estabelecimento de uma paz duradoura no interior do Império Carolíngio reduz o potencial do recrutamento: as capturas devem produzir-se cada vez mais longe, em regiões pagãs.

Com certeza, a captação de escravos não se esgota (como fica atestado pela escravização de milhares de saxões por Carlos Magno), mas tende a reduzir-se, ao mesmo tempo que se multiplicam as alforrias. Algumas devem-se à piedade de grandes proprietários (São Geraldo de Aurillac, por exemplo, liberta cem de seus escravos por ocasião de sua morte, em 909), mas a maior parte delas é motivada por razões de ordem econômica. Com efeito, desde os séculos VIII e IX a economia agrícola passa por um processo de crescimento paulatino, tendência vinculada a uma mobilidade da mão de obra incompatível com a rigidez do regime escravista. Como instalar escravos sobre tenências de arroteamento, frequentemente muito afastadas dos centros dominiais, sem previamente libertá-los? Segundo Pierre Toubert, o "pequeno proletariado dos libertos" está, em grau elevado, na origem da primeira expansão agrária. Mas seria equivocado imaginar que a libertação dos escravos rurais decorre apenas de progressos técnicos ou de transformações econômicas. A conquista da liberdade foi uma luta, ardente e obstinada, que se desenrolou por séculos e cuja história começamos apenas a vislumbrar. Ela foi marcada, certamente, por rebeliões muitas vezes sangrentas (no século III, no V e ainda em fins do século VIII, no reino de Astúrias), mas sobretudo por uma resistência surda e por fugas maciças (na Espanha e na Itália, no fim das monarquias visigótica e lombarda). Ademais, o nivelamento das condições sociais, que aproximou escravos e pobres livres, constituiu-se em um poderoso fator de assimilação. Desde o século IX, o processo de dessocialização, indispensável à sobrevivência de um verdadeiro regime escravista, deixou de funcionar. No século X, as menções a *servi*, *ancillae* e *mancipia* ainda encontradas em alguns documentos não passam de simples estereótipos. Em princípios do século XI, a escravidão de tradição antiga é apenas um vestígio anacrônico.

Em torno ao ano 1000, a impressão geral é a de que já não existia, em vastas regiões da Europa, outro estatuto jurídico além da liberdade. É o que ocorre em toda a vertente meridional da Cristandade – de Castela ao Lácio e da Auvergne à Catalunha –, onde a palavra *servus* desaparece totalmente dos textos e o caminho parece estar franqueado ao advento de um campesinato verdadeiramente independente. Mas o conceito de liberdade, no momento mesmo em que se generaliza, é privado de sua substância: a liberdade dos humildes, que sempre se mantivera frágil, torna-se ilusória. Ela perde, um a um, todos os seus atributos, tanto os de natureza militar quanto os de caráter econômico e judiciário. A evolução do armamento e dos métodos de combate torna irrisórias as armas simples dos infantes. A guerra é monopolizada por especialistas que combatem a cavalo, altamente treinados e fortemente armados, os *milites*, reduzindo-se o camponês à condição de *inermis*, homem desarmado e à mercê de todas as violências. A evolução econômica favorece a concentração de terras: reduzida pelos donativos feitos à Igreja, fragmentada pelas partilhas sucessórias, a pequena propriedade rural desaparece pouco a pouco sob os golpes das más colheitas, em benefício da grande propriedade. O alódio camponês transforma-se em tenência. Por fim, a derrocada das estruturas estatais aniquila as últimas garantias que a justiça pública oferecia à independência dos humildes. As assembleias públicas, das quais participam os representantes das comunidades rurais — os *prud'hommes* — desaparecem, deixando o campo livre aos procedimentos sumários vinculados aos interesses dos potentados locais. O senhorio se estabelece. O senhor, que geralmente é o chefe de uma das inumeráveis fortalezas que se constroem por toda parte, impõe seu *ban* — o poder de comandar, de julgar e de castigar — a todos os homens que vivem na região em torno de seu castelo. Tais prerrogativas foram herdadas dos príncipes territoriais (condes, duques), que, por seu turno, receberam-nas do próprio rei. Mas, na medida em que são exercidas sobre um território reduzido, e submetido à sua única autoridade, os senhores desconhecem limites em sua exploração. Novas cargas e sujeições abatem-se sobre os homens — ainda teoricamente livres — que habitam no interior do senhorio e, como não possuem fundamentação legal, são designadas por "costumes" ou "usos" ("novos" ou "maus costumes", "novos" ou "maus usos"). Os primeiros documentos que lhes fazem referência datam dos anos 995-1020, oriundos de regiões onde a autoridade pública atingira níveis extremos de desagregação (Auvergne, Aquitânia), generalizando-se em seguida. Tal processo decorre do direito que se arroga o senhor de tomar (*tollere*), de requerer, de talhar: daí derivam a *tolte*, a *queste* e a talha, todas imposições arbitrárias. O castelão e seus agentes arrogam-se também o direito de requisitar a casa do camponês e de consumir suas provisões (direito de asilo ou de pousada). Eles podem ainda – e a lista das possibilidades é, por natureza, indefinida – erigir-se em juízes, impondo multas e o confisco de bens. Esses direitos são transmissíveis e alienáveis, isto é, podem ser doados, vendidos e enfeudados, e não tardou muito – em geral, no decorrer do século XI – até que viessem a pesar sobre as próprias pessoas dos dependentes. Cerca de 1025, na região de Toulouse, o marquês autoriza seus vassalos a doarem "homens e mulheres" em esmola às abadias, reservando-se a percepção da metade dos seus bens em usufruto. Quase simultaneamente (1027), o senhor de Déols, no Berry, lega aos monges de Issoudun "todos os homens livres" (*omnes homines suos ingenuos*) de alguns de seus domínios fundiários "para que, daí em diante, os monges possuam-nos [*possideant*] com toda a tranquilidade e liberdade". Assim, homens ainda designados como livres são doados e possuídos. De fato, impôs-se uma nova forma de dependência, que pode ser chamada de servidão.

Na Europa do norte, a evolução parece ter sido marcada por uma maior lentidão e complexidade, sem que, contudo, viesse a atingir resultados muito diferentes. Em princípio, mantêm-se as formas de sujeição de origem antiga. Alguns grupos, por vezes compactos, de *servi* e de *ancillae* subsistiram em certas regiões (Hainaut, Namurois) até o século XII, e mesmo além: na Inglaterra, os *nativi*, descendentes de escravos da Alta Idade Média, representam ainda 9% da população quando da redação do *Domesday Book*, em 1086. Por outro lado, o processo de aviltamento do campesinato livre manifestou-se mais cedo, em particular na região parisiense, onde, desde o fim da época merovíngia, os reis francos e seus auxiliares submeteram os colonos livres a um regime de trabalho forçado. Instalando-os, de boa ou má vontade, em mansos ditos livres, buscaram deliberadamente (sem atingir pleno sucesso) assimilar a sua condição à dos escravos alojados em mansos servis. Do mesmo modo, o *ban* real – prefigurando, de longe, o *ban* senhorial – pôde impor a esses mesmos dependentes um regime de sanções muito pesadas e, acima de tudo, derrogatórias do direito comum. Decorre daí uma generalização dos castigos corporais, cujos excessos Carlos, o

Calvo, busca timidamente limitar quando proíbe, em 864, que escravos e colonos (portanto, homens teoricamente livres) sejam golpeados com um grande bastão, permitindo apenas o emprego de varas. Mas, tanto nessa como em outras regiões, foi no século XI que se introduziram as mutações decisivas, com a instauração do regime senhorial. Pode-se percebê-lo com extrema clareza no caso da Inglaterra, onde, segundo o testemunho do *Domesday Book*, nos vinte anos que seguiram à conquista normanda (1066-1086), o número de camponeses livres (*sokemen, freeholders*) decaiu brutalmente, ao passo que cresceu o dos rendeiros sujeitos à corveia. Assim, por toda parte, o modelo de sociedade que mantinha uma minoria de trabalhadores – de importância variável segundo zonas distintas – sob uma cruel sujeição, mas que tolerava amplos espaços de liberdade nos campos, foi substituído por outro (o regime senhorial ou feudal) que, se introduziu formas mais tênues de dependência, estendeu-as praticamente à totalidade das populações rurais.

O feudalismo

No âmbito da sociedade feudal, inteiramente fundada sobre o princípio do vínculo pessoal, não há nada mais relativo ou subjetivo que a noção de liberdade. O equívoco de muitos historiadores residiu em pretender defini-la de forma unívoca – assim como a seu oposto, a servidão –, perspectiva que causou infindáveis controvérsias. A rigor, ambos os termos – liberdade e servidão – remetem tanto à história das mentalidades quanto à do direito. Um certo indivíduo, ainda que se proclame livre e apresente provas que o confirmem, pode ser considerado um "servo impudente" por sua comunidade. Um outro sabe que é servo, mas, investido por seu senhor em uma função administrativa, detém autoridade sobre homens livres e tira disso vantagens e prestígio. O fato é que a clivagem entre livres e não livres não é mais de ordem jurídica, como na Antiguidade e na Alta Idade Média, mas de cunho social. De um lado estão os senhores do *ban* e seus auxiliares, a saber, no essencial, os barões e seus cavaleiros; de outro, o conjunto daqueles que, seja qual for o seu estatuto teórico, estão submetidos às imposições banais e sujeitos ao senhorio.

Livres entre os livros, os membros das altas linhagens, nascidos "em berço nobre", "de sangue glorioso", descendem na maior parte dos casos de magnates da Alta Idade Média. Adalberon de Laon define-os como "os que não sofrem coação de nenhum poder e, protegendo grandes e pequenos, protegem-se a si próprios". Para tais indivíduos, a liberdade efetiva-se na imunidade e na impunidade. Em torno deles concentra-se uma numerosa tropa de cavaleiros, vassalos de origem muitas vezes humilde, porém enobrecidos pelo serviço das armas. Exaltada ao máximo, a cavalaria acaba por identificar-se com o conjunto dos valores nobiliários, entre os quais se destaca a liberdade, ao lado da coragem, da generosidade, da cortesia e de tantas outras virtudes. Para exaltar a figura do cavaleiro, os trovadores afirmam, por exemplo, que ele é *tan pros* ("tão bravo"), *tan gens* ("tão nobre"), *tan valent* ("tão corajoso"), como também *tan francs* ("tão livre")... Na mentalidade cavaleiresca, a liberdade é inseparável da nobreza, sendo um dos componentes do *Pretz*, do Valor, do Preço que distingue os bem-nascidos. Ela é, sob tal aspecto, inerente à ordem nobiliária, que não exclui a dependência, com a condição de que esta seja "honrosa", quer dizer, contraída entre nobres. Chega-se ao paradoxo de considerar a homenagem vassálica um ato probatório, e mesmo criador de liberdade, pretendendo a ficção que o vassalo seja livre para escolher seu senhor e que cumpra seu serviço por vontade própria. A mesma homenagem, prestada de acordo com ritos semelhantes, será considerada servil quando feita por um camponês: no Languedoc e na Catalunha, nos séculos XII e XIII, a prestação de homenagem por um rendeiro é suficiente para provar a sua servidão, o que demonstra claramente que a liberdade transformou-se em questão de classe.

À primeira vista, por consequência, não há, fora das cortes feudais – como afirma um dos personagens de *Percival* – nada senão *vilenaille et pute servaille*. Para o trovador Peire Vidal, as expressões *val meins que pages* ("vale menos que um camponês") e *val meins que niens* ("vale menos que nada") são estritamente sinônimas. A evolução da língua traduz com perfeição a carga de desprezo que oprime o campesinato: não ser nobre corresponde a ser ignóbil (*innobilis*), e o vilão (etimologicamente um habitante da *villa*, da aldeia) é por definição um ser grosseiro, do qual não se pode esperar nada além da vilania. Nessas condições, não faz sentido reconhecer a qualidade de homens livres a tais criaturas. E infeliz do aldeão que, por um ato julgado insolente, reivindique algo indevido: Cligès (outro herói de Chrétien de Troyes) "levanta a espada e, com um golpe, corta-lhe a perna como se fora um ramo de funcho".

Entretanto, abandonando a literatura cavaleiresca para consultar a prática corrente, percebe-se logo que tal campesinato, totalmente subordinado e, para retomar a expressão de Adalberon, docilmente resignado a sofrer eternamente, existe apenas no imaginário dos grupos sociais dominantes. Na realidade, cada uma das situações, desde a servidão absoluta à liberdade plena, depende das circunstâncias e das relações de força locais. Os verdadeiros servos, assim designados nos documentos, são pouco numerosos: alguns autores (Léo Verriest em particular) restringem seu número ao dos descendentes dos *servi* (escravos) da Alta Idade Média que subsistiram em algumas regiões da Europa do norte. Essa posição extrema é insustentável, uma vez que, sob outras denominações, encontram-se dependentes cuja situação pode ser assimilada a uma autêntica servidão. Eles são designados por apelativos extremamente diversos: homens de corpo, de cabeça, próprios (*de potestate*), homens naturais, ou simplesmente "homens", expressões que enfatizam a dependência pessoal, corporal, que os liga a seu senhor. Outros se encontram em semelhante situação pelo fato de explorarem tenências consideradas servis: trata-se da servidão dita "real" dos homens de *caselage* ou de *masade* do Languedoc. Às vezes, amplas parcelas da população rural foram reduzidas a um estado que, embora não caracterizado pela nomenclatura, é muito próximo da servidão: é o caso dos *villeins* ingleses (definidos como "pessoas vis e miseráveis" por uma lei de Henrique I), dos *pageses de remensa* catalães, dos *mezquinos* navarreses ou aragoneses. A servidão da maior parte desses homens deve-se tão somente ao fato de residirem no interior de um senhorio (na Inglaterra, de um *manoir*), já que sua primeira característica é a de serem "*manants*" ("colonos", de *manere*, "habitar") submetidos à arbitrariedade de seu senhor. Esta é inicialmente exercida por meio de exações mais ou menos regulares — talha *à merci*, ou *queste* (daí o nome de *questaux* dado aos servos do Béarn ou da Gasconha) — que incidem sobre os rendimentos dos dependentes. Depois vem a submissão de natureza judiciária. Depender apenas da justiça de seu senhor e não dispor de recurso em face de suas decisões (ser incapaz de testemunhar contra ele, por exemplo) são marcas específicas da não liberdade, especialmente quando a justiça senhorial tende a confundir-se com o simples direito de punição. Devem-se considerar, por fim – e talvez sobretudo –, as obrigações e limitações derivadas da dependência corporal. Entre elas, a incapacidade de possuir plenamente um patrimônio e, portanto, de legá-lo livremente: disso decorre a *mainmorte* francesa, o *heriot* inglês, a *exorquia* catalã. E também a submissão ao senhor na escolha do cônjuge, o que leva à proibição de matrimônio fora do senhorio, proibição suspensa ao arbítrio do senhor e mediante o pagamento de uma compensação pecuniária (taxa de *formariage*). Por fim, os censos recognitivos da dependência e que pesavam sobre a cabeça (o chefe) do não livre: a *chevage* na França ou a *infurción* em Castela. A servidão, seja qual for sua origem e a designação com que apareça nos documentos, constitui sempre uma marca hereditária que implica a total incapacidade do indivíduo de dispor de si próprio e de seus bens, culminando na possibilidade de seu senhor vendê-lo ou legá-lo, com ou sem sua tenência: "Os condes, os barões e os rendeiros livres podem vender legalmente seus camponeses [*rusticos*] como bois ou vacas", declara uma sentença inglesa de 1244.

Todas essas sujeições são frequentemente compensadas por uma efetiva prosperidade material. Taxados de "miseráveis" no início do século XII, numerosos *villeins* ingleses concentram, no século XIII, riqueza maior do que a de muitos *freeholders*: paradoxalmente, o caráter inalienável da tenência servil acaba por protegê-la do processo de fracionamento, e, além de não poder ser amputada, graças à expansão agrícola ela se amplia consideravelmente. Em muitas regiões, é entre os servos ricos que os senhores escolhem seus oficiais administrativos, intendentes ou bailios. Em certos casos, as tenências de alguns servos chegam a ser assimiladas a feudos. Servidão não significa miséria, assim como liberdade não significa abastança, longe disso.

Como último retoque neste quadro, convém destacar que em várias localidades (de fato, no século XIII, na maior parte das regiões francesas) a evolução do regime fundiário, ao restringir e até suprimir as corveias (cada vez menos rentáveis em função do progresso das técnicas), reduz a dependência camponesa vinculada à posse de uma tenência. O rendeiro aluga, por contrato escrito ou oral, as parcelas de terra que explora e cultiva por sua livre vontade, e a duração dos contratos (frequentemente perpétuos) faz que se sinta seu legítimo possuidor. Além do pagamento de um censo, equiparado a um aluguel da terra, sua única obrigação é comprar a autorização do senhor nos casos de venda, hipoteca ou sublocação do patrimônio. A rigor, o rendeiro tornou-se um homem livre ou, mais exatamente, para empregar a linguagem da época, um homem franco.

As franquias

A concessão de cartas de franquia – forma mais usual de acesso à liberdade para os dependentes dos senhorios – estende-se por um período de cerca de três séculos. As causas dessas concessões são extremamente variadas. Em primeiro lugar, encontra-se a constante pressão exercida pelas populações submetidas visando obter a abolição dos "maus usos". Ela foi particularmente ativa nas cidades, onde o caráter arbitrário das exigências senhoriais, com os entraves que impunham à economia urbana, tornaram-se cada vez mais abomináveis à medida que se desenvolviam as atividades comerciais. Decorrem daí as frequentes insurreições, muitas vezes sangrentas, que dão o tom à história do movimento comunal (Le Mans, 1069; Laon, 1112; Sens, 1147), quando os citadinos, agrupados em associações juramentadas, lançaram-se ao assalto do poder senhorial, algumas vezes com êxito. Porém, na emancipação de cidades e aldeias prevaleceu menos a violência do que o espírito de compromisso, favorecido pela conjuntura. O clima econômico eufórico dos séculos XII e XIII autorizava os senhores do poder a renunciar, sem prejuízo, às taxas mais impopulares e a relaxar a rigidez dos serviços exigidos. Ele enriquecia os burgueses das cidades, mas também permitia aos vilãos acumular moedas suficientes para adquirir sua liberdade, e de fato muitas franquias foram vendidas a preço elevado. As mentalidades também evoluíram, particularmente entre os grupos dominantes, e os barões acabaram por compreender que uma tributação moderada, mas regular, poderia ser mais vantajosa do que uma extorsão exorbitante. Ocorre, portanto, uma tomada de consciência de que os interesses do senhor e os da comunidade coincidiam mais do que se opunham.

Liberdade e servidão

Das duzentas cartas de franquia concernentes às aldeias picardas dos séculos XII e XIII, Robert Fossier encontrou apenas dez em que o senhor parece ter sido efetivamente forçado à concessão. Por fim, a autoridade real, em pleno processo de renovação, impôs-se com frequência como fiel da balança, tomando a iniciativa da concessão de franquias e aproveitando a ocasião para estabelecer, nos poderes municipais que fundava, uma espécie de contraponto ao poder dos feudais. Tal estratégia caracterizou ainda a política régia de expansão territorial, devendo atribuir-se os louros aos reis de Castela, que, desde o fim do século X, concedem *fueros* (cartas de franquia e imunidade) a certas comunidades rurais situadas na vizinhança da fronteira muçulmana, generalizando em seguida esse regime (sobretudo na segunda metade do século XI e no início do XII) ao conjunto das cidades e aldeias estabelecidas nas zonas de repovoamento. Os *concejos* (coletividades autônomas de homens livres combatentes) foram o mais firme sustentáculo dos reis ibéricos em sua luta contra o Islã.

O conteúdo das franquias – ou, dito de outra forma, a gama de liberdades concedidas pelos senhores – é bastante variável. Nas cartas mais restritivas não é acordada nenhuma liberdade, limitando-se o senhor a fixar por escrito o inventário de seus direitos (como nos "registros de costumes" ou "relações de direitos" da Valônia ou da Lorena, nos *Weistümer* germânicos), o que representa um progresso para os vilãos, já que a redação do costume suprime a arbitrariedade e proíbe qualquer agravamento ulterior dos impostos. Porém, com maior frequência, a outorga das franquias traduz-se em concessões de natureza diversa. Elas garantem, inicialmente, a liberdade pessoal. Nas cidades, salvo exceções (em Agde, por exemplo, toda a população mantém-se na servidão dos cônegos da catedral), a liberdade adquirida não conhece restrição: "o ar da cidade torna livre". No campo são abolidas as marcas mais pesadas da servidão (a mão-morta, a taxa de *formariage* e a talha *à merci*), mas o poder banal do senhor não é atingido em suas manifestações judiciárias e fiscais. Portanto, as franquias mais liberais são aquelas que limitam verdadeiramente a autoridade senhorial, e sobretudo determinam uma transferência de poderes, mais ou menos ampla, em benefício das comunidades. É essa a via aberta à autonomia municipal, que desde cedo se firma na Itália: os cônsules aparecem desde os últimos anos do século XI em Milão, em Pisa e em Gênova, instituindo-se no século XII um verdadeiro governo comunal. Trata-se do advento das repúblicas urbanas, que tentam em vão derrubar o imperador Frederico Barba-Ruiva, mas forçam-no a reconhecer sua legitimidade na paz de Constança de 1183. Em várias regiões da Europa, de Flandres ao Languedoc, surgem instituições similares, fiadoras da liberdade dos citadinos. As aldeias raramente conquistaram tal grau de autonomia, o que, aliás, ocorreu apenas posteriormente (a partir da segunda metade do século XIII). A fiscalidade senhorial não é completamente abolida, mas o montante da talha passa a ser fixado por negociação, cabendo a sua repartição aos aldeões e a seus representantes (magistrados, *prud'hommes*...). Da mesma forma, se os senhores preservam o monopólio da alta justiça (até que venha a ser confiscada pelo rei), em geral abdicam da atuação e da repressão nos litígios menores em proveito de seus assessores, que são delegados da coletividade. Exercita-se, assim, o aprendizado da democracia na aldeia.

Não se deve incorrer, contudo, em um exagerado otimismo. Desde o fim do século XIII assiste-se, nas comunidades francas, a uma progressiva monopolização dos órgãos de decisão municipais por um grupo cada vez mais restrito de notáveis (como o dos "cavaleiros vilãos" nos *concejos* espanhóis). Caminha-se da democracia em direção à oligarquia, que prevalecerá em geral até a época moderna. Por outro lado, mesmo na França, as franquias parecem ter beneficiado apenas um número restrito de localidades. Em outras regiões, elas foram completamente ignoradas, como na Inglaterra, onde a pressão senhorial, atenuada no século XII, manifesta-se com vigor intenso no século seguinte. Entre 1180 e 1250, os juristas da corte régia (Glanvil, Bracton), inspirando-se em prescrições do direito romano em matéria de servidão, elaboram uma codificação detalhada e severa da condição dos dependentes. Trata-se do "estatuto de vilania" (*Common Law of Villeinage*), que fixa o vilão à gleba ao mesmo tempo que proclama o domínio imprescritível do senhor sobre sua pessoa e seus bens. Observa-se o mesmo agravamento da condição jurídica do camponês na Catalunha: franquias – muito limitadas – são certamente outorgadas aos colonos recentemente instalados nas terras reconquistadas do leste e do sul, mas, em outras áreas (na "Velha Catalunha"), generaliza-se o vínculo à terra (*re-*

mensa), ao mesmo tempo que os maus usos (*mals usos*) são legalizados. Em 1202, a lei confere oficialmente aos senhores o *ius maletractandi*, o direito de maltratar. Não chega a causar espanto, sob tais condições, que duas das maiores insurreições camponesas do fim da Idade Média — rebeliões motivadas menos por considerações econômicas do que pela aspiração à liberdade — tenham ocorrido nessas localidades. Na Inglaterra, a "revolta dos trabalhadores" de 1381, precedida por múltiplas revoltas locais, agrupa milhares de vilãos que chegam até as portas de Londres antes de serem dizimados pela repressão. Na Catalunha, o movimento *Remensa* (do nome dos camponeses ligados à terra), cujas manifestações estendem-se por mais de um século (cerca de 1380 a 1486), constitui uma das únicas *jacqueries* vitoriosas de todos os tempos: pela sentença de Guadalupe de 1486, Fernando, o Católico, abole os *mals usos* e proclama a liberdade dos camponeses.

A Europa vivencia, no fim da Idade Média, uma renovação da escravidão. Não se trata mais, como antes do ano 1000, de uma escravidão autóctone, mas de tráfico, ligada às correntes comerciais que atravessam a região mediterrânea. Os escravos barbarescos, turcos, caucasianos, tártaros e mesmo "gregos" começam a aparecer, no século XIII, nas grandes metrópoles da Espanha e da Itália. Assimilados inicialmente aos objetos de alto luxo e destinados a realçar com um toque de exotismo o estilo de vida dos patrícios, tornam-se mais numerosos no século XIV, quando são sobretudo utilizados em funções domésticas e artesanais. A partir de mais ou menos 1450, o tráfico torna-se, com os progressos da navegação atlântica, maciçamente africano. Pesquisas recentes mostraram sua amplitude: pode-se perguntar se, entre 1450 e 1600, a Europa não importou tantos ou mais escravos negros do que os que foram enviados para a América. De qualquer forma, eles atingiram a cifra de muitas dezenas de milhares, e suas condições de vida e de trabalho (por exemplo, nas minas de Espanha, nas plantações da Andaluzia e das Canárias) foram tais que todo e qualquer vestígio da sua existência desapareceu em seguida, razão pela qual Alessandro Stella não hesita em falar de genocídio.

Pierre Bonnassie
Tradução de Mário Jorge da Motta Bastos

Ver também

Cavalaria – Cidade – Direito(s) – Feudalismo – Nobreza – Senhorio

Orientação bibliográfica

BARTHÉLEMY, Dominique. Qu'est-ce que le servage, en France, au XIe siècle?. *Revue Historique*, Paris, n.287, p.233-84, 1992.

BLOCH, Marc. *Rois et serfs*: un chapitre d'histoire capétienne. Paris, 1920. Reed. *Rois et serf et autres écrits sur le servage*. Posface de Dominique Barthélemy. Paris: La Boutique de l'Histoire, 1996.

_____. Comment et pourquoi finit l'esclavage antique [1947]. Reed. *Mélanges historiques*. Paris: Sevpen, 1963, v.I, p.261-85.

_____. Liberté et servitude personnelles au Moyen Âge, particulièrement en France: contribution à une étude des classes [1933]. Reed. *Mélanges historiques*. Paris: Sevpen, 1963, v.I, p.286-355.

BONNASSIE, Pierre. Survie et extinction du régime esclavagiste dans l'Occident du haut Moyen Âge. *Cahiers de Civilisation Médiévale*, Poitiers, 28, p.307-43, 1985.

_____. Marc Bloch, historien de la servitude: réflexions sur le concept de "classe servile". In: ATSMA, Hartmut; BURGUIÈRE, André (orgs.). *Marc Bloch aujourd'hui*: histoire comparée et sciences sociales. Paris, 1990: Ehess. p.363-87.

_____. *From Slavery to Feudalism in South-Western Europe*. Cambridge: Cambridge University Press, 1991.

BRESC, Henri (org.). *Figures de l'esclave au Moyen Âge et dans le monde moderne*. Paris: Harmattan, 1996.

DOCKES, Pierre. *La Liberation médiévale*. Paris: Flammarion, 1979.

FREEDMAN, Paul. *The Origins of Serfdom in Medieval Catalonia*. Cambridge: Cambridge University Press, 1991.

GÉNICOT, Léopold. *L'Économie namuroise au bas Moyen Âge*. Louvain: Bibliothèque de l'Université, 1960-1982. t.II: *Les Hommes, la noblesse*; t. III: *Les hommes, le commun*.

HILTON, Rodney H. *The Decline of Serfdom in Medieval England*. 2.ed. Londres: Basingstoke, 1983.

POLY, Jean-Pierre; BOURNAZEL, Éric. *La Mutation féodale, X^e-XII^{e}siècle* [1980]. 2.ed. Paris: Presses Universitaires de France, 1991.

STELLA, Alessandro. L'esclavage en Andalousie à l'époque moderne. *Annales ESC*, Paris, 1992. p.35-63.

VERLINDEN, Charles. *L'Esclavage dans l'Europe médiévale*. Gand: Brugge, 1955-1977. 2v.

VERRIEST, Léo. *Institutions médiévales*: introduction au "Corpus des records de coutumes et de lois de chefs-lieux de l'ancien comté de Hainaut". Mons: Union de Imprimeurs, 1946.

Literatura(s)

Existe na Idade Média uma literatura – até mesmo literaturas? O próprio termo é desconhecido, pelo menos em sua acepção moderna. Em latim, *litteratura* tem o mesmo sentido que *grammatica* e designa, como esta, ou a gramática propriamente dita ou a leitura comentada dos autores e o conhecimento que proporciona, mas não as obras em si. Seus derivados (*litteratus, illitteratus*), suas transposições em línguas vernáculas (*letreüre*, no francês antigo), remetem igualmente a uma aptidão, a da escrita, a um saber, o que é comunicado pelos textos e, por último, a um estatuto social, o do clérigo oposto ao leigo ou, no fim da Idade Média, o do letrado oposto ao da "gente simples". As línguas vulgares não possuem nenhum termo genérico para atividade ou obra literárias e dispõem de palavras apenas para designar cada gênero particular, definido de modo paralelo, cruzado ou sobredeterminado por uma forma métrica ou musical, um tipo de interpretação, uma ideologia, uma prática social. Em francês, a palavra "poeta" só aparece no fim do século XIII, em Brunetto Latini: ela designa os autores antigos. Cem anos mais tarde, na pena de Eustáquio Deschamps, ela é pela primeira vez aplicada a um moderno, Guilherme de Machaut. Nada disso impede que se empregue a palavra "literatura" em relação à Idade Média no sentido em que a entendemos hoje. Mas é então ambígua, ao mesmo tempo inadequada e insubstituível.

Literatura(s)

Sem dúvida, existe na Idade Média uma consciência da atividade literária em seu conjunto e em sua especificidade, consciência também de um *corpus* literário. Isso é visível no latim e no olhar lançado às letras antigas. Compreende-o a palavra *litterae*, no sentido de "cultura literária". Mesmo em língua vulgar, vê-se Chrétien de Troyes, no começo de *Cligès*, enumerar suas obras anteriores misturando traduções de Ovídio e romances bretões. Os poemas didáticos em língua d'oc, chamados *ensenhamens*, ou uma peça cômica como o *Dit des deux bourdeus rivaux*, dão uma ideia da bagagem literária que se esperava de um poeta ou de um menestrel de língua d'oc ou d'oïl, no fim do século XII e no XIII: bagagem variada, mas em que ao mesmo tempo se supõe uma espécie de coerência. Os sistemáticos empreendimentos de adaptação ou tradução das canções de gesta e dos romances franceses ao alemão ou ao *norrois*,[1] no século XIII, também sugerem, à sua maneira, uma visão sintética da produção literária e uma certa ideia de literatura.

Em nosso espírito, a literatura opõe-se a outras disciplinas intelectuais, como a filosofia ou a história, para não falar das matemáticas ou das ciências da natureza. Ela supõe ao mesmo tempo, sem dúvida confusamente, o fictício e o gratuito. Essas oposições e associações não são verdadeiramente pertinentes para a Idade Média. De fato, percebe-se a índole própria de obras que reúnem em si, com o desejo de agradar, uma certa gratuidade e complacência na ficção. Moralistas e autores espirituais difamam-nas. Todos reconhecem sua sedução: "Os contos da Bretanha são tão ilusórios e agradáveis", escreve Jean Bodel no fim do século XII. Mas essa distinção é frágil e menor. A arte da expressão e da escrita aplica-se igualmente a todos os conteúdos. Os que têm caráter didático ou científico não estão nem encerrados em espaço reservado, nem excluídos das letras. Isso é verdade pelo menos enquanto eles próprios não reivindiquem esse encerramento e essa exclusão. A nova classificação das ciências inspirada nos autores árabes e que concorre com a continuidade do saber proposto pela velha hierarquia das artes liberais, a condescendência para com as do *trivium*, a nova concepção de verdade científica que se revela de Roger Bacon a Guilherme de

---

1 *Norrois*: antiga língua dos povos escandinavos, também chamada nórdica ou germânica setentrional. [N.T.]

Ockham: esse movimento pôde contribuir para isolar a atividade literária em sua especificidade e para definir-lhe os limites, restringindo o campo de sua competência. Pura hipótese. É tal a importância desse tipo de pensamento no que concerne à verdade revelada e à teologia, que houve pouca preocupação com suas eventuais consequências no âmbito das letras. Contudo, a pesquisa mereceria ser conduzida juntamente com novo exame das manifestações literárias do nominalismo (e não apenas da expressão do nominalismo na literatura).

A escrita, o oral, a voz

Derivado da palavra "letra", o termo literatura implica a escrita. Ora, a obra medieval, até o século XIV, só existe plenamente sustentada pela voz, atualizada pelo canto, pela recitação ou pela leitura em voz alta. Em um certo sentido, o sinal escrito é pouco mais que auxílio para a memória e apoio.[2] Assim também, para usar um exemplo de ordem diferente, os neumas musicais, que não comunicam a melodia a quem os ignora, mas permitem, a quem já conhece sua linha geral, reconhecer o detalhe. Igualmente os diplomas institucionais, evocação de um ato jurídico do qual a memória tem às vezes a função de preservar os pormenores. Até meados do século XII, as jovens literaturas vernáculas conheciam apenas os gêneros cantados: a canção de gesta, a poesia lírica. A primeira conserva artificialmente as marcas da oralidade, mesmo quando é escrita (sem isto, o que saberíamos dela?): encenação do recitante, interpelação do público, efeitos de eco e repetições ligados à composição estrófica. A segunda, que exige do poeta que seja também compositor, às vezes denuncia seu modo oral de transmissão, ao nomear o menestrel a cuja memória se confiou a canção ou ao desejar que ela encontre um cantor digno de si. O romance é o primeiro gênero (se, no início, essa forma nebulosa merece esse nome) destinado à leitura, mas é uma leitura em voz alta. A arte dos menestréis deixa amplo espaço à mímica e à interpretação dramatizada: ver-se-ão, mais

---

2 No original francês, *pis-aller*: alguém ou algo a que se recorre por falta de opção. [N.T.]

tarde, suas consequências, tanto para o desenvolvimento do teatro quanto para a definição do eu poético. A voz, com sua qualidade e timbre próprios, faz parte da arte literária. Entre os trovadores, os dons de intérprete e de músico são frequentemente confundidos.

Porém, é preciso bater em retirada mal assinalamos essa preponderância do oral, porque a escrita, e somente a escrita, tem autoridade. A oposição entre letrado e iletrado é decisiva. Os textos antigos são o único modelo autorizado. Tudo se consolida na Escritura. No Dia do Juízo, anuncia o *Dies irae*, "será trazido o livro escrito no qual tudo está contido". Todos os autores pretendem extrair sua matéria de um livro, de preferência latino. Os primeiros romances em prosa francesa, os do Graal, examinam a escrita e a fonte. O final da Idade Média concederá nova atenção ao texto conservado, recopiado, reutilizado, e ao livro como objeto. Até baseará neles sua definição de arte literária. Mais que no oximoro etimológico, afinal tolerável, de uma literatura oral, aquela ambiguidade da Idade Média reside nesta aparente contradição: ela mostra simultaneamente a preeminência do oral e do escrito.

A herança antiga e a latinidade medieval

Um outro aspecto torna as literaturas medievais ambíguas, um aspecto comum a toda a cultura de seu tempo. Elas são, ininterruptamente, as herdeiras das letras antigas, que imitam e perpetuam. Entretanto, certa ruptura existe: são literaturas novas com um perfume às vezes quase primitivo. É que as raízes do mundo germânico e do mundo celta são estranhas à latinidade. Quanto às línguas românicas, sua própria novidade conduz à das literaturas de que são veículo.

A Idade Média é a época em que as literaturas vernáculas emergem e se impõem em relação aos textos latinos, em concorrência com eles e, ao mesmo tempo, graças a eles. Mas é também uma época em que a latinidade não só permanece viva, como ainda monopoliza o essencial da atividade intelectual. O ensino nas escolas e universidades, a maior parte ou a quase totalidade do que se escreve no âmbito da Teologia, da Filosofia, das Artes Liberais, das Artes Técnicas, da Medicina, do Direito e, durante muito tempo, da História: tudo está em latim. O que é verdade no campo da ciência também o é, embora as circunstâncias e as proporções sejam diferentes, no campo literário. A história das literaturas medievais é a história combinada da literatura latina e das literaturas em línguas vulgares.

Convertidos ao cristianismo, frequentemente admiradores e imitadores do Império Romano que derrubaram, os invasores germânicos quase não ameaçavam a latinidade. Mas a Igreja, doravante a única detentora das chaves do saber, podia apagar a memória dos textos antigos, cujo estudo os Pais – São Jerônimo, Santo Agostinho – tinham, contudo, justificado. Ela tentou-o, nos séculos VI e VII. O renascimento carolíngio porá fim a essa tentação. É essencialmente por meio de cópias feitas na Idade Média que os autores da Antiguidade chegaram até nós. Copiar, ler, reescrever, imitar, comentar Virgílio, Horácio, Ovídio ou Estácio é uma parte importante da atividade literária medieval. A primeira manifestação de vida literária na Idade Média é a sobrevivência da literatura antiga, principalmente pelo uso que dela se fez no ensino.

Evidentemente, essa sobrevivência não é apenas um trabalho de conservação. Manifesta-se também pela continuidade e fecundidade da poesia latina durante o período – do renascimento carolíngio ao do século XII, do humanismo chartriano ao que o século XIV vê nascer na Itália, depois na França – e sob todas as formas: epopeia, lirismo religioso, satírico ou erótico, poemas ou prosa metrificada filosófica. Essa literatura reflete, ao mesmo tempo e de diversas maneiras, o mundo estranho à latinidade em que ela mergulha, as novas condições criadas pela emergência das línguas vulgares e da cultura que lhes é própria. Um estilo, valores, novos temas, finalmente aparecem sob as reminiscências clássicas e a presunção do letrado. A poesia rítmica anuncia uma nova fonética. A natureza e a qualidade do latim mostram sua relação com a língua falada: ele evolui rápido e afasta-se das normas clássicas ali onde – e também por longo tempo – pode esperar ser compreendido por todos (no espaço da România, até o século IX); ele é complicado e afetado (Irlanda), ou torna-se mais clássico, quando não tem mais relação com a língua falada (fora da România e depois da aparição das línguas românicas).

Literatura(s)

Enfim, latina ou vernácula, a literatura toma por modelo os *auctores*. A retórica antiga inspira as artes poéticas, as *artes praedicandi,* as *artes dictaminis* da Idade Média. A admirável inovação da literatura medieval em relação à Antiguidade parece muitas vezes involuntária.

O espaço europeu

O domínio cultural do Ocidente medieval é, simultaneamente, bem marcado e fragmentado, coerente e diverso. Esse domínio é, por definição, aquele em que a língua erudita é o latim, o latim do Império Romano, o latim da Igreja de Roma. Mas o latim mantém, com diversas línguas vernáculas, relações variadas, que têm repercussões sobre a expressão literária nessas línguas e seu desenvolvimento. As línguas célticas e germânicas, que existiam independentemente do latim, tiveram manifestações literárias precoces (séculos VII-VIII), cujo vestígio escrito está subordinado à implantação da cultura latina nas regiões onde elas são faladas. Derivadas do latim e, portanto, surgidas mais tarde, as línguas românicas veem nascer, também mais tarde, sua literatura (fim do século IX para os primeiros monumentos, XII para o grande desabrochar). Porém, a literatura em língua d'oc e mais ainda em língua d'oïl tornam-se rapidamente, e por vários séculos, o modelo imitado por outras literaturas da Europa. A poesia dos trovadores occitânicos inspira a dos *trouvères*[3] franceses, dos *Minnesänger* alemães, dos poetas galegos e portugueses. Italianos e catalães praticam-na, durante muito tempo, na própria língua d'oc, assim como os italianos escrevem em francês romances, canções de gesta, obras religiosas, canções não cortesãs. Canções de gesta e romances franceses são adaptados em alemão do fim do século XII ao do XV e coexistem com os poemas baseados em lendas heroicas germânicas. Pelo ano de 1220, o rei Haakon, da Noruega, manda traduzir sistematicamente, em prosa *norroise*, as obras épicas e romanescas francesas: essas "sagas dos cavaleiros" usurparão o lugar das

---

3 O francês distingue *troubadours,* trovadores, poetas-cantores da Provença, de *trouvères,* trovadores do norte da França. [N.T.]

sagas autóctones. Quanto à literatura da Inglaterra normanda, ela é, claro, em francês; o inglês, no século XIV, espera sua vez.

Inversamente, no fim da Idade Média, a França sente a influência italiana e, mais tarde e de modo mais restrito, a espanhola. Boccaccio e Petrarca servem de modelos a autores franceses e também a Chaucer. Curiosamente, Dante parece ter ecoado apenas debilmente fora de seu país. É assim que, apesar do zelo um pouco acanhado de sua compatriota Cristina de Pisano, a França quase não prestou atenção à maior figura das letras medievais. Aquele que meditara com mais vigor sobre a latinidade e as línguas vernáculas não foi reconhecido, naquele momento e em todo lugar, como o santo patrono da literatura europeia.

Notemos, enfim, que em certas áreas culturais, como a Escandinávia, o desenvolvimento tardio da escrita levou a um modelo peculiar de formas literárias: fenômenos análogos aos que, durante vários séculos, se sucederam e se encadearam na Europa meridional, ali aparecem quase simultaneamente, mediante interações complexas.

Além das peculiaridades regionais e de eventualidades na circulação das obras, é preciso ressaltar, sobretudo, a progressiva emergência, durante a Idade Média, de um espaço cultural europeu, no interior do qual as influências se exercem em sincronia, de uma língua vernácula a outra, e não mais segundo o esquema único diacrônico de uma filiação a partir do latim e do modelo ao mesmo tempo universal e antigo que ele encarna. Poder-se-ia escrever a história da cultura medieval através de traduções.

Meios literários

Quando a obra literária em língua vulgar não é anônima, muito frequentemente só conhecemos de seu autor, pelo menos até meados do século XIII, o nome e o que a própria obra pode nos revelar dele. Essa ignorância tem suas virtudes. Ela afasta a tentação de uma crítica biográfica. Mas tem seus perigos, em particular o de confiar muito, seja na classificação das obras por gêneros e na sua análise interna, seja na responsabilidade geral de eventuais determinismos sociais e econômicos, sem dar atenção suficiente aos agrupamentos em função dos meios e da vida literários. Não que esses meios, cortes ou centros urbanos, não sejam bem conhecidos e bem estudados. Todavia, é preciso levar em conta também organizações mais difusas, portadoras de estilos próprios, de valores próprios, de influências próprias, por exemplo em torno da nobreza flamenga e dos meios francófonos do Império no início do século XIII (antes de Bouvines).

No fim da Idade Média, as novas condições do mecenato, o desenvolvimento de uma espécie de funcionalismo literário, o espírito e as orientações próprias de cada corte impõem descrever a vida literária em função dos centros em que ela se desenvolve: Paris, Avignon, as cidades italianas, as cortes principescas. Se, no século XV, a Borgonha tivesse podido realizar seu grande sonho, sem dúvida a configuração da literatura europeia nos séculos posteriores teria sido profundamente modificada.

Passado e presente, verdade e ficção

Como em todas as civilizações, a literatura narrativa da Idade Média está, em suas formas mais antigas, inteiramente projetada no passado: passado carolíngio das canções de gesta e passado mais distante ainda das lendas heroicas germânicas, passado antigo ou arturiano dos romances, passado da colonização da Islândia ou passado lendário das sagas, passado da história. Em todos os casos, é a genealogia do presente que está em questão. É também a relação com a verdade. Os primeiros romances franceses são adaptações de obras da Antiguidade latina – a *Tebaída*, de Estácio, a *Eneida*. Por um esforço ao mesmo tempo histórico e filológico, eles têm a ambição de conservar a memória verdadeira do passado. Tomados em conjunto, pintam um afresco dinástico que vai dos Argonautas e da guerra de Troia a Henrique II, o Plantageneta. Porém, em seu caminho, eles encontram as maravilhas do mundo arturiano, tema de história, mas também tema para histórias que todos escutam e nas quais ninguém acredita. Fascinado pelas maravilhas da Bretanha, o romance não se cansa de contá-las. Mas ele não pode mais reivindicar a verdade dos fatos. Procura, então, a do sentido. É a grande mudança realizada por Chrétien de Troyes.

Logo o sucesso do tema do Graal, de que Chrétien é a fonte, substitui a genealogia que vai de Brut a Artur, pela que vai de José de Arimateia a Percival ou a Galaaz. A prosa pinta de novo o romance com as cores da história. No século XV, o retorno, por três séculos, dos mesmos personagens, a retomada das mesmas narrativas, a reescritura de romances, por envelhecimento da língua, comprometem o sentido, que tinha sido a grande conquista do imaginário romanesco, e reiteram a profundidade do passado diegético na do passado literário.

Contar o presente: a partir do final do século XII, esse novo empreendimento cabe às formas narrativas breves – o *fabliau*, o conto piedoso, o *exemplum*, desde quando se constitui de fato em gênero literário, as ramificações do *Roman de Renart* e, mais tarde, a novela em prosa. A atenção dirigida ao presente é, naturalmente, satírica e crítica. No fim da Idade Média, um sistema de fato opõe o romance, que justifica e exalta os valores do presente projetando-os no passado, à novela, que retrata diretamente o presente, que o pinta, mesmo quando é cômica, com cores sombrias, ataca de maneira lúcida, até cínica. É ela que está na origem do romance moderno, romance de costumes ou romance psicológico. O romance de cavalaria quase só sobreviverá na subliteratura dos *Volksbücher* alemães e dos livros franceses de cordel.

Desejo e aventura

A partir do início do século XII, a poesia lírica dos trovadores occitânicos, logo imitada, como se disse, em toda a Europa, celebra uma arte de viver e uma arte de amar elitistas e excitantes, a cortesia[4] e o *finamor* (amor perfeito). Esse amor fundamenta-se na exaltação do desejo e de sua natureza contraditória (desejo de saciedade e morte do desejo saciado). Ele quer-se finalidade da vida e fonte de toda virtude, e aparentemente consagra à mulher uma devoção extrema, que contrasta com a realidade do tempo, toda encerrada no espelho narcíseo das fantasias masculinas. Do erotismo ardente e tímido ao voyeurismo, ele apresenta realmente traços de amor

---

[4] No original francês, *courtoisie*: cortesia, civilidade. O termo deriva de *cour*, corte, e, por extensão, é o modo de amar dos homens que viviam nas cortes da Idade Média. [N.T.]

adolescente. O "grande canto cortesão", amplamente fundado no jogo retórico da variação formal e no jogo social da alusão literária, procura fazer coincidir a perfeição poética com a do amor tendente à idealização e à generalização por meio da expressão de um amor particular, fazendo de um estilo aplicado, elíptico e às vezes hermético, o equivalente e a tradução do dilaceramento próprio do sentimento amoroso.

No romance, de que logo se apodera, o espírito cortesão encontra uma outra expressão, não mais através do brilho ou dos ensaios de um equivalente verbal do desejo, mas por meio de uma narrativa que segue a trajetória de um herói em perseguição ao objeto de seu desejo. Objeto amoroso, na maior parte dos romances. Objeto narcisista, em todos. O primeiro desejo é o de transformar-se em si próprio. O herói romanesco é um jovem cavaleiro que descobre a si mesmo (descoberta às vezes emblematizada pela revelação tardia de seu nome, por muito tempo ignorado), que cumpre seu destino, que se revela aos outros e que encontra seu lugar na sociedade – idealmente, seu lugar ao redor da Távola Redonda – graças às aventuras que enfrenta e à demanda que persegue. O tipo do cavaleiro errante, inventado por Chrétien de Troyes e destinado a um belo futuro, materializa essa trajetória.

Tal mundo, regulado até nas paixões, é perturbado por Tristão e Isolda, cuja história fascinante e inaceitável, incompatível com o modelo cortesão, está presente tanto na poesia lírica como no romance. Procuram-se afastar os perigos de seu amor fundamentalmente associal. Assim, o *Tristão em prosa* fará de Tristão um cavaleiro errante integrado ao universo arturiano.

Desejo e escárnio

Na poesia e no romance cortesão, a expressão da sensualidade, por viva que seja, quase sempre lança sobre a revelação e a realização finais o véu da alusão, do eufemismo ou da metáfora. Tudo pode ser descrito, menos o ato sexual. Tudo pode ser nomeado, menos as *pudenda*. Mas outras formas literárias seguem caminho inverso: o amor é apenas saciedade física, o corpo parece reduzido às partes genitais. O tom é, então, o do cômico licencioso e do escárnio. Quando não é a opacidade do silêncio, a exacerbação diante do sexo gera a ostentação de uma obscenidade escandalosa e escarnecedora.

Denotam esse espírito certos gêneros líricos não cortesãos – canções de *malmaridadas*, pastorelas – e mais ainda os *fabliaux*, cuja imaginação é ao mesmo tempo precisa e delirante. Essas produções frequentemente refletem a imagem clerical da mulher: um ser submisso aos apetites físicos, incapaz de resistir-lhes, porque sua razão é muito fraca para escapar ao domínio do corpo. Inversamente, a cortesia faz uma ideia tão elevada da mulher, que não lhe supõe nenhum desejo, mas apenas o poder de satisfazer ou de repelir o do amante. É necessário dizer que, nessas duas representações opostas, é o imaginário masculino que opera?

Do sujeito lírico ao eu poético

A poesia satírica, moral e instrutiva, fortemente representada em latim e nas línguas vulgares, tem por consequência indireta uma valorização do autor implicado, chamado a provar a verdade de seus propósitos e ensinamento, frequentemente por referência à sua experiência pessoal. Essa tendência acentua-se no século XIII e desenvolve-se independentemente de toda intenção didática, ao mesmo tempo que "o grande canto cortesão" começa a esgotar-se. À abstração generalizadora e ideal do sujeito lírico, a que todo intérprete de canção pode identificar-se, substitui-se um eu circunstancial, definido pelo anedótico e contingente. Ele pretende entregar-se a uma poesia recitada (o dito),[5] que pela primeira vez se aproxima do que chamamos "poesia pessoal". No fim da Idade Média, a ficção autobiográfica desvelada no dito inclui naturalmente a expressão lírica, doravante representada por poemas de forma fixa (rondéis, *virelais*,[6] baladas), que não são mais necessariamente cantados.

---

5 No original francês, *le dit*: a palavra, a máxima, a sentença. Na Idade Média, era um gênero literário, pequena peça tratando de assunto familiar ou de atualidade. No mesmo sentido, *ditié* e *dittié*. [N.T.]

6 *Virelai*: espécie de poema estrófico, aparentado ao *lai*, formado de um estribilho, quase sempre em dístico monórrimo, seguido de número indeterminado de estrofes com três versos. [N.T.]

Do eu moldado pelas circunstâncias da vida ao eu vítima delas, há apenas um passo. O poeta do dito entrega-se, às vezes, a uma exibição caricatural de si mesmo. De Rutebeuf a Villon, a imagem do poeta prisioneiro de sua miséria e vícios teve sucesso e conduziu aos disparates que se sabe. Ainda aí, essa exibição abre espaço à zombaria. Encenação do eu recorrendo aos efeitos de amplificação, ela também faculta a teatralidade.

Teatro e teatralidade

Sistematicamente atualizada pela *performance*, largamente apoiada na arte dos menestréis, que deve muito à dos mímicos latinos, fazendo abundante uso do diálogo, a literatura medieval é toda perpassada de teatralidade. Esse traço explica, sem dúvida, por que o teatro, nas línguas vulgares, se desenvolveu bastante tardia e lentamente. Sendo tudo teatral, não se fazia especialmente sentir a necessidade de uma forma particular, restrita aos diálogos dos personagens.

O teatro inscreve-se, inicialmente, em uma teatralidade bem peculiar, a da liturgia. Os dramas litúrgicos da época carolíngia encenam e musicam, no espaço do mosteiro, episódios bíblicos, parábolas de Cristo, milagres dos santos, em relação com a solenidade e o ofício do dia. De quando em quando, algumas palavras ou alguns versos em francês ou alemão logo permitem ao público iletrado compreender o espírito geral das palavras. O primeiro teatro religioso em língua vulgar, inicialmente ainda recheado de perícopes latinas, emerge desse quadro. Mas os extensos mistérios do fim da Idade Média, grandes espetáculos urbanos montados por toda uma comunidade, correspondem a uma estética e a uma espiritualidade muito diferentes.

Em língua vulgar, o teatro só conhece verdadeiro desenvolvimento a partir do século XIII, isto é, no momento mesmo em que a poesia dita pessoal libera a representação do eu. Os autores são os mesmos: Jean Bodel, Rutebeuf, Adão de la Halle, que se representa, metaforicamente, em suas *Despedidas* (poema) e, literalmente, em *Jogo da ramagem* (peça de teatro), as duas obras tratando do mesmo tema. No final da Idade Média, há algo da *parade*[7] satírica e didática nos dois gêneros, embora tão diferentes, da moralidade e da *sottieé*.[8] Mas é talvez a farsa que garante o verdadeiro triunfo do teatro, transformando em mecanismo dramático as velhas forças cômicas do *fabliau* (embuste e embusteiro enganado).

A alegoria e o sentido

A procura do sentido oculto ou no texto ou na aparência, ocupa lugar considerável no pensamento e na arte literária da Idade Média. A Antiguidade pagã legou-lhe, com a mitologia, o recurso poético às personificações. A retórica ensina-lhe a dupla definição de alegoria, como metáfora prolongada (Quintiliano) e, mais ainda, como tropo, consistindo em dizer uma coisa para significar outra (Pseudo-Heráclito, Agostinho, Isidoro de Sevilha, Beda, o Venerável etc.). As parábolas de Cristo convidam à busca de um segundo sentido, assim como a leitura cristã do Antigo Testamento enquanto prefiguração e anúncio do Novo. O método exegético elaborado pelos Pais convida a extrair de toda passagem da Escritura quatro sentidos: literal (histórico), alegórico (espiritual), tropológico (moral), anagógico (escatológico). Aplica-se o mesmo método à interpretação de certos autores pagãos, como Virgílio, que teriam tido revelação confusa da verdade: procura-se essa verdade sob o véu (*integumentum, involucrum*) que a cobre. A literatura neoplatônica e cristã da Antiguidade tardia oferece modelos cuja influência será considerável: representação da vida interior na forma de combate entre virtudes e vícios (*Psicomaquia*, de Prudêncio); visão de uma personificação que revela uma verdade oculta (*Consolação da filosofia*, de Boécio); representação figurada da relação entre o pensamento divino e a alma humana (*Núpcias de Mercúrio e Filologia*, do pagão Marciano Capela). As prosas metrificadas filosóficas do século XII (Bernardo Silvestre, Alain de Lille) deles se lembrarão.

---

7 *Parade*, em francês antigo, é "ornamento", exibição de alguma coisa, para fazê-la valer. [N.T.]

8 *Sottie*: farsa de caráter satírico, representada por atores vestidos de bufões. Alegoria da sociedade do tempo. [N.T.]

As duas maiores obras alegóricas da literatura medieval são *O romance da rosa* e *A divina comédia*. Porém, apenas a primeira parte de *O romance da rosa*, a de Guilherme de Lorris, extrapolação da ideologia cortesã despida de pretensão especulativa, respeita a coerência da alegoria. João de Meung subverteu-a maliciosamente, mas ele faz de personificações como Natureza ou Gênio, herdadas de seus predecessores de língua latina, os porta-vozes de sua filosofia do amor. O primeiro verso de *A divina comédia* aponta a obra como alegórica, mas sua complexidade impede que a classifiquemos pura e simplesmente nessa categoria, quando menos pela ambiguidade conferida ao sentido literal em relação à verdade e à ficção. Entretanto, a alegoria, de que Dante se fez em outros lugares e várias vezes o teórico, está presente em todo lugar e sob todas as formas: exegese, leitura alegórica de poetas antigos, autoalegoria e convite explícito ou indireto a uma interpretação alegórica de diversos episódios. Assim, a alegoria escapa da trivialidade por sua abundância e por seus enigmas.

Seu caminho é tão familiar ao espírito medieval que tende a invadir áreas inteiras da literatura: os romances do Graal, os prolongamentos do *Roman de Renart*. Na França, o fim da Idade Média está profundamente marcado pela influência de *O romance da rosa*. O sonho alegórico torna-se componente habitual da poesia. Em todas as situações, o sentido é pensado não como imanente ao texto, mas como glosa que se revela por trás dele.

Verso e prosa

O verso sempre precede a prosa. Sua anterioridade repete-se a cada nova literatura, mesmo se seus autores conhecem, e até praticam, a prosa em uma outra língua em que a atividade literária é mais antiga. A prosa grega aparece bem mais tarde que a poesia. Mas a prosa latina desenvolve-se, também ela, mais tarde que o verso, ainda que os romanos tivessem acesso aos textos gregos. Do mesmo modo, as literaturas vernáculas da Idade Média conhecem, inicialmente, apenas o verso, embora coexistam com uma latinidade em que a prosa é onipresente, pelo menos na Bíblia. Ademais, no princípio, a prosa em língua vulgar aparece à margem da literatura, em áreas mais próximas ao universo latino – a área jurídica ou religiosa.

Até o fim do século XII, só há literatura vernácula em verso: o lirismo e a canção de gesta, ambos cantados, e, um pouco mais tarde, o romance. As primeiras crônicas moldam-se pela versificação épica ou romanesca. A aparição de romances e crônicas em prosa, no limiar do século XIII, tem, sem dúvida alguma, algo a ver com o desenvolvimento da escrita e da leitura (particularmente no caso de crônicas traduzidas do latim para mecenas leigos). Porém, muitos outros fatores estão em jogo. Entre eles, uma meditação sobre a verdade. A prosa, já dizia Isidoro de Sevilha, é um discurso em linha reta – *pro(r)sum* – que escapa às contorções da versificação. Ela evita, ressaltam reiteradamente os prosadores medievais, o *anfiguri* e os ornamentos fúteis do verso. Oferece o reflexo mais direto e mais fiel do pensamento. Presta-se, portanto, especialmente à expressão das mais altas verdades e das coisas de Deus. Não é talvez por acaso que os primeiros romances em prosa sejam os do Graal. A prosa serve também para a escrita da história.

A prosa logo se torna a forma privilegiada da narração. Impõe-lhe sua tendência a exaurir-se e sua repugnância à elipse. Dá ao verso, por contraste, uma unidade que jamais teve e favorece a emergência de um certo conceito de poesia. No final da Idade Média, reescrevem-se em prosa os romances em verso dos séculos XII e XIII, que se tornaram de leitura difícil. Assinala-se e percebe-se então, pela primeira vez, a profundidade do passado no interior de línguas e literaturas ainda jovens. Todavia, a prosa vernácula não pode ser definida e estudada apenas por referência ao verso que a precede, mas também por comparação à prosa latina, que é seu modelo. Assim, e de diversas maneiras, a emergência da prosa conduz à reorganização da paisagem literária.

Ainda com relação a isso, o aniquilamento cronológico confere à literatura *norroise*, ao mesmo tempo, um estatuto próprio e um valor sintomático. O sistema formado pelas sagas, as estrofes escáldicas[9] nelas citadas e o trabalho de conservação didática da poesia das *Eddas* é único, mas também

---

9 No original francês, *scaldiques*, de *scalde*, antigo poeta cantor escandinavo, autor de poemas em honra de heróis e de grandes personagens, transmitidos oralmente e depois recolhidos nas sagas. [N.T.]

rico de ensinamentos gerais sobre a relação do verso e da prosa, muito especialmente no que se refere à percepção literária do passado.

Na escuta das literaturas medievais

O esforço, na virada do século XVIII para o XIX, para conhecer os primórdios medievais das literaturas europeias inscrevia-se em uma forma peculiar de pensamento. Tratava-se de definir a identidade nacional dos povos através das primeiras manifestações, consideradas coletivas e espontâneas, de sua cultura e arte. Daí a associação, desde o início, dos estudos de literatura medieval e dos estudos de folclore. Daí a tendência do romantismo em ver na literatura medieval uma literatura popular. Desfeitas essas ilusões, foi preciso encontrar outras razões para ler os velhos textos. No debate crítico a partir da década de 1960, a literatura medieval ofereceu às diferentes teorias um campo de aplicação que cada um considerou naturalmente privilegiado. A "poesia formal" sugeria que, já para os velhos poetas, a linguagem não tinha outro objetivo, outro sentido ou outro desejo, além da própria linguagem. Os mitos, os diversos modos de simbolização de estruturas familiares ou sociais pareciam ser lidos neles com mais clareza do que em literaturas mais recentes. Seus romances pareciam refletir o nome do pai com obstinação notável. Talvez, como nossos tão desacreditados antecessores românticos, não deixamos de procurar uma prova para o passado, uma justificação de nosso pensamento em hipotético reencontro com nossas origens. Não há mais razão para envergonhar-se, tão fecundos são os resultados.

No domínio literário, como em outros, a Idade Média ocidental é para nós desconcertante, porque nos é, ao mesmo tempo, estranha e familiar. Nessa e em outras áreas, não há outra escolha, de início, que recusar uma familiaridade sempre fundada em mal-entendido. É preciso convencer-se de que o objeto é opaco para que se faça clara a necessidade de uma hermenêutica. Mas, especialmente no âmbito da literatura, o familiar resiste e é inútil fingir que ele não existe. Isso também seria mau método. Não se pode, à leitura de um texto, pretender abstrair-se da própria sensibilidade e economizar na fruição, sob pena de enganar-se ainda mais. Não temos outra escolha senão confiar em nós mesmos, sabendo que nos enganamos, e corrigir nossa recepção por aquela que o cotejo e o encadeamento das obras permitem reconstituir ao longo dos séculos. Se é verdade que a Idade Média "durou desde o século II ou III de nossa era para morrer lentamente aos golpes da Revolução Industrial" (J. Le Goff), como nos impedir de ouvir ecos, alguns ainda próximos de nós? E por que nos privarmos? Nesse e noutros casos, como encontrar a distância correta?

MICHEL ZINK
Tradução de Lênia Márcia Mongelli

Ver também

Amor cortês – Cavalaria – Clérigos e leigos – Escrito/oral – Masculino/feminino – Maravilhoso – Símbolo

Orientação bibliográfica

ASOR ROSA, Alberto (org.). *Letteratura italiana*: storia e geografia. Turim: Einaudi, 1987. t.I: *L'età medievale*.

BADEL, Pierre-Yves. *Introduction à la vie littéraire du Moyen Âge* [1969]. Paris: Bordas, 1984.

BRUNHÖLZL, Franz. *Histoire de la littérature latine du Moyen Âge*; I/1 *L'époque mérovingienne*; I/2 *L'époque carolingienne* [1975]. Tradução francesa. Turnhout: Brepols, 1990-1991.

BURROW, John A. Medieval Writers and their Work: Middle English Literature and its Background, 1100-1500. Oxford: Oxford University Press, 1982.

CAVALLO, Guglielmo; LEONARDI, Claudio; MENESTO, Enrico. *Lo spazio letterario del Medioevo*. Roma: Salerno, 1992-1997. t.I: *Il Medioevo latino*.

CURTIUS, Ernst Robert. *Literatura europeia e Idade Média latina* [1947]. Tradução brasileira. São Paulo: Edusp, 1999.

DA COSTA PIMPÃO, Álvaro Júlio. *História da literatura portuguesa*: Idade Média. Coimbra: Atlantida, 1959.

ENCICLOPEDIA DANTESCA. Roma: Treccani, 1970-1976. 5v.

GALLY, Michèle; MARCHELLO-NIZIA, Christiane. *Littératures de l'Europe médiévale*. Paris: Magnard, 1985.

GRENTE, Georges (org.). *Dictionnaire des lettres françaises.* Paris: Fayard, 1992. t.I: *Le Moyen Âge,* preparado por Robert Bossuat, Louis Pichard e Guy Raynaud de Lage, edição inteiramente revisada e atualizada por Geneviève Hasenohr e Michel Zink (org.).

LAMBERT, Pierre-Yves. *Les Littératures celtiques.* Paris: Presses Universitaires de France, 1981.

MOSSE, Fernand (org.). *Littérature allemande.* Paris: Aubier, 1959.

POLET, Jean-Claude (org.). *Patrimoine littéraire européen.* Bruxelas: De Boeck Université, 1992-1993. v.3: *Racines celtiques et germaniques.* v.4b: *Le Moyen Âge de l'Oural à l'Atlantique. Littératures d'Europe occidentale. Anthologie en langue française.*

RIQUER, Martin de. *Historia de la literatura catalana.* Barcelona: Ariel, 1964. 3v.

STAMMLER, Wolfgang (org.). *Die Deutsche Literatur des Mittelalters. Verfasserlexikon.* Berlim: De Gruyter, 1978-1983. 4 v. t.I-II: Leipzig e Berlim, 1933-1936, depois Karl Langosch; t.III-V: Berlim, 1941-1955; refundição em curso, sob org. de Kurt Ruh.

VALBUENA PRAT, Angel. *Historia de la literatura española.* 3.ed. Barcelona: Gustavo Gili , 1950. t.I.

VRIES, Jan de. *Altnordische Literaturgeschichte* [1941-1942]. Berlim: De Gruyter, 1964-1967.

WINTER, Carl (org.). *Grundiss der romanischen Literaturen des Mittelalters.* Heidelberg: Winter. v.I: DELBOUILLE, Maurice (org.). *Généralités,* 1972; v.II: KOHLER, Erich (org.). *Les Genres lyriques,* 1979-1980. 3 fasc.; v.III: LEJEUNE, Rita (org.). *Les Épopées romanes,* 1981. 1 fasc.; v.IV: FRAPPIER, Jean; GRIMM, Reinhold R. (orgs.). *Le Roman jusqu'à la fin du XIIIe siècle.* t.I: 1978, t.II: 1984; v. VI: JAUSS, Hans Robert (org.). *La Littérature didactique, allégorique et satirique.* t.I: 1968. t.II: 1970; v.VIII: POIRION, Daniel (org.). *La Littérature française aux XIVe et XVe siècles,* 1988. t.I; v.XI: GUMBRECHT, Hans Ulrich; SPANGENBERG, Peter Michael; LINK-HEER, Ursula (orgs.). *La Littérature historiographique des origines à 1500,* 1986-1987. t.I em 3v.

ZINK, Michel. *Littérature française du Moyen Âge.* Paris: Presses Universitaires de France, 1992.

ZUMTHOR, Paul. *Essai de poétique médiévale.* Paris: Seuil, 1972.

_____. *Parler du Moyen Âge.* Paris: Minuit, 1980.

Mar

O mundo medieval herdou da Antiguidade os grandes avanços de sua atividade marítima: a intensa ocupação do litoral mediterrâneo, as vias privilegiadas de transporte mercante e guerreiro delineadas desde a pré-história, os utensílios e equipamentos de navegação. Tais permanências eram fortes no Mediterrâneo, nas margens atlânticas e no Oceano Índico, que constituíam uma totalidade organizada até as Grandes Descobertas e a unificação do mundo por via oceânica. A rapidez e segurança das comunicações marítimas e as cargas enormes (desde o período helenístico, de 300 a 500, e mesmo até 1.000 e 2.000 toneladas de porte) contrastavam com a lentidão e o custo dos deslocamentos terrestres: os navios atingiam a velocidade média de 2 nós, incluindo as paradas noturnas. O mar era, desse modo, vetor privilegiado do comércio, da dominação e da colonização a distância.

A Idade Média abre-se com a emergência de novas rotas e novas marinhas: bretões, anglos, frísios e escandinavos dilatam o espaço no Mar do Norte e no Báltico, até a Islândia e a Groenlândia. Simultaneamente, árabes e persas penetram no Mar da China.

Entretanto, o prolongamento das vias orientais e a abertura desse novo mundo nórdico ocorrem paralelamente a uma prolongada diminuição das atividades no Mediterrâneo, transformado em espaço de conflitos quando o Islã atingiu seu centro, a Sicília, a Apúlia, o Egeu. Essa retração acaba em torno do ano 1000: o avanço dos transportes navais é atestado pelos primeiros documentos de Geniza desde o princípio do século XI.

O controle do mar

As condições geográficas determinam o quadro das navegações: no Mediterrâneo, a predominância do vento noroeste (mistral) e do vento norte (etésio, *meltemi* da bacia oriental), cortado por alguns sopros violentos do sudeste (siroco) ou do sudoeste (*libeccio*), favorece os trajetos de oeste a leste. No século XIII, 25 dias eram suficientes para ir de Marselha à Síria. Os retornos são lentos e perigosos: são necessários 40 dias para alcançar Messina e mais difícil ainda é "engolfar" o Tirreno ou o Adriático. Em 1419, o gascão Nompar de Caumont, que levou três meses para ir de Jaffa até Siracusa, resigna-se a passar o inverno na Sicília, pois seu navio está quebrado. Ele parte rumo a Barcelona em fevereiro, mas teve que parar duas vezes, em Palermo e em Túnis.

A navegação invernal, perigosa, imprevisível, não era mais impossível; ainda no século XII, o mar se fechava na festa da Exaltação da Cruz (14 de setembro). Realizava-se então uma prudente circulação costeira, sempre ao abrigo das margens do norte, evitando os litorais meridionais menos hospitaleiros, de Veneza a Rodes, de Gênova a Messina, um pequeno número de passagens diretas, a rota das ilhas, Barcelona-Maiorca-Cagliari-Trapani, a travessia do Mar Jônico, a passagem de Cândia a Alexandria. Os pontos de apoio estratégico para o desembarque são Corfu, Coron, Modon, Rodes, Castellorizzo.

No Atlântico, a navegação é feita de cabo em cabo devido aos recifes e às dunas submarinas, longe de um litoral pouco hospitaleiro com exceção das rias bretãs e galegas, e ao sabor dos grandes ventos. Prefere-se, contudo, as passagens perigosas e estreitas da Bretanha, ao abrigo das ilhas, em vez da rota mais larga, e chega-se à costa inglesa, que se mantém à vista, mas navegando com a ajuda de uma sonda. O mais delicado é realizar a estivagem, feita com vento, chuva e chuviscos das ondas do mar, em portos construídos no fundo de estuários profundos, protegidos pelo macaréu.

No Báltico, a norma é a navegação com sonda. A tripulação guiava-se pelos altos campanários das cidades hanseáticas: o de São Pedro de Rostock tinha 123 m, podendo ser avistado a 50 km de distância. Em marcha rápida, leva-se quatro dias de Lübeck a Dantzig, nove até Bergen, dois meses de Riga à baía do Poitou. Mas prudência é sempre necessária: entre o dia de São Martinho (11 de novembro) e o de São Pedro (22 de fevereiro), o mar fica fechado aos grandes navios.

O domínio do mar supõe o conhecimento das costas: os portos de descanso, Pola, Messina, Penmarch, Audierne, fornecem pilotos que conhecem as dificuldades, as correntes, os fluxos e refluxos das águas, bem como os locais de refúgio. As coleções de cartas marítimas, desde Bakri no século XI, permitem precisar a localização e, no século XIII, os portulanos, acompanhados de um mapa, permitem a navegação em alto-mar com a ajuda da bússola: seguem-se os ângulos que desembocam em um litoral que se reconhece pela descrição dos livros.

Os equipamentos costeiros, faróis, diques, portos escavados, conservam alguns traços da técnica romana. A preparação de portos é retomada nos litorais muçulmanos no século X, desenvolve-se na Apúlia no século XIII, multiplicam-se os molhes (Gênova, Maiorca em 1270, Nápoles em 1302) levantados com pedras, depois com caixotes, e logo tornados comuns: San Remo, Palermo, Barcelona, Valência, Alicante. São os arquitetos meridionais, sicilianos e genoveses, que generalizam o equipamento com faróis, sinalizadores e cais de madeira. Sabe-se, enfim, escavar portos artificiais, como em Aigues-Mortes.

O mar nutridor

Tudo repousa inicialmente na pesca costeira. Até o século XII, numa conjuntura demográfica reduzida, ela se faz apenas em estuários e lagoas. Mas o consumo estimula a seguir a exploração dos ricos litorais mediterrâneos e a pesca dos peixes azuis, da sardinha e do atum, na rota das desovas; também estimula a pesca oceânica em alto-mar e a comercialização em toda a Europa no século XV do arenque do Mar do Norte e do bacalhau salgado e seco.

No Mediterrâneo, a pesca baseia-se num patrimônio de saberes e técnicas: redes fixas e móveis, combinadas com a lâmpada;[1] redes atiradas da terra; linhas de fundo; almadravas, grandes armações fixas em canais e rios para reter o peixe ou para capturar anádromos como o sável, que sobem os cursos d'água.

A demanda sazonal de peixe no mundo cristão, às sextas-feiras e por ocasião da Quaresma, gera tensão entre consumidores e salgadores, estes últimos acusados de monopolizar os peixes frescos. Com efeito, uma cultura alimentar formada no *garum* antigo, aprecia o sabor do peixe salgado, das ovas de peixe, do arenque salgado e defumado, e faz do peixe fresco uma necessidade: nas aldeias, ele é transportado às pressas, de noite. A hierarquia dos sabores e preços exalta inicialmente os grandes peixes "reais" (esturgão, lampreia), depois o peixe gordo, baleia, marsuíno, enfim o peixe branco e o peixe azul.

Essa necessidade explica a integração precoce da pesca à economia mercantil: as almadravas sicilianas trabalham desde o século XII para a exportação; os barcos arenqueiros levam entre dez e vinte marinheiros pescadores, mobilizam sazonalmente um pessoal numeroso e reclamam grandes financiamentos. A pobreza dos marinheiros impõe um sistema de parceria que engloba o uso de instrumentos (barco e redes) e o trabalho fornecido, sendo o peixe dividido proporcionalmente. O capital financeiro passa a participar dessa cooperação e retira sua parte: 44% da pesca dos arenqueiros de Boulogne vão para o "transporte" devido ao armador.

O Estado, os senhores marítimos e a Igreja também subtraem sem pena outra porcentagem: 20% sobre o arenque desembarcado, do qual um pouco menos de 10% pelo dízimo. Os normandos da Sicília chegam mesmo a estabelecer um monopólio régio do mar, e é o Estado que aluga as almadravas.

A exploração do mar não se limita à pesca: o Mar do Norte fornece âmbar, o Mediterrâneo esponjas, ouriço e o precioso coral de Alghero da Sicília e de Tabarka, concentrado no século XIII em Marselha e depois em

---

[1] No original francês, *lamparo*: palavra de origem provençal ingressada apenas no século XX no vocabulário francês, para indicar a modalidade de pesca na qual se utiliza uma lâmpada para atrair os peixes. [HFJ]

Barcelona, trabalhado em Trapani e na Torre del Grecco, sempre reexportado para o Oriente, até a Índia.

A sociedade dos pescadores, sempre em movimento devido às longas deslocações de homens e barcos, é um mundo solidário, familiar, dominado por uma aristocracia de técnicos: os *raisi* das almadravas sicilianas; os *comites* das galeras, conhecedores dos segredos do mar e de sinalizações confidenciais. Enquadrado por uma ritualidade destinada a dar sorte, rica em saber (por exemplo, a pesca do espadão com o uso do arpão, nas costas calabresas), o ambiente dos marinheiros é frequentemente um mundo à parte, justaposto ao mundo dos moradores de terra firme: possuía dialeto próprio, reflexo de suas antigas migrações.

Em todo lugar, a paisagem do litoral continua selvagem: exceto em refúgios fortificados, hesita-se fixar instalações nas costas sempre ameaçadas por imprevisíveis corsários. A escravidão desloca grandes contingentes de pescadores e mesmo de simples passantes. Mas, no verão, é preciso instalar palhoças para a salga, o repouso, a taverna. A solução é construir – castelo à beira d'água – um estabelecimento fortificado para guardar as redes e os barcos de almadravas.

O domínio dos mares

A cronologia do equipamento indica uma transferência de poder dos impérios meridionais para o litoral do Norte, o poder naval desloca-se em direção às cidades-Estado mediterrâneas. Sua política acaba, desde o século XII, com a capacidade ofensiva muçulmana, que, por volta do ano 1000, é ilustrada pela presença de diversos destroços andaluzes nas costas provençais. Da tomada de Palermo (1071) e do saque de Mahdia (1088) até a expedição contra Maiorca (1113-1115), pisanos e genoveses desmantelaram os arsenais magrebinos e reduziram mesmo a capacidade da marinha muçulmana de transportar peregrinos e mercadores da Espanha para Alexandria. O domínio militar antecipa a eficácia econômica, depois se conjuga com ela no século XII, impondo a bizantinos e muçulmanos o aluguel de navios genoveses e venezianos.

As comunas marítimas italianas tiveram em seguida que enfrentar a talassocracia voluntarista do Estado normando, que dispunha em Messina e Amalfi de recursos fiscais, corveias de madeira, remadores de galé fornecidos como tributo. Pisa e Gênova estabelecerão aliança com o império de Barba-Ruiva para quebrar a força meridional que a atividade econômica já não sustentava. Suas ambições territoriais serão frustradas: Pisa perderá a Sardenha; Gênova conservará apenas a Córsega e a Crimeia; Veneza, que sonhava conquistar o espaço bizantino, voltar-se-á para Creta e para um conjunto de ilhas e fortalezas. Mas tais cidades continuam a dividir o mar, e os esforços de Aragão para reservar à sua marinha "nacional" o transporte de mercadorias por meio de Atos de navegação, terão efeito apenas a longo prazo.

A galera é o instrumento de dominação naval, ligada à paisagem do litoral, das aldeias de pescadores onde facilmente se recrutava gente. No século XIII, a evolução ao trirreme de 180 remadores e 32 besteiros reforçou o poder das cidades marítimas, cujo único concorrente era o reino de Aragão, baseado na colaboração de Barcelona, Valência e Maiorca. Nas cidades, a sociedade naval concorre com a sociedade civil e política: seus armadores são capitães e membros dos conselhos; em Veneza, a nobreza tem o monopólio do grande comércio organizado pelo Estado e assume os ofícios do mar, desde a difícil aprendizagem até o comando da galera de combate.

No Báltico e no Mar do Norte, triunfou a mesma organização urbana, mas sem estar submetida à hegemonia territorial de uma cidade, como a de Gênova sobre o litoral vizinho. Duzentas cidades reagrupam-se em torno de Lübeck na Hansa, constituindo uma força naval capaz de bloquear o abastecimento da Noruega e dos Países Baixos, ou de enfrentar a Dinamarca.

Como os genoveses e os catalães, a Hansa utiliza o corso para preparar ofensivas econômicas: os *Vitalienbrüder*, empresários da pirataria, são seus auxiliares contra os dinamarqueses. Mas o corso impunha a navegação de conserva,[2] o que anula os efeitos do progresso técnico sobre a produtivi-

---

2 Navio de conserva é aquele que navega junto a outro para socorrê-lo quando necessário. [N.T.]

dade. É necessário reforçar a equipagem, mas não se pode ultrapassar a relação de um marinheiro por cinco toneladas de carga.

O mar torna-se laboratório da técnica e do Estado: ao lado da bússola e da carta de navegação, desde 1370 a marinha adota a artilharia – poderoso instrumento capaz de provocar estragos nos navios e atingir fortificações – e a escravidão de Estado. Devedores venezianos desde o século XIV e criminosos sicilianos no século XV são acorrentados ao remo das galeras: o ofício do remador voluntário, do *bonavoglia*, foi posto de lado e a justiça passa a atuar para fornecer uma mão de obra submetida a essas condições infernais de vida e de morte.

A mudança: os transportes marítimos de massa

Antes de 1300, nota-se a passagem de transportes limitados a produtos relativamente preciosos para uma circulação de produtos destinados ao comércio de massa: as transformações técnicas articulam-se com a revolução dos fretes. No século XI, navios com grande capacidade já percorrem o Mediterrâneo muçulmano (por volta de 1025, cada um leva quatrocentos passageiros entre Almeria, Mahdia e Alexandria), mas carregam apenas produtos frágeis, como especiarias regionais, fibras têxteis (algodão, seda andaluza, linho egípcio), matérias tintoriais (índigo, pau-brasil), especiarias, açúcar, pérolas, corais. E as linhas são pouco frequentadas: por volta de 1060, apenas catorze navios chegam a Mahdia a cada estação.

Nas proximidades de 1300, o mesmo espaço passou para o domínio das marinhas italianas e catalã. Uma divisão geográfica do trabalho impõe-se entre metrópoles industriais da Lombardia e de Flandres e regiões exportadoras de produtos alimentares (trigo da Sardenha, da Sicília, do Marrocos e do Mar Negro), de alume (Anatólia, Egito) e de fibras têxteis.

Embora irregular, o transporte de grãos organizado pelos ofícios urbanos mobilizam os navios (entre 1407 e 1408, 241 navios sicilianos transportam 31 mil toneladas); as frotas de vinho gascão ou sal poitevino que se dirigem ao Báltico também podem atingir uma centena de embarcações.

As mudanças técnicas propiciam o aparecimento de navios maiores e mais fortes, permitindo a retomada de tonelagens equivalentes às da Antiguidade. A técnica de construção denominada "primeiro bordo", que dava ao casco a aderência de um navio flexível, foi substituída pela técnica do "primeiro vigamento", que fixava o bordo às mimburas. O *kogge* báltico, curto, redondo, situado acima do nível da água em dois ou três pontos, substitui a nau por volta de 1300. Ele carrega até 1.000 toneladas. Sua vela redonda permite atingir grande velocidade, e sua direção axial à moda de Bayonne é uma inovação do futuro.

Não se deve esquecer que são engenheiros navais italianos (genoveses e pisanos desde 1115 na Galícia, genoveses e venezianos do círculo das Galés de Rouen no século XIV) que unificam o espaço marítimo e elaboram novos modelos, como a caravela rápida com livre bordo por volta de 1450, o baleeiro, a carraca, a galera mercante ou galeaça, capaz de trafegar no oceano com 500 toneladas de porte. As grandes descobertas serão obra de marinheiros e sábios italianos.

A mudança técnica foi responsável pela concentração do armamento e das construções mais caras nos principais portos, como Gênova e Barcelona, deixando as pequenas escalas para a cabotagem local. Também determinou a convocação de transportadores especializados, como bascos, bretões e ragusanos, "nações" pobres que assumem as tarefas menos nobres e incertas do frete sob encomenda, como as perigosas funções do corso.

Essa mudança dos transportes de massa teria sido menos rápida sem a diferenciação dos fretes, analisada por Federigo Melis. O custo do transporte de produtos pesados acabava sendo compensado pelo frete de produtos leves e preciosos: as especiarias pagam o transporte do algodão. A mutação é acompanhada por uma escala decrescente das tarifas: vinculadas à quantidade de milhas náuticas percorridas, os custos do transporte abaixam a partir das 600 milhas, favorecendo assim a circulação a longa distância do trigo siciliano, do vinho calabrês, dos frutos secos de Sevilha.

O comércio de massa modifica a geografia dos ancoradouros sem alterar a paisagem litorânea: os carregamentos de grãos, alume, madeira, vinho, não precisam de porto, bastando existir um *caricatore*, simples praia protegida por uma torre de vigia perto dos armazéns, e alguns barcos. Sicília, Crimeia, praias marroquinas, angras calabresas, funcionam desse modo, sem necessidade de equipamentos.

Enfim, os transportes de massa estruturam o espaço marítimo: a partir dos grandes *emporia*, por vezes desdobrados (Bruges/Écluse), a navegação impõe locais de descanso, onde se aguarda a ordem de carregar (Trapani, Quios, Caffa) e portos de ordem (Gaeta para Roma, Portofino para Gênova, Santo Estefano para Constantinopla), onde o patrão entra em entendimento com feitores locais das companhias e informa-se dos preços e do mercado antes de descarregar ou continuar a rota.

O imaginário do mar

Os geógrafos árabes e autores anglo-normandos do século XII apresentam o testemunho de um vasto folclore marítimo que não se reduz ao medo de viagens e de monstros. É verdade que cavaleiros e clérigos literalmente morriam de medo do mar, mas os marinheiros sabiam mergulhar e nadar. Os contos recolhidos por clérigos dão conta de uma familiaridade ambígua, marcada tanto pela busca da proteção quanto pela fascinação da morte próxima. O mar suscita antes de tudo uma atitude propiciatória: o Mediterrâneo está cercado pelos cabos Coroa, Colunas ou Sanam ("ídolo"), lembrança sempre eficaz dos templos antigos. Uma auréola de igrejas e de *ribats* muçulmanos sacraliza o espaço marítimo, eficazmente protegido por intercessores: Vicente no Algarve, acompanhado por seus corvos tutelares, Elme, que se manifesta na forma de uma chama anunciando o fim das tempestades, Nicolau de Bari, Moisés, Elias e Khidr, seu correspondente no mundo muçulmano, Sidi Mahrez.

A ritualidade que afasta a desgraça é múltipla e, com frequência, laica: o piloto "corta" a cauda do dragão da tempestade com uma faca; as mulheres, impuras, são mantidas longe do leme; água e relíquias, ossos de mortos, são jogados ao mar. Mais próximo da religião estabelecida, a busca de protetores, no século XIII, substitui animais e bestas de proa pela Virgem e por santos, Nicolau, Antônio, Jorge, Miguel. Os santuários atraem votos e peregrinações em caso de problemas, não sem ameaças para o caso da falta de intercessão do santo: este será punido com uma greve do ofício no dia da festa dele. As "litanias do mar" (*hizb al-bahr*) de Salomão, mestre dos gênios, controlam os ventos, da mesma forma que as "santas palavras" dos marinheiros italianos garantem a passagem das tempestades. A presença de eremitas e de monges nos cabos e nas ilhas confirma uma intercessão ecumênica: os navegadores muçulmanos iam à Annunziata de Trapani e ao mosteiro cipriota do Bom Ladrão.

O mar, como todas as fontes e águas dormentes e correntes, também é um mundo *faé* (feérico): suas ondinas não têm a lúcida ferocidade dos *dracs* (gênios sequestradores) dos rios, nem o poder de fascinar e atrair os homens. A imagem das ondinas também não evoca o mundo dos mortos dos contos de terra firme alusivos a Melusina e Morgana. Um relato siciliano transmitido por volta de 1150 por Guilherme de Auxerre introduz, entretanto, uma Melusina marinha: capturada, amarrada pelos longos cabelos, muda, ela traz para seu esposo fortuna e uma bela criança, mas ele perderá tudo quando a obrigar a falar.

O mar perde desse modo sua serenidade: torna-se o domínio de Morgana, *Fata Morgana*, transportada para a Sicília e transformada na dama sensual e perigosa, mas amante do Etna, onde Gervásio de Tilbury e depois os autores de romances corteses situam um local de descanso dos mortos em seu palácio, verde paraíso pagão no inferno vulcânico. Aí ela mantém Floriant e Florette, levados por seus navios rápidos como o pensamento.

Outros habitantes do mar, dessa vez benéficos, advertem o navegador: os golfinhos não devem ser atingidos por arpão. Aqueles que o fazem sujeitam-se a um castigo imediato: transformados em cavaleiros marinhos, os golfinhos conduzem o culpado até grutas profundas para que ele cuide de seu irmão ferido (Gervásio). O homem-peixe do estreito de Messina, Nicolau Pipe, benfazejo aos navegadores, é vítima da curiosidade tirânica dos reis, que o obrigam a mergulhar nas tempestades submarinas ou arrancam-no do elemento marinho, e ele morre por falta de ar. Pouco a pouco, ele é demonizado pela cultura eclesiástica, enquanto os contos da Sicília ou da Grécia continuam a apresentá-lo como um herói que se sacrificara ao tentar substituir o pilar de sustentação do mundo, mordido por monstros marinhos.

Nos limites da cultura erudita, o mar é imagem da terra, com suas montanhas, jardins, peixes-pastores apascentando peixes-ovelhas. Seus habitantes têm uma hierarquia própria, do peixe-rei e do peixe-bispo ao peixe-cão; estes são animais inteligentes, sábios, grandes estrategistas: Alexandre Magno mergulhou em um batiscafo de vidro para observar suas atividades. Mas nosso mundo também é a parte inferior de um mar que nos envolve como o anel de Moebius (uma faca perdida no mar da Irlanda cai através das nuvens na casa de seu dono, em Bristol): os "tempestários" de Agobardo levam as colheitas ceifadas em navios que navegam acima das nuvens; noutro local, uma âncora cai das nuvens e fica presa, ao descer para soltá-la, um marinheiro morre sufocado devido ao ar que respira.

A Idade Média fecha-se com uma série de acontecimentos marítimos que enfatizam a centralidade da marinha mediterrânea, sua capacidade de aprender e seu dinamismo. As grandes descobertas, ao dilatarem o mundo conhecido, ao colocarem o velho Adão diante de novos mundos, aplicaram, prolongaram e exploraram técnicas, modelos e ambições de uma longa Idade Média de navegadores, pescadores e mercadores.

HENRI BRESC
Tradução de José Rivair Macedo

Ver também

Maravilhoso – Mercadores – Natureza – Peregrinação

Orientação bibliográfica

ACTES DES COLLOQUES D'HISTOIRE MARITIME. 1956-1980. 18v.
CABANTOUS, Alain; HILDESHEIMER, Françoise (ed.). *Foi chrétienne et milieu maritime*. Paris: Publisud, 1989.
CASSARD, Jean-Christophe. *Les Bretons et la mer au Moyen Âge*. Rennes: Presses Universitaires de Rennes, 1998.
L'EUROPE ET L'OCÉAN AU MOYEN ÂGE. Nantes: CID, 1988.
GALLEY, Micheline; ADJAMI SEBAI, L. (eds.). *L'Homme méditerranéen et la mer*. Túnis: Salammbô, 1985.
GOITEIN, S. D. *A Mediterranean Society: the Jewish Communities of the Arab World as Portrayed in the Documents of the Cairo Geniza*. Berkeley e Los Angeles: University of California Press, reedição 1999. t.I: *Economic Foundations*.

HOCQUET, Jean-Claude. *Le Sel et la fortune de Venise*. Lille: Université de Lille, 1979. t.II: *Voiliers et commerces en Mediterranée 1200-1650*.

DUBOIS, Henri; HOCQUET, Jean-Claude; VAUCHEZ, André (eds.). *Horizons marins, itinéraires spirituels (Ve-XVIIIe siècle)*. Paris: Publications de la Sorbonne, 1987. t.II: *Marins, navires et affaires*. études réunis par (Mélanges Michel Mollat).

LOTTIN, Alain; HOCQUET, Jean-Claude; LEBECQ, Stéphane (eds.). Les hommes et la mer dans l'Europe du Nord-Ouest de l'Antiquité à nos jours. Colloque de Boulogne-sur-Mer, 1984. *Revue du Nord*, Lille, 1986. (Número especial.)

MALKIN, Irad (org.). *La France et la Méditerranée*: vingt-sept siècles d'interdépendences. Leiden, Nova York, Copenhague e Colônia: E.J. Brill, 1990.

LA NAVIGAZIONE MEDITERRANEA NELL'ALTO MEDIOEVO. Spoleto: Centro Italiano di Studi sull'Alto Medioevo, 1978.

PRYOR, John H. *Geography, Technology and War*: Studies in the Maritime History of the Mediterranean, 849-1571. Cambridge: Cambridge University Press, 1988.

L'UOMO E IL MARE NELLA CIVILTÀ OCCIDENTALE: DA ULISSE A CRISTOFORO COLOMBO. Gênova: Società Ligure di Storia Patria, 1992.

Maravilhoso

Como a maioria das civilizações, e talvez mais até do que muitas delas, a civilização medieval foi fascinada por tudo o que dizia respeito ao sobrenatural e ao extraordinário. Mas o que a caracteriza com maior particularidade é o seu interesse pelos limites do sobrenatural, interesse que suscitava reações de ordem religiosa, estética e mesmo científica. O que estava em jogo no campo do maravilhoso eram as fronteiras entre o natural e o sobrenatural. A primeira maravilha que o Deus dos cristãos oferecera à humanidade fora a própria Criação. O homem e a natureza criados eram a manifestação primordial do maravilhoso.

No curso da história da humanidade, Deus, e apenas Ele, podia agir de modo sobrenatural, isto é, realizar milagres, ao passo que os homens podiam ser tanto suas testemunhas (inclusive indiretas, por ouvir dizer ou por meio da leitura), quanto admiradores de maravilhas que os surpreendiam, ainda que não fossem milagres. O problema da distinção entre milagre, de caráter sobrenatural, e maravilha, de caráter natural, preocupou tanto os clérigos quanto os simples mortais na Idade Média. O tema é, contudo, delicado, uma vez que não partilhamos a concepção de maravilhoso dos homens e mulheres daquele período.

O que tornava complexo o problema da maravilha na Idade Média era que ela, assim como o milagre — só que de maneira ao mesmo tempo mais difícil e menos grave, pois nesse caso atribuía-se menor importância ao que estava em disputa –, podia ser uma ilusão produzida por Satã para confundir os homens. Muito perfidamente, Satã era capaz de produzir mágica estritamente a partir de seu domínio (como por vínculos terrenos com feiticeiros, feiticeiras e todos os humanos a seu serviço, além dos membros de sua numerosa tropa de demônios). Era, portanto, difícil distinguir as maravilhas devidas à magia, maravilhas diabólicas, dos verdadeiros milagres e das maravilhas naturais criadas por Deus. O mundo medieval do maravilhoso punha em questão as relações do homem com Deus, com a natureza e com o Diabo. Ele misturava objetos de admiração e de veneração com objetos de perdição, transpondo a distinção entre o real e o verdadeiro, de um lado, e o ilusório e o falso, de outro.

Como de hábito, os problemas de vocabulário – tanto o medieval quanto o nosso vocabulário moderno – são essenciais para definir o maravilhoso medieval. No latim, como nas línguas vernáculas, não havia um termo que designasse uma categoria intelectual, estética, científica ou mental que costumamos chamar de "o maravilhoso". O maravilhoso na literatura não constituía um gênero. Um adjetivo, *mirabilis* em latim, *merveillos* em francês antigo (presente na *Canção de Rolando*, em torno a 1080), ou *merveillable*, faz a pessoa, o objeto, o fenômeno e, enfim, o substantivo ao qual se reporta, entrar na categoria do maravilhoso. O termo mais importante do campo semântico do maravilhoso é o substantivo feminino *merveille*, que já é encontrado na *Vida de Santo Alexis*, por volta de 1050. Havia equivalentes em outras línguas vernáculas da Cristandade, tais como *meraviglia* em italiano, *maravilla* em espanhol, *maravilha* em português, *wunder* em alemão, *wonder* em inglês etc. Nas línguas eslavas, há casos em que uma mesma palavra designa tanto o milagre quanto a maravilha, como *cud* em polonês. O plural latino *mirabilia* ("as maravilhas") pôde ser utilizado, no baixo-latim, como um feminino singular ("a maravilha"), mas no latim medieval dos clérigos, erudito, *mirabilia* é o termo que designa o que nós chamamos "o maravilhoso". Contudo, enquanto definimos uma categoria, um tipo de realidade, a Idade Média latina vê um conjunto, uma coleção de seres, fenômenos, objetos, possuindo todos a característica de serem surpreendentes, no sentido forte da expressão, e que podem estar associados quer ao domínio propriamente divino (portanto próximo do milagre), quer ao domínio natural (sendo a natureza originalmente o produto da criação divina), quer ao domínio mágico, diabólico (portanto uma ilusão produzida por Satã e seus seguidores sobrenaturais ou humanos).

Também é preciso distinguir, em nosso instrumental linguístico e científico atual, o maravilhoso de outros termos próximos que não existiam na Idade Média e não devem ser considerados como sinônimos seus. É o caso de "fantástico" (que, desde o século XIV, deriva do ilusório e mesmo do insano, à espera do século XIX para tomar, com o romantismo, o sentido de "surpreendente", de "incrível", e para designar um gênero literário), e de "prodigioso", formado no século XIV também a partir do latim clássico, no qual "prodígio" era um sinal profético e, com sentido secundário, um monstro ou uma catástrofe. Por fim, o maravilhoso opõe-se ao estranho na medida em que se mantém inexplicável e contém uma referência positiva ou negativa, frequentemente ambígua, do sobrenatural.

O maravilhoso medieval caracteriza-se pela raridade e pelo espanto que suscita, em geral admirativo. Ele afeta primariamente o olhar e implica qualquer coisa de visual, posto que deriva da raiz *mir*, a mesma que se encontra nos termos latinos *miror*, *mirari* ("surpreender-se") e *mirus* ("surpreendente"). Da maravilha medieval originou-se o verbo *merveiller* (desde o século XII), "espantar-se, maravilhar-se, admirar", relacionado a *miroir*, que substitui, na língua vernácula, a partir do século XII, o latim *speculum* ("espelho"). Este último designa, na Idade Média – por empréstimo feito a Santo Agostinho –, um gênero literário-didático relativo a um domínio do saber de acordo com uma concepção especular do universo científico, atinente também ao campo das maravilhas. O homem contempla a Criação em um espelho, incluindo o que ela encerra de surpreendente, de extraordinário.

A história do maravilhoso

O maravilhoso é um objeto cultural e psicológico que evolui com o tempo. Ele é, portanto, objeto da história: existe uma cronologia do maravilhoso, de seu lugar e de suas formas na cultura e na sociedade medievais, marcada por fases diferenciadas decorrentes das resistências, dos arcaísmos e da diversidade sociocultural que caracterizam esse tipo de fenômeno e de história.

Podem-se distinguir três períodos na história do maravilhoso medieval, que basicamente assinalam as fases sucessivas das atitudes do cristianismo da época em face de fenômenos como o sonho ou o riso, nos quais as sobrevivências pagãs e/ou populares geram por longo tempo nos membros da Igreja reações de desconfiança e hostilidade.

Durante a Alta Idade Média, a luta contra o paganismo e as superstições populares desencadeia, se não uma repressão, ao menos um refluxo do maravilhoso: os milagres divinos realizados por intermédio dos novos heróis cristãos, os santos, ocupam a maior parte do espaço da existência humana, invadido pelo sobrenatural ou pelo quase sobrenatural.

O século XI, e sobretudo o XII e o XIII, são marcados por um vivo florescimento do maravilhoso, em razão de um certo relaxamento do controle exercido pela Igreja, que se consagra essencialmente à luta contra os hereges, em razão do acolhimento favorável que a cultura laica cortês dedica ao folclore rural, em razão do esforço científico e literário visando ampliar os domínios do saber e, por fim, em razão de um novo gosto pela exploração dos atrativos do Aqui. É na passagem do século XII ao XIII que entra em cena o sistema medieval do extraordinário, discernindo entre o miraculoso de origem divina e o mágico de natureza diabólica, um intermediário propriamente terreal, natural, o maravilhoso propriamente dito. Seu principal teórico é o inglês Gervásio de Tilbury, que compõe para o imperador Oto IV de Brunswick, cerca de 1210, a enciclopédia intitulada *Otia imperialia (Para entretenimento do imperador)*, cuja terceira parte é uma coletânea de *mirabilia*. No seu prefácio, Gervásio apresenta uma definição de maravilhoso: "*Mirabilia vero dicimus quae vostrae cognitioni non subjacent etiam cum sint naturalia*" ("chamamos de maravilhas os fenômenos que escapam à nossa compreensão, embora sejam naturais"). No domínio literário, o lai e o romance cortês veem-se totalmente penetrados pelo maravilhoso, e a aventura cavaleiresca é, em si própria, uma maravilha.

Enfim, nos séculos XIV e XV produz-se uma estetização do maravilhoso, afirmando-se os seus encantos artísticos e descritivos. O maravilhoso torna-se mais literário do que religioso.

As fontes do maravilhoso

O maravilhoso medieval – assim como outros domínios da religião e da cultura – acolhe fontes diversas, anteriores ou exteriores à Cristandade, para aprisioná-las e cristianizá-las em intensidades variadas.

O paganismo antigo, votado à desaparição pelo cristianismo, raramente se manifesta como elemento do maravilhoso. Em todo um *corpus* de contos maravilhosos medievais, nenhum traço dele foi encontrado: os personagens ou temas emprestados da mitologia greco-latina estão ausentes. O lugar de destaque mantido por Roma e por Virgílio no maravilhoso medieval deve--se, sobretudo, aos monumentos e lembranças que a cidade cristã herdou da ancestral pagã, assegurando à *Urbs* sua condição de cidade maravilhosa por excelência, mais que Jerusalém, a cidade miraculosa. E se Virgílio foi considerado pelo cristianismo como um mensageiro – e a esse título, como um profeta – de Jesus e da nova religião, seu dom de "necromancia" (adivinho por magia negra, realizador de maravilhas mágicas), na *Quarta écloga*, fazia-o pender menos para o Deus dos cristãos do que para o Diabo. Contudo, uma das fontes primordiais do maravilhoso medieval erudito é, como de costume na cultura cristã da Alta Idade Média, um texto latino da Antiguidade tardia, os *Collectanea rerum mirabilium* (a *Coletânea de maravilhas*), de Gaius Julius Solinus (Solino), que no século III tirara muito material da *História Natural*, de Plínio, o Velho. Os autores cristãos da Idade Média utilizaram abundantemente a *História Natural*, exemplo que lhes tinha sido dado, no século V, pelo imperador cristão Teodósio II, que havia cuidadosamente corrigido e comentado um exemplar dessa obra.

A Antiguidade alimenta, portanto, o maravilhoso medieval, que recupera personagens mitológicos como Vulcano, Minerva, Vênus e as Parcas, monumentos como as Sete Maravilhas do mundo, seres imaginários como as sereias e, sobretudo, personagens históricos que se tornaram lendários, como Virgílio e Alexandre. Este tornou-se herói de uma literatura medieval excepcionalmente abundante, cujas principais fontes datam também do Baixo Império, dentre elas um *Épitomé*, de Júlio Valério (primeira metade do século IV que inclui uma carta apócrifa de Alexandre a Aristóteles, e uma tradução latina do século X de um Pseudo-Calistino grego, alexandrino do século III que narra os *Combates* de Alexandre. Esses textos estão na origem de uma extraordinária florescência, na Cristandade do século XII, de versões romanceadas da história de Alexandre, que, pouco depois de 1180, seriam sintetizadas pelo normando Alexandre de Paris nos 16 mil versos que integram o seu *Romance de Alexandre*. Nessa obra, o rei da Macedônia não aparece apenas como um guerreiro maravilhoso, autor de proezas extraordinárias que agradam à sociedade cavaleiresca, mas também como um explorador das maravilhas da Índia e dos mistérios dos mares e dos céus. Ele observa o fundo dos mares em uma embarcação submarina transparente, uma espécie de ancestral do batiscafo, e explora os céus voando em um bote puxado por dois grifos e por aves que comem a carne que o rei, amarrado em seu engenho, estende-lhes com a ponta de sua lança (para aterrissar, ele para de os alimentar).

O maravilhoso bíblico é outra fonte essencial. O Antigo Testamento foi um receptáculo de folclore maravilhoso arcaico que o cristianismo medieval incorporou, principalmente a partir do livro do Gênesis: Paraíso, arca de Noé, torre de Babel, passagem do Mar Vermelho, monstros marinhos como o Leviatã ou a baleia que engoliu Jonas sem devorá-lo.

No Novo Testamento, se os Evangelhos expulsam o maravilhoso em prol do miraculoso vinculado a Jesus, o livro do Apocalipse – inspirador de uma rica iconografia – é uma extraordinária fonte de maravilhoso. Particularmente notável é a série de manuscritos iluminados (32, do século IX ao XVI) do *Comentário ao Apocalipse* composto pelo monge espanhol Beato de Liébana, assim como a tapeçaria do Apocalipse de Angers, do século XIV. As imagens do livro do Apocalipse deram uma vida impressionante aos personagens cristãos maravilhosos que povoaram o imaginário dos homens e mulheres da Idade Média: os anjos, com suas trombetas escatológicas, os cavaleiros catastróficos (a Guerra, a Fome e a Peste), a Besta, a Mulher, o Dragão e, sobretudo, o Anticristo e a Jerusalém celeste. Elas instituíram um maravilhoso do fim dos tempos, do fim da história, anunciador do Juízo Final.

O paganismo bárbaro é uma outra fonte de maravilhoso, particularmente abundante nas mitologias germânica, escandinava e céltica. Elas enriqueceram o mundo medieval com gigantes e anões, como o rei anão Obéron herdado por Shakespeare, com seres encantados como elfos e duendes, com objetos mágicos como os anéis que tornam seus usuários invisíveis, as espadas ornadas que se encontra na canção de gesta e no romance (a *Joyeuse* de Carlos Magno, a *Durandal* de Rolando, a *Excalibur* de Artur), as trombetas de sons maravilhosos, como a de Rolando, que são cornos sonoros, além de bebidas mágicas como o filtro de amor consumido por Tristão e Isolda. O mundo dos mortos envia à terra seus defuntos maravilhosos, os fantasmas e espectros. O universo céltico, que os autores medievais chamam "matéria de Bretanha", é um grande reservatório de maravilhoso que irriga os grandes ciclos romanescos e legendários. Destacam-se dois heróis extraordinários, Artur e Merlin, cujo nascimento é maravilhoso: filho de uma virgem e de um demônio íncubo, ele encarna a ambivalência do maravilhoso por sua dupla origem, diabólica e cristã. É responsável pela criação, por Artur, da Távola Redonda, réplica exata da távola do Graal, ela própria feita à imagem da mesa da Ceia. Ele é profeta, encantador e mistificador; conhece o presente e o futuro, provoca inquietação com suas metamorfoses e seu riso sardônico. Ele resume em si o maravilhoso, cujos segredos devem ser desvendados e neutralizados. Seu amor por mulheres-fadas o destrói: ensina seus encantamentos a Morgana e depois a Viviane, de quem está enamorado e que o prende para sempre em uma caverna situada no interior de uma floresta maravilhosa.

Uma outra fonte de maravilhoso é o Oriente, horizonte onírico e mítico do Ocidente medieval. Nesse caso, os intermediários são os habituais difusores do saber secular do Oriente no Ocidente cristão bárbaro medieval: os bizantinos, os árabes e os judeus. Assim como o apocalíptico, o maravilhoso oriental fascinou os artistas cristãos da Idade Média. Aquilo que já se chamou de "fantástico" oriental deve ser chamado de maravilhoso oriental, como o fazem, por exemplo, várias versões da *Viagens ao Oriente*, de João de Mandeville, no século XIV, em especial o manuscrito espanhol conservado no Escorial sob o título de *Libro de las maravillas del mundo*.

Para os homens do Ocidente medieval, o Oriente inicia-se a leste do Mediterrâneo, no Oriente Próximo. Bizâncio e a Terra Santa são, ao mesmo tempo, reservatórios e maravilhas em si mesmas, das quais Bizâncio está repleta, tanto das antigas e imperiais quanto das cristãs, caso do tesouro constituído por relíquias que são maravilhas especiais, privilegiadas porque dotadas de um poder miraculoso que as situa na ambígua interface entre a maravilha e o milagre. As maravilhas de Constantinopla atuaram como uma espécie de estímulo ao ímpeto dos cruzados ocidentais, que atacaram a cidade em 1204. Esse mesmo papel de tentação exercida pela maravilha na origem de ações guerreiras e políticas aparece aqui como nas canções de gesta, nas quais certas cidades (Orange, por exemplo, ou Saragoça, na *Canção de Rolando*) são apresentadas como presas sedutoras. Em *Partonopeus de Blois*, romance anônimo composto antes de 1188, as maravilhas do palácio da rainha Mélio são minuciosamente descritas.

Em função do livro do Gênesis e de certas tradições lendárias, o Nordeste da Ásia apresenta-se também como um reservatório de maravilhas nostálgicas ou terríveis. É nessa região que se localiza o Paraíso terrestre, habitado apenas por Elias e Henoc, além de um território cercado de maravilhas onde estão confinados os terríveis povos de Gog e Magog, identificados pelos cristãos ocidentais aos mongóis quando estes, entre 1240 e 1242, promovem incursões devastadoras desde a Europa central até a Silésia. Com a aproximação do fim dos tempos, Elias e Henoc morrerão para poder ressuscitar no Juízo Final, anunciando o Anticristo.

As maravilhas da Terra Santa que atraíam os peregrinos e cruzados cristãos não se restringiam à Jerusalém terrestre e ao Santo Sepulcro, mas abrangiam todo o Oriente Próximo, designado pelos ocidentais com um termo que exprime seu caráter maravilhoso: o além-mar, perigoso e fascinante.

Encontramos ainda uma manifestação do maravilhoso de origem oriental, mas também do ocidental, na obra composta pelo rabino e médico judeu Moisés Sefardi, nascido em Huesca, na Espanha, em 1062, e convertido ao cristianismo em 1106, quando adotou o nome de Petrus Alfonsi. Sua *Disciplina clericalis*, que conheceu um imenso sucesso, em suas historietas e provérbios destinados à instrução de jovens cristãos mistura o maravilhoso com receitas morais e temas científicos. Tal obra está impregnada de atmosfera oriental, graças à presença de motivos de origem budista e aos empréstimos feitos às *Mil e uma noites*, ao *Alcorão*, ao *Antigo Testamento*, ao *Talmude* e à *Hagadá*.

Mas é sobretudo a Índia, grande horizonte onírico dos cristãos da Idade Média, que constituiu o maior reservatório de maravilhoso. Desde a aula inaugural de Gaston Paris no Collège de France, em 1874, reconhecem-se os empréstimos feitos pelos contos, *fabliaux* e lais ao *Panchatantra*, coletânea sânscrita de contos e fábulas compostos em torno do século VI e que, traduzidas ao persa e depois ao árabe (em particular na compilação de *Kalila et Dimna*), atingem a Europa sob o nome de *Bidpay* ou *Pilpay*, nome do suposto brâmane indiano que seria seu autor. As maravilhas da Índia são, aliás como todas as maravilhas, assustadoras e fascinantes: dragões que vigiam tesouros; monstros compósitos como a *manticora*, com face humana, três fileiras de dentes, corpo de leão, cauda de escorpião, olhos azuis, tez avermelhada de sangue, voz sibilante como a de uma serpente, mais ágil que um pássaro e, de resto, antropófaga; as ilhas maravilhosas de Chypre e Argype, todas de ouro e prata puros; o reino de Malabar, cujo rei anda nu, coberto da cabeça aos pés por enormes pérolas extraídas do mar. Um personagem indiano, que se crê bem real, maravilha particularmente o Ocidente: o Preste João, "rei das Índias", cuja existência é conhecida em Roma em 1145. Diversas versões de uma carta que teria enviado ao imperador bizantino, ao imperador do Ocidente, ou ainda ao papa, circulam a partir de 1165. Ela descreve uma Índia cristianizada pelo apóstolo Tomé e as inumeráveis e extraordinárias maravilhas que abriga. Aparentemente imortal, ele não parou de frequentar a imaginação dos ocidentais até o fim da Idade Média. Não tendo sido localizado por Marco Polo, acabou transferido, no século XIV, para a Etiópia, que abrigara anteriormente a maravilhosa rainha de Sabá. À Cristandade ocidental, Preste João oferece um modelo régio maravilhoso que ela não tinha conseguido realizar: rei e sacerdote, rico e sábio como Salomão, ele inspirou um maravilhoso político.

Por fim, outra fonte de maravilhoso encontra-se no folclore tradicional do Ocidente cristão e pré-cristão. Transmitido oralmente, ele acaba por penetrar, com os jograis, *trouvères* e trovadores, a cultura senhorial do castelo e, em seguida, a cultura urbana das praças públicas, invadindo a literatura do século XII em um momento em que a elite laica favorece a difusão de uma cultura de feição meio popular, meio erudita, e relativamente independente da cultura eclesiástica. Vários elementos do conto maravilhoso atingem, enfim, a massa dos fiéis nas igrejas, integrados nas histórias edificantes (*exempla*) com as quais os pregadores embelezam seus sermões. Dois exemplos bastam para ilustrar a importância e a longevidade dessa corrente do maravilhoso na cultura europeia, ultrapassando as próprias fronteiras cronológicas da Idade Média. O primeiro é o do conto maravilhoso, categoria definida pelos folcloristas eruditos dos séculos XIX e XX. Da Idade Média provêm vários, como *La Fille aux mains coupées* [A menina com mãos cortadas], *Le Garçon qui comprend le langage des animaux* [O garoto que entendia os animais], *L'Oiseau bleu* [O pássaro azul], *La Belle au bois dormant* [A bela adormecida] etc. O segundo é o da fada, ser de origem sobrenatural que pode tomar forma humana, em geral belíssima, integrar-se à sociedade humana para exercer seus dons mágicos e, em seguida, desaparecer. São conhecidas as "fadas madrinhas, herdeiras das antigas Parcas, que decidem os destinos humanos", e as "fadas amantes, enamoradas de um mortal, que dominam o imaginário erótico da Idade Média". Distinguem-se, nessa relação homem-fada, dois tipos de situação, uma em que a fada encarna a feminilidade maléfica e a morte, caso de Morgue (ou Morgana), e outra em que a fada representa a feminilidade doméstica, benéfica, na qual a mulher é amante, fecunda e maternal, mas, ao mesmo tempo, infeliz. Esse é o tipo caracterizado por Melusina: a fada apaixona-se por um mortal, e torna-se sua esposa sob a condição de que ele respeite um interdito, preservando a privacidade de seu quarto no dia da semana em que ela recupera sua forma verdadeira de dragão ou serpente. Promessa firmada, a esposa-fada cumula seu cônjuge de uma abundante progenitura e de grandes riquezas (arroteamento de florestas, construção de castelos e de cidades). Mas o marido acaba por infringir a proibição e Melusina desaparece. As fadas são, portanto, sempre ambíguas, meio boas, meio diabólicas. Quando o teatro reaparece nas cidades, um espetáculo como *Le Jeu de la feuillée* [O jogo da enramada] de Adão de la Halle, talvez encenado em Arras cerca de 1280, faz conhecer todo um folclore camponês aos citadinos, que se mostram divididos entre a admiração e um medo que gera hostilidade.

A cristianização e os caminhos do maravilhoso

O cristianismo reduz o maravilhoso do mundo mitológico e animista repleto de deuses e seres misteriosos a uma única fonte: Deus. Ele torna-se mesmo um meio de apreciar a inesgotável criatividade divina e sua intenção de surpreender o homem.

Ele o regulamenta, fazendo a crítica do falso milagre, diferenciando a maravilha do milagre e isolando-a da feitiçaria e do diabólico. Ele o racionaliza ao conferir-lhe um lugar e uma função na Criação, além de um estatuto de excepcionalidade, contido, no entanto, nos próprios limites da natureza.

Porém, mais do que destruir ou rechaçar o maravilhoso, o cristianismo o recupera, integrando-o depurado pela água do batismo. Os monstros tornam-se obedientes a Deus e aos santos. São Marcelo de Paris, por exemplo, força o dragão devastador a desaparecer, enquanto Santa Marta domestica a tarasca de Tarascon. Obéron, o *faé* (existem homens-fadas), o anão taumaturgo, atribui a Jesus a sua encantadora beleza e o seu poder maravilhoso. Nos contos, a história é cristianizada pela intervenção de um santo, de anjos, da Virgem, ou mesmo, muitas vezes, do próprio Deus. O mundo sobrenatural cristão constitui-se na alternativa cristã do maravilhoso: santos, anjos, demônios. Um objeto maravilhoso originariamente pagão, mágico, torna-se, por deformação e mudança de função, cristão e até sagrado, como o Graal, que de taça mágica transforma-se em um cálice produtor de hóstias.

Mas o maravilhoso pré-cristão pode resistir.

O maravilhoso atinge os homens por formas variadas, oral, escrita ou figurada, conforme vias elas próprias maravilhosas. Uma das mais usuais e significativas é a do sonho, da visão, da aparição. O cristianismo destruiu o sistema oniromântico antigo e limitou, durante muito tempo, o sonho profético a alguns privilegiados (santos, reis e monges), manifestando-se o maravilhoso no sonho e, sobretudo, na visão, sonho desperto. Os monges beneficiam-se particularmente desse modo de revelação do maravilhoso. As mais antigas visões monásticas do Além, em que surge uma prefiguração do que viria a ser, a partir do século XII, o Purgatório, datam dos séculos VII e VIII. No século VII, o monge espanhol Bonellus recebe de um anjo a visão do Paraíso, cela radiante de pedras preciosas, e de um demônio a visão do poço do Inferno, no qual arde um fogo maravilhosamente medonho. No século VIII, um monge inglês da abadia de Wenlock encontra-se, em uma visão, arrebatado por anjos que o conduzem a uma volta ao mundo e, em seguida, ao Além, cujas maravilhas eles lhe mostram: ele vê, em particular, uma ponte suspensa sobre um rio de fogo, cuja superfície, além de escorregadia, estreita-se progressivamente. As almas corpóreas que devem atravessá-la, e que não estão completamente livres dos seus pecados terrenos, precipitam-se nas chamas, permanecendo imersas até uma altura do corpo equivalente à gravidade das faltas não absolvidas.

Os relatos de viagens, reais ou imaginárias, fornecem inúmeras descrições de maravilhas: viagens meio reais, meio fictícias, como as de Marco Polo e de João de Mandeville no fim do século XIII e no início do XIV, viagens ao Além frequentemente relatadas sob a forma de visões. A viagem, e a sua manifestação primordial – a peregrinação –, representa para o homem medieval um tipo de turismo chamado a satisfazer tanto a sua curiosidade quanto o seu anseio por maravilhar-se.

Um outro modo de manifestação do maravilhoso é a ocorrência de metamorfoses, processo particularmente perturbador para a Igreja e para os cristãos quando concerne aos humanos. Muito diferentes das metamorfoses da mitologia antiga, que demonstram o poder dos deuses, as metamorfoses medievais traduzem o perigo que se impõe ao homem de assumir, momentânea ou irremediavelmente, uma natureza animal diabólica em detrimento da sua natureza humana, o que é para ele uma forma de subconsciente que pode vir a transformar-se em realidade sensível. O caso extremo é o desse ser maravilhoso inventado pela Idade Média, o lobisomem, metamorfose angustiante para os cristãos, que acreditam ter sido criados "à imagem de Deus", e que então a perdem.

Enfim, a literatura hagiográfica, tão abundante e tão divulgada, enriquece as vidas de santos – que não são sempre os intermediários de Deus na realização de milagres – com episódios maravilhosos pelos quais se manifesta o poder que lhes fora concedido por Deus. A *Legenda Áurea* é uma coletânea de milagres, mas também de maravilhas. O poder de Santo Egídio, que tendo recebido do papa em Roma duas portas para seu mosteiro do Languedoc, lança-as ao Tibre e as reencontra instaladas nos devidos lugares em sua abadia, opera um milagre ou uma maravilha? Maravilha, seguramente, é a visão de Santo Eustáquio, que enquanto caça vislumbra uma cruz entre os chifres do cervo que persegue.

Os domínios do maravilhoso

O maravilhoso mais difundido é, sem dúvida, o das regiões e dos lugares. Toda a terceira parte dos *Otia imperialia*, de Gervásio de Tilbury, do início do século XIII, é uma coletânea de maravilhas (*mirabilia*) de todas as regiões da Cristandade e de outros locais, em particular daquelas que ele próprio admirou ou das quais ouviu falar pessoalmente em Nápoles, no Delfinado, na Catalunha. Abundam, nessas regiões, as montanhas e os lagos "mágicos". Assim, as entradas do Purgatório estão localizadas no Etna, no Stromboli, vulcões de tradição maravilhosa, ou em um lago irlandês. Gervásio de Tilbury descreve a montanha de sal maravilhoso e o Monte Canigu, reservatório de maravilhas, ambos na Catalunha. Três tipos de lugares não somente abundam em maravilhas, mas eles próprios o são: as ilhas, as cidades, reais ou imaginárias, o Além. Se o Além oferece o contraste do maravilhoso paradisíaco e do maravilhoso infernal, as ilhas e cidades são em geral maravilhas positivas, admiráveis. Ilhas como a Irlanda e a Sicília, na Cristandade, e o Ceilão (Taprobana), no Oriente pagão, são, na tradição da Antiguidade, ilhas "afortunadas" repletas de metais preciosos, de riquezas animais e naturais. Marco Polo afirma: "Neste mar da Índia, há 12.700 ilhas [...]. É tudo o que há de melhor, é a flor da Índia". Se há entre as cidades centros de perdição, cujo modelo de maravilhoso maléfico é a Babilônia, a maior parte delas são, para os homens da Idade Média, lugares admiráveis, belos e atrativos. Entre as cidades imaginárias destaca-se a Jerusalém celeste, encarnação do Paraíso que evolui de um jardim a uma cidade maravilhosa protegida por muralhas de pedras preciosas. A origem dessas cidades é frequentemente maravilhosa, fundadas por heróis legendários. Nápoles está repleta de maravilhas, em sua maioria criações do mago Virgílio, cuja tumba estaria situada na cidade. Roma é a mais maravilhosa entre todas as urbes, graças a seus monumentos antigos e recentes, cristãos e cristianizados, decantados em um guia turístico da Cidade Eterna elaborado em meados do século XII por um autor anônimo, os *Mirabilia urbis Romae* ("As maravilhas de Roma").

Esse maravilhoso geográfico estende-se ao universo, descrito como uma maravilha desde a *Imagem do mundo*, de Gossuin de Metz, de meados do século XIII, até a *Imago mundi*, de Pedro de Ailly, de princípios do XV. Tal geografia maravilhosa inspirará e estimulará os grandes descobridores do fim do século XV e do início do XVI, a começar por Cristóvão Colombo.

Seres humanos ou antropomorfos povoam também o mundo do maravilhoso: gigantes e anões, fadas, homens e mulheres cuja particularidade física é frequentemente uma deformidade – Berta dos pés grandes na canção de gesta, Henno dos dentes grandes na mitologia nórdica, Melusina e os filhos desta no romance de João de Arras, *Melusina*, composto em prosa em 1392-1393 e, em versos, por Coudrette, cerca de 1400.

Desses seres humanos marcados por uma particularidade física singular passa-se aos monstros humanos: homens com os pés virados para trás; cinocéfalos (com cabeça de cachorro) que latem e cujo pelo, em sua velhice, escurece em vez de branquear-se; monópodes que se abrigam à sombra de seu próprio pé levantado; ciclopes; homens sem cabeça cujos olhos situam-se sobre os ombros e o nariz e a boca sobre o peito; homens que vivem do odor de uma única espécie de fruta, e que morrem ao não poder respirá-lo... São abundantes na Índia.

Há, ainda, os seres meio humanos, meio animais, encantadores mas perigosos sob a forma feminina de Melusinas e de sereias, ou mais apavorantes, como a *bestia bucocroca*, que tem corpo de asno, dorso de cervo, peito e coxas de leão, patas de cavalo, um grande chifre bifurcado e uma grande boca talhada até as orelhas por onde emite uma voz quase humana. Depois dessa monstruosidade de pesadelo, encontra-se o lobisomem. O mundo animal é ainda mais rico em maravilhoso, propiciado por animais "naturais" extraordinários ou por animais imaginários que se crê existir. Na primeira categoria situam-se o leão domesticado de Yvain, em Chrétien de Troyes, baseado no modelo do leão de São Jerônimo, o cavalo Bayard dos quatro filhos de Aymon, na canção de gesta, cuja garupa alonga-se para permitir que os irmãos o montem, e o pelicano, que sem se ferir nem morrer dá a própria carne como alimento a seus filhotes, um símbolo de Cristo que, sob a forma eucarística, alimenta os homens com sua carne e seu sangue. À segunda categoria pertencem os dragões, o grifo, a fênix e o unicórnio, admirável símbolo maravilhoso da virgindade feminina que tanto inspirou os artistas da Idade Média, até a célebre tapeçaria *La dame à la licorne*, do século XV.

Certos homens e mulheres podem também ser dotados de objetos maravilhosos: objetos protetores, como o anel que torna invisível; objetos produtores, como a taça de Obéron e o Graal ou o olifante de Rolando; objetos roborativos, como certas espadas e cinturões. Na literatura cortesã, o leito é um objeto maravilhoso, um espaço sagrado onde ocorrem, para o melhor e para o pior, os maravilhosos jogos do amor e do sexo.

Outros domínios do maravilhoso são constituídos pela manipulação dos clérigos e de certos leigos. É o caso do maravilhoso simbólico e moralizante, que tem por modelo o *Physiologus*. Essa enciclopédia animal do período helenístico tardio (século II d.C.) conheceu uma extraordinária popularidade no Ocidente medieval. Os comentários latinos acrescentados pelo cristianismo deram de cada animal, real ou imaginário, uma interpretação alegórica baseada em um ensinamento moral. Tal moralização cristã fundamenta-se na interpretação medieval dos monstros, cujo modelo foi fornecido por Isidoro de Sevilha no início do século VII. Apoiado em uma falsa etimologia (*monstrum* derivaria de *monstrare*, "mostrar"), Isidoro faz de cada animal um ser através do qual Deus pretendeu dar ao homem uma lição moral encarnada e viva. O maravilhoso é um instrumento didático. A literatura vernácula explorou, a partir do século XII, esse maravilhoso enciclopédico em que o imaginário mistura-se ao científico e desemboca na demonstração moral. Foi enorme o sucesso dos bestiários, dos lapidários, dos herbários, cuja vulgarização foi assegurada pelas imagens: é o caso do maravilhoso ilustrado, ao qual é necessário acrescentar o maravilhoso das cores, tal como o azul utilizado pela Virgem e pelos reis Capetíngios.

Existiu na Idade Média um maravilhoso mais propriamente científico, que se desenvolveu quando, a partir do século XII, o caráter natural de uma grande parte do maravilhoso foi afirmado. Esse verdadeiro maravilhoso científico exprime-se vigorosamente no século XII e sobretudo no XIII. Ele está muito presente nas enciclopédias do século XIII (o "século enciclopédico"). Ele corresponde à concepção que então se impôs, em particular com Gervásio de Tilbury, do caráter natural da maior parte daquilo que se considerava como maravilhoso. Um grande erudito, um dos mais célebres mestres das universidades de Paris e de Oxford no século XIII, o franciscano Roger Bacon, escreve em sua *Epistola de secretis operibus artis et na-*

turae et nullitate magiae ("Carta sobre as obras secretas da arte e da natureza e sobre a nulidade da magia"): "Eu descreverei primeiramente as obras da arte e da natureza que são maravilhosas, e explicarei em seguida as causas e o modo: não existe nada de mágico nelas [...]. Podem-se fabricar instrumentos de navegação que tornem inúteis os remadores, de maneira que os maiores navios, com um único capitão, poderiam ir mais rápido do que se estivessem cheios de remadores. Podem-se fazer carros que se deslocariam sem animal com uma impulsão sem limite [...]. Podem-se fazer máquinas voadoras com um homem que, sentado no centro, girando um engenho faria asas artificiais baterem no ar à maneira de um pássaro [...]. Pode-se criar um dispositivo para ir até o fundo do mar e dos rios sem perigo corporal [...]. Pode-se fazer um número infinito de outros instrumentos, por exemplo pontes sem pilares sobre os rios".

Roger Bacon é um precursor de Leonardo da Vinci (e das invenções do século XX), que representará, por sua vez, a culminância das maravilhas científicas da Idade Média na época do Humanismo e da Renascença. O maravilhoso celeste, os cometas, as tropas celestes em cavalgada, como a Mesnada Hellequin, anunciam sobretudo catástrofes. Pois o maravilhoso é sinal.

Enfim, a manipulação de maravilhas pode servir às ambições e imaginações políticas. Do século VII ao XVI, os reis da França afirmaram as origens troianas dos francos, e em seguida dos franceses. Geraldo de Barri refere-se, no início do século XIII, em sua *De instructiones principis*, que Ricardo Coração de Leão reivindicava para os reis Plantagenetas da Inglaterra um ancestral feminino maravilhoso, uma mulher-demônio meio diabólica, meio benévola, como uma Melusina. Símbolos como a flor-de-lis, o leão alado de São Marcos, os leopardos dos Plantagenetas, entre outros, constituíram um simbolismo maravilhoso a serviço dos reis da França, dos venezianos, dos reis da Inglaterra.

As funções do maravilhoso

A primeira é uma função compensatória em um mundo de duras realidades e de violência, de penúria e de repressão eclesiástica. O país da Cocanha, que aparece em um *fabliau* de meados do século XIII, expõe sedutoramente um mundo maravilhoso de abundância alimentar e de permissividade, que exclui a fome, o trabalho e os períodos de jejum e de abstinência. A Quaresma desaparece em prol de um Carnaval perpétuo e maravilhoso.

A nudez e a liberdade sexual são ostentadas. Um mundo às avessas é concebido para substituir o mundo feudal injusto e repressivo. Diferente da idade de ouro da Antiguidade, mas exercendo as mesmas funções, o milenarismo promove a crença no retorno do Paraíso terreal sobre toda a Terra. A fonte da juventude suprime a morte, concedendo juventude e imortalidade àqueles que dela bebem.

Uma outra função, contígua, é a contestação à ideologia cristã. Opondo-se à concepção do homem criado "à imagem de Deus", um maravilhoso anti-humanista conduz os monstros ao primeiro plano da cena terrestre, destino semelhante ao do homem selvagem no fim da Idade Média. A maravilhosa "roda da Fortuna" substitui a ordem hierárquica estável da sociedade cristã e feudal pela desordem dos declínios e ascensões sociais e políticas. O maravilhoso ambíguo é uma rejeição ao maniqueísmo que, apesar da condenação doutrinal, inspira a moral cristã e seu esquema de oposição entre o bem e o mal. O maravilhoso reivindica um espaço humano, natural, entre Deus e Satã, em um amálgama de divino e demoníaco. Ele visa menos destruir do que domesticar o mal, como faz São Marcelo com o dragão.

Porém, para o homem medieval, o maravilhoso exerce, sobretudo, uma função de realização, não de evasão. Ele dilata o mundo e a psique até as fronteiras do risco e do desconhecido. Inserindo-se no natural e no real, ele o amplia e o complementa. Faz do surpreendente e do extraordinário o motor do saber, da cultura e da estética da Idade Média. Estimula a abrir bem os olhos para a criação e o imaginário. Inspira uma cultura do surpreendente. Faz acreditar na criatividade e na audácia infinitas de Deus e de sua criatura, o homem. E sabe mesmo extrair o mel das fantasmagorias diabólicas.

O maravilhoso amplia a realidade vista e conhecida até as fronteiras do universo e da alma humana, consolando de suas frustrações a criatura decaída pelo Pecado Original, o cristão medieval, a quem entreabre uma janela para os segredos de Deus e da Criação.

JACQUES LE GOFF
Tradução de Mário Jorge da Motta Bastos

Maravilhoso

Ver também

Além – Diabo – Milagre – Natureza – Símbolo – Sonhos

Orientação bibliográfica

ALEXANDRE DE PARIS. *Le Roman d'Alexandre*. Tradução, apresentação e notas de Laurence Harf-Lancner. Paris: Librairie Générale Française, 1994.

BALTRUSAITIS, Jurgis. *Le Moyen Âge fantastique*: antiquités et exotismes dans l'art gothique. Paris: Colin, 1955.

_____. *Réveils et prodiges*: le Moyen Âge fantastique. Paris: Colin, 1960.

BERLIOZ, Jacques; BRÉMOND, Claude; VELAY-VALLANTIN, Catherine (orgs.). *Formes médiévales du conte merveilleux*. Paris: Stock, 1989.

CLIER-COLOMBANI, Françoise. *La Fée Mélusine au Moyen Âge*: images, mythes et symboles. Paris: Léopard d'Or, 1991.

_____. De l'étranger à l'étrange, ou la conjointure de la merveille. *Senefiance*, Aix-en--Provence, n.25, 1988.

DÉMONS ET MERVEILLES AU MOYEN ÂGE. IVe Coloque International du Centre d'Études Médiévales de l'Université de Nice, 1987. Nice: Université de Nice, 1990.

DUBOST, Francis. *Aspects fantastiques de la littérature narrative médiévale (XIIe-XIIIe siècle)*: l'autre, l'ailleurs et l'autrefois. Paris: Champion, 1991.

FRIEDMAN, John Block. *The Monstrous Races in Medieval Art and Thought*. Harvard: Harvard University Press, 1981.

GERVAIS DE TILBURY. *Le Livre des merveilles*. Tradução e comentários de Annie Duchesne. Paris: Les Belles Lettres, 1992.

HARF-LANCNER, Laurence. *Les Fées au Moyen Âge*. Paris: Champion, 1984.

KAPPLER, Claude-Claire. *Monstros, demônios e encantamentos no fim da Idade Média* [1980]. Tradução brasileira. São Paulo: Martins Fontes, 1993.

LECOUTEUX, Claude. Paganisme, christianisme et merveilleux. *Annales ESC*, Paris, 1982. p.700-16.

LE GOFF, Jacques. Le merveilleux scientifique au Moyen Âge. In: BERGIER, Jean--François. *Zwischen Wahn, Glaube und Wissenschaft*. Zurique: Fachvereine, 1988. p.87-113.

_____. *O imaginário medieval* [1985]. Tradução portuguesa. Lisboa: Estampa, 1994.

MESLIN, Michel (ed.). *Le Merveilleux, l'imaginaire et les croyances en Occident*. Paris: Bordas, 1984.

POIRION, Daniel. *Le Merveilleux dans la littérature française au Moyen Âge*. Paris: Presses Universitaires de France, 1982.

PROPP, Vladimir. *Les Racines historiques du conte merveilleux*. Paris: Gallimard, 1983.

SCHMITT, Jean-Claude. *Os vivos e os mortos na sociedade medieval* [1994]. Tradução brasileira. São Paulo: Companhia das Letras, 1999.

WILLIAMS, David. *Deformed Discourse*: the Function of the Monster in Mediaeval Thought and Literature. Montreal: McGill-Queen's University Press, 1996.

WITTKOVER, R. Marvels of the East: a Study in the History of Monsters. *Journal of the Warburg and Courtauld Institute*, Londres, v.5, n.142, p.159-97.

Marginais

A noção de marginalidade fez sua entrada no campo das pesquisas antes da Primeira Guerra Mundial através da sociologia americana. Esses estudos definiam o "homem marginalizado" como um ser que se recusava a participar da vida social, ou que dela estava excluído. O marginal funcionava na junção de duas culturas, uma universalmente reconhecida, outra seja enraizada no passado (no caso dos imigrantes), seja engendrada por oposição aos valores dominantes. Depois, quando se começou a considerar a marginalidade um fenômeno ligado à conjuntura, ela foi associada à desclassificação.

As pesquisas dos historiadores da marginalidade e da exclusão seguiram duas direções: de uma parte, a análise dos processos de marginalização e evolução dos marginais; de outra parte, a análise do olhar que a sociedade possui sobre si mesma. Os trabalhos dessas duas correntes ligam a ideologia da exclusão e os processos de marginalização às transformações das estruturas econômicas, sociais e culturais.

A marginalização, voluntária ou involuntária, tem como causa principal, na grande maioria dos casos, a desclassificação. O marginal não participa dos privilégios materiais e sociais, da divisão do trabalho e das funções sociais, das normas e da ética social em vigor no conjunto da sociedade. A preponderância de elementos negativos nessa descrição decorre do fato de que ela se refere a uma realidade da sociedade global na qual as instituições definem o que constitui sua margem. Essas instituições da ordem estabelecida procedem à marginalização dos grupos e indivíduos considerados como inúteis à ordem comum. Elas reforçam o modelo estabelecido e reprovam a recusa de nele participar. Cada época produz seus marginais.

O século XIII e a sociedade repressiva

Os historiadores notam, entretanto, que o século XIII marca uma nítida cisão na história do ostracismo medieval. Os homens que, por razões diversas, não satisfaziam às exigências postas pela sociedade começaram, então, a ser objeto de medidas de exclusão que se abatiam sobre os grupos anteriormente poupados e recorriam a técnicas inéditas. Assim nasceu "a sociedade repressiva".

Essa evolução tem razões complexas: o nascimento de um novo tipo de Estado, as transformações sofridas pela sociedade feudal (o papel da urbanização parece, sob esse aspecto, primordial) e as que remodelaram a Igreja e sua *cura animarum*. Confrontados a essas mudanças, os intelectuais e os hierarcas da Igreja reexaminaram as condições que os fiéis deviam preencher a fim de ser admitidos na comunidade. Os debates que sacudiam a Igreja obrigaram-na particularmente a definir melhor as categorias de indivíduos que, considerados como perigosos pela Cristandade, deviam ser afastados. A hierarquia eclesiástica mudou sua atitude para com os judeus; os tribunais inquisitoriais apossaram-se dos heréticos; a Igreja definiu as regras da exclusão dos leprosos, pôs-se a perseguir os sodomitas e recolocou em causa o direito dos usurários de participar da vida religiosa. As autoridades laicas seguiram-lhe os passos. Os dois séculos seguintes modificaram sua atitude a respeito dos pobres, fazendo restringir o direito à mendicidade, reprimindo a vagabundagem e submetendo as prostitutas a um controle cada vez mais minucioso. O controle e a justiça endureceram.

Esse novo clima social engendrou uma doutrina da exclusão mais precisa e mais coerente que antes. Ela enrijeceu os elementos que já continha e inventou outros. Os primeiros esclarecem melhor que os segundos a natureza da cultura medieval, porque permitem perceber os componentes que fazem sua unidade e perenidade.

O banimento germânico da Alta Idade Média

O banido, dito de outra forma, o fora da lei, é o excluído por excelência da Alta Idade Média. A época não conhece – ao menos intencionalmente – castigo mais severo. Na acepção medieval do termo, o banimento fundava-se sobre a ideia da morte, à qual estava assimilado, e sobre a ideia de errância. A época questiona – inteira ou parcialmente – a humanidade dos exilados e os fantasia com traços animalescos.

O sistema jurídico germânico da época das leis bárbaras previa duas formas de expulsão. Uma estava ligada ao princípio da reconciliação e reparação do malefício. Encontra-se um exemplo de tal construção no *Pactus legis salicae* (507-511), relativo aos saqueadores de túmulos. Ele define o montante da indenização devida à família do defunto espoliado e decreta o saqueador *vargus sit* enquanto não houver pago. Nos suplementos ao código, essa expressão é traduzida por "expulso". O banimento era, nesse caso, não a pena principal, mas um instrumento de coerção legal. O mesmo se dava com outra forma de expulsão, que atingia as pessoas que tinham burlado o julgamento não respondendo à intimação para comparecer, qualquer que tenha sido o motivo de sua incriminação.

Os textos das leis e as fórmulas de proscrição, que se afastavam da língua estritamente jurídica para enriquecer as metáforas tiradas a uma só vez da cultura erudita e do folclore, mostram uma imagem mais expressiva dos banidos germânicos. Ela parece se organizar em torno da ideia da morte. O banimento rompia os laços do culpado não somente com sua família, assim como, de forma mais geral, com todos os que, em razão de parentesco, vizinhança ou simplesmente ligações duráveis no interior de sua comunidade, tiveram ou sentiram obrigação de solidariedade com ele. A expulsão suspendia todos os seus engajamentos: ninguém mais tinha direito de receber o exilado sob o seu teto nem de alimentá-lo. Essa decisão era reforçada pelo costume, expressamente confirmado no direito frígio, alemânico, franco e baixo-saxão, que previa a destruição das casas das pessoas declaradas fora da lei. Atrás dessa *Wüstung* ocultava-se o desejo de apagar, ainda que fosse simbolicamente, os traços da presença do banido no território da comunidade e de fechar-lhe o caminho do retorno. Além disso, a destruição do domicílio marcava a suspensão do direito de propriedade (a proscrição envolvia o confisco dos bens e terrenos do banido em proveito do Tesouro ou da pessoa lesada).

O banido, novo Caim

O banido estava privado da proteção das leis, exposto à morte já que seu assassinato não era punido, e proibido de fazer queixa, testemunhar e participar da mediação de conflitos. Ele não existia perante a justiça. Nas fórmulas de proscrição, sua esposa era qualificada como viúva e seus filhos órfãos. Em suma, já que não existia vida fora da comunidade, o banido era um homem morto.

Mas esse não era um homem morto como os outros. Ele não tinha direito a sepultura. Seus despojos eram entregues aos pássaros, peixes e animais da floresta. O universo dos mortos estava, portanto, fechado a ele. Dessa forma, a lei penetrava nas esferas da escatologia. Ela agirá da mesma forma, posteriormente, por ocasião dos enforcamentos por crimes particularmente infamantes, deixando os despojos do enforcado sobre o patíbulo até que se decomponham.

O futuro do banido era feito de errância longe das moradas humanas. "Quem foi homem malvado e fez mal à sua tribo, percorrerá as florestas", decreta o edito de Chilperico I. Dificilmente se encontraria um destino mais oposto à *stabilitas loci*, tão essencial para o homem da Idade Média. Na mesma época, os autores dos penitenciais irlandeses consideram a peregrinação — outra forma de errância — como uma penitência, e, por ilustrar a sorte dos penitentes, lembram a de Caim. Em uma das primeiras coletâneas, o penitencial de Colombano do século VI, aprende-se que um assassino que não fez reparação à família da sua vítima não será jamais admitido em sua pátria: como Caim, ele errará por montes e vales.

A história de Abel e Caim não está livre de ambiguidades. Iahweh bane para "longe de sua face" o primeiro assassino da história da humanidade e condena-o à errância dizendo: "Você será um errante percorrendo a terra", "se cultivar o solo, ele não dará mais seu produto". Caim é, portanto, condenado de uma só vez à errância e a um labor estéril. É bem isso que ele espera, já que diz a Iahweh, antes de deixar o Éden: "Hoje você me bane do solo fértil, deverei me esconder longe de sua face e serei um errante percorrendo a terra, mas qualquer um me matará". Entretanto, Iahweh mostra-se tranquilizador: "Se alguém matar Caim, será vingado sete vezes", e "põe uma marca sobre ele, a fim de que ninguém o mate". Certos escritos antijudaicos farão mais tarde alusão a essa proteção.

Para o penitente, assim como para o banido, a errância é um castigo. De acordo com o penitencial de Monte Cassino, o peregrino deve terminar seus dias na penitência, sem nunca passar mais de três dias num mesmo lugar. Como para um fugitivo posto fora da lei, seu único refúgio é a floresta.

Sozinho como um lobo

A Idade Média possuía sua própria visão do que viria a ser a oposição entre cidade e campo, reflexo da oposição entre cultura e natureza: colocava de um lado o que havia sido erguido ou construído pela mão do homem, e de outro os elementos selvagens e fora do alcance. Em outras palavras, a época opunha ao mundo humano, quer dizer comunitário, o universo da solidão.

Na passagem da lei sálica citada anteriormente, o exilado é qualificado de *vargus*. Essa palavra aparece também em outras fontes. Admite-se geralmente que se trata da forma latinizada do germânico *vargr, varg, vaerg*, que significa "lobo" e, literalmente, "cinzento". Os germânicos nórdicos assim chamavam o temido animal do qual receavam pronunciar o nome. A associação entre o lobo e o banido parece certa. A legislação do tempo de Eduardo, o Confessor, fornece os exemplos de sua presença no folclore jurídico inglês. Faz menção ao costume que consistia em expor a cabeça de um fugitivo capturado em praça pública, como se faz com a de um lobo morto durante a caça. As leis do mesmo soberano estipulam que o banido "possui uma cabeça de lobo [...], o que os ingleses chamam *vulgesheved*". Henrique Bracton, jurista inglês do século XIII, precisa que o *utlagatus*, quer dizer o proscrito, tem uma cabeça de lobo: consequentemente, qualquer um tem o direito de matá-lo.

A impunidade do assassinato de um banido fazia dele, aos olhos da lei, alguém igual ao lobo. A recompensa era, aliás, a mesma pela captura de um fugitivo ou de um lobo. Assim, o banido encontrava sua própria humanidade posta em causa. Nas fontes escritas, o problema surge a propósito do lobisomem, mas é só tardiamente que o lobisomem encontra-se associado ao Diabo. No século XIII, o paralelo está bem estabelecido. Na ausência de uma documentação das práticas judiciárias, é impossível reconstituir a vida dos fora da lei, mas a ideia que presidia o banimento parece clara.

Heréticos, ímpios, judeus

No universo esboçado pelos primeiros teólogos da Antiguidade tardia e pela patrologia, os heréticos e os ímpios ocupavam um lugar comum e bem definido. Separados da comunidade dos fiéis, inimigos do Cristo, eles pertenciam, conforme a tradição de Santo Agostinho, à *civitas diaboli*.

Nem heréticos nem ímpios, os judeus formavam uma categoria à parte. As acusações lançadas contra eles foram repertoriadas pela primeira vez por Flávio Josefo, historiador de origem judaica, em sua apologia redigida provavelmente entre 94 e 96. Uma grande parte da obra ocupa-se das acusações dirigidas contra os judeus por diversos historiadores, mas sobretudo pelo retórico Ápio. Flávio Josefo fixa-se, de início, na calúnia que nega aos judeus suas antigas raízes, para afirmar que eles são somente uma corja de leprosos e doentes impuros banidos do Egito. Segundo Lisímaco, o povo judeu, "corroído pela lepra, sarna e por não se sabe quais outras doenças", estaria refugiado nos templos onde teria levado uma vida de mendigos. Mas ocorreu uma má colheita e o oráculo, para conjurar a sorte, ordenou expulsar os judeus dos templos e do país. Ápio acrescenta que, após terem errado durante seis dias no deserto, tinham as virilhas inchadas. Chegados ao sétimo dia na Judeia, tiveram que repousar. Teriam denominado esse dia "sabá" em referência à palavra *sabbo*, pela qual os egípcios designavam a hérnia na virilha.

As opiniões sobre os judeus exprimidas por Ápio e por outros autores gregos foram retomadas por autores posteriores. Assim, Tácito atribui sua recusa a comer porco à "lembrança da lepra que [os] sujou outrora e à qual esse animal é propenso". Plutarco atribui a aversão dos judeus ao porco à sua preocupação com a higiene, mas igualmente ao medo de serem contaminados pela lepra e pela sarna, e ao fato de que "não há animal a quem mais agrade chafurdar na lama e no lixo".

Desde a Alta Idade Média, os escritos antijudaicos consideram a dispersão dos judeus como um castigo divino: Deus os fizera, assim, pagar a crucificação de Cristo, as perseguições aos apóstolos e sua ingratidão. Mais tarde, a associação entre a dispersão dos judeus e a errância reapareceu num conceito erudito de exclusão, servindo de argumento às ações repressivas: "Os judeus contra os quais grita o sangue de Cristo não devem ser mortos; a fim de que o povo cristão não esqueça a Lei de Deus, devem permanecer errantes sobre a terra, até que seus corações se encham de vergonha e busquem o nome de Jesus Cristo Nosso Senhor" (Inocêncio III).

A imagem patrístico-teológica dos "judeus ímpios e inimigos do Filho de Deus, [que] se separam por si mesmos da verdadeira casa de Davi que é a Igreja", deixou os estreitos círculos dos intelectuais e clérigos no decorrer dos séculos XII e XIII, quando a Cristandade mobilizou-se também contra o Islã, e o papado e a hierarquia eclesiástica lançaram uma ofensiva contra os heréticos. A imagem desses inimigos que se excluíam por si próprios da comunidade cristã difundiu-se largamente.

Os sinais distintivos

O IV Concílio de Latrão (1215) marcou uma guinada na política da Igreja com respeito aos heréticos e aos judeus, depois que o III Concílio de Latrão (1179) havia selado a sorte dos leprosos. Esses dois concílios introduziram elementos inéditos na estratégia da Igreja. Preocupados em disciplinar a comunidade cristã e reforçar sua coesão contra os novos perigos que a espreitavam, os chefes da Igreja forjaram os princípios que iriam engendrar uma política de segregação e erguer um verdadeiro muro entre os fiéis de Cristo e seus adversários. Em 1215, o Concílio decidiu que, em terra cristã, os judeus e os sarracenos dos dois sexos deviam se distinguir dos fiéis por suas roupas a fim de evitar qualquer relação sexual entre os adeptos das duas religiões.

O fato de se ter imposto aos judeus o uso de um sinal distintivo suplementar indica que os que eles já portavam eram julgados insuficientes para afastar o perigo que representavam. Parece ter-se tratado não tanto de marcá-los nem de colocar sobre eles um selo infamante, mas de separar dos cristãos uma categoria humana que lhes era semelhante e com a qual podiam ser confundidos. Mas os judeus eram realmente criaturas humanas? Pedro, o Venerável, abade de Cluny, duvidava: eles não eram privados de raciocínio humano, quer dizer, de um dogma que deveria ter se imposto a eles? Os judeus não eram nem heréticos nem apóstatas. Conheciam as Escrituras e sabiam o que era a Cristandade. Diferentemente dos infiéis, recusavam a verdade. É por isso que eram considerados como seres privados de razão, incapazes de entender e agir como outros humanos.

As faltas dos heréticos eram de outra natureza: eram opositores internos. Eles não contestavam o dogma, mas interpretavam-no à sua maneira. Desmascará-los era, consequentemente, muito difícil, e o risco de passar ao lado da tênue diferença que separava o dogma da heresia era grande. O medo do erro é então mais sensível nas polêmicas anti-heréticas que nos textos antijudaicos. Para Estanislau de Skarbimierz (morto em 1421), professor da Universidade de Cracóvia e autor de uma coletânea de orações pronunciadas durante concílios e diversas reuniões do clero, o herético era um ser mergulhado nas trevas (ele pensava em particular nos hussitas), quer dizer, no reino do mal, do pecado e dos erros, o oposto da ortodoxia cristã. Nas polêmicas anti-heréticas, as trevas nas quais a alma de um pecador vagava refletiam a obscuridade de seu espírito, porque a heresia era sempre percebida como fruto da ignorância religiosa. Associavam-nos igualmente de bom grado à escuridão da natureza: os adeptos das seitas não se reuniam à noite, na hora dos crimes e dos maus espíritos? Mas a obscuridade que cercava o herético era durável e impenetrável, explica Estanislau de Skarbimierz, porque ele era um cego que pregava a outros cegos. O herético, como o judeu, devia ser dotado de sinais distintivos. Os cátaros julgados pela Inquisição deviam, por exemplo, portar uma marca em forma de cruz sobre suas roupas. Os julgamentos inquisitoriais relativos aos convertidos, pronunciados em Ciudad [Real] entre 1483 e 1485, ordenavam-lhes usar durante um ano, e às vezes durante toda a vida, uma veste de tecido marcada com uma cruz amarela.

A partir do final do século XIII, o uso de sinais distintivos foi igualmente imposto aos leprosos quando saíam do leprosário. Às vezes, obrigavam-nos a usar vestimentas longas e justas que envolviam inteiramente seus corpos. Essas prescrições tinham, com certeza, um caráter de prevenção do contágio, mas, em razão da grande visibilidade dos sintomas, tratava-se claramente de uma marca de exclusão.

O uso obrigatório de sinais distintivos, da mesma forma que outros éditos e normas relativas à segregação espacial, à liberdade de movimento e de sedentarização, era promulgado pelas administrações eclesiásticas e laicas. Em todos os casos, o objetivo era o mesmo: erguer barreiras protetoras tangíveis em torno dos fiéis. Paralelamente, os poderes em questão empenhavam-se em aprofundar o fosso psicológico entre fiéis e marginais, e a exacerbar seu medo e seu sentimento de insegurança. As ideias que sustentavam essa política não eram nada novas. Em compensação, era-o o fato de que elas deixaram os cenáculos eruditos e deixaram de ser objeto de disputas teológicas para penetrar na consciência das massas através dos pregadores, da literatura popular ou dos espetáculos teatrais.

A impureza

O cânone do IV Concílio de Latrão não deixa pairar dúvidas: o medo da existência de uma fronteira imprecisa entre judeus e cristãos explicava-se pelo temor de que eles mantivessem relações sexuais. A devassidão era, com efeito, uma censura que se endereçava constantemente a judeus e leprosos. Mais tarde, a acusação devia ser estendida às feiticeiras. Os elementos eróticos de seus sabás — coitos com o Diabo e promiscuidade hétero e homossexual — sublinha a importância dessa temática sexual das acusações.

O contato com o mal e o vício era tido como causador de estigmas nos corpos. Desde seu início, a cultura cristã considerou a lepra como um castigo. Já no século IX, Rábano Mauro escrevia: "A lepra é a falsa doutrina dos heréticos [...], os leprosos são os heréticos que blasfemam contra Jesus Cristo". Quanto aos judeus, teriam sofrido doenças desconhecidas de outros mortais, em razão de suas particularidades psicológicas (os machos de sua raça teriam menstruação como as mulheres). Numerosos tratados de medicina inventariam essas "doenças judaicas" na Europa da Baixa Idade Média. É dito, por exemplo, que as crianças judias vêm ao mundo com uma mão coberta de sangue, como se ela tivesse sido arrancada do corpo de sua mãe; além disso, esses recém-nascidos são cegos, e para fazê-los ver o dia é preciso lavar seus olhos com sangue.

Muito cedo, é dito que o judeu tem necessidade de sangue cristão. Encontra-se esse *leitmotiv* nos textos polêmicos, nos julgamentos inquisitoriais, nas acusações de morte ritual e de profanação de hóstias. Tomás de Cantimpré, em 1267, explica que, desde que os judeus responderam a Pilatos, "Que o seu sangue caia sobre nós e sobre nossos filhos!" (Mateus 27,25), eles sofrem de hemorroidas e sangramentos. Um sábio havia dito a eles que podiam se curar "somente pelo sangue cristão", conselho que seguem à letra, já que, desde aquela época, todo ano devem derramar sangue cristão e aplicá-lo sobre seus corpos "para que ele cure sua doença". Uma outra explicação, sempre de ordem médica, quer que os judeus previnam assim o contágio dessa doença que lhes é desde muito tempo atribuída: a lepra.

Uma das manifestações do mal no corpo humano era o cheiro ruim. Já os autores antigos faziam esse reparo aos judeus. Nos escritos cristãos, esse tema era geralmente alegórico e opunha o cheiro ruim ao odor da santidade, ao perfume maravilhoso que se elevava dos túmulos dos santos. O duelo entre a Cristandade e o judaísmo exprimia-se assim no domínio dos odores. Os judeus, não batizados, só podiam exalar mau cheiro. O odor particular que eles supostamente produziam não deixava de lembrar seus laços com o bode, atestados pela iconografia e pelos textos. Nos séculos posteriores, a pestilência será atributo indissociável das feiticeiras.

A impureza – da qual o fedor é um sintoma evidente – é um dos elementos recorrentes da exclusão. No tabu, o afastamento é considerado como um remédio à sujeira e à profanação. As maldições e os rituais no decorrer dos quais o culpado é oferecido aos deuses são as formas mais primitivas de reação à violação de um interdito. Para restabelecer a ordem, fundada sobre a dicotomia entre puro e impuro, o transgressor deve ser separado da comunidade.

A cultura cristã associava a sujeira aos vícios, à vida desregrada, que era sua origem ou consequência, e à blasfêmia. Como todo discurso teológico da época, o pensamento medieval relativo à impureza e à sujeira imbricava nos elementos simbólicos dos elementos concretos. Assim, numa reflexão consagrada aos sacramentos, São Tomás debruça-se sobre a sujeira causada por um pecado capital – idolatria, adultério, incesto ou morte – para descrever em seguida as *immunditia corporales*, as imundices corporais que podem residir nos homens e nos animais. A impureza podia nascer do contato com um homem impuro ou com um objeto, mas também podia ser inerente ao indivíduo depravado. O medo de se sujar pelo toque – essencialmente pelo coito, mas também simplesmente roçando um ser ou um objeto – produziu na sociedade medieval todo tipo de excluídos. As leis que interditavam aos judeus e aos cristãos sentarem-se em torno de uma mesma mesa, frequentar os mesmos banhos e os mesmos albergues, ou contratar amas de leite judias para amamentar as crianças cristãs, refletia esse medo. Os estatutos das cidades da Catalunha e da Provença proibiam aos judeus, às prostitutas e aos carrascos tocar a mercadoria exposta sobre os balcões do mercado. Uma ordenança do século XIV, editada pelas autoridades de Bozen, no Tirol, precisava: "Quando os judeus querem comprar qualquer coisa no mercado, eles devem designá-las; se tocam um alimento devem comprá-lo pelo preço enunciado pelo vendedor". As ordenanças municipais recomendavam aos cristãos comprar carne nos açougues que lhes eram reservados. O papa Inocêncio III considerava escandaloso que cristãos dessem aos judeus seu gado para abater e seu vinho para prensar.

Leprosos

Os primeiros traços da segregação dos leprosos, ou mais exatamente de indivíduos designados como *leprosi*, encontram-se no código de Rotário da Lombardia, do ano de 635: "Se qualquer um é afligido pela lepra e a verdade do fato é reconhecida pelo juiz ou pelo povo e o leproso é expulso da *civitas* ou da casa de maneira a que viva isolado, ele não deve ter o direito de alienar sua propriedade ou dá-la a quem quer que seja porque, desde o dia que é expulso de sua casa, é como se estivesse morto". O código autoriza também a abandonar uma noiva que ficasse cega, louca ou leprosa, "pois isso provém de seus pesados pecados e da doença que deles resulta".

Os éditos do III Concílio de Latrão (1179) relativos aos leprosos previam que os doentes deviam ser isolados em capelas e cemitérios específicos. Não se trata ainda de confiná-los, mas antes de se render a uma evidência: os leprosos não podiam se misturar com pessoas sadias.

Como o banido, o leproso devia ser expropriado. Esse princípio era seguido com maior ou menor rigor. Na Normandia, o leproso tinha direito de tirar proveito de seus bens. No Hainaut, ele podia também dispor deles por via testamentária. Na Inglaterra, desde a época dos normandos, legar seus bens estava proibido. Em 1200, o Concílio de Westminster recusou aos leprosos não somente o direito de herdar, mas igualmente o de legar, testemunhar e fazer queixa. Nos séculos seguintes à Alta Idade Média, a lepra deixou de ser um motivo de dissolução do casamento, que, elevado à condição de sacramento, tornou-se indissolúvel.

O ritual que o III Concílio de Latrão instituiu para admitir um leproso em seu leprosário reflete claramente a assimilação da lepra à morte. Um *ordo* do século XV ordena ao padre visitar o doente no dia da cerimônia, abençoá-lo depois de acompanhá-lo à igreja em meio a uma procissão cantando o *Libera me*. Uma vez diante da Igreja, o doente se ajoelha, se possível sobre um catafalco. Celebra-se a missa. O doente se confessa, o padre o benze e recomenda-o aos bons pensamentos dos paroquianos. Esses últimos formam um cortejo e reconduzem o doente cantando novamente o *Libera me*. O padre previne-o contra o pecado, depois joga a seus pés um punhado de terra dizendo "Esteja morto para o mundo, mas vivo para Deus". Por fim, em língua vernácula, ele o instrui de maneira a não contaminar os outros.

Ofícios infames

A Idade Média condenava também numerosos ofícios, ou pelo menos olhava-os com suspeita. Sua lista mudou no decorrer dos séculos. De início foi ao clero que se proibiu exercer esses ofícios, depois, para alguns, igualmente aos leigos. Essas ocupações, segundo se pensava, favoreciam os vícios. O século XIII reabilitou bom número dessas profissões, pelo menos parcialmente, e apenas algumas continuaram definitivamente reprovadas. Entre os ofícios infames figuram a usura, a prostituição e a prestidigitação.

Jacques de Vitry descreve o enterro de um usurário. Ele trata-o de aranha, compara-o à raposa que se recusa a ajudar seu próximo mesmo quando não lhe custa nada, depois ao lobo que só renuncia à sua pele preciosa no instante da morte, ou seja muito tarde, porque nesse instante Satã fecha a boca do morto, de tal forma que ele não pode mais se confessar. Ele lhe impõe uma morte súbita que o arrebata do mundo em seu estado de pecador, e retira-lhe a razão, o que o conduz à impiedade definitiva.

O comerciante que cobrava juros vendendo o tempo que pertencia apenas a Deus, o mestre de escola que vendia o conhecimento, outra propriedade de Deus, só foram lentamente reconhecidos pelo seu trabalho. O carrasco, pelo ofício infame, também suscitava o medo. Na Polônia medieval, quem quer que houvesse sido tocado por ele na câmara de tortura devia obter um documento especial para recobrar a honra, mesmo se fosse inocente. As luvas do carrasco deviam proteger de um contato perigoso aqueles que com ele se relacionavam.

Inversamente, supunha-se que os representantes dos grupos excluídos apreciavam e buscavam o contato com a impureza. As feiticeiras teriam produzido suas maléficas misturas com despojos humanos e carniça, com sangue menstrual e esperma. Pedro, o Venerável, preveniu o rei da França Luís VII contra os usurários judeus, que se dizia profanarem os cálices sagrados penhorados com "indignidades repugnantes e inomináveis". Jan Dlugosz, cronista e cônego de Cracóvia, relata que durante o *pogrom* de Cracóvia, em 1407, os usurários judeus tinham escondido os bens roubados aos cristãos nas fossas das latrinas.

Animalidade e monstruosidade

Para a Idade Média, o estrangeiro e o desconhecido são monstros, a ponto de se misturarem traços bestiais aos seus traços humanos.

A arte cristã da Alta Idade Média não atribuía aos judeus nenhum traço particular. É apenas a partir do século XIII, à medida que se acentuavam as tensões entre cristãos e judeus, que a iconografia medieval atribuiu a estes traços distintivos exprimindo selvageria, como o nariz adunco ou a barba. Tais características acrescentam-se aos atributos mais evidentes, como a rodela ou o chapéu pontudo. À mesma época, a iconografia se enriquece com associações simbólicas entre, de um lado, a Sinagoga e os judeus, e, de outro, todos os tipos de animais. Assim, a cabeça de um bode entre as mãos de uma Sinagoga personificada era tida como expressão do deboche ou da teimosia; o basilisco simbolizava o perigo mortal das influências judaicas; o escorpião encarnava a falsidade, a traição, a peçonha.

Entre os séculos XIII e XIV apareceu nas igrejas e edifícios profanos, públicos e privados, uma nova imagem esculpida: o judeu mamando em uma porca (*Judensau*). Diante da carne de porco, o mundo cristão rapidamente adotou uma atitude radicalmente oposta à dos judeus. A fim de romper com os ritos judaicos, dos quais eram originários, os cristãos consumiam o porco. Melhor: eles organizaram em torno dele uma cultura culinária específica. Os bispos reunidos em Antioquia no século III contaram que, muito cedo, a Igreja recomendou a seus fiéis essa carne que desprezava a Sinagoga. Para a cultura medieval, o porco simbolizava a riqueza, a abundância, as festas opulentas, opostas aos jejuns e às épocas de escassez. Sinal de fartura e boa gestão, o animal tornou-se igualmente, por oposição ao interdito judaico, um sinal de pertencimento à Cristandade.

Ao lado dessas conotações positivas, persistia, entretanto, uma outra, fruto da aversão espontânea que podia suscitar o aspecto e o comportamento desse animal. Ele não é desagradável e malcheiroso? Não mete seu focinho em imundices sem jamais erguê-lo em direção ao Céu? A comparação com o porco começou bastante cedo a ser sentida como uma injúria, pois simbolizava seja a impureza (*sorditas*), seja a luxúria (*luxuria*), seja a glutonaria (*gula*). As representações da *Judensau* eram, muitas vezes, acompanhadas de textos explicativos, encarregados de lembrar aos judeus seus defeitos: lucro, luxúria, glutonaria, impureza.

Os judeus foram protagonistas de numerosas fábulas europeias que viam o porco como um descendente do homem, e mais precisamente do judeu. Tais fábulas eram conhecidas em vastas partes do continente, desde a França do norte até a Lituânia, desde a Catalunha até a Polônia passando pela Provença. Todas punham a mesma questão: por que os judeus não comiam carne de porco? E todas traziam a mesma resposta: porque os porcos são crianças judias transformadas em suínos para punir as mentiras de seus pais. Seria, portanto, o receio do canibalismo que interditara os judeus de comer porco. Essa lenda teria uma fonte islâmica, datada do século X ou XI, e uma fonte cristã, o Evangelho apócrifo da infância de Cristo, ou, mais exatamente, sua versão sérvia dos séculos XIV e XV, relatando como Jesus transforma as crianças em porcos. Essa versão foi largamente difundida na Europa ocidental de fins da Idade Média; na Inglaterra, ela figurava em diversos manuscritos e era mesmo representada em azulejos de cerâmica.

Os dois animais, o porco e o bode, estavam igualmente presentes no rito de juramento que os judeus deviam prestar em território alemão quando compareciam diante de cristãos. Uma primeira versão da cerimônia, datada do século XII, previa que o judeu prestasse juramento com a cabeça descoberta e os pés apoiados sobre uma pele de bode. Foi provavelmente no século XIII que a pele de bode foi substituída por uma de porco. Não há nenhuma dúvida de que o rito tinha por objetivo não somente humilhar o judeu, mas também obrigá-lo a violar os interditos de sua religião.

Significação da história dos marginais

Os marginais têm sua história. Ela interessa em primeiro lugar aos historiadores das sociedades, que examinam suas clivagens internas, os processos de integração que se operam em seu seio, as evoluções econômicas que transformam suas elites administrativas e financeiras. Os trabalhos sobre a exclusão medieval enfatizam as mudanças que ela sofreu, a repressão que se acentuou durante a Idade Média em relação a certas categorias para se atenuar em relação a outras, a convergência entre tais tendências e a evolução do Estado, da Igreja e das estruturas sociais. Mas a imagem do excluído contém uma parte imutável que se refere aos valores fundamentais e duráveis da cultura, no sentido que ela dá à vida, à morte, à noção de humanidade.

A figura do excluído que se formou na Idade Média central retomava certos traços do banido da Alta Idade Média. Todos os dois, por exemplo, eram considerados biologicamente diferentes do resto dos mortais. Mas essas duas figuras não têm a mesma origem. A primeira parece muito antiga. Os paralelos entre, de uma parte, o exilado, o fugitivo e o estrangeiro, e de outra parte o lobo, não eram raros nas culturas indo-europeias. A Antiguidade os conhecia, as legislações hititas não estavam isentas deles e são reencontrados no folclore de tribos americanas, africanas e australianas. Apenas mais tarde, não sem relação com os *topoi* de combatividade e agressividade que essas cerimônias guardavam, é que se impôs o par banido/lobo.

Ocorre diferentemente com o segundo conceito, no qual os paralelos animais estão enraizados na tradição erudita e na história de Caim. Para descrever os inimigos de Cristo que desejavam separar dos fiéis, os autores de tratados eclesiásticos e os pregadores só tiveram que recorrer a um rico reservatório de metáforas legadas pelos escritos polêmicos anteriores. O lobo numa pele de cordeiro, o lobo no covil, a serpente tentadora ou ainda a raposa, conhecida do Cântico dos cânticos, estavam entre suas comparações preferidas. Apoiava-se igualmente no simbolismo animal dos vícios e crimes e nos modelos do Antigo e do Novo Testamento.

A despeito das grandes mudanças ocorridas na cultura medieval entre as leis bárbaras, o IV Concílio de Latrão e os séculos em que seus éditos entraram em vigor, as premissas ideológicas da exclusão continuaram na longa duração em muitos pontos as mesmas. Filtradas, depuradas de seu contexto teológico, essas construções facilmente passaram para o folclore e instalaram-se duradouramente, atacando às vezes de forma violenta inimigos tradicionais ou novos. Na época da caça às feiticeiras, os juízes que as acusavam de parentesco com o bode examinavam os pés das suspeitas e apalpavam suas frontes à procura da menor excrescência que pudesse ser assimilada a um chifre.

A imagem do excluído continuava igualmente ligada à ideia da morte, herdada da Antiguidade e da Alta Idade Média. Ela é reencontrada no rito de admissão aos leprosários, na eterna danação prometida aos heréticos e aos infiéis, na recusa a enterrar os usurários e os malfeitores culpados de crimes infamantes.

A Idade Média central não esquecia tampouco que a exclusão era ligada à errância. Uma vez mais, a Bíblia servia de referência. Comparar o povo de Israel a Caim era um tema constante nas polêmicas antijudaicas. A tríade exclusão/exílio/errância era claramente perceptível na jurisdição do século XIV, que considerava a vagabundagem como um modo de vida criminoso. Esse problema colocou-se no século seguinte em relação aos ciganos. As populações autóctones, vendo-os chegar, não deixaram de lhes atribuir origens egípcias, como aos judeus.

O historiador que tenta reconstruir a acepção medieval da exclusão viaja pelo imaginário da época. Seguindo seus fios entremeados, mas que parecem jamais se quebrar, ele rapidamente se dá conta de que esses conceitos não são estranhos àqueles de hoje em dia e que essa longa duração coloca o problema da riqueza humana em suas encarnações históricas.

Hanna Zaremska
Tradução de Flavio de Campos

Ver também

Animais – Diabo – Heresia – Judeus – Ordem(ns) – Pecado – Ritos – Sexualidade

Orientação bibliográfica

BÉRIAC, Françoise. *Histoire des lépreux au Moyen Âge*: une société d'exclus. Paris: Imago, 1988.
BLUMENKRANZ, Bernard. *Le Juif médiéval au miroir de l'art chrétien.* Paris: Études Augustiniennes, 1966.
FABRE-VASSAS, Claudine. *La Bête singulière: les juifs, les chrétiens et le cochon.* Paris: Gallimard, 1994.
GEREMEK, Bronislaw. *Les Marginaux parisiens aux XIVe et XVe siècles.* Paris: Flammarion, 1976.
_____. Marginaux. *Encyclopedia Einaudi.* Turi: Einaudi, 1979. p.750s. t.VIII.
_____. *Inutiles au monde*: truands et misérables dans l'Europe moderne (1350-1600). Paris: Gallimard, 1980.
_____. O marginal. In: LE GOFF, Jacques (ed.). *O homem medieval* [1989]. Tradução portuguesa. Lisboa : Presença, 1989. p.233-48.
GOGLIN, Jean-Louis. *Les Misérables dans l'Occident médiéval.* Paris: Seuil, 1976.
GOODICH, Michael (ed.). *Whitnesses at the Margins of Medieval Society.* Filadélfia: University of Pennsylvania Press, 1998.

KISCH, G. The Yellow Badge in History. *Historia Judaica*, Nova York, n.4, p.95-144, 1942.

LE GOFF, Jacques. Profissões lícitas e profissões ilícitas no Ocidente medieval. In: *Para um novo conceito de Idade Média* [1977]. Tradução portuguesa. Lisboa: Estampa, 1979. p. 85-99.

MELLINKOFF, Ruth. *The Mark of Cain.* Berkeley: University of California Press, 1981.

MOORE, Robert I. *La Persécution*: sa formation en Europe (Xe-XIIIe siècle) [1987]. Tradução francesa. Paris: Belles Lettres, 1991.

ROBERT, Ulysse. *Les Signes d'infamie au Moyen Âge*. Paris: Daupeley-Gouverneur, 1888.

SCHMITT, Jean-Claude. L'Histoire des marginaux. In: Le GOFF, Jacques; CHARTIER, Roger; REVEL, Jacques (eds.). *A Nova História* [1978]. Tradução portuguesa. Coimbra: Almedina, 1990.

VINCENT, Bernard (ed.). *Les Marginaux et les exclus dans l'histoire.* Paris: Union Générale d'Éditions, 1979.

ZAREMSKA, Hanna. *Les Bannis au Moyen Âge.* Paris: Aubier, 1996.

Masculino/feminino

    Três exemplos de um mesmo discurso. O primeiro vem de um monge do século XII, Ruperto de Deutz. Eva, enganada pela serpente, deu o fruto a Adão. "Ela já não mostrava dessa forma sua personalidade abusiva, arrogante e insistente?", pergunta-se Ruperto. Dois séculos mais tarde, Boccaccio coloca na boca de algumas mulheres desamparadas por causa da peste as seguintes palavras: "Lembrem-se que somos todas mulheres, nenhuma de nós ainda é criança para não saber como as mulheres se ajeitam entre si e sabem se entender sem a ajuda de um homem! Nós somos volúveis, contraditórias, desconfiadas, covardes e medrosas [...]. Na verdade, os homens são os chefes das mulheres e sem a autoridade deles raramente algo que fazemos chega a um fim louvável". E, para terminar: "A mulher é fraca, ela vê no homem o que pode lhe dar força, da mesma maneira que a lua recebe sua força do sol. É por isto que ela é submissa ao homem, e deve estar sempre pronta a servi-lo". Não é um homem, mas uma contemporânea de Ruperto, Hildegarda de Bingen, que escreve essas linhas no século XII.

    Fraqueza e qualidades negativas: por natureza, a mulher só pode ocupar uma posição secundária, procurar o apoio masculino. Homem e mulher não se equilibram nem se completam: o homem está no alto, a mulher embaixo. E se acreditarmos no monge e nas mulheres que emprestam sua voz ao escritor, assim como na sábia abadessa, homens e mulheres partilhavam a mesma visão do feminino.

O medievalista que se questiona sobre as categorias e as relações sociais dos sexos, não pode ignorar o antifeminismo da época. Se quiser compreender como a sociedade medieval articulou o masculino com o feminino, deve considerar esses comentários sobre a inferioridade das mulheres e sobre a natureza da mulher, a ladainha de seus defeitos, os argumentos que os corroboram, os exemplos dados. Tudo isto é repetido com tal insistência e tão fastidiosamente na Idade Média, que se acaba persuadido do penoso sentimento de imobilidade, da perenidade de um discurso. Nada mudou durante mil, dois mil anos? Deve-se aceitar a visão que sai dali, como se fosse natural? De fato, o perigo é tratar essas ideias, essas representações, como se a estabilidade e aquiescência que elas suscitam, até nas mulheres, fossem verdadeiras e testemunhassem a realidade de sua prática social. Durante muito tempo, os historiadores da Idade Média entraram nesse jogo.

Mas podem-se ver as coisas de outra forma e sacudir o entorpecimento fascinado ou resignado que nasce da repetição. A ambição de muitos hoje em dia é compreender a parte que as relações entre os sexos ocupam no conjunto das relações sociais. Assim, uma tarefa preliminar impõe-se ao historiador, que deverá se preocupar com as definições de masculino/feminino elaboradas por uma dada sociedade e questionar de maneira crítica os suportes intelectuais e teóricos que fundamentam essas representações. Se ele não considera mais essas construções teóricas como um dado imóvel e uniforme, poderá se perguntar não só por que uma sociedade inscreveu em seu imaginário o sonho da dominação de um sexo sobre o outro, mas também como esse horizonte sonhado marcou a paisagem social. As tensões, as contradições do discurso lhe revelarão as falhas de sua relação com a realidade. Ele será, desse modo, instigado a retomar sob um novo ângulo a discussão das relações entre a esfera das representações e o campo do social. Em suma, poderá enfrentar a diversidade das situações concretas, as consequências que o desequilíbrio marcante das relações entre os sexos exerce sobre todo o jogo social.

As páginas que seguem não pretendem dar conta de todas as facetas do interesse historiográfico atual por esses problemas. Precisando as visões medievais de masculino/feminino, de *gender*, elas tentarão apenas propor algumas referências ao estudo das relações sociais de sexo.

A subordinação da mulher segundo os Pais da Igreja

A Idade Média cristã colocou a diferença dos sexos no centro de sua reflexão antropológica e tomou a categoria do feminino como instrumento conceitual, poderíamos dizer, válido para tudo. Desde a Antiguidade tardia e os primeiros Pais da Igreja, o desequilíbrio entre os sexos e uma tendência a favor do masculino, assim como a constituição do feminino em conceito abstrato, marcaram o pensamento ocidental; nós o herdamos. Nos séculos IV e V, Ambrósio, Jerônimo, João Crisóstomo e, em particular, Agostinho, elaboram um conjunto de comentários e interpretações dos textos bíblicos que os teólogos e filósofos posteriores vão considerar fundamentais e retomar indefinidamente quando se confrontarem com o problema da dualidade sexuada, ordenada e instituída por Deus no sexto dia da Criação. Assim, os argumentos da tradição patrística serão repetidos ao longo dos séculos, e limitar-se-á apenas a remodelá-los quando novos caminhos se abrirem à reflexão e for necessário integrar os avanços de outros setores do conhecimento. Por exemplo, o culto mariano ou o pensamento aristotélico incitarão a considerar a excepcionalidade de Maria ou a física e a medicina antigas para rever, sob a luz desses "novos fatos", a natureza sexuada da espécie humana e o lugar da mulher na economia da salvação. De fato, a antropologia cristã orientada inteiramente para a compreensão do plano da salvação seguido por Deus associa de maneira estreita esses dois aspectos.

Na Idade Média não se concebe a ordem sem hierarquia. A construção do masculino/feminino respeita essa noção e se esforça em articular entre eles os dois princípios da polaridade e da superposição hierarquizada, quer dizer, uma classificação binária e horizontal, fundamentada na oposição, e uma interdependência vertical entre categorias. Dessa difícil combinação resulta uma imagem negativa e inferior do feminino na sua relação com o masculino. Mas essa imagem também é ambivalente, já que a ideia de complementaridade dentro de uma globalidade resta subjacente às classificações por categorias e por oposição. A exegese das Escrituras propôs várias versões dessas construções teóricas.

Embora, ao longo dos séculos, a história da Tentação e da Queda tenha sido constantemente alegada para justificar a dominação do homem sobre a mulher, a tradição patrística identifica noutra parte as raízes da inferioridade feminina e da negatividade do polo feminino. É verdade que o livro do Gênesis (3,1-7) relata a sedução da serpente à qual a primeira mulher sucumbiu e, mais adiante, a maldição divina que a acometeu (Gênesis 3,16: "Na dor darás à luz filhos. Teu desejo te impelirá ao teu marido e ele te dominará"). No entanto, a responsabilidade de Eva continua sendo debatida: alguns raros teólogos medievais vão atribuir a Adão uma responsabilidade igual por não ter utilizado suas faculdades superiores como poderia ter feito. Mas o problema é justamente este: por que, desde o Paraíso terrestre, Eva mostra-se inferior a Adão no entendimento e na vontade? De fato, mais do que a Tentação, foi a Criação que colocou, para a teologia medieval, os princípios de uma natureza feminina segunda e inferior, e, portanto, subordinada. É preciso deter-se um pouco sobre essa questão.

O legado das Escrituras vem dos dois primeiros capítulos do Gênesis. Eles apresentam duas versões diferentes da Criação. Gênesis 1,26-7 mostra Deus decidindo fazer "o homem à nossa imagem, como nossa semelhança", e criou "o homem à sua imagem, à imagem de Deus ele o criou, homem e mulher os criou". O segundo relato (Gênesis 2,20-4) conta a criação da mulher a partir da costela que Deus tirou de Adão adormecido, para lhe dar "a auxiliar que lhe correspondesse". Rapidamente, a exegese cristã "esqueceu" a primeira versão, que era, no entanto, considerada pela tradição judia e por Fílon de Alexandria, e que poderia ter alimentado uma interpretação igualitária das relações entre os sexos. Ao contrário, ela privilegiou a segunda, sobre a qual se elaborou a teoria de uma subordinação natural da mulher. Vários exegetas e teólogos cristãos esforçaram-se em reduzir as divergências entre os dois textos; alguns os consideraram como uma narrativa contínua, outros, mais numerosos, ignoraram completamente a primeira versão.

Com efeito, não faltavam dificuldades. Os autores que consideravam a primeira versão deviam interpretar essas duas criações sucessivas. Afastando de início a ideia de que o primeiro homem do qual fala Gênesis 1,27 fosse andrógino, eles deviam escolher entre atribuir a diferença de sexos à primeira dessas duas criações ou lê-la só na segunda narração, na qual a presença de dois seres diferentes é colocada em termos mais explícitos: de acordo com esse segundo relato, a primeira mulher foi criada a partir do corpo do primeiro homem, ele mesmo modelado por Deus com terra. Mas o que pensar de uma criação à imagem e semelhança de Deus, se o homem tivesse sido primeiro "homem e mulher"? Quer dizer, onde reconhecer a imagem de Deus?

As soluções propostas formam o substrato teórico da tendência, constante no pensamento ocidental, a considerar a mulher como uma essência, a fazer dela uma categoria independente. Usaremos duas referências, do início e do final da Idade Média: Agostinho, em torno de 400, e São Tomás de Aquino, em meados do século XIII.

Em várias obras suas, interpretando as Escrituras de maneira literal ou simbólica, Agostinho resgata dois momentos ou modalidades da criação do homem: essa criação múltipla é uma particularidade que diferencia a humanidade do resto dos animais criados por Deus em grande número, sexuados e de uma só vez. Por meio de uma primeira operação que Agostinho considera ser a relatada pelo texto inicial do Gênesis, Deus criou o "homem interior", a alma racional e imortal que não tem sexo. Portando a imagem de Deus, ela contém a natureza humana inteira, logo, ela é criada simultânea e virtualmente *masculus et femina*. Essa alma que tende para a direção de Deus manterá sempre uma relação única e idêntica com Ele. Por meio da segunda operação divina aparece o "homem exterior", o indivíduo sexuado, macho ou fêmea, atualizado no tempo: tanto a reprodução posterior da humanidade governada pelas leis naturais, quanto, na sua origem, as criações sucessivas do homem e da mulher contadas por Gênesis 2 — a modelagem divina de Adão a partir da argila e de Eva a partir da costela de Adão —, dependem dessa "conformação". É nessa dependência ao mesmo tempo temporal e material da mulher com relação ao homem que Agostinho e, seguindo-o, a teologia medieval, veem a razão da inferioridade da mulher e de sua submissão ao homem.

Situando assim a origem da desigualdade fundamental dos sexos na diferença entre os momentos da criação dos corpos, a antropologia cristã qualificará como original e superior a orientação da razão humana para a contemplação do divino, e como segunda e inferior sua orientação para as necessidades temporais. Assimilando a primeira orientação da alma com seu elemento masculino, e a segunda com o feminino, Agostinho lança as bases teóricas não só da dualidade fundamental da mulher, mas também de sua subordinação e da divisão dos papéis reais. Quando os teólogos cristãos se questionarem sobre a mistura do espiritual e do corporal específico da mulher, abandonarão o plano das equivalências simbólicas (por exemplo, entre Deus e sua criatura o Homem, entre Cristo e a Igreja, a razão e os sentidos etc.), plano no qual Agostinho em geral se mantém, considerando esses aspectos da totalidade humana como essências que constituem categorias do real. A Mulher que será objeto de tantas críticas (essência separada da totalidade humana), e o natural feminino que será alvo de tantas gozações, resultam dessas assimilações da parte superior do humano – o espírito, a razão – com o masculino, e de sua parte inferior – os sentidos, e portanto o corpo, a carne que a razão deveria controlar – com o feminino. Tal hierarquia transposta para o âmbito das realidades sociais, oblitera a unidade que Agostinho mantinha na alma humana enquanto substância espiritual e tende a assimilar a mulher ao seu corpo.

Se a existência dos sexos foi desejada por Deus, o exercício da sexualidade humana continua sendo um problema. Aí também os comentários agostinianos vão marcar o pensamento medieval, que é menos categórico e unânime do que se pensa, tendo em vista o resultado da maldição divina e do estado de pecado em que vivem os homens após a Queda. Caso se admitisse que a natureza humana, que é sexuada, estivera plenamente realizada no estado de inocência, seria necessário considerar que a sexualidade fora realmente exercitada desde o Paraíso terrestre? E já que a dominação do homem sobre a mulher claramente marcava as relações entre os sexos nas sociedades humanas, o que fora a união de Adão e Eva no Paraíso terrestre? Podia-se concebê-la como isenta de qualquer subordinação feminina? E o que pensar do que foi dito pelo apóstolo Paulo? Para ele, a mulher reflete o homem e não diretamente a imagem de Deus (I Coríntios 11,7), e Paulo ordenava que ela considerasse o homem como seu chefe (I Coríntios 11,3; Efésios 5,22-4). Mas, em outro lugar, ele nega toda diferença de sexo na relação do cristão com Cristo (Gálatas 3,28). Seria por isso necessário tirar a mulher da autoridade marital, devolver ao feminino uma margem de autonomia?

De acordo com os primeiros exegetas da Escritura e o próprio Agostinho, foi para ajudar o homem na reprodução e na multiplicação da espécie que Eva foi criada depois dele e da carne dele. Essa qualidade de auxiliar que possui a mulher e a antecedência da criação de Adão, fundam a preeminência do homem até nas relações conjugais: concebida como uma superioridade, a prioridade deve ser consagrada pela obediência da mulher, que se torna o fundamento da harmonia do casal. Pois, para Agostinho, o propósito divino presente na Criação em suas diferentes etapas implica por um lado a unidade do gênero humano oriundo de um único antepassado, ao contrário dos animais, e, por outro lado, a união íntima entre os dois sexos. Se os dois por intermédio da alma racional tendem da mesma maneira ao conhecimento de Deus, a mulher e o homem, de cuja costela ela foi feita, vão se reconhecer mutuamente como uma única carne, embora seus corpos sejam diferentes. Logo, unidade e união não excluem hierarquia e subordinação.

Só falta Agostinho aplicar esses princípios aos antepassados da humanidade. Adotando a hipótese de que eles realizaram plenamente sua sexualidade no Éden (quer essa plenitude dos corpos tenha tendido à geração espiritual ou à geração carnal), ele só pode ver na obediência de Eva, garantia da harmonia entre os esposos, uma característica das relações dela com Adão. Dessa forma, é a concupiscência, e não a sexualidade, a brutalidade masculina e o excesso de poder, e não a submissão natural da mulher que nasceu da perda da inocência. Pode-se justificar melhor a necessidade *a priori* da obediência feminina?

Colocando a submissão da mulher ao homem antes da Queda, Agostinho procurava, e conseguia, conciliar as palavras aparentemente contraditórias de Paulo em uma interpretação que visava a suas significações espirituais e simbólicas. No entanto, nem todo mundo compreendeu a subordinação da mulher nesse sentido. Os comentários escriturários da tradição patrística vão com frequência sustentar uma concepção da divisão dos sexos segundo a qual a mulher, diferindo do homem pelo corpo, só por sua alma racional torna-se imagem de Deus, mas apenas em certa medida, limitada.

A natureza da mulher segundo São Tomás de Aquino

Sete ou oito séculos mais tarde, a doutrina de Aristóteles – que a Idade Média chama de "o Filósofo" – penetrou no pensamento ocidental. Integrando os ensinamentos e os conhecimentos científicos à herança da patrística e dos teólogos cristãos que o precederam, São Tomás de Aquino afasta-se das interpretações agostinianas da Escritura em vários pontos no que toca à divisão dos sexos. Primeiro, porque adota a noção aristotélica da alma como forma substancial do corpo. Por conseguinte, tem que recusar a teoria de Agostinho que distingue dois níveis da criação. Foi em um mesmo instante e com um único gesto que Deus criou alma e corpo, e logo deu um sexo a esses corpos. Por outro lado, Tomás considera, distinguindo-os claramente, a finalidade da diferença dos sexos, quer dizer, o bem da espécie e o perfeito conhecimento de Deus, que é a finalidade última dos indivíduos. Desse segundo ponto de vista, homem e mulher foram ambos criados à imagem de Deus: por sua alma racional, a mulher é depositária dessa imagem tanto quanto o homem. Mas o homem, princípio de sua espécie como Deus o é do universo, está dotado de capacidades racionais mais vigorosas do que a mulher, e por causa disso sua alma contém a imagem divina de maneira mais especial. Além disso, o bem da espécie quer que a mulher ajude seu marido na procriação, função auxiliar que constitui, na ordem da criação, a finalidade de sua existência enquanto indivíduo sexuado. Mas, como a semente masculina, que é a única a ter virtude ativa no processo de geração, reproduz-se de modo idêntico para responder à bênção divina, a característica auxiliar da ajuda dada pela mulher coloca-a em uma posição completamente subalterna.

Essas considerações são oportunamente corroboradas por argumentos tirados da fisiologia da geração, que faz parte das leis naturais e depende, por conseguinte, da ordem da criação. Além da teoria dos humores tirada da tradição médica antiga, São Tomás de Aquino retoma a doutrina aristotélica da imperfeição do corpo da mulher, macho imperfeito e incompleto. Ora, essa fraqueza física tem efeitos diretos sobre o entendimento e a vontade da mulher; ela explica a incontinência que marca seu comportamento; ela influencia sua alma e sua capacidade de alcançar a compreensão do divino. Dessa forma, desenvolvendo enquanto teólogo as implicações da dualidade das finalidades, em particular na mulher (teoria já presente em Agostinho), e apoiando seu discurso nos conhecimentos científicos mais atuais de seu tempo, Tomás não só neutraliza definitivamente o feminino, como também consegue, aqui e acolá, justificar a subordinação feminina.

Uma outra ideia nova em relação ao legado patrístico confirma essa argumentação: a do poder justo, exercido pelo bem do dominado e não no interesse pessoal do dominante; ideia que atravessa as opiniões de Tomás sobre as relações entre os sexos antes e após a Queda. O resultado é que, se a imperfeição feminina deixa-se guiar pelo discernimento masculino mais agudo e submete-se à razão viril, essas relações serão marcadas pela harmonia. A preeminência justa de Adão sobre Eva antes da Tentação realiza esse ideal de relações harmoniosas entre esposos, enquanto a culpabilidade de Eva e sua maldição por Deus provocam sua deterioração e seu endurecimento. Embora Tomás não o diga claramente, esta seria a matriz de um poder exagerado e injusto do homem sobre a mulher, pervertendo a justa expressão de sua superioridade.

As inflexões naturalistas e políticas trazidas pelo pensamento tomista à visão cristã das relações entre os sexos e à justificação teórica de seu desequilíbrio não são desprezíveis. Elas influíram com certeza na tradição, colocando do lado do homem a unidade, o universal e a estabilidade, e do lado da mulher a diferença, o particular e a instabilidade. Elas trouxeram uma armadura científica mais forte para a rejeição do feminino pelo corpo e pela carne corruptível, pela natureza animal passiva ou simplesmente pela natureza, enquanto o masculino é inteiramente orientado em direção ao espírito, à vontade que age e dá forma, ao conhecimento e à cultura.

Os preconceitos do senso comum

Desde os primeiros tempos do cristianismo, partindo desses fundamentos teológicos do masculino/feminino que carregavam positivamente o primeiro polo e negativamente o segundo, foram se aglomerando qualidades e defeitos, vícios e virtudes, condutas fastas e nefastas, considerados como específicos de um ou outro sexo. Aliás, a literatura medieval deleitou-se em detalhar o inventário das características femininas mais do que o das masculinas. Isto porque, desde o início, a mulher foi definida por suas deficiências em relação à natureza humana, que fora realizada de forma mais completa no homem. Os religiosos que viviam a recusa da carne e a distância das mulheres retiveram desse catálogo binário sobretudo a negatividade do polo feminino, com o qual alimentaram sua própria visão misógina da feminilidade. Podem, assim, aumentar o inventário dos defeitos e dos problemas ligados às mulheres. As piores invectivas contra a mulher, assimilada ao seu corpo, condenada por tudo o que é ligado a ele, surgem no fundo dos claustros onde se renunciou aos sentidos e ao mundo.

Os defeitos do feminino foram reunidos em torno de algumas noções-chave: o corpo e seu ornamento, a palavra e seus abusos, a virgindade e as milhares de maneiras de violar o estado perfeito. As prescrições morais que elaboraram os meios de controlar as deficiências e os excessos cotidianos das mulheres concentraram-se também nesses alvos. Como várias análises recentes e convergentes esclareceram, elas preconizaram desde cedo a castidade e as privações sensoriais que seriam as únicas a poderem dar corpo – um corpo aceitável – à abstração que a mulher se tornara. As mulheres de carne e osso foram sempre reduzidas a seu corpo, que era necessário controlar do exterior, pois, devido à sua fraqueza, elas eram incapazes de fazê-lo; elas foram colocadas em posições secundárias, onde sua submissão deveria ser um sucesso; as prescrições da moral corrente limitaram o horizonte delas ao espaço do privado, onde as encerrava a negação de sua capacidade de agir na história.

Essa "desrealização" e essa "desistoricização" da mulher não são questionadas nem pelo amor cortês, em que leituras sociológicas ou feministas quiseram ver a expressão, se não de uma emancipação, pelo menos de um progresso das condições de vida feminina. No entanto, aos olhos de R. H. Bloch, a glorificação a partir do século XII da Virgem Maria, "única de seu sexo", não consegue contradizer a depreciação geral das mulheres; a romantização do amor instaurada na mesma época através das relações cortesãs e a idealização da mulher pelo seu amante não invertem absolutamente as polaridades tradicionais do masculino/feminino. Segundo R. H. Bloch, elas não contrapõem nem mesmo duas visões medievais do feminino, uma voltada à misoginia e outra à idealização. Como Guilherme IX da Aquitânia ou André, o Capelão, o amante e poeta segue sucessivamente essas duas vertentes do feminino. Para o amante cortesão, a sua dama, tanto quanto a mulher maldita pelos clérigos, não é uma realidade existencial. Sobre seu pedestal, ela continua sendo uma essência obediente à obsessão da virgindade que a faz pender em direção da abstração. A mesma obsessão inspira o desejo de perfeição, elevando Maria muito acima das outras mulheres, e a dama do amor cortês acima de todas as suas rivais, inacessível ao amante, perdida nas terras longínquas do desejo impossível.

Uma subordinação "natural"

Quer isto dizer que as sábias construções do feminino pelos clérigos e a imensa produção de comentários condicionaram sem remissão os espíritos e modelaram as relações sociais dos sexos?

Constatar a subordinação do feminino na Idade Média significa para os teóricos admiti-la. Quando o desequilíbrio das relações entre os sexos é em detrimento da mulher, está dentro da ordem das coisas, ou melhor, da ordem da criação. Enraizados em seu tempo, os teólogos veem naturalmente a justificação desse desequilíbrio não só nas verdades das Escrituras, mas também no fato de que ele existe, de que seja reconhecido universalmente e de que se traduza nas práticas sociais cotidianas. Por exemplo, a incapacidade jurídica das mulheres é dada por São Tomás de Aquino em suas demonstrações como uma prova, em vez de ser apresentada como um fenômeno que seria necessário explicar. Aos olhos dos clérigos, a concentração de inúmeros valores, qualidades, atos e até objetos que o senso comum reagrupa em torno dos polos masculino e feminino, confirma suas definições, mostrando sua universalidade.

Contudo, os deslocamentos do plano da interpretação simbólica para a justificação das relações sociais de dominação, os recursos constantes aos paralelos exegéticos ou à alegoria, procedimentos de pensamento desestabilizantes para o leitor moderno, podem também mascarar momentos críticos da reflexão, seu embaraço diante de situações históricas concretas. A adequação à realidade que os clérigos atribuem às suas construções intelectuais não significa que os sistemas de representações que propõem estejam de acordo com outros sistemas que eles recuperam, nem que os deles sejam aceitos por todos, nem que sejam eficientes no campo do real.

Carolyne Bynum mostrou que, mesmo dentro da Igreja ou em suas margens, a concepção dominante do *gender* podia ser questionada. A eflorescência do misticismo feminino nos últimos séculos da Idade Média esboça uma configuração da espiritualidade mais centrada na recusa de alimento do que a dos místicos masculinos, em que prevalecia a renúncia às riquezas e ao poder. O ascetismo alimentar extremo abre para as mulheres místicas alimentadas durante várias semanas com uma única hóstia, um acesso privilegiado a um Deus alimentador; esse ascetismo faz delas corpos simbolicamente alimentadores, cujos humores curam os doentes e acalmam os famintos. As análises de Carolyne Bynum não reduzem essas condutas a uma reação diante da exclusão sacramental das mulheres ou das restrições ao acesso dos leigos à eucaristia; elas não as resumem de maneira simplista à interiorização das exclusões misóginas da sociedade ambiente fundadas sobre o dualismo carne/espírito, nem à recuperação dos valores alimentares e das práticas nutritivas ligadas tradicionalmente ao feminino. As místicas dos séculos XIII e XIV ultrapassam as dicotomias habituais, combinam todos esses símbolos associados ao alimento e ao corpo não para forjar um contrapoder diante dos homens da Igreja, mas para propor um outro modelo de feminilidade: seu corpo fraco e sofredor, em toda a sua feminilidade e pela semelhança com o corpo fraco e sofredor de Deus, representaria a humanidade.

Outras lógicas simbólicas, além das que encontram seu fundamento nas Escrituras, podem estruturar da mesma forma representações concorrentes do masculino/feminino. Sem dúvida, é mais difícil reconstruí-las em sua autonomia eventual do que a visão dos clérigos, pois elas não são teorizadas. Um primeiro fio corre desde a Antiguidade, trazendo a reivindicação dos homens casados contra as mulheres. O mítico Teofrasto ou Juvenal havia elaborado o inventário dos pequenos infortúnios da vida conjugal, inventário que, retomado pelos Pais fundadores do cristianismo, um Tertuliano, um Jerônimo, e surgindo ainda na pena do clérigo casado que escreveu no século XIII as *Lamentations de Matheolus*, tende a fundir-se com a caracterização negativa do feminino e a exaltação da virgindade pela Igreja. Mas esse catálogo bem simples dos reveses e das contrariedades do casamento reaparece na literatura laica dos *fabliaux*, no *Roman de Renart* ou nas *Quinze joies de mariage* [alegrias do casamento]. Na sua exasperação, alimentada nessa tradição literária, tais obras procuram menos definir sistematicamente a especificidade feminina do que colocar a responsabilidade dos infortúnios do casamento sobre a esposa, como se coloca a do infortúnio da humanidade sobre Eva. Disto sobressai uma imagem do feminino construída em torno do excesso de palavra, o que pode talvez indicar uma visão laica autônoma.

Camadas mais profundas e mais originais da cultura popular são reveladas pelos surpreendentes *Évangiles des quenouilles* [Evangelhos das rocas] redigidos em meados do século XV por um observador anônimo. Nessa obra, que pretende apresentar um saber de mulheres, as relações do feminino com o mundo animal ou os astros, os danos da violência ou do adultério masculino, as relações sexuais, por exemplo, não são encarados como na literatura erudita ou no direito. Eles permitem supor uma articulação diferente das características e das virtudes dos dois sexos, de acordo com a qual os poderes que as mulheres detêm através da fecundidade e de seu papel na procriação não são necessariamente depreciados. Além do mais, as práticas e receitas trazidas à vigília desvendam a capacidade da mulher de agir sobre o mundo, seu controle das forças naturais e dos destinos humanos; em suma, elas testemunham sobre a qualidade das mulheres enquanto atores na história.

No entanto, a interpretação de uma obra desse tipo confronta-se com dois obstáculos, que os comentários de Madeleine Jeay esclarecem bem. Qualquer análise de seu conteúdo deve considerar a parte do transcritor, que diz ter recolhido os propósitos de seis comadres. A ambiguidade que pesa sobre a origem das palavras relatadas e sobre os procedimentos de sua relação impede de reconhecer nelas, sem maiores precauções, a simples expressão de uma concepção feminina, ou campesina, do mundo e do masculino/feminino. Ademais, a reelaboração das práticas em uma perspectiva cristã oblitera ou desloca o sistema simbólico que lhes dá sentido. Mais ainda, as frequentes junções de ditos e práticas com crenças e tradições integradas pela construção religiosa ou científica do masculino e do feminino tornam vã a tentativa de separar as respectivas partes do erudito e do popular. Assim, em vários aforismos das seis comadres, nos que concernem, por exemplo, à previsão do sexo da criança que vai nascer, à concepção ou à gravidez, aparece uma tendência favorável aos meninos, tendência que, como sabemos, também marca a polarização das representações teológicas. Devemos concluir que essas mulheres interiorizaram os *topoi* e preconceitos que, nos sistemas do masculino/feminino elaborados pelos clérigos, se apoiam sobre uma armação mais científica? De fato, a imbricação das crenças recitadas pelas seis "damas" dos *Évangiles des quenouilles* com uma herança antiga transmitida pela medicina e pela física natural "eruditas", tornam ilusória mais uma vez a vontade de discernir a contribuição "popular" autêntica e original. A verdade é que podemos atribuir o mesmo grau de coerência ao sistema simbólico latente nos ditos dessas mulheres que ao amontoado de acusações e de preconceitos cujas bases teóricas foram encontradas na patrística e na exegese dos teólogos cristãos.

A partir do momento em que um sistema simbólico determina posições relativas ao masculino e ao feminino e papéis específicos aos homens e às mulheres, estes não podem ser modificados sem questionar a ordem do mundo à qual eles se referem. O vigor das reações diante dessas alterações, a importância dos pontos de sua aplicação, permitem melhor avaliar a vitalidade respectiva de tais sistemas e a distância que os separa.

Aos olhos dos clérigos, a maior infração é atentar contra a ligação da alma com Deus, o que significa para as mulheres recuperar a possessão de seus corpos. O fim da dominação da mulher pelo homem ou, pelo que foi chamado de "teologia cosmética", a mistura de seus sinais escandalizam na medida em que contrariam as hierarquias instituídas por Deus. O mesmo acontece com as inversões entre os papéis masculino e feminino, que dão poder ao parceiro mais fraco. Porque a mulher, na sua essência, inclina-se para a invisibilidade da virgindade absoluta, a primeira a ser condenada é aquela que rompe o voto de virgindade. Mas, porque é assimilada a seu corpo, a mulher que realça sua beleza natural com unguentos, pinturas, joias e adereços, a que se veste como um homem, a que toma a palavra e "profetisa" publicamente ou pretende dar os sacramentos, transgride claramente a lei divina, e a lei humana tem que punir esses erros. Em um sistema que articula de outra forma os valores do masculino/feminino, centrando-os, por exemplo, como os *Évangiles des quenouilles*, no controle das forças naturais e da fecundidade, a mulher mais velha que seu marido, a que bate nele ou recusa alimentar decentemente seus amigos, a viúva que no segundo casamento arrebata um jovem, atentam também contra a ordem do mundo e são passíveis nem tanto de um sermão, mas de um bom charivari ou de um *fabliau* vingativo.

Aqui chegamos à junção das representações e das realidades sociais. Sem ir mais além no campo de sua interação, recapitulemos alguns traços importantes relativos à divisão medieval dos sexos.

Deve-se ter notado que, falando do masculino/feminino na Idade Média, dificilmente são evocados os valores ligados ao polo masculino, tanto o discurso medieval dominante atua pela separação, pela diferenciação do feminino a partir de um masculino concebido como plenitude e totalidade. Além disso, é impossível negligenciar a misoginia particular àquela época, que não somente concentra a atenção dos autores no feminino e infla desmesuradamente a análise, mas utiliza-a como categoria conceitual redutora nas investigações que não têm nada a ver com as mulheres, nem com a Mulher. O feminino guarda, no entanto, uma ambivalência irredutível vinda das condições de sua construção ideológica e social. O homem é unidade, o masculino, unívoco. A mulher é ao mesmo tempo Eva e Maria, pecadora e redentora, megera conjugal e dama cortesã. Dentre essas facetas, o feminino não escolhe, justapõe. Assim, ele se furta obstinadamente a buscar sua natureza própria, que depende do espiritual, miseravelmente medido, e do corporal, no qual foi logo encerrado.

Christiane Klapisch-Zuber
Tradução de Eliana Magnani

Ver também

Amor cortês – Corpo e alma – Medicina – Natureza – Parentesco – Pecado – Sexualidade

Orientação bibliográfica

BLOCH, R. Howard. *Misoginia medieval e a invenção do amor romântico ocidental* [1991]. Tradução brasileira. Rio de Janeiro: Editora 34, 1995.

BoRRESEN, Kari Elisabeth. *Subordination et équivalence*: nature et rôle de la femme dans Augustin et Thomas d'Aquin. Oslo e Paris: Universitetsforlaget; Maison Mame 1968.

BYNUM, Caroline W. *Jeûnes et festins sacrés*: les femmes et la nourriture dans la spiritualité médiévale [1987]. Tradução francesa. Paris: Cerf, 1994.

DUBY, Georges. *O cavaleiro, a mulher e o padre*: o casamento na França feudal [1981]. Tradução portuguesa. Lisboa: Dom Quixote, 1988.

_____. *Idade Média, idade dos homens*: do amor e outros ensaios [1988]. Tradução brasileira. São Paulo: Companhia das Letras, 1989.

_____. *Damas do século XII* [1995-1996]. Tradução brasileira. São Paulo: Companhia das Letras, 19952000. 3v.

_____; PERROT, Michelle (orgs.). *História das mulheres*. Tradução portuguesa. Porto: Afrontamento, 1990. t.II: *A Idade Média* (org. de Christiane Klapisch-Zuber) [1988].

LA FEMME DANS LES CIVILISATIONS DES Xe-XIIIe SIÈCLES. Actes du Colloque Tenu à Poitiers les 23-25 sept. 1976. Poitiers: Centre d'Études Supérieures de Civilisation Médiévale, 1977. [Rééd. de *Cahiers de Civilisation Médiévale*, n.20, p. 93-263, 1977], em particular o artigo de D'ALVERNY, Marie-Thérèse. Comment les théologiens et les philosophes voient la femme, p.15-39 [105-129].

GOLD, Penny Schine. *The Lady and the Virgin*: Image, Attitude and Experience in Twelfth-Century France. Chicago: University of Chicago Press, 1985.

JEAY, Madeleine. *Savoir faire*: une analyse des croyances des Evangiles des quenouilles. Montreal: Ceres, 1983.

LE GOFF, Jacques; SCHMITT, Jean-Claude (eds.). *Le charivari*. Paris e Haia: École des Hautes Études en Sciences Sociales; Mouton, 1981.

LINEHAN, Peter. *Les Dames de Zamora* [1995]. Tradução francesa. Paris: Les Belles Lettres, 1998.

PARISSE, Michel. *Les Nonnes au Moyen Âge*. Le Puy: Christine Bonneton, 1983.

ROUSSELLE, Aline. *Porneia*: sexualidade e amor no mundo antigo [1983]. Tradução brasileira. São Paulo: Brasiliense, 1984.

STUARD, Susan (ed.). *Women in Medieval History and Historiography*. Filadélfia: University of Pennsylvania Press, 1987.

WARNER, Marina. *Seule entre toutes les femmes*: mythe et culte de la Vierge Marie [1976]. Tradução francesa. Paris e Marselha: Rivages, 1989.

Medicina

A história dos saberes e das práticas terapêuticos em uso na Europa medieval elucida o surgimento de corporações de especialistas – médicos, cirurgiões, barbeiros – que buscam assegurar o monopólio da arte de curar, ao mesmo tempo que se manifestam, por outro lado, as premissas de nossa medicina moderna. Com efeito, o renascimento da observação anatômica, no fim da Idade Média, supõe uma objetivação da pessoa e da doença sobre a qual a medicina, em sua busca de cientificidade, viria a se apoiar desde então e até os nossos dias.

Serão abordadas aqui mais as relações simbólicas e as práticas sociais do tratamento do que a história propriamente dita da medicina erudita. Em outras palavras, situamo-nos em uma perspectiva antropológica distinta da história clássica da medicina medieval, tal como se encontra notavelmente abordada na *Histoire de la pensée médicale en Occident*, dirigida por Mirko D. Grmek.

Na história da medicina letrada, a Europa meridional desempenha um papel privilegiado por várias razões: a vitalidade de Salerno, desde a Alta Idade Média; o esplendor do Sul da Itália e da Espanha, cujos tradutores legaram ao Ocidente as conquistas da medicina greco-arábica; a criação das faculdades de Montpellier e de Bolonha, comparáveis à de Paris. Profundamente marcada pela Igreja, essa medicina letrada foi, de início, beneficiada pela luta que as autoridades eclesiásticas travaram contra as práticas não cristãs e as heresias. Por outro lado, no século XIII, a redescoberta de Aristóteles, o divórcio entre fé e razão, as contradições manifestas entre as "autoridades" levaram os médicos medievais a tomar progressivamente consciência de sua especificidade. Na medida em que partilhavam a tradição galênica transmitida e reinterpretada pelos árabes — o saber racional e a observação — sentiram-se como homens novos, "modernos", como diziam.

Entretanto, considerando os diversos recursos de que dispunham as populações medievais, impõe-se o questionamento acerca do lugar realmente ocupado por essa medicina. Entre os eclesiásticos que a ela se dedicaram, a origem e o nível dos conhecimentos eram, sem dúvida, extremamente variados. E, sobretudo, aquilo que se originava das tradições orais e dos patrimônios culturais não cristãos escapa-nos em grande parte, uma vez que não dispomos de grande quantidade de documentos do mesmo nível de importância de um *Leechbook,* o monumento da medicina anglo-saxã do século X. Numerosas zonas de sombra subsistem ao tentarmos discernir os sistemas de tratamento realmente em uso. Contudo, pode-se ao menos seguir o traço de um insistente murmúrio, relativo aos numerosos curandeiros de tipo tradicional que se perpetuaram mesmo em nossas sociedades industrializadas com o desabrochar das medicinas ditas paralelas. Enfim, na Idade Média, quando a medicina era ora elevada ao patamar de uma filosofia, ora considerada uma "arte mecânica", e quando oscilavam as fronteiras que separavam os campos eruditos e "populares", a própria medicina considerada erudita manteve, por vezes, relações ambíguas com o empirismo e a magia.

Restauração da energia vital e medicina no hospital

No século VII, o bispo Isidoro de Sevilha dedicou à medicina o quarto livro de suas *Etimologias*, obra que foi a primeira das enciclopédias medievais e uma referência constante. Nela, o autor enfatiza que a medicina não é, necessariamente, medicação. Não que o prelado tenha preferido confiar a cura mais à misericórdia divina ou aos santos taumaturgos do que à farmacopeia, como havia prescrito Tertuliano. É que, para ele, tratar era em primeiro lugar restaurar uma energia vital considerada o verdadeiro agente da cura e da manutenção da saúde.

Tal concepção, que iria perdurar por toda a Idade Média e inclusive além dela, se originava da teoria dos humores, sistematizada no século II por Galeno e difundida no século IV pelo bizantino Oribaso. Ela não só estimulou a medicina erudita até o século VIII, como se manteve durante esse longo período presente nas concepções populares, impregnando ainda hoje as percepções não científicas do corpo e de sua patologia. Segundo esse sistema, o equilíbrio absoluto dos humores é um ideal inacessível a um corpo humano vitimado por intermináveis processos de transformação interna. Esse *continuum* entre saúde e doença impõe uma definição extensiva do tratamento, um zelo extremo com a prevenção e uma terapêutica apoiada na "dietética", compreendida como gestão racional e cotidiana do corpo. Seu principal meio é o regime alimentar. É ele que permite melhor equilibrar a dinâmica vital dos indivíduos – de acordo com seu temperamento particular (fleumático, sanguíneo, colérico ou melancólico) e em função das estações – pelas qualidades específicas das substâncias naturais e daquelas adquiridas através de diferentes modos de preparação culinária.

O controle das interações entre o homem e o meio natural fez dos médicos, durante toda a Idade Média, especialistas da natureza, *physici*, como gostavam de se denominar, e, por causa disso, metafísicos. Eles pretendiam elaborar sistemas classificatórios nos quais se relacionavam as categorias do alimento, do remédio e do simbólico. Medicina e cozinha estiveram tão estreitamente associadas na vida cotidiana quanto no seio das instituições hospitalares.

Tratar consistiu, originalmente, em restaurar, o que permite compreender a importância atribuída por certos regulamentos hospitalares, como em Florença ou em Laon, ao conforto dos doentes (luz, calor), e sobretudo à sua alimentação, até mesmo aos seus caprichos alimentares.

Decorre daí a impressão de um abandono especificamente médico dos doentes. Com efeito, interpreta-se frequentemente como um indício de indiferença terapêutica a inexistência, até o século XIII, de médicos vinculados estatutariamente às instituições hospitalares (exceção feita à Espanha, onde, como no Oriente árabe ou bizantino, a presença médica estava assegurada desde tempos antigos nos estabelecimentos de assistência). De fato, o auxílio institucional aos doentes foi durante muito tempo confundido com o dado aos "pobres" em geral, excetuando-se o caso dos leprosos e dos "inchados" (os hidrópicos). Da mesma forma, o cuidado específico aos infelizes atingidos pelo "mal dos ardentes" (ergotismo) foi confiado aos hospitalários de Santo Antônio desde a criação da ordem, em 1095. Apenas no século XIII começa-se a encontrar alguns hospitais especializados no cuidado aos enfermos, como o Quinze-Vingts, fundado em Paris por São Luís para os cegos. E é justamente a partir desse momento que os médicos aparecem nos arquivos hospitalares.

É necessário acrescentar a essa coincidência o fato de que vários albergues ou casas de Deus eram centros religiosos onde se cumpriam diversos ritos de passagem que não visavam diretamente à saúde do corpo, mas estavam destinados a assegurar a purificação espiritual dos assistidos e até mesmo seu ingresso no Além. Tratava-se, também, de garantir a salvação eterna dos doadores e das almas generosas que socorriam os *pauperes*, cujas orações deviam, em troca, suavizar o fardo de seus benfeitores. Mas essas figuras de Cristo despojado e sofredor, intermediárias privilegiadas entre os benfeitores e o Céu, tinham um outro lado: os afligidos não eram, sobretudo, pecadores, objetos da cólera divina? Ou mesmo, no caso dos inválidos, não eram delinquentes castigados pela justiça humana? Ou ainda simples trapaceiros? Aqueles cujos corpos estavam atingidos suscitavam, portanto, também a desconfiança, a zombaria e a agressividade, como revela *a contrario* a maneira pela qual os estatutos dos hospitais insistiam na brandura no trato com os doentes. Assim se poderia explicar que, no interior dos próprios refúgios que lhes eram oferecidos, tenha-se por vezes abandonado os assistidos a seus males corporais, como Jó, seu modelo de paciência, tinha sido abandonado sobre seu monte de esterco.

No entanto, nada é mais incerto do que essa suposta negligência em matéria terapêutica. Testemunha-o, por exemplo, a reputação dos cuidados prodigalizados pelo hospital de Laon, a ponto de irem se tratar nele, além dos indigentes que eram seus beneficiários correntes, os proprietários fundiários das redondezas, os artesãos, e até mesmo ricos mercadores ou nobres. Nele oficiavam os cônegos do cabido da catedral proprietária do hospital, famosos, desde o século IX, por seus práticas e conhecimentos médicos, dedicados ao estudo apaixonado dos manuscritos de que dispunham, como o *De medicamentis*, do bordelês Marcellus Empiricus (século IV). De forma geral, os peregrinos e os indigentes muito provavelmente eram tratados em enfermarias específicas – situadas nos prédios monásticos ou em pequenos hospitais rurais estabelecidos nas proximidades – por religiosos especialistas encarregados da enfermaria reservada aos monges.

As primeiras referências a médicos nos registros hospitalares coincidem com a relativa laicização das instituições de caridade e com a profissionalização dos ofícios de saúde no fim da Idade Média. No entanto, elas indicam mais a importância do papel inicialmente desempenhado nessa matéria pelos eclesiásticos do que uma ausência anterior de cuidados médicos propriamente ditos. Pois havia nos quadros da Igreja, em particular entre os regulares, práticos suficientemente qualificados para, à guisa de caridade, assegurar cuidados médicos, mesmo que os arquivos não guardem traços de sua intervenção. É possível propor a mesma interpretação para a menção apenas tardia à inserção de médicos nas juntas destinadas a identificar os leprosos: durante muito tempo, os eclesiásticos, que eram membros desses tribunais, acumularam as funções religiosas e as especificamente médicas.

Nos estabelecimentos de assistência encontravam-se ainda todos aqueles, e sobretudo aquelas, que, assumindo cotidianamente o encargo dos doentes – frades, freiras, conversos e servidores laicos –, haviam adquirido, pouco a pouco, um saber prático e até mesmo rudimentos teóricos do campo da medicina letrada, mas também possuíam conhecimentos e habilidades "empíricos" veiculados pela tradição oral não erudita. Quase não há, em relação a esse aspecto, registros diretos nos arquivos hospitalares. Ocasionalmente, os textos revelam-nos, em algumas menções, um pouco desse quadro, como o concernente aos cavaleiros teutônicos, religiosos e guerreiros sobre os quais o médico-cirurgião Guy de Chauliac diria, por volta de 1363, com todo o seu desprezo de profissional, que, "com imprecações e beberagens, óleo, lã e folhas de couve, eles curam todas as feridas, fundamentando-se na premissa de que Deus colocou sua virtude em palavras, ervas e pedras".

De fato, eram numerosas as ocasiões de contato entre os diferentes registros do saber, inclusive nas portas dos mosteiros, onde vendedores de plantas medicinais expunham o conteúdo de seus volumes e caixas, vendedores que buscavam bem se diferenciar do charlatão, detalhadamente caracterizado por Rutebeuf no *Dit de l'herberie*. Os precursores medievais dos médicos de hoje levaram um longo período para vencê-los. Em 1434, dentro mesmo do hospital de Pont-du-Rhône, eclodiu um conflito entre os médicos e aqueles que as autoridades civis, discípulas da nova legitimidade, chamavam de "irmãos hospitalários ignorantes, monges supersticiosos, empíricos ou pretensos feiticeiros".

Estamos, pois, em presença de uma ampla prática social da arte terapêutica, relativamente difusa e, ao menos até o século XIII, não exclusivamente reservada a grupos profissionais distintos e organizados. Na ausência de documentação suficiente para apreciar os respectivos papéis exercidos por todos esses personagens, pode-se evocar a atual situação sanitária de certos países do Terceiro Mundo. Por exemplo, na Etiópia, cristianizada desde o século IV, ainda hoje se cruzam bispos taumaturgos (que nos fazem pensar em São Martinho, na Gália do Baixo Império), médiuns possuídos pelos espíritos tradicionais, "letrados" fabricantes de talismãs, curandeiros especialistas em plantas medicinais, além dos práticos da medicina ocidental moderna.

Nascimento, depois laicização de uma religião da medicina

Os Pais da Igreja, desde o século III, adotaram o galenismo, e serviram-se dele para pensar os processos da vida espiritual, em particular da penitência, a partir do modelo da purgação dos humores, como testemunha bem mais tarde o *Livro das santas medicinas*, composto em 1354 pelo duque Henrique de Lancaster.

No decorrer dos primeiros séculos da nossa era, o tratamento do corpo e a conversão das almas mantiveram-se estreitamente vinculados em função do caráter estratégico assumido pela cura das doenças na cristianização das consciências. A Igreja rejeitou como suspeita toda prática curativa não avalizada pela medicina galênica. Os bispos encontravam-se na primeira fila do combate engajado contra curandeiros de todos os tipos, que seduziam o vulgo misturando às tradições autóctones objetos do culto cristão (óleo sagrado, relíquias), a crer-se em Gregório de Tours. Na ausência de qualquer corporação propriamente médica, sem dificuldade instalou-se na Europa, sob a égide da Igreja, um dogmatismo terapêutico fadado a longo futuro.

Por outro lado, a preservação e a cópia dos manuscritos médicos da Antiguidade greco-romana nos mosteiros da Alta Idade Média, o monopólio episcopal e monástico do ensino, o engajamento de inúmeros eclesiásticos seculares e, sobretudo, regulares na prática médico-cirúrgica, impuseram, até pelo menos o século XII, um marcado perfil religioso aos praticantes letrados.

A partir do século XII, na esteira da reforma gregoriana, vários concílios promulgaram proibições, inicialmente para os monges, excessivamente vinculados ao exercício da medicina e aos afazeres do século, e em seguida para os eclesiásticos que, atuando nas cirurgias, infringiam o tabu do sangue que pesava sobre a condição de "clérigo". Em seguida, no contexto do impulso corporativo que caracterizou o mundo dos ofícios no século XIII, de onde saíram as universidades, cindiu-se o personagem do médico, que até então exercia tanto a cirurgia quanto a medicina e, com muita frequência, confeccionava seus próprios remédios. Surgem novos profissionais da saúde, preocupados com suas especificidades, seus direitos e privilégios, como os médicos da faculdade, os cirurgiões, os barbeiros e os boticários. Além disso, ao tabu do sangue imposto aos clérigos e, logo, aos universitários, superpôs-se o desprezo destes últimos por todos aqueles que exerciam atividade manual.

Tanto na França quanto na Inglaterra, os cirurgiões do fim da Idade Média eram frequentemente iletrados, como os barbeiros aos quais delegaram rapidamente a responsabilidade pelas operações mais comuns, por exemplo a sangria. A Itália apresenta, nesse aspecto, um quadro bem distinto. Os práticos letrados e laicos foram aí mais numerosos do que em outros lugares, e o exercício da cirurgia foi muito valorizado. Em Bolonha, médicos e cirurgiões mantiveram-se unidos dentro da faculdade, contrariamente ao que ocorreu em Paris, onde a faculdade de Medicina impôs a seus bacharéis o juramento de não intervir manualmente sobre o corpo humano.

À fundação das primeiras faculdades, em Montpellier, Paris e Bolonha, e à criação das associações de cirurgiões e barbeiros, seguiu-se a exclusão que a Igreja buscou impor em matéria de terapêutica a uma parte de seu clero. Prenunciava-se a laicização das profissões médicas. Mas essa laicização produziu-se apenas paulatinamente. Numerosas dispensas foram de início concedidas aos eclesiásticos (sobretudo seculares) desejosos de praticar a medicina, e até mesmo a cirurgia. O italiano Teodorico, dominicano, confessor do papa Inocêncio IV, bispo de Bitonto e em seguida de Cervia (1266), foi um célebre cirurgião. Na França, entre 1222 e 1447, registram-se duas dezenas de médicos que, por outro lado, ascenderam ao episcopado, e apenas em 1452 desapareceu a obrigação do celibato para os professores universitários. Há que se aguardar o século XV para ver diminuir o número de práticos providos de ordens maiores e munidos de benefícios eclesiásticos. Esse progressivo desaparecimento dos benefícios no meio médico provavelmente acentuou a preocupação com a remuneração. Sua suposta avidez impunha-se, desde o século XII, como um *leitmotiv* em meio às críticas que lhes eram dirigidas, pois o pagamento do terapeuta parecia exceder os limites de sua intervenção. Seria legítimo, sobretudo se ele pertencia à Igreja, negociar uma cura que cabia somente a Deus, ou ao menos à Natureza? Que tipo de trabalho executava, então, o médico? Seria possível avaliar a sua intervenção sob a ótica de outras corporações de ofícios presentes no quadro das atividades laborais urbanas?

A laicização socioprofissional da medicina, que então se inicia, foi precedida no plano intelectual pela crise do século XIII, quando se produz a emancipação dos conhecimentos em relação à teologia, deslocando-se o foco ao exame da natureza por si mesma – independentemente das implicações divinas e espirituais – e à legitimidade dos sentidos como meios de conhecimento. Mas essa liberação do saber médico-cirúrgico, ainda muito relativa, não implicava uma maior tolerância em relação aos terapeutas alheios ao "rebanho" universitário ou corporativo. Ao contrário, na defesa dos seus respectivos monopólios, as faculdades de Medicina e as associações de barbeiros e cirurgiões exigiam ativamente o apoio da Igreja na luta contra os práticos não reconhecidos da arte de curar, entre os quais, doravante e cada vez mais, contavam-se os próprios eclesiásticos.

Medicina

Nas fronteiras da ortodoxia

Os doentes, na Idade Média, dirigiam-se de bom grado aos tocados pela graça divina, vivos ou mortos. Os eclesiásticos especialistas em medicina, acumulando poder terrestre e eficácia sobrenatural, foram então convocados a uma dupla missão, pois os vínculos privilegiados que os personagens consagrados, sobretudo eremitas e reclusos, supostamente mantinham com o Além – como os santos – eram suficientes para atrair até eles inúmeros doentes e enfermos. Daí a acrimônia com a qual os homens de ofício, e particularmente os cirurgiões, reivindicaram, a partir do século XIII, a exclusividade da arte de curar contra todo curandeiro sagrado, mesmo se ele fosse um mártir defunto.

Quando os doentes recorriam à Igreja, o "mágico" interagia plenamente com o "religioso": via-se eles considerarem a extrema-unção um remédio, recolherem o pó ou rasparem a pedra das sepulturas santas para ingeri-lo, ou ainda abrirem "ao acaso" as Sagradas Escrituras para prognosticar uma doença. As preces mantidas junto do corpo, a título de prevenção ou cura, funcionavam mais como talismãs do que como sinal de devoção. Alguns eclesiásticos confeccionavam encantamentos cristãos ou cristianizados, da mesma forma que muitos deles não hesitavam em indicar procedimentos terapêuticos heterodoxos, como o fez Pedro Hispano (o futuro papa João XXI) em seu *Thesaurus pauperum*, no século XIII, ou ainda um século antes a abadessa beneditina Hildegarda de Bingen.

A atenção que Hildegarda dedicava às pedras preciosas e aos vegetais exprime o grande interesse terapêutico que ambos suscitaram ao longo de toda a Idade Média. A eficácia das plantas medicinais, cujo conhecimento constituía, para Cassiodoro, no século VI, o próprio fundamento da arte de curar, não residia apenas nos princípios ativos presentes nas plantas medicinais, reconhecidos pela farmacologia moderna. Seu poder estava ligado também às repercussões que as plantas produziam no imaginário, no contexto de uma Europa predominantemente rural onde a presença concreta da natureza impunha-se aos sentidos. O vegetal é um signo superior apropriado à cura: a planta é insubstituível nutridora, benfeitora de homens e do gado, e não apenas nos períodos de miséria e fome em que a flora selvagem era chamada a contribuir. Sustento permanente dos menos ricos (por necessidade econômica) e dos ascetas (por opção espiritual), as plantas nativas foram sérias concorrentes, tanto na farmacopeia como na cozinha, das especiarias orientais. Seu exotismo conferia a estas últimas um poder suplementar que determinou a sua procura desde os tempos merovíngios. Mas a pimenta, a canela, o gengibre e a noz-moscada eram remédios e condimentos de ricos, aptos a promover a fortuna dos boticários que começaram a surgir desde a segunda metade do século XII, ao passo que as ervas medicinais europeias eram fontes de cura acessíveis a todos, amplamente disponíveis, em geral dispensadas gratuitamente pelo meio natural, ou, de qualquer forma, baratas. As raízes foram muito empregadas, pois acreditava-se que estavam impregnadas dos "poderes soberanos" do subsolo. Mas a planta inteira aparecia como mediadora simbólica entre terra e Céu, floresta selvagem e espaços domesticados, alimento e remédio, doença e saúde, e até entre ignorância e saber, entre mundo humano e mundo sobrenatural, entre presente e futuro.

Utilizadas em aplicações, emplastros, suspensões, decocções, banhos, pós, unguentos e eletuários, por vezes colhidas segundo certos ritos, em particular na véspera de São João, e utilizadas ocasionalmente em práticas de tratamento de doenças que supunham uma estreita conivência entre a criatura humana e a vegetal, as plantas medicinais eram objeto de saberes difusos, largamente partilhados e originários de diferentes correntes culturais. Assim, o *De simplice medicina*, composto em Salerno entre 1130 e 1160 por Mateus Platearius, obra que no século XV devia servir de códice aos boticários parisienses, é um produto significativo das interações entre os diversos registros de saber então disponíveis. Contém a matéria legada pela Antiguidade grega (Dioscórido), pelos bizantinos e pela medicina árabe difundida pelas traduções de Constantino, o Africano (1019-1087), retirado no mosteiro beneditino de Monte Cassino, situado a uma centena de quilômetros de Salerno. Mas ali também aparece, claramente, a participação de saberes femininos e de um empirismo, nem cego nem petrificado, que, beneficiado pelas aquisições da experiência ainda não formalizadas, vê na similitude uma "proposição da natureza ao espírito, bastante clarividente para interpretar seus dons de cura" (P. Lieutaghi). Sabor, forma e cor indicam as propriedades medicinais dos vegetais, segundo a lógica da medicina dos registros, associada ao acúmulo das observações práticas.

As mulheres, aliadas preferenciais das plantas, e como elas julgadas capazes do melhor e do pior, ocupam um lugar destacado na terapêutica durante toda a Idade Média. O que não chega a surpreender, uma vez que essas nutrizes estavam tradicionalmente encarregadas do cuidado dos corpos na vida cotidiana. Assim, os autores do ciclo arturiano confiam quase sempre às mulheres a cura dos cavaleiros feridos. Mais precisamente, matronas, parteiras, *ventrières*, mas também *miresses*,[1] cirurgiãs e barbeiras deixaram alguns registros nos arquivos europeus entre os séculos XIII e XV, sem contar as mulheres cujo saber equivalia ao dos práticos universitários e que, muito afamadas, não foram necessariamente perseguidas. Sua importância numérica exata nos escapa, de forma que é muito difícil traçar uma clara linha de demarcação entre as práticas e os saberes inerentes à vida comum das mulheres e a especialização mais efetiva de algumas delas na arte de curar. Na Itália, elas parecem ter conservado o acesso à aprendizagem médica oficial após a fundação das faculdades, portanto muito depois de as mulheres salernitanas terem adquirido a reputação que faria o nome de Trotula servir de emblema por longo tempo.

Salerno foi, do século X ao XII, o farol das atividades ocidentais em matéria de terapêutica. Era possível esperar que nessa cidade fosse criada uma das primeiras faculdades de Medicina. No entanto, a "cidade hipocrática" passou a um plano secundário no momento das primeiras fundações universitárias, em parte por causa das opções sociopolíticas do reino de Nápoles no século XIII, ainda que o ensino dispensado nas primeiras faculdades europeias tenha originalmente se apoiado em uma célebre coleção salernitana, a *Articella*. Como explicar esse enfraquecimento? Pode-se perguntar se a organização universitária, tal como se desenvolveu na Europa e que implicava o embargo do saber por uma sociedade de clérigos que excluía, necessariamente, os empíricos e as mulheres, não ia contra a tendência adotada pelos salernitanos. Parece, com efeito, que os salerni-

---

1 *Ventrière* aparece em 1160 no *Roman de Eneas* com o sentido de "parteira", e *miresse* tem no *Tristão*, de Béroul, de fins do século XII, o significado de "médica". [HFJ]

tanos mantiveram-se abertos a todas as contribuições, em particular à das mulheres e dos empíricos, em um momento em que os médicos universitários reivindicavam a propriedade exclusiva do conhecimento, e em que os intelectuais entusiasmavam-se pelos métodos dialéticos que os fariam mergulhar na retórica no fim da Idade Média. Desde o século X manifesta-se, entre certos letrados, o indício de uma significativa reticência em relação a Salerno. Tal desprezo, flagrante no século XV na perspectiva do chanceler da Universidade de Paris, João Gerson, possui algo de paradoxal, haja vista o aporte salernitano à constituição do saber terapêutico na Europa. Salerno constituiu-se, nos séculos XI e XII, não apenas na base e no meio que possibilitou o surgimento de muitos dos grandes tratados farmacológicos medievais, dos quais alguns, como o *Antidotaire Nicolas*, mantiveram-se em uso até o século XVII, como foram seus práticos – Cofo, Rogério de Parma – os responsáveis pelo primeiro impulso, no Ocidente do século XII, da renovação da curiosidade anatômica (praticada, é verdade, no porco, mas porque sua anatomia era considerada particularmente próxima à do homem).

As atitudes ambíguas da medicina erudita de Salerno na Baixa Idade Média resultaram nas condutas equívocas dos práticos universitários diante dos empíricos em geral. Tratava-se de especialistas não letrados, legitimados ou não em sua prática pelas autoridades: herbolários, parteiras, boticários, barbeiros. Mas também incisores, extratores de cálculos e litotomistas, tiradentes, banheiros e estufeiros, tratadores de fraturas, enfim, curandeiros de todos os tipos. Para os profissionais letrados, tais empíricos pertenciam a uma categoria ainda mais ampla, a do "vulgar", isto é, todos aqueles que se encarregavam do cuidado dos corpos e envolviam-se com medicina e com cirurgia alheios aos ensinamentos reconhecidos pelos universitários. Eram "todos os iletrados, barbeiros, sortílegos, enganadores, falsários, alquimistas, aduladores, alcoviteiros, parteiros, matronas, judeus conversos e sarracenos", além de "príncipes e prelados, cônegos, párocos, religiosos, duques, nobres e burgueses que se envolvem, alheios à ciência, com curas cirúrgicas perigosas". A despeito de sua possível eficácia e reputação, esses diversos terapeutas – que poderiam ser lembrados sob o epíteto de "populares" – eram desqualificados aos olhos dos detentores oficiais da verdade terapêutica. Daí a situação paradoxal em que se encontrou, no início do século XV, João de Domrémy, empírico que praticava a paracentese nos hidrópicos, e cujos cuidados foram pessoalmente requisitados pelo regente da faculdade de Medicina de Paris, mas que seria mais tarde perseguido pelos mestres dessa instituição sob a acusação de exercício ilegal da Medicina.

A essa ambiguidade das posturas adotadas em face dos saberes marginalizados vem somar-se o fato de que a própria "medicina erudita" não foi sempre das mais ortodoxas, como bem o demonstram os trabalhos pioneiros de Lynn Thorndike.

Horizontes fluidos da Medicina, cirurgiões em busca de certeza

Houve, sem dúvida, tipos distintos de médico "erudito", fosse ele formado em Paris, a capital da teologia, cuja faculdade de Medicina caracterizava-se por seu rigor para com os empíricos, seu conservadorismo e sua oposição à dissecação, ou em Montpellier (que dependia da coroa de Aragão e, em seguida, de Maiorca, entre 1204 e 1349), mais tolerante e aberta, representante de uma síntese feliz de Salerno e da escola de Chartres, cujo ensino médico, reputado nos séculos XI e XII como mais teórico do que prático, esteve centrado no estudo dos textos clássicos. É preciso referir-se ainda aos médicos judeus, que eram numerosos no Sul da França, na Itália e na Espanha, dentre os quais se encontram alguns dos maiores médicos da Idade Média, a começar por Maimônides. Eles fundaram, desde o século VIII, suas próprias escolas médicas no Languedoc, que atingiram o apogeu no século XII, antes de desaparecerem progressivamente no fim da Idade Média sob o efeito das perseguições movidas contra suas comunidades. Renomados, pragmáticos e mais tolerantes, a despeito do *Talmude*, do que os médicos cristãos em relação às práticas mágicas, inclusive mais atentos à sexualidade feminina, os médicos judeus mantinham-se teoricamente restritos ao cuidado de seus correligionários. Na realidade, contudo, mantiveram uma clientela cristã notável, composta por papas, reis e príncipes, entre estes o próprio irmão de São Luís, afligido pelo mal dos olhos.

Vários médicos cristãos, que forneceram uma parte do contingente dos astrólogos e dos alquimistas, sempre mais numerosos a partir dos séculos XIII e XIV, chegaram a aventurar-se nos limites suspeitos e até proibidos do conhecimento, como Arnaldo de Vilanova, que fabricou para o papa um talismã astrológico considerado capaz de curar da "pedra", ou ainda João de Bar, médico de Carlos VI, acusado de magia negra e conduzido à fogueira junto com seus livros.

Esse vínculo, real ou suposto, de certos médicos com conhecimentos proibidos pairava no horizonte da prática médica desde a Antiguidade. No século X, o enciclopedista Rábano Mauro tinha sublinhado, a propósito das artes mágicas, as respectivas capacidades de médicos, marinheiros e agricultores de vaticinar a evolução das doenças, a mudança meteorológica e o crescimento dos vegetais. Três séculos mais tarde, desconfiava-se facilmente do médico cujo prognóstico fatal confirmara-se com a morte efetiva do doente. Essa questão do prognóstico perseguiu os terapeutas e os doentes medievais, em uma época em que se receava, acima de tudo, a morte súbita que privava os indivíduos dos meios de assegurar a saúde eterna. Vários procedimentos mágicos eram tidos por reveladores do curso das doenças. Entre os eruditos, a obra mais consultada de todo o *corpus* hipocrático durante a Idade Média foi, justamente, a par dos *Aforismos*, aquela que concerne à arte do *Prognóstico*. Manifesta-se aí explicitamente o orgulho do médico quando se iguala ao divino por uma justa "profecia", orgulho ambíguo que expressa o entusiasmo com o qual um cirurgião do século XIV devia ver no homem da arte um novo Criador, capaz de retificar os erros da natureza operando recém-nascidos atingidos por deformações congênitas. Em outras palavras, na ausência de toda prática mágica, a tentação demiúrgica que rondava o terapeuta, aliada à incompreensão, pelo vulgo, dos mecanismos de sua arte, não suprimiu, no plano do imaginário, a vinculação dos práticos com a esfera do invisível e seus poderes.

Enfim, o caráter equívoco dos dados clínicos disponíveis (a avaliação qualitativa do pulso, a interpretação das particularidades do sangue recolhido na sangria, o "julgamento da urina") e a dificuldade de avaliar com exatidão o impacto dos medicamentos internos sobre o organismo impunham à medicina um grau de incerteza que sensibilizou progressivamente os novos profissionais da terapêutica, como se manifesta no *Miroir de médicine* [Espelho da medicina], composto cerca de 1413 por Quirino, médico real da corte de Castela. Quanto aos cirurgiões, envaideciam-se de estar no campo da certeza, do seguro, do visível.

Até o século XIII, o ensino médico-cirúrgico satisfez-se com uma leitura comentada das autoridades (Galeno, Avicena), quase desprovida de iconografia e oficialmente privada da observação direta do cadáver. A inovação ocorreu de início no reino de Nápoles, quando, em 1240, o imperador Frederico II insistiu na necessidade de os cirurgiões possuírem uma formação anatômica. Entretanto, e a despeito das especialidades médico-legais praticadas em Bolonha e em Pádua a partir do fim do século XIII, seria necessário aguardar o ano de 1315 para que, ainda em Bolonha, as primeiras dissecações públicas de Mondino dei Liucci marcassem, verdadeiramente, o advento da anatomia humana no Ocidente. O progresso foi lento: apenas em 1376 o duque do Anjou permitiria à faculdade de Montpellier dispor do cadáver de um supliciado, e não se conhece dissecação anterior a 1407 na faculdade de Medicina de Paris. De fato, até o século XVI permaneceria problemática a observação anatômica de cadáveres.

É possível que essa renovação pelo interesse anatômico tenha se relacionado não apenas com o desenvolvimento da medicina legal, impulsionado pela faculdade de Direito de Bolonha, mas também com a evolução geral das sensibilidades. O naturalismo, induzido pela filosofia aristotélica, preconizava a observação do real por si mesmo, definindo-o por seu aspecto concreto, acessível aos sentidos. Porém, a plena legitimação destes como meios de conhecimento aconteceu na segunda metade do século XIII, com os franciscanos de Oxford, Roberto Grosseteste e Roger Bacon (inventor das lunetas). Conhecidos por antecipar a noção de "ciência experimental", eles também eram herdeiros de uma tradição neoplatônica centrada na importância da luz e da óptica. Tratava-se, então, de "ver", justamente no momento em que as coisas deste mundo começavam a tomar uma nova consistência sob o impulso da sociedade mercantil, quando seriam inventados o retrato e a perspectiva. A visão e seus artefatos tornaram-se garantias de objetividade na apreensão do real. Os desenhos técnicos multiplicaram-se, e se a iconografia anatômica mantém-se inicialmente tímida, as cartas náuticas da escola de Maiorca vieram assegurar os trajetos do olhar e dos homens nos territórios aventurosos recentemente descobertos.

Em um primeiro momento, a dissecação dos corpos foi praticada, sobretudo, para ilustrar o saber legado pelos grandes autores gregos e árabes, e não por um espírito crítico de pesquisa. Todavia, a dissecação, que parecia responder ao questionamento dos terapeutas acerca do grau de certeza de sua arte, continha em germe uma série de rupturas, tanto na simbiose do corpo e do universo quanto na própria unidade do corpo, se não até na da pessoa, prelúdio ao que viria a caracterizar o progresso científico no Ocidente: separar, isolar o objeto de pesquisa, reduzi-lo, enfim. Impôs-se um estudo analítico que supunha, em matéria de anatomia, que estivesse morto o objeto do saber, ao contrário da visão da alquimia e do aspecto fusionista das abordagens "empíricas". A partir da dissecação, ia se aprofundar o fosso entre uma via anatômica, com a qual a medicina científica devia a seguir se identificar, e as considerações do invisível relegadas, daí em diante, àqueles que buscavam outros caminhos de conhecimento. O corpo humano era transformado em objeto de ciência. Ele era um objeto real? Paracelso hesitou em afirmá-lo, da mesma forma que duvidava que a visão pudesse bastar à apreciação dos processos vitais em curso na caverna anatômica.

No limiar da Renascença, quando anatomistas, cirurgiões e até cirurgiões-barbeiros situaram o saber médico na pista das grandes descobertas, os médicos legitimados pelas universidades eram ainda numericamente minoritários em relação ao conjunto dos recursos terapêuticos então disponíveis. De qualquer forma, a medicina erudita adquirira uma visibilidade social que prefigurava seus triunfos ulteriores, em parte sob a pressão da grande peste de 1347-1348, ocasião de uma enorme produção escrita do corpo médico, talvez proporcional à sua impotência terapêutica na matéria. Os novos profissionais da saúde apareceram nas juntas de exame de leprosos, nas instituições hospitalares, nos tribunais e no serviço das cidades. Foi, "naturalmente", às corporações reconhecidas que as autoridades requisitaram especialistas em matéria de medicina legal ou de higiene pública, novas especialidades que se desenvolveram, respectivamente, desde fins do séculos XIII e ao longo do século XIV, enquanto proliferavam os tratados de medicina prática e as obras de cirurgia em língua vulgar. Quaisquer que tenham sido, em seguida, os avatares desse reconhecimento do saber universitário pelos poderes sociais e políticos, a medicalização das sociedades ocidentais delineava-se no horizonte.

Marie-Christine Pouchelle
Tradução de Mário Jorge da Motta Bastos

Ver também

Alimentação – Clérigos e leigos – Feitiçaria – Marginais – Masculino/feminino – Monges e religiosos – Universidade

Orientação bibliográfica

AGRIMI, Jole; CRISCIANI, Chiara. *Medicina del corpo e medicina dell'anima: note sul sapere del medico fino all'inizio del secolo XIII.* Milão: Episteme, 1978.

BARKAI, Ron. *Les Infortunes de Dinah, ou la gynécologie juive au Moyen Âge.* Paris: Cerf, 1991.

BÉRIAC, Françoise. *Histoire des lépreux au Moyen Âge.* Paris: Imago, 1988.

GRMEK, Mirko D. (org.). *Histoire de la pensée médicale en Occident.* Paris: Seuil, 1995. t.I: *Antiquité et Moyen Âge.*

_____; HUART, Pierre-André. *Mille ans de chirurgie en Occident*: V^e-XVe siècles. Paris: Roger Dacosta, 1966.

HORDEN, Peregrine. A Discipline of Relevance: the Historiography of the Later Medieval Hospital. *Social History of Medecine*, Oxford, v.1, p.359-74, 1988.

HUART, Marie-José. *La Médecine au Moyen Âge, à travers les manuscrits de la Bibliothèque Nationale.* Paris: Bibliothèque Nationale, 1983.

JACQUART, Danielle. *Le Milieu médical en France du XIIe au XVe siècle.* Genebra: Droz, 1981.

_____. *La Médecine médiévale dans le cadre parisien.* Paris: Fayard, 1998.

_____; MICHEAU, Françoise. *La Médecine arabe et l'Occident médiéval.* Paris: Maisonneuve et Larose, 1990.

_____; THOMASSET, Claude. *Sexualité et savoir médical au Moyen Âge.* Paris: Presses Universitaires de France, 1985.

LIEUTAGHI, Pierre. *Jardin des savoirs, jardin d'histoire, suivi d'un glossaire des plantes médiévales.* Paris: Alpes de Lumière, 1992.

MATTHEUS PLATEARIUS. *Le Livre des simples médecines.* 2.ed. Paris: Ozalid, 1990. (Edição e comentários de François Avril, Pierre Lieutaghi, Guislaine Malandain.)

POUCHELLE, Marie-Christine. *Corps et chirurgie à l'apogée du Moyen Âge*: savoir et imaginaire du corps chez Henri de Mondeville, chirurgien de Philippe le Bel. Paris: Flammarion,1983.

ROUSSELLE, Aline. *Croire et guérir*: la foi en Gaule dans l'Antiquité tardive. Paris: Fayard, 1990.

SAINT-DENIS, Alain. *Institution hospitalière et société aux XIIe et XIIIe siècles, l'Hôtel-Dieu de Laon (1150-1300).* Nancy: Presses Universitaires de Nancy, 1983.

SAUNIER, Annie. *"Le Pauvre malade" dans le cadre hospitalier médiéval.* Paris: Arguments, 1993.

SHATZMILLER, Joseph. *Médecine et justice en Provence médiévale*: Documents de Manosque, 1262-1348. Aix-en-Provence: Publications de l'Université de Provence, 1989.

SIRAISI, Nancy G. *Medieval and Early Renaissance Medicine.* Chicago: University of Chicago Press, 1990.

THORNDIKE, Lynn. *A History of Magic and Experimental Science during the First Thirteen Centuries of our Era.* Nova York: Columbia University Press, 1923. t.I-IV.

WICKERSHEIMER, Ernest. *Dictionnaire biographique des médecins en France au Moyen Âge* [1936]. Genebra: Droz, 1979. 3v. (Nova edição dirigida por Guy Beaujouan e ampliada por Danielle Jacquart.)

Memória

    Poucas palavras do vocabulário medieval possuem um leque de sentidos tão vasto quanto *memoria*. Sob numerosas formas, a *memoria* estava no centro do cristianismo através de sua injunção eucarística: "Façam isto em minha memória". Da mesma maneira, com seu imperativo bíblico *zakhor*, "lembrai-vos", o judaísmo estabelecia uma obrigação que incumbia tanto o povo de Israel quanto Deus. A *memoria* englobava toda a comemoração ritual dos defuntos: procissões funerárias, aniversários dos mortos, celebração litúrgica dos mortos, fossem eles mortos comuns ou mortos "muito especiais", quer dizer, os santos. Mas a *memoria* não se limitava a garantir a comemoração dos defuntos; ela os tornava presentes pela articulação de palavras (sobretudo de nomes) e manipulação de objetos. Estes últimos compreendiam principalmente as tumbas e os monumentos funerários, mas podiam ser também troféus, objetos associados particularmente a certas personalidades ou a fatos importantes, relíquias, sagradas ou profanas. Estendendo-se, o termo *memoriae* aplicou-se às igrejas ou aos altares que detinham esses objetos. No domínio do profano, a *memoria* desempenhava um papel importante, confirmando a legitimidade das leis e instituições, que dependia da *consuetudo* e do precedente. Nos *juries* ingleses como nas *enquêtes* francesas e nos *Weistümer* germânicos, indivíduos sob juramento deviam contar o passado para estabelecer o presente e o futuro. Enfim, a *memoria* estava no centro da psicologia agostiniana, que considerava que a inteligência humana era composta de *intelligentia*, de *amor* e de *memoria*. A memória era a memória do pecado e de Deus, a memória como distração e como consciência, a ponte entre a perfeição intemporal do Criador e a natureza temporal e múltipla da criatura humana imperfeita.

É possível abordar esses inúmeros sentidos de *memoria* por meio de três tipos de pesquisa histórica. Assim, pode-se estudar a memória social considerando-a como o processo que permite à sociedade renovar e reformar sua compreensão do passado a fim de integrá-lo em sua identidade presente. Nesse sentido, a memória social compreende a *memoria* litúrgica, a historiografia, a genealogia, a tradição oral e outras formas de produção e de reprodução culturais por intermédio das quais os indivíduos e os grupos vivem com o passado. A história da memória compreende a memória educada, quer dizer, as técnicas mnemônicas que os intelectuais utilizavam para armazenar e encontrar informações. Um último aspecto importante dessa história é a teoria da memória, e particularmente as teorias platônicas e aristotélicas que constituem partes essenciais da psicologia, da epistemologia e da teologia medievais.

Todos esses campos são, evidentemente, enriquecidos pelos conhecimentos da psicologia moderna sobre a memória, que a descreve como um processo dinâmico, criador e transformador. Lembrar-se e rememorar significam a comparação de novas mensagens com o que já se conhece, a organização e a transformação dessas experiências inéditas com a ajuda de modelos como imagens, analogias, etiquetas ou sequências lógicas que permitem compreendê-las e rememorá-las. Esses modelos formam, por outro lado, a estrutura da semântica da memória, que transforma as próprias recordações para permitir essa assimilação.

Memorização e comemoração

O clero, particularmente o clero regular, era o especialista medieval da memória. Seus membros não só tinham a obrigação de comemorar o passado, mas eram também encarregados de selecionar, dentro de um conjunto de *memorabilia* possíveis, as que eram *memoranda*, quer dizer, dignas de serem lembradas.

O núcleo da obrigação *memorial* monástica é a comemoração litúrgica, a *opus Dei*, que constituía o centro da vida monástica e a justificação de sua existência. A memória ritual, para a qual a eucaristia oferece um exemplo perfeito, não representa somente a lembrança do passado, mas a anulação da barreira temporal que separa o passado do presente. A consagração da missa não se contenta em evocar a lembrança do sacrifício do Calvário, ela *é* esse sacrifício, da mesma forma que a recitação dos nomes dos defuntos não se limita a fazer que sejam recordados por todos, mas torna-os outra vez presentes.

A comemoração litúrgica constitui uma dupla forma de memória. A primeira, e principal, depende da celebração litúrgica. Esta impunha, de fato, a memorização de um grande número de documentos litúrgicos, principalmente os salmos e as salmodias. Não sabemos muito sobre os mecanismos de memorização dos textos litúrgicos antes do século XII. No entanto, parece que os monges transmitiram sistemas mnemônicos simplificados aos noviços, para ajudá-los. Em torno de meados do século XII, Hugo de Saint-Victor afirmava que a maneira tradicional de guardar os 150 salmos consistia na constituição de uma grade mental de 150 seções. Cada uma dessas seções continha um salmo e era identificada por uma imagem mental ou *index locorum*, os *loci* sendo os primeiros versos dos diferentes salmos. Esses pontos de referências mentais podiam ser letras, símbolos arbitrários ou imagens marcantes. Nesse sistema derivado das técnicas da retórica clássica, os indícios forneciam uma estrutura no interior da qual se podia armazenar, e encontrar, o que era *memoranda*, nesse caso os salmos. Providos desse sistema, os monges consumados podiam recitar os salmos em qualquer ordem.

A memorização musical, pelo menos antes do século IX, era um pouco diferente, pois os cantos litúrgicos transmitiam-se oralmente. A participação na vida litúrgica cotidiana de uma comunidade monástica ou canônica exigia a memorização de uma tradição musical tão vasta quanto complexa, sem nenhum recurso à escrita. Eram necessários vários anos antes de possuir esse repertório, cujo domínio era, em geral, reservado aos monges coristas que tinham entrado no mosteiro como oblatos ou desde a adolescência. A introdução da notação musical no século IX não teve efeito sobre as exigências em termos de memorização. Para começar, e durante toda a Alta Idade Média, a notação musical era mais um lembrete do que uma partitura musical propriamente dita. Ela definia as grandes linhas sobre as quais os intérpretes podiam improvisar de acordo com os modelos aprendidos e reforçados localmente, modelos que conservavam sua natureza oral. Por outro lado, a existência de textos acompanhados de neumas significava, provavelmente, que a maioria dos monges era incapaz de seguir um texto escrito durante as celebrações litúrgicas. Até a introdução de manuscritos litúrgicos de grande formato, no final da Idade Média, a celebração frequentemente continuou não utilizando texto.

Uma parte importante da liturgia monástica estava voltada a um segundo tipo de *memoria*: a comemoração litúrgica dos vivos e dos mortos. A recordação dos mortos é evocada de duas maneiras no mundo monástico. A primeira, originária da prática cristã primitiva, era a evocação dos mortos no cânon da missa. Tratava-se, em geral, de indivíduos cujos nomes eram inscritos sobre um díptico perto do altar ou em um *liber memorialis*, cada vez mais frequente a partir da época carolíngia, onde se registravam os nomes dos membros e dos benfeitores vivos e mortos de certas comunidades, assim como os de outras comunidades que haviam entre si formado congregações de oração. O segundo momento de comemoração dos mortos ocorria no capítulo, quando, após a leitura da seção da regra beneditina do dia, liam-se os nomes dos membros e benfeitores falecidos naquela data. Essa prática esteve na origem de livros do capítulo, contendo a regra, o martirológio usado pela comunidade e um obituário,[1] intercalado no martirológio ou escrito separadamente.

Depois do massacre dos judeus da Renânia na época da primeira cruzada, as comunidades judaicas também estabeleceram martirológios chamados *Memorbücher*. Essas listas continham os nomes de rabinos e chefes célebres da comunidade, assim como os nomes das vítimas das perseguições judaicas. Elas eram lidas no sabá que precedia o Shavuot, data de

---

1 No original francês, *nécrologie* (nota biográfica ou lista de pessoas recentemente falecidas), que corrigimos para "obituário" (*obituaire*), lista de mortos para os quais se celebra um serviço fúnebre. [N.T.]

aniversário do primeiro massacre desse gênero. O *Memorbüch* mais antigo que conhecemos é o de Nuremberg, iniciado em 1296 e continuado até 1392. Ele contém o nome das vítimas de perseguições desde 1096 até as que ocorreram durante a peste negra de 1349. Além dos *Memorbücher*, as comunidades judaicas redigiram *selihot* – preces penitenciais que comemoram catástrofes históricas –, que inseriram na liturgia de suas sinagogas. De modo que, como no culto cristão, a memória era aqui um elemento essencial da celebração e da liturgia.

A lembrança dos presentes concedidos à comunidade religiosa estava estreitamente ligada à *memoria* litúrgica dos protetores laicos. Esses dons constituíam a garantia de seu apoio e perenizavam após a morte deles o elo assim estabelecido. Pelo menos desde o século VIII, conservou-se o vestígio escrito dessas doações sob a forma de *traditiones*, às quais foram acrescentadas, a partir do século IX, compilações chamadas cartulários, nas quais as cartas de doação eram integralmente copiadas. Essas compilações, que exerciam também diversas funções administrativas, eram com frequência explicitamente destinadas a conservar a *memoria* dos benfeitores. Assim, suas notícias reproduziam os *libri memoriales* ou chegavam até a substituí-los em certas instituições. No prefácio do cartulário de Freising (século IX), que é um dos mais antigos do gênero, Cozroh, o compilador, afirma ter estabelecido a compilação "a fim de que a lembrança dos que enriqueceram esta casa com seus bens e fizeram-na sua herdeira, permaneça para sempre, assim como tudo o que eles entregaram e deram a esta casa pela salvação de suas almas".

As informações contidas nessas notícias, e em particular os legados destinados às refeições comemorativas, eram frequentemente reproduzidas nos necrológios. Por outro lado, resumos de doações muitas vezes apareciam nos *libri memoriales*. Também a distinção entre esses dois tipos de textos comemorativos era com frequência abolida.

A *memoria* litúrgica, no sentido de memorização da liturgia e da comemoração por meio da liturgia dos vivos e sobretudo dos defuntos, fazia dos profissionais da religião verdadeiros especialistas da memória dentro da sociedade medieval. No Império Otônida, essa responsabilidade era incumbência específica das cônegas. Na França, esse papel era desempenhado essencialmente pelos monges reformados. A maneira como eles exerciam essa função oferece-nos uma imagem exemplar do que era a memória medieval. Primeiro, ela era essencialmente oral e cerimonial: a memória exprimia-se em um contexto social. Segundo, apesar de sua característica oral, o emprego de textos era importante e variado. Estes serviam de lembrete no caso das execuções musicais e nas recitações dos nomes dos defuntos no capítulo. Além de sua utilização local, os textos permitiam transportar e transmitir a memória: os neumas foram, talvez, introduzidos de início para facilitar a difusão de tradições musicais de um lugar para outro. Da mesma forma, os rolos mortuários que circulavam entre as comunidades religiosas permitiam a comemoração dos mortos não só nos costumes locais. Terceiro, a simples escrita do nome dos mortos garantia a presença espiritual deles, mesmo sem a leitura de seus nomes. Normalmente, os *libri memoriales* não eram lidos durante a liturgia. A presença deles sobre o altar era suficiente para que as pessoas cujos nomes ali figuravam se beneficiassem da missa. Por isso, certos monges escreviam ou gravavam seus nomes diretamente no altar, a fim de estarem presentes em todas as celebrações da missa feitas naquele local. Enfim, a *memoria* monástica não era uma atividade passiva, mas ativa: ela selecionava, corrigia e reinterpretava constantemente o passado em função das necessidades do presente. Tratando-se da comemoração dos protetores leigos, isto implicava uma relação estreita entre a lembrança das doações e os necrológios nos quais se evocava a memória dos doadores. Os dois tipos de textos fecundavam-se mutuamente, de maneira que a memória da terra e a memória dos homens formavam um todo.

Assim como a recordação do nome dos protetores constituía o arcabouço da *memoria* litúrgica, quando os monges evocavam o passado de suas instituições recorriam a um esquema com os nomes de seus abades. As *memoranda* de uma abadia, se levarmos em conta uma crônica monástica como a do mosteiro bávaro de Benediktbeuern, compreendiam detalhes sobre a entronização do abade, o controle que ele exercia quanto ao respeito à regra monástica, o desenvolvimento da comunidade sob sua autoridade, com menção aos monges admitidos na congregação durante sua época, seus esforços para enriquecer a biblioteca e o tesouro eclesiástico da comunidade, suas propriedades, os nomes de seus principais benfeitores, o papel do abade na proteção dos bens do mosteiro. Gottschalk, o cronista de Benediktbeuern, estabelece três documentos indicando as *res memorandae* de seu mosteiro. Dois são notas recapitulativas, uma concernente à terra, outra aos homens. A primeira é o *Breviarium Gotscalchi,* que relata de forma resumida a história da fundação do mosteiro no século VIII, sua destruição pelos magiares no século X e sua nova fundação no século XI, depois uma *Descriptio praediorum* enumera os bens pertencentes a Benediktbeuern e, enfim, uma lista de bens que teriam sido alienados no passado. A segunda nota é uma lista de nomes de "defensores e destruidores" do mosteiro. O terceiro documento representa a crônica, escrita sobre um *rotulus* composto de cinco folhas de pergaminho costuradas umas às outras, e retomando em grande parte, mas não integralmente, as informações contidas nos dois outros textos. A exemplo da grade mental recomendada por Hugo de Saint-Victor para memorizar os salmos, a crônica correspondia a uma grade organizada segundo os nomes dos abades, na qual podiam ser integradas as *res memorandae* essenciais, quer dizer, a terra e os nomes do *breviarium* e a lista dos defensores e destruidores. Certas informações que constam nos dois primeiros documentos podiam ser encontradas nos necrológios, outras nas cartas e notícias registradas nas *traditiones*. O resto devia ser acrescentado a partir das tradições orais, ou condenado ao esquecimento. Falando dos abades que haviam dirigido Benediktbeuern durante quase um século após a morte de seus abades fundadores, o cronista admitia lamentando: "Como ou de que maneira eles governaram este mosteiro, pouco pudemos descobrir".

A memória laica

Essa interpenetração da memória escrita e da memória oral não caracterizava apenas a memória litúrgica monástica. Ela se encontra em outras formas de conservação e de evocação do passado. Na sociedade cristã laica, a memorização e a comemoração também eram feitas pela associação de dados orais e escritos. Recordava-se o passado por meio dos nomes e da terra, ambos perpetuados e renovados pela transmissão dos nomes no interior das linhagens, e pela transmissão de terras e direitos. Como na comemoração litúrgica, essa transmissão e renovação eram atos públicos e solenes aos quais os membros das comunidades locais não se contentavam apenas em assistir, mas dos quais participavam ativamente. O ato era facilitado pelo recurso a procedimentos mnemônicos como a aliteração, as fórmulas, os lais, os refrões etc., que estruturavam o passado e tornavam a recitação mais fácil. Sem que possamos falar de civilização puramente oral, as tradições genealógicas, as canções de gesta e os recenseamentos de terras e heranças eram conservados e transmitidos dentro de estruturas que, ao mesmo tempo, facilitavam e limitavam sua reprodução.

Essas tradições orais e esses rituais públicos davam igualmente um sentido às narrativas escritas do passado. Se fosse necessário preparar uma carta estabelecendo ou confirmando uma doação, uma venda, uma troca ou um outro direito, o conteúdo do documento tinha menos importância do que o ato de sua preparação e entrega. A tal ponto que o pergaminho relativo à transferência ou à confirmação reais podia estar em branco e ser redigido somente mais tarde. Por outro lado, nas contestações posteriores, a carta servia mais de lembrete do que de prova, e menos ainda de título legal no sentido moderno do termo. Dava-se muito mais importância ao testemunho sobre o que se passara durante esses atos solenes ou sobre o que fora renovado pelo exercício público da propriedade ou da suserania. Esses testemunhos eram pronunciados por pessoas juramentadas, cuja competência em contar o passado era reconhecida pelas duas partes.

O equilíbrio entre memória escrita e memória oral varia na Europa de acordo com o lugar e a época. Estimativas recentes sobre o número de pessoas que sabiam ler e escrever entre os séculos VI e IX, apontam que talvez pouco mais da metade da população da Itália, da Gália, da Espanha, da Inglaterra e da Irlanda era capaz de ler textos protovernaculares ou vernaculares, e, dessa forma, integrar na memória o vestígio escrito do passado, em particular no que concernia às questões fundiárias. O crescente emprego do latim carolíngio reformado a partir do século IX e o desaparecimento da língua vernácula dos documentos administrativos ingleses após a conquista normanda limitaram – antes do desenvolvimento de textos vernáculos no final do século XII e no século XIII – o acesso de uma parte importante da sociedade à recordação escrita. Convém precisar que essa interrupção não tocou as regiões mediterrâneas. No entanto, por intermédio de clérigos, pelo menos alguns leigos tinham acesso à escrita para conservar as lembranças. Esses escritos podiam ser acrescentados à *memoria* monástica, ou estar diretamente a serviço de aristocratas e dirigentes laicos. Contudo, como na sociedade eclesiástica, os textos escritos eram lembretes, não substituíam a memória humana.

No primeiro caso, senhores laicos confiavam a conservação de sua identidade familiar aos arquivos e às crônicas monásticas. As genealogias, que aparecem amiúde a partir do século XII, eram montadas com a ajuda de uma combinação de tradições orais transmitidas no interior da família e de arquivos monásticos e de textos litúrgicos que celebravam a memória de protetores. Por volta de 1097, o conde do Anjou, Fulco, o Azedo, explicava que sabia pouca coisa sobre seus antepassados, pois ignorava onde eles estavam enterrados. Essa confissão significa que sua própria memória estava limitada ao culto religioso dedicado aos ancestrais. Inclusive os reis recorriam aos mosteiros como guardiões da lembrança. Em 1291, tentando fazer que suas pretensões à soberania da Escócia fossem reconhecidas, Eduardo I ordenou aos mosteiros vasculhar suas "crônicas, registros e outros arquivos, antigos e modernos, de qualquer forma ou data que sejam".

A partir do século XII, os senhores laicos possuíam cada vez mais seus próprios arquivos. É verdade que, fora os dos reis, pouca coisa resta deles antes do século XIV. Existe, no entanto, uma exceção: a compilação estabelecida no início de 1166 para o conde Siboto IV de Falkenstein e destinada a seus filhos, caso ele morresse durante uma expedição na Itália. Essa compilação mostra as informações que um nobre do século XII julgava dignas de passar para a posteridade. Ela começa com uma imagem comemorativa de Siboto, rodeado por sua esposa e seus filhos. Siboto segura um rolo de pergaminho com o seguinte texto: "Meus filhos, digam adeus a seu pai e falem com amabilidade à sua mãe. Nós pedimos, bem-amados que leem isto, de lembrarem de nós. Nós pedimos isso a todos, e muito especialmente pedimos a vocês, nossos caríssimos filhos". O manuscrito continha, em seguida, uma lista de seus feudos, uma descrição da localização do *Hantgemal* de Falkenstein, a propriedade fundiária que era a prova da nobreza de sua posição, as dotações das capelas de seus castelos, a menção de suas diferentes *traditiones*, uma descrição de suas diversas possessões e um registro senhorial. Quando de seu retorno, ele mandou completar o manuscrito, acrescentando uma lista de vassalos, inventários de armas e objetos preciosos, a contabilidade de suas rendas de pleiteante de diferentes igrejas, indicações sobre a consagração de capelas e as penitências que havia feito, uma genealogia da família, algumas notas sobre um eclipse que observara quando jovem, uma prescrição médica e uma ordem endereçada a um servidor a fim de eliminar um inimigo. Todos esses elementos constituíam as *res memorandae* de um nobre do século XII. Contudo, parece que Siboto não se limitou apenas a registrar o passado, mas esforçou-se também em corrigi-lo. Em todo caso, na genealogia de sua família, ele alterou, aparentemente de maneira intencional, o resumo deixado a seus filhos para dissimular um casamento consanguíneo que fora efetuado no passado.

É difícil avaliar a utilidade real que as compilações de *memoria* podiam ter para clérigos ou leigos. As pesquisas genealógicas de Fulco foram menos frutíferas, estando a um século de distância dos fatos, do que os estudos recentes, feitos quase mil anos depois do estabelecimento das fontes monásticas. Eduardo I não pôde obter nenhuma informação suscetível de sustentar sua causa diante da Escócia. E embora a compilação estabelecida por Siboto tenha sido completada progressivamente e depois traduzida em alemão, não parece ter sido revisada nem atualizada. A lista de feudos, vassalos e rendas fundiárias ficou rapidamente ultrapassada. Esse tipo de conservação de *memoranda* esteve durante muito tempo mais próximo da *memoria* monástica do que do arquivamento e da exploração de informações práticas.

A memória erudita

A necessidade de encontrar informações nos conduz ao segundo aspecto da memória, o das técnicas eruditas de mnemônica.

Vimos que o método utilizado pelos monges para aprender os salmos derivava da tradição retórica clássica. A partir do século XI, as necessidades dos pregadores causaram um novo interesse pelas técnicas mnemônicas clássicas. Além do sistema elementar de grade descrito anteriormente, recomendado por Hugo de Saint-Victor para memorizar os salmos, existiam outros procedimentos mnemônicos mais complexos, oriundos da retórica romana e cujo conhecimento vinha essencialmente do *De oratore*, de Cícero, da *Institutio oratória*, de Quintiliano, e do anônimo *Ad Herennium*.

Esta última obra, redigida entre 86 e o início do ano 82 a.C., é o mais elaborado tratado sobre a memória erudita que a Antiguidade nos deixou. Em geral, a Idade Média atribuía-o erroneamente a Cícero. O texto propõe um sistema complexo permitindo memorizar importantes quantidades de documentos *ad verbum*, quer dizer, palavra por palavra. Ele recomenda a constituição de fundos dispostos segundo uma certa ordem e observados em espírito a uma centena de metros de distância. O fundo é dividido em *loci*, que podem ser casas ao longo de uma rua, intercolúnios, esquinas, arcos ou outros lugares repetitivos, mas diferentes. Em cada *locus*, fixa-se na imaginação uma imagem ou um sinal marcante. Pode ser um objeto que permita lembrar de um argumento, pode ser uma noção ou um objeto quando da memorização *ad res*, ou ainda imagens que permitam uma memorização precisa de palavras (*ad verbum*). Quando se deseja rememorar essas coisas ou palavras, viaja-se mentalmente através do fundo, examinando os *loci* e evocando as recordações ligadas a essas imagens marcantes.

O *Ad Herennium* era pouco conhecido no início da Idade Média. Os primeiros exemplares, datando do século IX, são todos incorretos. É necessário esperar o final do século X para ver esse tratado suscitar um verdadeiro interesse. Começa-se então a encontrar, o que talvez não seja uma coincidência, as primeiras cópias integrais, realizadas provavelmente a partir de um exemplar italiano. Em meados do século XI, Anselmo de Besate baseia-se em um texto completo para redigir sua *Rhetorimachia*.

Embora os procedimentos mnemotécnicos fossem conhecidos e utilizados por todos os retóricos, Cícero e muitos outros desprezavam os artifícios empregados para aprender e repetir palavra por palavra grandes quantidades de informações. Para eles, a forma de memorização mais eficaz para a retórica não era a memória *ad verbum*, mas a memória *ad res*, quer dizer, a assimilação e a reorganização de dados que se integram, dessa forma, no pensamento pessoal do orador.

Quando sistemas complexos como o descrito no *Ad Herennium* eram empregados, o fundo geralmente usado na Idade Média não era tridimensional (rua ou estrutura arquitetônica), mas bidimensional – uma página de livro dividida em colunas no interior de um sistema de grade. Talvez isto se deva ao fato de a prática medieval se importar menos em memorizar, por exemplo, as sutilezas de um caso jurídico, do que trechos de obras, fossem das Sagradas Escrituras, de outros textos eruditos ou da aula de um professor. Essas técnicas de memorização estavam mais diretamente associadas à leitura; a relação entre a memória e o livro era tão íntima que os livros impuseram-se, ao mesmo tempo, como principal metáfora, modelo que permite compreender o processo mnêmico, fonte de *memoranda*.

Esse sistema associava letras, números e outros sinais convencionais como os do zodíaco, com células individuais nas quais os *memoranda* podiam ser colocados. Embora o sistema de grade fosse essencialmente conceitual, um *signum* podia ser anotado na margem de um manuscrito; esses *signa* também podiam ser reunidos no início ou no final de um livro. Mary Carruthers afirmou que se tratava mais de um lembrete do que de um índice de obras, destinado a ajudar o utilizador a fixar o texto em seu próprio sistema mnêmico, onde os *signa* mantinham relações recíprocas. Esses *signa* podiam ser divididos em pórticos, que poderiam constituir a representação gráfica dos intercolúnios preconizados no tratado clássico. Assim, as técnicas que aparecem no século XII para anotar e indexar os textos procuravam mais fixar certos trechos em um sistema de grade mental permitindo sua memorização, do que facilitar a consulta de livros.

Esses sistemas não se fundamentavam somente em associações arbitrárias de números e letras. Podia-se também recorrer a bestiários para fixar na memória imagens marcantes, que em seguida podiam servir de *loci* de memorização, como é feito com os animais e outras figuras que aparecem nas margens e nas bordas das páginas manuscritas. Essas imagens singulares, que parecem não ter relação alguma com o texto, talvez servissem de procedimento mnemônico para fixar na memória do leitor o texto figurado nas páginas onde tais imagens aparecem.

A memória transcendente

A memória não se resumia a um mecanismo que permitia reviver o passado. Na tradição neoplatônica de Agostinho, a memória era a primeira faculdade mental, reflexo da Trindade divina. O lugar central ocupado pela memória para Agostinho aparece em seu *De Trinitate*. Aqui, a memória psicológica é um elemento fundamental da maneira como a alma humana reflete a imagem de Deus. Da mesma forma que o Pai é a primeira pessoa da Trindade, a *memoria* é o primeiro elemento da trindade psicológica, os dois outros sendo a *intelligentia* e o *amor* ou a *voluntas*. A *memoria* é, ao mesmo tempo, a consciência do mundo exterior, do sujeito que rememora e de Deus. Ela corresponde, portanto, à primeira pessoa da Trindade. A *intelligentia* provém da *memoria* e corresponde à segunda pessoa, o Filho, gerado pelo Pai. O *amor* ou *voluntas*, impossíveis sem consciência nem pensamento, ligam as duas e correspondem ao Espírito Santo, terceira pessoa da Trindade. A memória representa para Agostinho a maior faculdade intelectual e a chave da relação entre Deus e o homem.

Essa analogia trinitária continuou exercendo uma grande influência durante a Idade Média. Ela aparece no século IX no *De animae ratione liber ad Eulaliam virginem*, de Alcuíno: "Assim, como dissemos, a alma possui na sua própria natureza a imagem da Trindade, no sentido de que tem inteligência, vontade e memória. Porque a alma é una, diz-se que o espírito é uno, a vida e a substância são unas, o que possui esta Trindade. No entanto, esta Trindade não é três vidas, mas uma vida, não é três espíritos, mas um espírito, e especialmente, por conseguinte, não há três substâncias, mas uma substância... Mas a unidade reside nessas três coisas: eu compreendo que compreendo, que quero e que me lembro. Eu quero compreender, me lembrar e querer. E eu me lembro que compreendi, quis e me lembrei".

Essa ideia encontra-se, em um nível mais prosaico, nos hagiógrafos. Arnolfo de Ratisbona, escrevendo no século XI uma obra que relata os milagres realizados pelo santo padroeiro de sua comunidade, Santo Emerão, tinha consciência de que, ao publicar ainda jovem as coisas úteis que aprendera durante a infância, ele participava do grande mistério da Trindade, "isto é, da inteligência, da memória e da vontade". Logo, a memória humana reflete a própria natureza da divindade.

Segundo a tradição aristotélica transmitida por Averróis e Avicena, a memória ocupa um lugar central na cognição humana, mas de maneiras diferentes. Como todo saber, a memória é primeiro psicológica e parte de impressões sensoriais. A memória é uma parte da alma à qual pertence a imaginação, e todas as coisas imagináveis são, em essência, objetos da memória. A experiência sensorial imprime na memória uma espécie de imagem, como um selo que se imprime na cera com um anel. Quando se examinam as recordações, primeiro considera-se a imagem mental, o *phantasma* deixado na alma e, graças a esse *phantasma*, chega-se à recordação da qual ele é a imagem. A recuperação de uma informação segue o trajeto da memória e acontece seguindo o vestígio de impulsões anteriores, indo do presente até o objeto procurado.

Os aristotélicos do século XIII admitem a natureza quase material dos fantasmas e reconheciam os elementos ativos e passivos da memória ilustrados pela imagem da cera e do selo. Essa imagem torna-se uma metáfora fundamental da atividade da inteligência humana. Para São Tomás de Aquino, as cinco faculdades da alma são: *sensus communis*, *phantasia*, *imaginativa*, *aestimativa* (ou *cognitiva*) e *memorativa*. O poder cognitivo age sobre os fantasmas armazenados para produzir recordações. No entanto, São Tomás de Aquino crê que os humanos podem conservar não só a imagem mental de certos objetos sensoriais, mas também recordações de conceitos emanados anteriormente dessas imagens mentais. Isto permite ao homem conservar lembranças tanto físicas quanto intelectuais, lembranças sobre as quais o espírito pode formular julgamentos.

Para um grupo de aristotélicos que se associa em geral ao nome de Siger de Brabante, o processo através do qual o poder ativo da alma age sobre as imagens mentais não se faz no interior de uma alma unificada. O que é particular a cada indivíduo seria, retomando a metáfora aristotélica, a alma passiva ou a cera; a alma ativa é única e age sobre os *phantasmata* de cada indivíduo, durante o processo cognitivo. Tal debate sobre a natureza da alma não só questionava a natureza da *memoria*, mas também a imortalidade do indivíduo e sua responsabilidade.

O esquecimento

O esquecimento é um aspecto fundamental da memória e é reconhecido como tal na Idade Média. A exaltação da memória e a obrigação de recordar eram conscientemente contrariadas e ameaçadas pelo esquecimento, e considerava-se que o espírito humano era fraco e inferior à empreitada. Pedro, o Venerável, retomava um lugar comum das arengas documentais quando começava desta forma o prólogo de sua *Dispositio rei familiaris*, descrição das medidas que tomara para melhorar as finanças de Cluny: "A memória humana é algo extremamente fraco, e os mortais não são capazes de deixar à posteridade o relato verídico de seus feitos".

Atribuía-se a faculdade de esquecimento do homem a diferentes razões. Na tradição aristotélica, sendo a memória uma atividade física, o esquecimento era considerado o resultado de uma incapacidade física causada pela velhice, pela juventude ou por deficiências de inteligência que impediam a memorização de imagens. De forma mais prosaica, alguns pensam que o Diabo roubava as recordações dos monges para impedi-los de realizar corretamente suas tarefas litúrgicas. Logo, as técnicas que evocamos anteriormente, procedimentos mnemotécnicos, necrológios, cartulários etc., eram armas contra o esquecimento. No entanto, o esquecimento era constante.

A maneira como se esquecia o passado correspondia à maneira como se conservava seu vestígio. Sendo a memória ativa e criativa, a dinâmica da recordação tem tendência a modificar o objeto da recordação. Os textos bíblicos e litúrgicos citados frequentemente de cor são parafraseados, abreviados e simplificados. Os dados genealógicos são condensados, e os indivíduos que possuem o mesmo nome são fundidos em formas compósitas. Por isso, os relatos das proezas de Carlos Martel, Carlos Magno, Carlos, o Calvo, e Carlos, o Simples, encontram-se constantemente amalgamados e homogeneizados. Como a memória apoia-se sobre esquemas, observa-se uma constante assimilação dos dados do passado a formas e necessidades mais recentes. Assim, as *memoranda* eram constantemente reorganizadas, resumidas e transformadas a fim de que o passado pudesse adaptar-se às estruturas religiosas, sociais e culturais do presente. Uma parte desse processo era involuntária; outra dependia da triagem indispensável entre *me-*

morabilia e *memoranda*. Em todo caso, o passado não era conservado por si mesmo. Retomando as palavras de um monge da Baviera do século XI: "É bom que o novo mude o antigo; melhor ainda, se o antigo é desordenado, deve ser inteiramente rejeitado, se é concordante com a justa ordem das coisas, mas de pouca utilidade, convém enterrá-lo com respeito".

PATRICK GEARY
Tradução de Eliana Magnani

Ver também

Guilda – Imagens – Monges e religiosos – Morte e mortos – Parentesco – Tempo

Orientação bibliográfica

BOURNAZEL, Éric. Mémoire et parenté. In: DELORT, Robert (org.). *La France de l'an mille*. Paris: Seuil, 1990. p.114-24.

CARRUTHERS, Mary. *The Book of Memory*: a Study of Memory in Medieval Culture. Cambridge: Cambridge University Press, 1990.

CLANCHY, M. T. *From Memory to Written Records, 1066-1300*. 2.ed. Oxford: Blackwell, 1993.

COLEMAN, Janet. *Ancient and Medieval Memories*: Studies in the Reconstruction of the Past. Cambridge: Cambridge University Press, 1992.

FENTRESS, James; WICKHAM, Chris. *Social Memory*. Oxford: Blackwell, 1992.

FREED, John B. *The Counts of Falkenstein*: Noble Self-Conciousness in Twelfth-Century Germany. Filadélfia: American Philosophical Society, 1984. (Transactions of the American Philosophical Society, v.74, parte 6.)

GEARY, Patrick J. *La Mémoire et l'oubli à la fin du Ier millénaire* [1994]. Tradução francesa. Paris: Aubier, 1996.

GUENÉE, Bernard. *Histoire et culture historique dans l'Occident médiéval*. Paris: Aubier, 1980.

LE GOFF, Jacques. *História e memória*. Tradução brasileira. São Paulo: Unicamp, 1990.

OEXLE, Otto Gerhard. *Memoria* und Memorialüberlieferung. *Frühmittelalterliche Studien*, Berlim, n.10, p.70-95, 1976.

RUIZ DOMENEC, José Enrique. *La memoria de los feudales.* Barcelona: Argot, 1984.

SCHMID, Karl; WOLLASCH, Joachim (ed.). *Memoria*: der geschichtlische Zeugniswert des liturgischen Gedenkens im Mittelalter. Munique: Fink, 1984.

TREITLER, Leo. Medieval Improvisation. *The World of Music*, 33, p.66-91, 1991.

YATES, Frances A. *A arte da memória* [1966]. Tradução brasileira. Campinas: Editora da Unicamp, 2007.

YERUSHALMI, Yosef Hayim. *Zakhor*: histoire juive et mémoire juive [1982]. Tradução francesa. Paris: La Découverte, 1984.

Mercadores

Traçar o retrato do mercador medieval pode nos levar a questionar se ele encarnou um tipo singular na sociedade medieval, da mesma forma que o cavaleiro, o monge ou o camponês, aos quais os discursos contemporâneos destinavam um estatuto e uma função próprios no seio de uma trilogia que, *a priori*, não dava lugar à mercadoria. A questão é muito delicada, pois parece impossível tratar do mercador, do lucro e das trocas em termos simplesmente econômicos, sem levar em conta os aspectos políticos (poderes e elites) e simbólicos (discursos e representações). O debate complica-se quando se trata do número de mercadores: nos séculos XIV e XV eles ainda constituíam uma minoria nas cidades, que, por sua vez, reagrupavam somente uma pequena parte da população, embora a influência urbana ultrapassasse na Idade Média o simples peso demográfico dos citadinos. Por isso já se tendeu a exagerar o papel precursor do mundo dos negócios no nascimento do capitalismo.

Enfim, o Ocidente certamente conheceu a existência de mercadores em todas as épocas, porém, mais particularmente, no final da Idade Média. De fato, a partir do século XI e sobretudo do XII, em conexão com um crescimento demográfico mais sustentado e com a formação de construções políticas mais estruturadas, uma inegável agitação animou, na terra e no mar, a produção, o consumo e a circulação de gêneros e de moedas, principalmente nas cidades e entre cidades cujo crescimento e multiplicação acompanham esse movimento e dele se alimentam. Encontramos então em maior número mercadores cada vez mais especializados no transporte, venda e compra de produtos de luxo e de primeira necessidade, intervindo em mercados mais bem organizados e pagando com instrumentos financeiros mais diversificados e mais elaborados. Mas não é somente o historiador de hoje que percebe essa relação entre mercador, mercado, moeda e cidade: as próprias fontes confirmam isso.

Os arquivos da mercadoria

Essas fontes são primeiramente os arquivos e os papéis dos próprios mercadores. Trata-se de livros contábeis muito variados: contas de clientes em Nuremberg ou em Ratisbona; contabilidade bastante simples dos hanseáticos de Lübeck nos séculos XIV e XV; contabilidade de partidas dobradas dos italianos, dita à moda veneziana, ainda que apareça em Florença, na sociedade Fini, desde 1297-1303; nascimento da conta coletiva de ganhos e perdas pouco antes do final do século XIII. Dispomos igualmente de numerosas letras de crédito e de empréstimo (dos "lombardos" de Paris e de pequenos emprestadores chamados "cahorsinos"), letras de câmbio (que cobrem simultaneamente um ato comercial, uma transferência de fundos, um crédito ou um benefício a juros), testamentos (João Boinebroke de Douai em 1285-1286), contratos de seguro ou de associação (*commenda* genovesa, *collegantia* veneziana e *Sendeve* dos hanseáticos, todos concluídos para uma operação ou por um período maior). As correspondências (quase 125 mil cartas de Francisco Datini de Prato, falecido em 1410, ou as 544 cartas trocadas entre os irmãos Sievert e Hildebrando Veckinchusen de Lübeck, no começo do século XV), as crônicas ou diários (as célebres *ricordanze* florentinas ou as autobiografias mercantis do Sul da Alemanha) e os manuais (a famosa *Pratica della mercatura*, do florentino Francisco di Balduccio Pegolotti, redigida por volta de 1340), também constituem preciosas fontes de informações sobre os mercadores.

Há muito tempo, esses documentos permitiram aos historiadores conhecerem melhor as práticas comerciais, as moedas e os produtos trocados, os lucros e as inovações, em suma, caracterizar os negócios do mercador medieval. Eles permitiram igualmente descrever o ambiente e o cotidiano dos mercadores: hábitat, viagens, fundações piedosas, mecenato artístico. Pôde-se, por outro lado, descobrir na produção e conservação desses arquivos pelos próprios mercadores um espírito de cálculo e de sistema, assim como o cuidado em transmitir um saber e uma habilidade considerados cada vez mais como elementos de um capital e de uma ascensão que constituem, para muitos deles, as palavras-chave de sua atividade. Esses mesmos arquivos também mostram uma crescente difusão da escrita nos meios de negócios oriundos do desenvolvimento dos séculos XII e XIII, testemunhando uma maior integração da economia não somente na vida política, mas também na esfera do saber no final da Idade Média, mesmo que a oralidade continue muito importante na conclusão dos negócios. Os gestos, as palavras e os símbolos do compromisso, da confiança, do crédito e do juramento constitutivos dos negócios exortam dessa forma a não excluir o mercador dessa sociedade da honra que foi o Ocidente medieval. As leituras renovadas das fontes internas levam a recolocar o mercador no complexo conjunto da sociedade e, sem negar sua especificidade, a relativizar seu caráter excepcional na sociedade medieval.

Não somente os papéis e os escritos dos comerciantes aproximam-nos do mercado, da cidade e da moeda. Os arquivos dos tabeliães, as leis urbanas, principescas e régias, os inúmeros textos teológicos, produzem imagens do mercador inserido em seu universo e em suas preocupações imediatas: controle do mercado e das moedas, caráter lícito das operações financeiras, do juro e do seguro, emprego dos lucros. A literatura cortesã nunca excluiu o mercador, mas sempre o integrou à corte, através da cidade e da viagem. O mercador tornou-se nessa literatura a própria figura do viajante, do intermediário de bens e de notícias. De conotação menos negativa do que a verificada nos *exempla* e nos tratados de teologia, ele é frequentemente associado à riqueza e à paz, desde que conserve suas funções de "abastecedor" e não transgrida as regras do porte de arma: a relação entre nobreza e mercadoria é um debate que a Idade Média lega aos séculos seguintes. Esses discursos e essas representações não hesitam em falar do mercador no singular, *mercator*. Assim procede o otimista Hugo de Saint-Victor (falecido em 1141) em seu *Didascalicon*, que louva os méritos do audacioso mercador cujo "ardor une os povos, reduz as guerras e consolida a paz".

Diversidade dos mercadores medievais

Entretanto, nuanças regionais e cronológicas devem ser trazidas para a descrição dessa tendência ao profissionalismo, à especialização e ao enriquecimento dos grandes mercadores do Ocidente. De fato, por mais verossímil que possa parecer a passagem do mercador itinerante do século XII – pouco a pouco sedentarizado pelo mercado senhorial e pelo direito urbano – ao mercador-banqueiro e depois ao mercador-empresário sedentarizado dos séculos XIV e XV, não se deve ceder a um tipo de teleologia da história econômica europeia que descreveria a lenta emergência do empreendedor capitalista, na verdade reduzido dessa forma a uma pura abstração sociológica. As próprias fontes levam a alargar a abordagem e a considerar que os níveis de mercadorias e os tipos de mercadores mais frequentemente se justapõem e se sobrepõem do que se sucedem harmoniosamente. De fato, na Idade Média, tudo o que pode ser objeto de comércio é digno de ser trocado pelo mercador e o termo *negociator* ou *mercator* não está ligado somente aos grandes mercadores genoveses do século XIII. A um dos mais célebres mercadores do século XV, Jacques Coeur, são atribuídos qualificativos e valores – "astúcia", "labor", "inteligência" – que poderiam convir a outros de envergadura bem menor.

É evidente que se devem considerar as nuanças geográficas, pois o mercador de Lübeck operando em Novgorod não se parece com o genovês ou o veneziano que comercia no Levante, nem com o bordelês ou o toulousiano que negociam a lã, o sal e o vinho. Além disso, uma simples tipologia das regiões comerciais e das zonas de produção artesanal não daria conta da apreensão do espaço pelo mercador medieval. Deve-se considerar o efeito da mobilidade sobre os negócios e, sobretudo, a maneira pela qual os atores políticos e econômicos hierarquizam os tipos de itinerário ligados à mercadoria e às trocas (o mascate, o "pé empoeirado", o mercador de feira, o agente de companhia, o mensageiro, o comissário). Nessa separação de boas e más mobilidades, que para alguns historiadores caracterizaria uma parte da ação dos poderes, mas também da Igreja (heresias, pregações, missões, peregrinações), no final da Idade Média, o mercador termina por escapar às condenações que choviam sobre vagabundos, jograis e prostitutas que ele não para de encontrar em seu caminho. Ele escapa às condenações no momento em que pode vender o tempo, que em teoria pertence só a Deus, e em que as técnicas de pagamento, a circulação de notícias e a organização das sociedades sedentarizam uma parte dos homens de negócios.

Nuanças cronológicas devem ser igualmente introduzidas. De fato, ainda em pleno século XV, ao lado de Jacques Coeur, dos Fugger, da cidade de Augsburgo, dos *stapler* ingleses e das grandes companhias italianas ou hanseáticas, sempre encontramos o artesão-lojista vendendo em sua tenda, o pequeno merceeiro itinerante e o mascate ambulante, o pequeno intermediário e o atacadista. Estudos recentes relativizaram mesmo os efeitos do desenvolvimento dos sistemas de feiras a partir do século XII e das grandes companhias marítimas e continentais desde o século XIII sobre as estruturas gerais do comércio europeu. O mercador isolado e itinerante (que pode açambarcar muitos negócios e dinheiro) não desapareceu, enquanto as cidades que não dispunham de feiras continuam a desempenhar as funções de mercado internacional. Em toda parte, o elo entre o comércio local e o comércio a longa distância permanece uma constante das trocas, que apenas muito gradualmente veem os instrumentos financeiros desprenderem-se das transações reais. A despeito do desenvolvimento de formas mais modernas de mobilidade dos produtos e de mobilização do capital, a troca das mercadorias recém-chegadas ao local continua fonte de bons lucros, como constatamos observando o comércio genovês e veneziano com o Levante nos séculos XIV e XV e os negócios dos hanseáticos na Rússia. Todos os negócios estão longe de caminhar no mesmo passo da complexidade e da monetarização crescentes.

Se continuamos a privilegiar grandes nomes e grandes centros, mercadores de ponta e lugares de inovação, talvez seja, paradoxalmente, menos pelo papel econômico desses mercadores do que por sua significação cultural e social: a sociedade medieval tolerou e permitiu os grandes banqueiros, os homens de negócios de envergadura, porque esses personagens refletiam, em meio a um mundo rural e feudal, a imagem de uma civilização mercantil, técnica e bancária em pleno dinamismo. Na primeira metade do século XIII, o pregador franciscano alemão Bertoldo de Ratisbona condena as fraudes e os vícios dos mercadores, denunciando seus abusos, mas não sua existência. Por sua missão de transportar produtos de um lugar a outro "para que as coisas necessárias à existência não faltem na região", como diz São Tomás de Aquino, o mercador torna-se socialmente útil e justifica seu ganho, desde que este esteja ligado ao trabalho. Essa voz de um tempo que autoriza o lucro e avalia os desequilíbrios da demanda e da oferta no espaço, no fundo resume bem os termos fundamentais da visão medieval sobre o mercador, ao qual se determina, não sem restrições, transportar de um lugar para outro, e com lucro, produtos fabricados aqui e comprados ali, moedas e, logo após, letras de crédito e de câmbio. A atividade do mercador toca nos valores constitutivos da sociedade medieval: o dinheiro (e assim a pobreza ou a riqueza), o tempo (da Igreja ou do mundo), o trabalho (produzir ou vender).

É por essa razão que parece inútil tentar escrever a história do mercador como a de um ser social à margem dos valores de uma sociedade medieval que lhe seria estranha: o mercador não parece nem mais nem menos insólito e excepcional do que a cidade medieval na qual ele se encontra bem integrado. É a diversidade das situações e dos níveis de operação que levou o medievalista a retocar o retrato uniforme do homem de negócios conquistador e solitário, incompreendido em seu tempo, encarnado tanto por João Boinebroke, de Douai (falecido em 1286), como por Jacó Fugger, de Augsburgo (1459-1525), imortalizado em 1520 pelo pincel de Albrecht Dürer, ambos símbolos desse tipo ideal no qual se encaixam igualmente Ricardo Cely, de Londres (falecido em 1482), Jacques Coeur, de Bourges (morto em 1456), os irmãos Sievert e Hildebrando Veckinchusen, ativos em Lübeck no começo do século XV, sem esquecer os grandes capitães do banco e do comércio florentinos dos séculos XIV e XV, Bardi, Peruzzi e Médicis em primeiro lugar. Atrás dessas grandes figuras de empreendedores, que retrospectivamente quase fariam crer que era fácil ser mercador, muitos trabalhos insistem na importância – para a economia medieval e para a capilaridade das trocas entre cidades, burgos e campos, em suma entre os diferentes mercados – dos sábios e modestos revendedores da região de Laon no século XIII, dos intermediários do comércio do minério no bosque normando nos séculos XIV e XV e de tantos outros nos campos castelhanos ou ingleses. Hoje avaliamos melhor a importância do mercador rural, cujas atividades acompanharam as dos grandes mercadores urbanos até o final do período medieval.

Retrato do mercador medieval

Por mais diversificado e matizado que seja, o retrato do mercador parece, entretanto, repousar sobre um certo número de constantes que podemos arbitrariamente reagrupar em oito categorias comuns.

Ele deve ter uma atração permanente pelo risco, ou pelo menos a percepção do perigo ligado ao fato de conservar e transportar bens (problema do roubo, da pilhagem, e também do resgate, que não está reservado somente à guerra cavaleiresca) e depois vendê-los (mutação das moedas, problemas de recebimento, falências...).

Na falta de técnicas muito elaboradas, o mercador possui um mínimo de conhecimentos práticos elementares (calendário dos mercados e das feiras, administração das contas...). Mesmo que não tenha um aguçado senso político e econômico, ele dispõe ao menos de informações sobre os acontecimentos exteriores, graças às correspondências mercantis, às redes de agentes e ao emprego de numerosos mercadores como conselheiros, escrivães, jurados e curadores nos governos municipais das cidades lombardas, franconias, hanseáticas ou flamengas. Aí está o indício incontestável da utilização local de suas competências econômicas e contábeis, de uma forma de ascensão social urbana por meio da mercadoria depois do século XIII, e enfim de uma cultura política bem assimilada que associa negócios e comunicação. O fenômeno repete-se em outra escala, nas privilegiadas relações existentes há muito tempo entre grandes mercadores e príncipes, como entre Nuremberg e a corte imperial.

Um outro traço é a necessária consideração pelo mercador – às vezes com má consciência – do problema do lucro, de sua legitimidade e de seu emprego (veja-se a conversão de São Francisco de Assis, mas também a eficaz administração da conta de "Messire Dieu" nas companhias florentinas do século XIV).

A atividade do mercador depende de uma organização mais ou menos avançada da companhia ou da casa de negócios (hansas, guildas, entrepostos e feitorias, às quais se associa desde o século XIII a nova figura do mercador expatriado ao lado da do mercador sedentarizado). Ele tem necessidade de não trabalhar sozinho, e sim, principalmente, num quadro familiar. Esse espírito familiar subsiste em parte no companheiro de negócios que partilha a mesa e o pão, assim como no agente de sociedade que certas fontes italianas chamam de *giovane* ou *garzone*, sem mencionar, naturalmente, os estreitos laços familiares que unem irmãos, pais, filhos e tios no seio das sociedades de negócios italianas e mais tarde alemãs. Isto revela a importância da escola familiar da feitoria ao lado da formação adquirida nas pequenas escolas urbanas atestadas desde 1300 em Lübeck ou em Florença.

A maioria dos mercadores dá valor às noções de confiança e de reputação (de onde o crédito tira sua origem...): confiar ou ser enganado é um dos temas permanentes nos *exempla* que tratam dos mercadores.

Eles pretendem igualmente jogar, se possível, *com* e não somente *no* mercado, ou seja, transformar a compra e a venda em atos de escolha e não em contingências. São atraídos por um enriquecimento mítico e rápido, uma ascensão social que faça movimentar mais rápido e no bom sentido a roda da fortuna.

Esse retrato apresenta traços que evoluem entre dois termos: por um lado, a busca do lucro; por outro, a dificuldade dos negócios. Nessa relação não consta algo importante: o espírito de empreendimento, para retomar o subtítulo do estudo consagrado por Michel Mollat a Jacques Coeur. Eram, de fato, sempre necessárias a audácia e a novidade para lucrar e vencer a adversidade? Se é tão difícil abordar essa questão, é porque o aparecimento do capitalismo está ligado a ela e porque se debateu vivamente a falta ou a presença do espírito de empreendimento no mercador medieval. Se não há quase dúvida de que, por exemplo, os mercadores frísios da Alta Idade Média, os amalfitanos do ano 1000 ou os venezianos dos séculos seguintes foram dotados desse espírito de empreendimento, pode-se estabelecer uma tipologia dos mercadores com base nisso? Mas então, por que recusá-lo ao obscuro mercador da Auvergne ou ao mercador saxão que percorria os pequenos mercados nos séculos XII e XIII e que nunca viu incenso, cera ou seda, ou ao coletor de tecidos renanos do século XIV, ou ao mercador rural da Picardia? Certamente requer habilidade pôr em relação, desde o século XI, espaços econômicos que nunca tinham anteriormente entrado em contato, mas por que haveria menor talento e risco em comercializar a alguns quilômetros de distância, em descobrir a lacuna do mercado local, em suprir as necessidades próximas?

Sem dúvida, não há respostas simples a essa questão da iniciativa e do empreendimento, isto é, do grau e do número das novidades comerciais, financeiras e técnicas introduzidas pelo mercador na sociedade, da singularidade de seu espírito e de sua mentalidade. Pelo menos pode-se fazer justiça aos mercadores por terem sabido atuar ao mesmo tempo em vários planos – as fontes de financiamento disponíveis, as práticas da escrita e do cálculo, as redes de mercados ordenados pela hierarquia e pela regularidade das feiras, os meios de transporte oferecidos e seus graus de segurança – a fim de construir não somente um sistema econômico coerente, mas talvez, sobretudo, um sistema de representações significativo. Devido à falta de espaço, nós nos contentaremos em esboçar um resumo e abrir perspectivas apenas sobre esses quatro pontos.

Novas pesquisas

Os historiadores tendem hoje a prestar mais atenção às diferentes origens e formas de uso do capital: capital oriundo dos bens de raiz (muitas vezes, ele é tanto o ponto de partida da atividade mercadora como sua meta), da renda pessoal ou do empréstimo a juros com ou sem hipoteca (a usura é a forma que a escolástica denunciou e depois reformulou no século XIII no sentido do "bem comum"), do lucro comercial do banco e do câmbio, da cobrança fiscal (anatas, impostos, alfândegas, multas, direitos de moedagem, rendas comuns), das operações financeiras e de crédito, do investimento na compra de gêneros, máquinas (moinhos, serras, teares), partes de minas (sem esquecer o sal). Tal abordagem permite não somente discernir as mais variadas vias do enriquecimento e da ascensão empregadas por certos mercadores, se possível multiplicando-as, mas também determinar os níveis de mercadoria segundo o tipo de capital empregado ou acumulado, e enfim estabelecer a ligação entre mercadoria, produção e consumo para tecer mais estreitamente ainda os fios que unem cidades e campos, ambientes mercantis, camponeses e aristocráticos.

Ainda continuamos a ler os livros de contas conservados na perspectiva das trocas econômicas, das técnicas de contabilidade, da apreciação do lucro e das perdas, mas, atualmente, eles também são estudados pelo ângulo da cultura escrita mercantil. A questão do registro por escrito na Idade Média leva a insistir menos sobre a origem intelectual dos métodos de contabilidade do que sobre os métodos de apresentação, tais como: os níveis de escrita e as relações entre gêneros de escrita, os modos de produção e de conservação do arquivo e, particularmente, de memórias privadas ou públicas de certos mercadores-escritores, o uso dos números e a difusão dos algarismos arábicos que facilitam a divisão e a multiplicação, as relações entre o número e a letra, os alfabetos e os signos empregados, as línguas registradas, o que coloca a questão do "bilinguismo" mercantil, as funções e modos de comunicação, a coleta e difusão de notícias. Assim, hoje, a tendência é aproximar os escritos mercantis dos outros escritos urbanos, narrativos, contábeis, administrativos, fiscais e judiciários.

Sobre as feiras e os mercados, nota-se que o próprio mercador é vítima do mercado (ele pode ir à falência) e que este supõe um consumo de toda a sociedade, inclusive de seus níveis inferiores, dos quais se conhece melhor atualmente a variedade e a engenhosidade das estratégias econômicas de substituição e sobrevivência que, às vezes, funcionam como um verdadeiro mercado paralelo, com permutas e penhores dos quais os próprios mercadores não estavam isentos. Em todo o caso, é nos mercados que se encontram a economia local e a economia distante, que se trocam os produtos, mas também onde evoluem e avaliam-se os grupos sociais. Além disso, é no mercado que o comerciante encontra o estrangeiro, que entra em contato com os poderes, os direitos e os costumes (pedágios, salvo-condutos, procedimentos jurídicos). O mercado não é somente um lugar de forças econômicas, mas também de paz e de resolução de conflitos. Assim, os direitos de mercado estiveram na origem de numerosos direitos urbanos, e o mercado teve uma função essencial na organização jurídica dos laços de comunidade. De fato, atualmente se insiste, com razão, nas semelhanças que aproximam direitos de mercado e direitos urbanos (por exemplo, na Champanha). Pode-se lembrar a esse respeito que não é a natureza dos produtos que diferencia uma feira de um mercado, mas a natureza dos direitos concedidos. Conhece-se o papel determinante que tem na duração de uma feira a segurança ou os salvo-condutos concedidos aos visitantes nas vias de acesso a ela. Foi só no final da Idade Média, com o auxílio da circulação monetária e da difusão do crédito, que algumas feiras (como as de Frankfurt e Antuérpia) ganharam especificidade funcional como lugares de câmbio e de crédito além do direito, distinguindo-se dos mercados de outra maneira.

A partir dos séculos XII e XIII, deve-se, então, contar com uma maior distinção entre mercados semanais, mercados anuais e grandes feiras; contudo, a dimensão local permaneceu sempre importante. Mesmo episódicas, as grandes feiras, como os mercados menores, permaneciam uma fonte de produtos próximos e de informações regionais e pessoais. Não se insiste talvez suficientemente no fato de que as feiras, quando funcionam em sistema e "em calendário contínuo", reforçam ou arruínam, pela reputação, a influência de um mercador ou de uma companhia. Um sistema de feiras comporta, de fato, a ideia de uma memória de bons e maus negócios, de uma reputação boa ou infamante dos mercadores que se difunde de etapa em etapa (a expressão, ainda atual, de sociedade anônima refere-se ao nome, portanto à reputação). Assim como o mercado constitui um acontecimento global, a feira funciona como uma sociedade efêmera, mas bastante estruturada.

A segurança dos bens e das pessoas em viagem foi, desde a Alta Idade Média, uma constante da política dos príncipes e dos reis e, geralmente, um dos critérios da eficácia do poder. Mesmo que não se trate aí de uma especificidade mercantil, a melhoria das vias de circulação foi, contudo, essencial para o grande e o pequeno comércio. Quanto ao transporte, não se deve somente imaginar o deslocamento longínquo de um Marco Polo, mas os poucos quilômetros que levam para fora da cidade ou do senhorio. Os salteadores, ladrões e bandoleiros entravaram o comércio terrestre da mesma maneira que o faziam no mar a tempestade e os piratas. Após a atenção legítima de que se beneficiaram as vias marítimas e os navios de comércio (*kogge* hanseático, *nave* genovesa, galera veneziana, depois nau do Mediterrâneo e do Atlântico), observa-se um reequilíbrio dos estudos em favor dos rios e das rotas terrestres, e com eles das pontes, cuja construção, como a de navios e canais, punha frequentemente o mercador em contato com o técnico. Além disso, admite-se que a Hansa foi, antes de tudo, um sistema de conexão entre a orla marítima e o interior continental, irrigado certamente pelos rios, mas também pelas estradas, de maneira que o hanseático foi um comerciante navegador tanto quanto terrestre. Signo dessa multiplicação dos caminhos desde o século XII, o mercador de grandes distâncias tem agora necessidade de um bom plano de estradas tanto quanto de uma sólida tabela de câmbios, e a figura do agente itinerante e do mensageiro impõe-se a partir do século XIII como o intermediário indispensável dos negócios econômicos e políticos.

O comércio terrestre é, pois, importante: a iniciativa dos mercadores concerne tanto à estrada quanto ao mar, embora a existência dos pedágios coloque então um problema político. Mas os pedágios são o signo de um comércio constante e proveitoso; eles põem em contato seus nobres beneficiários com os mercadores e servem frequentemente de pontos de carga e descarga, de paradas e pequenos mercados. Além disso, sua organização constitui uma rede que reforça a segurança.

A essa questão dos transportes e dos caminhos liga-se indiretamente o problema da proteção jurídica do mercador: fora do âmbito das feiras, o mercador em viagem torna-se rapidamente um estrangeiro sem proteção, submetido às represálias de uma guerra ou de um conflito aduaneiro, às trapaças de um concorrente ou aos delitos de um mercador fraudulento ou ladrão. A astúcia e a sede de ganho dos mercadores denunciadas pelos pregadores do século XIII não se manifestavam antes de tudo entre eles, e a exigência do "preço justo" e do "peso justo" feita pelos teólogos não foi também uma reivindicação partilhada por inúmeros mercadores? Conviria igualmente relacionar as reflexões da escolástica do século XIII sobre o trabalho, o lucro e a usura aos desenvolvimentos de um primeiro *jus mercatorum*. Pois, nas estradas e de etapa em etapa, o mercador, ou então seu agente, estava sujeito a procedimentos jurídicos desconhecidos ou mal adaptados aos negócios, sobretudo quando estes eram feitos em outra língua.

Resulta dessas incertezas do deslocamento e dos negócios num país, numa língua e num direito estrangeiros (incertezas que a sedentarização do mercador não suprime), que o grande mercador, o pequeno revendedor e o intermediário honesto compartilharam na mesma intensidade a inquietude ligada aos negócios. Aliás, seria demasiado ousado pensar que a aspiração aos rendimentos e bens fundiários por parte de inúmeros mercadores enriquecidos estivesse também ligada ao cansaço de correr riscos, tanto ou mais do que a uma pretensa insatisfação social (o atrativo da nobreza) ou a uma má-consciência crônica? Na mesma ordem de ideias, seria preciso estudar a limitação do lucro e do risco pelos próprios mercadores em nome da tranquilidade tanto quanto do protecionismo: um mercador de Lübeck, Sievert Veckinchusen, após ter sofrido consideráveis perdas no comércio veneziano, confessa, em 1411-1412 – não sem uma ponta anti-italiana, pois os preconceitos "nacionais" e "patrióticos" começam a se tornar um fator econômico crucial na Europa do final da Idade Média –, retornar com certo júbilo "ao bom e velho arenque". Em todo caso, não é certeza que a sede insaciável de ganho tenha sempre motivado a ação e os propósitos do mercador medieval.

A história do mercador ou uma história dos mercadores?

A questão do mercador na Idade Média depende de uma tripla investigação: de uma história econômica, de uma história das representações e, enfim, de uma interrogação sobre a formação dos laços e dos grupos sociais na sociedade medieval.

O mercador beneficiou-se de uma valorização global do trabalho no Ocidente medieval, contribuiu para uma progressão e talvez sobretudo para uma melhor compreensão da moeda, beneficiou-se do multicentrismo da economia medieval, conduziu um comércio que as múltiplas crises da Idade Média nunca conseguiram destruir. De maneira geral, parece que o mercador soube utilizar o desenvolvimento de serviços no seio de um Estado medieval fraco, porém cada vez mais sensível aos fenômenos econômicos: serviços que ele aperfeiçoa e hierarquiza, contribuindo assim para integrar melhor a economia na vida e na organização políticas. Mesmo no século XV e dotado de todos os novos instrumentos à sua disposição, o grande mercador, negociante e banqueiro ao mesmo tempo, não pode ser o homem de um único negócio, pois nenhum ramo de trocas ao seu alcance é suficientemente abundante e dominante para poder absorver toda sua atividade, todos seus capitais e assegurar todos seus ganhos. A atividade bancária seria a única a escapar dessa apreciação, legitimando então o nascimento no final da Idade Média (portanto antes da Reforma) da economia de mercado no Ocidente? Adaptando-se à variedade de mercados e feitorias, o mercador desenvolveu um sistema de delegação e representação diferente em espírito daquele desenvolvido no mesmo momento pelas sociedades políticas régias, principescas e urbanas? Qual foi a parte desempenhada pelos mercadores na difusão e promoção das inovações tecnológicas no artesanato, na energia e nas minas? A diferença entre o grande e o pequeno mercador equivalia na Idade Média à diferença entre comércio por atacado e a varejo? Como conciliar o dinamismo e os lucros da empresa mercantil, de um lado, com a debilidade geral do investimento, de outro? Todas essas questões continuam abertas.

A apreciação da posição e da imagem do mercador na sociedade medieval foi por muito tempo limitada à constatação de que ele não fazia parte do esquema de ordens militar, clerical e rural, que ele teve de certa forma que conquistar seu lugar entre Deus, a guerra e a terra por meio de um pulso forte e de talento contra o nascimento, impondo a justificação contra a condenação do lucro. Disso resultou o retrato clássico do mercador individualista, pacífico e laicizado que fazia dele um personagem paradoxal, às vezes estranho, às vezes seguro de si. Ora, encontramos a figura do mercador armado defendendo seu carregamento, do favorito do príncipe e íntimo dos nobres, do mercador rural, do mercador ativo, ao lado de outros, numa economia da caridade e da piedade. Também vemos que as autobiografias de mercadores (e o gênero autobiográfico na Idade Média não é o símbolo evidente e unívoco de um individualismo triunfante) não hesitam em começar pelo nível mais baixo da escala social ou em falsear o passado (do autor ou de sua cidade de nascimento ou de adoção): existe um ambiente de mercadores, mas é preciso constatar que ele não é claro sobre suas origens.

Desde então percebe-se que a história do mercador medieval dificilmente pode ser algo além de *uma* história *dos* mercadores, que busca mergulhá-los na sociedade em que vivem mais do que extraí-los dela, sob o risco de relativizar sua modernidade ao avaliar a dimensão das diversidades. Isso não significa desconhecimento dos discursos e das representações do tempo, que se basearam na figura e na ideia de um mercador no singular, quando dos debates a respeito da condenação do empréstimo a juros pelas autoridades eclesiásticas. Uma parte dessa ambiguidade do mercador deve-se à relação da sociedade medieval com o trabalho e sua remuneração: ora, nesse aspecto, a Igreja medieval ficou igualmente dividida.

A evolução do estatuto e das atividades dos mercadores deve, portanto, ser lida como indício de mudanças em toda a sociedade (e não só na sociedade urbana) segundo a liberdade concedida às práticas de câmbio, comércio, monopólio e mercado, segundo o estatuto e o lugar concedido aos mercadores estrangeiros, aos agiotas e aos financistas, e também segundo as liberdades e capacidades concedidas às mulheres para se tornarem mercadoras. Com isso se volta a colocar a questão do grau de aceitação dos mercadores pelo resto da sociedade, uma vez que eles formavam um pequeno corpo em escala local, uma *conjuratio* privada, ou, ainda, um tipo de *universitas*, como a Hansa alemã.

A comparação entre as formas de associação e de defesa mercantis e outras formas de construção e consolidação dos grupos sociais na Idade Média está longe de estar completa, pois é ao situar a história dos mercadores no cruzamento da história das representações e da história dos grupos sociais que, sem dúvida, saberemos mais sobre a questão crucial da ascensão social fundada nas trocas e nos lucros, nos ganhos de uns e nas perdas de outros, durante o grande movimento econômico que sacudiu o Ocidente do ano 1000 à Reforma.

Pierre Monnet
Tradução de Vivian Coutinho de Almeida

Ver também

Artesãos – Cidade – Guilda – Moeda – Trabalho

Orientação bibliográfica

BEC, Christian. *Les Marchands-Écrivains*: affaires et humanisme à Florence 1375-1434. Paris: Mouton, 1967.

CAPITANI, Ovidio (org.). *Mercati e mercanti nell'Alto Medioevo*: L'area euroasiatica e l'area mediterranea. Spoleto: Centro Italiano di Studi sull'Alto Medioevo, 1993.

CIPOLLA, Carlo M. *Before the Industrial Revolution*: European Society and Economy, 1000-1700 [1976]. Londres: Routledge, 1993.

CONTAMINE, Philippe et al. *L'Économie médiévale*. Paris: Armand Colin, 1993.

CROUZET, François (org.). *Le Négoce international, XIIIe-XXe siècles.* Paris: Economica, 1989.

DAY, John. *Monnaies et marchés au Moyen Âge.* Paris: Comité pour l'Histoire Économique et Financière de la France, 1994.

LES ÉLITES URBAINES AU MOYEN ÂGE. XXVIIe Congrès de la SHMES, 1997. Paris: Publications de la Sorbonne, 1997.

FAVIER, Jean. *De l'Or et des épices*: naissance de l'homme d'affaires au Moyen Âge. Paris: Fayard, 1987.

GUREVITCH, Aron J. O mercador. In: LE GOFF, Jacques (org.). *O homem medieval* [1989]. Tradução portuguesa. Lisboa: Presença, 1989. p.165-89.

JOHANEK, Peter; STOOB, Heinz (orgs.). *Europäische Messen und Märktesysteme in Mittelalter und Neuzeit.* Colônia, Weimar e Viena: Böhlau, 1996.

KELLENBENZ, Hermann (org.). *Handbuch der europäischen Wirtschafts- und Sozialgeschichte.* Stuttgart: Klett-Cotta, 1986. t.II: VAN HOUTTE, Jan A. (org.). *Europäische Wirtschafts- und Sozialgeschichte im Mittelalter.* Stuttgart: Klett-Cotta, 1980; t.III: KELLENBENZ, Hermann (org.). *Europäische Wirtschafts- und Sozialgeschichte vom ausgehenden Mittelalter bis zur Mitte des 17. Jahrhunderts.*

LEBECQ, Stéphane. *Marchands et navigateurs frisons du haut Moyen Âge.* Laval: Presses Universitaires de Lille, 1983.

LE GOFF, Jacques. *Marchands et banquiers du Moyen Âge* [1956]. Paris: A. Colin, 1993.

_____. Na Idade Média: tempo da Igreja e tempo do mercador. In: *Para um novo conceito de Idade Média* [1977]. Tradução portuguesa. Lisboa: Estampa, 1979. p.43-73.

_____. *A bolsa e a vida* [1986]. Tradução brasileira. São Paulo: Brasiliense, 1989.

LE MARCHAND AU MOYEN ÂGE. XIXe Congrès de la SHMES, Reims, 1992. Nantes: CID, 1992.

MOLLAT, Michel. *Jacques Coeur ou l'esprit d'entreprise au XVe siècle.* Paris: Aubier, 1988.

ORIGO, Iris. *Le marchand de Prato*: la vie d'un banquier toscan au XIVe siècle. Paris: Albin Michel, 1959.

PETTI BALBI, Giovanna (org.). *Strutture del potere ed elites economiche nelle città europee dei secoli XII-XVI.* Nápoles: Liguori, 1996.

WOLFF, Philippe. *Outono da Idade Média ou primavera dos novos tempos* [1986]. Tradução portuguesa. Lisboa: Edições 70, 1988.

Milagre

Desde a época romântica, a ideia que se tem em geral da Idade Média é a de uma época "fantástica", em que as forças sobrenaturais – quer se trate de Deus ou das fadas – não param de intervir diretamente na vida dos humanos. De fato, de Walter Scott a Victor Hugo e Michelet, os homens daquele tempo foram apresentados nas obras literárias como crianças cuja ingenuidade predispunha a criar todas as lendas e a crer nelas. Paralelamente, ao longo do século XIX e até o início do XX, certos autores, sobretudo católicos "ultramontanos", opuseram sem cessar, em uma perspectiva apologética, essa "idade da fé" – que teria sido a época das catedrais e das cruzadas, quando nada parecia impossível a Deus e aos homens – ao racionalismo cético de seus contemporâneos, que, seguindo Voltaire, ridicularizavam os fenômenos sobrenaturais, vendo-os somente como superstições e imposturas. Em um contexto tão polêmico quanto aquele, não é de espantar que os defensores da historiografia positivista tenham em geral desconfiado das inúmeras compilações e coleções de milagres que se descobriam diariamente nos manuscritos. Em um período em que a erudição procurava, antes de tudo, estabelecer fatos reais e autênticos, os relatos mais ou menos fabulosos só retiveram a atenção dos historiadores na medida em que envolviam personagens conhecidos, sobre os quais traziam informações anedóticas ou pitorescas.

De fato, foi somente com Marc Bloch e seu livro pioneiro sobre *Os reis taumaturgos* (1924), que ficou claramente evidenciado o interesse que esse tipo de fonte podia apresentar. Situando-se do ponto de vista da antropologia histórica e interpretando a crença na virtude milagrosa do toque do rei, na França e na Inglaterra, em função das categorias mentais e culturais da época medieval, ele abriu novas perspectivas na interpretação dos fenômenos sobrenaturais. Marc Bloch, de fato, não perguntava se os milagres da Idade Média eram objetivamente verdadeiros, mas, partindo da fé no milagre como um dado concreto, procurou explicar o lugar que ela havia ocupado nos espíritos e as implicações que poderia ter tido no campo religioso e político. Contudo, essa obra pioneira do fundador dos *Annales* não exerceu imediatamente uma grande influência. Foi somente na década de 1960, com a vaga da história das mentalidades e o novo interesse pela cultura folclórica e pela religião popular, que o milagre em si tornou-se objeto de estudo para a pesquisa histórica, e continua sendo, como mostra a multiplicação de trabalhos nesse campo durante as últimas décadas.

A primeira questão que aparece ao historiador é a do significado que a noção de milagre podia ter na Idade Média. Hoje em dia, milagre é definido como um fato sobrenatural, não explicado pela razão e contrário às leis naturais. Essa formulação provavelmente não correspondia à ideia que dela fazia a maioria dos homens daquela época. Mas, com a ausência de documentos que nos permitiriam ouvir-lhes a voz, devemos nos contentar com o que foi escrito sobre o assunto pelos clérigos de então. Sobre os fatos miraculosos, ou assim considerados, que aconteceram na Idade Média, só conhecemos aquilo que as pessoas que os descreveram quiseram dizer. Ora, a maioria era de homens da Igreja propensos, por exemplo, a estabelecer um elo privilegiado entre os milagres e a santidade de tal ou tal servidor de Deus e a "virtude" de suas relíquias. As narrativas que nos transmitiram nunca são relatos "brutos", mas dependem, desde o nível mais elementar, de um sistema de interpretação que constitui ao mesmo tempo um filtro. O historiador deve estar consciente desse limite inerente à natureza da documentação sobre a qual se apoia, e procurar primeiro reconstituir a grade de leitura dos fatos que informava e orientava o olhar dos clérigos de maneira seletiva.

O milagre na cultura cristã

Entre os séculos VII e XI, os autores que nos transmitiram relatos de milagres nunca pensaram em defini-los. Mas eles tinham uma série de referências textuais que é indispensável evocar para entender seu ponto de vista. A primeira é, evidentemente, a Bíblia. Uma das afirmações centrais que nela encontramos é a de que nada é impossível para Deus, o que constitui a justificação fundamental do milagre. O Antigo Testamento, em particular o Êxodo, que descreve a travessia do Mar Vermelho pelos hebreus e os prodígios realizados por Moisés no deserto, privilegia sobretudo os milagres históricos feitos por Deus em favor de seu povo. Eles serão retomados e aplicados à Igreja e à Cristandade, "nova Israel", na época das cruzadas, na perspectiva de uma leitura tipológica da história. Mas encontra-se também, principalmente nos dois livros dos Reis, numerosas menções de curas milagrosas efetuadas pelos profetas Elias e Eliseu. Como estes últimos, vários santos da época medieval não hesitaram em deitar-se sobre crianças que acabavam de morrer para devolver-lhes a vida. Pode-se ficar tentado a falar nesse caso de reminiscências, ou mesmo de uma imitação literal da taumaturgia bíblica. Mas talvez certas práticas curativas vigentes no tempo da rainha Jezebel continuassem atuais na época de São Bernardo.

A influência do Novo Testamento foi ainda mais importante. Jesus foi de fato o modelo que todos os santos tentaram imitar e suas curas milagrosas marcaram igualmente os hagiógrafos medievais, muitos dos quais atribuíram a seus heróis as mesmas curas que são descritas nos Evangelhos, assim como as modalidades de sua realização, quer dizer, o toque dos doentes e a imposição das mãos. Esses autores não deixaram de salientar o fato de os milagres do Salvador apresentarem-se sempre como resposta a um ato de fé – essa fé que "move montanhas", ao mesmo tempo que é comparada a um grão de mostarda – materializada por uma palavra ou prece insistentemente endereçada a Deus. Não é casual que os clérigos medievais ressaltassem que tal ou tal santo – vivo ou morto – exigia demoradas súplicas antes de satisfazer os pedidos que os fiéis lhe endereçavam.

É nesse contexto cultural e religioso que se elaborou, na Antiguidade tardia, a concepção cristã do milagre que devia prevalecer na Idade Média, e seus Pais fundadores foram essencialmente Santo Agostinho e São Gregório Magno. O primeiro, depois de mostrar-se reservado diante dos fenômenos milagrosos, tornou-se um partidário feroz deles a partir do momento em que as relíquias de Santo Estêvão produziram curas na catedral de Hipona, em 416. Sua posição final, tal qual expressa na *Cidade de Deus* e no tratado *Da utilidade de crer*, é clara: para ele, todos os fatos da natureza são igualmente surpreendentes e assombrosos, mas o homem acostumou-se tanto com eles que não sabe mais vê-los dessa forma. Assim, Deus reservou para si algumas obras "insólitas" para surpreendê-lo e levá-lo a reconhecer a onipotência divina. De fato, Agostinho não vê contradição entre milagre e natureza, pois Deus colocou na Criação "razões seminais", escondidas sob a aparência de coisas comuns que às vezes provocam milagres que parecem contrários à lei natural, mas que na realidade são inerentes a ela. Essas causas podem agir em particular sob efeito da oração dos santos, que, tendo morrido pelo Cristo ou levado como ele uma vida virtuosa, beneficiam-se de seu poder de intercessão. Com efeito, o bispo de Hipona define o milagre principalmente a partir da psicologia individual: "Chamo de milagre a tudo o que parece duro [de entender] e insólito, e ultrapassa as expectativas e capacidades do homem, que fica maravilhado" (Da utilidade de crer I, 16, 34). Essa formulação era ao mesmo tempo ampla e flexível: por um lado, colocava num mesmo plano os simples prodígios, os fatos surpreendentes e os milagres propriamente ditos; por outro, resguardava os direitos da razão sugerindo que o que era milagre para o ignorante não o era necessariamente para o sábio. Ela deveria, assim, exercer uma grande influência durante os séculos seguintes.

No século VI, Gregório Magno, nos seus *Diálogos*, reserva um espaço importante aos milagres dos santos italianos de seu tempo, começando por São Bento. Com ele, a noção de lei natural desaparece completamente, já que o milagre define-se pela sua função, que é ser um sinal (*signum*), quer dizer, para Deus, a ocasião de uma teofania, e, para o homem, uma lição ou um aviso. Nessa perspectiva, a noção de finalidade torna-se fundamental: os verdadeiros milagres são os que servem à edificação do cristão e da Igreja. Muito marcado pela escatologia, Gregório pensa que em um mundo sem dúvida condenado a desaparecer em breve, é essencial que o homem esteja atento aos sinais anunciadores da catástrofe final – os "flagelos de Deus", sejam eles a peste ou as devastações dos lombardos – e às manifestações da Providência nos acontecimentos. Mas, preocupado em conservar uma característica especificamente cristã da santidade, ele distingue claramente os milagres corporais, que são simplesmente a manifestação da santidade, dos sinais espirituais que constituem sua essência, em particular uma virtuosa existência levada Aqui pelos servidores de Deus. Os primeiros são, no entanto, indispensáveis, na medida em que permitem aos homens reconhecer a presença dos santos na terra, presença que poderia passar despercebida sem tais milagres e que por meio destes torna-se uma realidade pública agindo em favor da Igreja.

O papel dos milagres na vida religiosa e social

Durante a Idade Média, sob uma forma simplificada e empobrecida, essas perspectivas inspiram sem cessar os autores eclesiásticos, que, quando celebram os milagres de tal ou qual santo preferido, não deixam de opor ao caráter transcendente da graça divina a fraqueza do espírito humano, incapaz de alcançar a verdade por si só. Nos seus escritos afirma-se um sobrenaturalismo sem nuança, que resulta às vezes na dissociação implícita do milagroso e do espiritual. Assim, para Gregório de Tours, a realização de numerosos e gloriosos milagres constitui o principal critério da santidade de um confessor. Tudo se passa como se o bispado na época merovíngia tivesse buscado enquadrar os homens em uma rede de santuários taumatúrgicos junto dos quais podiam esperar encontrar ajuda e proteção nas suas provações. Pode-se perguntar que motivos incitaram os clérigos a fundamentar-se nos milagres, a ponto de lhes atribuir um lugar central na vida religiosa da época. Sem dúvida, essa atitude mostra uma certa "barbarização" das mentalidades, perceptível em outros campos, e um rebaixamento do nível cultural da sociedade. Mas ela só pode ser compreendida se admitirmos que a Igreja confrontava-se naquele momento com a concorrência de um miraculoso não cristão que ela tentava derrubar: o do folclore pagão e de povos bárbaros superficialmente cristianizados. Um mundo de práticas pré-cristãs – que ia do simples porte de amuletos, filactérios ou talismãs até os ritos propiciatórios e a recitação de fórmulas de encantamento – permitia àquelas populações entrar em contato com o Além para obter, de acordo com a necessidade, chuva, paz ou saúde. De Isidoro de Sevilha aos penitenciais irlandeses e carolíngios, os autores eclesiásticos da época condenavam incessantemente tais atos, a seu ver censuráveis, e denunciavam-nos como sendo superstição ou magia. A cultura bíblica preparava os clérigos para essa confrontação: o livro do Êxodo conta que os mágicos do faraó eram rivais de Moisés nos milagres, os Atos dos Apóstolos descrevem o confronto entre São Pedro e o mago Simão, que seduzira o povo de Samaria com seus prodígios, o livro do Apocalipse ressalta que os do Anticristo, quando este se manifestar abertamente, enganarão até os eleitos. Conscientes do reduzido efeito das proibições, os clérigos procuraram sobretudo substituir o miraculoso pagão pelo miraculoso cristão, situando-o no mesmo nível de realismo e eficácia. As relíquias que, mesmo reduzidas a minúsculos fragmentos, conservavam todas as prerrogativas dos corpos santos, foram os principais instrumentos dessa pastoral elementar. Elas garantiram a ampla difusão e uma real democratização da santidade cristã. O sucesso dessa política deve-se ainda ao fato de ela ser acompanhada pela recuperação de certas práticas da medicina antiga, como a peregrinação terapêutica ou a incubação, isto é, o fato de dormir em um santuário para ser curado depois de alguns dias, após um sonho ou uma visão tida durante o sono. É nessa mesma perspectiva que se devem situar os progressos dos ordálios, que, apesar das reticências da Igreja romana, impuseram-se no campo jurídico em quase todos os lugares, entre os séculos IX e X. No âmbito de cerimônias que logo se tornaram rituais – particularmente o julgamento pela água ou pelo fogo –, pedia-se a Deus que designasse o culpado através de um sinal miraculoso. Tratava-se de uma verdadeira institucionalização do milagre, doravante posto no centro da vida social através do exercício da justiça.

Na década de 1960, os historiadores descobriram o papel fundamental desempenhado pelo milagre nas sociedades medievais, pelo menos até o século XII. Seu estudo constitui, com efeito, um meio de acesso privilegiado a vários aspectos da realidade concreta daquela época: doenças e acidentes, relações econômicas e sociais, atitudes mentais etc. Essa conscientização tardia foi seguida por um grande entusiasmo dos pesquisadores por esse tipo de fenômeno e pelas fontes – documentos hagiográficos ou crônicas – que nos informam a respeito. Convém, no entanto, não se deixar levar pela exaltação ingênua e utilizar com precaução textos aos quais não se deve pedir mais do que eles podem nos dar.

Milagres e taumaturgia

Assim, seria inútil querer tirar dos inúmeros relatos de curas miraculosas que a Idade Média nos deixou, um quadro do estado sanitário das populações ou da frequência das doenças em uma ou outra região. Os milagres que chegaram até nós foram redigidos por clérigos com o objetivo preciso de glorificar um santo ou de fazer a propaganda de um santuário, e não o estabelecimento de um balanço estatístico. Por outro lado, os textos hagiográficos que nos transmitiram a maioria desses relatos obedecem regras, a principal das quais é a vontade do autor de tornar seu "herói" o mais próximo possível de um modelo reconhecido. Isto seria suficiente para explicar a importância preponderante dos milagres taumatúrgicos (mais de 90% do total até o século XIII), já que o homem de Deus cujos relatos são celebrados situa-se necessariamente na linha direta dos grandes "curandeiros" que foram Cristo, Santo Antônio ou São Martinho. Nessas condições, não é surpreendente que os milagres amiúde mencionados nas vidas de santos ou nos *libri miraculorum* medievais sejam curas de doentes ou ressurreição de crianças.

Feitas essas ressalvas, seria interessante tentar saber quais eram os prodígios mais mencionados nas fontes medievais. No final de uma pesquisa sobre mais de cinco mil milagres registrados por escrito na França nos séculos XI e XII, Pierre-André Sigal chegou aos seguintes resultados: os paralíticos e os doentes sofrendo de problemas de motricidade representam pouco mais de um terço dos milagres; vêm em seguida os casos de cegueira e de doenças dos olhos (17%), os surdos-mudos e os problemas de audição (11%), as doenças mentais (8%). A maioria das pessoas curadas dessas doenças pertencia às camadas populares e encontra-se entre elas um grande número de mulheres, crianças e adolescentes. Ao contrário, as curas de doenças graves não determinadas (4%) e de febres e doenças infecciosas (4%) com sintomas exteriores pouco visíveis referiam-se a uma proporção mais elevada de cavaleiros e clérigos, assim como de adultos, do que no grupo precedente. A mesma observação vale para os milagres de proteção no sentido amplo (5%), de libertação de cativeiro (3,3%) e para as diversas intervenções favoráveis (7,2%). A isto é preciso acrescentar os milagres que visavam à glorificação do santo (3,1%) e o castigo dos que zombaram dele ou não cumpriram os compromissos assumidos com ele (9,8%).

Diante de tal massa de prodígios, a primeira reação do historiador, como a de qualquer homem do século XX, só pode ser o ceticismo ou a presunção de impostura. Esta última tem até certo fundamento: sabemos, por exemplo, que existia na Inglaterra, no final do século XIII, verdadeiros "fabricantes de milagres" que propunham seus serviços a uma ou outra comunidade religiosa de que um membro acabara de morrer santamente, e, sem dúvida, charlatões assim existiram em outros lugares e em outras épocas. Por outro lado, a concorrência entre os santuários e mais tarde entre as ordens religiosas levou, às vezes, certos autores a mostrarem-se pouco preocupados com a escolha dos milagres que imputavam a seu santo preferido, ou ainda, em alguns casos, atribuíam-lhe algumas ressurreições esperando atrair para ele a atenção da cúria romana e obter a abertura de um processo de canonização em seu favor.

Em geral, contudo, não se deve duvidar da sinceridade – ou da objetividade – da maioria daqueles clérigos. Mas, como notou Ronald Finucane, para 80% a 90% das curas tidas então como sendo milagrosas não existe prova decisiva de que os fatos alegados não possam ser explicados hoje em dia cientificamente e depender de causas naturais. Assim, vários casos de cegueira curados nos santuários medievais parecem ligados às atividades agrícolas (ceratite dos colhedores...) ou devidos a infecções neonatais, temporárias. Da mesma forma, diferentes formas de paraplegia são – sabemos hoje – suscetíveis de curas espontâneas, ou pelo menos de melhoras que podiam ser espetaculares, e sempre duráveis. Com efeito, as compilações medievais raramente mencionam os casos de recaída, exceto quando esta aparece como um castigo infligido pelo santo ao miraculado que não cumpre os compromissos que assumira com ele. Nessas condições, o problema para o historiador não é se pronunciar sobre a realidade das curas descritas pelas fontes, mas tentar saber o que era saúde e sobretudo doença para os homens daquela época. Colocando-se desse ponto de vista, somos obrigados a reconhecer que a influência dos textos bíblicos ou hagiográficos não explica tudo e que existia uma patologia específica dos santuários: a maioria dos miraculados que aí reencontravam a saúde sofriam de doenças crônicas, mas seu estado raramente era desesperador. Tratava-se, com frequência, de doenças psicossomáticas, nas quais o estado de espírito do paciente podia acelerar ou retardar o processo de cura. Nesse caso, a "cura milagrosa" constituía um processo terapêutico específico que convém agora tentar analisar melhor.

A produção do milagre e a dinâmica miraculosa

No que diz respeito ao milagre, o pedido mais frequente durante toda a Idade Média era a saúde. De fato, ninguém naquela época procurava um santo – morto ou vivo – para a salvação de sua alma, mas para ser liberado de um mal físico. No entanto, a oposição entre os dois tipos de fatos é menos nítida do que se pode crer: em todos os níveis da sociedade, a doença ou o acidente era considerado uma agressão das forças do mal, que a opinião comum – a despeito dos ensinamentos evangélicos – relacionava facilmente a um erro ou a uma transgressão. Nessa perspectiva, o milagre consistia em expulsar de um indivíduo ou de uma coletividade os "demônios" que o possuíam. Qualquer cura desse tipo era, até certo ponto, assimilável a um exorcismo. Essas considerações esclarecem a natureza do processo miraculoso e sua eficácia particular no caso de doenças nervosas ou com aspectos neuróticos, sejam quais forem os sintomas: possessos, epiléticos, depressivos ou estressados, mas também, sem dúvida, inconformados e dissidentes revoltados contra seu meio social. No caso de um encontro do doente com um santo vivo, o choque salutar podia ser produzido pela revelação, durante uma breve conversa com o homem de Deus, de que o doente não era responsável por seu mal, e sim que este era obra de forças maléficas das quais podia se liberar. A propósito desse processo de desculpabilização, Aline Rousselle falou de uma "explicação aplicada, constituída fora do doente, mas cuja aceitação contribui para a cura". Em todo caso, estabelecia-se uma relação terapêutica entre o santo e o doente: por meio da recitação de uma fórmula de bênção ou da imposição das mãos, o primeiro tentava dar esperança e vontade de sarar ao segundo, enquanto este se colocava sob sua dependência e proteção (*devotio*, no latim medieval), o que acontecia ainda mais facilmente porque, com frequência, o santo era de condição social superior (caso dos bispos) e gozava de um prestígio religioso que tornava crível a eficácia de sua intervenção. No caso, bem mais comum, em que o doente ia a um santuário para implorar a intercessão póstuma de um santo, o contato estabelecia-se por intermédio das relíquias presentes em um relicário em torno do qual os peregrinos andavam em suplicante procissão antes de aproximar-se mais, ou de passar embaixo dele a fim de aproveitar de sua emanação benéfica (*virtus*). Mais uma vez, sem contudo ceder a um psicologismo limitado, pode-se pensar que a solenidade no santuário, o contraste entre a penumbra e a luz das velas acesas em grande quantidade em torno da tumba, e por fim o espetáculo dos ex-votos suspensos nas paredes do santuário e às vezes até o testemunho de miraculados presentes para agradecer a cura, deviam, em certos casos, ajudar a tirar o doente de seu torpor e provocar no seu espírito um choque propício ao restabelecimento.

De maneira geral, é incontestável que as aglomerações estiveram na origem de um número particularmente alto de fenômenos tidos como miraculosos. Os clérigos medievais o sabiam bem: quando um culto ou um santuário dava sinais de decadência, eles procediam a uma translação de relíquias que não deixava de provocar uma afluência da massa. Essa cerimônia litúrgica consistia no transporte solene pelo clero das relíquias de um lugar para outro, em princípio mais "digno" de encerrá-las (por exemplo, de um cemitério a uma tumba de pedra na igreja, ou desta ao altar). Nessa ocasião, os paralíticos levantavam-se, os cegos recuperavam a visão e os doentes a saúde. Em virtude de um efeito de "bola de neve", o primeiro milagre desencadeava outros e os espectadores não se surpreendiam, pois haviam ido exatamente para isso. Pode-se contestar a realidade dessas curas ou atribuí-las a um fenômeno de histeria coletiva. No entanto, parece difícil negar a eficácia do ritual e sua função multiplicadora.

Monges e religiosos: atitudes oscilantes

Diante do crescimento dos fenômenos miraculosos, as reações dos clérigos foram bastante variadas. No século IX, em certas regiões, como a Lotaríngia, assiste-se ao desenvolvimento de uma hagiografia sem milagres, cujo exemplo mais significativo é a Vida de João de Gorze. Na mesma época, Odo de Cluny observa que os milagres tinham se tornado raros no seu tempo, sem no entanto lamentar muito uma situação que permitia aos méritos dos santos "obter com mais vigor a saúde da alma". Assim, parece esboçar-se em certos meios monásticos reformadores uma reação contra os riscos que a especificidade da mensagem cristã corria ao ser excessivamente associada a sacralidades indiferenciadas. Mas tratava-se ainda de vozes isoladas, e no século XI vê-se, por exemplo, os monges de Saint-Benoît-sur-Loire ou de Sainte-Foy de Conques reunir centenas de milagres em *libri miraculorum* para que as "virtudes" de suas relíquias fossem conhecidas e para afirmar os direitos patrimoniais dos monges diante das invasões da aristocracia laica.

De fato, mesmo nos movimentos espirituais mais exigentes, nota-se uma evolução constante das reações diante dos milagres em função dos objetivos e das necessidades do grupo. Assim, após a morte de Santo Estêvão de Muret em 1124, os monges de Grandmont, preocupados em preservar a tranquilidade da comunidade, mostraram-se bastante discretos no tocante aos poderes taumatúrgicos de seu fundador, e um de seus primeiros sucessores até ameaçou o santo de exumar seus restos e jogá-los no rio se continuasse fazendo milagres... Algumas décadas mais tarde, a redação de um nova Vida de Santo Estêvão foi a ocasião para um outro prior de Grandmont acrescentar de uma só vez quinze curas milagrosas às duas ou três que tinham sido atribuídas ao santo até então, e a translação de suas relíquias, em 1189, permitiu citar outras 39. Para assegurar a coesão interna, ameaçada por tensões cada vez maiores entre monges e conversos, e para enfrentar a concorrência das novas congregações, os dirigentes da Ordem de Grandmont decidiram exaltar a figura do fundador e pediram sua canonização à Santa Sé, o que acabaram conseguindo. Não era mais época de discrição, mas de celebração da santidade do fundador diante da contestação interna e externa.

Poder-se-ia traçar, *mutatis mutandis*, evoluções comparáveis na história da maioria das ordens religiosas, a começar por Cluny: o biógrafo do abade Odo, João de Salerno, menciona somente alguns milagres que ele teria realizado. No século XI, atribuem-se 53 a seu sucessor, São Maiol, e, em meados do século XII, Pedro, o Venerável, abade de Cluny de 1122 a 1156, escreverá um volumoso tratado, *De miraculis*, do qual existem pelo menos cinco versões sucessivas, manifestando dessa forma um interesse particular pelos fenômenos sobrenaturais. De fato, durante toda a Idade Média, os monges e religiosos, aparentemente insensíveis às contradições que isto implicava, não pararam de oscilar entre duas atitudes diante do milagre: de uma parte, uma reserva de princípio, na medida em que o miraculoso, sobretudo taumatúrgico, levava o cristianismo para o lado de uma religiosidade ao mesmo tempo materialista e mágica, cuja ambiguidade eles percebiam; de outra, o apelo consciente e voluntário às manifestações sensíveis do sobrenatural cada vez que os interesses coletivos ou as crenças fundamentais estavam em jogo. Assim, São Bernardo não dava muita importância aos milagres nos sermões que fazia a seus monges, e gostava de realçar que os únicos dignos de reter a atenção eram os principais mistérios da salvação, em particular a encarnação e a ressurreição do Cristo. Mas o abade de Claraval, visitando Sarlat durante a viagem de pregação feita na Aquitânia e na região de Toulouse para tentar entravar o progresso das heresias, no final de seu sermão não temeu distribuir o pão que benzera declarando que todos que o comessem seriam curados de seus males. O bispo de Chartres, que estava ao seu lado, apressou-se em matizar essa afirmação, acrescentando que eles seriam curados "se absorvessem este alimento com um espírito de fé". Mas Bernardo insistiu, dizendo: "Eu não diria isto, e sim que, na verdade, os que experimentarem este pão serão curados, de modo que saibam em seguida que somos os verdadeiros e autênticos enviados de Deus". Assim, confrontado à ameaça herética, o monge cisterciense não tinha nenhum escrúpulo em recorrer ao sobrenatural, convencido de que era a única maneira de conseguir a adesão de um auditório laico.

O refluxo do miraculoso (séculos XII e XIII)

A partir do final do século XI, alguns bons espíritos, aliás pertencentes ao meio monástico, haviam recomeçado o esforço de reflexão teológica sobre o milagre feito por Santo Agostinho e São Gregório Magno, e em seguida interrompido. Assim, Santo Anselmo, abade do Bec e depois arcebispo de Cantuária, afirmou em seu tratado *Sobre a concepção virginal [de Maria]* (II, 11) que, na vida dos homens, os acontecimentos ocorrem ou pela vontade de Deus, ou de acordo com a natureza conforme o poder que Deus lhe havia dado, ou, enfim, pela vontade das criaturas humanas, e conclui que só as coisas produzidas por Deus deveriam ser consideradas miraculosas. Seu contemporâneo Guiberto de Nogent redigiu um tratado crítico e às vezes polêmico *Sobre as relíquias dos santos*, no qual expressa suas dúvidas sobre a autenticidade de algumas delas e denuncia com veemência as inverossimilhanças e as fraudes abundantes nesse campo. Os principais mestres da escola de Chartres, de Thierry a Guilherme de Conches e Gilberto de la Porrée, procuraram consolidar as bases filosóficas e teológicas da ideia de natureza e sustentaram que Deus se retirara do universo após a Criação, deixando ao espírito humano a possibilidade de encontrar as leis que o regiam e que Ele estabelecera. Alguns intelectuais, principalmente na Inglaterra, procuraram do lado da ciência "árabe" — na verdade greco-árabe — uma explicação racional para os fenômenos aos quais se atribuía uma origem sobrenatural. Esse novo clima intelectual deu origem a uma reestruturação do campo do miraculoso, que aconteceu no final do século XII. Por um lado, ocorreu uma dissociação, dentro da categoria do *mirum* — do extraordinário —, entre os prodígios (monstros, cataclismas, curiosidades diversas), considerados doravante como simples exceções às regras que regiam os fenômenos naturais, e os verdadeiros milagres, caracterizados pela dimensão religiosa. O maravilhoso profano tornou-se autônomo, em particular sob a caução da ciência: assim, vários autores dessa época interessaram-se pelas mensagens escondidas nas pedras — donde o sucesso dos "lapidários" — ou ainda pelos cometas e outros fenômenos astronômicos em que se procuravam presságios. Essa especulação "naturalista" iria se prolongar até o Renascimento sob a forma da astrologia e da alquimia, e encontrar — com dificuldade, é verdade — seu lugar entre a religião e a magia.

No século XIII, os teólogos deram definições cada vez mais restritas do milagre. O mestre franciscano Alexandre de Hales professou que, "no sentido estrito, só os que Deus opera subitamente podem ser chamados milagres, pois não necessitam nenhuma preparação anterior" (*Summa theologiae*, II, Quaracchi, 1924, p.299), o que lançava uma dúvida sobre a característica sobrenatural dos milagres progressivos, frequentes na taumaturgia dos santuários. O dominicano São Tomás de Aquino afirmava na sua *Suma teológica* que "os verdadeiros milagres só podem ocorrer por meio do poder divino [...] pois Deus os realiza para ser útil aos homens" e que sua ação, nesse caso, não se exercia de modo contrário à natureza (*contra naturam*), mas superior a ela (*supra naturam*).

Paralelamente, o papado começa a purificar o sobrenatural cristão no quadro de uma vasta ação de controle da santidade. Confrontados à contestação herética, em particular a dos cátaros, que opunham a pureza de seus Perfeitos à corrupção do clero católico, Inocêncio III e Gregório IX procuraram impor uma definição mais rigorosa da perfeição cristã, para subtraí-la às ambiguidades da magia e colocá-la sob o controle da Igreja Romana. Dentro do processo de canonização que foi instaurado e desenvolvido durante a primeira parte do século XIII, por certo os milagres continuaram indispensáveis para que um servidor de Deus pudesse ser proclamado santo pelo papa. Mas eles deviam somente servir, após a morte do santo, para manifestar seus méritos eminentes e a excelência de sua vida, que a partir de então foram objeto de uma investigação minuciosa. É difícil medir a importância desse questionamento, contudo atestado pelo fato de em vários países ter sido necessário cerca de meio século para que o clero assimilasse as novas exigências dos papas e, em particular, para que compreendesse que não era mais suficiente enviar à cúria listas impressionantes de milagres para obter o acesso de um servidor de Deus à glória dos altares.

Velhas crenças e novos objetos

Mas a atitude reservada dos teólogos e canonistas diante do milagre teve pouca influência sobre a massa dos fiéis e mesmo sobre os clérigos, sensíveis, antes de mais nada, à eficiência pastoral dos fenômenos sobrenaturais. Desde o início da segunda metade do século XIII, Tomás de Celano, por ordem do ministro geral dos frades menores, redigiu um tratado dos milagres de São Francisco de Assis, enquanto o pregador Jacopo de Varazze inseria na sua *Legenda Áurea* os episódios mais extraordinários das vidas dos santos antigos ou recentes, e vários colegas seus reservavam um grande espaço aos relatos miraculosos mais extravagantes nas compilações de *exempla* destinados a facilitar a tarefa dos pregadores.

Considerando a característica inextirpável da fé popular no milagre, os pastores daquela época preocuparam-se menos – exceto o caso particular da canonização – em filtrar o miraculoso do que em modificar os objetos aos quais ele estava ligado. É nessa perspectiva que se deve situar, a partir do século XII, a multiplicação dos milagres da Virgem Maria, cuja autenticidade causava menos problemas do que aqueles que o povo atribuía a certos servidores de Deus dos quais muitas vezes só se conhecia o nome, quando não era um cachorro santo, como São Guineforte, cujo culto foi descoberto e denunciado pelo dominicano Estêvão de Bourbon. A partir do século XIII, a Igreja procurou sobretudo valorizar os milagres sacramentais, que conheceram um crescente sucesso até o final da Idade Média: como o IV Concílio de Latrão lembrara em 1215, existiria maior prodígio do que a transformação do pão e do vinho em corpo e sangue do Cristo, que se renovava cada vez que, durante a missa, o padre procedia à consagração? Os leigos seguiram com entusiasmo e cercaram de uma devoção particular as hóstias que começaram a sangrar nas mãos de um padre incrédulo (Bolsena, 1264), ou diante dos golpes de um judeu profanador (milagre de Billettes em Paris, em 1290), ou ainda algumas gotas do Sangue Precioso misteriosamente recolhidas e conservadas em Fécamp, Bruges, Mântova e Wilsnak (Brandemburgo), que foi um dos locais de peregrinação mais frequentados da Cristandade no século XV. A hierarquia eclesiástica não deixou de aprovar esses prodígios e os milagres que ocorriam em seguida, pois eles apresentavam a dupla vantagem de confirmar de maneira estrepitosa, diante da contestação herética, a verdade do dogma da presença real, e de depender de uma intervenção sacerdotal.

A última etapa do processo da cristianização do milagre foi sua introdução no campo da vida interior. A espiritualidade monástica não o havia considerado, e a abundante literatura exegética que foi composta na paz dos claustros entre os séculos IX e XII só mencionava os da Bíblia em uma perspectiva alegórica. A partir do século XIII, a situação modificou-se profundamente nesse campo, como mostra a estigmatização de São Francisco de Assis (setembro de 1224), que seu companheiro e sucessor como chefe dos frades menores, Elias de Cortona, apresentou após a morte do Poverello como um "novo milagre" e um "prodígio inusitado": o de um homem cujo corpo tornara-se como o do Cristo da Paixão. Amplos setores do clero ficaram chocados com essa afirmação e foram necessárias várias intervenções do papado durante o século XIII para acabar com as dúvidas e resistências que se manifestaram sobre o assunto. Na mesma época, apareceram, sobretudo entre mulheres engajadas em formas de vida "semirreligiosa", como as beguinas ou as reclusas, fenômenos extraordinários ligados aos estados místicos, como a iluminação, o rapto extático ou a levitação, que seriam amplamente difundidos e suscitariam um interesse crescente durante os séculos seguintes.

É inútil perguntar-se se os contemporâneos de São Luís ou de Carlos VII acreditavam menos no milagre do que os de Gregório Magno ou de Carlos Magno. Existem, aliás, boas razões para pensar que não, pois o miraculoso ordinário – os dos santuários e dos textos hagiográficos – caracteriza-se em suma por uma grande estabilidade. Na época da Guerra dos Cem Anos como nos tempos merovíngios, os pedidos atendidos pelos santos são quase sempre os mesmos: curas, abundância das colheitas, proteção contra a violência dos elementos e dos homens. Mas a produção de milagres tornou-se cada vez mais independente do toque ou da proximidade dos corpos santos, frequentemente substituídos por suas "imagens", e, mais do que no passado, eles se referiam à defesa das pessoas e dos bens, assim como à reanimação – durante um instante – de crianças nascidas mortas que não puderam receber o batismo, mas às quais a graça de um "prazo" permitia escapar de uma eternidade infeliz. A verdadeira novidade durante os últimos séculos da Idade Média reside sobretudo na diversificação das formas do miraculoso. Com o aparecimento e a multiplicação dos milagres sacramentais, espirituais e místicos, os esforços manifestados pela Igreja no Ocidente durante cerca de um milênio para cristianizar as manifestações sensíveis do sobrenatural parecem ter atingido seu objetivo. Mas pode-se pensar também – e alguns contemporâneos, de Wyclif a João Hus e os primeiros humanistas florentinos, não hesitaram em dizê-lo – que, de tanto querer fazer do milagre, com uma finalidade pedagógica e pastoral, um instrumento privilegiado da crença, a Igreja de certa forma introduziu o verme na fruta. Por trás da aparência de sucesso, o cristianismo medieval não teria se tornado, finalmente, vítima de uma política de aculturação demasiado forte, que em cada época levou-a a jogar com as crenças populares para neutralizá-las, correndo o risco de perder de vista o sentido do mistério divino e os direitos da razão?

ANDRÉ VAUCHEZ
Tradução de Eliana Magnani

Ver também

Além – Bíblia – Clérigos e leigos – Deus – Medicina – Natureza – Peregrinação – Pregação

Orientação bibliográfica

BLOCH, Marc. *Os reis taumaturgos*: o caráter sobrenatural do poder régio, França e Inglaterra [1924]. Tradução brasileira. São Paulo: Companhia das Letras, 1993.

BOGLIONI, Pierre. Miracle et nature chez Grégoire le Grand. In: *Cahiers d'Études Médiévales*. Montreal; Paris: Institut d'Études Médiévales; J. Vrin, 1974. t.I: *Epopées, légendes et miracles*.

BROWE, Peter. *Die Eucharistischen Wunder des Mittelalters*. Breslau: Verlag Müller & Seiffert, 1938.

FINUCANE, Ronald C. The Use and the Abuse of Medieval Miracles. Norwich, History, 60, p.2-25, 1975.

_____. *Miracles and Pilgrims*: Popular Belief in Medieval England. Londres: J. M. Dent, 1977.

LES FONCTIONS DES SAINTS DANS LE MONDE OCCIDENTAL (IIIe-XIIIe SIÈCLE). Actes du Colloque de Rome (27-29 octobre 1988). Roma: École Française de Rome, 1991.

GÉLIS, Jacques; REDON, Odile (orgs.). *Les Miracles, miroirs des corps*. Saint-Denis: Presses et Publications de l'Université de Paris VIII – Vincennes, 1983.

LETT, Didier. *L'Enfant des miracles*: enfance et société au Moyen Âge (XIIe-XIIIe siècle). Paris, 1997.

MIRACLES, PRODIGES ET MERVEILLES AU MOYEN ÂGE. Colloque de la Société des Historiens Médiévistes de l'Enseignement Supérieur Public (Orleans, 1994). Paris: Publications de la Sorbonne, 1995.

RICHÉ, Pierre; PATLAGEAN, Évelyne (orgs.). *Hagiographie, cultures et sociétés, IVe-XIIe siècle*. Paris: Études Augustiniennes, 1981.

ROUSSELLE, Aline. La guérison en Gaule au IVe siècle. *Annales ESC*, Paris, 1976. p.1103-20.

SCHMITT, Jean-Claude. *Le Saint Lévrier*: Guinefort, guérisseur d'enfants depuis le XIIIe siècle. Paris, 1979.

SIGAL, Pierre-André. *L'Homme et le miracle dans la France médiévale (XIe-XIIe siècle)*. Paris: Cerf, 1985.

_____. Les récits de miracles. In: GUICHARD, Pierre; ALEXANDRE-BIDON, Danièle (eds.). *Comprendre le XIIIe siècle*: études offertes à Marie-Thérèse Lorcin. Lyon: Presses Universitaires de Lyon, 1995, p.132-44.

VAUCHEZ, André. *La Sainteté en Occident aux derniers siècles du Moyen Âge d'après les procès de canonisation et des documents hagiographiques*. Roma: Ècole Française de Rome, 1988.

WARD, Benedicta. *Miracles and the Medieval Mind*: Theory, Record and Events, 1000-1215. Filadélfia: University of Pennsylvania Press, 1987.

Moeda

As moedas, fichas de metal estampadas com tipos e legendas, figuram dentre os vestígios mais abundantes da Europa medieval. Em número bem maior do que os edifícios e todos os outros objetos daquele período, com exceção dos pergaminhos, elas gozam de um estado de conservação sem igual. Uma moeda de prata, mesmo que não esteja polida, apresenta hoje o mesmo aspecto de mil anos atrás. É impossível tê-la nas mãos sem nos perguntar: a quem pertenceu? Qual transação possibilitou? Enfim – visto tratar-se quase sempre de peças enterradas –, quem as enterrou, e por quê? Essas questões parecem sensatas e adequadas a estimular a imaginação, mas quase sempre permanecem sem resposta. Assim que reunirmos várias dessas peças, devemos, com efeito, responder inicialmente a outras questões, mais pertinentes ao historiador. Elas dizem respeito ao direito político de cunhar moeda, aos componentes metálicos das peças, mas também a seu tamanho, peso e desenho. As peças que sobreviveram oferecem um testemunho histórico da fabricação e da utilização da moeda; cabe então ao numismata a tarefa de distingui-las e classificá-las em função da técnica utilizada. Entretanto a moeda não se reduz a peças de metal, e a ambiguidade do termo nesse caso é eloquente: para quem quiser estudar a moeda na Europa medieval – dessa vez no sentido de instrumento de transação –, é importante analisar os textos contemporâneos que tratam de trocas, valor e pagamentos. O dinheiro é uma realidade tangível da história social, na medida em que as moedas passam de mão em mão. Ora, a fusão entre os dois sentidos da palavra moeda (o dinheiro, as peças) ocorre na Europa medieval com particular clareza.

Sobrevivência da moeda antiga

Na Idade Média, a moeda metálica testemunha a sobrevivência recorrente da Antiguidade. As sociedades germânicas conservam a moeda imperial reformada de Diocleciano e de Constantino; para suas moedas "do tipo Templo", Carlos Magno inspirou-se nas moedas romanas; vários séculos mais tarde, enfim, Frederico II emite em seu reino no sul da Itália uma peça de ouro com desenho perfeitamente clássico. Iconográficas, essas sobrevivências são também de ordem propriamente monetária; elas seguem uma cronologia que permite distinguir vários períodos na história medieval. O *solidus* de ouro, que continuará por muito tempo a ser cunhado no Império Bizantino, sobreviveu no Ocidente sob duas formas sucessivas: peso de ouro e depois valor de cálculo. As peças de bronze e de prata do final do Império do Ocidente desaparecem durante o século V ou nos séculos seguintes. Mas o ouro é muito precioso para economias expostas à deflação; e os Carolíngios instauram uma nova moeda de prata mesmo conservando o *solidus* como moeda de cálculo. Seu sistema monetário durará até o final da Idade Média, e mesmo depois: os denários de prata são, então, as únicas peças cunhadas e em circulação; 12 denários perfazem um soldo, 20 soldos (ou 240 denários) perfazem uma libra.

Esse monometalismo do dinheiro, segundo o termo numismático, estende-se do século VIII até o início do XIII. A constituição das peças em circulação evolui durante o período: primeiramente em prata quase pura, elas são progressivamente misturadas com bronze. No século XII, a liga de metais mais comum é constituída de no máximo um quarto ou um terço de prata, de modo que as peças escureciam rapidamente com o uso. Sua emissão e jurisdição permanecem, na Inglaterra, um monopólio real – ainda uma herança da Antiguidade. Mas em várias regiões, e particularmente na França, o direito de moedagem (*jus monetae*) torna-se um elemento do sistema senhorial; desde o final do século XII havia por volta de oitenta oficinas monetárias em atividade, na maior parte pertencentes à alta aristocracia laica ou eclesiástica. De um senhor ou de um rei a outro, tipos e legendas quase não variam; quanto à manutenção da efígie e da cruz, ela perpetua uma adaptação carolíngia do desenho antigo – e testemunha, uma vez mais, o caráter decididamente público da moeda metálica. A produção de moedas, em contínuo aumento, é mais do que compensada pelo crescimento da população entre os séculos X e XIII. Consequência: uma inflação a longo prazo e a disfunção, no plano econômico, das moedas pobres em prata. Há muito tempo, peças em ouro de fabricação islâmica circulam na periferia mediterrânea da Cristandade; mesmo antes do século XII, elas servirão de valor de cálculo até em território cristão.

Nos primeiros anos do século XIII, os venezianos puseram-se a produzir moedas mais pesadas e em boa prata – são os ducados, moedas dos doges. É o aparecimento das moedas "pesadas", em oposição às moedas miúdas: o grande *tournois* aparece na França em 1266, o *groat* inglês em 1351. Trata-se, de certa forma, de reinstaurar a diversidade monetária da Antiguidade, embora as moedas do fim da Idade Média fossem geralmente bem mais leves que as gregas ou as romanas. Aliás, o recurso ao ouro não aparece claramente ainda como ditado por razões econômicas. A instituição da moedagem de ouro por Frederico II em 1231, por Florença e Gênova em 1250, e depois pela França, Hungria e outros reinos, explica-se em grande parte por um desejo de soberania absoluta.

A história social da moeda na Idade Média apresenta dois problemas maiores: a importância da moeda metálica nas transações e seu papel no exercício do poder. Os historiadores viram, por muito tempo, na persistência do ouro o indício de que os mercadores, após as invasões bárbaras, comercializavam quase como na Antiguidade. Argumentando que o comércio a longa distância não devia ter sido interrompido pelas invasões islâmicas, Henri Pirenne propõe que a moeda metálica fazia o jogo de empresas e de lucros quase capitalistas. Mas a própria moedagem era um comércio de metais preciosos, e, no final do século VII, o dinheiro desapareceu quase completamente do mercado. Quanto ao ouro, qualquer que tenha sido seu papel na preservação da riqueza urbana, não mais corresponde às realidades econômicas do mundo rural nos reinos germânicos. Ele entra no sistema de acumulação de riquezas pelas elites: nos palácios reais, as moedas de ouro são amontoadas ao lado da louça e dos ornamentos preciosos como testemunhos de uma nobreza visível por todos – conservadas no tesouro de Sutton Hoo e longamente descritas no *Beowulf*. Como ressalta George Duby, as peças de grande valor intrínseco servem até para promover uma rede de trocas entre o senhor e seu séquito, uma vez que o rei concedia favores por sua generosidade exemplar ao mesmo tempo que se assegurava, por meio de multas, tributos e impostos, que o dinheiro por ele distribuído acabaria por retornar. Em suma, a sociedade dos séculos VII e VIII, em que os valores senhoriais começam a se afirmar, mostra-se mais disposta a dar do que a investir, criando assim laços de obrigação e de dependência numa economia fundada na liberalidade.

Nas regiões em que se desconhece a moeda e onde as peças antigas jamais circularam, não houve um encorajamento da utilização da moeda metálica. Esta não constitui o único meio de troca, e a permuta permanece uma prática difundida até o final do século XI. Entretanto, mesmo nas regiões onde a compra e a venda são monetarizadas, não se vê na moeda algo além de uma mercadoria; elas são vistas menos como unidades de valor do que como simples berloques. Essa desconfiança nunca desaparecerá completamente. Ela aumentará mesmo no século XI, quando o público compreenderá que as peças, reunidas e desembolsadas em grandes quantidades, possuem um valor intrínseco extremamente variável. A utilização de peças de ouro e (sobretudo) prata estende-se para leste do Reno nos séculos IX e X; aí, a moedagem é então um fenômeno recente e ainda raro. Enfim, as mais antigas peças polonesas conhecidas parecem datar do século XI.

Entretanto, mesmo nas zonas há muito tempo colonizadas da Frância ocidental e da Itália, o retorno ao metal branco aparece, no século VIII, como uma regressão. Certos historiadores vão mesmo falar em *Naturwirtschaft* (economia natural) para evocar esse fenômeno sob os Carolíngios. Julgando que uma sociedade sem comércio é uma sociedade sem economia, Henri Pirenne estima que as moedas de prata respondem a uma necessidade estritamente agrária; elas seriam então um sinal de recuo ou de regressão econômica. Ora, os capitulares e os documentos dos séculos VIII e IX fazem frequentemente referência às moedas, e o valor monetário impõe-se mesmo no caso em que preço e pagamentos são efetuados em gêneros. Segundo Marc Bloch, essas economias do começo da Idade Média, embora versadas no sistema monetário, sofrem uma crise de liquidez. E isto, sem dúvida, acontecia por diversas razões: menor demanda de minério, drenagem da moeda para as zonas mais ativas de comércio e de produção de bens, no Mediterrâneo oriental. Os valores imperiais dão lugar a uma moeda local na Frância ocidental, particularmente sob os Merovíngios, de forma que os pesos e as ligas divergem claramente. A moeda deixou de ser cômoda.

Reformas carolíngias

É por essa razão que as reformas monetárias de Pepino, o Breve, e de Carlos Magno são de grande interesse histórico. Nessa época, com efeito, moedas de mesmo valor nominal podem ter um peso e uma liga muito diferentes, o que complica as trocas e, sem dúvida, sua imposição. Mesmo percebendo esse problema, Pepino e Carlos Magno parecem ignorar as consequências econômicas acarretadas pela instauração de um denário de prata "pura". Essa reforma está sem dúvida ligada à reorganização de pesos e medidas. Instaurando um denário que pudesse coincidir com as unidades de cálculo, cômodas mas não monetizadas, Carlos Magno manifesta seu desejo de impor uma unidade administrativa às sociedades recentemente federadas e dominadas pelos francos. A utilização e gestão da moeda metálica dependem de um ponto de vista, de uma "mentalidade". Como nos ensina a antropologia social, as trocas são submetidas a um sistema de valores que pode diferir muito dos sistemas em vigor em nossas sociedades desenvolvidas.

Isto não quer dizer que a moeda deva ser considerada uma forma de instituição primitiva de sociedades "não desenvolvidas". As moedas da Europa medieval, bem ao contrário, são instrumentos da autoridade pública, forma de poder que raramente encontramos nas sociedades indígenas ou tribais. Esse poder apresenta-se sob dois aspectos, que convém claramente distinguir se quisermos compreender a originalidade da experiência medieval. Em primeiro lugar, a prática monetária possui um caráter "oficial". Concebida como sendo de utilidade social na prática e no direito greco-

-romanos, ela continua na Idade Média a ser um meio de ação burocrática. Não que os monarcas medievais ou os senhores usurpadores fossem governantes exemplares. Simplesmente, a fabricação de moeda exige um conhecimento que seria difícil explorar, sem repercussões sociais ou políticas, com a única finalidade de realizar um lucro privado. A moedagem é uma arte perigosa de múltiplas exigências: é preciso trabalhar um metal duro para obter a matriz, esculpir as cavidades, afinar as protuberâncias que permitirão cunhar a imagem invertida, adquirir e preparar a prata a partir de velhas moedas, de mineral bruto ou de objetos preciosos; determinar, para cada nova moeda, uma liga particular; cortar as peças segundo um padrão estabelecido para que correspondam aproximadamente ao peso desejado; enfim, no caso da moedagem medieval mais difundida, martelar a matriz no verso sobre o disco de metal de forma a deixar uma impressão uniforme e bem centralizada. Os moedeiros (*monetarii*) formam, portanto, um corpo de artesãos altamente especializados, gozando frequentemente de privilégios e sempre de uma certa liberdade. Todo senhor desejoso de explorar seu direito de moedagem em proveito próprio deve colaborar com seu ou seus moedeiros, confiar em sua competência e aceitar seus preços (metal, salário).

Moeda pública, moeda "feudal"

Por outro lado, a moeda permanece uma instituição pública no que diz respeito à sua natureza fiscal. O tesouro e os rendimentos da Roma imperial (*fiscus*) eram de natureza burocrática, mas também utilitária. Ao estabelecer um imposto pesado e impessoal, os imperadores romanos eram obrigados a interessar-se pela integridade dos objetos de valor que eles reuniam em nome do interesse público. A fim de preservar essa coincidência entre interesse público e interesse do soberano, os moedeiros carolíngios devem jurar exercer legalmente seu trabalho (*ministerium*). Mas as tendências econômicas e políticas opõem-se a essa concepção oficial e pública da moeda. Desde o final do século IX, os mercados servidos por uma moeda de qualidade não resistem às repetidas invasões; o *mercatus* sobrevive na forma de uma partilha senhorial dos rendimentos, assim como a *moneta*. A moeda continua a ser um instrumento público, ainda que o direito de tirar proveito dela fosse estendido a um número crescente de senhores durante os séculos X e XI. De seu direito de cunhar moeda, bispos e condes esperam mais benefícios do que poder régio; eles conservam a marca real sobre suas moedas, pois ela lhes parece suscetível de aumentar seus lucros. No século IX, os condes de Poitou mantêm o modelo de Carlos, o Calvo; mais tarde, o monograma do rei Odon será fixado nas quatro moedas amplamente difundidas de Melgueil. Havia muito tempo, os numismatas caracterizavam a "moeda feudal" pela tenaz manutenção de modelos antigos, pelo progressivo abandono dos monogramas e das legendas, pela repugnância dos senhores em figurar sobre suas próprias moedas; em suma, por falta de audácia e originalidade. Ora, os pós-carolíngios que gozavam do direito de cunhagem – condes, viscondes e prelados na maioria das vezes – são justamente os senhores territoriais que reivindicam a autoridade pública que os reis tinham até então monopolizado. Muitas vezes, é em sua qualidade de concessionários do *comitatus* que igrejas e prelados exercem seu direito de moedagem. Quanto aos reis Capetíngios, descendentes de condes, conservarão até o final do século XII as oficinas que produzem moedas condais de circulação local. Não tentam arrogar-se o poder, nem mesmo fazer propaganda: buscam promover a unidade monetária. Ninguém pretende que a condição de senhor seja garantia suficiente do poder monetário, e é por isso que o direito de administrar a justiça ordinária é mais frequentemente concedido do que o de cunhar moeda. Salvo exceção, a moedagem não é uma prerrogativa dos castelões. Certamente, é possível ceder em feudo partes do rendimento das oficinas monetárias. Em 1186, no Ponthieu, os moedeiros conservarão as trocas e a moedagem (a junção é significativa) como homenagem e fidelidade hereditárias. Mas não se deve ver nisso uma "moedagem feudal". Em última análise, o direito e o prestígio da *moneta* permanecem públicos, porque as peças devem circular publicamente.

Alterações monetárias

Algo mudou desde a Antiguidade: o desenvolvimento da dominação pessoal deu à moedagem uma função fiscal e "especulativa". Isso não implica necessariamente fraude. Como sempre, a atividade das oficinas depende do abastecimento da prata e do preço do metal. Senhor e moedeiro retiravam suas respectivas partes (a senhoriagem) dos lucros da moedagem. Em Melgueil, essas partes somadas chegam a 8,33% da cunhagem em 1174, uma porcentagem razoável para a época. Os cofres e a reputação do senhor têm mais a sofrer com a relação que se estabelece entre a moeda recentemente fabricada e a moeda em circulação. O metal monetarizado pode então, sem prejuízo, ver-se ligeiramente supervalorizado nas trocas. Os senhores podem cunhar moeda segundo os padrões habituais sem retirar as antigas peças de circulação. Essa prática parece sobretudo difundida nas oficinas rentáveis ou produtivas, tais como as de Melgueil e de Morlaas; como nada obriga a declará-la publicamente, ela, sem dúvida, está na origem das alterações realizadas. Esse último fenômeno, repetido ao longo do tempo, permite explicar em parte uma depreciação progressiva do numerário – que, pelo que sabemos, não foi notada pelos contemporâneos.

Mas existe uma outra possibilidade, mais abertamente especulativa: os senhores estão habilitados a mudar brusca e totalmente sua moeda, por uma modificação dos tipos, dos pesos ou das ligas, ou por uma nova combinação dessas variáveis; nada os impede, para impor essa renovação, de proibir o uso de moedas antigas após uma data fixada por eles. Tais mutações, mesmo não declaradas, nunca demoram a ficar evidentes. As mutações monetárias nos são conhecidas sobretudo através dos textos, pois só excepcionalmente dispomos de moedas em séries suficientes para estabelecer sua supressão ou interrupção. São atestadas alterações nas oficinas condais de Poitou em 1103, 1112 e 1120, e nas oficinas episcopais de Laon (por volta de 1110) e de Verdun (por volta de 1130). As moedagens de Melgueil e de Toulouse sofreram alteração em, respectivamente, 1130 e após 1170; as de Aragão são publicamente alteradas em 1135, e depois em 1174. Poderíamos multiplicar os exemplos. Em todo o caso, tais alterações eram bem mais frequentes do que os textos dão a entender.

Nem todas as alterações eram ruins. Os reis de Aragão afirmam-se politicamente modificando os tipos de suas moedas, em 1135 e 1174; mas Afonso II (1162-1196) comanda igualmente uma alteração brutal e inopinada em 1180-1181. Num discurso inflamado, Guiberto de Nogent acusa o senhor-bispo Gaudri (1106-1112) de querer enriquecer manipulando a moeda de Laon. Este último parece ter cunhado novas peças supervalorizando-as; de forma menos evidente, esse tipo de fraude era, sem dúvida, frequente. Em suma, os senhores cedem à tentação da fraude, que os reis tinham tentado corrigir no passado. Um remédio comparável acabaria por ser imposto aos senhores. Pois a moeda, sem perder seu alcance de instrumento público, tornou-se um recurso fiscal do novo poder senhorial que se estende através da Europa durante os séculos XI e XII.

A razão continua inexplicável. Se os próprios moedeiros têm dificuldade em distinguir dentre duas moedas qual é a mais rica em prata, que importância isso poderia ter aos olhos de um camponês ou de um mercador? Podemos pensar que as moedas eram frequentemente trocadas ou dadas por seu valor nominal, e não pelo seu valor intrínseco. Por volta do final do século XI, entretanto, com o retorno das trocas comerciais, indica-se novamente o valor das moedas por ocasião de pagamentos ou de reembolsos; certamente, dá-se enfim importância ao peso e à liga das moedas, ou seja, a seu valor intrínseco. Tal interesse é, sem dúvida, estimulado pela certeza de que os príncipes, tirando proveito da moeda, buscam impor um novo costume nefasto. De fato, no momento em que essa prática começa a se difundir, os príncipes perdem seu direito de cobrar o imposto em nome do interesse público – perdendo, assim, um estímulo em preservar uma moeda de qualidade. Na Inglaterra, onde se continua a cobrar o *danegeld* até o século XII, as moedas régias de qualidade e estabilidade excepcionais serão cunhadas muito tempo depois da conquista normanda. Mas se os conquistadores normandos mantêm as moedas em circulação, buscam explorar seu poder utilizando a estabilidade das moedas ducais em seu proveito, menos como artigo do que como liberdade resgatável. No século XII, o *monéage* torna-se um imposto comum e será cobrado na Normandia até o fim do Antigo Regime. As terras capetíngias conhecem uma instituição similar durante o século XII. Por volta de 1200, várias regiões da Europa ocidental são, ou foram, submetidas a um imposto sobre o dinheiro.

Mas os habitantes dessas regiões têm dificuldade em admitir que a estabilidade da moeda, a exemplo da defesa, seja uma questão de interesse público para a qual é necessário dar sua contribuição. Para a população, alterar a moeda significa diminuir as peças, ou seja, cometer um ato fraudulento; pagar um imposto para se garantir contra a fraude parece, então, uma tirânica violação da velha ordem pública. Sendo a fraude monetária considerada desde cedo uma forma de violência, a estabilidade da moeda é colocada sob o signo da paz de Deus. Em uma grande carta[1] estabelecida para a Cerdanha em 1118, o conde Ramon Berenguer III impõe uma paz rural, jura confirmar até a morte a moeda e os padrões de valor do condado... e ordena uma taxa compensatória. Desde então, as confirmações solenes da moeda se multiplicarão na Espanha e na França e serão, frequentemente, acompanhadas por pagamentos compensatórios. Em alguns casos, os impostos aprovados pelas assembleias servirão para comprar tais confirmações solenes. Nos reinos da Espanha e na França meridional, a estabilidade da moeda tornou-se um importante costume social; é a primeira questão de interesse coletivo que encontra seu lugar na ordem do dia dos jovens parlamentos.

Isso pode surpreender: por que é tão importante para essas populações ver sua moeda e seus padrões indefinidamente confirmados? Nenhuma sociedade moderna iria querer limitar assim suas escolhas fiscais e comerciais. É justamente porque as sociedades das quais falamos não são modernas. Para elas, a alteração da moeda ainda se assemelha a uma fraude, uma violação da ordem moral e das práticas legais. A conservação da moeda – tal como ela nos aparece nas cartas da Cerdanha (1118), de Champanha (1165), de Nevers (1188) e de Toulouse (1205), entre outras – está estreitamente ligada a uma desconfiança instintiva em presença do arbitrário, desconfiança nascida da expansão da exploração senhorial. O norte mostra-se mais progressista. Enquanto as moedas reais de Tours e de Paris, recentemente estabilizadas, conhecem uma difusão cada vez maior, não se busca estender as velhas taxas de moedagem (em vigor em Paris, Orleans

---

1 O francês *charte* (deformação anterior a 1338 da forma *chartre* surgida em 1050) vem do latim *charta*, "ata", "documento". No contexto medieval, é um texto que exprime um ato jurídico, doação ou venda (objetos preciosos, animais, terra), concessão de direitos (cunhagem de moeda, criação de comuna) ou de privilégios (imunidade a um feudo, liberdades a uma população), reconhecimento ou confirmação de práticas e costumes de uma comunidade. [HFJ]

e na Normandia) às populações até então isentas. A própria estabilidade das moedas reais, numa relação de cinco moedas de Tours para quatro moedas de Paris, permite regular, nos domínios vizinhos, as peças senhoriais de valor comparável. Deixa-se de explorar as trocas de metal branco para indexar as moedas locais sobre os valores de moedas de renome. As cartas de Dijon e de Saint-Quentin, se dão provas de um certo conservadorismo, pretendem menos confirmar a moeda do que definir os limites das transformações autorizadas. Na Champanha, passa-se da confirmação das moedas à gestão explícita das moedas rentáveis. Na Île-de-France, uma sagaz administração real (em íntima colaboração com a Champanha) estima, por sua vez, que a confirmação das moedas não se coaduna com a reorganização de seu sistema fiscal. No final do século XII, as cartas do norte começam a ordenar consultas sobre a moeda ou sobre o valor monetário, pois estes apresentam problemas técnicos recorrentes no domínio das trocas comerciais, sendo, então, conveniente consultar peritos.

Retorno à moeda pública

Cedo ou tarde, à medida que as populações crescem e que as economias se reforçam, a moedagem especulativa termina por desaparecer. As alterações sub-reptícias nunca foram rentáveis por muito tempo; as vantagens imediatas davam lugar a uma alta dos preços assim que a fraude era percebida – e o preço a pagar poderia ser maior. A moedagem de Laon será interrompida durante mais de uma geração, aparentemente, após a morte do bispo Gaudri. Pouco a pouco, as moedas reais, principescas ou comunais, substituem as senhoriais, mesmo se na França São Luís autoriza estas últimas a circular em seu próprio domínio. Quanto às moedas aceitas nas trocas no Norte da Itália, na Champanha e nos Países Baixos, elas são produzidas em oficinas mais bem controladas, trabalhando segundo critérios de peso e de título cada vez mais precisos.

É por volta do final da Idade Média que a moeda recobrará de fato seu caráter público. Esse retorno era inevitável, pois a moeda é, por natureza, hostil ao sistema feudal – ou seja, ao exercício de um poder privado por uma classe possuidora. Foi o que bem compreendeu Aristóteles, numa teoria política do bem comum na qual se inspira o Ocidente do século XIII. Nas sociedades onde a força do costume limita seriamente o direito dos soberanos a cobrar imposto, a moeda permanece, contudo, um meio tentador de aumentar o rendimento fiscal. Quanto às célebres mutações de Filipe, o Belo, que são tentativas sofisticadas para ajustar as moedas aos valores do mercado monetário, estas só têm em comum com as manipulações feudais do passado seu caráter arbitrário. Quando o prelado normando Nicolau Oresme expôs sua teoria aristotélica sobre a moeda, na primeira metade do século XIV, foi para se opor aos esforços que então eram feitos para explorar a moeda com fins fiscais. Para ele, a moeda não pertence ao monarca — cuja função se limita a garantir os pesos e as ligas —, mas ao povo. O príncipe não poderia, portanto, modificar os valores monetários sem o consentimento de toda a comunidade.

Marc Bloch definiu com precisão o lugar, na história social, da moeda como instrumento de trocas. Ele examinou realidades econômicas em sociedades que podem tomar formas muito diversificadas, mas que invariavelmente conhecem uma oferta e uma demanda que dizem respeito não somente aos bens trocados como também aos próprios meios dessa troca. É o que Bloch chama de "fenômenos monetários", necessariamente obscuros, pois ligados a "todos os impulsos mais íntimos da atividade humana". E cita o abade de Tournai, Gilles Li Muisis, que se lamenta: "Em moedas, a coisa é muito obscura, elas vão para alto e para baixo, e não sabemos o que fazer...". É porque a moeda está submetida a mil variações, além dos preços do ouro e da prata, que flutuam ao sabor da oferta e da procura. Obscuro, o fenômeno não o é menos para nós do que para o bom abade, e somos obrigados a exagerar a importância da moeda metálica nas sociedades medievais, pois os outros instrumentos de troca desapareceram quase totalmente.

Mas a moeda, na Idade Média, queria dizer poder tanto quanto troca, por meios não menos insidiosos e complexos. Ela propaga as efígies e os emblemas da autoridade imperial, fazendo-os viajar pelos reinos onde se exerce o poder de Deus. Exprime a ordem teocrática, de forma direta, a onipresente cruz, ou indireta, por exemplo a *pax* meridional no século XII. Faz erguer terríveis edifícios após os Carolíngios, quando o termo *moneta* veio significar igualmente o lugar de cunhagem; se essa atividade permite enriquecer-se, ela inspira também o medo. De fato, os senhores dos cavaleiros e dos castelos abandonaram a função utilitária da moeda para promover a função fiscal. Ao mesmo tempo, o poder do dinheiro repousa sobre o povo que o faz circular. É por isso que a troca de moeda metálica, em quantidades sempre maiores, solapa as estruturas patrimoniais do sistema feudal e favorece um retorno à ordem pública. Com o dinheiro, o poder está nas mãos dos ricos. Com a moeda, o poder pertence a uma autoridade transcendente – disfarçada ou pervertida, talvez, mas impossível de ser abolida numa dinâmica de trocas em pleno desenvolvimento. A história medieval oferece, assim, a ilustração perfeita da teoria aristotélica da moeda.

THOMAS N. BISSON
Tradução de Vivian Coutinho de Almeida

Ver também

Feudalismo – Mercadores – Rei

Orientação bibliográfica

BISSON, Thomas N. *Conservation of Coinage*: Monetary Exploitation and its Restraint in France, Catalonia, and Aragon (c.A.D. 1000-c.1225). Oxford: Clarendon, 1979.

BLOCH, Marc. *Esquisse d'une histoire monétaire de l'Europe*. Paris: Armand Colin, 1954.

DEPEYROT, Georges. *Histoire de la monnaie*: des origines au XVIIIe siècle. Wetteren: , Moneta 1995. (Coleção Moneta, 2).

DIEUDONNÉ, Adolphe. Les Lois générales de la numismatique féodale. *Révue Numismatique*, Paris, 4.série, 36, p.155-70, 1933.

DOLLEY, Michael. *The Norman Conquest and the English Coinage*. Londres: Spink, 1966.

DUBY, Georges. *Guerreiros e camponeses*: os primórdios do crescimento econômico europeu, séculos VII-XII [1973]. Tradução portuguesa. Lisboa: Estampa, 1978.

DUMAS, Françoise; BARRANDON, Jean-Noel. *Le Titre et le poids de fin des monnaies sous le règne de Philippe Auguste (1180-1223)*. Paris: C.N.R.S., 1982.

DUMAS-DUBOURG, Françoise. *Le Trésor de Fécamp et le monnayage en France occidentale pendant la seconde moitié du Xe siècle*. Paris: Bibliothèque Nationale, 1971.

FOURNIAL, Édouard. *Histoire monétaire de l'Occident medieval.* Paris: Fernand Nathan, 1970.

GRIERSON, Philip. *Numismatics.* Oxford: Oxford University Press, 1975.

LOPEZ, Roberto S. An Aristocracy of Money in the Early Middle Ages. *Speculum,* Chicago, n.28, p. 1-43, 1953.

SPUFFORD, Peter. *Money and its Use in Medieval Europe.* Cambridge: Cambridge University Press, 1988.

SUCHODOLSKI, Stanislaw. *Moneta moznowtadcza i koscielna w Polsce Wczesnosredniowiechej.* Wroclaw, 1987. (Resumo em inglês.)

Monges e religiosos

A "fuga do mundo" (*fuga mundi*) é um tema recorrente da retórica monástica medieval, mas sua prática concreta tomou formas diversas, indo do retiro propriamente dito em lugares isolados, a uma ruptura mais figurada, permitindo aos monges que não deixassem os centros de habitação e as relações sociais. O termo "monge" e as palavras aparentadas derivam de uma raiz grega significando "só", o que pende para uma significação mais social do que espiritual. É certo que "eremita", derivado da palavra grega que significa "deserto", tornou-se o termo privilegiado para designar os ascetas solitários, enquanto "monge", paradoxalmente, acabou qualificando os ascetas devotos que viviam em companhia de seus semelhantes em comunidades religiosas (*coenobia*). A conotação de fraternidade inerente à palavra "irmão" nos assegura que os "frades" também viviam em comunidades, apesar das diferenças significativas em relação às de seus predecessores monásticos. O conjunto dessas comunidades religiosas cobria toda uma série de realidades, as congregações instaladas em meio aos homens e engajadas na vida social contrastavam com grupos de religiosos vivendo em isolamento marginal.

A idade de ouro do monasticismo ocidental estendeu-se do século VIII ao século XII. Ela continua inscrita em nosso imaginário através das sonoridades da salmodia e das imagens de igrejas altivas, de filas de silhuetas pretas encapuzadas e de claustros banhados de serenidade. Monasticismo erudito, mas sobretudo litúrgico, ele era parte do tecido social, econômico e político, assim como religioso e intelectual, daquela época. No entanto, o monasticismo cristão apareceu na parte oriental do Império Romano, sob o aspecto de um fenômeno claramente – e deliberadamente – marginal, uma característica que ainda conservava quando se alastrou pelo Ocidente. Examinaremos aqui suas origens, depois estudaremos como esse movimento, quando exportado, tornou-se um elemento dominante da sociedade ocidental; analisaremos os principais elementos do monasticismo no seu auge e assistiremos à sua transformação pelos frades mendicantes antes de esboçar a história de seu declínio e de seus vestígios.

A origem oriental

O monasticismo cristão tem sua origem no Egito do século III. O mais célebre de seus primeiros protagonistas foi Antônio, que deixou Alexandria para refugiar-se no deserto, onde levou uma vida de ascetismo rigoroso, na solidão. Sua existência serviu de modelo graças à biografia feita por Atanásio, patriarca de Alexandria. Antônio fez rapidamente numerosos seguidores no Egito, enquanto sua experiência encontrava paralelos na Síria e na Palestina.

As primeiras gerações de cristãos acreditavam pertencer a uma elite revolucionária, ideia que os encorajava diante das perseguições oficiais e dos martírios. Mas, desde o primeiro período heroico, o sucesso do movimento religioso cujo desenvolvimento eles favoreciam transformou-se em fator de compromisso e de declínio do fervor. A expansão da comunidade cristã levou à ramificação do clero, que se dotou de uma estrutura complexa e hierárquica; a autoridade doutrinária e disciplinar concentrou-se então nas mãos dos bispos. Todas essas evoluções já estavam bem avançadas na época (312) da conversão capital do imperador Constantino ao cristianismo, que posteriormente ampliou o campo da tolerância oficial a fim de dar espaço a essa religião. O cristianismo tornou-se a fé majoritária em várias regiões do Oriente, e o Estado começou a intervir em seus assuntos, inclusive no que concernia à doutrina. Certas vozes denunciaram então a politização da Igreja e os compromissos que essa tendência acarretava. A reação de alguns dos mais fervorosos e mais profundamente engajados fiéis foi retirar-se. Tratava-se, doravante, de reacender a chama que havia animado a primeira geração de cristãos.

Certos temas dos novos escritos espirituais estabeleciam um elo com esse passado heroico. Um deles fazia dos monges os últimos sobreviventes de Israel. Um outro fazia do monge um mártir. O próprio Antônio voltou um dia a Alexandria durante uma onda de perseguições com a nítida esperança de ser suplicado. Ele fracassou e teve que retornar à amarga rotina do martírio no deserto. Quando Constantino tornou o cristianismo legítimo e não foi mais possível provar a fé pelo martírio, os autores monásticos sustentaram que os monges eram os autênticos herdeiros dos mártires. Chegaram até a opor o breve instante de glória na arena ao martírio mais virtuoso, porque mais difícil, que representava um sofrimento interminável, dia após dia, ano após ano, no deserto.

Outros escritos apresentavam ainda o mosteiro como uma cidade no deserto. Trata-se evidentemente de uma anticidade, fundada em oposição a quase tudo o que encarnara a *pólis* ou a *civitas*, entidade social essencial da Antiguidade.

Entre os conselhos espirituais recolhidos por João Cassiano durante sua viagem aos lugares de ascese na década de 390, figura o de "fugir das mulheres e dos bispos". No caso, as "mulheres" encarnavam a corrupção criminal, cujos exemplos eram dados pela sociedade da época. É mais surpreendente ver os homens santos aconselharem a fugir dos bispos. No entanto, Gregório de Nazianzo renunciou am 381 ao bispado de Constantinopla afirmando não ter compreendido antes que "nós, bispos, deveríamos rivalizar com os cônsules, os governadores e os generais... todos nos aclamam e nos deixam passar como se fôssemos animais ferozes". Por outro lado, algumas pessoas não viam diferença entre bispos e magistrados romanos, e atribuíam-lhes o essencial dos vários compromissos da Igreja com as grandes instituições sociais e políticas daquela época. Pode-se ver o monasticismo primitivo ao mesmo tempo como um movimento laico e um protesto contra a integração condescendente da Igreja nas estruturas dominantes da sociedade.

Os debates ocidentais

Cassiano foi apenas um dos inúmeros viajantes que passaram pelo Oriente e que em seguida divulgaram no Ocidente os ideais, as práticas e as experiências monásticas. Ele tivera alguns predecessores, entre os quais Jerônimo e Hilário de Poitiers. Alguns visitantes também chegaram do Oriente, como Atanásio, que foi a Roma, Milão e Trier nos anos 340. Textos espirituais começaram a estar disponíveis em tradução latina. Foi assim que a vida monástica implantou-se de múltiplas formas nas províncias ocidentais, começando pelo Norte da África, Itália, Gália e Espanha.

A organização da Igreja do Ocidente reproduziu exatamente os principais elementos da estrutura política imperial que a tinha precedido. A continuidade do pessoal e das instituições foi assegurada pela facilidade com a qual os membros da aristocracia senatorial engajaram-se no bispado, a religião não impedia que vivessem ou governassem quase como seus antepassados haviam feito. Esse tipo de homem considerava que era necessário controlar as impulsões ascéticas encarnadas pelos eremitas e monges, e sobretudo pelos mais carismáticos dentre eles. A Igreja do Ocidente era governada por bispos que exerciam uma autoridade espiritual e administrativa sobre todos os cristãos vivendo em suas áreas de jurisdição, que eram definidas com precisão. Quando acontecia de não conseguirem barrar o monasticismo, como no célebre caso de São Martinho, um monge carismático que se tornou bispo de Tours por volta de 370, os bispos manifestaram abertamente sua desaprovação e seu desgosto.

A Irlanda constitui uma interessante exceção a esse esquema. Ela foi o primeiro país situado fora do mundo romano cuja população adotou o cristianismo. São Patrício e os companheiros que partiram com ele em uma missão na Irlanda por volta de 430 conheciam bem os ideais ascéticos e os princípios de organização da vida monástica introduzidos na Gália a partir do Egito e de outros países do Mediterrâneo oriental. A estrutura administrativa episcopal da Igreja gaulesa também não era segredo para eles. Todos esses elementos modelaram a imagem da Igreja que levavam consigo. Conhecemos relativamente mal o decorrer da missão, mas sabemos que no final do século VI, no momento em que a existência da Igreja irlandesa é flagrante, essa Igreja era resolutamente monástica. Como o país não possuía a infraestrutura romana comum de cidades, portos, estradas, pontes e unidades geopolíticas de administração e jurisdição, a organização episcopal da Igreja continental foi incapaz de implantar-se. A unidade dominante da organização social irlandesa era o clã, e todos os grandes clãs possuíam um mosteiro de homens, alguns tinham até um destinado às mulheres. As funções de abade e abadessa eram colocadas diretamente sob controle da família. Só alguns monges tornavam-se padres e, entre eles, dentro de um dado mosteiro e, portanto, submisso à autoridade do abade, existia em geral um que exercia as funções de bispo.

Na mesma época existiam no continente, em todas as províncias romanas ocidentais, tanto para mulheres quanto para homens, comunidades monásticas que sofriam com as migrações germânicas. Essas comunidades eram governadas por diferentes regras monásticas, algumas importadas e traduzidas, outras de origem local. Entre estas últimas, citemos uma regra volumosa e rigorosa, corrente no sul da Itália Central. Essa "regra do Mestre" seria revisada por Bento de Núrsia nos anos 540. A "regra monástica" de Bento daí resultante é um modelo de legislação sucinta, racional e adaptável, essencialmente diferente de suas diversas fontes orientais por sua moderação em matéria de prática ascética. Mas, enquanto ele estava vivo e durante os dois séculos e meio que se seguiram, vários tipos de comunidade monástica continuaram a existir paralelamente, com uma grande diversidade de regras. No entanto, a reputação de Bento acabou estabelecendo-se e sua memória foi perpetuada graças ao papa Gregório I (590-604), que reuniu em uma biografia as informações sobre sua vida conhecidas pela tradição oral. Essa obra, que é essencialmente uma compilação de histórias miraculosas, conheceu uma vasta difusão.

O monasticismo foi, portanto, um movimento propagado no Ocidente, mas teve faces diferentes, implantou-se em lugares afastados e caracterizou-se, em termos sociais e com exceção da Irlanda, por uma natureza claramente marginal. Essas tendências começaram a inverter-se com o papa Gregório. Este afirmou que uma das principais questões políticas de sua época era a presença de povos germânicos em território romano. Alguns desses povos estavam superficialmente convertidos ao cristianismo e, quando muito, só mantinham elos tênues com a Igreja de Roma, enquanto outros, como os anglo-saxões que haviam ocupado a antiga província romana de Bretanha, ainda eram pagãos. Gregório decidiu enviar uma missão para a Inglaterra com o objetivo de converter esses pagãos ao cristianismo e confiou essa tarefa a um grupo de monges do mosteiro romano no qual vivera anteriormente. Esses monges que tinham "fugido do mundo" e jurado permanecer no mosteiro, foram enviados para longe de casa, para uma longa e perigosa missão. Embora essa tarefa possa parecer contrária à vocação monástica dos monges, alguns traços da vida monástica como disciplina, obediência, erudição religiosa e humildade tornavam-nos particularmente aptos a efetuá-la.

Essa missão inglesa foi um sucesso. Em menos de um século, todos os reinos anglo-saxões aderiram ao campo cristão de Roma. Os missionários permaneceram em estreito contato com sua base romana. Alguns deles e alguns de seus sucessores foram a Roma para obter relíquias e livros sagrados destinados a essa nova Igreja. Os mosteiros ingleses serviram primeiro de postos de comando ao processo de cristianização, antes de ocupar um lugar importante na paisagem, como as catedrais testemunham admiravelmente. Longe de serem hostis ao monasticismo, os bispos ingleses eram oriundos da tradição monástica e presidiam igrejas monásticas. No final do século VII, quando a primeira etapa da cristianização da Inglaterra estava quase acabada, alguns monges anglo-saxões usaram seus talentos de evangelizadores para servir populações que seus ancestrais tinham deixado para trás nos territórios germânicos. Uma "nova fronteira" abriu-se então para esses monges missionários que partiram para a Frísia, Saxônia, Turíngia, Hesse, Francônia, Alemanha e Baviera. Eles deixaram a Inglaterra para converter os germânicos, mas era a Roma que pediam conselhos e autorizações, e era em Roma também que iam procurar relíquias e textos. Essa ligação romana tinha uma tal importância para eles que renunciaram a seus nomes anglo-saxões, que julgavam soar de maneira deselegante, para adotar nomes romanos mais melodiosos. O mais célebre desses monges-missionários, Wynfrith, que preferia ser chamado de Bonifácio, desempenhou um papel capital reformando a Igreja franca em meados do século VIII. Ele, sobretudo, reuniu os bispos em sínodos e estabeleceu elos estreitos com Roma.

Durante esse tempo, a Igreja franca sofrera uma transformação radical vinda de uma fonte diferente – a Irlanda – e essa transformação, conjugada com os novos impulsos vindos da Inglaterra, permitiu que o monasticismo ocidental saísse de sua posição marginal. Por intermédio da hegemonia carolíngia, ele foi colocado no interior das estruturas dominantes da sociedade ocidental. Nos anos 590, na década em que o papa Gregório enviou um grupo de monges romanos para converter os anglo-saxões, o monge irlandês Colombano chegou a terra franca, onde a aristocracia galo-romana ainda dominava tanto a hierarquia episcopal quanto a elite monástica. Sem protetor para dirigir seus movimentos, sem itinerário preestabelecido, e portanto sem "missão" precisa, Colombano e seus companheiros transformaram a vida religiosa dos francos, que os acolheram calorosamente e lhes deram terras para fundar mosteiros. A mais importante de todas as fundações célticas no continente foi Luxeuil. Mas a influência duradoura de Colombano aparece também nos mosteiros que eminentes famílias francas fundaram em suas próprias terras. O fundador de cada mosteiro tornou-se habitualmente o primeiro abade – ou a primeira abadessa no caso de uma fundadora –, o que lhes valeu geralmente a canonização, enquanto a igreja monástica tornava-se o mausoléu familiar. Essas fundações de mosteiros não obrigavam a família a sacrificar um de seus membros à vida religiosa nem a alienar seu patrimônio em proveito de uma instituição exterior. Ao contrário, era antes a família que absorvia uma comunidade religiosa e que se dotava do poder da liturgia e da oração, ao qual se acrescentava o poder e o prestígio da santidade. A adaptação do monasticismo irlandês baseado no clã à estrutura da sociedade aristocrática franca produziu uma mistura única e original.

Esse novo monasticismo "irlando-franco", localizado em geral fora das antigas cidades romanas que, por sua vez, haviam se tornado centros da autoridade episcopal, desempenhou um papel importante na evangelização do campo. Ele também transformou a natureza do próprio bispado. Durante o século VII, onze monges de Luxeuil foram nomeados para sés episcopais francas. Não se contentando em apenas fundar novos mosteiros – cuja longa lista compreende Jumièges, Saint-Wandrille, Marmoutier, Jouarre, Corbie, Nivelles e muitos outros – e incentivar de diversas maneiras a nova espiritualidade monástica, o novo tipo de bispos modernizou estabelecimentos mais antigos como Saint-Martin de Tours, Saint-Germain de Auxerre, Saint-Médard de Soissons, Saint-Aignan de Orleans, Saint-Pierre-le-Vif de Sens e Saint-Denis, próximo a Paris.

A unificação carolíngia

O fortalecimento do principal papel social do monasticismo na Europa está diretamente ligado ao da dinastia Carolíngia. Os monges anglo-saxões e francos contribuíram imediatamente e de maneira essencial ao estabelecimento de uma nova fonte de legitimidade em 751, no momento em que Pepino apoderou-se da monarquia. Carlos Magno empregou monges para aconselhá-lo e para orar pelo sucesso de seus exércitos. A partir de então, os monges foram acessórios habituais da realeza cristã germânica. No âmbito da política real, Luís, o Piedoso, começou a impor uma uniformização da vida monástica e, em especial, a fazer da regra beneditina a única regra aplicada em todos os mosteiros. Apesar desse programa de uniformização, cada mosteiro continuava sendo uma entidade distinta. Os monges e as religiosas pertenciam à categoria social abstrata da ordem monástica, mas cada um entrava em um mosteiro particular, no interior do qual jurava permanecer.

O modelo monástico que surgiu no início da época carolíngia desenvolveu-se sem contestação durante mais de três séculos. Sua característica determinante era litúrgica. Sua primeira razão de existir era manter uma série regular e contínua de celebrações litúrgicas. A significação essencial que se dava à religião era ritual, e onde o ritual era celebrado com grande regularidade, a religião deveria prosperar. Considerava-se também que "mais" era "melhor", tendo em vista a escalada do número de salmos recitados. Bento deixara uma certa liberdade quanto à recitação dos salmos, contanto que todos os 150 salmos fossem cantados a cada semana. Contudo, nos costumes de Cluny compilados pelo monge Ulrico em torno de 1080, o número de salmos recitados cotidianamente era maior do que 150. O biógrafo do abade Odilon de Cluny notou que este sempre cantava os salmos corretamente e que, em seus sermões, sua primeira preocupação era repreender os monges que não o satisfaziam nesse ponto. Essa concepção da vida espiritual estava, aliás, tão difundida que vários bispos e cônegos imitaram-na, nos limites de suas obrigações pessoais. A organização da vida fora do santuário é igualmente reveladora, quando se consideram os rituais complexos que governavam atividades cotidianas como vestuário, higiene e refeições.

Através de sua inspiração, seus esquemas de pensamento e sua retórica, esse monasticismo litúrgico participava de uma cultura que devia muito ao Antigo Testamento. Os modelos dos deveres a cumprir e das prerrogativas concedidas aos religiosos figuravam nas instruções dadas aos levitas no livro dos Números. Mesmo possuindo um precedente imediato nas fórmulas do século VIII destinadas à unção dos padres no momento da ordenação, o fundamento da legitimidade inventada em proveito da dinastia carolíngia tinha, contudo, sua principal justificação nos modelos copiados do Antigo Testamento e em particular na unção de Saul e Davi por Samuel (1 Samuel 10,1; 6,13), assim como na imagem do padre-rei Melquisedec (Gênesis 14,18). De maneira análoga, os Carolíngios e seus sucessores, que financiaram a construção de igrejas, encontraram modelos estilísticos evidentes nos edifícios de Ravena e de Roma. Mais uma vez, procuraram uma justificação no Antigo Testamento, mais precisamente na descrição da construção do Templo de Salomão (1 Reis 5,7).

Esse modelo clássico de monasticismo solidamente implantado na sociedade, como o que era encarnado por Cluny, recrutava nas camadas mais elevadas da hierarquia social. As religiosas de Remiremont e os monges de Reichenau vangloriavam-se de ter entre eles somente indivíduos de alta extração. Os abades e as abadessas eram oriundos das maiores famílias — reais, contais, ducais e outras. Eles aproveitavam-se da proximidade dos poderosos para servir aos interesses de seus mosteiros, mas também para exercer uma certa influência sobre o modo de vida dos poderosos. A *Vida de Carlos Magno*, do monge Eginhardo, atenua os traços do guerreiro germânico que foi seu herói, para fazê-lo um governante mais piedoso, cultivado e não violento; talvez essa obra procurasse mais servir de guia aos futuros governantes do que narrar a história. A influência dos monges não podia ir além, mas eles continuaram definindo os critérios da conduta real e aristocrática ao redigir biografias, exortações e tratados de teologia política. A espiritualidade monástica de príncipes como Roberto, o Piedoso, Geraldo de Aurillac ou de Eduardo, o Confessor, não era um acaso. No mesmo sentido, quando o rei da França partiu em cruzada em 1147, não pareceu estranho confiar a regência ao abade de Saint-Denis.

Os monges e as religiosas eram indispensáveis à sociedade em razão de seu quase monopólio sobre a oração. A função religiosa era essencial na concepção da organização social então amplamente compartilhada. A começar pelo monge-missionário Bonifácio, alguns autores anglo-saxões e francos exprimiram seu ponto de vista sobre a composição da sociedade, sobre as funções exercidas por cada um de seus elementos e sobre as relações entre esses diferentes elementos. Suas ideias correspondem ao esquema indo-europeu revelado por Georges Dumézil e que define as funções fundamentais como oração, combate e trabalho. Em um sermão de 995, Aelfrico, monge anglo-saxão, caracterizava a função social incumbida às três ordens principais da seguinte maneira: "Os *laboratores* são os que, por seu trabalho, fornecem nossos meios de subsistência, os *oratores* os que intercedem por nós junto a Deus, e os *bellatores* os que protegem nossas cidades e defendem nossa terra contra os exércitos invasores". Apesar de divergências sobre alguns detalhes, todos os autores que abordaram esse assunto estão de acordo com o princípio de exclusividade das funções atribuídas a cada ordem. Combater era atributo dos *bellatores*, e a dependência voluntária na qual viviam os clérigos e os guerreiros prova que nenhum desses grupos desejava participar dos esforços dos *laboratores*. Seguindo a mesma lógica, orar para o conjunto da população era tarefa exclusiva dos *oratores*. Se a "religião" era uma atividade exercida pelos monges e só por eles, todos os outros membros da sociedade praticavam a religião por procuração.

Os monges não diziam preces somente para os vivos, mas também para os moribundos e os mortos. Os nomes dos defuntos por quem eles prometiam orar eram registrados nos chamados *libri vitae* (conforme as listas dos eleitos mencionadas em Apocalipse 3,5 e 17,8) ou *libri memoriales*. O obituário das religiosas cluniacenses de Marcigny-sur-Loire estabelece uma lista de 10 mil nomes, enquanto o de Reichenau contém o quádruplo. A lembrança das pessoas marcadas nessas listas devia ser evocada durante a missa, mas como, evidentemente, era impossível ler todos os nomes, o livro era colocado sobre o altar. Nesse complexo culto dos ancestrais, os principais intermediários encarregados de tentar salvar os defuntos eram os santos, enquanto os monges serviam como mediadores entre vivos e santos. Todo contato com o sagrado devia passar por eles.

Em retribuição a todos os serviços que prestavam, os monges beneficiavam-se da generosidade dos leigos. Homens querendo assegurar sua salvação doavam importantes superfícies de terra às comunidades monásticas. A constituição de patrimônios monásticos consideráveis é atestada pelos importantes cartulários que conservam vestígios disso, pela riqueza, prestígio e poder político paralelo ao papel de proprietário fundiário desempenhado pelo abade, pelas dimensões e esplendor das igrejas abaciais. Na época em que os monges-missionários haviam evangelizado os povos germânicos, esses especialistas da religião fizeram campanha entre seus ouvintes para incitá-los a renunciar aos costumes pagãos, e sobretudo a deixar de cobrir os mortos com ouro, prata e pedras preciosas, instrumentos e armas, objetos que supostamente os ajudariam na viagem ao Além. Em vez de desaparecer, esse hábito foi direcionado para as igrejas monásticas, onde os objetos preciosos foram reunidos, transformados em acessórios litúrgicos. As despesas ostentatórias deslocaram-se da tumba para o santuário. Quando se tratava de liturgia, nada era suntuoso demais, precioso demais, refinado demais. Individualmente, os monges não tinham direito de possuir nada, mas a riqueza coletiva não estava submetida a nenhuma restrição. Ao contrário, e paralelamente à coerência do ritual, a riqueza servia de indício da força e vitalidade da devoção religiosa. No século X, João de Salerno dizia que Saint-Martin de Tours era "um lugar pleno de virtude, notável por seus milagres, transbordante de riquezas, e superior a todos na prática da religião".

Entre o plano de construção de Saint-Gall no início da época carolíngia e a edificação, nos séculos XI e XII, de monumentos prodigiosos como Tewkesbury, Fleury, Silos e Pomposa, os elementos fundamentais da arquitetura monástica adquirem sua forma madura e acabada. O elemento central era, evidentemente, a igreja, quadro dos esplendores litúrgicos que, segundo a teologia monástica, deviam prefigurar os banquetes celestes.

Cada abadia possuía ainda um claustro, uma sala capitular, um dormitório, uma cozinha, um refeitório, uma enfermaria, alojamentos destinados aos visitantes etc. Os monges estiveram várias vezes na vanguarda das concepções arquitetônicas, mas também da evolução tecnológica, pois sua defesa da dignidade do trabalho manual fez deles, o que é significativo, a primeira elite social da história ocidental a manifestar interesse por técnicas destinadas a aliviar o trabalho. A escala grandiosa e a complexidade da administração dos domínios monásticos, e particularmente a arquitetura, são marcas evidentes do poder social; de fato, enquanto forma artística, a arquitetura depende mais do que todas as outras da proteção do poder estabelecido. Grupos marginais podem instigar e produzir expressões artísticas em vários campos, mas não podem mobilizar os recursos necessários à realização de arquiteturas monumentais.

É óbvio que o plano habitual de um mosteiro compreendia também uma biblioteca e um *scriptorium*. Nos primeiros séculos da vida monástica, o valor do saber e da instrução fora considerado com certa ambivalência, mas o monasticismo ocidental foi constantemente erudito, desde o instante em que Cassiodoro, no século VI, encarregou os monges de preservar o legado escrito – pagão e cristão – da Antiguidade. Os livros eram venerados como objetos sagrados e a obra de um copista considerada um ato espiritual. O monopólio monástico da oração era confirmado pelo monopólio anexo da instrução, monopólio exercido também pelas religiosas eruditas, a mais célebre das quais foi Hildegarda de Bingen. Assim, o monasticismo europeu desempenhou um papel capital entre os séculos VIII e XII em todos os grandes campos da atividade humana, política, econômica, artística e intelectual.

Críticas e reformas

Antes que essa forma grandiosa de vida monástica tivesse atingido seu apogeu, certas vozes manifestaram-se para criticar não só seus excessos, mas também seus princípios básicos. Assistiu-se então ao aparecimento de movimentos dissidentes. Estes tiveram origem no início do século XI no Norte da Itália, onde surgira uma economia de mercado e de comércio que alimentou por sua vez o desenvolvimento de uma cultura urbana inteiramente nova. Os primeiros críticos lançaram um movimento eremítico que se inspirava amplamente nos exemplos dos Pais do deserto egípcios. Todos os chefes desse movimento – Romualdo de Ravena, Pedro Damiano e João Gualberto – tinham frequentado pessoalmente alguns dos primeiros centros comerciais em atividade pouco tempo antes, assim como várias das grandes abadias tradicionais. Segundo Pedro Damiano, que incitou muitos homens a tornarem-se eremitas ou a adotar a vida monástica bem mais simples de Fonte Avellana ou de Camaldoli, o conhecimento do Evangelho e das ações e frases dos Pais do deserto era suficiente para quem quisesse levar uma existência religiosa. Ele considerava supérfluas as salmodias prolongadas, o badalar de sinos e as vestimentas e ornamentos deslumbrantes dos monges. No final do século XI, um movimento similar, cujas principais figuras foram Roberto de Arbrissel, Bernardo de Tiron e Estêvão de Muret, apareceu no oeste da França. O último desses três homens rejeitava a regra monástica de São Bento porque, como ensinava a seus adeptos, o Evangelho constitui a única regra apta a governar a vida religiosa. Respondendo à mesma inspiração que esses mestres, outros, por sua vez, procuraram restituir à ordem monástica sua condição antiga, primitiva, livre dos acréscimos recentes. Dentre esses homens, podemos citar Bruno de Colônia, fundador dos cartuxos, Norberto de Xanten, fundador dos premonstratenses, e Roberto de Molesme, fundador dos cistercienses, que pregavam uma adesão estrita à regra beneditina, pois "observamos muitas práticas que não se encontram nela, ao mesmo tempo que negligenciamos muitas de suas disposições". Esses grupos criaram organizações que transcendiam os conventos individuais, estabeleceram um controle centralizado, regras de organização e assembleias de abades. Em 1153, quando da morte do mais célebre cisterciense, Bernardo de Claraval, a Ordem Cisterciense contava 343 mosteiros. No final do século XII, eles eram mais de 500. Um movimento reformador análogo manifestou-se entre os cônegos, desejosos de abandonar os excessos dos costumes monásticos de sua época em proveito de um modelo mais austero, inspirado na vida de Jesus e dos apóstolos. Essa proliferação de novos movimentos religiosos não parou aí. Ela estendeu-se a diversas iniciativas laicas, oriundas com frequência de pregadores inspirados também por um modelo apostólico. Mas, na maioria dos casos, essas iniciativas foram marginalizadas pela hierarquia eclesiástica.

As Ordens Mendicantes

No início do século XIII, as ordens de frades mendicantes não sintetizaram apenas as principais evoluções da vida religiosa dos dois séculos precedentes. Elas foram bem mais longe. São Domingos era um cônego regular, cujo ministério levara-o a passar uma longa temporada entre os cátaros, no Languedoc. Suas experiências entre esses detratores da Igreja Romana bem como entre os fiéis, instigaram-no a ver na pregação a necessidade mais urgente de sua época. Pregação que devia se apoiar sobre uma formação teológica, ser apresentada na forma de um discurso racional e pronunciada por religiosos acima de qualquer suspeita, em particular no que concerne ao modelo apostólico de pobreza e humildade. São Francisco, ao contrário, era um leigo, cujos primeiros adeptos viviam como eremitas itinerantes, exercendo seu ministério e pedindo esmolas nas cidades durante o dia, passando a noite nas florestas ou nas grutas fora das cidades. São Francisco aplicou integralmente a ideia de Estêvão de Muret segundo a qual o Evangelho é a única regra necessária a uma vida religiosa; ele dava primazia ao ensinamento pelo exemplo do modo de vida apostólica de seus adeptos e dele próprio.

Alguns membros das ordens franciscana e dominicana eram oriundos das camadas que havia pouco começavam a dominar a sociedade urbana e que se tornaram o principal alvo do ministério pastoral dinâmico dos frades, fundado sobre a predicação e a penitência. Em menos de um século, os dominicanos possuíam quase setecentos conventos situados nas cidades de toda a Cristandade latina, enquanto os franciscanos possuíam o dobro. Além dessas duas, existiam outras ordens de frades mendicantes, entre as quais a de Nossa Senhora do Monte Carmelo, ou carmelitas, a ordem dos eremitas de Santo Agostinho, a ordem da Santa Cruz, ou Irmãos da Santa Cruz, e a ordem da Penitência de Jesus Cristo, chamados "Irmãos do saco". Eles eram tantos, que o II Concílio de Lyon interveio em 1274 para frear essa proliferação de ordens e tentar impedir o desenvolvimento das mais fracas.

O monge – ou monja – entrava em uma comunidade monástica particular; ele não aderia a uma ordem monástica em geral. O ideal monástico de estabilidade obrigava-o a permanecer nessa comunidade até o fim de sua vida. O monge ou a monja não podia possuir bens pessoais, mas a comunidade ou o mosteiro tinham riquezas. A comunidade era uma coletividade privada e independente, possuindo suas próprias dotações, constituídas, em geral, de terras. O essencial da atividade monástica situava-se longe de qualquer compromisso com assuntos profanos, inclusive tarefas pastorais. O ponto forte da espiritualidade monástica era a liturgia. O frade, ao contrário, entrava em uma ordem mais do que em um convento particular. Assim como os indivíduos que a compunham, a própria ordem não podia ter possessões. Nos primeiros tempos do movimento lançado por São Francisco de Assis, tal ideal era aparentemente acessível. Mas, assim que alguns frades aceitaram uma casa que lhes foi oferecida em Bolonha em 1219, eles transigiram. No entanto, essa aspiração continuou sendo o modelo absoluto das Ordens Mendicantes; ela se apoiava sobre a ficção jurídico-teológica segundo a qual tudo o que era dado aos frades tornava-se propriedade pontifical, os frades apenas podiam utilizá-la. A principal característica da espiritualidade mendicante era o apostolado ativo voltado para a população urbana laica. Ao contrário dos mosteiros, os conventos das Ordens Mendicantes estavam situados nas cidades; os frades passavam frequentemente de um convento a outro de sua ordem, em função das necessidades do ministério.

A igualdade relativa que as monjas haviam usufruído até o século XII foi quase destruída pelos novos movimentos, entre os quais as Ordens Mendicantes representavam o ponto culminante. A presença de mulheres nos claustros beneditinos não ameaçou nenhuma regra social durante o longo período decorrido entre o século VI – a época de São Bento – e o século XII. O mosteiro era uma espécie de reflexo do grande domínio rural aristocrático e, para muitas mulheres, a vida monástica não se diferenciava fundamentalmente da que teriam levado nesse tipo de domínio. Alguns desses domínios eram administrados por mulheres. E os mosteiros – de homens e de mulheres – deviam ser protegidos contra as incursões de estrangeiros inoportunos. As monjas não causavam problema à sociedade. No entanto, as mulheres não foram bem acolhidas pelos movimentos eremíticos e, após um primeiro período de tolerância relativa, elas acabaram sendo excluídas dos movimentos monásticos reformados. A verdadeira provação chegou com a fundação das Ordens Mendicantes. Os chefes dessas ordens e seus inspetores pontificais não autorizavam as mulheres a participar do que fazia a especificidade da espiritualidade dos frades, quer dizer, o apostolado urbano. Apesar de seu idealismo ser louvável, o espetáculo de mulheres da alta sociedade mendigando pão na esquina ultrapassava os limites do que essa ordem masculina estabelecida podia imaginar e tolerar. Logo, essas santas mulheres tiveram que se contentar em levar uma vida enclausurada do gênero monástico antigo. A vida intelectual seguia o modelo da vida espiritual. Enquanto as monjas desempenhavam plenamente seu papel na erudição monástica, a atividade intelectual dos frades não se passava nos conventos de suas ordens, mas nas escolas episcopais e nas universidades, território cujo acesso era estritamente proibido às mulheres. Diante de tal conjunção de fatos, pode-se compreender que nos séculos XIII e XIV o misticismo tenha se tornado a vocação espiritual feminina por excelência.

Em meados do século XIII, os frades, assim como seus conventos, tornaram-se parte da paisagem urbana: nas cidades de feira de regiões essencialmente rurais, nos centros comerciais cosmopolitas, nas cidades universitárias, em suma, nas aglomerações de todos os tipos. Essa colonização das cidades não foi feita pela simples propagação de um lugar para outro, seguindo o mapa, nem por nenhum outro acaso. De fato, os frades manifestaram uma compreensão da sociologia urbana que aparece bem na disseminação de seus estabelecimentos: eles tiveram tendência a se instalar primeiro no centro principal de uma nova região e, a partir daí, nos centros de dimensões imediatamente inferiores mas também importantes. Daí por que as diferentes ordens não se concentraram em regiões ou países particulares, elas se estabeleceram nas grandes cidades de todas as regiões, depois nos centros urbanos de menor importância, descendo progressivamente até o nível que constituía o limite último possível de sua expansão. Assim, os franciscanos, que tinham muito mais conventos que seus rivais, instalaram-se em todos os lugares onde os dominicanos estavam implantados, bem como em várias centenas de cidades de menor importância, inacessíveis aos dominicanos.

Nas cidades onde existiam várias ordens de frades, os conventos mendicantes estavam geralmente situados longe do centro, e longe uns dos outros. Esse esquema repete-se tanto que acabou inspirando a um especialista italiano do urbanismo, E. Guidoni, uma teoria engenhosa: se, sobre o mapa de uma cidade, ligarmos os conventos dos franciscanos aos dos dominicanos e, digamos, aos dos agostinhos, o ponto médio do triângulo resultante coincidirá com um importante monumento como a catedral, a praça principal, o mercado ou a prefeitura. Essa análise repousa sobre uma tripla realidade. Para ter espaço suficiente para construir um convento e uma igreja dando para uma vasta praça, os frades do século XIII tiveram que se deslocar em direção à periferia e, frequentemente, se instalar no exterior das muralhas que a maioria das cidades construíram durante a segunda parte do século XII. Por outro lado, e por evidentes razões de rivalidade, as ordens não gostavam de construir muito próximo uma das outras. Enfim, para facilitar as comunicações e permitir o acesso a um grande número de pessoas, elas construíam em geral perto das portas da cidade, que estavam, evidentemente, localizadas o mais longe possível umas das outras.

No entanto, os frades não se limitaram apenas a criar uma nova forma de vida religiosa, fizeram muito mais, incentivando uma nova espiritualidade laica. O resultado final, singular e paradoxal, foi que a religião deixou de ser privilégio exclusivo de uma elite, uma experiência que o resto da sociedade só podia viver por procuração. A partir do século XIII, os leigos foram convidados a confessar-se pelo menos uma vez por ano e, também, a comungar pelo menos uma vez por ano, na Páscoa. Foram incitados a orar e, para tanto, foram ensinados a recitar o Pai-Nosso. Os frades encontraram-se na primeira linha desse programa, tanto pelo ensinamento e santo ministério que asseguravam em proveito dos leigos, quanto pelo incentivo e apoio que deram ao clero secular nessas questões. Os vários manuais destinados aos pregadores e confessores provam que os frades mendicantes haviam se atribuído a tarefa de cuidar da formação dos padres. Com a mesma dedicação, eles organizaram confrarias piedosas laicas, que desempenhavam o papel de associações de ajuda mútua e asseguravam os mecanismos e as justificações que permitiam a ajuda caridosa aos pobres. A conclusão lógica do programa dos frades, que consistia em fazer os leigos participarem da vida espiritual, representava uma das ideias religiosas mais radicais daquela época: incitando leigos comuns a viver na religião, eles tendiam a tornar supérfluas as ordens religiosas e o clero.

Dissipação e posteridade

No início, a história dos frades brilhava com inovações e entusiasmo. As novas ordens atraíram, é certo, homens de talento como grandes nomes da vida universitária do século XIII, enquanto as comunidades monásticas não seduziam mais candidatos de valor. Graças às dotações substanciais, os mosteiros continuaram funcionando nos séculos XIV e XV, mas tratava-se então de instituições extremamente conservadoras, atrasadas em todos os campos de atividade, inclusive na espiritualidade.

No final do século XV, as críticas tornaram-se mais violentas, mas os monges pareciam incapazes de reagir, defendendo seu modo de vida ou transformando-o. Erasmo e outros humanistas cristãos multiplicaram os sarcasmos e zombaram dessa instituição, que parecia naquele momento desprovida de qualquer valor social ou espiritual suscetível de fazer perdoar seus defeitos. Pouco depois, os protestantes retomaram os mesmos temas e fizeram da abolição do monasticismo uma de suas prioridades absolutas. Após 1540, os jesuítas entraram nos países católicos sob a forma de uma corporação de elite de agentes pontificais; se algumas ordens subsistiram, foi necessário para tanto realizar reformas que admitiam a validade de certas críticas.

Desde o momento de sua introdução a partir do Oriente no século IV e até a Contrarreforma, a vida monástica ocupou um lugar de primeira importância no Ocidente medieval, uma importância desproporcional ao pequeno número de pessoas realmente envolvidas.

Paradoxalmente, os vestígios mais notáveis e mais duradouros do monasticismo manifestaram-se nos lugares onde ele havia sido inteiramente eliminado ou nunca havia antes existido: nos colégios universitários ingleses e americanos e nas seitas protestantes extremistas. A dívida universitária em relação à cultura monástica aparece claramente na disposição arquitetônica dos colégios e no complexo de edifícios que os compõem: a clausura com sua porta de entrada cuidadosamente vigiada, a massa imponente e a localização central da capela, o pátio interior evocando um claustro, a biblioteca, a sala comum, o refeitório e os dormitórios. O calendário anual terrivelmente complicado é uma sobrevivência menos tangível, mas importante, como o são a organização do tempo cotidiano que rege inteiramente a vida de todos os membros da comunidade, o papel central dado à devoção e ao estudo coletivos, as refeições em comum, a autoridade do mestre etc. No que concerne às seitas protestantes extremistas, Max Weber julgava que, em vez de desaparecer, a vida monástica tinha perdurado nas comunidades sectárias. Para ele, a comunidade protestante composta de homens, mulheres e crianças de uma única seita era a prolongação da comunidade monástica, ao mesmo tempo vestígio de Israel e cidade no deserto. Era um novo exemplo do objetivo eminentemente social que podia ter a marginalização voluntária; um novo exemplo da maneira como uma comunidade podia ser, como disse o governador John Winthrop a respeito da Baía do Massachusetts, citando as Escrituras (Mateus 5,14), "uma cidade situada sobre uma montanha".

LESTER K. LITTLE
Tradução de Eliana Magnani

Ver também

Igreja e papado – Memória – Ritos – Trabalho

Orientação bibliográfica

BITEL, Lisa. *Isle of the Saints*: Monastic Settlement and Christian Community in Early Ireland. Ithaca: Cornell University Press, 1990.

BRAUNFELS, Wolfgang. *Monasteries of Western Europe*: the Architecture of the Orders. Princeton: Princeton University Press, 1980.

FARMER, Sharon. *Communities of Saint Martin*: Legend and Ritual in Medieval Tours. Ithaca: Cornell University Press, 1991.

GUIDONI, Enrico. Città e Ordini Mendicanti: il ruolo dei conventi nella crescità e nella progettazione urbana del XIII e XIV secolo. *Quaderni Medievali*, Bari, n.4, p.69-106, 1977.

LE GOFF, Jacques. Ordres Mendiants et urbanization dans la France médiévale. *Annales ESC*, Paris, 1970. p.924-46.

LEMAÎTRE, Jean-Loup. *Mourir à Saint-Martial*: la commémoration des morts et les obituaires à Saint-Martial de Limoges du XIe au XIIIe siècle. Paris: De Boccard, 1989.

LHERMITE-LECLERCQ, Paulette. *Le Monachisme féminin dans la société de son temps*: le monastère de la Celle (XIe-début du XVIe siècle). Paris: Cujas, 1989.

MICCOLI, Giovanni. Os monges. In: LE GOFF, Jacques (ed.). *O homem medieval* [1989]. Tradução portuguesa. Lisboa: Presença, 1989. p.33-54.

PELLEGRINI, Luigi. *Insediamenti francescani nell'Italia del Duecento*. Roma: Laurentianum, 1984.

PRINZ, Friedrich. *Frühes Mönchtum im Frankenreich*. 2.ed. Munique: Oldenbourg, 1988.

ROSENWEIN, Barbara. *To Be The Neighbor of Saint Peter*: the Social Meaning of Cluny's Property, 909-1049. Ithaca: Cornell University Press, 1989.

WOLLASCH, Joachim. *Mönchtum des Mittelalters zwischen Kirche und Welt*. Munique: Fink, 1973.

Morte e mortos

Durante as últimas décadas, os historiadores da Idade Média interessaram-se de maneira empírica pelas produções culturais suscitadas pela morte: ritos funerais, formas do luto, concepções e crenças relativas ao Além. Esses trabalhos ficaram por muito tempo dependentes da obra pioneira de Philippe Ariès, que tinha procurado estabelecer uma verdadeira periodização das "atitudes do homem diante da morte".

A "morte domesticada" da Alta Idade Média, esperada e reconhecida, vivida serenamente, em público, considerada como uma espécie de sono prolongado, teria sido progressivamente substituída, a partir dos séculos XII e XIII, por uma visão mais dramática do falecimento: a morte foi, a partir de então, pensada como uma separação instantânea da alma e do corpo, seguida pelo julgamento imediato e particular de cada defunto. Por meio das ideias e dos ritos característicos do que Philippe Ariès chama a "morte de si", os homens conheceram então sua individualidade. Os estudos consagrados ao imaginário e às representações do Além, em particular o "nascimento do Purgatório", situado por Jacques Le Goff no final do século XII, tendem a confirmar tal mutação: a definição de um terceiro "lugar" do Além, implicando a avaliação da conduta de cada um desde o falecimento, é o sinal inegável de um processo de individualização. No final da Idade Média, a consciência da morte individual exacerba-se. O desenvolvimento das cerimônias funerárias, as imagens de corpos descarnados, as danças macabras, a obsessão da morte, outrora evocados por Johan Huizinga, são sintomáticos de um "amor arrebatado pela vida" (A. Tenenti), maltratado pelas epidemias e crises do outono da Idade Média.

Assim, a evolução das atitudes ocidentais diante da morte manifestaria uma lenta emergência do "indivíduo", cujo começo é situado ora entre os séculos XII e XIII, ora entre o período chamado medieval e o Renascimento. A ausência de reflexão sobre as configurações sociais nas quais a morte encontrou-se inserida, a imprecisão da noção e da ideia de um despertar da individualidade, a procura *a priori* da virada ou do corte cronológico, ou ainda a perspectiva evolucionista, o postulado da existência de um imaginário uniforme e vivido por todos, a confusão frequente entre as ideias (a antropologia cristã supõe, na perspectiva da salvação, uma certa ideia da pessoa, livre de seus atos e chamada a comparecer diante de seu Juiz) e as práticas sociais (a maneira como, em épocas e contextos diversos, os indivíduos consideraram sua relação com o grupo), e, enfim, a parcialidade dos testemunhos documentários (que, na maioria das vezes, só revelam o que a cultura dominante considerava ser falecimentos honrosos ou edificantes), constituem os pontos fracos da historiografia tradicional da morte.

De tanto se questionar sobre as rupturas, as diferenças – a oposição entre a ostentação funerária dos antigos e a ocultação contemporânea da morte tornou-se clássica –, perde-se de vista que a morte (como a iniciação ou a aliança) inscreve-se sempre no interior de redes de relações e de trocas hierarquizadas, de estruturas de autoridade e poder, de sistemas simbólicos cuja coerência e lógica convém reencontrar.

No Ocidente medieval, existe uma prática social estreitamente ligada à morte, mas que a ultrapassa amplamente e remete ao "todo" da sociedade, prática que o historiador sempre vê aparecer nos documentos: o costume de evocar, de comemorar os defuntos. "Quase se poderia dizer que ser comemorativa é uma característica de todas as fontes medievais" (J. Wollasch). A sobrevivência na memória, a manutenção da *fama*, são temas que datam da Antiguidade cristã, atestados na epigrafia funerária. Religião do Livro, o cristianismo não é também, por excelência, uma religião da comemoração: "Façam isto em minha memória..."?

As dimensões sociais da memória funerária foram reveladas por estudos alemães, seu papel na constituição de grupos sociais (comunidades eclesiásticas, grupos de parentela, confrarias, guildas) e a maneira como os ritos de comemoração dos mortos foram explorados por certas famílias aristocráticas poderosas e por instituições religiosas, particularmente as grandes abadias carolíngias e a igreja de Cluny. Mais recentemente, outros trabalhos sobre o desenvolvimento do culto dos santos (P. Brown), os elos entre vivos e defuntos durante a Alta Idade Média (P. J. Geary, C. Treffort), a maneira como esses elos eram geridos na época senhorial, em particular pelos monges (D. Iogna-Prat, M. Lauwers), sua transformação nos últimos séculos da Idade Média (J. Chiffoleau), a redação de relatos de fantasmas e de viagens ao Além (J. Cl. Schmitt, C. Carozzi), mostraram que, no Ocidente medieval, o tratamento dos defuntos constituía uma prática essencial para a reprodução social. A presença dos mortos entre os vivos e o culto dos ancestrais não são exclusivos das sociedades exóticas. Na Idade Média, os mortos foram uma referência, um desses "valores últimos" (L. Dumont) que se impõem às sociedades através do conjunto de relações que as constituem.

Mais do que *a morte* e os sentimentos e as atitudes que ela suscitou, são *os mortos*, os cuidados que recebiam, o lugar e o papel que lhes era reconhecido pelos vivos, que parecem constituir um objeto histórico pertinente para o medievalista. Nessa perspectiva, a morte como fato, o trespasse, só representa uma etapa, um momento em um sistema de relações complexas entre este mundo e o Além, entre os vivos e os defuntos. A noção de "rito de passagem" mostra-se, aliás, insuficiente para apreciar a maneira particular como os homens medievais consideravam a morte e cuidavam dos mortos. É também em termos de "rito de instituição" (P. Bourdieu) e de "intercâmbios", intercâmbios entre vivos e mortos, intercâmbios entre os vivos a propósito dos mortos, que é necessário compreender os costumes funerários típicos do Ocidente medieval, cuja principal função era preservar a lembrança, tecer os elos entre o mundo terreno e o Além.

A história do culto dos mortos no Ocidente medieval aparece como uma longa sequência de encontros, confrontos e compromissos entre vários modelos e diversas lógicas sociais. A instituição eclesial desempenhou nisto um papel essencial. Primeiro, ela transformou o tipo de relação entre vivos e mortos que havia dominado na Antiguidade, depois, nos séculos seguintes, procurou impor suas concepções e seus serviços à sociedade laica. Essa história é também a da lenta mutação de um mundo consuetudinário, no qual a referência aos ancestrais guiava a ação dos vivos, para uma sociedade de direito que as estratégias sociais da Igreja contribuíram a instituir ao fim de longos meandros.

O culto cristão dos mortos

Foi entre os séculos IV e V que a Igreja cristã definiu a natureza dos laços que os vivos deviam manter com os defuntos. O tratado "Dos cuidados devidos aos mortos", *De cura pro mortuis gerenda*, redigido em torno de 421-422 por Agostinho, representa, de certa forma, a carta funerária do Ocidente.

A grande particularidade do culto cristão dos mortos reside no forte contraste existente entre a doutrina da Igreja, estabelecida definitivamente a partir das propostas de Agostinho, e os costumes funerários que se desenvolveram e se transformaram ao longo dos séculos. Sobre a salvação das almas, a doutrina da Igreja limita-se a uma proposta: os sufrágios dos vivos podem ser úteis aos defuntos que mereceram se beneficiar deles. Ora, só existem três tipos de sufrágios, três maneiras de aliviar os mortos, impostas pela tradição eclesiástica na ausência quase completa de dados sobre esse assunto na Escritura: orar, celebrar a eucaristia, dar esmola por intenção dos mortos. Os usos funerários são práticas consuetudinárias (*consuetudines*) que variam com o tempo e de acordo com as regiões. Aos olhos dos cristãos, eles não podiam ajudar os defuntos em nada, pois não contribuíam a apagar seus pecados.

A Igreja manifestou uma certa tolerância diante de vários costumes: se não aliviam os mortos, os ritos funerários podem "consolar" os vivos. A presença tardia de objetos depositados dentro de tumbas cristãs atesta que, no Ocidente, a conversão ao cristianismo não foi acompanhada pelo abandono de todos os usos funerários antigos.

Uma tal dissociação entre a doutrina e a maioria dos ritos funerários, que parece ser uma especificidade do cristianismo medieval, permitiu ao culto dos mortos adaptar-se sempre às estruturas da sociedade, mesmo quando o fundamento doutrinal não se modificava mais e o conteúdo da liturgia funerária, expressão da doutrina da salvação, não evoluía. O mesmo ocorria com os discursos eclesiásticos sobre a morte: desde que os debates da Antiguidade tardia apaziguaram-se, parece que um tipo de vulgata acabou se impondo. Pais da Igreja, monges teólogos dos séculos XI e XII, pregadores do final da Idade Média, todos encararam o trespasse como sendo a liberação da alma, um novo nascimento, um acontecimento feliz na perspectiva da ressurreição. A única morte que convinha temer era a da alma, uma morte espiritual, tornando ineficaz qualquer intervenção dos vivos pelos defuntos. Ao mesmo tempo, a angústia diante da morte física e o medo do julgamento da alma foram explorados em uma perspectiva penitencial, ao passo que a descrição da morte corporal era a ocasião de denunciar as realidades terrenas, de suscitar o "desprezo do mundo", de provocar uma "conversão".

Outra particularidade do culto cristão dos mortos refere-se à hierarquia que foi introduzida entre os defuntos. Somente as sepulturas dos santos podiam ser veneradas pelos fiéis, e seus restos ser objeto de todos os tipos de manipulações rituais; descobertas, elevações, translações. Os fiéis oram pelos mortos, mas recomendam-se aos santos, evocam a memória dos santos a fim de obter a intercessão deles. No entanto, para a maioria, os ritos realizados sobre os corpos e as tumbas desses "mortos muito especiais" tiveram por consequência concreta suscitar entre vivos e defuntos um novo tipo de familiaridade e multiplicar os elos entre este mundo e o Além: assim, "a fronteira imemorial entre a cidade dos vivos e os mortos foi finalmente rompida" (P. Brown). Em busca da proteção dos corpos santos, muitos fiéis procuraram ser enterrados *ad sanctos*, perto das relíquias, em necrópoles situadas então em pleno campo ou ao longo das estradas que levam às cidades, depois, quando os corpos santos foram levados para o coração das zonas habitadas, os mortos, que sempre tinham sido enterrados a distância, seguiram-nos. A aproximação, depois a coincidência entre o espaço dos vivos e o dos defuntos, realizada antes do final do primeiro milênio, constitui uma das grandes mutações ocorridas durante a Idade Média.

Lógicas sociais

Durante muito tempo, duas maneiras de encarar as relações entre vivos e mortos parecem ter coexistido no Ocidente.

Segundo um modelo tradicional, que de certa forma já havia sido o da sociedade antiga, os vivos devem cuidar de seus defuntos, quer dizer, dos membros de sua parentela. Quando do falecimento de um dos seus, as famílias procuravam realizar a separação, acompanhar a "passagem". Muitos aspectos técnicos do procedimento de separação eram particularmente confiados às mulheres, que velavam os defuntos, lavavam e preparavam os corpos, extravasavam-se em lamentações durante os funerais. Através de celebrações regularmente repetidas, os próximos deviam em seguida acalmar as almas que não haviam encontrado repouso, pois estava difundida a crença de que os mortos podiam retornar para junto dos vivos e atormentá-los, principalmente quando o trespasse ou a conduta de seus parentes não os satisfaziam. Para a Igreja cristã, as aparições de mortos eram apenas sonhos e ilusões diabólicas. Contudo, os fantasmas não desapareceram do Ocidente. Nos países germânicos e escandinavos, "cristianizados" mais tarde, os textos legislativos previam medidas concretas visando evitar o retorno de certos defuntos, como os criminosos. As sagas da Alta Idade Média, mas também os romances arturianos dos séculos XII e XIII, evocam mortos que retornam para se vingar, para infligir punições, assim como para aconselhar, ensinar, dar presentes. Era necessário que os mortos encontrassem seu lugar. Os herdeiros deviam, em compensação, cultivar a lembrança daqueles de quem haviam recebido um nome e uma condição, bens e terras: tinham que administrar uma memória que foi ao mesmo tempo pacificada e fecunda. Assim, o culto dos mortos foi primeiro um assunto da parentela, que consolidava as solidariedades carnais.

A adoção de práticas cristãs – preces, missas e esmolas – tendia a substituir a lógica que dominava nos ritos consuetudinários. Os eclesiásticos propunham, com efeito, que a comunidade cristã se encarregasse dos mortos, ao lado, ou mesmo no lugar, das famílias. De forma ideal, a Igreja-mãe era suscetível de substituir os grupos de parentela. A eucaristia celebrada durante os funerais e nos aniversários de morte, a evocação de todos os defuntos em cada missa no *memento*, assim como a veneração desses mortos desligados dos elos carnais que eram os santos, contribuíram para "espiritualizar" o culto dos defuntos. Numerosos elos espirituais teceram-se também, primeiro no mundo irlandês e anglo-saxão, entre os indivíduos e comunidades desejosas de garantir os sufrágios dos vivos após a morte. Segundo o modelo cristão, os fiéis intercediam uns pelos outros, e todos os vivos, em comunhão, rezavam por todos os defuntos. Os "cuidados devidos aos mortos" contribuíam para modelar uma vasta comunidade espiritual.

Durante a Alta Idade Média, não houve nenhum confronto entre os dois modelos funerários. Ao longo de vários séculos, a Igreja não parece ter se dotado de meios concretos para cuidar dos defuntos, nem para impor seus modelos. Como não eram importantes na perspectiva da salvação, o funeral e o enterro dos fiéis continuaram por muito tempo sendo cerimônias familiares, que não implicavam necessariamente a presença de um padre.

A Igreja carolíngia e os mortos

Somente nos séculos VIII e IX, os eclesiásticos preocuparam-se mais com os defuntos. Os sínodos e os capitulares carolíngios começaram a denunciar com mais rigor as práticas funerárias julgadas "supersticiosas" e exigiram dos clérigos um melhor conhecimento dos ritos de preparação à morte. Relatos de visões e de viagens ao Além foram compostos, permitindo "cristianizar" as histórias tradicionais de contatos com o mundo dos mortos.

O culto cristão dos mortos adquiriu formas originais. Difundiu-se por todo o Ocidente o ofício dos defuntos — conjunto de orações e de textos da Escritura e dos Pais da Igreja —, recitado regularmente, às vezes cotidianamente, na maioria das comunidades eclesiásticas, nas diferentes horas litúrgicas do dia. A prática de missas "privativas", instituídas pela salvação de defuntos particulares, impôs-se em todos os lugares. As transformações da liturgia dos mortos parecem ligadas à evolução das práticas penitenciais, importadas para o continente pelos monges irlandeses. O princípio da penitência tarifária, que fixava as penitências de acordo com uma tarifa estabelecida em função dos tipos de pecado a expiar, e o da comutação das penas, que permitia substituir a penitência por fundações, missas, autorizaram a multiplicação de missas privativas ou "especiais" celebradas pela intenção dos defuntos, para acelerar a remissão de seus pecados.

A intercessão pelos mortos era, aos olhos dos eclesiásticos, a ocasião de realizar a comunhão de todos os cristãos, vivos e defuntos. Os cemitérios dariam uma imagem dessa comunidade espiritual que reunia os fiéis neste mundo e no Além, pois, ao contrário das necrópoles antigas que acolhiam todos os mortos sem distinção, os cemitérios medievais, consagrados e benzidos, submetidos à autoridade eclesiástica, foram progressivamente reservados só aos fiéis.

Mas, na época carolíngia, as abadias é que foram os lugares por excelência onde se constituiu a *memoria* funerária, onde os grupos monásticos realizavam concretamente a sociedade espiritual sonhada pelos autores cristãos. Baseadas sobre elos espirituais, essas comunidades perfeitas eram as designadas para possibilitar as relações entre vivos e defuntos definidas pelos eclesiásticos. Além disso, a gestão da memória dos mortos ia ao encontro de certas dimensões da espiritualidade monástica. O estado monástico era em si uma morte simbólica para o mundo, permitindo antecipar no Aqui a alegria eterna. Em suma, os religiosos ocupavam um lugar intermediário entre o mundo dos vivos e o dos mortos. Especialistas dos sufrágios pelos mortos, eles se viram encarregados de distribuir aos pobres as esmolas que os fundadores destinavam à remissão dos pecados.

Mais ou menos em meados do século VIII, as práticas de comemoração informais inauguradas pouco antes pelos monges irlandeses e anglo-saxões foram de certa maneira "institucionalizadas": foi então que se formaram as primeiras associações, reunindo bispos e abades, cujos membros comprometiam-se a, no momento da morte de um deles, celebrar a memória do defunto fazendo recitar saltérios e rezar missas "especiais" em sua intenção. As comunidades religiosas, pelo menos as mais importantes, trocavam entre si listas de nomes de seus membros e benfeitores, vivos e mortos misturados, que cada instituição registrava em seu "livro de vida", *liber vitae* ou *liber memorialis*.

O desenvolvimento da *memoria* funerária na época carolíngia é fruto do encontro entre as iniciativas pastorais da Igreja, a reforma do monasticismo e as exigências da política imperial. Os soberanos pediam em especial, aos estabelecimentos eclesiásticos fundados ou dotados por eles, preces por sua salvação e pela proteção do reino, assim como a celebração dos aniversários dos membros defuntos de sua parentela e de seus antecessores. As listas de mortos dos mosteiros reais ou "familiares" (*Eigenklöster*) refletem as redes de amizade e de aliança que constituíam o Império. A prece pelos defuntos fundamentava os elos que uniam os monges, os bispos, o imperador e toda a clientela de fiéis e de dependentes. Assim, a comemoração dos mortos modelava a Igreja e a sociedade imperiais. Mas, pouco depois, os poderosos laicos empenharam-se, como os soberanos, em aproveitar todos os benefícios que a comemoração dos mortos podia lhes trazer. Cada vez mais, os aristocratas também procuravam ser inumados no interior das igrejas, próximo dos altares e dos relicários, pois a sepultura privilegiada era garantia de prestígio social.

O tempo dos ancestrais

A despeito do crescente controle da Igreja sobre os modelos sociais e apesar das referências à ordem pública e ao direito romano que aparecem nos documentos escritos, as sociedades medievais, durante muito tempo, continuaram sendo sociedades consuetudinárias. O edifício carolíngio, na realidade, encobre comunidades regidas por regras de conduta não escritas, baseadas no uso, remetendo ao tempo dos ancestrais. As ações dos vivos deviam repousar sobre precedentes, a norma social era dada pelos ancestrais. Não é um acaso se, cerca do ano 1000, e às vezes antes, as igrejas e as aldeias fixaram-se nos lugares onde se sepultavam os mortos, em torno desses pontos de enraizamento e de concentração que eram os cemitérios, onde repousavam os ancestrais e formava-se a memória do grupo.

Em seguida, no campo e nas cidades, os terrenos dos mortos continuaram sendo lugares de refúgio, asilo, reunião, regozijo, lugares onde se fazia justiça, se concluíam acordos, onde estavam os mercados. A "anarquia" e a falta de cuidado aparentes dos cemitérios medievais, o anonimato que frequentemente reinava ali, a mistura dos corpos e a abertura das sepulturas não reflete nem negligência nem desinteresse, mas remetem a uma maneira particular de encarar as relações entre vivos e mortos. Os funerais e o luto eram assunto das famílias. Mas, logo que os ritos de separação terminassem e os defuntos tivessem alcançado o mundo dos ancestrais, a manutenção da comunidade ancestral, ultrapassando as solidariedades carnais, fundamentando a unidade do grupo, era tarefa de todos. A memória dos mortos tinha, assim, uma dimensão consuetudinária.

Vários usos consuetudinários parecem ter tido a função de colocar a comunidade dos vivos em contato com a dos mortos. Como as danças folclóricas que, em certas ocasiões, aconteciam nos cemitérios: tocando com os pés os restos dos defuntos, os dançarinos sem dúvida procuravam um contato físico com os ancestrais, ao mesmo tempo que se esforçavam por mantê-los no seu lugar (J.-Cl. Schmitt). Entre a sociedade dos vivos e a dos mortos, alguns indivíduos – como o *armier* na aldeia de Montaillou ou os *benandanti* do Friuli – serviam de intermediários, de forma um pouco semelhante aos xamãs de certas sociedades. Os mortos tinham, em especial, o poder de garantir a fertilidade.

Culto dos mortos e ordem senhorial

A sociedade senhorial dos séculos XI e XII deu origem a contatos e compromissos entre diferentes horizontes da memória dos mortos. Os senhores, potentados locais, chefes de castelos, reclamaram para si e seus parentes defuntos os favores litúrgicos das comunidades eclesiásticas. Clérigos e monges forneceram-lhes orações e os acolheram em seus cemitérios. Os estabelecimentos religiosos transformaram-se em verdadeiros conservatórios das memórias familiares. As práticas de comemoração haviam se desenvolvido e aperfeiçoado. Toda manhã, durante o ofício do capítulo, os irmãos recitavam os nomes dos clérigos e dos monges defuntos da comunidade e das casas associadas, assim como os dos benfeitores falecidos. Os nomes encontravam-se escritos em livros novos, de utilização mais cômoda: os obituários, listas organizadas de acordo com a ordem do calendário. Os eclesiásticos garantiam também serviços litúrgicos especiais para aqueles que, em troca de uma terra ou de rendas, haviam pedido que sua memória e a de seus "ancestrais" fossem celebradas.

Enquanto conseguia fazer das questões de aliança algo de sua competência e impor seu modelo matrimonial, a Igreja tornava-se também, pelo menos para a aristocracia, um intermediário obrigatório entre vivos e mortos. Os dois modelos funerários, laico e eclesiástico, cruzaram-se, as relações ligando os vivos a seus parentes defuntos foram assumidas e englobadas na comunidade espiritual forjada pelos clérigos. As parentelas laicas reconstituíam-se, é verdade, além da morte, mas nos cemitérios monásticos e depois de os senhores terem sido enterrados na *familiaritas* dos monges. Portanto, as comunidades religiosas construíam a memória dos mortos, mas também tinham o poder de desfazê-la, por meio do anátema, da exclusão dos necrológios e da recusa ao cemitério.

Para justificar o encargo dos ritos funerários e a constituição de necrópoles familiares dentro de seus estabelecimentos, os clérigos dos séculos XI e XII utilizaram bastante os trechos da Escritura relativos à sepultura dos Patriarcas (Gênesis). A partir do século XI, a Igreja passou igualmente a recolher e a compor numerosos relatos de fantasmas: quando seus sucessores não cumpriam suas obrigações, alguns defuntos voltavam a este mundo a fim de denunciá-los. Os defuntos trazidos à cena nos relatos monásticos atormentam os que queriam se desfazer de sua lembrança, vêm confirmar as doações feitas quando vivos às igrejas, exigem o respeito de suas últimas vontades. Assim, os clérigos da época senhorial utilizaram crenças e tradições com as quais o cristianismo da Antiguidade tardia havia rompido.

Além disso, os elos de fraternidade unindo as comunidades religiosas entre si estendiam e multiplicavam as redes de associação espiritual que cobriam o Ocidente. Imaginada pelos monges de Cluny, em torno de 1030, a instituição de um dia de comemoração especial para todos os fiéis defuntos, o 2 de novembro, constituiu uma etapa importante no longo processo de "espiritualização" do culto dos mortos. A instauração na Igreja de uma festa de todos os finados, anual, marca a vontade de uniformizar o calendário e a liturgia. Graças à nova festa, mais nenhum defunto escaparia, pelo menos na teoria, do controle da Igreja. A data da celebração, o dia seguinte à festa de Todos os Santos, 1º de novembro, simboliza a distinção realizada pela Igreja entre os santos e os defuntos comuns, ao mesmo tempo que a "comunhão" entre eles.

Uma espécie de contrato social, implícito, instaurou-se entre os senhores e os eclesiásticos. Dando às comunidades religiosas uma parte de suas possessões, os senhores garantiam a salvação de si e de sua parentela: graças à intervenção dos monges-padres, seus bens terrestres transformavam-se em bens celestes. Em seguida, fazendo cultivar a recordação de seus "ancestrais" e associando-se a eles, os doadores lembravam que estes lhes haviam legado o poder que exercem. Eles não tinham outra maneira de legitimar sua autoridade: transmitido no interior de famílias aristocráticas, o poder senhorial supunha que a memória dos ancestrais fosse conservada. A valorização da memória ancestral, a partir do ano 1000, foi talvez favorecida pelo novo papel dado pela aristocracia à "linhagem", à descendência paterna. Mas a invocação frequente dos "ancestrais", mencionados coletivamente, remetendo ao conjunto dos membros defuntos da parentela, parece ter participado sobretudo de um sistema de autoridade baseado no costume. Aliás, onde as estruturas de controle encontravam-se mais dependentes do direito, escrito, como em certas regiões mediterrâneas, a conservação da memória ancestral parece ter tido menor importância.

Uma parte dos dons legados às instituições religiosas era destinada aos pobres. Considerada a partir da época de Agostinho como uma das maneiras de aliviar os defuntos no Além, a prática da esmola tornara-se o motor de um sistema generalizado de trocas, mantido pelo culto dos defuntos.

Dessa forma, o culto dos mortos participava da reprodução dos poderes senhoriais, da redistribuição dos bens na sociedade, da manutenção de um certo equilíbrio entre as duas vertentes da classe dominante, laica e eclesiástica, e da proteção da paz social. Desde o final do século X, sob influência dos movimentos da "paz de Deus", o perímetro dos locais de inumação em volta das igrejas encontrava-se delimitado de maneira mais estrita, frequentemente balizado com cruzes e declarado inviolável. Protegidos e sagrados, os cemitérios foram os primeiros espaços isentos de violência.

Tal como foi garantida pelos eclesiásticos, a memória dos mortos constituía um sistema de vários níveis, com horizontes diversos. E é precisamente o encontro entre uma comemoração litúrgica hierarquizada, cada vez mais individualizada, e a memória laica, familiar e consuetudinária, que fez a originalidade do culto dos defuntos na época senhorial. No entanto, em uma sociedade na qual a autoridade encontra-se sob a proteção dos ancestrais, a referência a certos defuntos prestigiosos, emblemáticos – bispos, abades, príncipes e senhores –, representava um desvio em relação à concepção segundo a qual os ancestrais, anônimos, são a fonte e os fiadores do costume. Em suma, ao mesmo tempo que participa de um sistema social baseado no costume, a instituição eclesial preparava uma saída para fora desse sistema.

A descoberta da morte

Entre o final do século XII e o século XIII, as práticas funerárias e comemorativas elaboradas nas instituições religiosas foram adotadas pelos simples cavaleiros e pelos habitantes das cidades. Mas, ao difundir-se, os ritos que até então tinham servido para legitimar um sistema de dominação não podiam mais desempenhar exatamente o mesmo papel.

Ora, na mesma época, a Igreja controlava os fiéis como nunca havia feito antes. Para os eclesiásticos, as ocasiões de intervir no momento do trespasse, em meios sociais diversos, eram mais numerosas: a última confissão, a extrema-unção, mas também a redação de um testamento – prática cada vez mais frequente desde que reaparece no final do século XII –, supunham a presença de um padre junto ao leito dos moribundos. Por sua vez, utilizando novas técnicas de oratória, os pregadores disseminavam a doutrina da Igreja. A fim de incitar os vivos a orar pelos defuntos, os frades mendicantes, franciscanos e dominicanos, especialistas da palavra, recheavam seus sermões com relatos de fantasmas que pediam os sufrágios dos próximos, e, quando liberados de suas penas, retornavam para junto dos vivos a fim de agradecer as preces. No século XIII, as Ordens Mendicantes até desenvolveram um gênero particular: o sermão composto em memória de um defunto. Os autores de tais sermões, reunidos em coleções *de mortuis*, lembravam a necessidade de orar pelos mortos, exortavam os vivos a se preparar para o trespasse (a qualquer hora e lugar); também utilizavam esses sermões, adaptados aos diferentes "estados" da sociedade, para propor aos leitores-ouvintes modelos de comportamento conforme cada condição social.

Os elos privilegiados, complexos e duráveis, que uniam localmente as comunidades religiosas às famílias aristocráticas vizinhas foram progressivamente substituídos por uma espécie de mercado funerário. Enquanto as instituições encarregadas de interceder pelos defuntos diversificavam-se e multiplicavam-se, principalmente nas cidades, os legados pios, baseados no modelo das trocas monetárias, fragmentaram-se: preocupados com a salvação de si e de seus parentes, os burgueses do século XIII compravam sufrágios e missas "no varejo" de instituições variadas (comunidades religiosas tradicionais, igrejas catedrais, colegiadas, paróquias, conventos de mendicantes, hospitais, leprosarias, clausuras, beguinarias, confrarias...). Desde o século XIII nas cidades e um pouco mais tarde no campo, tornou-se necessário, com o crescente número de fundações, confeccionar compilações práticas de contabilidade, os obituários, nos quais os clérigos registravam a lista dos serviços funerários que deviam celebrar cotidianamente. Rapidamente, as Ordens Mendicantes impuseram-se como especialistas dos sufrágios pelos mortos. Implantados no coração das cidades, seus conventos tornaram-se locais privilegiados de inumação das elites urbanas. No entanto, a assistência funerária que propunham não era mais ligada a espaços bem definidos e circunscritos. Ao passo que a *memoria* funerária dos séculos XI e XII tivera como função ancorar os poderes locais, os pregadores itinerantes do século XIII cuidavam dos defuntos em qualquer lugar, inclusive nas estradas.

O mundo dos defuntos foi cada vez menos encarado de maneira coletiva; doravante, a preocupação com a salvação individual prevalecia sobre a vontade de preservar a memória ancestral. Colocando a questão do sujeito no centro dos debates, os autores do século XII tinham preparado o terreno para tais transformações: as reflexões dos teólogos sobre a penitência interior e a confissão dos pecados, a constituição de uma moral da intenção, a formação de um discurso polêmico contra os "heréticos" acusados de negar a eficácia dos sufrágios pelos defuntos, anteciparam as novas práticas. No século XIII, os vivos viram-se encarregados de liberar as almas de seus parentes, atormentadas em um Purgatório que os teólogos acabavam de definir como o terceiro lugar do Além. Os defuntos escapavam do anonimato, adquiriam uma feição própria. Os túmulos com representações jacentes, cujos primeiros exemplos haviam aparecido no século XI, generalizaram-se, respondendo à nova necessidade de afirmar a identidade.

A atenção dada pelos indivíduos à imagem, ao próprio corpo, manifestou-se de maneiras diferentes, às vezes contraditórias. Para alguns, os corpos tornaram-se instrumentos de devoção pessoal. Foi assim que a prática do desmembramento dos cadáveres tornou-se corrente: referentes sobretudo aos corpos santos e reais, ela foi adotada por vários nobres e certos dignitários da Igreja. Depois do trespasse, os despojos mortais eram divididos: as diversas partes do cadáver (cabeça, coração, entranhas, tronco e ossos) eram depositadas em diferentes santuários. A fragmentação dos corpos, que remete ao processo de "deslocamento" do culto dos defuntos, permitia multiplicar os intercessores. Mas, na mesma época, outras inquietações apareceram: preocupados, ao contrário, em preservar os corpos integralmente, em não desfigurar os defuntos, identificados à imagem física, muitos eclesiásticos opuseram-se ao despedaçamento dos cadáveres. Em 1299, o papa Bonifácio VIII proibiu o "horrível costume" da desmembração – o que não impediu alguns soberanos de obterem dispensas. A cúria romana e os meios cardinalícios manifestavam então grande interesse pelas experiências e teorias formuladas por Roger Bacon sobre a incorruptibilidade dos corpos e o "prolongamento da vida". No mundo aristocrático, difundiu-se o uso de embalsamar os restos mortais e de confeccionar efígies destinadas a substituí-los durante a cerimônia do funeral quando os corpos não podiam ser conservados em bom estado. A prática do embalsamamento e a utilização de efígies funerárias traduzem a preocupação diante da perda do corpo e o desaparecimento da forma individual.

O fim do costume

A transformação do culto dos defuntos que ocorreu a partir do século XIII reflete a desagregação do mundo consuetudinário. A renovação do direito, redescoberto pelos canonistas entre os séculos XII e XIII, o estabelecimento de instituições organizadas e de normas escritas, representaram o fim do antigo sistema de relações entre os vivos e os mortos. Em uma sociedade de direito, os mortos não ocupavam mais um lugar central. Os testamentos, que reapareceram em massa no Ocidente a partir do século XIII, constituíram um dos principais veículos dos novos usos. Reconhecendo uma certa autonomia aos indivíduos, autorizando-os a infringir o costume, a prática testamentária comprova que a sociedade repousava mais sobre as instituições baseadas no direito do que nas regras ancestrais.

A construção do Estado e a definição da soberania participaram desse movimento. No entanto, o conjunto de procedimentos simbólicos de legitimação do poder não desapareceu. Sob novas formas, o culto dos defuntos desempenhou um certo papel na gênese dos poderes modernos. No século XIII, na abadia de Saint-Denis, a necrópole dos reis da França foi completamente reformada. A nova disposição dos túmulos reais refletia a posição dos defuntos dentro de uma genealogia que remontava aos Carolíngios (e, acima deles, aos Merovíngios) e perpetuava-se até Luís IX. Pouco depois, Eduardo I, rei da Inglaterra, revelou e fez abrir a tumba do legendário rei Artur. De forma geral, nos últimos séculos da Idade Média, a memória dos mortos serviu para fabricar histórias dinásticas, laicas, destinadas a legitimar os poderes dos príncipes (J.-M. Moeglin).

Para significar que a *dignitas* do soberano não morria, distinguiu-se o corpo físico e individual dos príncipes e dos reis, destinado a desaparecer, e o corpo jurídico, institucional, que pertencia ao domínio público e nunca deveria perecer. O ritual do funeral elaborado a partir dos séculos XIII e XIV traduz essa dupla dimensão corporal. A efígie que encarnava o rei defunto até a elevação de seu sucessor simbolizava a perenidade da função. Assim, os corpos dos defuntos tornavam-se suportes de "ficções jurídicas". Ao contrário do rei, o papa só tinha um corpo; ao contrário do rei, que "nunca morre", o papa morria. Mas a Igreja era eterna. O ritual do funeral pontifical foi ocasião de realizar uma distinção entre a pessoa física do papa defunto, cuja corporeidade e fragilidade eram pela última vez colocadas em evidência, e a instituição do papado, perene, representada durante a vacância e o período de luto pelo colégio dos cardeais (A. Paravicini Bagliani).

Em uma sociedade baseada, a partir de então, em instituições de direito, o campo do religioso transformava-se. Por um lado, encolhia: a instância jurídica encarregava-se de instituições antes regidas pelo sagrado. Por outro lado, as comunidades eclesiásticas perderam o monopólio da oração pelos mortos. A "bifuncionalidade" social, segundo a qual os leigos eram convidados a dar esmolas enquanto os eclesiásticos rezavam pelos defuntos, foi questionada. Certos leigos, homens e mulheres, reunidos em confrarias e em grupos penitenciais, puseram-se a rezar pelos mortos do mesmo modo que os religiosos. Sucesso de uma pastoral, a difusão das práticas monásticas representava, em todo caso, uma certa diluição do ministério dos eclesiásticos. Igualmente, a fim de preservar um lugar e uma função na sociedade, a Igreja afirmou suas prerrogativas: ela distinguiu, mais profundamente do que havia feito na época gregoriana, o profano e o sagrado (este tendendo a se limitar ao que era efetivamente "consagrado" pelas autoridades religiosas), o temporal e o espiritual, o laico e o eclesiástico. Os "cuidados devidos aos mortos" eram colocados do lado do sagrado, do espiritual, e deviam depender do âmbito eclesiástico. Em outras palavras, as competências e os poderes da instituição eclesial recolocaram-se em um espaço mais limitado, porém ao mesmo tempo mais concentrado. Os pregadores atacaram principalmente os velórios que ocorriam nas casas particulares: desde o falecimento, os corpos dos defuntos deviam ser levados às igrejas para aí serem guardados até o funeral. Todos os estatutos sinodais começaram a proibir as atividades profanas, assembleias, julgamentos e feiras, que ocorriam nos cemitérios.

Os eclesiásticos distinguiram também os bons e os maus fantasmas. Depois de os ter identificado às almas presas no Purgatório, eles frequentemente diabolizaram os aparecimentos coletivos de mortos, as tropas de fantasmas, batizadas desde o século XII de Mesnada Hellequin. Também colocaram em marcha métodos de questionamento complexos, destinados a interrogar os defuntos que apareciam individualmente: tendo ao mesmo tempo características do exorcismo, do debate e da inquisição, tais procedimentos visavam domar, domesticar os mortos. Naquela época, o gênero literário da viagem da alma ao Além, que conhecera grande sucesso entre os séculos VII e XII, desapareceu: é que o Além, o mundo dos mortos, tornava-se inacessível para a maioria dos vivos.

A piedade flamejante

No final da Idade Média, as mutações estruturais começadas desde o século XIII precipitaram-se. Separando definitivamente os indivíduos das amarras ancestrais, as epidemias, o crescimento da mortandade e as crises dos séculos XIV e XV ampliaram um movimento começado pela urbanização e pelo êxodo rural. Muitos tinham deixado a terra de seus ancestrais e, na hora de morrer, não podiam mais se juntar a eles. Os vivos tinham resolutamente se afastado dos mortos: sozinhos e isolados, descobriram então a morte. Responderam a isso primeiro com pompas fúnebres flamejantes: teatralidade dos funerais, cortejos minuciosamente organizados, manifestação do luto vestimentar (J. Chiffoleau). As pesquisas sobre o passado familiar, as reconstituições genealógicas, os nomes dos antepassados que os florentinos, por exemplo, confiaram à escrita nos séculos XIV e XV, testemunham a preocupação de encontrar os ancestrais e transmitir esses conhecimentos aos descendentes. A obsessiva acumulação de missas pela salvação da alma pedida nos testamentos também reflete a confusão de populações desenraizadas e órfãs. A celebração repetitiva, quase ininterrupta, de missas pelos mortos tinha como única finalidade tecer novos elos, inumeráveis, com o Além, aproximar vivos e defuntos. Nas igrejas urbanas, o clero foi dobrado: ao lado dos curas e dos cônegos, proliferava um grupo de capelães cujo ofício consistia em celebrar missas pelos defuntos durante o dia todo. Os conventos de frades mendicantes tiraram proveito desse novo mercado da morte: uma parte essencial de suas rendas provinha dos serviços funerários que ofereciam nos conventos.

A mesma lógica de acumulação está presente na profusão de imagens figurativas de cenas de funerais e de sepultura que invadiram os livros de devoção pessoal. Os temas macabros, representações de corpos em decomposição e estátuas jacentes desencarnadas, destinadas a provocar medo, a incitar o arrependimento (como o faziam as numerosas "artes de morrer", amplamente difundidas a partir de meados do século XV), mostram também um novo pavor diante da perda da individualidade. Talvez representassem o protesto de uma sociedade diante da solidão e do abandono.

Ao mesmo tempo, formavam-se novos tipos de solidariedade: os grupos de penitentes, as confrarias laicas encarregadas de cuidar e orar pela salvação dos defuntos, multiplicaram-se. Temendo morrer sozinhos, sem se beneficiar de funerais decentes, os habitantes das cidades e vilas reuniam-se em associações de ajuda mútua.

As múltiplas funções exercidas, entre os séculos VIII e XII, pela memória dos vivos em favor dos defuntos, testemunham que certas realidades hoje bem distintas – a "religião", a "economia", a "política" – estavam então inextricavelmente ligadas umas às outras, e estruturadas por uma concepção totalizadora do sagrado. Até o século XII, o funcionamento da sociedade dependeu, de certo modo, dos "cuidados devidos aos mortos". Com frequência, a instituição de estruturas de controle foi precedida pelo estabelecimento de elos entre os vivos e os mortos; da mesma forma, os intercâmbios ligando os vivos entre si necessitaram frequentemente de um intercâmbio anterior entre estes últimos e os mortos. Mas, em seguida, se as práticas funerárias permaneceram durante muito tempo sinais de distinção, trunfos para o poder, o culto dos mortos perdeu progressivamente o papel estruturador que tivera. Embora parecesse preocupar-se mais do que nunca com os ancestrais e os mortos (caso se considere o "louco" crescimento das missas funerárias, a profusão de imagens macabras e os discursos sobre a morte), a sociedade afastava-se deles.

Abolição do culto dos santos e do Purgatório, desaparecimento dos sufrágios e das obras pelos defuntos, rompimento dos elos seculares mantidos com os ancestrais, abandonados ao seu destino: a Reforma Protestante marcou um claro rompimento com os ritos católicos. Mas, paradoxalmente, em certo sentido, ela completou as lentas transformações em marcha nos últimos séculos da Idade Média: a partir de então, os vivos e os defuntos pertenciam a mundos distintos, separados.

MICHEL LAUWERS
Tradução de Eliana Magnani

Ver também

Além – Clérigos e leigos – Corpo e alma – Indivíduo – Memória – Monges e religiosos – Parentesco – Ritos

Orientação bibliográfica

ALEXANDRE-BIDON, Danièle. *La Mort au Moyen Âge, XIIIe-XVIe siècle*. Paris: Hachette, 1998.

ARIÈS, Philippe. *O homem diante da morte* [1977]. Tradução brasileira. São Paulo: Editora Unesp, 2014.

BRAET, Herman; VERBEKE, Werner (eds.). *A morte na Idade Média* [1983]. Tradução brasileira. São Paulo: Edusp, 1996.

BROWN, Peter. *Le Culte des saints*: son essor et sa fonction dans la chrétienté latine [1981]. Tradução francesa por A. Rouselle. Paris: Cerf, 1984.

CAROZZI, Claude. *Le Voyage de l'âme dans l'au-delà d'après la littérature latine (Ve-XIIIe siècle)*. Roma: École Française de Rome, 1994.

CHIFFOLEAU, Jacques. *La Comptabilité de l'au-delà*: les hommes, la mort e la religion dans la région d'Avignon à la fin du Moyen Âge (vers 1320-vers 1480). Roma: École Française de Rome, 1980.

D'AVRAY, David. *Death and the Prince*: Memorial Preaching Before 1350. Oxford: Oxford University Press, 1994.

ERLANDE-BRANDENBURG, Alain. *Le Roi est mort*: étude sur le funérailles, les sépultures et les tombeaux des rois de France jusqu'à la fin du XIIIe siècle. Genebra: Droz, 1975.

FÉVRIER, Paul-Albert. La mort chrétienne. In: *SEGNI E RITI NELLA CHIESA ALTOMEDIEVALE OCCIDENTALE*. Atti della XXXIII Settimana di Studio del Centro Italiano sull'Alto Medioevo di Spoleto (11-17 avr. 1985). Spoleto: Centro Italiano di Studi sull'Alto Medioevo, 1987. p.881-942.

LA FIGURATION DES MORTS DANS L'OCCIDENT MÉDIÉVAL JUSQU'À LA FIN DU PREMIER QUART DU XIVe SIÈCLE. Actes du Colloque (Abbaye de Fontevraud, 26-29 mai 1988). Fontevraud: Centre Culturel de l'Ouest, 1989.

GEARY, Patrick J. Échanges et relations entre les vivants et les morts dans la société du haut Moyen Âge. *Droit et Cultures,* Paris, n.12, p.3-17, 1986.

IOGNA-PRAT, Dominique. Les morts dans la comptabilité céleste des Clunisiens de l'an mille. In: IOGNA-PRAT, Dominique; PICARD, Jean-Charles. *Religion et culture autour de l'an mille*: royaume capétien e lotharingie. Paris: Picard, 1990. p.55-69.

LAUWERS, Michel. *La Mémoire des ancêtres, le souci des morts*: morts, rites et société au Moyen Âge (diocese de Liège, XIe-XIIe siècle). Paris: Beauchesne, 1997.

LECOUTEUX, Claude. *Fantômes et revenants au Moyen Âge*. Paris: Payot, 1986.

LE GOFF, Jacques. *O nascimento do Purgatório* [1981]. Tradução portuguesa. Lisboa: Estampa, 1993.

LEMAÎTRE, Jean-Loup. *Mourir à Saint-Martial*: la commémoration des morts et les obituaires à Saint-Martial de Limoges du XIe au XIIIe siècle. Paris: Boccard, 1989.

MCLAUGHLIN, Megan. *Consorting with Saints*: Prayer for the Dead in Early Medieval France, Ithaca: Cornell University Press, 1994.

MITRE FERNANDEZ, Emilio. *La muerte vencida*: imagenes e historia en el Occidente medieval (1200-1348). Madri: Encuentro, 1988.

MOEGLIN, Jean-Marie. *Les Ancêtres du prince*: propagande politique et naissance d'une histoire nationale en Bavière au Moyen Âge (1180-1500). Genebra e Paris: Droz, 1985.

LA MORT AU MOYEN ÂGE. Colloque de l'Association des Historiens Médiévistes Français (Strasbourg, juin 1975). Estrasburgo, 1977.

OEXLE, Otto Gerhard. Memoria und Memorialüberlieferung im früheren Mittelalter. *Frühmittelalterliche Studien*, Münster, n.10, p.70-95, 1976.

PARAVICINI BAGLIANI, Agostino. *Le corps du pape* [1994]. Tradução francesa. Paris: Seuil, 1996.

PAXTON, Frederick S. *Christianizing Death*: the Creation of a Ritual Process in Early Medieval Europe. Ithaca: Cornell University Press, 1990.

PETRUCCI, Armando. *Le scritture ultime*: ideologia della morte e strategie dello scrivere nella tradizione occidentale. Turim: Einaudi, 1995.

PICARD, Jean-Charles. *Le Souvenir des évêques*: sépultures, listes épiscopales e culte des évêques en Italie du Nord des origines au Xe siècle. Roma : École Française de Rome, 1988.

REBILLARD, Éric. *"In hora mortis"*: évolution de la pastorale chrétienne de la mort aux IVe et Ve siècles dans l'Occident latin. Roma: École Française de Rome, 1994.

SCHMID, Karl; WOLLASCH, Joachim. Die Gemeinschaft des Lebenden und Verstorbenen in Zeugnissen des Mittelalters. *Frühmittelalterliche Studien*, Münster, n.I, p.365-405, 1967.

SCHMID, Karl; WOLLASCH, Joachim (eds.). *Memoria. Der geschichtliche Zeugniswert des liturgischen Gedenkens im Mittelalter*. Munique: Wilhelm Fink, 1984.

SCHMITT, Jean-Claude. *Os vivos e os mortos na sociedade medieval* [1994]. Tradução brasileira. São Paulo: Companhia das Letras, 1999.

TENENTI, Alberto. *Sens de la mort et amour de la vie* [1957]. Tradução francesa. Paris: Harmattan, 1983.

TREFFORT, Cécile. *L'Église carolingienne et la mort*: christianisme, rites funéraires et pratiques commémoratives. Lyon: Presses Universitaires de Lyon, 1996.

VOVELLE, Michel. *La Mort et l'Occident de 1300 à nos jours*. Paris: Gallimard, 1983.

WOLLASCH, Joachim. Les obituaires, témoins de la vie clunisienne. *Cahiers de Civilisation Médiévale*, Poitiers, n.22, p.139-71, 1979.

Natureza

Se entendemos por natureza uma concepção geral do mundo físico, é preciso inicialmente salientar a predominância, durante a Alta Idade Média latina, de uma concepção simbólica dela. Isso se explica duplamente. Por um lado, o naufrágio da cultura clássica e helenística permitiu que subsistissem apenas fragmentos da grande tradição científica antiga: tudo o que a cultura da Alta Idade Média conhece da ciência grega encontra-se no comentário, por Macróbio, do *Sonho de Scipião*, nas *Núpcias de Mercúrio e Filologia*, de Marciano Capela, e na tradução comentada da primeira parte do *Timeu*, por Calcídio, que, contudo, quase não circula antes do século XII. Mas, sobretudo, na patrística e no pensamento da Alta Idade Média, a contemplação da natureza herda e transforma certos temas da literatura helenística consagrados às "maravilhas" (*mirabilia*), bem como a transfiguração global da física em uma visão religiosa do cosmo: portanto, ela se destina essencialmente a apreender no mundo criado um sistema de símbolos, uma linguagem figurada de Deus, que recorda aos homens verdades de ordem ética e religiosa, segundo um estreito paralelismo com a Sagrada Escritura. Como recomenda Santo Agostinho, "que a página divina seja para você o livro que permite ouvir falar dessas coisas, e que a terra seja para você o livro que permite vê-las" (*Enarrationes in psalmos*, XLV, 7).

Natureza e símbolo

A exemplo da Escritura, a natureza constitui um livro "escrito pelo dedo de Deus", como disse Hugo de Saint-Victor em seu *De tribus diebus*. Ela é um texto de sentido próprio, e não de sentido figurado, um texto ao qual se aplicam os instrumentos apropriados à exegese bíblica: os significados da Bíblia são também os do "livro das criaturas", e o discurso "sobre a natureza" (*de natura rerum*) submete os seres criados a todas as transposições simbólicas, alegóricas, morais e tipológicas possíveis, porque, tomados no seu conjunto, eles constituem, segundo Pedro Damiano, um "símbolo sagrado [*sacramentum*] da inteligência espiritual" (*De naturis animalium*). Para Ricardo de Saint-Victor, "quer se interrogue a natureza, quer se consulte a Escritura, ambas expressam um único e mesmo sentido, de maneira equivalente e harmônica" (*Benjamin major*, V, 7).

Em *De universo* – texto fundamental para qualquer interpretação simbólica do mundo criado –, Rábano Mauro estabelece com grande precisão a analogia hermenêutica entre natureza e escrita, emprestando à exegese a tensão fundamental entre letra e espírito, história e alegoria. Ele retoma uma tradição tardo-antiga e patrística, já estabelecida no *Physiologus*, no *Hexameron*, de Ambrósio, no *Moralia in Job*, de Gregório Magno, e nos escritos de Isidoro de Sevilha. Essa tradição encontrará um exato equivalente nos bestiários e nos lapidários, bem como em obras de elevada espiritualidade como *De naturis animalium*, de Pedro Damiano: "Assim como Deus criou todas as coisas terrestres para uso dos homens, Ele teve igualmente o cuidado de moldar sadiamente o homem, com auxílio das mesmas forças naturais e dos mesmos impulsos incontroláveis que introduziu nos animais inferiores, para que o homem pudesse aprender com os próprios animais o que deve imitar, o que deve evitar, o que pode saudavelmente emprestar deles e o que deve corretamente desdenhar".

Essa perspectiva, na qual o cosmo se reveste de caráter sagrado, apoia-se em uma compreensão da natureza como expressão direta da vontade divina. Pode-se vê-la especialmente nas *Etimologias*, de Isidoro de Sevilha, e em *A Cidade de Deus*, de Santo Agostinho: "Como a vontade do Criador é a natureza de cada coisa criada", "a natureza [*natura rerum*] tem, ela mesma, sua própria natureza [*natura*], a saber, a vontade de Deus" (XXI, 8, 2). Agostinho ensina a ver, mesmo nos monstros, fenômenos e prodígios, sinais e "exemplos" (*exempla*) da pedagogia divina: nada é propriamente falado "contra a natureza", já que tudo depende da vontade do Criador, que manifesta, através desses sinais, "o que está destinado a acontecer" (XXI, 8, 5).

A natureza e os seres singulares são imagens de um desígnio divino: segundo Hugo de Saint-Victor, "as criaturas singulares são como imagens que não foram inventadas para o prazer humano, mas instituídas pela vontade divina para manifestar a invisível sabedoria de Deus" (*De tribus diebus*). O mundo criado é, portanto, objeto privilegiado de uma "inteligência" e de uma leitura que se realizam "conforme a alegoria espiritual", "segundo o símbolo místico", "de maneira profética". Nesse contexto, é o símbolo que constitui a realidade e que oferece dela uma interpretação autêntica. Compreende-se, então, o desabrochar desses animais que a mentalidade moderna julga fantásticos – fênix, sereias, "monstros" (*monstra*) –, mas que, para a mentalidade medieval, têm sua razão de ser na categoria de símbolos sagrados (*sacramenta*) e de sinais (*signa*) de uma ordem e de um desígnio divinos: não apenas "exemplos" (*exempla*) de verdades intemporais, mas "tipos", "imagens", ou seja, antecipações e prefigurações de momentos da história sagrada.

"A substância de todas as coisas sensíveis e inteligíveis nada mais é que a iluminação e a difusão da bondade divina" (*Comentários sobre a hierarquia celeste de São Dioniso, o Areopagita*, I, 2): eis como, no século IX, João Escoto Erígena, retomando certos ensinamentos fundamentais do Pseudo-Dioniso, faz muito logicamente do cosmo uma pura teofania divina.

Seria um erro restringir essa interpretação simbólica da natureza à esfera do imaginário; pelo contrário, estamos diante de um sistema coerente de interpretação da realidade e de uma forma de conhecimento que, obedecendo a uma lógica simbólica, encontra nas técnicas da tradição exegética os instrumentos adequados para atingir a verdade do discurso revelado por Deus na Criação. Como efetivamente sustenta João Escoto Erígena, "é de dupla maneira que a luz eterna se manifesta no mundo: através da Escritura, evidentemente, e através da Criação [*creaturam*]" (*Hom. in prol. Evang. sec. Johannem*).

As diferentes formas de conhecimento e interpretação simbólicos do universo medieval fazem reviver antiquíssimas tradições de origens diversas, que foram reunidas e codificadas pela literatura naturalista tardo-antiga nas compilações de *mirabilia*. Essas tradições foram transmitidas à Idade Média por textos característicos como a *História natural*, de Plínio, as *Collectanea rerum mirabilium*, de Solino, ou o *Physiologus*, codificados depois nas *Etimologias* e no *De natura rerum*, de Isidoro de Sevilha, estritamente de acordo com a exegese bíblica e com suas interpretações alegóricas e simbólicas — fontes inesgotáveis de todo o simbolismo medieval.

Instala-se, portanto, um cosmo cristão, cujo sentido e legítima interpretação residem na referência constante à esfera do sagrado. Esse cosmo manter-se-á um elemento essencial da cultura e da mentalidade medievais, sendo ainda objeto de teorizações exemplares em Saint-Victor e, depois, na tradição franciscana do século XIII: conforme escreve São Boaventura, o mundo sensível é uma "sombra", um "caminho", um "indício"; é por isso que "a leitura deste livro está reservada aos espíritos mais elevadamente contemplativos e não aos filósofos naturalistas, pois estes conhecem apenas a natureza em si e não a natureza como indício". Somente espíritos contemplativos podem passar do sensível ao inteligível, do mundo físico às suas significações, e "passar da sombra à luz [...], do indício à verdade, do livro à verdadeira ciência" (*Collationes in Hexameron*).

As bases greco-árabes da nova física

A Idade Média continua a viver no contexto de uma natureza que é tecida de símbolos e discurso divino figurado (bem cedo transposto para representações pictóricas e escultóricas). Mas a experiência da natureza conhecerá profunda transformação entre os séculos XII e XIII, em um novo contexto econômico e político: das zonas fronteiriças da Europa — oriundas sobretudo da Itália meridional e da Espanha — começam a afluir traduções de textos científicos e filosóficos gregos e árabes que, sem dificuldade, encontram acolhida nos novos meios escolásticos do século XII, impondo-se em seguida nas universidades. No espaço de aproximadamente um século, vê-se constituir uma biblioteca de textos até então desconhecidos de física, astronomia, medicina, alquimia e magia, permitindo descobrir a riqueza perdida da especulação aristotélica, helenística e árabe. Trata-se de textos que, produzidos antes da tradição religiosa cristã ou fora dela, propõem uma concepção do mundo e do homem, uma filosofia natural e uma metafísica estranhas à modesta enciclopédia das artes liberais conhecida pela Alta Idade Média. Nesse contexto racional, desponta uma ideia de natureza desligada de transposições e interpretações simbólicas, fora da esfera do sagrado, dotada de uma consistência ontológica própria e de uma habilidade causal ligada mais diretamente à vida cotidiana do homem. O sucesso imediato dos textos de medicina, astrologia e magia indica muito bem o campo de novos conhecimentos que de repente se abriu. É significativo que se tenha tomado consciência, desde a primeira metade do século XII, da radical importância dessa "ciência dos árabes que nasce quase inteiramente do *quadrivium*" (Daniel de Morley, *Philosophia*) e que vem satisfazer um velho "desejo insaciável de filosofar" (Hugo Sanctallensis).

A cultura europeia compreendeu imediatamente a profunda originalidade dessa descoberta da tradição filosófica grega e árabe: o homem é inserido em um sistema físico onde a natureza não mais se define por suas referências simbólicas, como linguagem de Deus, mas pelo fato de que foi criada por Deus segundo uma "lei" que funda e garante a própria natureza dos seres ("é essa lei que chamo 'natureza'", escreve Daniel de Morley) e que cada ser cumpre de maneira inviolável. Essa "natureza" define-se como uma "ordem", um "encadeamento" (*nexus*), uma "série" de "causas", um "laço" (*vinculum*) e uma "regra" do mundo, como objeto próprio de uma "razão natural" até então desconhecida. Com relação a isso, é exemplar a posição sustentada por Adelardo de Bath nas *Quaestiones naturales*. Pioneiro da nova cultura, tradutor dos *Elementos*, de Euclides, e do *Centiloquium*, do Pseudo-Ptolomeu, Adelardo recupera a "razão" aprendida com os "mestres árabes" para opor, ao estabelecimento da relação direta entre fenômenos naturais e vontade de Deus, uma busca precisa de causas: "Examine [as coisas] mais de perto, considere, além disso, as circunstâncias especiais, destaque as causas em vez de admirar os efeitos" (*Quaestiones naturales*, 6, 64).

"Eu não retiro nada de Deus", dirá Guilherme de Conches em sua *Philosophia*, polemizando ele também com a cultura teológica tradicional e propondo, de início, proceder sistematicamente a uma interpretação física e racional dos fenômenos e a uma busca das causas segundas, antes de recorrer a explicações sobrenaturais: "Quanto a nós, dizemos que em todas as coisas é preciso procurar a razão, se somente ela é passível de ser encontrada" (I, 45). Esse tema ainda estará presente na polêmica levantada por São Tomás de Aquino contra o ocasionalismo[1] dos teólogos árabes. É a prática dessa procura de causas físicas que estabelece uma nova dignidade do homem: Adelardo de Bath declara que "aquele que, nascido e criado no mundo, não se importa de conhecer a causa de beleza tão admirável, não é digno dela após a idade da razão e deveria, se possível, dela ser banido" (*Quaestiones naturales*, 4).

A assimilação da nova física a partir das fontes gregas desenvolve-se durante aproximadamente um século. Se a concepção aristotélico-ptolomaica global é definitivamente adotada no século XIII, o século XII vê predominar cosmologias influenciadas por hipóteses e textos platônicos, estoicos e herméticos. O *Timeu* conhece um sucesso crescente e exerce influência determinante no século XII, fornecendo os elementos fundamentais de uma cosmologia regida pela procura da "causa e razão" (*Timeu*, 29b) da ordem cósmica. Esta é garantida pela presença de um "fogo" (identificado à própria natureza em vários textos: "a natureza é o fogo do artista"), de um "espírito", ou de uma "alma do mundo" — princípios de vida e de ordem diversamente concebidos. De maneira muito significativa, a "natureza" torna-se instrumento do Criador: "instrumento do grande artífice [...] a natureza [é] como uma artesã auxiliar" (*artificiosa ministra*). Grande mediadora, dotada de inesgotável fecundidade (ou de uma "feliz fecundidade do meu ventre", segundo a expressão utilizada por *Nous*[2] para qualificar a natureza na *Cosmographia*, de Bernardo Silvestre), ela molda os seres singulares de acordo com paradigmas eternos.

---

1 Ocasionalismo: em filosofia, diz-se de "causas contingentes", que não consideram, nos objetos, ligação intrínseca entre o efeito e a causa. [N.T.]

2 *Nous* (palavra com a qual Platão designa no *Timeu* o demiurgo divino que produz o cosmo) é, na *Cosmographia*, a personificação da mente eterna de Deus, a quem a Natureza pede para aperfeiçoar o universo físico. É *Nous* que separa os quatro elementos, dá-lhes forma, molda a alma do mundo. [HFJ]

O que caracteriza e, de muitos pontos de vista, unifica as diversas cosmologias do século XII, conjugando a física do *Timeu* e as hipóteses da ciência árabe, é a afirmação da primazia dos céus sobre toda forma de geração e de corrupção: como escreveu Hugo Sanctallensis, "penso que entre os professores de filosofia está aceito e estabelecido que tudo o que neste mundo foi, a título de existência, criado [*quicquid in hoc mundo conditum subsistendi vice sortitum est*] possui um modelo não dessemelhante na esfera superior". E Daniel de Morley declara: "A verdadeira filosofia finalmente compreendeu que o mundo inferior está ligado ao mundo superior por certa necessidade", de modo que, "se não houvesse céu", não haveria movimentos no mundo que se encontra "sob a esfera da lua". "Pois tudo que se eleva hierarquicamente [*promotione succedit*] até a essência de sua espécie traz do céu — como de um deus de vida — as causas e a natureza de sua existência", segundo afirma com veemência Bernardo Silvestre. Daí o primado da astrologia, que se coloca como ciência dos princípios universais dos acontecimentos, à qual se deve reportar toda ciência particular: "Descobrimos que a ciência dos astros e das estrelas é mais nobre em gênero e mais eminente em dignidade que todos os saberes", escreve Daniel de Morley, falando dos "invencíveis argumentos dos árabes". Defendendo a "força" e a "eficácia" dos astros, ele celebra a "dignidade" e a "utilidade" da astrologia, ligando a ela um grupo preciso de ciências — medicina, agronomia, técnicas de previsão astrológica, práticas mágicas e alquímicas.

O retorno da astrologia acompanha o de outras ciências que amadureceram na época helenística e foram transmitidas pelos árabes. Essas ciências mostram uma realidade inteiramente organizada por forças vivas, que dialogam segundo a dinâmica das simpatias e antipatias e que oferecem ao sábio um espaço próprio, no qual tais forças possam ser manipuladas.

A partir do século XII, a nova física é cotejada com a Bíblia e termina por lhe condicionar a exegese, em nome de uma "razão" capaz de explicar, fora de qualquer referência simbólica, o relato genesíaco da Criação. Thierry de Chartres propõe uma exegese do livro do Gênesis "em termos físicos" (*secundum physicam*), abandonando claramente a "leitura alegórica e moral" (*De sex dierum operibus*): a exemplo de várias cosmologias da época, ele atribui à ação do calor e dos corpos celestes a formação da ordem cósmica e o nascimento dos seres vivos. Mais ousadamente, Guilherme de Conches chega a propor uma explicação para a formação dos corpos de Adão e Eva pela ação do movimento dos céus e do calor sobre a terra lamacenta: "Na verdade, não é de maneira literal que se deve acreditar que Deus tomou uma costela de Adão" (*Philosophia*, I, 42-3).

Contra a letra do texto bíblico, a nova física estabelece nova exegese, que provoca reação imediata nos meios teológicos tradicionais. "O físico e o filósofo filosofam fisicamente acerca de Deus": esta é a acusação levantada por Guilherme de Saint-Thierry contra Guilherme de Conches.

Os sinais de ruptura, suscitada na cultura e na espiritualidade medievais pela afirmação de uma física não simbólica e ligada à leitura de textos recentemente traduzidos, são comprovados ao longo do século XII e ainda no XIII. Por exemplo, diante da difusão das traduções de Aristóteles (particularmente dos seus "livros naturais") e dos comentadores árabes, a autoridade eclesiástica tentará proibir sua leitura nas universidades: percebe-se, na verdade, como diz claramente Gregório IX na sua carta à faculdade de Teologia de Paris (1228), que, sob impulso dos textos recentemente traduzidos, transgridem-se os limites fixados pela tradição patrística, "submetendo às exigências da filosofia natural a compreensão da página celeste".

Todavia, a força da nova cultura – e da revolução científica que ela implica – prevalecerá rapidamente sobre as interdições. "Os teólogos parisienses, o bispo e todos os sábios condenaram e excomungaram, há uns quarenta anos, os livros físicos e metafísicos de Aristóteles, hoje aceitos por todos em virtude da utilidade e da salubridade de seus ensinamentos": assim Roger Bacon registrará, no seu *Opus tertium*, uma radical modificação do clima cultural. De fato, durante o século XIII, não só as universidades adotam os textos de Aristóteles e de seus comentadores gregos e árabes, como também o mundo aristotélico-ptolomaico, com todas suas implicações metafísicas, torna-se o cosmo real no qual os homens continuarão a viver até o século XVII: o cosmo físico será aquele descrito por Aristóteles e pela ciência helênica, a natureza extrairá suas significações e suas leis da filosofia natural de Aristóteles. Quando a polêmica humanista e renascentista registra, no século XIII, uma profunda mudança na história da cultura

Natureza e espaço

Um mundo criado

A Criação do mundo e dos animais. *Bíblia*. Oxford, Bodleian Library. Manuscrito, século XII.

O homem microcosmo. Hildegarda de Bingen,
Liber operum divinorum. Luca, Biblioteca Statale, século XIII.

A Terra é toda rodeada de água. Beato de Liébana,
Comentário do Apocalipse. Paris, BnF, século XI.

Visão da Jerusalém celeste.
Hildegarda de Bingen, *Liber operum divinorum*. Luca, Biblioteca Statale, século XIII.

A cidade de Jerusalém, centro do mundo.
Aviso diretivo para efetuar a passagem de ultramar. Paris, BnF, século XV.

Ásia, Europa, África no mapa-múndi em
T de Isidoro de Sevilha.
Paris, BnF, século XI.

A previsão de um eclipse do Sol.
Imagens do mundo. Paris, BnF, século XIII.

O astrônomo e seu
astrolábio. *Saltério da rainha Branca de
Castela.* Paris, Biblioteca do Arsenal,
século XIII.

O domínio do espaço

O mar. A arca de Noé. Oxford, Bodleian Library, século XIV.

O mar: navios e galeras. *Tacuinum sanitatis.* Viena, Österreichische Nationalbibliothek, século XIV.

Gregório Magno, *Moralia in Job.* Dijon, Biblioteca Municipal, *c.* 1111.

O papel dos monges cistercienses nos desmatamentos. Gregório Magno, *Moralia in Job.* Dijon, Biblioteca Municipal, *c.* 1111.

A caça ao falcão. *Tapeçaria da rainha Mathilde.* Bayeux, *c.*1080.

A caça na floresta com cães. Pol de Limbourg, *Très riches heures du duc Jean de Berry*. Calendário: mês de dezembro. Chantilly, Museu Condé, século XV.

A natureza "estetizada": bosquezinhos, flores e pássaros. *Série de nobres pastorais. A dança*. Tapeçaria. Paris, Museu do Louvre, 1551.

A natureza domesticada: lavouras e cercados no castelo dos Lusignan. Pol de Limbourg, *Très riches heures du duc Jean de Berry*. Calendário: mês de março. Chantilly, Museu Condé, século XV.

latina, estreitamente ligada ao sucesso das obras aristotélicas, ela se mostra precisa na sua periodização.

Não convém esquecer que a filosofia natural de Aristóteles não comportava apenas uma física, com sua cosmologia, mas todas as ciências filosóficas relativas aos corpos móveis, fossem eles eternos e imutáveis (os céus) ou passíveis de geração e corrupção (em particular os seres vivos, cuja alma é princípio formal). Ela constituía um conjunto bastante compacto de ciências que justificavam os princípios da metafísica e propunham um novo sistema científico, dotado de instrumentos conceituais próprios, completamente estranhos à tradição patrística e à da Alta Idade Média. Ora, nas universidades, o ensino da Filosofia oferecido na faculdade de Artes estava inteiramente fundado na leitura dos textos de Aristóteles e de alguns de seus comentadores árabes (especialmente Averróis) e gregos (Temístio e Simplício). Desde então, não apenas a cultura dos artistas[3] se constituía a partir da filosofia de Aristóteles, identificada como *a* Filosofia, expressão da razão natural, mas ainda os teólogos, que deviam primeiramente passar pela faculdade de Artes, mantinham essa mesma cultura, pela qual ficavam profundamente marcados.

A hegemonia da filosofia natural de Aristóteles não impede a afirmação de outras cosmologias importantes, que, no entanto, não modificam a concepção aristotélica geral do mundo físico. Esta é exatamente a posição original do *De luce*, de Roberto Grosseteste, que, partindo de hipóteses neoplatônicas, identifica a luz como forma primeira e como princípio de atividade, de modo que toda a constituição do mundo físico pode ser explicada pelas leis de propagação da luz: uma vez criadas a matéria e a luz ("forma"), esta organiza e ordena aquela, seguindo os princípios e as leis da óptica e da "perspectiva". Essa posição permite estabelecer uma revalorização das matemáticas, apresentadas por Grosseteste como as únicas capazes de produzir a ciência e as demonstrações em sentido próprio, suscetíveis de serem verificadas pela experiência segundo o método da resolução e da composição. Roger Bacon segue a mesma linha no seu *Opus majus*, reco-

---

3 No original, *artiens*: em sentido restrito, "estudante das artes liberais", aquele que frequenta a faculdade de Artes. [N.T.]

nhecendo às matemáticas o estatuto de "ciência mais propriamente dita" (e primeira com relação a outras disciplinas filosóficas, que circulam no domínio do provável), enquanto capazes de demonstrações verdadeiras, que extraem sua validade da "experiência" e do "método experimental". A ênfase posta na ciência "experimental" conjuga-se, em Bacon, com uma defesa do "trabalho manual" (*industria manuum*) e com a exigência de ampliar o mundo dos conhecimentos científicos (da astrologia às ciências mágicas, fundadas em forças naturais e não demoníacas): é que essas formas de saber operatório condicionam não apenas o bem-estar de indivíduos e Estados, mas também o destino da Igreja e o triunfo da "república cristã" (*respublica christiana*).

Essa correlação estabelecida por Bacon entre as matemáticas e a experiência, associada a uma defesa das práticas astrológicas e mágicas, é significativa de uma experiência cultural complexa. Com efeito, na cultura helenística e árabe, outras formas de saber científico (que encontrarão novo vigor entre os séculos XIII e XIV) tinham se enxertado na concepção aristotélica do mundo. Em particular, a astrologia, fundada no axioma aristotélico da universal e essencial causalidade dos céus, desempenha papel hegemônico em relação a outras ciências — como o indicam Guido Bonatti e Pedro de Abano — em uma competição ambígua com a teologia. Mas, ao mesmo tempo que a astrologia, são igualmente valorizadas teorias e técnicas mágicas e alquímicas, nas quais é determinante, depois do século XII, a influência da literatura pseudo-hermética. Essas teorias e técnicas indicam maneiras de conhecer e de manipular a realidade física, inserindo-se no jogo de forças que atravessam o cosmo e se reúnem no homem, que seria o microcosmo. Este é capaz de realizar "operações maravilhosas" a cada vez que consegue perceber os laços que unem Céu e terra. Eis o que ensina o *Picatrix*, manual de magia traduzido do árabe ao espanhol na corte de Afonso, o Sábio, depois do espanhol ao latim e a várias línguas vulgares: "[O homem] inventa hábeis técnicas e suas astúcias [*magisteria subtilia et eorum subtilitates*], realiza milagres e imagens [*imagines*] maravilhosas, guarda [*retinet*] as formas das ciências [...]. E é Deus quem o faz compositor e inventor de suas sabedorias e de suas ciências, intérprete [*explanatorem*] de suas qualidades e receptor [*receptorem*] de todas as coisas do mundo".

Natureza e supranatureza na Baixa Idade Média

O naturalismo grego e árabe traz, para a cultura cristã medieval, problemas que estão longe de ser marginais. De fato, as estruturas essenciais do cosmo grego, que não conhece nem criação nem fim (escatologia), acabaram por se constituir no horizonte natural do homem europeu, estabelecendo uma nova concepção do espaço cósmico: este é esférico, finito e dividido entre uma região de quatro elementos (lugar de geração e corrupção) e uma região celeste, que se estende do céu da Lua ao céu das estrelas fixas e ao Primeiro Motor (lugar de movimento circular eterno e incorruptível, causa essencial de tudo o que se produz no mundo sublunar). Sem dúvida, é bem fácil do ângulo da descrição cosmológica, inserir no cosmo aristotélico-ptolomaico elementos heterogêneos herdados da vaga cosmológica exposta pela Bíblia, pela patrística e pela Alta Idade Média: as águas que estão acima do firmamento (Gênesis 1,6-7) tornam-se o cristalino ou o céu aquoso (identificado ao Primeiro Motor), ao qual os teólogos vão sobrepor o Empíreo, céu de pura luz e morada dos bem-aventurados, por oposição ao Inferno, situado no centro da Terra. Por outro lado, a centralidade do homem encontra-se exaltada pela conjunção do antropocentrismo bíblico e do geocentrismo aristotélico. Além disso, fazem-se coincidir os motores dos céus ora com certas hierarquias angélicas, ora com seres espirituais que se distinguem dessas hierarquias, embora permaneçam instrumentos da causalidade divina. É ainda dentro dos esquemas da cosmologia aristotélica que se procuram integrar outras realidades cristãs, como o Purgatório e o Paraíso terrestre. Todavia, vários problemas permanecem difíceis de resolver no contexto do concordismo[4] teológico assim instaurado. Ásperos conflitos surgem a propósito das doutrinas aristotélico--árabes mais naturalistas: eternidade do mundo, causalidade dos céus, alma unida à forma desprovida de imortalidade individual, ausência de destinos ultratemporais etc. Suscitam polêmicas e condenações, como as de Paris

---

[4] Concordismo: de "concordar". Sistema de exegese bíblica que visa a harmonizar dados da Bíblia com dados científicos. [N.T.]

em 1270 e 1277, que refutam em bloco o núcleo específico de doutrinas aristotélicas e árabes – físicas, em sua maioria.

Um ponto, sobretudo, caracteriza a física aristotélico-árabe e constitui o fundamento da nova ideia de natureza: a lei da causalidade dos céus sobre o mundo sublunar. É deles que depende a própria existência dos seres compostos pelos quatro elementos, assim como todo tipo de mudança. O corpo humano, com seus "temperamentos" e suas paixões, não escapa à causalidade deles. No universo cristão, os céus, tornados criaturas de Deus, conservam todo o poder, mesmo após a adoção da física aristotélica e árabe. Retomando as teses defendidas no século XII, mas com um conhecimento mais preciso da física e da metafísica de Aristóteles, a cultura do século XIII continua a fazer dos céus e das inteligências motoras instrumentos da ação de Deus. Nos céus (isto é, no "livro do universo"), Deus escreveu o que foi determinado "segundo a Providência [...] no livro da eternidade": eis o que afirma o célebre *Speculum astronomiae* (atribuído a Alberto Magno), defendendo técnicas astrológicas que permitem verificar que "Deus opera através do céu como se o fizesse por instrumentos" ("a guerra ou a paz, a fome ou a epidemia [...], a aparição de algum grande profeta ou de algum herege, o surgimento de um terrível cisma [...], segundo o que Deus altíssimo tiver desejado em sua providência").

Mas a doutrina da causalidade celeste universal não é teorizada apenas nos textos astrológicos, pois ela constitui, na verdade, o fundamento de toda a ciência da época. São Tomás de Aquino afirma que "nenhum sábio [*sapiens*] duvida que todos os movimentos naturais dos corpos inferiores sejam causados pelo movimento do corpo celeste" (*Responsio ad Magistrum Johannem de Vercellis de 43 articulis*), resumindo assim uma doutrina comum acerca da qual, segundo ele, santos e filósofos concordam entre si. Mas que espaço resta à liberdade humana, à responsabilidade, à graça? O tema retorna insistentemente às obras de filósofos e teólogos: sem dúvida, todos consideram que o corpo humano, em seus movimentos naturais e em suas paixões, está inteiramente submisso à causalidade celeste; tanto assim que, segundo São Tomás de Aquino, o ferreiro não poderia mover o braço, nem bater o ferro, se os céus se imobilizassem, pois deles dependem a existência e o movimento dos corpos. O mesmo acontece com a marcha da história, com as revoluções, com o nascimento e a decadência dos Estados, que incluem as massas e as multidões, entre as quais é frequentemente determinante o impulso das paixões: tudo depende dos céus, à exceção de um pequeno número de sábios, capazes de resistir às paixões por eles provocadas.

Teses ainda mais radicais circulam entre os sábios ligados à tradição aristotélica e à tradição astrológica árabe. De modo decisivo, eles começam por afirmar a existência de uma necessidade universal imposta pelos astros: segundo Siger de Brabante, "é preciso concordar com Aristóteles que tudo o que se produz de novo aqui embaixo, seja uma nova energia ou uma nova concepção ou outra coisa, retorna finalmente à esfera e ao movimento da esfera como à sua causa". É a essa tese que se liga, em seguida, o tema de uma "circulação" sempre idêntica da história. Encontram-se essas teses entre outras semelhantes condenadas pelo sílabo de 1277. Haverá, todavia, pensadores que irão mais longe e se oporão às condenações dos teólogos, afirmando explicitamente que até a escolha da fé religiosa depende dos céus: assim, o "doutor diabólico" Biagio Pelacani de Parma não hesita em escrever que "o homem deve ter o direito de seguir a seita [*sectam*] para a qual ele naturalmente se inclina, já que essa inclinação natural será causada por uma constelação". Certamente, sem acarretar consequências tão extremas, também a doutrina do horóscopo das religiões conhece ampla difusão na Idade Média, até Roger Bacon e Pedro de Ailly. Ora, utilizada para fins apologéticos, ela tende, de maneira ambígua, a absorver a teologia cristã da história no inflexível sistema legal de uma filosofia que sujeita aos céus a sucessão histórica das religiões, de seus ritos, seus símbolos e suas características doutrinais.

Tais são as consequências lógicas de um sistema científico do mundo, universalmente adotado, que tanto determina comportamentos na vida cotidiana quanto opções filosóficas precisas. Assim, graças à associação do "astrônomo" e do "experimentador", será possível aproveitar ocasiões favoráveis ou eliminar obstáculos na vida dos indivíduos e dos Estados, em períodos de paz ou em períodos de guerra, para curar doenças ou modificar os costumes dos povos: "De tal maneira", escreve Roger Bacon no seu *Opus tertium*, "que o homem seja inteiramente metamorfoseado do ponto de vista científico, do ponto de vista moral, do ponto de vista dos costumes e de todos os pontos de vista". Nesse mesmo patamar se inscrevem a teoria da "profecia natural" e a doutrina, mais precisa, que os averroístas sustentam. De acordo com a primeira, largamente difundida entre teólogos e filósofos, as inteligências motrizes dos céus podem transmitir ao homem um certo conhecimento de acontecimentos futuros. De acordo com a segunda, é possível atingir uma forma de conhecimento mais elevada – acima das condições sensíveis – através da união do intelecto humano e das inteligências divididas, até a felicidade suprema de uma união com Deus, que é o "primeiro agente".

Mesmo o pensamento mais especificamente teológico é modificado em profundidade pelos novos instrumentos conceituais impostos pelo aristotelismo. Com relação a isso, é significativo que a ideia de um "direito natural" como direito divino, revelado na Escritura, seja substituído pelo "direito natural" fundado na "natureza" (*natura*) e na "razão natural". A própria natureza do homem não é mais uma imagem que se quer semelhante a Deus, mas constitui-se segundo estruturas da filosofia aristotélica, com relação à qual todos os ensinamentos da tradição cristã finalmente se mostram como elementos exteriores e sobrepostos. A natureza do homem diante do pecado não é mais identificada – como em Agostinho – à sua "dignidade natural", pois a natureza humana, compreendida em sentido aristotélico, não comporta nada do que a tradição patrística havia atribuído aos primeiros homens. Não é casual que, durante o século XIII, a adoção cada vez mais sistemática do adjetivo "sobrenatural" ("sobrenatural" com relação à natureza aristotélica) seja paralela à identificação desse termo com o adjetivo "sobreposto". Toda a região do sagrado, da graça e da glória vem se superpor – frequentemente de maneira extrínseca – a uma natureza doravante constituída, na teologia predominante nas escolas, segundo categorias aristotélicas. Também não é surpreendente que, fora dos meios teológicos, entre os averroístas da faculdade de Artes, essa concepção aristotélica do homem leve a definir o ideal de uma felicidade natural: essa felicidade se adquire, na vida terrena, não pela ação de Deus, mas pela ação do homem e pelo exercício da filosofia (a "contemplação da verdade"), portanto sem referência à ordem da fé e da graça.

Modificações tão profundas quanto essas se produzem em outros domínios da teologia, inclusive na doutrina dos sacramentos, que, escapando ao âmbito do simbolismo da Alta Idade Média, começa a ser traduzida nos termos da física aristotélica – causalidade, forma e matéria, substância e acidentes.

Em várias ocasiões no decorrer dos séculos XIII e XIV, a especulação cristã vai novamente denunciar o caráter estritamente naturalista da filosofia aristotélica, refutando suas teses fundamentais. Mas se certas doutrinas são unanimemente combatidas entre os teólogos, outras continuam a oferecer assunto para controvérsia, a começar pela teoria da "matéria" e da "forma", da "potência" e do "ato", que são noções centrais na metafísica e na física de Aristóteles. São sobretudo os franciscanos que mantêm uma polêmica constante contra a utilização da filosofia no domínio da "doutrina sagrada": no século XIII, Boaventura é o protagonista de uma campanha de denúncia dos erros aos quais é levada uma razão abandonada a si mesma, não guiada pela Revelação, e revaloriza a interpretação simbólica como instrumento de uma autêntica "inteligência" do próprio mundo sensível. No entanto, mesmo em Boaventura e seus discípulos, a concepção geral de um mundo físico provido das leis prescritas por Aristóteles ocupa o quadro no qual se inscrevem os grandes temas cristãos, como o da escatologia. Ao mesmo tempo, quando no século XIV o occamismo expressa oposição mais radical à filosofia aristotélica em virtude de seu caráter intrínseca e estritamente naturalista, nem por isso se trata de uma nova concepção do mundo físico – que continua essencialmente aristotélico-ptolemaico –, mas de uma crítica radical do conceito de ciência e dos princípios lógicos e metafísicos pressupostos. Tendo o mundo das essências universais se tornado vão pela afirmação decisiva da individualidade de todo ser ("toda coisa singular é singular em si mesma"), o paraíso da metafísica aristotélica, com suas essências universais imutáveis, termina por dissipar-se e veem-se surgir formas de conhecimento ligadas à intuição direta do sensível. As discussões filosóficas integram igualmente o axioma teológico da "potência absoluta de Deus", dissolvendo toda forma de necessidade natural e todas as tentativas conciliadoras de instalar Aristóteles no campo da filosofia cristã. É a própria doutrina da "potência absoluta de Deus" que abre horizontes infinitos às técnicas lógicas empregadas no século XIV, com a finalidade de analisar todos os espaços do possível, limitados apenas pela não contradição, como é precisamente o caso da potência absoluta de Deus.

Se, todavia, os novos caminhos da especulação no século XIV esclarecem novas formas de saber – ou, pelo menos, impõem novas técnicas de análise lógica, colocando em crise os esquemas da ciência aristotélica –, eles não estão diretamente ligados à realidade, mesmo quando as discussões se fazem em torno dos problemas "do máximo e do mínimo", "da tensão e do afrouxamento das formas", "das proporções", "do movimento". O universo dos "sofismas calculatórios", dos "sofismas físicos" e das "consequências" não tem relação direta com o mundo real: pelo contrário, está especificamente fundado na ocupação dos espaços infinitos da "imaginação". A partir daí, se existe realmente a construção de todo um conjunto de hipóteses possíveis, estas jamais se destinam a ser verificadas ou a fornecer explicação de fenômenos naturais: o discurso dos calculadores, dos mertonianos (teólogos do colégio de Merton, em Oxford), formulado "segundo a imaginação", não tem incidência sobre o "curso da natureza", que está sujeita à "potência absoluta de Deus". A natureza – o mundo real – continua, portanto, a ser aquela definida pela filosofia aristotélica, e só a nova ciência, copernicana e galileana, cartesiana e atomista, a colocará definitivamente em crise no decorrer do século XVII.

Tullio Gregory
Tradução de Lênia Márcia Mongelli

Ver também

Animais – Centro/periferia – Flagelos – Mar – Medicina – Terra – Universidade – Universo

Orientação bibliográfica

AGRICOLTURA E MONDO RURALE IN OCCIDENTE NELL'ALTO MEDIOEVO (em particular Ch. Migonnet sobre as florestas). Spoleto: Centro Italiano di Studi sull'Alto Medioevo, 1986.

ALEXANDRE, Pierre. *Le Climat en Europe au Moyen Âge*: contribution à l'histoire des variations climatiques de 1000 à 1425, d'après les sources narratives de l'Europe occidentale. Paris: École des Hautes Études en Sciences Sociales, 1987.

L'AMBIENTE VEGETALE NELL'ALTO MEDIOEVO. Spoleto: Centro Italiano di Studi sull'Alto Medioevo, 1990.

ANDREOLLI, Bruno; MONTANARI, Massimo (eds.). *Il bosco nel Medioevo*. Bolonha: Clueb, 1988.

DÉLÉAGE, Jean-Paul. *Histoire de l'écologie*: une science de l'homme. Paris: Découverte, 1991.

DUHEM, Pierre. *Le Système du monde*. Paris: A. Hermann, 1915. t.III: *Histoire des doctrines cosmologiques de Platon à Copernic*.

LA FILOSOFIA DELLA NATURA NEL MEDIOEVO. Atti del Terzo Congresso Internazionale di Filosofia Medioevale (Passo della Mendola, 1964). Milão: Vita e Pensiero, 1966.

FUMAGALLI, Vito. *Paesaggi della paura: vita e natura nel Medioevo*. Bolonha: Il Mulino, 1994.

_____. *L'uomo e l'ambiente nel Medioevo*. Bari: Laterza, 1992.

GREGORY, Tullio (ed.). Il teatro della natura. The Theatre of Nature. *Micrologus*, Florença, n.4, 1996.

_____. *Mundana Sapientia*: forme di conoscenza nella cultura medievale. Roma: Edizioni di Storia e Letteratura, 1992.

MILIEUX NATURELS, ESPACES SOCIAUX. Études offertes à Robert Delort. Paris: Publications de la Sorbonne, 1997.

PEARSALL, Derek Albert; SALTER, Elizabeth. *Landscapes and Seasons of the Medieval World*. Londres: Paul Elek, 1973.

STEMMLER, Theo (ed.). *Natur und Lyrik:* 4 Kolloquium der Forschungsstelle für Europäische Lyrik des Mittelalters. Tübingen: Narr, 1991.

STOCK, Brian. *Myth and Science in the Twelfth Century: a Study of Bernard Silvester*. Princeton: Princeton University Press, 1972.

THODE, Henry. *Franz von Assisi um die Anfänge der Kunst der Renaissance in Italien* [1885]. Berlim: G. Grote, 1926.

THOMAS, Keith. *O homem e o mundo natural*: mudanças de atitude em relação às plantas e aos animais, 1500-1800. Tradução brasileira. São Paulo: Companhia das Letras, 1988.

THORNDIKE, Lynn. *A History of Magic and Experimental Science during the First Thirteen Centuries of our Era*. Nova York: Macmillan, 1929. v.II.

Nobreza

A nobreza (e a cavalaria, associada a ela) constituiu, aproximadamente a partir da década de 1950, um dos temas favoritos dos medievalistas. Como frequentemente acontece nessa disciplina, o tema revelou-se cada vez mais complexo do ponto de vista da problemática, da metodologia e da historiografia. O questionário, ponto de partida e guia de qualquer pesquisa, enriqueceu-se sem parar; vários aspectos que não haviam sido observados chamaram a atenção; por exemplo, as relações entre a classe superior da sociedade e o saber, a universidade, a carreira. As fontes multiplicaram-se, diversificaram-se e a crítica a elas foi feita de maneira mais rigorosa; há meio século, não se imaginava resgatar os "túmulos privilegiados", acreditava-se impossível explorar os *libri memoriales* (manuscritos em que são registrados em particular os nomes das pessoas ligadas a uma comunidade religiosa cuja lembrança quer se perpetuar); não se preocupava com a *Form-e* em seguida com a *Gattungsgeschichte*, quer dizer, com a tipologia das fontes documentárias; ainda não se utilizava o computador para certas pesquisas enfadonhas. Atualmente, o assunto é abordado em numerosos e variados trabalhos, seja de maneira aprofundada nos estudos especializados, seja incidentemente ou subsidiariamente a respeito das origens de um principado, das estruturas econômicas de uma região, das vicissitudes de uma cidade etc. Nessas condições, será necessário contentar-se aqui em oferecer um panorama rápido. Praticamente, limitar-se-á em distinguir grandes zonas e grandes etapas: o Sul e o Norte, o mundo mediterrâneo e o mundo germânico; a Alta Idade Média e os séculos seguintes ao XV, períodos que os alemães chamam comodamente de *Frühmittelalter* e *hohes und spätes Mittelalter*.

Origens

O primeiro problema é o das origens: número e diversidade dos fatores, obrigação de discriminar os que vêm do passado e os que encobrem ou desviam essa herança; para épocas recuadas, pobreza, ambiguidade e lacunas da documentação que, apesar de suas fraquezas, ajuda a esclarecer as estruturas da sociedade nascente do Ocidente.

Essa sociedade é dominada por uma classe superior. Vários substantivos e epítetos designam-na: *optimates, proceres, potentes, majores, illuster, nobilis*, com comparativos e superlativos (*nobiliores, nobilissimi*) reveladores de camadas dentro do grupo, de *altitudines*, dirá no século X o hagiógrafo da *Vita Wicberti Gemblacensis*. A riqueza do vocabulário traduz os elementos que fundamentam a classe e sua superioridade.

Em um trecho de suas *Praeloquia*, Rathier de Lobbes coloca em cena "um nobre desprovido de quase tudo, que, se os possuíra um dia, perdera poder e dignidade, quase desdenhado de tudo o que exige cobiça e nobreza". A riqueza é postulada; ela sempre o será (a Espanha da Baixa Idade Média falará de *ricos hombres*). Ela permite em particular observar código e modo de vida que distinguem do comum, especialmente o fato de ser generoso. Mas ela não é indispensável.

Potentia et dignitate (*si quam forte adeptus est*), prossegue Rathier. Exercício do poder ou participação nele, seja profano ou religioso: político, militar, judiciário, episcopal, abacial. Nisso está, sem dúvida, um meio seguro e eficaz de dominar, de se impor, de sobressair. Mas, como a fortuna, isto não concede a *nobilitas*.

Poder e dinheiro engendram e mantêm uma mentalidade e um comportamento. Um nobre não deve ser sovina. Ele quer escapar de todos os tipos de controle que submetem e limitam os outros homens. Casa-se na sua classe. Traço particularmente significativo, ele não se mistura com a massa dos fiéis. Nem na vida nem na morte. É o chefe da paróquia, assiste aos ofícios na sua capela junto com os seus ou se isola no coro da igreja. É enterrado no seu domínio, em um setor reservado do cemitério ou em um *cimiterium nobilium*. E quando as estruturas eclesiásticas forem definidas e erguidas, o decano da Cristandade realizará seu funeral. Mas pode acontecer de ele ser "expulso do pequeno grupo dos nobres".

Decididamente, os textos só conhecem um elemento permanente e consubstancial ao grupo: o sangue. Desde a Alta Idade Média, a cantilena é a mesma: *genere nobilis, nobilibus ortus parentibus*. Nasce-se *ingenuus*, "nobre de sangue".

Mas o que o nascimento transmite? Consideração social ou um estatuto jurídico? Ele perpetua uma aristocracia ou uma nobreza, quer dizer, um clã dotado de privilégios hereditários? Há um século a questão divide os medievalistas. Para uns, em particular os franceses que seguem P. Guilhiermoz, sobretudo depois de Marc Bloch, assim como para a maioria dos especialistas dos países mediterrâneos, "a nobreza é desconhecida" antes do ano 1000. Para a maioria dos eruditos das regiões do Norte, uma verdadeira nobreza existiu desde as origens da Idade Média ou constituiu-se durante o período franco a partir de uma camada superior da sociedade que se transformou progressivamente em nobreza de sangue. Os documentos falam tão claramente que Marc Bloch aceitou que "é plenamente lícito desde esse momento [antes de 1000], fazendo uma ligeira (!) simplificação da terminologia, falar de uma classe social nobre e, sobretudo, talvez de um gênero de vida nobre". Mais recentemente, George Duby defendeu, ao contrário de Guilhiermoz e muitos outros, que a nobreza não saíra da cavalaria.

Esse dilema social ou jurídico provoca um segundo, a respeito dos componentes da *nobilitas* e de seu berço: Roma ou Germânia? Para o Sul precoce e profundamente romanizado, pensa-se em uma herança da Antiguidade clássica. Tantas coisas ali sobreviveram depois das "grandes invasões", especialmente nos conceitos e nas instituições: noção de Estado, de autoridade pública, de cidadão, princípio baseado no nascimento, no exercício de altos cargos oficiais e na concessão do soberano. Nesses campos como em muitos outros, os pesquisadores reservam o melhor lugar a Roma. Mas essa visão vale para a Germânia e para as terras que conquistou? Deve-se ousar responder negativamente. A nobreza definiu-se aqui pelo gozo da *libertas*, quer dizer, naqueles tempos e lugares, a independência em relação a toda pessoa privada, a faculdade de dispor de si e de seus bens, a capacidade de julgar, verossimilmente apoiada na posse do *ban*, o direito de comandar, proibir, punir, procedente do nascimento e da propriedade de um alódio. No entanto, o contraste não é total. Desde o século VI, e mesmo mais cedo, as aristocracias das duas sociedades aproximaram-se, e os elementos que constituem a *nobilitas* misturaram-se, em doses diversas, no Sul e no Norte.

Transmissão

Outro ponto de interrogação no assunto: o modo de transmissão da condição ou do estatuto, do nome, do patrimônio e do poder. A mulher parece ter desempenhado o papel principal até o desenvolvimento da cavalaria. Essa matéria, ligada à prática da endogamia, foi pouco estudada até agora, exceto na Lotaríngia e na Saxônia.

Endogamia, certamente (aliás não absoluta), mas não fechamento. Mesmo jurídica, a nobreza é aberta. E com razão: ela é pouco numerosa. Com as alianças consanguíneas que se sucedem de uma geração a outra, ela origina indivíduos deficientes dos quais se desfaz, principalmente colocando-os em mosteiros, como o de Andres, onde, em meados do século XII, o novo abade encontrará um "bando disforme" de "mancos, paralíticos, caolhos, cegos, manetas, quase todos nobres de nascimento". Ela não tem nenhuma política familiar. Padece com as revoltas que acabam mal e perde muitos homens nas guerras privadas e nas vinganças. Dessa forma, aparecem vazios em suas fileiras. Os casamentos das mulheres ou das viúvas da nobreza com maridos não pertencentes ao grupo, as *nuptiae impares* ("bodas desiguais"), menos raros do que se pensa, são incapazes de preencher aqueles vazios. É nesse ponto que a realeza intervém.

Entre ela e a nobreza, as relações variaram. No início, a ignorância os comanda, sobretudo no Norte. Os nobres não têm programa político, não procuram participar do poder e ainda menos se apoderar dele; são governados por interesses pessoais e agem caso a caso, de acordo com as circunstâncias. Além disso, não coordenam as ações, não se organizam nem se reúnem. Inspirados por Roma, os Carolíngios criam uma ponte entre si e os nobres autóctones e estrangeiros, principalmente os austrasianos, de linhagem antiga ou de extração recente. Estabelecem elos familiares com os grandes e ligam-nos a si concedendo-lhes funções oficiais, *honores*: cargos condais, cujos titulares formam uma "nobreza imperial" da qual sairão os príncipes territoriais da França e mais tarde os *capitanei* da Itália; missões sem dúvida menos prestigiosas para seus *vassi dominici* ("vassalos do príncipe"), ancestrais dos *milites*. Em suma, os Carolíngios transcendem a nobreza de sangue e colocam-na ao lado de uma nobreza adquirida pelo serviço prestado ao príncipe. Eles integram as duas ao seu serviço. Limitam dessa forma seu próprio poder; decidem *cum consilio*. Mas asseguram um apoio necessário. Sem *optimates*, não há rei. E vice-versa. O fracasso dos Carolíngios não arruína essa "política interna". Os saxões a retomam, e depois deles cada dinastia que sobe ao trono. Esta se cerca de uma nobreza na qual se encontram os fiéis da linhagem real desaparecida ou afastada, e clientes vindos de sua própria *familia*.

Uma outra força atrai e preocupa os nobres: a Igreja. Na aurora da Idade Média, ela está nas mãos dos herdeiros de Roma que modelam o espírito: a virtude do magistrado antigo é a do pastor. Eles a governam. Na Gália, por exemplo, famílias senatoriais dispõem de bispados e, sob os Merovíngios, *nobilitas* e *sanctitas* andam juntas. Com Carlos Martel e seus descendentes, ocorre um aumento da influência dos francos nos bispados e nas abadias com a instalação em sua direção de grandes da Austrásia. No primeiro terço do século IX, certos grandes apoiam-se ainda na hierarquia religiosa para tentar controlar o poder. No mesmo momento, os mosteiros femininos da Saxônia reúnem as mulheres da aristocracia. Entre esta e a Igreja, os contatos agora são estreitos.

Evolução

Com o ano 1000, as fontes tornam-se menos raras e mais claras. Elas refletem uma evolução no estatuto da nobreza, na sua composição e nas relações com as outras forças sociais, provocadas essencialmente pela divisão da autoridade pública e pelo desenvolvimento da economia.

No momento seguinte daquilo que F. L. Ganshof chamou de "fracasso dos Carolíngios", o esmaecimento da realeza provocou — ou agravou e acelerou — um esfacelamento do poder, cuja consequência capital para a nobreza foi o nascimento do senhorio "banal". Os eruditos ainda não terminaram de discutir sobre o destino do *bannum* (direito de comandar, proibir e punir): apanágio dos *genere nobiles* no mundo germânico, concessão pelo soberano por causa da falta de fiéis, usurpação em prejuízo deste? O fato é que o *ban* afirma-se ou passa para as mãos da aristocracia e gera o que as pessoas da Idade Média e dos tempos modernos disseram ser "senhorio altivo" ou "judiciário", porque a alta justiça está associada ao *ban*.

Simultaneamente, o desenvolvimento da economia começado no século X em regiões favorecidas como a Renânia e no século XI em todo o Ocidente permite aos detentores do *ban* explorá-lo. Eles exigem prestações, trabalho, e depois, quando a moeda circula mais, inclusive no campo, tornam geral ou introduzem rendas em dinheiro, cujo protótipo é a talha. Ora, eles impõem esses encargos a todos os *homines*, quer dizer, a todos os homens que não são nem servos nem burgueses. Uma clivagem forma-se, assim, entre os que são submetidos a essas *consuetudines* e os *nobiles* que usufruem delas. Doravante, estes últimos se distinguem ou se definem, se lhes é reconhecida até então somente uma superioridade social, graças à propriedade e ao uso dos direitos banais; ou, caso se os acredite dotados de um estatuto jurídico, este se enriquece, se reforça e se manifesta mais claramente do que nunca.

Ascensão social

Esses fenômenos agem, por intermédio do recrutamento, sobre a composição e a estrutura da classe, sobretudo porque promovem a cavalaria. Vamos tentar aqui resumir em algumas linhas as origens, assim como os fatores e as etapas de sua ascensão. Desde o século X, ambições e rivalidades alimentadas pela atomização do poder e pelo aumento da insegurança e das perturbações, levam ou obrigam reis, príncipes, senhores, a cercar-se de *ministeriales* para ajudá-los nos negócios domésticos, políticos, administrativos ou militares, e sobretudo cercar-se de *milites*, combatentes a cavalo.

Estes auxiliam os dirigentes, que por sua vez constroem ou consolidam a fortuna dos *milites*, que eles instalam em feudos centrados em uma residência entrincheirada ou que se estabelecem por conta própria em uma colina artificial ou em um torreão erguido em seus próprios alódios. Um atavismo legado pela Antiguidade pagã à Alta Idade Média, o culto da força, o gosto pelas armas e pelos combates, valorizam esses guerreiros, cujas proezas são celebradas pela literatura. A Igreja não condena essa violência, ela a envolve, a canaliza, depois a recupera e a sacraliza. Benze a espada sobre a qual pede ao Senhor "estender a mão direita de Sua Majestade a fim de que ela seja defesa e proteção das igrejas, das viúvas, dos órfãos, de todos os servidores de Deus contra a malícia dos pagãos, e medo, terror e pavor dos outros malvados". Ela dita a conduta do cavaleiro, ordena-lhe "obedecer a seu senhor, dar sua vida para tirá-lo do perigo, não combater pelo saque, lutar até a morte pelo bem comum, opor-se aos cismáticos e aos hereges, defender os pobres, as viúvas e os órfãos e nunca violar seu juramento". Ela o arma em uma cerimônia de valor sacramental. A cavalaria ornamenta-se, assim, com um tal esplendor que se subtrai das *consuetudines* comuns julgadas *indecentes et contra ordinem militarem*, derrubando dessa forma uma das barreiras que impedem o acesso à nobreza. Ela concede até mais brilho que o sangue. No século XIII, as listas de testemunhas da região de Namur colocam os *milites* antes dos *nobiles* que não foram armados. No Hainaut, *miles* supera *nobilis* mais cedo, no final do século XII ou no primeiro terço do século XIII; a carta penal de 1200 não privilegia mais somente os nobres, mas também os *milites* e seus filhos até 25 anos, sem considerar sua origem; em 1214, o conde reserva as prebendas da colegiada de Mons às filhas legítimas de cavaleiros; a tradução em 1275 da carta de Valenciennes substitui o latim *nobilis* por "cavaleiro".

Pode-se falar então de fusão entre os nobres de extração antiga e os cavaleiros? Sim e não. Se há fusão, ela é mais ou menos rápida, mais ou menos completa segundo as regiões, segundo as épocas, segundo se consideram os planos jurídico, social ou político. Certas diferenças desaparecem, outras surgem, sem dúvida menos profundas, mas reais. A junção ocorre mais cedo nas regiões impregnadas de romanidade. Logo após o ano 1000, o adubamento permite agregar-se à nobreza; essa cerimônia é preparada ou acompanhada pela construção de um castelo, pela obtenção da alta justiça, e coroada se possível pelo casamento com uma senhora da nobreza tradicional. No Norte, que não esquece a ideologia do mundo germânico e conserva viva a noção de hierarquia e de seus graus, os *generes nobiles* resistem mais tempo à invasão dos *milites*.

Velhas linhagens desaparecem; cerca de um terço delas extingue-se a cada século na Lorena ou na Suíça oriental; onde foram realizados recenseamentos exaustivos, em Bade ou na Vestefália, o movimento continua ou mesmo aumenta com o tempo. No entanto, trata-se de famílias que se extinguem ou, mais corretamente, que decaem? A questão é obrigatória quando a evolução foi escrupulosamente estudada através dos atos de divisão patrimonial e de doações pias, durante várias gerações e em todos os ramos. Essas famílias não acabam se perpetuando mesmo não mais possuindo nem alta justiça nem alódio e renunciando à cerimônia do adubamento, cara demais? Pode-se perguntar o que elas se tornaram, já que eram de sangue nobre. Elas se perderam totalmente, ou seus membros é que foram qualificados com o neologismo "gentis-homens"?

Outras linhagens mantêm-se, sustentam jovens famílias dinâmicas, que se estruturam e se organizam de acordo com o "modelo" principesco. K. Schmid destacou a política. De família: até então amplas e frouxas, essas linhagens reúnem seus membros para que se sustentem uns aos outros, excluem os cognatos e sacrificam os caçulas para limitar as divisões patrimoniais, casam seus filhos. De patrimônio: enraízam seus membros em um castelo, um nome, um senhorio, o que o alemão chama *Verherrschaftlichung* ("senhorização"). Fundam abadias e depois, mais modestamente, priorados ou capítulos que transformam em seu panteão. Elaboram sua genealogia. De todas essas maneiras, tomam consciência de sua posição.

Assim se afirma, em todo o Ocidente, uma camada superior, orgulhosa de sua antiguidade e de sua riqueza, de suas alianças, do papel público que exerce em detrimento do soberano se ele é fraco, com a ajuda dele se este conservou alguma autoridade. Exemplos: os Cadolingi da Toscana, nos séculos XI e XII; os próximos de Henrique I da Inglaterra, dos quais 7 entre 31 são de origem desconhecida, 21 saem do círculo do rei ou da rainha, somente 3 vêm de linhagens de alta extração e 1 da dinastia. Essa camada que goza de privilégios políticos e judiciários, bem como de consideração social que a isola da simples nobreza dos cavaleiros. No Império, os *principes* que ocupam o pico da pirâmide construída por Frederico Barba-Ruiva, a *Herrschildordnung* ("ordem dominante"), formam no século XIII um colégio de que o soberano é o único a abrir as portas e, no século XV, outorgam-se o monopólio da escolha dele. No reino da França e em vários principados, os pares também se diferenciam no século XIII e julgam-se entre si. Certos títulos conferem prestígio: *principes* do Limousin ou da região de Toulouse, depois *barones*. A Catalunha do século XIV conhece uma única ordem de nobreza, mas divide-a em *nobleza* e em *caballeros, doncelos* e *hombres de la paraje* ("homens do lugar"), enquanto os estatutos universitários do Sul distinguem, entre os estudantes, os *magni nobiles* ou *filii baronum* e os *ex militari genere*.

No escalão inferior, também existe identidade essencial no direito e graus na consideração. Pelo nascimento, os membros dessa camada escapam aos encargos senhoriais, julgam-se entre pares e transmitem esse privilégio a seus descendentes. Uma novidade introduz-se, aparentemente no século XIII, mal estudada e ainda mais mal explicada: o estatuto perpetua-se pelos homens, sem dúvida porque a cavalaria é assunto de guerreiros. Estes são, em francês, qualificados doravante de *messires*, como os padres. Mas nem todos têm acesso a certos capítulos e mosteiros, sobretudo femininos; essas instituições só acolhem aqueles cujos antepassados, sem exceção, foram nobres há duas, três ou quatro gerações – anúncio da estrita hierarquia que se definirá no término da Idade Média e que se encontrará mais tarde. Uma originalidade em algumas regiões: o adubamento tem apenas um alcance temporário, em geral até o sétimo grau, no qual o direito canônico limita o parentesco, e age indiferentemente pelos homens e pelas mulheres, como os *vrijgeborenen* ("nascidos livres") dos Países Baixos ou os *lignagers* do Luxemburgo.

Por fim, em torno da nobreza, mas fora dela, gravitam donos de terras alodiais, homens de feudo e todos os que montam um cavalo de batalha.

Extensão e alianças

Quando a cavalaria juntou-se à nobreza, nem por isso esta se tornou mais fechada do que antes. O adubamento dá acesso a ela. Contudo, mais ou menos rapidamente, o príncipe conseguiu reservar para si a concessão da cerimônia. No Império, a paz de 1152 e as constituições de Melfi de 1231 "fecharam a cavalaria". A sobrevivência ou a ressurreição da realeza e de seus sucedâneos – marcada em particular pela introdução do procedimento de ofício em matéria penal, pela penosa elaboração de uma lista de direitos regalianos, pela criação de um tribunal supremo – tem consequências consideráveis sobre o destino da aristocracia na Baixa Idade Média. O soberano ou o príncipe tradicionalmente guarda as chaves dela: por um lado, armando cavaleiro, cerimônia que normalmente prepara ou coroa a concessão da alta justiça sobre uma terra, mesmo minúscula, e, se aparecer a ocasião, o casamento com uma senhora de sangue azul; por outro lado, concedendo cartas de nobreza, o que constitui um novo caminho. As primeiras dessas cartas conhecidas no Império datam de 1356. Foram contadas 1.877 nos registros do Tesouro das cartas de 1290 a 1483. Dois meios de rejuvenescer a nobreza, de preencher as lacunas e sobretudo de enriquecê-la com numerosos e competentes fiéis. O Estado, que estende seu controle *ratione materiae et loci*, necessita cada vez mais de auxiliares de confiança. As tarefas que assume exigem técnicos, especialmente juristas, que constituem a base da nobreza de toga da qual trataremos mais adiante. Ele ainda atrai ou recompensa de outras maneiras. Dá feudo, pois a vassalidade no século XV continua viva e eficaz, por exemplo, nos territórios dos Borguinhões (a erudição engana-se ao contrastar os métodos governamentais do final da Idade Média e os do início dos tempos modernos). Cria ordens de cavalaria cada vez mais honoríficas, dotadas também de uma missão política de importância capital: a do Velo de Ouro é o emblema da mais alta sociedade e seus portadores formam o primeiro conselho do príncipe.

No entanto, a nobreza não se deixa enganar sempre e em todos os lugares, nem se fascinar pela corte e suas intrigas, depois pelas carreiras políticas e administrativas. A realeza pode ser fraca. Na Catalunha, a antiga aristocracia alcança o apogeu de seu poder na primeira metade do século XIV. De 1272 a 1461, os conflitos sucedem-se na Inglaterra entre os grandes e a Coroa; felizmente para esta, eles acabam se convencendo da necessidade de um poder forte.

Outra força tradicional, primeira ordem da sociedade, a Igreja, continua associada à aristocracia, mais ou menos conforme seus componentes. A maioria dos bispos ainda é recrutada na aristocracia, principalmente no Império em que a Concordata de Worms confiou a escolha ao capítulo catedral e, através dele, aos grandes. Um caso, o de Liège: entre 41 prelados do século XI ao XV, 20 saem de famílias condais, 10 com certeza e 4 provavelmente pertencem à nobreza, 4 são de origem desconhecida. O mesmo acontece com os prebostes da catedral; encontram-se filhos de cavaleiros somente entre os decanos: após 1350, apenas 4 entre 41. Na Inglaterra e na França, os números diminuem em 50%. Os bispos intervêm ativamente na vida pública, muitos são conselheiros e representantes do príncipe, e todos fazem o elo entre clero e nobreza.

Os monges, sem dúvida, pregaram a retirada do mundo e atraíram os cavaleiros à *conversio*. Mas um estudo cuidadoso, a partir das genealogias, estabelece que a aristocracia contribuiu amplamente para o sucesso de Cluny e de Cister. E as Cruzadas mostraram a necessidade dos *bellatores*. Aliás, o esquema tripartido da sociedade não cita os *nobiles*, mas os *milites*. Na diocese de Lausanne, em 1240, 44% dos prebendeiros são nobres e 21% vêm de linhagens de cavaleiros ou citadinos.

Citadinos: o patriciado (os alemães dizem melhor com *meliorat*) das renascentes cidades copiaram desde cedo seu estatuto e sua conduta dos da nobreza. Mas esta teve que optar por uma atitude diante das cidades. Os chefes das antigas linhagens recusaram-se, em geral, em deixar seu castelo e suas terras, inclusive na Itália. Os outros foram às grandes aglomerações para obter uma função oficial e sobretudo, principalmente no Sul, para fazer fortuna nos negócios. Assim se definiu lenta, tardia e parcialmente o conceito de *dérogeance*.[1] No século XV, lavrar e, em alguns países, fabricar e comerciar, excluem da nobreza.

Último meio com o qual esta pactua: os intelectuais. Ela pôde, no fundo, continuar hostil aos estudos. Para conservar sua influência sobre o Estado,

---

[1] *Dérogeance*: perda dos privilégios da nobreza devido ao exercício de uma atividade incompatível com ela; poderíamos, talvez, traduzir essa palavra por "desenobrecimento". [N.T.]

que tinha necessidade de sábios, teve de aceitar que os *doctores* fossem *personae sanctae et honestae* e abrir suas fileiras aos universitários, pelo menos aos mestres. Na Dinamarca, por exemplo, no século XIV, ela enviou seus jovens para se formar em Paris e em outros lugares. A nobreza de toga preparou-se dessa forma. Nova especialização: com o cristianismo, o aspersório desligou-se da espada; na porta dos tempos modernos, o barrete fez o mesmo.

A crise da Baixa Idade Média

Quando a Idade Média termina, a nobreza apresenta variedade e complexidade. Mas algum dia existiu grupo social completamente homogêneo? Antiguidade, privilégios, atividade, riqueza, prestígio com sua parte de subjetividade, provocam diversidade. Mas, além de suas gradações e oposições, ela oferece traços comuns: independência das estruturas que controlam o resto da população e dos encargos que pesam sobre ela, participação na vida pública, exercício da profissão das armas realizado a cavalo e no comando de um grupo, fortuna fundiária, transmissão hereditária do estatuto. A nobreza mistura também ocasiões de encontro: nas cortes de justiça e nos torneios que começam no século XII e desenvolvem-se no XIII. Ela obriga a um modo de vida que singulariza: habitação que possui alguma característica militar, mobília de materiais, formas e cores originais, vestimentas caras, festas de aparato, funerais solenes, túmulos monumentais, todos os elementos da "civilização material" ilustrados pelas artes e detalhados pelos testamentos. No total, estabilidade e movimento se sobrepõem.

O movimento amplia-se e acelera-se com o que a maioria dos medievalistas chama de "crise da Baixa Idade Média". A expressão é vaga e ambígua. Entre outras distinções, ela exige antes de tudo a de "nobres" e "nobreza". Dificuldades de todo tipo sitiam as linhagens tradicionais. As mais graves são de ordem econômica e financeira. A depressão demográfica provoca abandono de terras e uma evolução divergente dos preços das produções de cereais por um lado, da mão de obra e materiais de exploração agrícola por outro – *Wüstungen* e *Preisschere* que apressadamente se atribuiu a todo o Ocidente, enquanto pouco afetaram as regiões. Queda dos aluguéis e multiplicação dos atrasos de pagamento reduzem as rendas fundiárias.

O Estado, assim como as comunidades urbanas e rurais, mais organizadas, desfalcam o rendimento dos direitos banais. As despesas aumentam, suntuosas e frequentemente suntuárias, para respeitar as obrigações da classe, nas fortificações e no armamento, no nível de vida, com as festas e os funerais já mencionados. Esse desequilíbrio dos orçamentos, frequentemente aprofundado pela ausência de uma política familiar e patrimonial, força empréstimos, penhoras, vendas. Nos turbilhões do tempo, a nobreza mostra-se incapaz de – salvo exceção, como a da Baixa Auvergne – continuar assumindo a missão de proteção que tinha justificado seus privilégios, suas exigências e sua consideração. A substituição, através de operações imobiliárias, das linhagens ancestrais por estrangeiros ao território, enfraquece ou até suprime o apego das pessoas pelo senhor local. A guerra, na qual a cavalaria guarda a primazia tática, e os torneios, importam muitos combatentes. Um grande número de casas nobres, talvez a maioria, decaem e desaparecem, pelo menos dos textos. Outras se mantêm, embora tenham que abandonar o campo pela cidade e a carreira militar pelos negócios. Algumas até reforçam sua posição, especialmente as mais altas, como os Croy, os Nassau, os Hornes dos Países Baixos borguinhões; elas compram domínios dos mais fracos e garantem-se os altos cargos. Simultaneamente e ao inverso, o serviço público e os "lucros gordos" das batalhas favorecem a ascensão e o sucesso de homens inteligentes, corajosos, ambiciosos.

No entanto, a nobreza não sofre transformações radicais. Não em sua função social: ela diversifica seu campo de ação, abrindo ou entreabrindo a porta aos universitários, particularmente aos juristas; em certas regiões, ela se engaja nos negócios, em outras, ela se fecha a eles pela *dérogeance*, mas, em todos os lugares, conserva sua vocação militar e suas ambições políticas. Seu comportamento não se modifica: provavelmente se exibe mais, porém mostra, como no passado, sua superioridade material e moral. A quantidade de seus membros e a concorrência dos novos-ricos levam-na a elaborar ou preparar um código cada vez mais detalhado que multiplica as regras e os escalões hierárquicos e que vai reger os tempos modernos: títulos, coroa heráldica, número de pilares no patíbulo senhorial etc., mas ela defende perfeitamente seu estatuto e escapa sempre dos controles que limitam o resto da população. As principais linhagens conseguem até mesmo não serem plenamente integradas no Estado soberano; para escapar dos príncipes, prestaram homenagem a vários deles ao mesmo tempo; agora, ultrapassam as fronteiras e tornam-se internacionais; elas o são ainda hoje. Em suma, adaptações às circunstâncias e às conjunturas; nada de ruptura ou de revolução.

Léopold Génicot
Tradução de Eliana Magnani

Ver também

Cavalaria – Corte – Estado – Feudalismo – Império – Rei – Senhorio

Orientação bibliográfica

ADELIGE SACHKULTUR DES SPATMITTELALTERS. Internationaler Kongress an der Donau [1980]. Viena: Verlag der Österreichischen Akademie der Wissenschaften, 1982.

BARBERO, Abilio. *L'aristocrazia nelle società francese del Medioevo.* Bolonha: Cappelli, 1987.

BARTHÉLEMY, Dominique. *Les Deux Âges de la seigneurie banale*: pouvoir et société dans la terre des sires de Coucy (milieu XIe-milieu XIIIe siècle). Paris: Publications de la Sorbonne, 1984.

CASTELNUOVO, Enrico. *L'aristocrazia del Vaud fino alla conquista sabauda (inizio XIe-metà XIIIe secolo).* Turim: Deputazione Subalpina di Storia Patria, 1990.

CAZELLES, Raymond. *Société politique, noblesse et couronne sous Jean le Bon et Charles V.* Paris: Droz, 1982.

CONTAMINE, Philippe (org.). *La Noblesse au Moyen Âge, XIe-XVe siècles*: essais à la mémoire de Robert Boutruche. Paris: Presses Universitaires de France, 1976.

L'ÉTAT ET LES ARISTOCRATIES (FRANCE, ANGLETERRE, ÉCOSSE), XIIe-XVIIIe SIÈCLE. Paris: Presses de l'École Normale Supérieure, 1989.

FORMAZIONE E STRUTTURE DEI CETI DOMINANTI NEL MEDIOEVO: MARCHESI, CONTI E VISCONTI NEL REGNO ITALICO (SEC. IX-XII). Roma, 1988.

GASIOROWSKI, A. (ed.). *The Polish Nobility in the Middle Ages*: Anthologies. Breslau, 1984.

GÉNICOT, Léopold. *La Noblesse dans l'Occident médiéval.* Londres: Variorum Reprints, 1982.

GERBET, Marie-Claude. *La Noblesse dans le royaume de Castille*: étude sur les structures sociales en Estrémadure de 1454 à 1516. Paris: Publications de la Sorbonne, 1979.

MATTOSO, José. *Ricos hombres, infanções e cavaleiros*: a nobreza medieval portuguesa nos séculos XI e XII. Lisboa: Guimarães, 1982.

MORNET, Élisabeth. Âge et pouvoir dans la noblesse danoise (vers 1360-vers 1570). *Journal des Savants*, Paris, p.119-54, 1988.

SABLONIER, Roger. *Adel im Wandel*: eine Untersuchung zur sozialen Situation des ostschweizerischen Adels um 1300. Göttingen: Vandenhoeck & Ruprecht, 1979.

SETTIA, Aldo. *Chiese, strade e fortezze nell'Italia medievale.* Roma: Herder, 1991.

SPIESZ, Karl Heinz. État de la recherche sur la noblesse allemande au bas Moyen Âge (XIIe-XVe siècle). *Bulletin d'Information de la Mission Historique Française en Allemagne,* Frankfurt, n.10, 1986; n.16, 1988; n.19, 1989.

STRINGER, K. J. (ed.). *Essays on the Nobility of Medieval Scotland.* Edimburgo: John Donald, 1988.

TELLENBACH, Gerd. *Die westliche Kirche von 10. bis zum frühen 12. Jahrhundert (Die Kirche in ihrer Geschichte. Ein Handbuch).* Göttingen: Vandenhoeck & Ruprecht, 1988.

Números

Como quantidade descontínua, o número ocupa um importante lugar no sistema tradicional das artes liberais que preparam a alma para o conhecimento de Deus. Conforme seja considerado absolutamente e sem movimento, ou relativamente e com movimento, o número fará parte da aritmética ou da música (expressão sensível de proporções simples). Trataremos aqui da aritmética especulativa, considerando as propriedades dos números por si mesmas. Ao longo de quase toda a Idade Média, a arte do cálculo é ensinada sob a denominação de "ábaco" ou "algoritmo".

Aritmética especulativa e simbólica dos números

O ensino da aritmética especulativa é feito essencialmente graças ao *De institutione arithmetica*, de Boécio, obra excepcionalmente organizada que define a si mesma como uma adaptação do tratado de Nicômaco de Gerasa. Nela, os números são primeiramente repartidos em pares e ímpares. Um número par pode ser duplamente par (potência de 2), duplamente ímpar (dobro de um ímpar) ou imparmente par (produto de um ímpar e de uma potência de 2); um número ímpar é primo ou composto. Um número é "perfeito" se for igual à soma de suas partes alíquotas ($28 = 1 + 2 + 4 + 7 + 14$), "abundante" se for superior àquele, e "deficiente" se for inferior. Consideradas em suas relações recíprocas, duas quantidades podem ser iguais ou desiguais (há cinco tipos de desigualdades). Os números também podem ser considerados em função de figuras geométricas: 10 é triangular, 9 quadrado, 12 retangular...

A aritmética de Boécio encaminha-se assim para seu apogeu: uma proporcionalidade ao mesmo tempo aritmética, geométrica e harmônica, tal como encontramos na sequência 6, 8, 9, 12, portadora de intervalos musicais fundamentais. De Boécio a Gui de Arezzo, a música passou por magníficos desenvolvimentos; é mesmo uma das contribuições mais inovadoras da Alta Idade Média. A coloração platônica da cultura ambiente via-se assim confirmada pela experiência (particularmente do monocórdio). Os comentadores da aritmética de Boécio sofreram a influência de Macróbio e de Marciano Capela. Eles mostram, por exemplo, os quatro elementos (fogo, ar, água e terra) ligados por uma relação análoga à dos números 8, 12, 18, 27. No mesmo espírito, sonha-se com a inefável sinfonia produzida pelas esferas celestes, uma vez que as distâncias dos planetas à Terra seriam 1, 2, 3, 4, 9, 8, 27 (potências sucessivas de 2 e 3, daí a inversão de 8 e 9).

Para dar vida à aritmética de Boécio aparece, no século XI, um jogo pedagógico estranho e complicado: a ritmomaquia, ou seja, o combate dos números. Trata-se de um tipo de jogo de xadrez opondo números pares e ímpares. Quer se trate do Pseudo-Odo de Cluny, de Hermann de Reichenau ou do monge Fortolfo, os textos do século XI são obscuros, visto que as regras do jogo certamente já eram conhecidas por aprendizagem direta. Não é, então, inútil visualizar o jogo recorrendo a testemunhos tardios, porém mais vivos, como os de Lefèvre d'Étaples ou de Claude de Boissière. O objetivo era alinhar, no campo adverso, a famosa harmonia do tipo 6, 8, 9, 12, ou, em seu lugar, uma progressão harmônica.

A Bíblia incitava vigorosamente a interrogar-se sobre o significado simbólico, e mesmo ontológico, dos números. Está escrito para a glória de Deus: *"Omnia in mensura et numero et pondere disposuisti"* ("tudo dispuseste com medida, número e peso...", Sabedoria 11,21). Essa sentença bíblica, invocada incessantemente, é fundamental para o pensamento da Alta Idade Média, que considera o mundo como um livro repleto de signos, cujo deciframento aproxima do Verbo divino. Há, então, paralelismo e solidariedade entre, de um lado, a tradição pitagórica recolhida por Boécio e, de outro, a exegese que insiste na acepção alegórica dos números encontrados nas Escrituras. A autoridade de Santo Agostinho é, nesse domínio, determinante. Renunciamos aqui a seguir essa exegese aritmológica em Alcuíno, João Escoto Erígena, Rábano Mauro, Hincmar de Reims e em vários outros. Somente para o período que vai até o século XII, as ocorrências de números com significação simbólica são tão numerosas que um dicionário de mais de quinhentas páginas foi-lhes consagrado (H. Meyer e R. Suntrup, *Lexikon der mittelalterlichen Zahlenbedeutungen*, 1987). Seguindo uma lista atribuída a Isidoro de Sevilha, os autores medievais igualmente reagruparam as diversas significações simbólicas atribuídas a cada número.

O século XII é, à sua maneira, um século de racionalização. Assim, Thierry de Chartres gostava de recorrer às *rationes mathematicae* que, sem fornecer verdadeiras provas, constituíam um percurso intelectual para alcançar a fé. À interpretação alegórica dos números encontrados na Bíblia, Hugo de Saint-Victor aplica um método quase matemático e busca atribuir-lhes um sentido segundo nove critérios: *ordo positionis, qualitas compositionis, modus porrectionis, forma dispositionis, computatio, multiplicatio, partium adgregatio, multitudo, exageratio.*

Essas especulações são retomadas e ampliadas por um grupo de cistercienses cujos escritos aritmológicos foram estudados e publicados em Copenhague por H. Lange: a *Analytica numerorum*, de Odo de Morimond, para os números 1 e 2 (1147-1148), e depois o 3 (1153); o *De sacramentis numerorum*, redigido por Guilherme de Auberive para os números 3 a 12 (por volta de 1164) e por Geoffroy de Auxerre para os números 13 a 20 (entre 1165 e 1170).

Odo de Morimond começa com uma espécie de grande introdução metodológica, particularmente interessante no que diz respeito ao significado simbólico da representação dos números. Nela encontramos o alfabeto grego, mas também os números romanos (todas as letras latinas possuem um valor numeral, não só I, V, X...). Não há nada sobre os algarismos arábicos. Em contrapartida, a ênfase é colocada na utilização simbólica do cômputo manual. Este explica por que, na parábola do semeador (Mateus 13,8), os números 100, 60 e 30 simbolizam respectivamente as virgens, as viúvas e as esposas. Com o número 100, passa-se da mão esquerda à mão direita, ou seja, da existência terrestre à vida celeste, e os dedos, além disso, formam um tipo de coroa virginal.

As especulações místico-aritmológicas desse grupo cisterciense desembocam no ensinamento de Teobaldo de Langres, aparentemente um mestre-escola secular e talvez cônego no final do século XII. Seu estilo é seco, mas ele se propõe a elaborar mais sistematicamente uma teoria geral da simbólica dos números. Eis, sumariamente, a classificação dos critérios observados:

- geração do número (agregação, divisão, multiplicação);
- o número em si (sinais com os dedos e as letras, "ofício solene", caráter próprio);
- composição do número (paridade e imparidade, partes constitutivas, correspondência com as figuras geométricas);
- relações com outros números (ordem, proporção, afinidade).

Retomemos, para começar, o exemplo da agregação: os quatro Evangelhos correspondem ao Decálogo porque $1 + 2 + 3 + 4 = 10$.

Apesar da aparente futilidade de seu objeto, tal percurso é "científico" na medida em que, a partir do resumo de um grande número de dados, ele pretende extrair regras gerais.

Pela interpretação de certos nomes, totalizando os valores numéricos de suas letras, a exegese podia estar próxima da adivinhação. O número ocupa um lugar importante na magia medieval; seu estudo depende, por um lado, da etnologia. Conhecemos o papel do número no profetismo apocalíptico, particularmente em Joaquim de Fiore.

Um problema delicado é o da eventual significação profunda das estruturas numéricas reconhecidas nas obras literárias ou artísticas da Idade Média. Pensamos, é claro, na composição numérica e "figurada" do *Liber de laude Sanctae Crucis*, de Rábano Mauro. Poderíamos também citar, dentre vários outros, o *Ferculum Salomonis*, de Hincmar, a *Vida de São Aleixo*, o *Roland de Oxford* e até a obra de Dante. E. Hellgardt mostrou que é prudente não teimar em querer explicar as estruturas numéricas por meio de intenções muito profundas e sofisticadas, sobretudo se estas não concordam com aquilo que efetivamente se sabe da simbólica dos números na Idade Média.

Números

Introdução dos algarismos arábicos e novas técnicas de cálculo

Trata-se, a partir do final do século X, de uma mudança decisiva. Para os pobres séculos precedentes, os processos de cálculo são atestados apenas por algumas fontes bem disparatadas: incômodas tabelas aritméticas do *Calculus*, de Vitório da Aquitânia, notas sobre as enfadonhas frações romanas (as divisões da libra) e sobretudo o cômputo digital segundo Beda, o Venerável. As *Propositiones ad acuendos juvenes* atribuídas a Alcuíno, especialmente divertidas, requerem poucos cálculos pesados. Na vida prática, os cálculos complicados eram raros e sem dúvida efetuados com o auxílio de *calculi* ou de pequenos objetos semelhantes.

Frequentemente surgem novas teorias, mais ou menos fantasiosas, sobre a origem dos algarismos "arábicos", mas a tese tradicional que lhes atribui uma origem indiana se mantém. Esses algarismos aparecem pela primeira vez no mundo latino em 976, por ocasião de uma nota transcrita no *Codex Vigilanus* do Escorial. Se então, como seria natural, eles foram primeiramente conhecidos na Espanha, nos confins do mundo muçulmano, sua primeira introdução no coração da Europa parece devida a Gerberto, que ensina teologia na catedral de Reims. O monge Richer conta como, "à imagem desses nove algarismos, Gerberto confeccionou mil caracteres de ossos que, deslocados sobre as 27 colunas do ábaco, permitiam efetuar a multiplicação ou a divisão de qualquer número". O ábaco de Gerberto e de seus discípulos é, portanto, muito diferente do instrumento romano conhecido por esse nome. Aqui, a existência de colunas permite dar a esses algarismos recentes, mesmo sem o zero, um valor de posição.

Quer se trate de instrumentos astronômicos ou dos *apices* utilizados sobre o ábaco, pode-se achar estranha a maneira pela qual Gerberto transmitiu fragmentos de ciência árabe. Na época em que, com vinte e poucos anos, Gerberto esteve na Catalunha (967-970), ele encontrou alguns rudimentos de ciência árabe, mas não os divulgou na forma de textos. Quando, uns quinze anos mais tarde, ensina em Reims, tenta recordar os métodos árabes de cálculo e os emprega em seu ábaco (instrumento, notemos, totalmente estranho ao mundo árabe). Foi apenas muito depois que tentou obter o livro de um certo José Hispanus sobre a multiplicação e a divisão dos números.

O século XII marca uma etapa importante na difusão do cálculo decimal com os algarismos arábicos: numa palavra, o ábaco é destronado pelo algoritmo. No *Liber algorismi*, "algoritmo" não se refere primitivamente a um saber, mas ao nome de um sábio, al-Khuwarizmi, aliás autor de um célebre tratado de álgebra. Por volta de 825, em Bagdá, Muhammad ibn Musa al--Khuwarizmi tinha redigido um "livro de cálculo indiano", cujo texto árabe, infelizmente, está hoje perdido. Existem, entretanto, várias versões latinas do século XII: uma, anônima, conservada em dois manuscritos, parece ser a mais próxima do árabe. Duas outras adaptações aparecem como sendo devidas a célebres tradutores do árabe para o latim: Adelardo de Bath e João de Sevilha. Esses textos foram cuidadosamente editados e estudados por André Allard (1992). O panorama encontra-se singularmente modificado: o *magister A.* do *Liber ysagogarum* não é mais Adelardo de Bath, o mestre João do *Liber alchorismi* não é mais João de Sevilha. Os diversos testemunhos remontam provavelmente a uma só tradução latina já híbrida de um texto árabe da qual hoje dispomos de uma melhor abordagem graças aos trabalhos de M. Folkerts e P. Kunitzsch. Existe assim, por volta de meados do século XII, no círculo dos tradutores de Toledo, todo um trabalho de elaboração da nova aritmética. Desses tratados do século XII, o *Liber alchorismi*, de João, é o mais claro, o mais completo e o que exerceu maior influência. Mas é do começo do século XIII que datam os algoritmos mais difundidos: um, em verso, de Alexandre de Villedieu e sobretudo o de João de Sacrobosco.

Sem se perder em comparações detalhadas entre os textos, é importante sobretudo considerar globalmente as modalidades materiais do cálculo. Com o emprego do zero, as colunas do ábaco tornam-se inúteis. O algoritmo é essencialmente determinado pela possibilidade de corrigir apagando sobre a areia, a poeira ou outro substrato que ofereça as mesmas facilidades. Para operadores ainda mal habituados ao cálculo de posição, isto permitia deslocar certos números, como o divisor durante uma divisão. Além do 9, o usuário transporta imediatamente a dezena por simples correção sobre a areia, enquanto o calculador moderno "guarda 1" em sua cabeça. Tomemos um exemplo simples, a duplicação de 187. Sobre a poeira, ela passa pelas seguintes fases: 187, 287, 367, 374. A duplicação é efetuada partindo da esquerda, pois Sacrobosco ressalta que, se começássemos essa operação pela direita (como fazemos hoje), "resultaria que duplicaríamos duas vezes", pelo menos uma parte do número – neste caso: 187, 194, 284, 484. Esse método, bem conduzido, permite ao estudante efetuar cálculos complicados, como a extração de raízes quadradas e cúbicas.

Por intermédio de Alexandre de Villedieu e João de Sacrobosco, esse tipo de algoritmo vai se manter ao longo de toda a Idade Média no ensino universitário em tratados em latim, conservadores, acompanhados de problemas relativamente lúdicos (*cautelae algorismi*). Esses algoritmos integram-se num *corpus* voltado para a astronomia e a astrologia.

Concorrendo com o cálculo por correções sucessivas sobre a areia ou a poeira, o cálculo com pena e com tinta já era ensinado por vários autores árabes. É esse procedimento escrito sem apagar (mais próximo do nosso) que teve a preferência de Leonardo de Pisa (Fibonacci) em seu *Liber abaci*. A aritmética prática vai assim encontrar-se dividida em duas correntes socioculturais distintas: a das universidades e a dos mercadores. As aritméticas dos mercadores, à maneira italiana, são bem diferentes do algoritmo segundo Sacrobosco. Redigidas em língua vulgar, elas ensinam o cálculo escrito, sem apagar, sobre o papel, que se tornou no século XIV cada vez mais barato. Composto em 1202, depois remanejado em 1228, o *Liber abaci*, de Leonardo de Pisa, está na origem dessa tradição. Trata-se de um enunciado da aritmética "indiana" com, a seguir, problemas metodicamente ordenados dentre os quais vários recorrem à álgebra. Aqui, a palavra "ábaco" é evidentemente paradoxal, pois esse cálculo com pena deve fazer apenas as colunas do ábaco do século XI. É bem verdade que a palavra *abbaco* será, na Itália dos séculos XIV e XV, o vocábulo habitual para designar a aritmética destinada aos mercadores, e também para caracterizar as escolas onde ela era ensinada (*botteghe d'abbaco*). A crônica de João Villani atesta que em Florença, por volta de 1340, as crianças que aprendiam o ábaco, em seis escolas, eram de 1.000 a 1.200, o que parece considerável para uma cidade de pouco menos de 100 mil habitantes.

Um dos mais famosos mestres do ábaco é Paulo, chamado dell'Abbaco. Do extremo final do século XIII às proximidades de 1600, as aritméticas práticas italianas, arroladas por Warren Van Egmond, são incrivelmente numerosas. A partir de meados do século XV, elas se beneficiam de um interesse renovado pela álgebra, inclusive por suas aplicações na geometria. Percebe-se bem isto no *Trattato d'abbaco*, de Piero della Francesca, e, sob sua influência, na célebre *Summa*, de Luca Pacioli (1494).

Existem aritméticas comerciais em outras línguas, particularmente em alemão, tal como a publicada em Bamberg em 1482 ou outra, mais conhecida, de João Widmann. Na França, excluindo-se um pequeno grupo de certa forma ligado ao construtor de astrolábios João Fusoris, a maior parte é originária, direta ou indiretamente, do sul da França: "algoritmo" de Pamiers, tratado de Bartolomeu de Romans (hoje perdido, mas abundantemente citado no manuscrito de Mateus Préhoude descoberto em Cesena por J. Cassinet), *Compendiom de l'abaco*, de Trancés Pellos de Nice etc. O *Triparty en la science des nombres*, de Nicolau Chuquet, é aparentado a esse grupo, mas em um nível superior, com uma vontade de abstração que lhe faz relegar aos apêndices os problemas de geometria e as aplicações comerciais.

Paralelamente ao cálculo escrito (com ou sem possibilidade de apagar) pratica-se um cálculo com fichas: fichas todas parecidas, ou seja, bem diferentes dos *apices* sobre os quais eram marcados os números. Estamos bem informados sobre o Tabuleiro inglês graças ao famoso *Dialogus de scaccario* (por volta de 1178). O sistema em uso no final da Idade Média utiliza fichas sobre linhas paralelas correspondendo às unidades, dezenas, centenas etc.; colocada nos espaços intermediários, a ficha vale 5, 50, 500 etc.; o que evita a acumulação. É o método que ensina, por exemplo, Jean Adam, secretário de um auditor no Tribunal de Contas.

Número, razão e modernidade

Dentre os fatos importantes do "renascimento" do século XII situa-se a redescoberta dos *Elementos*, de Euclides. O livro só era conhecido, na Alta Idade Média, através de algumas proposições elementares não acompanhadas de demonstrações. No século XII, então, os *Elementos* são revelados à Cristandade por uma tradução direta do grego e por várias versões árabo-latinas, a mais importante das quais é a segunda das atribuídas a Adelardo de Bath. Ora, os *Elementos* não tratam somente de geometria, dizem também respeito à teoria dos números.

Fascinado pelo rigor das demonstrações euclidianas, um grande sábio do começo do século XIII, Jordanus Nemorarius, deu-se o trabalho de retomar, à maneira de Euclides, o algoritmo (*Algorismus demonstratus*) e a aritmética especulativa (*De elementis arithmetice*, do qual H. L. L. Busard deu, em 1990, uma bela edição crítica). Por outro lado, o renascimento da polifonia e a subsequente introdução do ritmo acarretam uma renovação do interesse pela teoria musical. Assim se encontra de volta à moda, no início do século XIV, o estudo da aritmética de Boécio. O caso mais típico é o de João de Murs, excelente matemático e teórico da *ars nova* (ver seu *Quadripartitum numerorum*, edição crítica de Ghislaine L'Huillier, publicado em 1990).

Um dos grandes méritos reconhecidos à escolástica do século XIV reside em seus esforços de quantificar as qualidades (a velocidade, por exemplo, sendo tratada como a qualidade do movimento e não como o cociente de uma distância por um espaço de tempo). Jogando com a noção de média, com a divisão de um todo em partes proporcionais, com o paralelismo entre progressões aritméticas e geométricas, a filosofia natural escapa à incerteza sobre as medidas privilegiando a matemática das proporções. É essa perspectiva que conduz Nicolau Oresme a escrever seu *Algorismus proportionna*, no qual apresenta sua descoberta dos expoentes fracionários; encontraremos os expoentes negativos na álgebra de Chuquet.

Com Roshdi Rashed, podemos considerar a verdadeira álgebra como uma invenção árabe. Ela foi introduzida no Ocidente pelas traduções da álgebra de Al-Khuwarizmi (lembremos que o "Cálculo indiano", do mesmo autor, é uma obra diferente). Poderíamos crer que a álgebra iria se integrar ao saber universitário graças ao *De numeris datis*, do famoso Jordanus já citado. Se a compararmos com os outros tratados então disponíveis, somos surpreendidos pelo fato de que, recorrendo menos à visualização geométrica, a álgebra de Jordanus é mais analítica e mais abstrata; ela recorre muito ao simbolismo alfabético, mas sem que as letras, muito numerosas na resolução de uma mesma equação, distingam claramente as incógnitas.

Já apresentamos o *Liber abaci*, de Leonardo de Pisa: ele provavelmente teve uma enorme prosperidade, não somente no domínio da aritmética prática, mas também no que concerne à álgebra. Uma vez que existia, na Itália dos séculos XIV e XV, um grande número de mestres do ábaco, estes, naturalmente, estavam inclinados a realçar seu prestígio profissional interessando-se pela álgebra e tentando convencer os mercadores de que essa ciência podia lhes ser útil. A importância dessas numerosas álgebras italianas dos séculos XIV e XV só foi revelada recentemente pelos trabalhos de G. Arrighi, R. Franci e L. Toti Rigatelli: crescente esforço de abstração, resolução de um grande número de tipos de equação, tentativas de resolver particularmente as equações de terceiro grau, mas ainda sem atingir a solução geral, e também equações do tipo $ax^{2n} + bx^n + c = 0$.

Uma inspiração bastante parecida encontra-se em Lyon, em 1484, no *Triparty*, de Nicolau Chuquet. Mas, muito adiantado em relação à álgebra ainda retórica de seu tempo, Chuquet propõe um simbolismo quase moderno, em vez de raciocinar sobre palavras como *cosa* ou *censo* para designar a incógnita ou seu quadrado. Ele escreve, por exemplo, $8^1 \, p \, 3^2$ para exprimir $8x + 3x^2$. Capaz de jogar com as potências da incógnita, ele termina utilizando expoentes negativos como 12^{1m} para $12x^{-1}$, ou $12/x$. Encontramos mesmo em sua obra 4^0 para $4x^0 = 4$.

Um problema delicado é o do lugar destinado ao número na eclosão de uma mentalidade que se poderia chamar de moderna. Fora de suas significações simbólicas ou de seu papel no cômputo e na teoria musical, o número ocupava um lugar apenas limitado na vida comum da Alta Idade Média. A partir do momento em que se difundiria o cálculo com algarismos arábicos, podemos prever o que Alexandre Murray chama de "emergência de uma mentalidade aritmética".

Vimos que, no plano da produção científica, o problema se coloca diferentemente na tradição universitária medieval e no meio dos mercadores italianos. É justamente na Itália que vem à tona o cuidado "estatístico", poderíamos dizer, em fornecer dados numéricos em grande quantidade e exatos. Dois textos são característicos nesse sentido: primeiro, cronologicamente, o *De magnalibus urbis Mediolani*, de Bonvesino de la Riva (1288), espécie de guia cifrado das maravilhas e dos recursos de Milão; o segundo é a célebre *Cronica* florentina (concluída em 1347) de João Villani, já citada. Já se destacou o parentesco de tais textos com as contas de mercadores inventariando seus estoques. Sofisticação das técnicas bancárias ligadas à letra de câmbio e subsequente aparecimento da contabilidade de partidas dobradas (Gênova, 1340), guias do comércio como a *Pratica della mercatura*, de Francisco Pegolotti (1340), multiplicação dos tratados de aritmética comercial e de álgebra, primeira eclosão artística do Renascimento em Florença: eis aí uma constelação de fatos que se inscrevem num mesmo universo mental, mas sem que, por isso, obrigatoriamente existam laços de causalidade direta de um a outro. Os tratados *d'abbaco* e os livros de *mercatura* não interferem. A contabilidade de partidas dobradas só se une à aritmética com Luca Pacioli (ou seja, um século e meio mais tarde). Os tratados de aritmética comercial, e sobretudo de álgebra, vão bem além das necessidades dos mercadores. Michael Baxandall quis relacionar essa ciência do número com a arte toscana do Quattrocento; notemos que, se Piero della Francesca é realmente o autor de um tratado *d'abbaco*, é somente muito mais tarde que a perspectiva será verdadeiramente matematizada. O elo é, entretanto, evidente entre o enriquecimento de uma certa elite de mercadores e o lugar crescente ocupado pelo número na emergência de uma nova cultura.

Pode então aparecer a tentação de considerar a utilização dos algarismos arábicos ou a resistência a seu emprego como espécie de testes aplicáveis ao estudo da estratificação social das mentalidades. O falecido Joaquim Barradas de Carvalho estudou estatisticamente a introdução e a difusão dos algarismos arábicos em Portugal caracterizando o papel preponderante dos meios ligados ao comércio e à navegação. Mas tais distinções sociais frequentemente apenas refletem a tipologia das fontes utilizadas.

Deve-se estabelecer uma clara distinção entre o conhecimento dos algarismos arábicos e a aceitação de seu emprego. Pôde-se argumentar contra eles que eram, mais do que os algarismos romanos, fáceis de falsificar. Em seus estatutos de 1299, a comunidade de banqueiros florentinos proibiu o uso dos algarismos arábicos para todos os documentos que pudessem servir para justificar pagamentos. Mas, sem dúvida, o risco de falsificação não era o principal obstáculo para um emprego generalizado dos algarismos arábicos. No espírito das pessoas da Idade Média, os algarismos arábicos são instrumentos de cálculo, e não números. Os resultados de cálculos efetuados com algarismos arábicos são frequentemente expressos em algarismos romanos. Os algarismos arábicos, muito difundidos pelas tabelas astronômicas e almanaques, são mais empregados para indicar datas do que para anotar somas de dinheiro. Principalmente quando se trata de contas efetuadas com fichas. A distinção entre número e algarismo vê-se perturbada pelo fato de que, derivando do árabe *sifr* ("vazio"), a palavra francesa *chiffre* (algarismo) significava inicialmente "zero".

Os homens do Renascimento ostentavam de bom grado um certo desprezo pelos árabes e pela Idade Média. Foi, entretanto, a esses mesmos árabes e a essa mesma Idade Média que eles deviam um dos elementos decisivos de sua superioridade sobre a Antiguidade clássica. As facilidades de cálculo e a álgebra estavam dentre as chaves que iam abrir as portas de uma verdadeira modernidade.

Guy Beaujouan
Tradução de Vivian Coutinho de Almeida

Ver também

Mercadores – Razão – Símbolo

Orientação bibliográfica

ALLARD, André. *Muhammad ibn Musa al-Khwarizmi: le Calcul indien (Algorismus), versions latines du XIIe siècle*. Paris: Librairie Scientifique et Technique Albert Blanchard, 1992.

BEAUJOUAN, Guy. *Par Raison de nombres, l'art du calcul et les savoirs scientifiques médiévaux*. Aldershot: Variorum, 1991.

BENOÎT, Paul. Calcul, algèbre et marchandise. In: SERRES, Michel. *Éléments d'histoire des sciences*. Paris: Bordas Cultures, 1989. p.197-221.

BRACH, Jean-Pierre. *La Symbolique des nombres*. Paris: Presses Universitaires de France, 1994.

BUSARD, Hubertus. *Jordanus de Nemore, "De elementis arithmetice artis"*: A Medieval Treatise on Number Theory. Stuttgart: Steiner, 1991.

FOLKERTS, Menso. *Die älteste lateinische Schrift über das indische Rechnen*. Munique: Bayerischen Akademie der Wissenwchaften, 1997.

GILLISPIE, Charles C. (org.). *Dictionary of Scientific Biography.* Nova York: Charles Scribner's Sons, 1970-1980. 16v.

IFRAH, Georges. *História universal dos algarismos.* Tradução brasileira. Rio de Janeiro: Nova Fronteira, 1997. 2v.

JUSCHKEWITSCH, Adolf P. *Geschichte der Mathematik im Mittelalter.* Leipzig: Teubner, 1964.

LANGE, Hanne. *Les Données mathématiques des traités du XIIe siècle sur la symbolique des nombres.* Copenhage: Université de Copenhague, 1979. (Ver também suas edições de textos.)

L'HUILLIER, Ghislaine. *Le "Quadripartitum numerorum" de Jean de Murs.* Genebra: Droz, 1990.

MEYER, Heinz; SUNTRUP, Rudolf. *Lexikon der mittelalterlichen Zahlenbedeutungen.* Munique: Fink, 1987.

MURRAY, Alexander. *Reason and Society in the Middle Ages.* 2.ed. Oxford: Clarendon, 1995.

LES NOMBRES. Três fascículos de *PRIS-MA*, Universidade de Poitiers, n.8, 1992, e n.9, 1993.

SMITH, David Eugene. *History of Mathematics.* Boston, 1923-1925. 2v.

Ordem(ns)

Ordem "é o que podemos perceber no espetáculo dos planetas, no qual cada elemento ocupa seu lugar e sua ordem sem ser um empecilho para o outro". Essa sentença formulada no século XII no círculo da escola de Abelardo, sugerindo a harmonia comum ao cosmo e à congregação dos homens, situa-se na longínqua herança da concepção antiga, grega e romana, de *ordo rerum*. Desde a época dos Pais da Igreja, os autores cristãos encontraram nos antigos, estoicos e sobretudo platônicos, um antigo quadro de reflexão sobre o sistema social concebido como uma concórdia de ordens reguladas de acordo com o modelo da harmonia dos planetas. Essa implantação cosmológica (revestida, nos meios cristãos, de transcendência) explica o fato de a palavra "ordem" ter como característica gramatical, no discurso dos Pais e dos teóricos medievais da sociedade, ser sempre "o complemento de um verbo na voz passiva sem expressão de objeto direto" (M.-Fr. Piguet). O uso da voz passiva significa que, socialmente, se está conformado com a ordem, cuja origem está no divino.

O cristianismo trouxe ao fundo antigo elementos inovadores, às vezes revolucionários. Os escritos de São Paulo, em que todas as futuras reflexões eclesiais vão se inspirar, contribuem fortemente para a descentralização operada pelo organicismo cristão. A união dos fiéis na Igreja, concebida como o corpo do Cristo, é uma coleção ordenada de diferenças segundo as graças e as ações do Espírito (I Coríntios 12,12). Mas essas diferenças são transcendidas por uma dinâmica eclesial que, em vista do final dos tempos, faz do mais ínfimo o mais necessário e o mais honrado. O apóstolo insiste sobretudo na igualdade dos fiéis no batismo e na ausência de consideração das pessoas no chamado de Deus, que disse assim: "Não há judeu nem grego, não há escravo nem livre, não há homem nem mulher; pois todos vós sois um só em Jesus Cristo" (Gálatas 3,28). Com certeza, na *militia* que é a sociedade cristã neste mundo, cada um deve ficar em seu lugar e em seu estado, mas na perspectiva das futuras reversões das condições: do "escravo quando chamado no Senhor" ao "liberto do Senhor" e do "livre quando foi chamado" ao "escravo de Cristo" (I Coríntios 7,22). Tais são as bases da Escritura que vão permitir aos autores medievais pensar o social em termos de mobilidade e reversibilidade.

Primeiras distinções no interior da sociedade cristã

Os cristãos dos tempos apostólicos formam coletivamente o grupo dos eleitos (*sors*). Quando se torna claro que a parúsia não será imediata, a Cristandade instala-se na história e dota-se de instâncias eclesiais que permitem "ordenar a fraternidade". Aparecem assim as primeiras distinções entre os fiéis (*plebs*) e o *clerus*, seguindo o primeiro sentido da palavra "clérigo": grupo de administradores da "herança do Senhor" dentro das comunidades. O aparecimento do monasticismo, no século IV, obriga a ultrapassar a discriminação clérigos/leigos e a forjar um esquema resumindo três ordens de vida ou três graus de perfeição, como Noé, Daniel e Jacó (Ezequiel 14,14): os clérigos, encarregados da direção do povo cristão, os castos (monges) e os casados (leigos). No entanto, a linha de divisão básica continuará sendo, durante toda a Idade Média, a distinção entre essas "duas ordens de cristãos", cuja definição canônica é dada pelo *Decreto* de Graciano, no século XII.

O grupo dos clérigos, qualificado de "ordem eclesiástica" no Código Teodosiano (XVI, 26), adquire no Baixo Império privilégios que definem os contornos jurídicos: isenção do serviço militar; a partir do século IV, liberação em relação ao direito civil; enfim, imunidade, quer dizer, a isenção de taxas públicas. Um pouco mais tarde, no contexto romano de afirmação dos poderes do sucessor de Pedro diante do imperador, Gelásio I (492-496) dá à profusão de distinções que doravante definem o clero a estrutura de uma teoria política. Duas ordens (*uterque potestas, uterque ordo*) regem o mundo; uma, a dos clérigos, possui a autoridade (*auctoritas*), a outra, a dos soberanos, o poder (*potestas*). A partir de então, o problema é saber quem, autoridade ou poder, tem a prerrogativa. Gelásio instaura uma "diarquia hierárquica" (L. Dumont) segundo a qual o poder é subordinado à autoridade no âmbito espiritual, e a autoridade ao poder na esfera temporal. A recepção do decreto de Gelásio nas coleções canônicas realiza-se, sobretudo a partir da década de 1050, com modificações significativas no sentido de um abandono da noção de complementaridade hierárquica. As ordens não regem mais o mundo, e sim a Igreja, estando o poder subordinado à autoridade. "Os padres de Cristo devem ser considerados pais e mestres dos reis, dos príncipes e de todos os fiéis", afirma o papa Gregório VII (1073-1085). Essa evolução está ligada à lenta afirmação de uma monarquia pontifical iniciada a partir de meados do século VIII.

A época carolíngia representa, assim, um momento capital na reflexão sobre a noção de ordem. Ultrapassando o desmantelamento dos reinos e das leis característico dos primeiros séculos da Idade Média, clérigos e soberanos – de Carlos Magno até Carlos, o Calvo – preocupam-se em reunir os fiéis dentro de uma única estrutura, o Império, concebido como a casa de Deus. Os teóricos carolíngios retomam a imagem antiga da Igreja corpo do Cristo, única na diversidade de seus membros graças à ação da paz e da caridade, instâncias reguladoras que permitem a harmonia na diferença.

As hierarquias dionisianas

Esse organicismo elementar enriquece-se, a partir do século IX, com sutilezas cosmológicas do pensamento platônico, ao qual se tem acesso pela obra do Pseudo-Dioniso Areopagita, autor neoplatônico que os autores latinos confundem durante muito tempo com o discípulo ateniense de São Paulo. Esse Dioniso, ativo na Síria em torno de 500, meditou profundamente sobre as estruturas do Universo. Segundo ele, a Criação ordena-se em uma hierarquia, celeste e em seguida eclesiástica, distribuindo-se por graus em uma série de tríades encaixadas, desde a ordem celeste superior (tronos, querubins, serafins), até os "iniciados" (purificados, povo santo, monges) que formam neste mundo o último grau da pirâmide. Essa estrutura ternária é como o duplo movimento que anima a Criação: procissão do Um através das diferentes tríades de cima a baixo da hierarquia, e retorno do que se criou em direção ao Um por grau de transparência e adesão à luz primordial: purificação, iluminação, perfeição. Em termos de classificação social, as especulações dionisianas oferecem um esquema de pensamento (as estruturas ternárias da harmonia do mundo), uma propedêutica (as vias do retorno ao Um) e noções (procissão, funções) que marcam duravelmente toda a antropologia dos pensadores da Idade Média desde os intelectuais da corte de Carlos, o Calvo, até Boaventura e a teologia escolástica. Para compreender o sucesso da construção do Pseudo-Dioniso, convém notar bem a dinâmica que anima o conjunto da hierarquia; cada grau participa do movimento de procissão transmitindo-o (por baixo e por cima), de maneira que cada um, seja qual for seu lugar na pirâmide, participe igualmente das efusões do retorno ao Um.

As três ordens funcionais

A sociologia dos autores carolíngios alimenta-se em uma segunda fonte antiga viva: a lembrança dos esquemas classificatórios romanos.

Quando, como e por que a tripartição funcional de tipo indo-europeu revelada por Georges Dumézil (função mágico-religiosa; função guerreira; fecundidade e produção) foi adaptada a uma teoria cristã de organização da sociedade? A construção política carolíngia elaborou-se em profundo mimetismo com o Império Romano, cujas estruturas políticas procura-se cristianizar. Aimon, mestre da escola de Auxerre, particularmente florescente durante o reinado de Carlos, o Calvo, oferece a primeira elaboração conhecida da teoria medieval das três ordens. Em seu *Comentário da epístola aos romanos*, a propósito de *debita* ele fala do *obsequium* que os cristãos contemporâneos de São Paulo devem como todo súdito romano. Através do jogo erudito da etimologia, ele passa do que é devido, os "tributos", aos tribunos que os recebem, em seguida às "tribos", quer dizer, as três partes da sociedade romana fundada por Rômulo: *senatores, milites, agricolae*. Esse primeiro esquema visa somente descrever uma instituição pagã que convém integrar à Igreja. No início de seu *Comentário do Apocalipse*, ele faz das três partes da sociedade civil romana as três ordens da Igreja, grupo ordenado (*acies ordinata*) caminhando em direção à parúsia: os *sacerdotes*, clérigos conduzidos pelos bispos; os homens armados guiados pelos príncipes; o grupo indistinto dos produtores.

Após 860, a teoria das três ordens funcionais torna-se um lugar-comum da teologia política que, no entanto, só é universalmente conhecida no século XII, quando o Sacro Império abre-se a esse esquema classificatório. Sem pretender esgotar o assunto, podem-se distinguir quatro versões principais da teoria das três ordens: monástica, episcopal, monárquica e gregoriana.

Heiric de Auxerre, discípulo de Aimon, inverte o esquema fazendo da primeira função a terceira, dentro da qual coloca a ordem dos monges, excluindo os tradicionais representantes da função da oração, os clérigos guiados pelos bispos. Campeões da liberdade dos monges diante das prerrogativas episcopais, os cluniacenses do ano 1000 fazem dessa versão monástica da teoria das três ordens um verdadeiro programa de combate em proveito da isenção (quer dizer, a liberação do controle do bispo diocesano por parte do papado).

A teorização de Adalberon de Laon no seu *Poema ao rei Roberto* e as declarações atribuídas a Geraldo de Cambrai pelas *Gestas dos bispos de Cambrai* são a resposta episcopal às tentativas de emancipação dos monges. A função de oração é constituída por clérigos sobre os quais se exerce o poder de ordem e jurisdição dos bispos. Dentro da sociedade cristã, os prelados desempenham o papel de guias e tutores dos soberanos, que, pela consagração, se aproximam dos bispos.

As outras duas versões distinguem-se precisamente pelo lugar reservado aos soberanos dentro do esquema. Na visão monárquica, como aparece, por exemplo, na tradução em anglo-saxão atribuída ao rei Alfredo, o Grande (871-899), da *Consolação da filosofia*, de Boécio, o rei pertence – pela consagração, por sua força e fecundidade – às três funções ao mesmo tempo. O modelo gregoriano – qualificativo tirado de Gregório VII – nega, ao inverso, toda prerrogativa ao soberano, na medida em que, fundamentalmente, só poderia existir uma ordem dentro da Igreja, a dos clérigos conduzidos pelo papa, o rei ou o imperador sendo apenas os representantes mais famosos da segunda função: o poder laico.

Os esquemas de pensamento concernentes a ordem(ns) estão instalados o mais tardar em torno de 1050, quer seja o binômio gelasiano (*auctoritas/ potestas*), os três graus de perfeição (pastores ou clérigos, castos ou monges, casados ou leigos), as hierarquias dionisianas ou a teoria das três ordens funcionais. Nada de essencial intervém antes dos séculos XIII a XV, época dos "Estados" e da grande reflexão jurídica sobre o direito das corporações, a natureza dos elos unindo os súditos ao soberano, e a articulação necessária entre hierarquia e consentimento. Guilherme de Ockham e o nominalismo marcam uma mudança essencial. Recusando as sutilezas do realismo e as distinções entre "substâncias primeiras" e "substâncias segundas" que permitiam legitimar os universais, justamente como a "ordem", Guilherme de Ockham infere que não havia "nada de ontologicamente real além do ser particular".

Antes dessa verdadeira fratura em termos jurídicos, a história da noção de ordem(ns), de 1050 até cerca de 1200, resulta principalmente do lento processo de diferenciação do papel dos atores na sociedade medieval. Esse processo deve-se, essencialmente, ao aumento de poder da instituição eclesiástica nos séculos XI e XII.

Uma única ordem: os ensinamentos da liturgia

Em suas *Sentenças* (IV, 24, 13), Pedro Lombardo define ordem como "um sinal, quer dizer, algo de sagrado [*sacrum quiddam*], através do qual a função e o poder espiritual são transmitidos àquele que é ordenado. Assim, chama-se ordem ou grau a característica espiritual na qual se realiza a promoção do poder". Impossível dizer melhor que, em essência, existe uma única ordem, a que os clérigos minuciosamente forjaram.

Em uma primeira análise, a história da liturgia medieval oferece um bom ponto de observação para reter os grandes traços dessa evolução em direção a uma acepção restritiva da noção de ordem. É significativo o fato de o termo *ordo* adquirir claramente o sentido de "descrição de um ato litúrgico" só relativamente tarde, no século VIII e sobretudo no XI, grande período da difusão dos *ordines romani*. Trata-se precisamente da época em que se impõem os graus eclesiásticos: porteiro, leitor, exorcista, subdiácono, diácono, padre, bispo – graus que se distribuem de acordo com uma linha de divisão inspirada no purismo monástico com a exigência do celibato para os graus eclesiásticos superiores (bispo, padre, diácono).

Os documentos litúrgicos denominados *ordines* apresentam-se primeiro de maneira autônoma. Depois chega o tempo da adaptação dos *ordines romani* no mundo franco na época carolíngia (cerca de 750); em meados do século X, acrescentam-se e combinam-se os textos em um único livro, o pontifical, que descreve os atos litúrgicos relativos ao bispo, enquanto os rituais definem o âmbito das funções presbiteriais. Essa evolução é reveladora da profundidade do controle eclesial. No Pontifical romano-germânico (cerca de 960), o bispo não consagra apenas os soberanos; benze as favas, o sabão, a água para os exorcismos, as armas ou os estandartes antes da partida para a guerra; intervém nos ritos de ordálios com água fervente ou gelada...

Esses *ordines* são paralelos à definição de funções no interior da sociedade cristã. A elaboração de uma moral estatutária, cujos primeiros exemplos são dados pelos "espelhos" carolíngios (século IX), permite a cada um se santificar na realização dos deveres de sua função: o celibato, o matrimônio, a oração, a profissão das armas, o labor dos campos. Liturgia e teoria política visam, em um mesmo movimento, pôr ordem na diversidade, estabelecer discriminações claras entre as funções para que a milícia cristã caminhe com eficácia para seu destino.

A reforma gregoriana ou a era de firmes discriminações

Em uma carta (VI, 35) endereçada aos bispos de Rouen, de Tours e de Sens, Gregório VII dá uma vigorosa definição da ordem:

"A providência da administração divina instaurou graus e ordens distintos a fim de que, os inferiores manifestando respeito pelos superiores [*potiores*] e os superiores exprimindo afeição pelos inferiores, da diversidade nasça a concórdia e todos os ofícios organizem-se em uma composição harmoniosa. O conjunto [*universitas*], com efeito, só subsiste pela ordenação [*ordo*] das diferenças. O exemplo das milícias celestes nos ensina que uma criatura não pode viver nem ser governada na igualdade. Anjos e arcanjos não são, como vocês sabem, iguais, mas diferentes uns dos outros segundo o poder e a ordem. Se uma tal distinção existe entre eles, que são sem pecados, como os homens não seriam submetidos a uma disposição similar? É assim que a paz e a caridade podem se abraçar, que a pureza [*sinceritas*] afirma-se na concórdia mútua e na estima cara a Deus; cada ofício realiza-se de maneira salutar quando se pode recorrer a um único superior [*praepositus*]."

O cuidado em distinguir as ordens e em colocar um superior no topo da hierarquia é a marca de um novo tempo. No "único superior" esconde-se uma personagem que adquire nessa época um relevo até então inusitado: o papa. Divisão dos estados de vida e primazia do sucessor de Pedro: tal é a inflexão dada pelo movimento gregoriano à noção de ordem.

Um dos principais ideólogos gregorianos, Humberto de Silva Candida, escreve: "Da mesma forma que clérigos e leigos são separados dentro dos santuários pelos lugares e ofícios, eles devem se distinguir fora em função de suas respectivas tarefas. Que os leigos se dediquem somente às suas tarefas, aos afazeres do século, e os clérigos às suas, quer dizer, aos afazeres da Igreja. Ambos receberam regras precisas".

A distinção dos dois estados de vida não é nova, mas, no século XI, os clérigos gregorianos procuram dar a prescrições até então morais a força e a intangibilidade do direito. Libertar-se do dinheiro e do sexo não é somente um ideal, na verdade relativamente pouco praticado pelos clérigos dos séculos anteriores; é doravante um dever, provido de proibições, a "simonia" e o "nicolaísmo". Assim, os cânones do sínodo romano de 1059 ordenam que nenhum clérigo deve receber uma igreja de um leigo (c.6), exigem a restituição pelos leigos dos bens eclesiásticos (dízimos, *primitiae*, oblações: c.5) e condenam os padres casados e concubinários (c.3). Ao mesmo tempo, regulamenta-se a sexualidade dos leigos dentro do casamento, anunciando a regra das proibições de parentesco até sete graus (c.11).

Essa regulamentação estrita das esferas de atividade no interior da sociedade cristã procura evitar qualquer confusão entre material e espiritual, tão distintos quanto corpo e espírito. Nessa lógica, em última instância, só resta uma ordem, a dos clérigos, sendo os leigos mantidos em posição subalterna. O *ordo clericalis*, possuindo com exclusividade o "sagrado" (quer dizer, o que se refere diretamente ao culto e, mais amplamente, todos os bens que dependem do altar), controla a totalidade do poder de mediação sacramental. Os leigos têm somente acesso indireto ao sagrado. Para participar do sacrifício eucarístico e ganhar, pelo dom e pela devoção, uma parte da eternidade, eles se encontram completamente dependentes dos "transformadores" *ex professione*, os clérigos.

Nos séculos XII e XIII, essa discriminação estrita dos dois estados de vida cobre-se com o manto da graça. É nessa época que se distingue claramente o "mistério" do "sacramento", sinal eficaz da graça que ele produz, e que se elabora a síntese dos sete sacramentos instituídos por Cristo: batismo, confirmação, eucaristia, penitência, extrema-unção, matrimônio e "ordem", sacramento que marca o acesso ao sacerdócio. A moral dos estados de vida, cada vez mais requintada na pastoral das cartas de direção espiritual e dos sermões *ad status*, torna-se ainda mais intangível na medida em que o comportamento de cada um, no seu lugar na hierarquia, é sinal manifesto da graça.

A estrita bipartição gregoriana é acompanhada de marginalização. Com certeza, os séculos XI e XII não inventaram os hereges e transviados, mas criaram uma categoria social inteiramente nova, a dos excluídos. É significativo que a era da grande maquinaria eclesial gregoriana seja precisamente a época do aparecimento dos grupos problemáticos que são os hereges, os judeus, os leprosos e os sodomitas (R. I. Moore).

A primazia pontifical

A Igreja não é simplesmente o "corpo místico de Cristo". Ela se torna também, em uma derivação que não depende simplesmente do trocadilho, o "corpo do papa". Do século XI ao XIII, aos poucos aparece uma cabeça no alto da hierarquia e, através de sucessivos retoques, toma corpo uma doutrina destinada a um belo futuro, a primazia pontifical, expressa no início do século XIV por fórmulas como "o papa, quer dizer, a Igreja" ou "a Igreja, corpo do papa".

O princípio segundo o qual "a primeira sé não pode ser julgada por ninguém" exprime desde há muito tempo o prestígio espiritual gozado por Roma e pelos sucessores de Pedro. Mas essa ascendência espiritual torna-se jurídica durante o período gregoriano. Na teoria e na prática, procura-se instalar o papa em uma posição intocável, no topo e no princípio da hierarquia. De início dotado do título de "vigário de Pedro", o papa torna-se, com Inocêncio III (1198-1216), o "vigário de Cristo". O papa, encarregado de toda a Igreja, encarna a plenitude do poder que se distingue radicalmente da simples participação na responsabilidade própria aos bispos, responsáveis de um único rebanho.

A evolução do direito vem cimentar essa nova norma. A Alta Idade Média nem sempre distinguia bem o direito canônico da teologia e das referências da Escritura. As distinções essenciais estabelecem-se no século XII, grande período de reflexão sobre o *ius divinum* e o *ius naturale*, entre "normas imutáveis", enraizadas na Escritura, e "normas mutáveis", certamente relacionadas ao direito canônico, mas concernentes ao humano e ao que este pode significar de incerto. Assim, diferentes níveis do direito diferenciam-se segundo a proximidade do divino. Ora, a partir de Inocêncio IV (1243-1254), considera-se que o papa está submetido ao *ius divinum*, mas está acima das normas mutáveis.

Compreende-se, então, como a administração das causas e dos quadros eclesiásticos pôde tender a uma crescente centralização: criação de dioceses, nomeação de bispos, concílio, procedimentos de canonização, causas maiores reservadas ao papa.

Ordem(ns) e mobilidade social

A sociedade de ordem(ns) nunca foi um sistema de castas. O mundo medieval sempre foi de um holismo bem moderado e suas estruturas de controle relativamente plásticas. A teoria das três ordens valoriza o conjunto das funções. Distinguem-se graus, é certo, mas todas as tarefas, mesmo as mais insignificantes, são reconhecidas. Do ponto de vista da história, uma das revoluções do cristianismo – reforçada pela tradição monástica hostil ao ócio – é ter feito do trabalho um valor. Além disso, a repartição das tarefas é menos fixa na medida em que o Ocidente medieval sempre se preocupou com o "progresso", espécie de escala graduada que permite ao fiel elevar-se da condição humana mais vil até as efusões celestes. Tal mobilidade moral contribuiu para relativizar as fronteiras existentes entre as funções sociais.

Das três funções, uma só, a dos guerreiros, constitui-se pouco a pouco em grupo relativamente fechado de especialistas cujo sentimento de pertencimento a esse grupo não só cimentou uma prática comum da profissão das armas, como também uma minuciosa ética nobiliárquica, um estatuto jurídico (acima de tudo, a nobreza opõe-se à servidão) e prerrogativas do exercício do poder temporal, pelo menos no tempo da "ordem senhorial".

Ao contrário, a terceira função é um "resto" apto a acolher grupos tão diversos como os agricultores da Alta Idade Média e, a partir dos séculos XI e XII, os diferentes componentes das classes urbanas. Esse "resto", constituído de burgueses, mercadores e múltiplos grupos e subgrupos nascidos do desenvolvimento das cidades, é um lugar de indeterminações socialmente fecundas. Confrarias, guildas e corporações, nas quais se tecem relações horizontais, são, assim, extraordinários laboratórios de ideais comunitários que vêm com frequência perturbar as hierarquias ideais elaboradas pelos clérigos.

Escatologia, mobilidade, reversibilidade

"Por que o mestre e o escravo, o rico e o pobre não são iguais por natureza, se o Deus único não diferencia as pessoas no Céu? E, problema ainda mais doloroso, o senhor cristão não poupa neste mundo o escravo cristão, prestando pouca atenção ao fato de que, se ele é escravo pela sua condição, é, no entanto, seu irmão segundo a graça. Ambos são nus, ambos são enfermos, ambos levam uma vida de miséria e ambos gemem."

Essas reflexões do "moralista" carolíngio Jonas de Orleans em seu *Da instituição laica*, dão uma boa ideia dos problemas colocados aos teóricos da sociedade medieval pelo fosso que separa a realidade das condições sociais e o ideal de comunhão na graça. Na perspectiva escatológica e na lógica do igualitarismo anunciado pelo apóstolo Paulo, a dificuldade foi conciliar presente e futuro gerindo o melhor possível a antecipação do Além. Dois tipos de resposta foram dados a essa expectativa. Durante toda a Idade Média, as comunidades utópicas procuraram viver uma escatologia presente na extrapolação imediata das condições sociais e das divisões do sexo. Diante dessas contrassociedades, o realismo eclesial sempre se esforçou, de maneira particularmente eficaz a partir dos séculos XI e XII, em manter a concórdia na diferença oferecendo outras formas de antecipação mais atenuadas nas práticas de conversão e comutação.

Conversão e acesso à liberdade da "ordem"

A conversão é, ao mesmo tempo, a mais simples e a mais radical dessas formas de antecipação. Ela consiste em aderir a uma das famílias da função da oração e a passar assim à "ordem", considerada a parte de Deus livre de qualquer divisão. A mobilidade das pessoas ligada às conversões sempre foi importante na sociedade medieval, especialmente a partir da era gregoriana. A pastoral destinada aos leigos não se contenta mais em enunciar uma "ética relativa" (L. Dumont) – por exemplo, a dos "espelhos de príncipes" carolíngios ou as cartas de direção espiritual e outros sermões *ad status*. As *Vidas* de santos laicos, particularmente abundantes a partir dos anos 1050, ensinam os caminhos da realização individual *no* e depois *fora* do mundo para alcançar a perfeição.

Em uma época (sobretudo nos séculos X e XII) em que os homens estão presos em um emaranhado de laços de dependência (servidão, relações feudo-vassálicas...), a "liberdade" própria da ordem da oração tem efeitos sociológicos que, infelizmente, são muito pouco reconhecidos pelos historiadores da sociedade medieval. O primeiro desses efeitos toca o destino dos escravos e servos dentro da comunidade cristã. Os pensadores da Idade Média sempre consideraram que a servidão, filha da maldição de Cam (Gênesis 9,25), enraíza-se no direito divino e, como tal, depende das normas imutáveis. Essa regra possui, no entanto, uma grande exceção, na medida em que o acesso ao sacerdócio supõe ser de condição livre. Para se tornar padre, o escravo, bem móvel e por consequente fora das ordens, deve primeiro ser libertado.

A força dessa regra nutre-se do princípio segundo o qual a função de oração realiza antecipadamente o igualitarismo do Além. É a razão pela qual nenhuma barreira jurídica jamais separou, dentro da ordem, o "baixo" e o "alto" clero, apesar da distância real das condições econômicas e dos graus eclesiásticos. Esse princípio explica também a extrema mobilidade que reina dentro da "ordem"; é mesmo um aspecto pouco reconhecido, mas capital, da reforma gregoriana. As comunidades monásticas isentas, como Cluny a partir do final do século X, depois as Ordens Mendicantes (dominicanos e franciscanos), ordens itinerantes por excelência, definem-se em relação ao centro, quer dizer, Roma, pondo em curto-circuito todos os graus hierárquicos para depender somente da "cabeça".

Tal é o principal efeito eclesial da liberdade carismática segundo a qual o indivíduo ou uma comunidade de "espirituais" define-se primeiro e antes de tudo pela sua relação com Deus. A Idade Média ocidental levou longe a lógica desse princípio teorizando a conversão (ou "saída" do mundo) no quadro das reflexões sobre as estruturas de parentesco que se referem ao final dos tempos ou, se se prefere, à herança do "Pai". Os parentescos espirituais vividos no âmbito de conversões à "ordem" foram o poderoso motor que permitiu, dentro das comunidades de oração, ultrapassar os laços de sangue para aderir a uma verdadeira fraternidade antecipando a igualdade vivida no Além. Esse modelo, que, por exemplo, sobressai da constituição das universidades e das confrarias laicas, dinamizou a constituição de pequenas sociedades de iguais, sobretudo no meio urbano.

Comutações e redistribuições

O principal aspecto das práticas sociais ligadas à escatologia concerne à parte devida aos mortos. A morte, como antecipação do Além, foi fonte de mobilidade das pessoas e dos bens dentro da sociedade medieval.

O cristianismo, forma evoluída de religiões de mistério, convida os fiéis a entrarem em comunhão para participar, um pouco agora e totalmente amanhã, de uma humanidade bem-aventurada. Uma das formas dessa antecipação em comunidade consiste, desde a Antiguidade tardia, em comprar desde já partes da eternidade. A longa e complexa história dessa contabilidade sutil com o Além repousa fundamentalmente sobre o princípio da reversibilidade e a prática das comutações. O termo "comutação" faz referência direta à evolução das práticas penitenciais durante a Alta Idade Média, que possibilitam se desobrigar da reparação de um erro. Essa evolução condiciona o aparecimento de um grupo de especialistas, os padres, e cada vez mais frequentemente os monges-padres, destinados às missas especiais e privadas – invenção da Alta Idade Média. Penitências e sobretudo sufrágios pelos mortos são uma extraordinária fonte de redistribuição econômica. De fato, os especialistas da comutação recuperam e administram os bens, frequentemente importantes, confiados pelos fiéis que buscam a reintegração na comunidade ou querem ser inscritos no Livro de vida. O aspecto temporal dessa gestão de bens destinados ao divino consiste na manutenção dos pobres: estes pobres são os monges-padres que se separaram do mundo para se consagrar à pureza e ao sacrifício, ou o grupo de miseráveis que, na Alta Idade Média, se amontoavam nas portas dos mosteiros em busca de "caridade" e consentiam em participar do jogo simbólico como representantes dos mortos.

Por outro lado, a oblação de escravos ou de servos a uma família eclesiástica era considerada um verdadeiro acesso à liberdade, mesmo se esses oblatos continuassem com frequência submetidos a encargos e taxas. Um estudo mais atento dos efeitos sociais dessa prática permitiria com certeza uma melhor compreensão da extrema instabilidade da noção de servidão.

A dinâmica da ordem no mundo

O programa gregoriano de ação no mundo tomou formas diversas que conduziram a uma maneira original de conceber e realizar a "inclusão", quer dizer, responsabilizar-se pelo século. As ramificações são tantas que pequenos libelos florescem para classificá-las, por exemplo, o *Libellus de diversis ordinibus*, escrito no início do século XII na região de Liège, que procura distinguir os diferentes ramos do mundo contemplativo em função da maior ou menor distância em relação à sociedade urbana.

Pode-se, no entanto, resumir essa profusão de ordens em três modos de inclusão: o monasticismo tradicional, o eremitismo e as ordens de pregadores. O primeiro (tal qual se realiza, por exemplo, em Cluny) pensa a comunidade monástica como uma sociedade de perfeitos, pobres e virgens, que oferece um refúgio aos homens do século. A *Ecclesia cluniacensis* acaba se confundindo, na pena de Pedro, o Venerável, com a "república da Igreja cristã". A comunidade alia cenobitismo e prática ocasional de eremitismo; uma clausura é oferecida às mulheres (Marcigny); próximo dessa pequena Roma evolui uma gama de assistidos: pobres, penitentes, peregrinos e, mais amplamente, qualquer fiel e sua linhagem preocupados com a boa administração da memória individual e familiar.

O modelo eremítico dos que renunciam ao mundo é bem sintetizado pela instituição dos cartuxos, que se reservam um espaço interior no deserto. Mas, se necessário, não se deixa de investir esses renunciadores em alto cargos eclesiásticos, pois, precisamente, só os mais puros podem agir com eficácia no mundo. Assim, numerosos cartuxos tornaram-se bispos.

O terceiro modelo, o das Ordens Mendicantes, é contemporâneo do desenvolvimento das cidades no Ocidente medieval. Essas ordens "ambulantes" agem dentro do mundo. Sua ação de inspiração, mas também de exclusão (em particular na pastoral anti-herética dos dominicanos), possibilita criar no centro das turbulências urbanas pequenas sociedades ordenadas em função do grau de "conversão": religiosos (homens e mulheres, a primeira e a segunda ordem) e leigos formando a "ordem terceira". Deve-se insistir sobre a importância desse modelo que incorpora os leigos à "ordem", modelo que, por capilaridade, difunde-se em outras fraternidades urbanas organizadas em confrarias.

Algumas vias de saída do holismo para o individualismo

Procurando, na longa duração da história ocidental, modalidades de passagem do holismo ao individualismo, Louis Dumont propôs um quadro de análise, hipóteses e balizas que não podem deixar o medievalista indiferente. O antropólogo considera a relação dos dois polos, o "indivíduo que renuncia" e o "mundo", uma "dicotomia ordenada" que toma a

Ordem(ns)

forma de dois círculos concêntricos cuja parte interna torna-se, durante a história, cada vez mais importante, pois "o valor supremo exerce uma pressão sobre o elemento mundano antitético que ele encerra. Por etapas, a vida mundana é contaminada pelo elemento extramundano até que, por fim, a heterogeneidade do mundo se desfaça inteiramente [...], o indivíduo--fora-do-mundo torna-se o moderno indivíduo-no-mundo". O estudo da sociedade de ordem(ns) medieval permite esclarecer o fenômeno de três maneiras:

1. Na teoria (elaboração da teoria das três ordens funcionais, definições da "ordem" no contexto gregoriano) e sobretudo na *prática*, foi necessário um tempo muito longo para que a sociedade medieval conseguisse funcionar de acordo com o modelo de uma "dicotomia ordenada". A dificuldade essencial consistiu em distinguir de maneira tangível a parte do divino e os modos de acesso a essa parte aqui e agora, tanto para a elite dos que renunciam ao mundo quanto para os fiéis comuns. Desse ponto de vista, o passo decisivo é dado na era gregoriana, época ao mesmo tempo de fuga do século e de programa eclesial ativo no mundo. Guiada pelos "perfeitos", experimentados pelas diferentes formas de propedêutica da renúncia do mundo, a ação da Igreja atinge um grau de requinte até então inusitado. A instauração da confissão privada, obrigatória a partir do Concílio de Latrão IV (1215), representa uma baliza capital na história da administração clerical das consciências e da "pressão [eclesial] sobre o elemento mundano". Durante essa evolução, a "parte interna" dos dois círculos é cada vez maior, o que significa dizer que Igreja e sociedade tornam-se progressivamente termos coextensivos.
2. A sociedade medieval é caracterizada por uma grande mobilidade. Na perspectiva do final dos tempos, hierarquia e ordem têm como objetivo unicamente possibilitar a fluidez das pessoas (conversões) e dos bens (comutação). Em vista do Além, a distribuição hierárquica não poderia ser absoluta nem definitiva. O acesso à "ordem" supõe sempre uma possibilidade de ultrapassar o lugar ocupado. Tal é o principal efeito da transcendência, ainda mais eficiente socialmente

na medida em que o divino dotou-se, a partir da época gregoriana, de um sólido representante na pessoa do papa, "vigário do Cristo".
3. O acesso à "ordem" representa, enfim, uma fonte de turbulência extremamente fecunda do ponto de vista social. Sair do mundo significa, de fato, aderir a uma comunidade antecipadora regida, além das relações de sangue e de sexo, por um parentesco espiritual. Através de modelos derivados (universidade, confraria...), os efeitos sociais dessa nova prática de parentesco são determinantes na criação de maneiras originais de ser em sociedade. Pois são essas pequenas comunidades de iguais que, baseadas na fraternidade, vão inventar as formas de relações contratuais tão importantes para a pré-história do individualismo.

DOMINIQUE IOGNA-PRAT
Tradução de Eliana Magnani

Ver também

Clérigos e leigos – Estado – Guilda – Morte e mortos – Parentesco

Orientação bibliográfica

CHIFFOLEAU, Jacques. *La Comptabilité de l'au-delà*: les hommes, la mort e la religion dans la région d'Avignon à la fin du Moyen Âge (vers 1320-vers 1480). Roma: École Française de Rome, 1980.

CONSTABLE, Gilles. The Orders of Society. In: *Three Studies in Medieval Religious and Social Thought.* Cambridge: Cambridge University Press, 1995.

DUBY, Georges. *As três ordens ou o imaginário do feudalismo* [1978]. Tradução portuguesa. Lisboa: Estampa, 1982.

DUMONT, Louis. *Essais sur l'individualisme*: une perspective anthropologique sur l'idéologie moderne. Paris: Seuil, 1983.

FAIVRE, Alexandre. *Ordonner la fraternité*: pouvoir d'innover et retour à l'ordre dans l'Église ancienne. Paris: Cerf, 1992.

FICHTENAU, Heinrich. *Die Lebensordnungen des 10. Jahrhunderts*: Studien über Denkart und Existenz im einstigen Karolingerreich. Stuttgart: Hiersemann, 1984.

GODELIER, Maurice. *L'Idéel et le matériel*: pensées, économie, sociétés. Paris: Fayard, 1984.

IOGNA-PRAT, Dominique. Le 'Baptême' du schéma des trois ordres fonctionnels: l'apport de l'École d'Auxerre dans la seconde moitié du IXe siècle. *Annales ESC*, Paris, 1986. p. 106-26.

LAUWERS, Michel. *La Mémoire des ancêtres, le souci des morts*: morts, rites et société au Moyen Âge (diocèse de Liège, Xe-XIIIe siècle). Paris: Beauchesne, 1997.

LOHMER, Christian. "Ordo" und Heilserwartung bei Petrus Damiani. In: MORDEK, Hubert (org.). *Papstum, Kirche und Recht: Festschrift für Horst Fuhrmann zum 65. Geburtstag*. Tübingen: Niemeyer, 1991. p.175-86.

MICHAUD-QUANTIN, Pierre. *Universitas*: expressions du mouvement communautaire dans le Moyen Âge latin. Paris: Vrin, 1970.

MOORE, Robert I. *La Persécution: sa formation en Europe, Xe-XIIIe siècle* [1987]. Tradução francesa. Paris: Les Belles Lettres, 1991.

OEXLE, Otto Gerhard. Stand, Klasse. *Geschichtliche Grundbegriffe*, 6, p.155-200, 1990.

ORTIGUES, Edmond. Haymon d'Auxerre, théoricien des trois ordres. In: IOGNA-PRAT, Dominique; JEUDY, Colette; LOBRICHON, Guy (eds.). *L'École carolingienne d'Auxerre*. Paris: Beauchesne, 1991. p.181-227.

PIGUET, Marie-France. Réduire en Classes / être divisés en ordres: les sources françaises du mot *classe* au XVIIIe siècle. *Mots*, 17, p.43-69, 1998.

SCHMITT, Jean-Claude. Le Moyen Âge: ordre et desordres. *Médiévales*, Vincennes, n.4, p. 5-14, maio 1983.

TIERNEY, Brian. *Religion et droit dans le développement de la pensée constitutionnelle* [1982]. Tradução francesa. Paris: Presses Universitaires de France, 1993.

WEIGAND, Rudolf. Das gottliche Recht, Voraussetzung der mittelalterlichen Ordnung. In: Chiesa, diritto e ordinamento della "società cristiana" nei secoli XI e XII. Atti della nona Settimana Internazionale di Studio (Mendola, 28 ago.-2 set. 1983). Milão: Vita e Pensiero, 1986. p.113-32.

Parentesco

Apesar, ou mais exatamente, por causa da familiaridade aparente, os fatos de parentesco não devem ser tratados pelo historiador sem precaução; qualquer análise deve considerar em particular duas características essenciais:

1. O parentesco constitui, em toda sociedade, um conjunto de relações socialmente definidas e construídas. Uma prova simples, entre muitas, é dada pela diversidade testemunhada, no espaço e no tempo, pelos sistemas de parentesco produzidos pelos grupos humanos trabalhando materiais biológicos comuns. Articulando as necessidades biológicas e as obrigações sociais, o parentesco depende, em suma, bem mais da ordem da cultura do que da natureza.
2. Os dados implícitos fornecidos a cada um de nós pela experiência pessoal do parentesco não podem ser racionalmente considerados coisa diferente do que são: representações parciais, imediatas, acríticas, de um sistema de parentesco particular; incapazes de considerar este último com a objetividade e o rigor necessários, tais representações são ainda mais ineficazes e enganadoras quando aplicadas a uma sociedade tão diferente da nossa quanto a do Ocidente medieval.

Assim, se quiser evitar as armadilhas do anacronismo, o historiador é obrigado a adotar procedimentos específicos e noções isentas das que lhe fornece o senso comum. Entre estas últimas, recusaremos em particular a de família, carregada de conotações datadas do século XIX e que favorecem as confusões entre a ordem do parentesco e a da residência. Ao contrário, vamos recorrer às noções, fundamentais em antropologia, de consanguinidade e de aliança: a primeira corresponde aos elos entre dois indivíduos, dos quais um descende do outro ou reconhecem ter um ascendente comum; a segunda traduz a forma pela qual os grupos de consanguíneos são ligados entre si pela aliança do matrimônio. Organizando socialmente o intercâmbio das mulheres e a reprodução, a aliança constitui um instrumento privilegiado da coesão dos grupos humanos, como mostrou Claude Lévi-Strauss.

O medievalista não pode se contentar em observar esses dois tipos de relação, por mais importantes que eles sejam, pois, desde o século IV, existe no Ocidente cristão uma terceira forma de parentesco, que em geral os antropólogos classificam na categoria subsidiária dos parentescos rituais (parentesco de sangue, por exemplo, ou adoção). Ora, não só o parentesco espiritual cristão é uma prática generalizada através do batismo, depois através do apadrinhamento do batismo e da confirmação (século VI), mas também é um elemento crucial da estruturação da sociedade. Ele permite pensar e organizar na prática a relação dos homens com Deus, assim como dos homens entre si por intermédio de Deus, e fundamenta a instituição central e sacralizada que é a Igreja.

Se essa configuração específica obriga o medievalista a ser inventivo, ela não reduz em nada a importância de dois aspectos técnicos essenciais da análise antropológica do parentesco, infelizmente ainda muito pouco utilizados pelos historiadores: a observação da terminologia, reveladora de certas estruturas subjacentes; a observação mais geral e sistemática possível das redes baseadas na consanguinidade e na aliança, através das quais são perceptíveis os processos de transmissão e as modalidades dos laços entre grupos de parentes.

Sem pretender fazer uma verdadeira síntese, que o estado ainda fragmentado das pesquisas nesse campo não permite, evocaremos brevemente algumas questões concernentes à consanguinidade, à aliança, ao parentesco espiritual, e tentaremos mostrar como esses elementos contribuem para traçar os contornos de um sistema de parentesco dotado de propriedades específicas, cujo papel provavelmente foi essencial na evolução global das estruturas sociais do Ocidente.

O campo da consanguinidade: um sistema cognático

A consanguinidade, definida por regras de natureza social e não biológica, rege o recrutamento dos grupos de parentes, mas também a transmissão dos bens materiais e simbólicos. As sociedades humanas formularam sobre esse ponto princípios diferentes, dando origem a dois grandes tipos de organização: os sistemas unilineares e os sistemas cognáticos. Nos primeiros, filiação e transmissão passam por um sexo e excluem o outro; no sistema patrilinear, por exemplo, apenas a relação através de homens é socialmente aceita. Esse modo de classificação dos parentes e dos não parentes produz grupos pequenos, aos quais um indivíduo é automaticamente fixado pelo nascimento, que o autoriza a ter acesso ao nome, aos bens, ao estatuto, aos privilégios, aos direitos diversos que uma filiação comporta, mas que também o submete a obrigações e deveres. Ao contrário, nos sistemas chamados cognáticos ou indiferenciados, reconhecimento da consanguinidade e transmissão passam tanto pelos homens quanto pelas mulheres. Portanto, os grupos não estão separados, já que cada um está ao mesmo tempo ligado à linhagem de seu pai e à de sua mãe, a redes que se cruzam, a parentelas constituídas pelo conjunto de pessoas que têm um parente em comum, sendo o elo de parentesco estabelecido pela contagem de um número – variável – de graus de consanguinidade entre Ego e seus diversos parentes reconhecidos.

Como foi bem notado pelo antropólogo Jack Goody, familiarizado com sociedades unilineares africanas, e apesar do que foi frequentemente escrito, tudo indica que o sistema cognático em vigor em nossa própria sociedade data, na Europa, o mais tardar do início dos tempos medievais. Sendo abordada do ponto de vista da terminologia ou da transmissão, a comparação com a sociedade romana é esclarecedora, já que, para o Império e sobretudo para seus últimos séculos, a estimativa do peso da inflexão patrilinear, que caracteriza aparentemente a *gens* na sua origem, deve ser fortemente matizada.

A terminologia romana justapõe aos vocábulos que designam indiretamente todos os parentes outros que permitem operar uma distinção concernente aos paternos: *cognatio* refere-se a todos os parentes de Ego, *agnatio* apenas aos parentes em linha masculina, os que puderam ser submetidos à mesma *patria potestas*. O par *patruus/amita* designa o tio e a tia paternos em oposição a *avunculus/matertera*, tio e tia maternos. Ora, essas distinções tornaram-se claramente ultrapassadas no momento em que se formam as línguas românicas: por exemplo, em francês antigo, *oncle*, derivado de *avunculus*, e *ante*, derivado de *amita*, formam um par híbrido; outras línguas românicas utilizaram outras raízes, mas com uma indiferenciação semelhante. Tratando-se de parentes em grupo, *agnatio*, reservado aos paternos, desapareceu do latim medieval diante de *cognatio*, e secundariamente de *consanguinitas*, que reúnem todos os parentes consanguíneos. Os neologismos *parentela*, *parentatus* e seus correspondentes vernáculos (*parenté*, *parentage* em francês, *parentela*, *parentado* em italiano, *parentela*, *parentesco* em castelhano) podem ter um sentido equivalente ou considerar o alargamento da parentela medieval aos agregados e parentes espirituais. Um uso comparável, embora limitado aos consanguíneos, aparece no termo *lignage* da língua d'oïl: nos romances da Távola Redonda, Artur considera como membros de sua linhagem Gauvain, filho de sua irmã, e Cligès, filho da filha de sua irmã, o que é incompatível com um sistema patrilinear, em que Gauvain e Cligès seriam exclusivamente membros das linhagens de seus respectivos pais. Ora, ninguém supôs também que se tratasse de um sistema matrilinear. A análise da terminologia oferece indícios pouco contestáveis de uma rearticulação marcada pelo desaparecimento de qualquer referência patrilinear e pela passagem a um sistema cognático. Problemas análogos também são observados nas línguas germânicas.

O exame das regras de transmissão revela uma equivalência similar dos sexos. Ao contrário do que acontecia em Roma e como em nossa própria sociedade, todo indivíduo pode herdar automaticamente de seu pai e de sua mãe, assim como de seus quatro avós. Todos os trabalhos que tratam dessa questão nos períodos dos quais documentos significativos foram conservados mostram que uma filha pode perfeitamente herdar de seu pai, sucedê-lo na direção de um ou vários senhorios, ou até de um reino, para transmiti-los mais tarde a seus próprios descendentes, filhos ou filhas. A grande diversidade das regras enunciadas primeiro em alguns códigos da Alta Idade Média, depois nos costumes a partir do século XIII, não deveria de forma alguma deixar esquecer esse princípio cognático fundamental, que é utilizado de maneira congruente no campo da aliança e da filiação (ao contrário, o sistema romano reconhece a igualdade dos parentes em linha paterna e materna para definir os limites das relações matrimoniais autorizadas, mas não os confunde para a transmissão, o que justifica, sem dúvida, a manutenção de uma terminologia distintiva).

Nessas condições, por que a noção de patrilinearidade é evocada tão regularmente a respeito da Idade Média? Fenômenos de pelo menos dois tipos parecem ter causado certa confusão: a preeminência social dos homens sobre as mulheres, a intrusão determinante de imperativos patrimoniais no funcionamento e nas representações da filiação. O primeiro elemento tem como efeito o favorecimento, até um ponto mais ou menos avançado segundo as épocas e as regiões, da transmissão preferencial aos filhos não só dos cargos, mas também das terras e imóveis, que são o fundamento material e simbólico de um estatuto dominante, já que a dominação é exercida no sistema feudal simultaneamente sobre as terras e sobre os homens. A partir do século XI, momento em que a aristocracia ocidental se fixa sobre terras mais agrupadas, cujo nome é adotado por ela em várias regiões, os filhos são preferidos em vez das filhas como herdeiros da parte central do patrimônio e como sucessores dos cargos que são, doravante, indissociáveis desse patrimônio. Contudo, em compensação, as filhas recebem um dote que corresponde a uma parte da herança e que comporta talvez uma crescente parcela em dinheiro, mas também, para as mais ricas, bens imóveis que transmitirão aos seus filhos e filhas. E se os acasos biológicos só deixam uma filha, ela pode herdar e transmitir como faria um filho; aliás, conhecemos na aristocracia vários casos de sucessão de mãe para filha durante duas ou três gerações, casos que, mais uma vez, não estimularam ninguém a falar de sistema matrilinear. A Idade Média ocidental prefere a sucessão em linha direta – uma filha ganha em geral de um parente masculino mais distante, a começar pelos irmãos do defunto – e a relativa exclusão das filhas é acompanhada, na mesma época, de uma exclusão semelhante dos caçulas; o direito de primogenitura que legitima essa disposição foi um dos mais contestados no final do Antigo Regime. Do ponto de vista da transmissão, esse sistema não é portanto de linhagem, mas linear.

Se as mulheres são (parcialmente) excluídas do jogo da sucessão, não é por causa de um princípio unilinear que regeria a filiação, mas em virtude de processos sociais nos quais se combinam a preeminência dos homens e o imperativo patrimonial. Este último acaba de fato constituindo "linhagens de herdeiros", às quais demos o nome de "topolinhagens", quer dizer, linhagens formadas pelos que sucessivamente guardaram o patrimônio principal (os "próprios"), cada um visando reproduzir de forma idêntica ou aumentar, em um sistema globalmente em homeostasia, os elementos materiais e simbólicos de uma posição social que repousa antes de tudo sobre a dominação de terras e dos homens que as ocupam. Observa-se aqui uma forma de estruturação linear, mas ela não tem sua origem no parentesco propriamente dito e, de certa maneira, impõe-se a este. Como as sociedades camponesas europeias estudadas pelos antropólogos, a sociedade feudal é dotada de um sistema de parentesco complexo, bem pouco coativo do ponto de vista da filiação. E ele é trabalhado e formado pelos imperativos externos que cercam o campo do parentesco; uma análise do labirinto das regras de sucessão concernentes aos bens e às pessoas permitiria desvendar e explicar pelo menos uma parte desses processos e esclarecer sua lógica social. Da mesma forma, um estudo atento do vocábulo "linhagem" mostraria sua enorme maleabilidade, correspondendo à flexibilidade do parentesco cognático. Assim, ele corresponde, às vezes, à representação de uma parentela descendente de um único ancestral masculino, preferindo os homens e figurando de fato a "topolinhagem", antes de alargar-se um pouco no nível do Ego ou de seu pai. No entanto, trata-se apenas de uma das imagens possíveis da parentela, a do tronco, que não tem nada a ver com uma patrilinhagem. Por outro lado, a "linhagem" é essa constelação de parentes que se convoca ideal ou praticamente em uma ou outra circunstância e cujos limites são fixados tanto pelas possibilidades efetivas de interconhecimento e de memória, quanto pela definição canônica, dois limites que mais ou menos se sobrepõem. Decididamente, a única inflexão patrilinear perceptível na sociedade medieval é, como na nossa, a da transmissão do patronímico. Ora, este último não é anterior ao final do século XII. Ligado precisamente à constituição das linhagens fixadas em uma terra, ele toca somente os grupos dominantes e nunca é aplicado com o rigor que prevaleceu recentemente: adotar o sobrenome do avô materno quando se herda suas terras, o que não é raro, é uma prática muito comum. Assim, como conceber que, em um sistema social tão uniformizante quanto o do cristianismo, a minúscula fração dos dominantes tenha podido dispor de seu próprio sistema de filiação?

A aliança: coerções e estratégias

Desde os séculos IV e V, teólogos, sínodos e concílios preocuparam-se em fixar a doutrina cristã do matrimônio, e particularmente em determinar suas condições de validade. Que as prescrições da Igreja só tenham sido progressiva e parcialmente respeitadas não invalida um dado essencial: entre os séculos IV e VI, tendo se tornado instituição dominante e "total", a Igreja encontra-se em posição de definir globalmente as normas do comportamento social. O direito romano, dando um lugar essencial à distinção entre público e privado, considerara o casamento um assunto privado contanto que fossem observadas algumas poucas regras no que toca precisamente à reprodução da ordem social, algumas proibições por incesto e o *conubium* (direito de contrair um casamento legítimo), ligado à concepção de cidadania e dos estatutos. O abandono dessa distinção conduz a um fortalecimento progressivo do controle da Igreja sobre a aliança, em uma evolução que se insere ao mesmo tempo nas concepções do mundo próprias ao cristianismo e no desenvolvimento conexo dos fundamentos e do papel do parentesco em uma sociedade totalmente cristã.

Ao contrário do que acontece com a filiação, a aliança não traduz uma modificação de princípio em relação às regras romanas; trata-se, nos dois casos, de um sistema complexo que deixa liberdade na escolha do cônjuge, contanto que sejam respeitadas as proibições concernentes a alguns parentes definidos como próximos demais (lembremos que alguns sistemas prescrevem o casamento com uma ou outra categoria de parentes). Contudo, o casamento cristão caracteriza-se por dois traços essenciais, cuja combinação é excepcional: ele é monogâmico, como o casamento romano, mas também é indissolúvel, excluindo um divórcio que fora um instrumento não desprezível das práticas e estratégias de reprodução nos tempos romanos. A esse forte imperativo, a Igreja somou outros através da considerável ampliação das proibições de casamento: no plano da consanguinidade, o limite do 7º grau canônico, enunciado desde a época carolíngia, equivale a proibir a união matrimonial com qualquer consanguíneo até o 14º grau romano; proibições desconhecidas na época romana foram feitas aos aliados, primeiro ao irmão ou à irmã do cônjuge falecido, em seguida a todos os aliados no limite do 7º grau canônico, em virtude do princípio da unidade da carne dos esposos que possibilita assimilar seus respectivos parentes; enfim, o parentesco batismal gera, a partir do século VII, proibições entre padrinhos e afilhados, entre padrinhos e pai e mãe do afilhado (os compadres), entre afilhado e filhos dos padrinhos. No século XII, o conjunto dessas proibições atinge sua máxima extensão e complexidade, proscrevendo na prática o casamento com qualquer consanguíneo conhecido e também com um grande número de agregados e parentes espirituais. Na mesma época, o casamento passou a ter caráter sacramental e tudo o que tocava questões matrimoniais, inclusive os assuntos patrimoniais delas derivadas, dependia doravante da jurisdição eclesiástica. Enfim, parece que a insistência quanto à necessidade de tornar os ritos públicos impôs pouco a pouco um aspecto suplementar do controle da Igreja.

As regras canônicas constituíam um emaranhado complexo demais para ser aplicado e até para ser entendido e memorizado, razão pela qual, no Concílio de Latrão IV (1215), a Igreja reduziu o limite da parentela consanguínea e aliada ao 4º grau e suprimiu as proibições laterais em cujos detalhes não entramos. De fato, o conjunto de proibições repousa sobre um elemento simples, o da unidade da carne. Aplicado ao mesmo tempo aos consanguíneos e aos cônjuges, essa noção possibilita estabelecer um sistema de relações transitivas de identidade tanto entre consanguíneos quanto entre agregados, o que justifica a extensão da noção de incesto e das proibições de matrimônio. As práticas só poderiam ser avaliadas se estudássemos genealogias completas e sistemáticas, que, por exemplo, fariam aparecer, em uma dada região, o essencial ou a totalidade das uniões matrimoniais – efetuadas durante pelo menos seis ou sete gerações – nos diversos níveis do conjunto de grupos de parentesco pertencentes à aristocracia. Tal programa ainda está por ser realizado. Uma tentativa efetuada com um material limitado, da Borgonha e da Lorena, mostra que, antes de 1215, grande parte das alianças era realizada fora do círculo dos parentes proibidos. No entanto, na zona entre o 5º e o 7º graus, efetuava-se um número significativo de "fechamentos consanguíneos", quer dizer, casamentos na consanguinidade. Essas práticas não eram predominantes, e abaixo do 4º grau provavelmente foram raras, ou muito raras no século XII. Fechamentos consanguíneos e reduplicações de aliança traduzem a renovação da aliança matrimonial entre duas linhagens já aliadas em uma geração anterior, traçando os contornos de um espaço preferencial dentro do qual se procura tornar mais densa a rede das relações baseadas no parentesco, multiplicando ou reatando os laços. As margens do campo da afinidade foram utilizadas com intenções comparáveis: por exemplo, o casamento de dois pares de germanos (dois irmãos com duas irmãs), liberado após 1215 e anteriormente dependente da zona secundária da afinidade.

Fora das regras impostas pela Igreja (proibição do incesto, proibição do divórcio), a aliança corresponde na sociedade medieval à definição geral dos sistemas complexos e permite todas as combinações. Encontra-se, assim, a situação já evocada a propósito da filiação: as múltiplas estratégias realizadas no plano da aliança, e complementares daquelas abertas pela filiação, materializam no parentesco imperativos de outra natureza. Caso se constate a existência de um modelo ideal de casamento hipergâmico dos homens – afirmado, por exemplo, na literatura cortesã e efetivamente realizado em proporção não desprezível nas uniões observadas –, encontram-se também uniões isogâmicas e hipogâmicas, assim como coexistem uniões com tendência endogâmica e uma vasta prática exogâmica. Esse sistema permite à aristocracia tecer amplas redes baseadas na afinidade, nas quais se combinam os elos de longa e muito longa distância, cobrindo a totalidade do espaço da Cristandade, e os elos locais, sustentando parcialmente as relações hierárquicas de vassalidade. A extensão considerável das proibições, restringindo drasticamente as possibilidades de fechamento das parentelas, cria uma situação particularmente favorável à coesão dos grupos dominantes na sociedade feudal.

O jogo matrimonial também implica estratégias que concernem à afirmação e reprodução dos elementos de dominação social. Se é difícil avaliar esses fenômenos para os períodos antigos, a fixação da aristocracia, a partir dos séculos X e XI, verossimilmente deu maior peso aos imperativos patrimoniais no desenvolvimento das estratégias matrimoniais: a restrição do casamento dos caçulas, a repartição das filhas ou mais amplamente do conjunto de irmãos nos diferentes níveis da aristocracia, o casamento das herdeiras, são determinados pela necessidade de manter os elementos materiais da dominação e reforçar ou estender as redes de relações sociais. A aliança de matrimônio aparece, com efeito, como o meio mais cômodo de garantir ou aumentar patrimônios e poderes. Esse fenômeno corresponde evidentemente a um estado da sociedade em que o parentesco serve de suporte às funções que hoje são assumidas pelo econômico, pelo político, pelo jurídico, e que não têm autonomia no Ocidente medieval. Além disso, em um sistema cognático no qual as linhagens se cruzam, as escolhas matrimoniais contribuem para a soldagem de 'topolinhagens", como ocorre nas "linhagens patrimoniais" dos camponeses franceses da época contemporânea observadas pelos antropólogos.

Aliança e consanguinidade ocupam nessa sociedade um lugar que os historiadores subestimaram durante muito tempo. Mas seu funcionamento encontra-se em um conjunto de imperativos materiais e sociais que as ultrapassa, o que confirma a intensa intrusão do parentesco espiritual nesse sistema.

Um modelo de relações sociais: o parentesco espiritual

Os antropólogos das sociedades cristãs (Europa e América Latina principalmente) foram levados a reconhecer no apadrinhamento e no compadrio um tipo específico de parentesco ritual chamado "parentesco espiritual". Ora, se apadrinhamento e compadrio foram inteiramente criados no século VI pela Igreja, a lógica desses elos não pode ser compreendida fora do sistema de representações cristão e eclesiástico no qual eles se inserem. O medievalista deve, por conseguinte, adotar um ponto de vista muito mais amplo e agrupar na categoria de "parentesco espiritual" diversas manifestações práticas e ideais que dependem do mesmo conjunto, mesmo se os recortes impostos *a priori* pelo uso de noções como parentesco, religião, direito, incitam em geral a considerá-los fenômenos distintos. Nessa perspectiva, observaremos os seguintes elementos: 1) a concepção da *ecclesia* e da Cristandade, quer dizer, da sociedade como uma fraternidade de cristãos que são todos, pelo batismo, filhos de Deus e da Igreja; 2) a organização do grupo sacralizado dos clérigos, Igreja no sentido restrito, de acordo com o princípio do parentesco espiritual: excluídos da aliança matrimonial, os clérigos deixam sua parentela, mas eles se reproduzem e reproduzem a instituição através de ritos fundamentais – batismo, eucaristia, ordenação – pensados como ritos de geração e agregação pelo espírito; 3) formas de organização essenciais como a paróquia, agrupamentos ativos como as confrarias; lembremos, enfim, que a aristocracia, a partir do século XII, dá de si própria a imagem de uma fraternidade espiritual selada pelo adubamento e legitimada, na literatura, pelos temas da Távola Redonda e do Graal.

As representações do mundo próprias ao cristianismo caracterizam-se pela sacralização de uma forma de parentesco que repousaria na geração pelo espírito e pela correlata diabolização da sexualidade, e, consequentemente, da reprodução sexuada, em nome do Pecado Original. O modelo fundador reside aqui na geração do Cristo, filho de Deus, pela Virgem, por intermédio do Espírito Santo. As relações entre as pessoas divinas caracterizam-se por uma inversão de ordem biológica e social do parentesco: em particular, a reversibilidade da relação de geração entre a Virgem e o Cristo, e a sobreposição dos elos de filiação e de aliança, a Virgem sendo ao mesmo tempo mãe, filha e esposa do Cristo. Esse modelo de inversão é sacralizado e, transposto à ordem humana, funda a sacralização dos clérigos na união espiritual com Deus e com a Igreja, que lhes dá a competência de gerar pelo espírito. É justamente essa relação que se manifesta no rito do batismo.

Este último, que desde as origens marcou a entrada no cristianismo e portanto, a partir do século IV, na sociedade, recebeu um caráter novo no século VI com a "invenção" do apadrinhamento e a proibição aos pais de participarem ativamente do batismo de seus filhos. Dessa forma, a Igreja tornou perceptível a todos a dissociação entre geração carnal, inevitavelmente manchada pelo Pecado Original, e geração espiritual, que também é uma geração social. No rito, o padre, manipulando a água e a palavra, realiza, junto com o Espírito, a geração do novo cristão, ser incompleto que recebe então a *caritas* ao mesmo tempo que é lavado da marca do Pecado Original. Os padrinhos, representando a Igreja no sentido amplo, a Cristandade e a comunidade local, a paróquia, apresentam ao padre aquele ser incompleto e imperfeito, depois o recebem ao sair de seu segundo nascimento. Durante o rito, ele recebeu seu nome, marca de identidade social que o inscreve em um mesmo movimento na parentela e na sociedade global. Nessa produção social do indivíduo, que também é produção da sociedade, o papel da Igreja, do padre enquanto genitor espiritual, parece incontornável, com a doutrina agostiniana tendo estabelecido, contra o pelagianismo, a transmissão do Pecado Original em toda procriação carnal.

Expressando a superioridade do espiritual sobre o carnal, o rito batismal remete a uma representação do homem e da história da humanidade baseada na oposição hierarquizada do espírito e da carne concupiscente, mas também na ultrapassagem dessa oposição pela Encarnação e pela renovação contínua de seus efeitos nos ritos eclesiásticos. O batismo é apenas uma peça em uma rede de significações cujo principal operador é a noção de *caritas*. Essa forma espiritual do amor, também denominada de *delectio* e *amor*, está na base da sociedade cristã e constitui o paradigma de qualquer relação social, aparecendo como o cimento comum dos laços entre as pessoas divinas, mas também de Deus com o homem, do homem com Deus e dos homens entre si por intermédio de Deus. Se a *caritas* está nas formas materiais da "caridade", se ela funda os grupos diversos que são as comunidades, fraternidades e confrarias, é porque possibilita primeira e fundamentalmente organizar a totalidade social pensada como uma rede de fraternidade espiritual. A *caritas* introduzida no momento do batismo dá ao novo cristão os meios de se inserir por sua vez no jogo social – o que justifica, *a contrario*, a exclusão dos que não se submeteram ao rito.

Esse elo é, por definição, independente de um parentesco carnal baseado na reprodução sexuada. Até certo ponto, ele lhe é mesmo oposto, já que, após o pecado, subsiste no homem apenas uma capacidade truncada, contrariada pelas exigências da carne, de praticar o amor espiritual que só Deus pode "reaquecer" para torná-lo plenamente ativo. A consanguinidade e a aliança só têm valor positivo se são igualmente vetores da *caritas*, de acordo com concepções da reprodução que não podemos desenvolver aqui. Mas a *caritas* circula perfeitamente fora do parentesco carnal, como mostram precisamente as representações da Igreja e da Cristandade, assim como a ideia de um possível incesto entre os que estão ligados apenas pela relação batismal.

A sociedade medieval realiza uma verdadeira inversão de perspectiva em relação à maioria das sociedades humanas, e especialmente à sociedade romana. Com efeito, se a linguagem do parentesco está bastante presente na sociedade medieval, a consanguinidade e a aliança não constituem a matriz ideal e prática da produção das relações sociais, e só aparecem como um caso particular na aplicação do princípio geral de funcionamento e reprodução da sociedade que é a *caritas*, elo liberado das restrições do parentesco pela carne: elo baseado na circulação do *spiritus* e não na das substâncias corporais (esperma e sangue), ele é acompanhado de uma circulação de bens através do dom "gratuito", efeito do amor e da graça, considerada bastante diferente da circulação obrigatória e material demais que implicam a consanguinidade e a aliança (herança e dote). A passagem de um sistema a outro é ilustrada pela transformação imperceptível na aparência, mas carregada de sentido, de uma fórmula que passa de Cícero a Santo Agostinho, e depois a Graciano. De acordo com o primeiro, a união conjugal que produz uma descendência é o *seminarium civitatis* (fonte da cidade), a aliança é o centro gerador da sociedade. Para Santo Agostinho, a *copulatio* (união sexual) é, com certeza, o *seminarium civitatis*, mas ela é imprópria e insuficiente para produzir a cidade de Deus, que só pode se basear no rito do segundo nascimento que é o batismo. Seria ingênuo crer em um lapso de Graciano, canonista do século XII, para quem o casamento é *seminarium caritatis* (fonte de caridade): a única justificação da sexualidade matrimonial reside no fato de a aliança e a filiação serem vetores possíveis da *caritas*. Não se trata aqui de puras elucubrações teológicas: o sucesso rápido e contínuo, assim como o peso do apadrinhamento e do compadrio, das confrarias ou dos temas do Graal traduzem a interiorização geral e perfeitamente bem-sucedida dos esquemas do parentesco espiritual como instrumento do jogo social.

Essa disposição esclarece alguns fenômenos particulares: a desvalorização do casamento, característica de uma das raras, senão da única sociedade que prega a todos o modelo do celibato e que libera os homens da obrigação social de garantir uma descendência; a imposição de uma forte exogamia, que restringe o papel estruturador da aliança; o controle progressivamente afirmado e reconhecido da instituição eclesiástica sobre o funcionamento do parentesco, controle legitimado, entre outras coisas, por um conjunto de representações que não permitem conceber a filiação e a aliança fora da intervenção divina (necessidade do batismo, casamento indissolúvel porque garantido pelo casamento entre Cristo e a Igreja realizado por Deus, e não apenas pela vontade humana); a ausência de práticas formalizadas de adoção, já que estas remetem ao modelo da consanguinidade e da geração biológica, e a importância dada a todas as formas de *fosterage,* já que elas realizam o modelo da *caritas*; a homologia da articulação hierárquica entre alma e corpo, parentesco espiritual e parentesco carnal, clérigos e leigos. A categoria do sexo insere-se nessa série, o homem sendo superior à mulher como o espírito à carne, mas trata-se de uma oposição secundária, a articulação principal sendo a da sexualidade com a não sexualidade. Em suma, encontra-se no cristianismo medieval uma relação – que provavelmente pode ser observada em todas as outras sociedades – entre as representações do corpo e das estruturas sociais, estas últimas sendo "incorporadas" e fundadas na natureza pelas primeiras: aqui a primazia do espiritual aparece nos dois planos, com a representação do ser humano sendo formada por uma ordem social na qual é sacralizado um modelo de relações que idealmente abstrai a reprodução sexuada e sobre o qual se baseia a instituição dominante que é a Igreja.

Assim, a organização específica do campo do parentesco obriga o medievalista a ultrapassar os limites do tema assinalados pela antropologia, e também os que são tradicionalmente reconhecidos a uma hipotética história religiosa.

Do final do Império Romano à época moderna, o sistema de parentesco ocidental sofreu transformações essenciais. Os primeiros séculos rompem com o período anterior em pelo menos três pontos: o aparecimento de um sistema estritamente cognático, que faz da parentela, seja qual for sua designação, inclusive a de *lignage* em francês antigo, a única forma efetiva de agrupamento de consanguíneos; a instauração de um modelo de matrimônio monogâmico e indissolúvel que proíbe o divórcio; a imposição, com o cristianismo, do paradigma do parentesco espiritual, da *caritas*, que transforma os fundamentos das concepções do parentesco.

Do século VI ao final dos tempos carolíngios, a lógica que já operava produz uma ampliação do campo das proibições do matrimônio e introduz, com o parentesco batismal, uma nova forma de manipulação dos elos de parentesco que não tem nada em comum com a adoção, que desaparece no final da Antiguidade e só reaparece na época contemporânea.

A partir do século XI, a progressiva fixação dos homens ao solo, e em particular a da aristocracia, resulta no aparecimento de linhagens assentadas territorialmente, que chamamos "topolinhagens". Um novo peso é dado aos imperativos patrimoniais, que introduzem no funcionamento da aliança e da consanguinidade uma lógica exterior a elas. Desses fenômenos, citaremos duas manifestações: a prática transitória da *laudatio parentum*, aprovação dada no momento de uma doação de terra à Igreja, pelos parentes próximos e herdeiros potenciais de um poderoso que se torna o principal detentor de bens de uma linhagem; a necessidade provavelmente maior de praticar reduplicações de aliança que vão contra a lógica exogâmica das regras canônicas, o que até o início do século XIII provoca tensões entre a aristocracia laica e a Igreja. Essas tensões aparecem ao mesmo tempo na "invenção" do amor cortês, que contesta no imaginário o modelo eclesiástico de casamento, e mais ainda na disposição hierárquica do carnal e do espiritual.

Os contínuos esforços da Igreja, desde o século IV, para transformar radicalmente as concepções e práticas da aliança, resultam no século XIII no reconhecimento *de facto* das normas eclesiásticas em dois pontos importantes: o controle da aliança não mais apenas pelas "linhagens", mas por estruturas exteriores, a Igreja e depois as comunidades; a forte exogamia, pois, apesar das aparências, a simplificação e a redução das proibições de matrimônio no Concílio de Latrão IV (1215) não marcam um recuo da

Igreja, mas selam práticas matrimoniais que reservam um lugar apenas restrito aos fechamentos limitados das parentelas sobre si mesmas. A conversão da temática cortesã à exaltação do Graal, tema espiritual por excelência, confirma que, a partir da proximidade de 1200, a aristocracia reconhece a preeminência do princípio espiritual como fundamento das relações sociais. Esse mesmo princípio aparece no reforço da rede de paróquias como principal quadro de organização, ao mesmo tempo espacial e social, das comunidades de aldeia, e em seguida a generalização das confrarias de múltiplas e importantes funções.

Desenvolvimento de laços independentes da consanguinidade e da aliança, redução relativa do papel estruturador destas últimas no funcionamento das relações sociais: esses dois traços que caracterizam o final da Idade Média marcam uma etapa significativa na evolução que – segundo os princípios cuja lógica ideal e social procuramos desmontar – levou o Ocidente em direção a um sistema no qual os elos de parentesco não ocupam mais, enquanto tais, um lugar dominante. Essa constatação não deve, contudo, ocultar o fato de que o parentesco, em suas diversas modalidades, desempenha um papel central nas sociedades medievais, pois é o suporte de relações que se expressam hoje em instituições autônomas, na economia, na política, no direito. Seu estudo deveria ser um objeto capital para os historiadores medievalistas.

ANITA GUERREAU-JALABERT
Tradução de Eliana Magnani

Ver também

Amor cortês – Clérigos e leigos – Corpo e alma – Deus – Guilda – Igreja e papado – Indivíduo – Masculino/feminino – Sexualidade

Orientação bibliográfica

AURELL, Martin. *Les Noces du Comte*: mariage et pouvoir en Catalogne (785-1213). Paris: Sorbonne, 1995.

DUBY, Georges. *O cavaleiro, a mulher e o padre*: o casamento na França feudal [1981]. Tradução portuguesa. Lisboa: Dom Quixote, 1988.

_____; LE GOFF, Jacques (eds.). *Famille et parenté dans l'Occident médiéval*. Roma: École Française de Rome, 1977.

DUHAMEL-AMADO, Claudie. Femmes entre elles: filles et épouses languedociennes (XIe-XIIe siècle). In: *Femmes. Mariages. Lignages. Mélanges offerts à Georges Duby*. Bruxelas: De Boeck Université, 1992. p.125-55.

FOX, Robin. *Anthropologie de la parenté*: une analyse de l'alliance et de la consanguinité [1967]. Tradução francesa. Paris: Gallimard, 1972.

GOODY, Jack. *L'Évolution de la famille et du mariage en Europe* [1983]. Tradução francesa. Paris: Armand Colin, 1985.

GUERREAU-JALABERT, Anita. La désignation des relations et des groupes de parenté en latin médiéval. *Archivum Latinitatis Medii Aevi*, Paris, p.65-108, 1988.

_____. Prohibitions canoniques et stratégies matrimoniales dans l'aristocratie de la France du Nord. In: BONTE, Pierre (org.). *Épouser au plus proche*. Paris: Éditions de l'École des Hautes Études en Sciences Sociales, 1994. p.293-321.

_____. *Spiritus et caritas*: le baptême dans la société médiévale. In: HÉRITIER, Françoise; COPET-ROUGIER, Elisabeth (eds.). *La Parenté spirituelle*. Paris: Ed. des Archives Contemporaines, 1995. p.133-203.

_____. L'arbre de Jessé et l'ordre chrétien de la parenté. In: IOGNA-PRAT, Dominique; PALAZZO, Éric; RUSSO, Daniel (orgs.). *Marie*: le culte de la Vierge dans la société médiévale. Paris: Beauchesne, 1996. p.137-70.

_____. Inceste et sainteté: la *vie de Saint Grégoire* en français (XIIe siècle). *Annales ESC*, Paris, n.6, 1998. p.1291-319.

_____. Qu'est-ce que *l'adoptio* dans la société médiévale?. *Médiévales*, Vincennes, n.35, 1998. p.33-49.

HÉRITIER, Françoise. *L'Exercice de la parenté*. Paris: Gallimard, 1981.

JONES, William Jervis. *German Kinship Terms (750-1500)*. Berlim e Nova York: De Gruyter, 1990.

JUSSEN, Bernhard. *Patenschaft und Adoption im frühen Mittelalter*. Göttingen: Vandenhoeck & Ruprecht, 1991.

KLAPISCH-ZUBER, Christiane. *La Maison et le nom*: stratégies et rituels dans l'Italie de la Renaissance. Paris: Éditions de l'École des Hautes Études en Sciences Sociales, 1990.

LE JAN, Régine. *Famille et pouvoir dans le monde franc (VIIe-Xe siècle)*. Paris: Sorbonne, 1995.

MORSEL, Joseph. *La Noblesse contre le prince*: l'espace social des Thüngen à la fin du Moyen Âge (Franconie, c.1250-1525). Sigmaringen: Thorbecke, 2000.

MURRAY, Alexander Callander. *Germanic Kinship Structure*: Studies in Law and Society in Antiquity and the Early Middle Ages. Toronto: Pontifical Institute of Mediaeval Studies, 1983.

OEXLE, Otto Gerhard; HÜLSEN-ESCH, Andrea von (orgs.). *Die Repräsentation der Gruppen*: Texte, Bilder, Objekte. Göttingen: Vandenhoeck & Ruprecht, 1998. p.259-325.

PASTOR, Reyna. *Poder monastico y grupos domesticos en la Galicia foral (Siglos XIII-XV). La casa. La comunidad*. Madri: Consejo Superior de Investigaciones Científicas, 1990.

SCHMID, Karl. *Gebetsgedenken und adliges Selbstverständnis im Mittelalter*. Sigmaringen: J. Thorbecke, 1983.

SPIESS, Karl Heinz. *Familie und Verwandschaft im deutschen Hochadel des Spätmittelalters*. Stuttgart: F. Steiner, 1993.

TOUBERT, Pierre. La théorie du mariage chez les moralistes carolingiens. In: *Il matrimonio nella società altomedievale*. Settimane di Studio XXIV, 1976. Spoleto: Centro Italiano di Studi sull'Alto Medioevo, 1977. p.233-82.

WHITE, Stephen D. *Custom, Kinship and Gifts to Saints*: the Laudatio Parentum in Western France (1050-1150). Chapel Hill: University of North Carolina Press, 1988.

ZIMMERMANN, Francis. *Enquête sur la parenté*. Paris: Presses Universitaires de France, 1993.

Pecado

Os homens e as mulheres da Idade Média aparecem dominados pelo pecado. A concepção do tempo, a organização do espaço, a antropologia, a noção de saber, a ideia de trabalho, as ligações com Deus, a construção das relações sociais, a instituição de práticas rituais, toda a vida e visão de mundo do homem medieval giram em torno da presença do pecado.

O tempo histórico é um tempo pontuado pelo pecado: antes e depois da Queda, antes e depois da vinda de Cristo, antes e depois do Juízo Final. As fases da história da humanidade sucedem-se de acordo com os acontecimentos cruciais da história do pecado: o ato de desobediência a Deus de Adão e Eva assinala a passagem de um estado original de perfeição para uma condição dominada pela presença do pecado; a Encarnação desencadeia um processo de salvação, de libertação do pecado; o fim dos tempos assinala a condenação definitiva dos pecadores e a glória eterna dos não pecadores. O tempo individual situa-se no interior desse tempo histórico e começa no erro, quando, com o nascimento, o homem contrai o Pecado Original; continua após o batismo, quando o homem, liberto da mancha original, adquire capacidade de lutar contra os numerosos pecados que o cercam; e termina com a morte física, quando, dependendo dos pecados cometidos, ele será salvo ou condenado para a eternidade. Um tempo pontuado pelo pecado, que se desenrola, por sua vez, em espaços definidos e organizados pelo pecado: o Paraíso terrestre, onde não há absolutamente lugar para o pecado; a terra, que, pelo contrário, foi invadida por ele e onde é preciso construir um espaço de expiação, separado e protegido (o mosteiro); o Além, estruturado em espaços diversos (Paraíso, Inferno, Purgatório, Limbo), de acordo com o tipo e intensidade do pecado cometido.

O pecado também está na origem de uma série de práticas rituais, individuais e coletivas – o batismo, a confissão, o jejum, a punição corporal, a oração, a peregrinação –, instituídas com o claro intuito de limitar o poder e a extensão dos pecados do mundo. Além disso, o pecado domina toda a rede de relações nas quais o homem medieval se move e se representa: o Deus ao qual esse homem se dirige é um deus que se lhe manifesta para proibir, punir, perdoar todos os pecados; o Diabo do qual foge é um demônio que o tenta e seduz a fim de induzi-lo a pecar; a comunidade a que pertence é, antes de tudo, uma comunidade de pecadores. A vida social parece-lhe dirigida, em todos os níveis e em todos os seus mecanismos, por esse laço de solidariedade criminosa na qual está baseada: as relações entre homem e mulher são dominadas pela luxúria, o exercício do poder gera ambição e vaidade, a atividade econômica transforma-se em avareza, a corrente de subordinações alimenta a inveja.

Da coletividade, passemos ao indivíduo. O pecado estabelece a dinâmica das relações entre alma e corpo, que constituem a "pessoa medieval". Tendo a maravilhosa perfeição da relação original sido destruída pelo pecado, a alma e o corpo vivem juntos no indivíduo em estado de contínua tensão, que, por sua vez, gera o pecado: aqui a carne concupiscente, fonte de impulsos dificilmente refreáveis; ali um espírito enfraquecido, assolado pelas paixões, incapaz de governar sozinho o corpo que habita e tolhido em seu desejo de se voltar para o bem. O julgamento aplicado às atividades humanas faz parte dessa antropologia do pecado: por longos séculos, o trabalho será vivido como punição divina, expiação contínua de um corpo doravante frágil, obrigado a trabalhar penosamente para sobreviver; a atividade intelectual aparece como a louca curiosidade de um espírito tornado todo-poderoso diante da ignorância em que o precipitou o pecado. Com o tempo, a esses julgamentos vêm se opor outros, mais otimistas, dispostos a reconhecer a força, a habilidade, a criatividade técnica empregada pelo homem no trabalho e a olhar com admiração o esforço intelectual daquele que procura construir um saber. Mas o pecado não é esquecido; pelo contrário, é justamente na tentativa de remediar seus efeitos devastadores que as atividades manuais e intelectuais, as artes mecânicas e liberais, podem encontrar uma justificativa e uma possibilidade de redenção.

Os homens da Idade Média falavam longa e variadamente sobre o pecado. De início, o pecado foi narrado: há o relato do pecado de Adão e Eva, descrito pela Escritura, repetido pelas palavras de milhares de pregadores e exegetas, e representado em inumeráveis imagens; há os relatos de outros pecados, pecados importantes ou exemplares, que sabem suscitar o medo do mal e o desejo do bem; há, enfim, o relato que cada fiel faz de seus pecados, no momento da confissão e antes da morte.

Narrado como acontecimento, o pecado é analisado como entidade e, portanto, definido em sua natureza, dissecado em suas partes, interrogado quanto às suas causas, estudado em seus efeitos; é o discurso da teologia que o conclui em nível teórico, mas é também o discurso da teologia pastoral que o experimenta na prática e o propõe aos fiéis, os quais, por sua vez, o repetem no exame de consciência. Enfim, o pecado, nas palavras dos pregadores, nas páginas dos tratados, nas imagens pintadas e esculpidas no interior das igrejas, é representado: animais reais ou imaginários, doenças imundas e contagiosas tornam-se pouco a pouco símbolos de sua ação maligna; árvores vão se ramificando para ilustrar suas múltiplas manifestações; personagens históricos ou tipos ideais, graças ao talhe de suas vestimentas, aos gestos, às atitudes, representam suas características específicas; pecadores flagrados em pleno erro ou no momento do castigo mostram sua natureza e suas consequências.

O Pecado Original

O pecado cometido por Adão e Eva no Paraíso terrestre desempenha papel fundamental na concepção medieval e, de forma mais geral, na concepção cristã do pecado. O que dá importância a esse primeiro ato de um homem e de uma mulher em rebelião contra Deus não é tanto, e nem tão somente, sua função de arquétipo de outros pecados, de banco de ensaio da legitimidade das concepções de pecado elaboradas na época; esse pecado é decisivo e dramático porque se transmite de Adão a todos os outros homens, tornando-se causa e princípio de outros pecados. Esse pecado é original não apenas porque está na origem da história da humanidade, mas especialmente porque está na origem da vida de cada homem, que nasce pecador antes mesmo de haver cometido algum pecado. O pai reconhecido dessa teoria é Santo Agostinho, que, lendo as páginas do livro do Gênesis à luz da advertência de São Paulo, "por meio de um só homem o pecado entrou no mundo" (Romanos 5,12), afirma na polêmica contra as posições dos pelagianos, a natureza propagativa, e não imitativa, do Pecado Original. Além disso, segundo Agostinho, a transmissão do Pecado Original não significa inicialmente transmissão de castigos, como outros antes dele já haviam sustentado, mas significa também transmissão da culpa. O vínculo da natureza humana para com a pessoa de Adão, que contém em si toda a humanidade em virtude de sua potencialidade geradora, faz que todos os homens participem com ele do Pecado Original, partilhem sua vontade de executar esse ato catastrófico e, por essa razão, repartam igualmente a pena e a culpa. Culpa que poderá ser erradicada pelo batismo, sacramento que concede, a quem o recebe, participar do processo de redenção inaugurado pelo sacrifício do Cristo, único homem que, na qualidade de Deus, nasceu sem pecado original.

Após o batismo, só restarão do Pecado Original as aflições, as consequências desastrosas de um ato trágico que não cessa de fazer sentir sua influência. Mas, nesse ponto, o homem deverá prestar contas apenas de seus pecados pessoais; auxiliado pela graça, que deu forças a seu livre-arbítrio enfraquecido desde o pecado de Adão, ele ainda poderá evitar o pecado e salvar-se. A ideia agostiniana de uma culpabilidade original – fundamento de uma visão de mundo que tenta conciliar a presença do mal com a da divindade, necessária em um quadro doutrinal que prevê a remissão do pecado pela encarnação do Cristo e pela ação da graça – pesa como uma rocha ao longo do período medieval.

A Idade Média também recebe de Agostinho a noção de que, no processo de propagação progressiva do pecado, cabe papel fundamental à concupiscência carnal, que, depois do pecado de Adão, necessariamente comanda o ato de geração. No momento de transmissão da vida, também é transmitido o pecado: todo homem nasce contaminado pelo pecado no qual é gerado, contaminado no corpo e na vontade, submetido aos impulsos da carne que não consegue controlar e pelos quais se deixa governar, preso a essa concupiscência em meio à qual foi gerado. Ao mesmo tempo efeito e instrumento de transmissão do pecado de Adão, a concupiscência é identificada na tradição medieval de matiz agostiniano com o Pecado Original; identificação sujeita, no decorrer dos séculos, a diversas revisões e substancialmente aceita pela maioria dos teólogos – ela é adotada, por exemplo, no manual por excelência da teologia medieval, as *Sentenças*, de Pedro Lombardo (século XII): "O Pecado Original é causa do pecado, isto é, concupiscência ou propensão à concupiscência, que é lei para os membros do corpo, languidez da natureza, tirano entronizado no corpo, obrigação da carne".

Um monge italiano do século XII, Anselmo de Aosta, arcebispo da Cantuária, foi o primeiro a contestar, de maneira radical, a identidade entre Pecado Original e concupiscência. Segundo Anselmo, o Pecado Original consiste na privação da justiça de origem, isto é, na diminuição da capacidade da vontade de perseguir o bem com que Deus dotou o homem primitivo. A concupiscência é tão só uma consequência, dentre outras, de um pecado que, por sua natureza, reside essencialmente na vontade. Se o pecado descende de Adão para toda a humanidade, é porque na pessoa de Adão está contida toda a natureza humana. A geração natural continua a ser o canal de transmissão, mas é um canal neutro – na semente do homem, diz Anselmo, não há mais pecado do que no escarro ou em uma gota de sangue –, já que a concupiscência que o acompanha nada acrescenta à natureza pecaminosa do pecado que ele transmite. Que não é absolutamente pecado do corpo, mas da vontade, e como tal se transmite a todos os homens.

A teoria de Anselmo permanecerá longo tempo na sombra. Ela foi recuperada no século XIII pelos teólogos escolásticos, quando se tornou evidente a insatisfação perante a equivalência entre Pecado Original e concupiscência, mesmo dentro da tradição agostiniana. Sem renunciar a essa tradição, começou-se a dizer que a privação da justiça de origem constituía o erro do pecado, e a concupiscência, o castigo; ou, então, que o Pecado Original, como qualquer outro pecado, consistia no distanciamento de um bem imutável e na busca de um bem inconstante, e que a primeira fase do processo consistia na privação da justiça, a segunda, na concupiscência; ou, ainda, que o Pecado Original tinha na privação da justiça sua forma, e na concupiscência, sua matéria. Esta última definição emprestava de Aristóteles não apenas as categorias de forma e matéria, mas também, como se vê sobretudo em São Tomás de Aquino, a prevalência do elemento formal sobre o elemento material. O Pecado Original era essencialmente uma privação, em primeiro lugar da justiça de origem e, portanto, de tudo que ela antecipava: uma vontade voltada para o bem, uma razão capaz de dominar os arrebatamentos da carne. O pecado não vinha de um corpo fraco e enfermo, percorrido por inclinações e paixões que seguiam as leis da natureza, nem boas nem más em si, mas apenas "naturais"; o pecado se produzia no momento em que a parte superior do homem, a razão e a vontade, não governava a parte inferior do modo como Deus tinha determinado no primeiro homem e como o primeiro homem não quis mais que fosse. O corpo deixou de ser fonte de pecado, tornando-se simplesmente campo de ação, matéria maleável de uma forma pecaminosa.

A natureza do pecado

O papel central ocupado pelo tema do Pecado Original na doutrina cristã deixou no ostracismo, durante muito tempo, a reflexão sobre a natureza de outros pecados. Apressada em explicar a dinâmica do primeiro erro do homem e em esclarecer todas as suas consequências, a patrística, além disso, encontrou nesse relato das origens a resposta aos problemas da moral cotidiana: o homem, corrompido por natureza, carrega em si a hereditariedade dessa corrupção e termina inevitavelmente por reproduzir, ao infinito, o mecanismo do primeiro pecado. A exigência de recortar, no interior do erro universal extensivo a todo o gênero humano, o limite da culpabilidade do indivíduo considerado em separado, e de definir os contornos da responsabilidade moral quando se trata de cada ato separadamente, assinala o nascimento da teologia do pecado.

É no transcorrer do século XII que monges e mestres se interrogam muitíssimas vezes sobre a natureza do pecado, recuperam definições antigas e autorizadas ou preparam novas, procuram as dinâmicas psicológicas que sustentam a culpa. Esses temas se confrontaram, e pela primeira vez de maneira sistemática, na *Ética*, de Abelardo, na qual o pecado constitui o cerne do problema moral. Na realidade, para Abelardo trata-se de definir a ideia do pecado distinguindo duas noções que lhe são frequentemente identificadas, a do vício e a da ação pecaminosa. O vício, corrupção tornada segunda natureza da alma em consequência do Pecado Original, e o ato pecaminoso, ação puramente exterior que nem sempre implica a vontade, não podem, nem um nem outro, ser imputados à responsabilidade humana nem identificados com o pecado, pois este consiste no assentimento da vontade humana às tendências viciosas. Assim, o pecado nasce, sempre e de todo modo, de um ato livre da vontade humana e já aparece completo em sua culpabilidade, antes mesmo de se traduzir em ação exterior.

Por meio dessas afirmações, Abelardo distancia-se explicitamente de duas concepções do pecado que tinham dominado, não sem interferências recíprocas, a cultura religiosa da Alta Idade Média. Por um lado, insistir na intenção independentemente da ação significa, na verdade, rejeitar qualquer perspectiva legalista que visse no pecado a pura e simples violação de uma norma, livrando a moral de toda interferência possível do discurso jurídico; discurso que, justamente nesses mesmos anos e justamente a partir da reflexão sobre noções de crime, de culpa, de delito, de pecado, se reorganiza no contexto do direito canônico que começa a nascer. Por outro lado, distinguir o pecado do vício significa acertar as contas com a longa tradição monástica, que durante séculos explicou o problema da culpa recorrendo ao sistema dos pecados capitais. Para os monges, o pecado coincide com o vício, inevitável corrupção do corpo e da alma que todo homem herda de Adão e que se traduz em tendência inata para o mal. Neste mundo corrompido, onde tudo é pecado, a luta contra o mal passa pela repressão sistemática dos arrebatamentos da carne e de todos os movimentos do espírito que não têm seu fim na busca de Deus: a maceração do corpo, o desprezo do mundo, a fuga do mundo, o ascetismo, constituem a única resposta coerente ao problema do pecado. Perante essas concepções que tendem, uma e outra, a deixar de lado ou a anular a responsabilidade direta do indivíduo, Abelardo reivindica o papel da consciência, o único lugar em que é possível fundar a noção de pecado. Uma vez reconhecida a neutralidade das tendências viciosas e a indiferenciação ética das ações exteriores, o espaço da moral identifica-se com a livre escolha do indivíduo e o pecado só pode ser definido com relação à intenção. Quando Pedro Lombardo, no segundo livro das *Sentenças*, enfrenta de maneira sistemática uma série de questões sobre a natureza do pecado, não deixa de discutir amplamente a concepção abelardiana e, embora lhe conteste o radicalismo, aceita-lhe a ideia básica: o pecado consiste essencialmente na intenção perversa que o move, mesmo que existam ações maldosas em si, que nenhuma boa intenção pode tornar boas.

É nesses termos que o problema do pecado é submetido ao debate da escolástica nascente: durante muitas décadas, das primeiras discussões dos discípulos de Pedro Lombardo até as refinadas sínteses dos grandes escolásticos, a reflexão sobre o pecado será conduzida pelo terreno acidentado das relações entre interioridade da consciência, moralidade intrínseca dos atos e apreciação ética das ações exteriores, concentrando-se sobretudo no cruzamento da vontade e da racionalidade que determina a escolha moral. A primazia da interioridade, sustentada por Abelardo até nos seus aspectos mais paradoxais, encontrará uma espécie de corretivo no reconhecimento da moralidade objetiva das ações e das circunstâncias que as acompanham, mas permanecerá, de Pedro Lombardo a São Tomás de Aquino, o elemento central da avaliação moral. A natureza do pecado como ato da vontade aparece, desde então, claramente legível nas definições que, a partir de Pedro Lombardo e de maneira particular na escola franciscana, multiplicam-se e acumulam-se. Sobretudo uma definição, como tantas outras extraídas de textos patrísticos, destina-se a grande sucesso e termina por se impor como a definição por excelência: o pecado é uma palavra, uma ação ou um desejo contrário à lei divina (Agostinho, *Contra Faustum*, XXII, 27). Extremamente precisa em sua dupla referência às modalidades do pecado e a sua natureza de infração de uma lei, a definição agostiniana revela-se suficientemente flexível para que toda a teologia escolástica a utilize sem dificuldade. A escola franciscana, em particular a *Summa fratris Alexandri*, reconhece nessa definição um instrumento útil para a classificação do pecado. Tomás traduziu-a em termos aristotélicos: o pecado é constituído de dois elementos, o ato humano, que é de certo modo sua matéria (pensamento, palavra ou ação) e o elemento formal, que consiste na transgressão da lei eterna, lei divina que se identifica com a estrutura finalista do universo e com a própria racionalidade do homem. Assim interpretada, a definição agostiniana não difere da que o próprio Santo Tomás elaborou: o pecado consiste em um ato "desordenado", isto é, que responde a um fim diferente daquele ao qual esse ato deveria responder; pecar significa, tanto para Tomás como para Agostinho, agir sem se conformar à lei divina, e conformar-se à lei divina significa, para o aristotélico Tomás, seguir um princípio de racionalidade e de finalidade universal, que é a marca deixada por Deus no mundo. Mas a definição agostiniana presta-se também a refletir a concepção do pecado elaborada, durante os séculos XIV e XV, pela escola nominalista: a ênfase dada à lei divina permite basear a noção de pecado não mais na contravenção a uma racionalidade objetiva, mas na infração do que Deus estabeleceu especificamente como mandamento ou interdição. A vontade de Deus, livre de qualquer critério de racionalidade e de vínculo com uma ordem qualquer, torna-se a única norma da moral cristã. É apenas com relação a essa vontade, historicamente explicitada na lei mosaica e evangélica, mas modificável a qualquer momento graças à livre iniciativa divina, que é possível definir a natureza do pecado, suas distinções, sua gravidade.

A classificação dos pecados

A exigência de caracterizar os diversos tipos de pecados, de enumerá-los e classificá-los, sempre acompanhou a reflexão sobre o pecado. Das primeiras listas neotestamentárias, vagamente perpassadas de um critério de gravidade, às complexas arquiteturas morais da casuística da Idade Média tardia, os teólogos, os moralistas, os homens da Igreja, procuram uma ordem no imenso universo do pecado. Classificar os pecados significa conhecê-los, isto é, determinar-lhes a natureza, a gravidade, as relações recíprocas, mas também reconhecê-los a cada vez que se apresentam no cotidiano da experiência pessoal ou da prática pastoral. É à luz dessa dupla exigência, "científica" de um lado, prática de outro, que se torna possível explicar os modos, os tempos e os conteúdos da intensa, e até maníaca, atividade classificatória que se desenvolveu ao longo da Idade Média. Durante séculos, os monges elaboraram listas e hierarquias de pecados cada vez mais complexos e articulados, adaptados a um programa de ascese pessoal e de aperfeiçoamento moral; os teólogos – pelo menos em um período que vai, *grosso modo*, de Pedro Lombardo a Duns Scot – reconheceram, na classificação dos pecados, um importante instrumento de análise da matéria moral; os clérigos engajados na pastoral inventaram novos instrumentos de classificação e os utilizaram abundantemente, sobretudo na prática da confissão e do sermão.

Entre os esquemas utilizados, o mais importante é, sem dúvida, o sistema dos pecados capitais. Aperfeiçoado no século V por Cassiano e readaptado por Gregório Magno, o esquema prevê oito pecados principais, hierarquicamente organizados em uma espécie de exército, no qual o orgulho exerce funções de comandante supremo, seguido dos sete outros vícios (vaidade, inveja, cólera, preguiça, avareza, gula, luxúria), os quais, por sua vez, conduzem uma multidão de pecados secundários. Apesar de modificado muitas vezes no decorrer dos séculos, o sistema gregoriano permanece, até o fim da Idade Média, como o instrumento mais eficaz e mais difundido para classificar os pecados. Largamente utilizado na literatura ascética e pastoral, mas também adotado e analisado pelos teólogos, o setenário dos pecados celebra seu triunfo em dois gêneros literários, os tratados sobre os vícios e as virtudes e os manuais de confissão, e também exerce influência fora do domínio estritamente religioso, na produção literária (Dante, Chaucer) e artística (Giotto).

Diante do extraordinário sucesso do esquema de pecados capitais, outras classificações aparecem, sem dúvida menos importantes, mesmo que tenham exercido papel significativo nos limites de épocas históricas determinadas ou de contextos culturais específicos. Utilizado especialmente no meio pastoral, o esquema das três tentações, diferentemente do setenário, serve-se de um fundamento escritural (1 João 2,16) e entre os vícios confere posição de preeminência à avareza, à luxúria e ao orgulho, respectivamente designados como concupiscência dos olhos, concupiscência da carne e orgulho da vida. Ao contrário, são de origem nitidamente teológica as classificações dos pecados segundo a pessoa a quem se dirigem (a Deus, a si mesmo, ao próximo), segundo as modalidades por que se manifestam (pensamentos, palavras, obras) e segundo as virtudes a que se opõem. A classificação a partir dos mandamentos é fruto de uma "redescoberta" teológica do decálogo, datável dos séculos XII e XIII, que provoca um bom número de mudanças no plano da moral e que parece, em certo momento, ameaçar o primado do setenário gregoriano. Com efeito, a utilização das classificações elaboradas pelos teólogos fora do debate escolástico produz um estranho fenômeno de intersecção dos diversos esquemas: a partir do século XIII e sobretudo na literatura relativa à confissão, acontece frequentemente que se crie, ao lado ou simplesmente no interior do setenário, o espaço requerido para introduzir outros esquemas de diversas proveniências. A inspeção dos pecados pode assim prever, em sucessão ou segundo diferentes modalidades de conjunto, sete pecados capitais; três tentações; pecados de pensamentos, palavras, obras; pecados contra os preceitos do decálogo etc.

Entre as diversas modalidades de pecado, existe uma que goza de estatuto particular: a divisão em pecados mortais e veniais. Os primeiros são os que arrastam à danação eterna, os segundos não condenam à morte, mas a uma pena de expiação. Agostinho, que já enfrentara o problema, defendeu várias vezes, contra as posições estoicas, o princípio da graduação das faltas e falou de pecados leves, cotidianos, veniais, pecados que não colocam em crise a relação de amizade com Deus, opostos aos pecados que, separando a alma de Deus, tornam-lhe passível à pena infernal. Mas o problema da diferente gravidade dos pecados, que percorre a tradição monástica, é novamente apresentado, em termos mais gerais, no século XII, no âmbito do debate teológico sobre a definição do pecado e constitui, desde então, corolário obrigatório. Na verdade, a noção de pecado venial coloca sérios problemas de correlação com a própria definição de pecado, que, parece, se aplica exclusivamente ao pecado mortal: com efeito, se o pecado venial não implica o pleno consentimento ou não se opõe diretamente à lei divina, ele não pode, estritamente falando, ser definido como pecado; mas, por outro lado, se ele comporta todos os elementos dessa definição, inclui necessariamente uma separação de Deus que se compara ao pecado mortal. O longo trabalho dos teólogos denuncia a dificuldade de encontrar uma definição específica do pecado venial e orienta-se, nas soluções da escolástica da maturidade, para a distinção entre atos que são contra a lei divina (pecados mortais) e atos que estão fora da lei (veniais), isto é, que não implicam infração direta da ordem divina, mas apenas a deixam momentaneamente de lado.

O problema da definição do pecado venial e, de maneira mais geral, a exigência de avaliar a maior ou menor gravidade dos erros produzem uma imensa literatura de questões e distinções que tentam definir, nos mínimos detalhes, tudo o que é possível reunir sobre o sistema do pecado. A importância crescente do sacramento da penitência e o "nascimento" do Purgatório, os dois acontecimentos sociais e culturais que se movimentam em pano de fundo com a reflexão teórica sobre o pecado, explicam, talvez melhor que qualquer tentativa de análise interna, o sentido de tal acuidade de discernimento na classificação. A nova atenção com que os homens da Igreja consideram os comportamentos sociais insere-se no contexto de um discurso ético que, a despeito da contínua insistência sobre a interioridade e a escolha individual, se molda cada vez mais pelo exercício da autoridade, dotado, como os órgãos da justiça secular, de códigos próprios de justiça e de mecanismos de punição.

O pecado e os pecados

O problema do pecado na cultura medieval não é compreensível fora do vínculo que mantém com a prática da penitência. O caráter remissível dos erros e o monopólio que a Igreja exerce sobre o poder de perdoar os pecados e de prescrever punições situam o binômio erro-castigo no interior de um sistema de trocas entre o mundo terreno e o Além (preces, penitências, indulgências) que constitui um dos elementos específicos da religião cristã. Implícita no próprio conceito do que é remissível, uma prática penitencial sempre existiu na comunidade cristã: o que marca a época medieval é o surgimento, ao lado da penitência pública (acontecimento solene e único, desde os primeiros séculos imposto a quem se manchasse com crimes particularmente graves), de formas de penitências individuais. O costume de confessar privadamente os erros a um confessor e de receber dele a indicação de uma forma de expiação, hábito difundido especialmente nas Ilhas Britânicas, estende-se também, a partir do século VII, às comunidades monásticas emigradas para o continente europeu. Os reformadores da época carolíngia sancionam o duplo estatuto da penitência (pública e privada), mas o exercício cada vez mais amplo da penitência privada é comprovado por documentos de caráter hagiográfico ou narrativo, e sobretudo pela difusão crescente, do século VI ao XI, dos penitenciais, verdadeiras tabelas de tarifas para uso dos padres, que estabelecem para cada pecado uma pena, quantificada em período mais ou menos longo de jejuns, penitências e preces.

Porém, o momento central da história da penitência é 1215, ano em que o Concílio de Latrão impõe a todos os fiéis a obrigação da penitência anual: o decreto conciliar firma o nascimento da confissão moderna e atribui-lhe papel fundamental na organização da comunidade cristã. As decisões do concílio não representam apenas a consagração oficial de uma práxis cada vez mais difundida, mas também operam a liberação de um debate que, a partir do século XI, investiu enfaticamente no tema da penitência. Paralelamente à reflexão sobre o pecado, a atenção ao problema da remissão concentrou-se mais nos aspectos interiores do arrependimento do que nas modalidades exteriores de expiação, e estabeleceu os pontos nodais de uma doutrina da penitência. Abelardo colocou em primeiro plano o papel da contrição; Hugo de Saint-Victor reconheceu o caráter sacramental da penitência; Pedro Lombardo fixou, de uma vez por todas, seus três elementos constitutivos: a contrição do coração, a confissão da boca, a satisfação das obras.

O debate sobre a penitência prolongar-se-ia muito além de Latrão IV, mas a deliberação do sistema penitencial estabelecido pelo Concílio não será mais discutida e a prática da penitência permanecerá substancialmente inalterada até nossos dias. No cruzamento de um intenso debate teológico e de uma prática pastoral em evolução, o decreto de Latrão IV constitui, em si, elemento poderosamente dinâmico do sistema. A ênfase posta na obrigação de confissão oral de cada erro, na prática da penitência, traz para primeiro plano o problema da "dizibilidade"[1] do pecado. Tanto para o

---

1 No original, *dicibilité*. Dizível = aquilo que se pode dizer, que se pode "confessar", como convém ao texto. O termo não está dicionarizado em português. [N.T.]

penitente como para o confessor, uma nova "cultura do pecado" revela-se necessária. O penitente deve ser, antes de tudo, convencido da utilidade da confissão e habituado à prática de introspecção e enunciação dos pecados: a intensa atividade de pregação que se desenvolve durante o século XIII, especialmente nas Ordens Mendicantes, pode ser vista, em grande parte, como uma espécie de ampla catequese da penitência (prédicas que impelem à confissão, *exempla* que ilustram sua eficácia, sermões sobre os vícios e os pecados etc.). Do padre, por outro lado, exige-se uma capacidade maiêutica e mnemotécnica específica para fazê-lo obter dos penitentes, mesmo dos mais ignorantes e mais obstinados, a confissão completa dos pecados. Para ajudá-lo, dispõe-se de uma série de instrumentos: manuais de confessores, súmulas penitenciais, tratados sobre os vícios e as virtudes, planos de interrogatórios. Essa literatura, que tem enorme desenvolvimento no decorrer dos séculos XIII e XIV, serve-se de doutrinas e classificações elaboradas pelos teólogos, mas, despida de seus aspectos mais abstratos, propõe uma imagem do pecado muito menos teórica e mais ancorada na vida cotidiana. Reconhecer seus pecados e medir-lhes a gravidade pela apreciação das circunstâncias que os acompanham; definir individualmente suas consequências e os remédios possíveis; estabelecer suas práticas de expiação ou de reparação; conhecer sua difusão em determinados meios, em tal ou tal categoria social; conter sua proliferação evocando as punições terrenas ou as do Além: esses objetivos da nova pastoral são para o historiador meios privilegiados de descrever uma cultura do pecado.

Parece que as novidades ou as transformações ocorridas no interior dessa literatura em comparação aos dispositivos tradicionais podem ser lidas como tentativas de conformar esquemas e doutrinas à nova realidade, cuja carga social tornou-se muito pesada para que se possa negligenciá-la. Tomemos, por exemplo, a mudança mais significativa no âmbito do setenário dos vícios e, melhor ainda, na reavaliação da avareza, que no século XIII parece claramente disputar com o orgulho, pecado tipicamente feudal, a primazia da gravidade: é impossível não relacionar essa mudança à crescente importância do dinheiro e à ascensão de uma classe mercantil que assenta no dinheiro suas chances de reconhecimento social. Não é por acaso que, a partir do século XIII, e de maneira quase obsessiva no XV, a condenação da avareza se traduz, cada vez mais frequentemente, por um violento ataque contra a usura, verdadeiro pecado profissional, apanágio de uma classe emergente de banqueiros. Com menos brilho, talvez, outros vícios tradicionais preparam-se para abrigar novos conteúdos: a preguiça (*accidia* ou *acedia*), que durante séculos foi um pecado de monges, uma espécie de torpor espiritual, um obstáculo no caminho da perfeição, laiciza-se durante o século XIII e termina por englobar todos os pecados contíguos à ociosidade, considerada a partir de então a "mãe de todos os vícios" por uma sociedade que resolutamente valoriza a atividade e o trabalho. A luxúria, objeto sempre privilegiado da cultura do pecado, vê pesar sobre si as mais severas condenações a partir do século XII, quando uma nova doutrina matrimonial impõe aos leigos regulamentação mais rigorosa da sexualidade, subordinando-a exclusivamente a fins de reprodução. Nesse contexto, compreende-se que a ênfase recaia sobre pecados como o adultério ou a sodomia; mas compreende-se, também, o desenvolvimento de uma nova ética da família, que afirma, de maneira cada vez mais precisa, os deveres de cada um de seus membros. A inveja delimita seu conteúdo específico relativamente a uma de suas filiações tradicionais, a maledicência, pecado extremamente grave em uma sociedade alicerçada na oralidade. Além disso, a atenção dada à palavra e a consciência dos perigos que ela provoca levam diretamente à construção, ao longo do século XIII, de um novo pecado, que termina por se instalar ao lado dos vícios capitais tradicionais: o pecado da língua, que compreende todos os erros que cometemos falando, da blasfêmia à mentira, da adulação à linguagem obscena, da maledicência à injúria.

A palavra, a sexualidade, o dinheiro são os três temas que no fim da Idade Média retornam, com insistência quase obsessiva, aos tratados morais, aos sermões, aos primeiros catecismos: elementos de uma cultura do pecado profundamente modificada, mas bem longe de estar exaurida, e destinada a influir com todo seu peso nos acontecimentos culturais e religiosos que marcam a passagem à era moderna.

Carla Casagrande e Silvana Vecchio
Tradução de Lênia Márcia Mongelli

Ver também

Além – Corpo e alma – Deus – Diabo – Escolástica – Indivíduo – Monges e religiosos – Pregação – Sexualidade

Orientação bibliográfica

L'AVEU, ANTIQUITÉ ET MOYEN ÂGE. Actes de la table ronde, École Française de Rome (28-30 mar. 1984). Roma: École Française de Rome, 1986.

BLOMME, Robert. *La Doctrine du péché dans les écoles théologiques de la première moitié du XIIe siècle*. Louvain e Gembloux: Publications Universitaíres de Louvain, 1958.

BLOOMFIELD, Morton Wilfred. *The Seven Deadly Sins*: an Introduction to the History of a Religious Concept, with Special Reference to Medieval English Literature. East Lansin (Michigan): Michigan State College Press, 1952.

CASAGRANDE, Carla; VECCHIO, Silvana. *Les Péchés de la langue*: discipline et éthique de la parole dans la culture médievale [1987]. Tradução francesa. Paris, 1991.

_____. La classificazione dei peccati tra settenario e decalogo. *Documenti e Studi sulla Tradizione Filosofica Medievale*, Florença, n.5, p.331-95, 1994.

DELHAYE, Philippe (ed.). *Théologie du péché*. Paris, Tournai, Nova York e Roma: Desclée, 1960. t.I.

DELUMEAU, Jean. *História do medo no Ocidente, 1300-1800*: uma cidade sitiada [1983]. Tradução brasileira. São Paulo: Companhia das Letras, 1989.

DEMAN, Thomas; Péché. In: *Dictionnaire de théologie catholique*. Paris: Letouzey et Ané, 1933. v. XII-I.

GAUDEL, A. Péché Originel. In: *Dictionnaire de théologie catholique*, Paris: Letouzey et Ané, 1933. V.XII-I.

GROSS, Julius. *Geschichte des Erbsündedogmas*: ein Beitrag zur Geschichte des Problems vom Ursprung des Übels. Munique e Basileia, 1960-1972. t. I-IV.

KATZENELLENBOGEN, Adolf. *Allegories of the Virtues and Vices in Mediaeval Art, from Early Christian Times to the Thirteenth Century*. Londres: Warburg Institute, 1939.

LANDGRAF, Artur Michael. *Dogmengeschichte der Früscholastik*, 4.Teil, *Die Lehre von der Sünde*. Regensburg, 1955-1956.

NEWHAUSER, Richard. *The Treatise on Vices and Virtues in Latin and Vernacular*. Turnholt: Brepols, 1993.

VOGEL, Cyril. *Le Pécheur et la pénitence au Moyen Âge*. Paris: Cerf, 1969.

WENZEL, Siegfried. *The Sin of Sloth*: "Acedia" in Medieval Thought and Literature. Chapel Hill: University of North Carolina Press, 1967.

Peregrinação

O deslocamento de pessoas a lugares em que possam entrar em contato com o sagrado é uma prática comum nas culturas de todos os tempos: a peregrinação é um fenômeno quase universal na antropologia religiosa, podendo ser definida por quatro características essenciais:

Supõe uma viagem, uma caminhada, isto é, uma prova física do espaço. A provação do espaço faz que o peregrino seja um estrangeiro por onde passe. Ele é estrangeiro aos olhos dos outros, mas também estrangeiro em relação ao que era antes de se colocar a caminho. A peregrinação é uma prova espiritual.

A caminhada tem um fim específico, que confere sentido complementar à prova física e espiritual da viagem. Ao fim da jornada, o peregrino encontra o sobrenatural num lugar preciso, participando ritualmente de uma realidade diferente da profana.

Enfim, a peregrinação é um tempo privilegiado: tempo de festa e celebração.

No Ocidente medieval, a ênfase da peregrinação residia – muito mais do que no lugar ao qual se pretendia chegar – nos percalços e no esforço físico da rota, no distanciamento de um cotidiano confortável e no tempo necessário para a conclusão da peregrinação, expressa neste "ir para um outro lugar" físico e espiritual. No decurso da Idade Média, a importância do objetivo é, contudo, bem especificada: vai-se em peregrinação para junto de Santiago, em Compostela, dos apóstolos Pedro e Paulo, em Roma, de Nossa Senhora, em Rocamadour.

Acrescente-se que o peregrino obtém com sua viagem benefícios espirituais e físicos: o perdão dos pecados e a cura de seu corpo.

Uma antropologia da peregrinação medieval

Que a rota fosse essencial à peregrinação, prova-o Santiago de Compostela. Ao chegar ao santuário, o peregrino do século XIV não se demora: confessa e comunga durante a missa, dá uma volta em torno do altar, beija a estátua de madeira do apóstolo e parte com o atestado da peregrinação recebido de um cônego e com a concha comprada perto da basílica. O alojamento do local, de toda forma, não o hospeda por mais de três dias.

Por seu lado, a caminhada durava semanas, às vezes meses. Na partida, os instrumentos da rota são benzidos: o cinto e a sacola, o cajado com nó grosso (bordão) e o cantil, e, por fim, o manto de peregrino (*pelerine*). Esses são as insígnias do caminhante de Deus e de Santiago.

A rota é uma dura ascese. Aí sente-se a fadiga do corpo, o sofrimento provocado pelos pés doloridos, a tensão dos músculos, a sede e a fome. Aí sofre-se o rigor das intempéries. Aí se enfrentam múltiplos perigos, sobretudo na passagem de rios e montanhas. Os maiores riscos são provocados pela maldade humana: alguns ameaçam e exploram os peregrinos sem defesa, como testemunha o extraordinário *Guia do peregrino de Santiago*, escrito no século XII.

A austeridade da rota, cada dia renovada, inscreve-se numa intenção geral de sacrifício, de oferenda a Deus, aproximando o peregrino do sacrifício que é fonte de salvação – a do Cristo no Calvário. As numerosas cruzes colocadas ao longo do caminho testemunham essa intenção geral, mesmo que nem sempre tenha sido consciente. A peregrinação também pode ter objetivos mais limitados: obter uma graça, um benefício ou uma cura. A partir do século XIII, acontece também de ela ser imposta pelo confessor como forma de compensação, ou por um tribunal civil como forma de sanção penal, tal qual se praticava em Flandres.

Ao receber um traje especial, o peregrino medieval adota uma condição de vida parecida com a do penitente. Antes de partir, preparava seu testamento. Como o monge, de certa maneira ele morre para o mundo quando pega a estrada. Ao retornar, é outro homem. A decisão de partir pode ser individual, mas quase sempre é coletiva. Entre os peregrinos que caminham juntos todo dia cria-se uma fraternidade que pode se prolongar depois da peregrinação, em confrarias.

Etimologicamente, peregrino (*peregrinus*) é o expatriado ou o exilado. O peregrino em todo lugar é um estrangeiro, desconhecido dos homens, desprezado pelos sedentários, privado dos recursos de uma coletividade determinada. Essa espiritualidade impregnou o mais antigo monasticismo oriental, depois o monasticismo irlandês nos séculos VI e VII, e, por fim, diferentes pregadores eremitas que, na passagem do século XI ao XII, retiravam-se para o "deserto" das florestas. Ela também não era estranha aos estudantes dos séculos XII e XIII, que deixavam sua pátria para ir adquirir o saber onde ele se encontrasse.

A partir do fim do século XI, ela inspira sobretudo esses peregrinos, armados ou não, que são os cruzados. Com efeito, sobretudo nas cruzadas populares, a massa de peregrinos torna-se o povo do Êxodo, um povo que percorre o deserto acompanhado por Deus, um povo de pobres expatriados sofrendo em seus corpos a fome e os golpes dos infiéis, um povo de homens em constante risco de morte. A busca de Jerusalém e o esforço para lá chegar é identificada pelos cruzados, que partiram sem esperança de retorno, com a busca e o esforço para alcançar a Terra Prometida e a parúsia. Morrer em Jerusalém – e sobretudo morrer como mártir – é para eles a maneira mais segura de ganhar um lugar no Céu.

Se a provação da marcha e a intenção de expatriação, de ruptura com a terra natal, são essenciais, elas não podem ser concebidas independentemente da conclusão da caminhada, que adquire crescente importância na segunda metade da Idade Média.

Ao pegar a estrada, o peregrino pretende encontrar Cristo em Jerusalém ou os santos em Roma, Compostela, Saint-Gilles ou outros santuários. São Jerônimo, parece, teria sido o primeiro, no fim do século IV, a se fazer seguir até a Terra Santa por um certo número de fiéis. Já na mesma época, ia-se em peregrinação aos túmulos dos apóstolos Pedro e Paulo em Roma, assim como aos túmulos dos mártires. Mas foi entre os séculos XI e XII que a peregrinação a um determinado santuário superou, na itinerância religiosa, a peregrinação ascética de expatriação. Só então é que a palavra *peregrinus* deixou de designar o expatriado para assumir seu sentido atual, de "viajante religioso" a caminho de um santuário.

Mas é preciso assinalar que a peregrinação cristã enfatiza mais a pessoa que se pretende encontrar do que o lugar em que ela está: Cristo na Terra Santa, Pedro e Paulo em Roma, Tiago, o Maior, em Compostela, ou Maria Madalena em Sainte-Baume. Portanto, é a conjunção entre o ideal de expatriação e a busca de um lugar santificado por Cristo, pelos apóstolos ou santos, que dá à peregrinação cristã o sentido pelo qual é concebida ainda hoje.

Ao fim de sua marcha, o peregrino procura ver e tocar uma imagem, estátua ou túmulo, de modo a encontrar na fé uma realidade transcendente. Ao tocar o túmulo, busca estabelecer um contato com o santo e, por meio deste, com o próprio Cristo. "O encontro não é de ordem sensorial nem intelectual, mas existencial. Busca-se nele o estabelecimento de um contato com um dado que ultrapassa a experiência humana" (M.-H. Vicaire).

As grandes peregrinações do Ocidente medieval

Com o triunfo do cristianismo no Império Romano durante o século IV, a peregrinação aos lugares da Paixão de Cristo e ao seu túmulo desenvolveu-se. Santa Helena, mãe de Constantino, foi a primeira a visitá-los, e o imperador mandou construir a basílica do Santo Sepulcro. Ao fim do século, São Jerônimo podia escrever a propósito de Jerusalém: "para lá vão pessoas de todas as partes do Universo; a cidade está repleta de todas as raças humanas". Desde 333 tinha sido redigido um *Itinerário de Bordeaux a Jerusalém* para os peregrinos gauleses, e, em 384, uma religiosa espanhola chamada Egéria registrou sua viagem aos lugares santos num diário. No fim do século VI, Gregório de Tours menciona a peregrinação organizada por Santa Radegunda de Poitiers para ir procurar relíquias e, pouco antes, um peregrino de Plaisance (chamado por vezes, erroneamente, de Santo Antonino) tinha feito o relato de sua peregrinação, realizada em 570. Como todo peregrino, ele percorreu Jerusalém e suas imediações para visitar os lugares marcados pela memória do Cristo.

A devastação da Cidade Santa pelo persa Cosroes II e, sobretudo, a invasão muçulmana entravaram as possibilidades de peregrinação a partir do século VIII. Parece, entretanto, que houve algum exagero com respeito às dificuldades criadas pelos califas omíadas e abássidas à peregrinação para Jerusalém. Eles tiraram partido da ida de peregrinos, e o califa chegou a conceder a Carlos Magno um protetorado teórico sobre os lugares santos. Esse protetorado indicava o interesse reservado à peregrinação pelos cristãos do Ocidente e a relativa tolerância do Islã. Em 1009, todavia, o Santo Sepulcro foi destruído pelo califa fatímida al-Hakim. Mas o grave acontecimento não interrompeu o movimento no século XI, favorecido, além disso, pela conversão dos húngaros ao cristianismo no fim do século X: daí em diante, uma via terrestre juntou-se às vias marítimas tradicionais.

Contudo, é a renovação espiritual e o desenvolvimento de preocupações escatológicas na passagem para o segundo milênio que podem explicar o grande surto de peregrinação no século XI, que levaria à Cruzada. O monge borgonhês Raul Glaber descreveu a afluência de peregrinos ao túmulo do Salvador, assinalando o caráter imprevisto dessa afluência. Sabe-se que Fulco Nerra, conde de Anjou, dirigiu-se a Jerusalém em 1015, 1035 e 1039. Guilherme Taillefer III, conde de Angoulême, e o abade Ricardo de Saint-Vanne, de Verdun, lá estavam em 1026; Roberto I, duque da Normandia, em 1035; um grupo de bispos alemães em torno de Gunther de Bamberg, em 1064. O monge Lamberto chegou a deixar clandestinamente sua abadia de Hersfeld, tal o desejo de visitar a Terra Santa.

No último terço do século XI, a peregrinação a Jerusalém transformou-se em Cruzada. A tomada da Cidade Santa pelos turcos seljúcidas em 1071 e as lutas sangrentas entre Fatímidas e Seljúcidas pelo controle da cidade nos anos seguintes estão entre as razões que explicam a evolução para a peregrinação armada. Em 1099, os cavaleiros do Ocidente integrantes da primeira cruzada apropriaram-se de Jerusalém. Reinos latinos foram constituídos na Palestina. Desde então, as "passagens" para a Terra Santa tornaram-se mais frequentes. Os autores da época falam sempre de "peregrinos"; os historiadores é que se perguntam se suas motivações eram religiosas, militares ou coloniais. As sucessivas deslocações de cristãos no século XII permitiram, em todo caso, aos Estados latinos resistir à pressão dos muçulmanos que os cercavam.

Em 1187, Saladino retoma Jerusalém. A peregrinação não foi contudo interrompida, e no século seguinte foram concluídos tratados visando assegurar o livre acesso dos cristãos aos lugares santos. Taxas elevadas eram-lhes então impostas; a entrada em Jerusalém só podia ser feita por uma porta, e não se podia entrar em certos santuários. As "passagens" continuaram a acontecer, mas as diversas dificuldades sem dúvida fizeram diminuir o número de peregrinos no século XIII, além do que era possível venerar no Ocidente relíquias da Paixão, como a coroa de espinhos, para a qual São Luís mandou construir a Sainte-Chapelle de seu palácio de Paris.

Os papas procuraram, então, encorajar a viagem de além-mar: multiplicaram as indulgências oferecidas pela visita de tal ou tal santuário da Terra Santa. Francisco de Assis foi para lá em 1219-1220, sendo imitado por outros santos do século XIII. Os progressos do comércio e da navegação favoreceram a manutenção de certo movimento nos séculos XIV e XV, até a tomada de Constantinopla pelos turcos em 1453.

Vários relatos de viagem nos informam que os muçulmanos permitiam a entrada nos lugares santos mediante algumas taxas e portagens, que na verdade não impossibilitavam o movimento. No século XV, a acolhida dos peregrinos estava organizada. Dois cônsules, um genovês e um veneziano, representavam os ocidentais, sendo encarregados de sua proteção e alojamento no hospital geral dos peregrinos.

Ao longo de toda a Idade Média, Jerusalém continuou a ser o local de peregrinação por excelência. Os riscos físicos que apresentava, seja devido à distância e às condições naturais, seja devido à hostilidade das populações lá encontradas, faziam-na a mais difícil das peregrinações do Ocidente. O objetivo que orientava os peregrinos – colocar seu corpo em "aventura de morte" para ir aos mesmos lugares da Paixão de Cristo e entrar com ele na via da Salvação – fazia que sua significação espiritual e escatológica fosse a mais importante.

Na Alta Idade Média, é para Roma que ia o maior número de peregrinos. Ela era a única cidade do Ocidente que podia pretender possuir túmulos de apóstolos e mártires. Os de Pedro e Paulo já eram secretamente visitados por fiéis pouco após suas mortes. Vários grafites encontrados nas catacumbas testemunham o culto realizado em torno dos corpos de outros mártires, reunidos em cemitérios subterrâneos localizados nas imediações de Roma. Com o reconhecimento oficial do cristianismo, no século IV, a veneração das relíquias romanas estendeu-se a todo o mundo cristão, enquanto grandes santuários vieram a ser edificados: a basílica de São Pedro, no Vaticano; a de São Paulo Fora dos Muros, na rota de Óstia; a de São Lourenço, na Via Tiburtina; a de Santa Inês, na Via Nomentana. No interior dos muros foram edificadas as igrejas do Salvador, em Latrão, e de Santa Maria Maior, no Esquilino. Mas, até pelo menos o século VIII, eram as catacumbas e cemitérios suburbanos que atraíam os peregrinos, momento a partir do qual os papas decidiram transferir os corpos de inúmeros mártires para dentro das basílicas a fim de protegê-los de profanações. As trasladações de corpos santos encerraram-se em meados do século IX.

No tempo do papa Gregório Magno (590-604), a rainha Teodolinda da Lombardia recebeu de presente o óleo das lamparinas que iluminavam a sepultura dos mártires: a lista desses mártires, provavelmente incompleta, comporta 65 nomes, o que nos permite fazer uma ideia do número de mártires venerados em Roma. Para se orientar na cidade, os peregrinos recorriam a pequenos guias, como o *Notitia ecclesiarum urbis Romae* [Notícia das igrejas da cidade de Roma], redigido na época do papa Honório I (625-638).

Entre os peregrinos célebres da Alta Idade Média estavam o rei dos burgúndios, Sigismundo, convertido ao catolicismo por Santo Avito no princípio do século VI, e Santo Iriez, bispo de Gap, que realizou a viagem em 598. Um e outro retornaram com preciosas relíquias, que era um dos objetivos da peregrinação. Impedido de ir pessoalmente, o rei franco Childeberto I enviou em 556 uma embaixada ao papa Pelágio para pedir-lhe corpos santos. Certos peregrinos célebres queriam morrer em Roma: segundo a tradição, seis reis anglo-saxões teriam deposto suas coroas entre os séculos VII e IX para realizar sua derradeira peregrinação.

A peregrinação a Roma tornou-se um traço característico da vida religiosa anglo-saxã. São Vilfrido foi para lá três vezes, a última em 703-704, quando tinha mais de 70 anos. O erudito Bento Biscop fez seis vezes a viagem, entre 635 e 685. Entre os santos continentais, sabe-se que Santo Ouen lá esteve por volta de 675, quando tinha 76 anos; Santo Amando foi para lá duas vezes, antes e depois de 630; São Landelino e São Wandrille fizeram a peregrinação em meados do século VII, e São Vilibrordo fez duas vezes, em 690 e 695; São Bonifácio também foi duas vezes a Roma, em 722 e 733. Os grandes textos hagiográficos permitem-nos perceber esse traço importante de muitas vidas de santos merovíngios.

Estamos menos informados a respeito dos peregrinos de condição mais modesta. Mas o desenvolvimento, desde o século VI, de instituições encarregadas do acolhimento testemunha a presença deles. O papa Símaco (498-514) mandou construir "quartos e camas" no pórtico exterior de São Pedro. Esse primeiro hospital veio a ser aumentado por Sérgio I (687-701) e Leão III (795-816), os quais lhe acrescentaram termas. Os mosteiros também acolhiam os peregrinos, cada vez mais numerosos. No século IX havia *scholae* em Roma, quer dizer, hospitais destinados a acolher grupos de peregrinos de acordo com suas nações de origem; foram criadas uma *schola* para os francos, outra para frísios, uma para lombardos e outra para saxões. Esta última, mencionada pela primeira vez em 799, era a mais importante em razão do número de peregrinos anglo-saxões, ocupando quase um quarteirão de Roma. Talvez tenha também existido uma *schola* dos escotos ou irlandeses.

Na primeira metade do século IX, a unidade carolíngia favorecia a peregrinação, em particular a dos francos. Eles iam procurar relíquias, sempre necessárias devido ao roubo. Eginhardo, biógrafo de Carlos Magno, relata como as relíquias de São Marcelino e de São Pedro desapareceram, e uma narração de trasladação descreve o roubo das relíquias de Santa Helena, levadas furtivamente para Hautvillers, perto de Épernay, em 842. Nos séculos seguintes, em razão dos problemas europeus, diminuiu o fluxo dos peregrinos a Roma. Mas ainda se conhecem vários personagens importantes e reis que frequentaram a cidade dos apóstolos e dos papas: no século XII, Geoffroy, abade de Trinité de Vendôme, realizou doze vezes a viagem; no fim do século seguinte, o bem-aventurado Facio de Cremona foi dezoito vezes para lá. No século XI, Guilherme V, duque da Aquitânia, fazia a viagem quase todos os anos, mas o visitante mais ilustre foi Canuto, o Grande, rei da Dinamarca, em 1027.

A concorrência de Jerusalém e Santiago começou a se fazer sentir no curso do século XI, enquanto os problemas decorrentes do enfrentamento entre o Sacerdócio e o Império tornaram a situação da cidade instável: ela foi ocupada pelas tropas imperiais em 1084 (Henrique IV), 1117 (Henrique V) e em 1167 (Frederico Barba-Ruiva). Essa instabilidade era ainda agravada pela luta entre facções romanas, de modo que a peregrinação declinou nos séculos XII e XIII.

Com a criação do jubileu em 1300, ela conheceu uma vigorosa retomada. Entre o povo simples de Roma difundiu-se a ideia de que a cada cem anos o papa promulgava uma indulgência. Em consonância com as expectativas escatológicas, estimuladas pelos escritos de Joaquim de Fiore e pela pregação dos franciscanos espirituais, pensava-se que a mudança de século traria uma nova era de paz e prosperidade. O papa Bonifácio VIII normatizou essa aspiração "selvagem", inserindo-a no quadro da disciplina eclesiástica e da ortodoxia pela bula jubilar de 22 de fevereiro de 1300, que concedia a remissão dos pecados aos romanos que visitassem os santuários de São Pedro e São Paulo durante trinta dias consecutivos, e a todos os cristãos que fizessem o mesmo durante quinze dias.

De acordo com o testemunho dos cronistas, a afluência dos peregrinos, que já tinha começado antes da proclamação oficial do jubileu, foi considerável. O sucesso ocasionou a proclamação de diversos outros jubileus nos séculos XIV e XV, sem esperar o intervalo teórico de cem anos. Em meados do século XIV, este foi reduzido para cinquenta anos, passando daí em diante a ser necessário visitar, além das igrejas dos apóstolos, a basílica de Latrão. Um jubileu dito "da Redenção" foi intercalado em 1390, antes do jubileu secular de 1400; depois houve outro em 1423. Os problemas que a Igreja enfrentava na ocasião enfraqueceram o sucesso dessas grandes peregrinações. Foi preciso esperar o jubileu de 1450 e o retorno da paz no interior da Igreja para que a afluência a Roma retomasse a amplitude alcançada em 1300.

A origem da peregrinação de Compostela confunde-se com a lenda elaborada entre os séculos VII e XIII relativa à pregação do apóstolo Santiago na Espanha. Apoiava-se na descoberta, entre 788 e 838, de relíquias consideradas as daquele companheiro de Cristo. Mas a lenda era mais antiga, pois encontra-se mencionada por um poeta anônimo asturiano do século VIII, embora nada fale a respeito do túmulo. A questão do culto de suas relíquias veio a ser tratada pela primeira vez nas adições ao martirológio de Adon, entre 806 e 838, embora nenhuma crônica contemporânea tenha feito menção a isso. O relato da descoberta das relíquias encontra-se apenas num documento de 1077: inspirado por visões, um eremita chamado Pelágio teria descoberto o corpo do santo num túmulo de mármore. Nenhum historiador acredita mais que se tratasse do corpo de Santiago, que dificilmente teria ido à Espanha. Possivelmente um corpo foi descoberto dentro da sepultura de um antigo cemitério cristão em torno do ano 800: a má interpretação de uma inscrição pode tê-lo relacionado com a lenda preexistente.

O culto de Santiago teve alcance local até o fim do século IX. Há apenas uma menção, em 951, a um peregrino estrangeiro, Godescalc, bispo de Puy. Em 959, menciona-se a peregrinação do abade de Montserrat e, em 961, a do conde de Rouergue, assassinado no caminho. Nos anos seguintes, a peregrinação desenvolveu-se e um alojamento para peregrinos começou a ser organizado nos mosteiros. Entretanto, as incursões sarracenas conduzidas por al-Mansur a partir de 980 devastavam quase todo ano os territórios cristãos. Em 997, Compostela foi tomada de assalto e a basílica, arrasada.

Al-Mansur morreu em 1002 e a situação alterou-se em favor da Reconquista cristã liderada por Sancho, o Grande, rei de Navarra, enquanto o califado omíada de Córdova desintegrava-se. Os almorávidas e almôadas representarão novas ameaças para os territórios reconquistados no fim do século XI e no XII, mas não atingirão o Norte, de modo que a peregrinação conhecerá grande impulso.

Os primeiros peregrinos valões, flamengos e alemães apareceram desde o princípio do século XI. No fim do século, eram ingleses e italianos: a peregrinação a Compostela ganhou uma dimensão internacional na Europa. Na primeira metade do século seguinte, as hospedarias surgidas espontaneamente nos mosteiros foram substituídas por organizações hierarquizadas, verdadeiras ordens, como o hospital-priorado de Santa Cristina ou o de Roncesvales, que agregavam uma rede de comendas e hospitais.

Entre 1130 e 1140, era composto o *Guia do peregrino de Santiago*, quinta parte de uma grande obra consagrada por um autor francês à glória do apóstolo. Assim como a criação de instituições especializadas no acolhimento de viajantes, ele testemunha a importância alcançada pela peregrinação a Compostela no século XII.

A afluência ao túmulo de Santiago pode ser explicada em parte devido ao papel desempenhado pelos reis asturianos, que desde a descoberta do corpo mandaram construir basílicas. A primeira, construída por Afonso II, o Casto, foi reconstruída por Afonso, o Grande, no fim do século IX. Em 1078, foi erguida a catedral românica por iniciativa de Afonso VI, de Castela. Por seu lado, no século XI, os reis de Navarra velavam pela segurança e o bom estado das rotas.

O sucesso da peregrinação explica-se também pelo importante papel das ordens religiosas, em particular a de Cluny, embora sua importância tenha sido por vezes exagerada. Sabe-se que, ainda no século XII, o último grande abade de Cluny, Pedro, o Venerável, dispensava considerável energia na promoção da peregrinação a Santiago. Ao lado dos mosteiros cluniacenses, convém mencionar diversos mosteiros moçárabes ou de tradição visigótica, que demarcavam a rota de Compostela, e a ação pessoal de santos eremitas, responsáveis pela construção de estabelecimentos de hospedagem, muitos deles erguidos por cônegos que seguiam a regra de Santo Agostinho. Depois, premonstratenses, cistercienses, ordens hospitalárias e militares também se implantaram solidamente no Norte da Espanha, colocando-se a serviço dos peregrinos e de Santiago.

Em 1236, o franciscano Guilherme de Rubroek encontrou na corte do *khan* mongol um monge nestoriano que se preparava para ir a Compostela. Os salvo-condutos concedidos pela corte aragonesa entre 1379 e 1415 testemunham a presença de franceses, italianos, alemães e catalães em sua maioria, mas também de húngaros, tchecos, poloneses, até de um etíope e um indiano. Entre os peregrinos célebres, mencione-se a condessa Matilde, viúva do imperador Henrique IV, que lá esteve em 1125, o rei da França Luís VII, em 1154, e Francisco de Assis, entre 1213 e 1215.

Os ingleses afluíram no século XIV, indo geralmente por mar até o porto de La Coruña. Só no ano de 1434, o rei da Inglaterra concedeu 39 licenças para frete de barcos que levaram 2.310 peregrinos. Os alemães que rumaram para lá também eram numerosos, e as cidades flamengas frequentemente usaram a peregrinação a Compostela como pena para condenação na justiça. Tudo isso confirma o grande esplendor da peregrinação até o século XV, mas no século seguinte houve um declínio brutal em razão da adoção da Reforma em países de onde partia grande número de peregrinos.

A questão dos caminhos de Santiago fez correr muita tinta, dando origem a uma literatura considerável. O problema é que as centenas de milhares de peregrinos que durante seis séculos deslocaram-se para Compostela percorreram todos os itinerários possíveis, do mais linear ao mais sinuoso, dependendo da localização dos santuários que desejavam visitar, dos hospitais que acolhiam viajantes fatigados, das dificuldades climáticas que tornavam momentaneamente este ou aquele caminho impraticável. Todavia, certos itinerários preferenciais estavam bem estabelecidos. A tradição fixada no *Guia do peregrino* indica quatro grandes vias que atravessavam a França, convergindo para os Pireneus. A primeira era a *via tolosana*, que começava em Arles, passando por Saint-Gilles, Saint-Guilhem-le-Désert e pelo desfiladeiro de Somport, tendo sido utilizada por peregrinos provenientes do Leste e da Itália. A *via podensis* partia de Puy, reunia borgonheses e alemães e passava por Conques, onde se venerava Santa Foy, e por Moissac. Uma variante importante passava por Rocamadour. Daí se rumava para Ostabat, onde estavam as duas vias seguintes, e o desfiladeiro de Ibaneta ou porto de Cize, local em que estava o hospício de Roncesvales. A terceira rota, a *via lemovensis*, atravessava o Limousin; partia de Vézelay e, por Nevers ou La Charité-sur-Loire, ganhava-se Bourges, Saint-Léonard, Limoges e o Périgueux, onde se venerava São Frontão. A quarta rota, também chamada "grande caminho de Santiago", passava por Tours, onde se venerava São Martinho: era a *via turonensis*. Era empregada por peregrinos da França do Norte e Países Baixos. Passava por Poitiers, onde se venerava Santo Hilário, e por Saint-Jean-d'Angély, Saintes e depois por Bordeaux.

Depois dos Pireneus, as quatro rotas juntavam-se em Puente la Reina. Lá começava o *camino francés* ("caminho francês"), por Logrono, Burgos e León.

Grandes santos e grandes santuários de peregrinação

Com a morte de São Martinho em 397, que seu biógrafo descreve como tendo ocasionado um verdadeiro triunfo, a peregrinação a seu túmulo ganha dimensão. Na *Vida de São Martinho*, Sulpício Severo apresenta esse túmulo como lugar de manifestação da verdade evangélica.

O rei Clóvis (481-511) visitou-o três vezes e Martinho tornou-se protetor da dinastia merovíngia. Santa Genoveva, São Germano de Paris e São Colombano também foram venerar o evangelizador das Gálias. Gregório, bispo de Tours no último quartel do século VI, assinalava que para lá iam peregrinos de toda a Gália. Segundo ele, Martinho oferecia a mesma mensagem que Cristo, manifestando a graça divina por seus milagres: não era mais necessário, portanto, ir a Roma invocar qualquer representante de Cristo, pois nenhum era superior a São Martinho.

Os soberanos carolíngios não tiveram a mesma ligação com São Martinho, mas Carlos Magno, Luís, o Piedoso, e Carlos, o Calvo, foram a Tours. As invasões e as desordens do fim do século IX e do X provocaram o declínio do santuário. Entre 872 e 885, as relíquias foram colocadas a salvo em Chablis, na Borgonha, e o empobrecido santuário declinou nos séculos seguintes.

A peregrinação retomou força apenas com a chegada das relíquias de Santa Fare e Santa Inês, no século XII. Personagens importantes voltaram de novo a Tours, mencionado como santuário importante no *Guia do peregrino de Santiago*. Filipe Augusto e Ricardo Coração-de-Leão lá tomaram o bastão de peregrino quando decidiram partir em Cruzada, e São Luís fez três vezes essa peregrinação.

Como ocorreu com muitos outros santuários, no fim do século XIII, Saint-Martin de Tours recebeu do papa o direito de conceder indulgências àqueles que realizassem a peregrinação em certas datas do ano, particularmente na São Martinho "de inverno" (11 de novembro) e São Martinho "de verão" (4 de julho). Depois, a indulgência foi estendida a vários outros dias do ano, de modo que a peregrinação a São Martinho continuou popular até o fim da Idade Média.

As peregrinações dedicadas a São Miguel vieram a ser realizadas nos lugares de sua aparição (um arcanjo não pode deixar relíquias de seu corpo...). Em Monte Gargano, na Itália do Sul, o arcanjo teria aparecido três vezes em 492, ordenando a um bispo que levantasse um santuário numa gruta indicada por um touro. No século VI, a peregrinação desenvolveu-se em torno da gruta e de uma fonte milagrosa, assim como da marca do pé do santo calcada na rocha. Depois de se instalar na Itália, os lombardos elevaram São Miguel à condição de protetor de sua nação, de modo que, até o século X, o Monte Gargano figurou como santuário nacional lombardo. Sua fama espalhou-se por todo o Ocidente, transformando-o por vezes em ponto de passagem para os peregrinos que se dirigiam a Jerusalém, enquanto os que iam para Roma desciam mais para o sul a fim de venerar São Miguel. O caráter internacional acabou a partir do século XI, e o Monte Gargano passou a ser frequentado unicamente por italianos.

Nos séculos XIV e XV, o santuário internacional do arcanjo encontrava-se no Mont-Saint-Michel, na Normandia. Esse culto teve início no princípio do século VIII, seguindo um processo similar ao do Monte Gargano: uma tripla aparição ao bispo de Avranches, instigando-o a edificar um oratório no lugar indicado por um touro; pouco depois, uma alteração marítima transformou o monte em ilha: "Saint-Michel-au-Péril-de-la-Mer". A reputação do santuário cresceu e Carlos Magno adotou São Miguel como patrono do Império. Depois de 911, os duques normandos apoiaram-se no mosteiro do Monte que se tornou um dos grandes centros de peregrinação do Ocidente. Muitos reis fizeram a viagem para lá. No século XV, São Miguel tornou-se de fato o santo nacional na França, aquele que apareceu a Joana d'Arc e que se invocava contra os ingleses.

Uma originalidade do Mont-Saint-Michel foi a de ter atraído peregrinações de crianças, primeiro de regiões vizinhas, em 1333, depois de todo o reino da França, Alemanha, Suíça e Países Baixos, tendo o apogeu do movimento se situado em 1457-1458.

Em Chartres, desde o século IX, venerava-se a túnica da Virgem oferecida por Carlos, o Calvo, assim como a Virgem Negra, que sem dúvida tomara o lugar de uma antiga divindade pagã. Notre-Dame do Puy era frequentada pelo menos desde a época carolíngia. No século XI, acorria-se para lá de todo o oeste da França. Mas o apogeu da peregrinação ao Puy situa-se no século XV, quando um jubileu foi instituído a cada ano em que o 25 de março (Anunciação) coincidisse com a Sexta-Feira Santa. Foi o caso em 1407, quando teriam ido 200 mil peregrinos, dos quais duzentos morreram sufocados no santuário.

Havia outros santuários marianos na Idade Média: Notre-Dame de Boulogne e Notre-Dame de Liesse, na França; Nossa Senhora de Montserrat, na Espanha; Notre-Dame de Hal, na Bélgica; Nossa Senhora de Walsigham, na Inglaterra; Aix-la-Chapelle, na Alemanha; Mariazell, na Áustria.

Todavia, nenhum tinha a popularidade do santuário de Rocamadour. Inicialmente, ele atraía apenas uma peregrinação local que se desenvolveu no curso do século XII. Em 1166, descobriu-se o corpo de um eremita sepultado na rocha perto da capela da Virgem, que passou a ser chamado de "rocha do Amador": Rocamadour. A lenda apropriou-se dele, transformado em um dos servidores da Virgem que teria passado pela Gália após a Assunção para terminar sua vida no Quercy. No século XV, Rocamadour foi assimilado a Zaqueu, o publicano.

Desde os anos 1170, peregrinos afluíram da França, Inglaterra, Flandres, ou da Alemanha, Itália e Espanha. É evidente que a posição de Rocamadour, próximo de um dos caminhos de Compostela, favoreceu a peregrinação. No século XIII, o santuário acolheu Simão de Montfort, que ia para a cruzada albigense, São Domingos e o rei São Luís, entre outros. Os problemas da Aquitânia durante a Guerra dos Cem Anos paralisaram o desenvolvimento da peregrinação no século XIV.

No século XV, Rocamadour conheceu novo desenvolvimento graças à concessão de indulgências pontificais. Em 1427, Martinho V concedeu um Grande Perdão de três anos e três quarentenas pela visita à igreja em certas festas, e de cem dias na oitava dessas festas. Pio II instituiu a indulgência plenária através de uma bula de 1463. O rei Luís XI, grande devoto da Virgem, foi o peregrino de maior prestígio no último século da Idade Média.

As cidades flamengas ainda comprovavam sua importância, pois situavam Rocamadour logo após Santiago de Compostela na hierarquia dos locais de peregrinação penitencial.

MICHEL SOT
Tradução de José Rivair Macedo

Ver também

Corpo e alma – Deus – Islã – Jerusalém e as cruzadas – Milagre – Pecado – Roma

Orientação bibliográfica

ALPHANDÉRY, Paul; DUPRONT, Alphonse. *La Chrétienté et l'idée de croisade.* Paris: Albin Michel, 1954-1959. 2v. Reedição 1995 (com posfácio de Michel Balard).
BESNARD, André-Marie. *Le Pèlerinage chrétien.* Paris: Cerf, 1959.
DUPRONT, Alphonse. *Du sacré. Croisades et pèlerinages*: images et langages. Paris: Gallimard, 1987.
FINUCANE, Ronald C. *Miracles and Pilgrims*: Popular Belief in Medieval England. Londres, Melbourne e Toronto, 1977.
FRUGONI, Arsenio. Il Giubileo di Bonifacio VIII. *Bollettino dell' Istituto Storico Italiano per il Medio Evo,* Roma, n.62, p.1-121, 1950.
LABANDE, Edmond-René. Recherches sur les pèlerins dans l'Europe des XIe et XIIe siécles. *Cahiers de Civilisation Médiévale,* Poitiers, n.1, p.156-68, 339-47, 1958.
LACOSTE-MESSELIÈRE, René de. *Sur les chemins de Saint-Jacques.* Paris: Perrin, 1993.
OURSEL, Raymond. *Pèlerins du Moyen Âge* [1963]. Paris: Fayard, 1978.
RÉGNIER-BOHLER, Danielle (dir). *Croisades et pèlerinages*: récits, chroniques et voyages en Terre Sainte, XIIe-XVIe siècle. Paris: Laffont, 1997.
SIGAL, Pierre-André. *Les Marcheurs de Dieu.* Paris: Armand Colin, 1974.
VÁZQUEZ DE PARGA, L. *Las peregrinaciones a Santiago de Compostela.* Madri: Escuela de Estudios Medievales, 1948-1949. 3v.
VICAIRE, Marie-Humbert. Les trois itinérances de pèlerinage aux XIIIe-XIVe siècles. *Cahiers de Fanjeaux,* Toulouse, n.15, p.17-41, 1980.
VIEILLARD, Jeanne (ed.). *Le Guide du pèlerin de Saint-Jacques* [1950]. Mâcon: Protat, 1963.

Pregação

A pregação medieval reúne, nas principais datas do calendário cristão, os paroquianos em torno da palavra que busca a salvação individual e coletiva. Ela reúne, mas também estabelece uma divisão entre locutores e ouvintes, entre clérigos e leigos. Numa sociedade de *illitterati*, os sermões eram o meio básico de instrução dos leigos e meio privilegiado para uma verdadeira "aculturação cristã". Pregar era, de fato, definir os contornos da verdadeira religião diante da heresia e da superstição, e propor (até mesmo impor) um modelo de cristianismo, uma visão do mundo cujos componentes políticos, sociais e religiosos encontravam-se estreitamente entrelaçados.

A Bíblia fornecia aos clérigos modelos de pregação inspirados na palavra dos profetas, de Cristo e dos apóstolos (notadamente Paulo). Os pregadores que retomavam a palavra sagrada adaptavam-na ao seu auditório, distinguindo a pregação *ad cleros* (aos clérigos) da pregação *ad populum* (ao povo). Essa distinção constitui categoria operatória para se estabelecer uma cronologia do desenvolvimento de vários tipos de pregação, cujo papel cresceu e se diversificou globalmente no decurso dos mil anos da Idade Média. Pode-se, assim, distinguir esquematicamente três períodos: uma Alta Idade Média marcada por uma pregação mais voltada para os clérigos (séculos V-X); uma Idade Média central (séculos XI-XII) no decurso da qual a pregação se diversifica; e uma Baixa Idade Média (séculos XIII-XV) que vê a emergência de uma verdadeira pregação popular, quer dizer, destinada ao povo, paralelamente ao aprofundamento da pregação aos clérigos.

A pregação da Alta Idade Média (séculos V-X)

Devemos, na realidade, estabelecer certa distinção entre a Antiguidade tardia e a Alta Idade Média propriamente dita.

A Antiguidade tardia legou alguns dos textos fundadores da pregação medieval: o livro IV do *De doctrina christiana* e o *De catechizandis rudibus*, de Santo Agostinho; depois a *Regula pastoralis*, de São Gregório. O período foi marcado por conversões coletivas, preparadas de acordo com as regras de instrução religiosa aos adultos. Nesse contexto, a pregação preparava para a conversão, sendo fruto de um monopólio episcopal exercido no quadro do catecumenato e da missa. Em caso de impedimento, o bispo podia vir a ser substituído por um padre ou pelo diácono local, que lia as homilias que continham essencialmente conselhos morais. Por instigação de Cesário de Arles, o Concílio de Vaison (529) garantiu aos padres o direito de pregar tanto na cidade quanto no campo, mas tal pregação sacerdotal parece ter sido excepcional até o ano 800. Desse período encontram-se conservadas, entre outras, as homilias de Agostinho (*Enarrationes* sobre os 150 salmos, 124 *Tractatus in Iohannem*), de Gregório Magno (40 *Homiliae in Evangelium* e 22 *Homiliae in Ezechielem* pronunciados em Roma e em Constantinopla) e 238 sermões de Cesário de Arles, divididos em sermões *de diversis, de scriptura, de tempore, de sanctis* e *ad monachos*.

No curso da Alta Idade Média, o quadro da pregação sofreu duas mudanças importantes: o batismo passou a ser conferido às crianças logo após o nascimento; o papel do bispo ultrapassou muito o quadro religioso para se estender a responsabilidades políticas e administrativas, se bem que desde então admite-se que os padres podem e devem pregar. A legislação capitular de Carlos Magno pretendeu melhorar a formação do clero e a qualidade da pregação. A *Admonitio generalis*, de 789, pedia que a todos fosse pregada a fé na Trindade, e que se ensinasse o Pater Noster e o Credo. Os *Capitula de Presbyteris admonendis* (809) previam que todos os leigos deviam recitar essas duas orações aos padres. Os bispos retomaram localmente tal legislação, insistindo quanto ao uso da língua vulgar na pregação (cânone 17 do Concílio de Tours, de 813). Assim, a assembleia de Attigny (822) recomendou a cada diocese formar clérigos instruídos para a pregação. Em Meaux, em 845, ficou resolvido que cada bispo deveria ser obrigado a dispor de um colaborador encarregado de instruir os padres do campo. Em Pávia, no ano de 850, instigou-se o bispo a estudar as Escrituras, o dogma, a instruir seu clero e a pregar ao povo nos domingos e dias de festa. O capitular de Haiton, bispo de Basileia, exigiu que os padres possuíssem livros litúrgicos e um livro de homilética. A literatura homilética conheceu então grande progresso. Essas obras compósitas juntavam leituras patrísticas, extratos de comentários das Escrituras, sermões, algumas legendas hagiográficas e alguns apócrifos (sobretudo para as festas da Virgem). Tais obras foram utilizadas pelos bispos para compor sermões, e sobretudo pelos religiosos nas leituras do refeitório, em conferências espirituais e para meditação pessoal.

A pedido de Carlos Magno, Paulo Diácono confeccionou entre 786 e 801 um homiliário que foi amplamente recopiado. Mas foram essencialmente as *Collectiones epistolarum et Evangeliorum de tempore et de sanctis*, de Smagarade (em torno de 820), os diversos homiliários da escola de Auxerre, o de Rábano Mauro e o de Saint-Père de Chartres que forneceram modelos de sermões aos padres, mesclando ensinamento doutrinal, moral, litúrgico e relatos edificantes. A Itália do Norte produziu homiliários de orientação popular mais marcada (*Flores Evangeliorum in circulo anni*). Paralelamente, desenvolveu-se em língua vulgar uma literatura religiosa "popular": composto entre 820 e 840, o *Hildebranslied* adaptava a figura de Cristo aos cânones da sociedade germânica e o *Muspilli* evocava o fogo do fim do mundo. Em Saint-Amand, perto de Valenciennes, a *Séquence d'Eulalie* foi composta na fala românica por volta de 822 para descrever o martírio da santa espanhola.

Qual foi o resultado de todos esses esforços destinados a promover uma verdadeira pregação *ad popolum*?

A arquitetura religiosa oferece um primeiro elemento de resposta: a aparição do púlpito atesta a importância alcançada pela pregação na liturgia, mas essa construção de pedra levantada perto do coro e diante dos fiéis apenas podia ser encontrada em igrejas episcopais e monásticas espaçosas e bem cuidadas. Nas pequenas igrejas, a pregação *ad popolum* feita pelo baixo clero continuou limitada em sua regularidade e em seu alcance religioso: os raros testemunhos provam que, na maioria das vezes, ela fazia referência à moral devido à ignorância doutrinal dos pregadores. Todos esses esforços conjugados caíram por terra desde 850, pois parece que a pregação continuou a ser geralmente erudita, endereçada em latim aos clérigos. No curso desse período muito tumultuado, o povo permaneceu afastado da palavra sagrada.

A pregação da Idade Média central (séculos XI-XII)

Nos dois séculos seguintes, a pregação diversificou-se sob o impulso de grandes figuras monásticas e sob a pressão de um importante acontecimento político e religioso: a Cruzada. A pregação aos clérigos (monges, cônegos, público das escolas) tornou-se cada vez mais erudita. Ela se apoiava ainda nos homiliários que acolheram inovações litúrgicas (a festa de Finados a 2 de novembro e novos santos), mas também nos sermões de Fulberto de Chartres, Odilon de Cluny, Pedro Damiano... Em fins do século XI, a coleção dos *Sermones sanctorum catholicorum Patrum*, preparada na Borgonha, foi retomada nos homiliários dos cartuxos e cistercienses (em torno de 1185-1191). O clero inglês do século XII também compôs homiliários, como as coleções das catedrais de Salisbury, Hereford e Worcester. Vários homiliários com escrita beneventana datam do fim do século XII. Entretanto, tal filão pareceu perder vigor, ficando o dinamismo da pregação concentrado em certas figuras monásticas e seculares proeminentes, muitas das quais não poderão ser aqui evocadas. Entre os beneditinos, citemos Guiberto de Nogent, que compôs um tratado a respeito da arte e da maneira de se compor um sermão, e Pedro de Celle, que nos deixou sermões sinodais. Em Paris, a abadia de Saint-Victor organizou um sermão por dia para os cônegos e ouvintes estrangeiros. Hugo e Ricardo de Saint-Victor deixaram-nos vários sermões. Mas, sem sombra de dúvida, a figura monástica de maior destaque é São Bernardo, que pregava em latim aos clérigos e em língua vulgar ao povo. Para os primeiros compôs os sermões *ad clericos de conversione*, pregados aos clérigos de Paris na Quaresma de 1139-1140. Não menos célebres são seus *Sermones in laudibus Virginis Mariae* (entre 1120 e 1125),

Sermones per annum e *Sermones super Cantica Canticorum*. A pregação em língua vulgar visava à heresia cátara no Languedoc (onde acompanhou o legado pontifical em 1145) e a promoção da segunda cruzada, tarefa que o papa Eugênio III lhe confiou. Em 31 de março de 1146, ele proclamou a cruzada em Vézelay, depois percorreu a Lorena, Flandres e Renânia. A dimensão de sua ação religiosa permaneceu importante até o fim da vida. Em 1153, já abatido pela doença, dirigiu-se a Metz para pacificar a cidade com sermões apropriados. Após sua morte, os cistercienses Guerric de Igny, Aelredo de Rielvaux e Isaac de l'Étoile deram continuidade a esse esforço de pregação.

Grandes mestres do século XII tiveram participação na diversificação da pregação. Entre muitos outros, citemos Yves de Chartres; Pedro Abelardo, que compôs sermões para a edificação das irmãs do Paracleto; e Pedro Lombardo, que nos deixou 35 sermões. Chanceleres parisienses como Odo de Soissons, Pedro Comestor e Hilduíno também fizeram parte desse movimento.

Ápice dessa evolução, o *Verbum abreviatum*, de Pedro, o Cantor, propunha um programa em três artigos para permitir toda a expansão à função do teólogo: *lectio*, *disputatio* e *praedicatio*, este último termo ocupando o lugar que em mestres anteriores era *contemplatio* ou *meditatio*. A mudança de estrutura do sermão seguiu essa evolução. Seu plano, muito simples até o princípio do século XII, ganhou maior complexidade e erudição no decurso do século: a ele foram integrados vários temas veterotestamentários com longos desenvolvimentos de exegese alegórica. Numerosos eram os sermões endereçados *ad prelatos*, ou *ad clericos*, *ad religiosos*, ou pronunciados *in synodo*.

Nos mosteiros, dois sermões deviam ser realizados a cada dia: o primeiro pela manhã (*mane*) e o segundo ao cair da tarde, às vésperas (*collatio*). Mas a pregação ultrapassou o quadro monástico, estendendo-se às colegiadas, às escolas e, claro, às igrejas paroquiais. Os fiéis das cidades e dos campos foram igualmente atingidos por pregadores itinerantes como Roberto de Arbrissel e Bernardo de Tiron, personagens excepcionais que se entregaram totalmente à vida apostólica, percorrendo cidades e aldeias nas dioceses em que receberam autorização para pregar. Desde o fim do século XII, os cátaros pregavam no Languedoc e os valdenses na região de Lyon. Eram homens e mulheres leigos que exerciam tal função sagrada fora de todo controle.

Diante do crescimento dos movimentos heterodoxos e do perigo sarraceno na Terra Santa, o controle da pregação popular tornou-se prioridade para a Igreja.

A emergência da pregação popular (séculos XIII-XV)

A legislação eclesiástica, pontifical e sinodal empenhou-se então em controlar, organizar e reforçar a pregação ao povo. Eudes de Sully, bispo de Paris de 1196 a 1208, promulgou estatutos sinodais em que 17 dos 96 cânones fazem referência à pregação: esta devia encorajar os fiéis a receber os sacramentos (batismo, confirmação, confissão) e a pronunciar as duas preces antes citadas nos capitulares carolíngios – o Pater Noster e o Credo – junto com a Ave-Maria, em reconhecimento do culto marial; o pregador habilitado pelo bispo (que tinha o cuidado de verificar sua competência, valor moral e ortodoxia) devia expor os artigos de fé e combater as heresias nas preces do domingo e dias de festa. Esse programa mínimo foi largamente desenvolvido no *Synodal de l'Ouest*, promulgado por Guilherme de Beaumont (bispo de Angers por volta de 1216-1217), depois retomado em vários estatutos sinodais no decurso desse período.

No mais alto nível da hierarquia eclesiástica, os papas regulamentaram e reforçaram a pregação. Inocêncio III (1198-1216), ele próprio autor de vários sermões, encorajou a pregação no âmbito das missões destinadas a evangelizar o nordeste da Europa, mas também no âmbito da quarta cruzada (em que a pregação foi confiada a Fulco de Neuilly, a partir de 1198) e da luta contra a heresia cátara. Seu programa resumia-se em "atacar os desvios heréticos, confirmar a fé católica, extirpar os vícios e semear as virtudes". O IV Concílio de Latrão (1215) consagrou o décimo cânone (*De praedicatoribus instituendis*) à organização da pregação para aumentar sua eficácia. Nascidas nesse quadro, as Ordens Mendicantes rapidamente tornaram-se a espada e a lança do movimento de pregação popular. Inocêncio III aprovou em 1210 a regra escrita por São Francisco de Assis, concedendo-lhe, entre outras coisas, "autorização para pregar a penitência em todos os lugares", estendendo-a em seguida aos frades desde que tivessem permissão de Francisco. Este autorizava clérigos – mas também leigos – a pregar, seguindo nesse ponto o *Decreto* de Graciano, que admitia a pregação de homens e mulheres leigos contanto que tivessem autorização de um padre. Todavia, desde 1228, numa carta ao arcebispo de Milão, Gregório IX proibiu a pregação pública dos leigos. Impressionado com o sucesso das heresias, e levado pela necessidade, Inocêncio III igualmente concedeu o direito de pregar aos "humilhados" e valdenses reconciliados, antigos heterodoxos que retornaram ao seio da Igreja.

A Ordem Dominicana também nasceu da necessidade de pregadores eficazes contra a heresia cátara, que se espalhava bem além do Languedoc. O futuro São Domingos começou em 1206 por liderar na região de Fanjeaux um grupo denominado "Santa Pregação ou Pregação de Jesus Cristo", organizado de acordo com a *vita apostolica* no sentido mais estrito do termo; depois, em 1215, instalou na cidade de Toulouse uma comunidade que obedecia aos mesmos princípios. Algumas semanas antes da abertura do IV Concílio de Latrão, recebeu confirmação pontifical, reiterada por Honório III em 1216 e 1217, na qual se reconhecia a especificidade do *Ordo praedicatorum*. Segundo o abade beneditino Guilherme Peyrac, São Domingos "entregava-se com tanto fervor à pregação que exortava e obrigava todos seus frades a anunciar a Palavra de Deus de dia e de noite, nas igrejas e nas casas, nos campos e nas estradas, numa palavra, em todos os lugares, devendo falar apenas de Deus".

Mas a aparição dessa nova categoria de pregadores colocou, algumas vezes de modo violento, o problema da autoridade para pregar. Durante o século XIII, uma controvérsia opôs o clero secular às Ordens Mendicantes, o primeiro integrando a pregação exclusivamente no ministério sacerdotal, os segundos apoiando-se na "comissão" recebida diretamente do papa. A querela foi encerrada com a bula *Super cathedram*, de Bonifácio VIII (18 de fevereiro de 1300), renovada no Concílio de Viena (1311-1312), na qual constava que franciscanos e dominicanos podiam pregar em igrejas e praças públicas desde que fora das horas já ocupadas pelos prelados do lugar. Para falar nas igrejas paroquiais era necessário convite ou permissão do pároco.

A pregação tornou-se, pouco a pouco, matéria de especialistas com longa formação, habituados a todos os segredos do ofício. Embora os sínodos lembrassem o papel da pregação na *cura animarum* entregue a cada padre, nas visitas pastorais os bispos praticamente nunca inspecionavam esse aspecto do ministério paroquial. Em contrapartida, as constituições de 1220-1228 dos frades pregadores e as decisões de diferentes capítulos franciscanos definiram nitidamente o estatuto do pregador e seu raio de ação. O progresso das Ordens Mendicantes foi muito rápido. Desde o princípio do século XIV, os dominicanos dispunham de 118 conventos na Itália. A formação de pregadores era assegurada nas escolas das catedrais, depois em *studia* dos frades mendicantes, os mais dotados indo até a faculdade de Teologia. Mas, muito cedo, mesmo durante sua formação, os jovens religiosos deviam, no convento ou nas universidades, aprender a pregar.

A formação de curas de paróquia nos escapa. Dispomos apenas de um indício capaz de oferecer um esboço da questão: o exame dos inventários paroquiais, com a presença ou ausência de homiliários.

Apesar da importância das Ordens Mendicantes e das reservas pontificais, possuímos alguns raros testemunhos de pregação exercida por leigos: o rei de Nápoles, Roberto do Anjou, mas também juristas das comunas italianas e um mercador florentino, Sacchetti, que por volta de 1380 compôs 49 exposições sobre os Evangelhos (certamente pronunciadas, segundo C. Delcorno). Enfim, os mestres das confrarias – que estavam em franco progresso – podiam endereçar exortações com conotações morais aos seus confrades.

O genuíno ofício de pregador exigia uma vida itinerante. Entre 1399 e 1419, o dominicano Vicente Ferrer atravessou a Provença, Savoia, Delfinado, Piemonte, Lombardia, Espanha e o Oeste da França. O pregador ideal devia ser capaz de pregar em todo lugar, diante de todo tipo de público, como João Gerson, que pregava diante das cortes principescas, universidades, concílios, sínodos, colégios, mas também em simples paróquias.

Na maioria das vezes, os pregadores atraíam multidões consideráveis, transformando praças públicas e monumentos profanos em locais de pregação, como as arenas de Limoges, onde Antônio de Pádua pronunciou seus sermões em torno de 1195-1231. Restaram-nos poucos dados sobre os ouvintes leigos: existe abundante documentação a respeito da pregação em comunidades beguinas, ordens terceiras, confrarias, enquanto a pregação nas paróquias rurais continua pouco conhecida devido à falta de fontes.

Paralelamente a essa intensa pregação popular, a pregação destinada aos clérigos continuou a ser largamente perseguida, fosse ela feita pelo bispo ou seu representante, por professores universitários (como São Boaventura, que pregou em Paris entre 1267 e 1273) ou por prelados no âmbito de concílios regionais ou gerais (Viena, Pisa, Constança e Basileia). Entre os sermões conservados (muitas vezes na forma de *reportationes*), cabe citar os de Ranulfo de Houblonnière, transmitidos aos clérigos e ao povo simples de Paris em 1260-1288, e alguns do século XV pronunciados por Bernardino de Siena na Toscana e em outras regiões. Os *Sermones ad status* adaptaram-se ao seu auditório: no século XIII, Alain de Lille, em sua *Summa de arte praedicatoria*, depois Jacques de Vitry e Humberto de Romans, compuseram modelos de sermões destinados aos príncipes, nobres, mercadores, burgueses, estudantes, camponeses, marinheiros, clérigos, aos casados, às mulheres e às crianças. A pregação podia ser animada pelas intervenções de ouvintes (questões, objeções), por representações imaginadas pelo pregador (mediante brados, diálogos fictícios, mimodramas e gestos) e pelo recurso aos *exempla* – anedotas exemplares, muitas vezes tiradas da vida cotidiana, cujo tom oscilava entre o drama cristão e o efeito cômico do *fabliau*. Os sermões variavam também em função do contexto litúrgico: a esse propósito, convém distinguir entre aqueles denominados *de tempore*, pronunciados ordinariamente aos domingos e dias de festa (variedade dita *de festis*), e aqueles denominados *de sanctis*, reservados à festa de um santo. Os sermões ganhavam maior amplitude quando associados a uma grande festa litúrgica (*Corpus Christi*, rogações) ou a procissões rogativas, missões, obséquias solenes, indulgências ou peregrinações. A intensificação da pregação foi acompanhada da aparição de um novo tipo, erudito, de sermão, o *sermo modernus*, que se fundava no desenvolvimento de um tema tratado de acordo com uma complexa série de divisões e distinções. Enquanto no período precedente o sermão apoiava-se essencialmente em citações de autoridades, o novo tipo assentava-se em três pilares: as autoridades (*auctoritates*), os argumentos (*rationes*) e as anedotas exemplares (*exempla*). A mudança deveu-se ao uso sistemático de novos instrumentos de trabalho, como as *artes praedicandi*, glosas, postilas, coleções de *distinctiones*, concordâncias bíblicas, florilégios espirituais, enciclopédias e coleções de *exempla* com frequência moralizados.

Os textos conservados dos sermões – inicialmente apenas em latim, depois cada vez mais em língua vulgar – são pletóricos. Repetem incansavelmente um catecismo de base apoiado no Credo e uma moral fundada nos dez mandamentos, uma eclesiologia simples destinada a servir a Igreja e a lutar contra as heresias e superstições. O tom tornava-se mais veemente, apocalíptico e penitencial quando eram pronunciados no âmbito das missões (Ordens Mendicantes italianas e germânicas) e quando faziam referência à necessidade de reformas – como nas pregações de Vicente Ferrer.

É difícil medir os efeitos da pregação em massa. Certos indícios de sucesso parecem inegáveis: grandes ajuntamentos, fogueiras de vaidade, leis suntuárias comunais, conversões e vocações, elogios em crônicas, novas devoções – rosário, meditação da Paixão –, difusão de nomes de santos na onomástica e multiplicação de obras de caridade. A admiração ou profissão levaram alguns ouvintes a tomar notas no momento em que estavam sendo pronunciados os sermões (*reportatio*), que assim nos são restituídos em todo seu frescor. Mas no fim de nosso período parece que a pregação simples e cheia de imagens, dirigida ao povo, tornava-se rara, prevalecendo uma pregação mais sofisticada que apenas impressionava o vulgo, tirando-lhe toda veleidade de imitar os discursos sacros (Tomás Walley, Roberto de Basevorn).

O desejo de reforma por vezes levou certos pregadores a uma crítica muito radical da Igreja, fazendo-os cair na hetedoroxia. Citemos João Wyclif, na Inglaterra; João Hus, na Boêmia, queimado na fogueira; e Jerônimo Savonarola, na Toscana, morto na forca. Esses três casos, assim como os de outras grandes figuras da pregação, chamaram por muito tempo a atenção dos historiadores, enquanto as pesquisas atuais procuram tirar da sombra figuras de pregadores mais modestos, sem dúvida mais próximos de seus ouvintes e da realidade cotidiana da pregação medieval. Desde o fim do século XIX, historiadores (A. Lecoy de La Marche, L. Bourgain) e filólogos (Förster, P. Meyer, H. Suchier) manifestaram interesse pela pregação, mas cada um em seus respectivos domínios. Nos últimos anos assiste-se a uma renovação de interesse pela pregação, enquadrada na problemática mais ampla do "funcionamento da cultura medieval" (M. Zink). Recolocado em seu contexto, o sermão constitui um observatório privilegiado da sociedade medieval porque se situa entre a oralidade e a escrita, na encruzilhada entre literatura latina e literatura vernácula, entre cultura erudita e cultura folclórica.

As pesquisas atuais dedicam-se a esclarecer, além do sermão propriamente dito, as modalidades de sua elaboração, sua efetiva pregação, sua recepção. Nesse sentido, tanto a formação do pregador, o uso que fazia de novos instrumentos de trabalho intelectual, o número e a qualidade dos pregadores, assim como sua carreira, constituem pistas para investigações relativas à França do Norte, Itália do Norte, mas também Alemanha e Inglaterra. O sermão em si mesmo, de cuja preparação restam rascunhos de autores e notas de ouvintes, pode ser estudado quanto à forma retórica e ao conteúdo religioso. A própria organização da pregação (tempo, lugar, contratos estabelecidos entre comunas e pregadores) vem igualmente a ser importante eixo de pesquisa no quadro de monografias regionais. Sobre o efeito do sermão, o estudo da recepção só pode se apoiar em testemunhos indiretos, já que os ouvintes dos pregadores eram a grande maioria silenciosa da qual não constam traços na documentação. Entretanto, novos meios permitem atingir tal estrato cultural. Graças à tese recente de Rosa Maria Dessi, é possível de ora em diante perceber como se deu a elaboração e circulação de livros de devoção nas confrarias florentinas do século XV. A pesquisadora editou um desses pequenos "livros de confrades" composto entre 1461 e 1466, no qual se encontram mesclados resumos de sermões, preces, *laudi*, uma coleção de *exempla* e uma apresentação da missa, bem como restos de materiais juntados durante os sermões por um leigo para seus confrades. Por outro lado, nas confrarias normandas estudadas por Catherine Vincent, a pregação parece desempenhar papel menor, daí se impor uma história comparada da recepção dos sermões.

Este rápido sobrevoo da Idade Média permitiu-nos observar a passagem de um enquadramento religioso quase mágico dos fiéis, em que o padre pronuncia palavras sibilinas, realiza gestos e ritos que salvam do Inferno, a um enquadramento de tipo discursivo, no qual o padre ensina ao maior número de pessoas a palavra sagrada, vista como garantia de salvação desde que compreendida, memorizada e, por fim, interiorizada.

Marie-Anne Polo de Beaulieu
Tradução de José Rivair Macedo

Pregação

Ver também

Além – Bíblia – Catedral – Clérigos e leigos – Escrito/oral – Fé – Monges e religiosos – Pecado – Peregrinação

Orientação bibliográfica

BATAILLON, Louis-Jacques. *La Prédication au XIIe siècle en France et en Italie*. Aldershot: Variorum, 1993.

BÉRIOU, Nicole. *La Prédication de Ranulphe de la Houblonnière*: sermons aux clercs et aux simples gens à Paris au XIIIe siècle. Paris: Institut d'Études Augustiniennes, 1987. 2v.

_____. *L'Avènement des maîtres de la Parole*: la prédication à Paris au XIIIe siécle. Paris: Institut d'Études Augustiniennes, 1998. 2v.

_____; D'AVRAY, David. *Modern Questions about Medieval Sermons*. Spoleto: Centro Italiano di Studi sull'Alto Medioevo, 1994.

BERLIOZ, Jacques; POLO DE BEAULIEU, Marie-Anne. *Les Exempla médiévaux*: introduction à la recherche suivie des tables critiques de l'*Index exemplorum* de F. C. Tubach. Carcassonne: Garae/Hesiode, 1992.

BERLIOZ, Jacques. *Les Exempla médiévaux*: nouvelles perspectives. Paris: Champion, 1998.

BRÉMOND, Claude; LE GOFF, Jacques; SCHMITT, Jean-Claude. *L' "exemplum"*. Turnhout: Brepols, 1982.

CASAGRANDE, Carla (ed.). *Prediche alle donne del secolo XIII*. Milão: Bompiani, 1978.

CHARLAND, Thomas M. *Artes praedicandi, contribution à l'histoire de la rhetórique au Moyen Âge*. Paris e Ottawa: J. Vrin, 1936.

CRANE, Thomas F. *The exempla or illustrative stories from the sermones vulgares of Jacques de Vitry* [1890]. Reimpressão. Nendeln: Folk-lore Society, 1967.

DAL PULPITO ALLA NAVATA: LA PREDICAZIONE MEDIEVALE NELLE SUA RECEZIONE DA PARTE DEGLI ASCOLTATORI (SECC. XIII-XV). *Medioevo e Rinascimento*, Florença, v.III, 1989. (Número especial.)

D'AVRAY, David. *The Preaching of the Friars*: Sermons Diffused from Paris before 1300. Oxford: Clarendon, 1985.

DELCORNO, Carlo. *La predicazione nell'età comunale*. Florença: Sansoni, 1974.

FAIRE CROIRE: MODALITÉS DE LA DIFFUSION ET DE LA RÉCEPTION DES MESSAGES RELIGIEUX DU XIIe AU XIVe SIÈCLE. Roma: École Française de Rome, 1981. (Collection de l'École Française de Rome, 51.)

HANSKA, Jussi. *The Social Ethos in Mendicant Sermons.* Helsinki: Suomen Finnish Literature Society, 1997.

LECOY DE LA MARCHE, Albert. *L'Esprit de nos aïeux: anedoctes et bons mots tirés des manuscrits du XIIIe siècle* [1888]. Reedição por Jacques Berlioz com o título *Le rire du prédicateur.* Turnhout: Brepols, 1992.

LONGÈRE, Jean. *La Prédication médiévale.* Paris: Études Augustiniennes, 1983.

MARTIN, Hervé. *Le Métier de prédicateur en France septentrionale à la fin du Moyen Âge, 1350--1520.* Paris: Cerf, 1988.

MEDIEVAL SERMON STUDIES NEWSLETTER. Warwick, 1977.

DESSI, Rosa Maria; LAUWERS, Michel (eds.). *La Parole du prédicateur (V^e-XVe siècle).* Nice: Presses Universitaires de Nice, 1997.

ROUSE, Richard H.; ROUSE, Mary A. *Preachers, Florilegia and Sermons*: Studies in the Manipulus Florum of Thomas of Ireland. Toronto: Pontifical Institute of Mediaeval Studies, 1979.

SCHMITT, Jean-Claude (org.). *Prêcher d'exemples*: récits de prédicateurs du Moyen Âge. Paris: Stock, 1985.

SCHNEYER, Johannes Baptist. *Repertorium des lateischen sermones des Mittlealters für die Zeit von 1150-1350, I-XI, Beiträge zur Geschichte der Philosophie und Theologie des Mittelalters.* Münster, 1969-1990.

TAYLOR, Larissa. *Soldiers of Christ*: Preaching in Late Medieval and Reformation France. Oxford: Oxford University Press, 1992.

ZINK, Michel. *La Prédication en langue romane avant 1300.* Paris: Honoré Champion, 1976.

Razão

Como o próprio estudo histórico é parcialmente racional – no sentido estrito, que exige que as teorias sejam deduzidas a partir de provas –, a história da racionalidade inclui-se no âmbito da "reflexão sobre a reflexão", um tipo particularmente vulnerável às falsas hipóteses. Ora, é precisamente uma hipótese sobre a racionalidade e sobre seus destinos mutáveis que subjaz a nossa tripartição tradicional da história. Concebemos os gregos e seus discípulos romanos como seres "racionais" à nossa semelhança; e essa racionalidade só volta a despertar na Renascença. Tudo o que se situa no exterior ou no intervalo é apenas barbárie, palavra grega que começa pelo som (bá-bá-) das línguas incompreensíveis. É, pois, uma acessibilidade implícita à razão que define a *Terra Ferma* da civilização. E, em virtude dessa definição, a Idade Média está dali excluída.

Tal ponto de vista pode ser ilustrado por uma célebre anedota. Costuma-se contar que os medievais discutiam para determinar "quantos anjos caberiam na ponta de uma agulha". Essa história supostamente prova a vacuidade do raciocínio clerical medieval. E ela o provaria, se fosse verdadeira. Como ela é falsa, prova outra coisa... Só o que temos a respeito são vagos paralelos com debates especializados sobre o infinito – um tema que não deixou de ocupar a reflexão matemática desde aquele tempo até nossos dias. De fato, essa anedota é uma criação da mitologia da Renascença, o mais intenso questionamento de seu próprio *ancien régime* feito por uma civilização. Se ela nos ensina alguma coisa é sobre a Renascença, não sobre a Idade Média. Esse mito atravessou os séculos porque as hipóteses que o engendraram não foram postas em causa. O mito protege as hipóteses e vice-versa.

Essas hipóteses, e o esquema tripartido que as acompanha, começaram a erodir no curso das últimas gerações. Cada obra consagrada à História Antiga descobre um novo aspecto da irracionalidade grega e mostra que a "ordem" romana dissimula um precário equilíbrio de interesses, quase tão instável no interior quanto no exterior do Império. Na outra extremidade desse esquema, revisões análogas denunciam a superstição e a violência inerentes à Renascença e às Luzes, enquanto, para os tempos modernos, a tradição profética judaica – uma corrente *não* racional do mundo antigo, viva ainda hoje – revelou, através de Freud e Marx, que nem nossos espíritos (a herança grega), nem nossa sociedade (a herança romana) são verdadeiramente tão bem ordenados quanto esperávamos. Em outros termos, nós próprios não somos absolutamente "racionais".

Esse processo de erosão que se observa nas duas extremidades do esquema tripartido da história lança um desafio ao medievalista. Ele pode trazer sua contribuição, embora em sentido inverso? Quer dizer, discernindo entre as barbáries e crendices de seu período de predileção os indícios de uma racionalidade ininterrupta desde os tempos anteriores e até as épocas seguintes? Disso decorrem importantes consequências. Assiste-se à própria dissolução desse período: as características distintivas do Ocidente medieval passam a se fundar em correntes ininterruptas da história europeia clássica e ulterior; e uma nova seção mediana, mais "racionalista", engendra uma imagem histórica contínua. Essa imagem, mais sutil que o antigo "sanduíche" em três partes, é igualmente mais homogênea. Além disso, tem a vantagem de ligar o homem moderno ao conjunto do seu passado e não mais apenas a alguns de seus elementos. Desse modo, ela o ajuda a melhor compreender sua própria humanidade.

Vamos nos ater, aqui, a examinar a natureza e a extensão da racionalidade medieval. Em minha obra intitulada *Reason and Society*, referi-me a duas tradições educativas, "leitura e escrita" e "aritmética". É inútil reproduzir essa exposição. Todos conhecemos ao menos as grandes linhas do "Renascimento do século XII" e de seu desenvolvimento na escolástica do século XIII. Meu objetivo agora é ir mais longe e mais fundo, desentranhando a racionalidade não mais da escolástica, mas do meio no qual ela se enraíza. Esta pesquisa se fará em três etapas: a primeira explorará o vocabulário da razão através de uma história da palavra *ratio*, dos termos aparentados e derivados – uma história cuja fase medieval, como se verá, possui um vigor e uma inventividade que constituem para nós a marca de uma compreensão geral do sentido das palavras. Examinando por que é assim, evocarei em seguida diferentes componentes da sociedade medieval, com suas próprias intenções racionalistas, diferentes das dos universitários. Estudarei principalmente dois grupos: aquele que podemos chamar de "tecnológico", em sentido amplo, e as ordens religiosas. A reflexão sobre as ordens religiosas conduzirá à terceira parte, que estudará, no próprio centro da religião cristã e do legado da Igreja primitiva à Idade Média, os traços que delineiam uma dimensão inegavelmente "racional".

A palavra "ratio"

Ratio é apreendida aqui como a palavra central de uma extensa família que compreende *rationabile, ratiocinatio* e uma boa dezena de outros termos desse gênero, que podem ser encontrados nos dicionários apropriados. *Ratio* já tinha atrás de si uma história mais que milenar na época em que o vocabulário medieval a absorveu. No latim primitivo, séculos antes do Império, *ratio* designava o ato de contar, ou, mais exatamente, de contabilizar, pois é aparentado a *reor-ratus*, verbo que significa "contar" ou "calcular". Tal conotação se mostrará particularmente viva no latim popular, a tal ponto que, no século VI, os juristas de Justiniano falam de *"calculatores, quos vulgo rationarios vocamus"*. Esse sentido persistirá essencialmente nos mesmos meios sociais, embora no fim da Idade Média o vejamos introduzir-se alegremente na linguagem vernácula dos romances. Assim, na França, em 1290, o *Livre des raisons reaulx* significa "o livro das contas reais", enquanto em italiano, na época e hoje em dia, um *ragioniere* é um simples "contador".

Mas, desde o século I a.C., o latim já havia tirado dessa palavra um conceito mais abstrato: doravante, *ratio* designa igualmente a faculdade de que provém a contabilização, isto é, o que chamamos de "razão". Embora certamente tenha aparecido de forma independente, essa inovação foi reforçada pela influência da filosofia grega. Com efeito, a palavra grega *logos* também possuía essas duas conotações, e seu componente abstrato impõe-se amplamente nos escritos que influenciaram a cultura latina, tendo exercido um efeito particularmente intenso sobre os Pais da Igreja latinos, Tertuliano e Agostinho, que não se limitaram a tomar diretamente dos gregos uma grande parte de seu vocabulário filosófico – como as *rationes seminales* de Agostinho (os "princípios seminais" dos estoicos). O debate provocado por sua *fides* cristã – outra faculdade mental identificável – fazia ressaltar a *ratio*, apresentada como sua antítese ou (em certas interpretações) como sua auxiliar. *Ratio* e as palavras aparentadas tinham outros sentidos, mas esses são os dois principais.

Quando a civilização romana se desagregou, teria sido inconcebível que uma raiz tão fértil não encontrasse novos usos. Lembremos em primeiro lugar as antigas coleções de leis germânicas (alimentadas talvez pela influência do vocabulário germânico), nas quais *ratio* pode significar "tribunal" ou "jurisdição". Esse uso engendra sua própria família de termos jurídicos, que subsiste ao longo de toda a Idade Média e depois dela. Atualmente, a palavra inglesa *arraign* ("citar em juízo"), por exemplo, vem de *adrationare* ("convocar ao tribunal", através de *araisnier*, palavra do velho francês). Do mesmo modo, em francês e italiano modernos, tendo a mesma origem, a expressão "ter razão" significa "estar em seu direito" (às vezes, outro uso jurídico aparentado dava a *ratio* o sentido simples de "possessões").

Essas aventuras jurídicas afastaram *ratio* de sua conotação mais abstrata de faculdade mental. Já familiar nos domínios lexicológicos mais filosóficos, a ressurreição dessa conotação acompanha a dos próprios estudos filosóficos. Tal sentido é particularmente manifesto nos contextos de especulação agostiniana sobre a relação entre *fides* e *ratio*, um tema que ocupa lugar central na controvérsia entre Pedro Abelardo e Bernardo de Claraval. Longe de ter sido definitivamente regrada por essa controvérsia, tais especulações permaneceram no centro da epistemologia e as escolas vieram a se definir, em grande medida, em função de sua atitude a respeito: a *ratio* reforçava a *fides*, enfraquecia-a ou essas duas noções não têm nenhuma relação entre si?

Entrementes, no fim do século XII e começo do XIII, a apreensão de *ratio* no sentido de "razão" encontrou um novo alento: o *corpus* de escritos de Aristóteles, traduzido e acompanhado de comentários. Os aristotélicos faziam uso frequente do termo *ratio*, geralmente para traduzir *logos*. Mas, sobretudo, eles o empregavam num número crescente de finalidades especializadas, cada uma engendrando uma significação própria que a discussão se encarregava de elucidar.

Existiam três finalidades principais: psicológica, lógica e ética. Como a tarefa primeira da psicologia é identificar as faculdades mentais, o termo *ratio* encontrou aquilo que podemos chamar de sua carreira profissional. Ora, à dignidade de um estatuto profissional geralmente corresponde a obrigação de disciplina e uma situação de rivalidade. É precisamente o que ocorreu com *ratio* no universo da psicologia escolástica. A *ratio* que distinguia os homens dos animais foi qualificada e subdividida – por exemplo, em *ratio superior* e *inferior*, em *ratio contemplativa* e *pratica* etc. – em sistemas refletindo o temperamento filosófico de seu utilizador. Por outro lado, foi obrigada a coabitar com uma série de termos que designavam faculdades mais ou menos aparentadas: *intellectus* (traduzindo o *nous* grego), *facultas cogitativa*, *mens*, *sapientia*, *prudentia* e outras mais – instrumentos maleáveis que permitiram aos especialistas do espírito do fim da Idade Média tentar com sucesso o mapeamento dos processos infinitamente misteriosos do pensamento.

Um outro uso estava ligado a este. Sua finalidade, mais estritamente lógica, estava na origem do sentido de "argumento" que o termo *ratio* adquire. Desde o século XIII, o encontramos utilizado correntemente fora das escolas, por exemplo na tríplice fórmula através da qual os pregadores pretendiam provar suas doutrinas: prova por *"rationes, auctoritates et exempla"*, todas aptas a se sustentar mutuamente. Entre as extensões desse uso, o nome neutro de *rationale* volta ao uso. Até então, o latim limitava seu emprego à tradução do grego *logion* (uma roupa eclesiástica da qual os liturgistas deviam se contentar em imaginar a nomenclatura arcaica). A partir do fim do século XIII, *rationale* torna-se muito empregado no sentido de "explicação" (por exemplo, em títulos de livros como *Rationale divinorum officiorum*, de Guilherme Durand).

O terceiro uso especializado das palavras derivadas de *ratio* era o uso ético. Atualmente, empregamos a palavra "razoável" como sinônimo de "moderado" ou "que contribui para a harmonia social". Exemplos desse uso de *rationabilis* aparecem no latim medieval a partir do começo do século XII. Também aqui se percebe a influência de Aristóteles, dessa vez através de seu "justo meio" moral. Essa utilização do termo ganha impulso a partir de, aproximadamente, 1250, quando se generaliza o acesso à *Ética Nicomaqueia* em latim. A palavra latina que designa "medida", *modus*, significava igualmente "moderação". Frequentemente empregada no mesmo contexto ético que *rationabilis*, ela era vetor de igual reminiscência matemática, no sentido de "justa medida", uma equivalência que também foi tão amplamente apreendida que esse sentido se impôs na maioria das línguas vernáculas.

Enquanto os leitores de Aristóteles burilavam essas significações eruditas de *ratio* e palavras aparentadas, outros adaptaram suas associações possíveis a toda uma panóplia de usos. Desde o início do século XIV, os matemáticos haviam acrescentado *ratio* ao importante legado que o latim trouxe ao vocabulário matemático moderno: *ratio* designa, desde então, uma proporção entre duas quantidades (francês, *raison*; italiano, *ragione*; inglês, *ratio* [português, *razão*]). Por volta da mesma época, os administradores adaptaram a mesma ideia a uma porção de alimento ou de provisão apropriada a cada membro de um grupo de soldados ou de religiosos (inglês e francês, *ration*; italiano, *razione* [português, *ração*]). Em fins do século XII, os mercadores italianos conceberam a noção de "medida" sob uma luz ainda mais concreta: para eles, *ratio* representava o fiel de uma balança (como na expressão francesa *"mesure de ruban"*). Outros meios puseram em evidência a abstração da palavra. A medicina erudita podia se chamar *ars rationalis*, talvez com um olhar invejoso em direção à taumaturgia, sua grande rival. Naquele tempo, um público mais vasto havia dado, em 1228 (data do primeiro exemplo conhecido, na Itália), ao verbo *rationare* o sentido bem simples de "falar". Essa conotação talvez também tivesse seu antecedente no latim popular antigo, mas, na Idade Média, sem dúvida ela se desenvolveu parcialmente em simbiose com *ratio* equivalendo à palavra "tribunal", *rationare* também tendo tomado o sentido de "pleitear". Seja como for, a equação "arrazoar"/"falar" implantou-se tão bem nas línguas vernáculas que engendrou novas significações próprias. "Segura sua língua" – dizia um provérbio francês por volta de 1260, de modo só aparentemente paradoxal – "para que *resun* não se envergonhe". No latim da Inglaterra dos Lancaster, *ratio* pode ainda significar "divisa".

A racionalidade concreta: tecnologia

Comecemos pelos iletrados, e isto por três razões. Os iletrados são a maioria da população, maioria esmagadora até os dois últimos séculos da Idade Média. E provavelmente ainda eram majoritários – exatamente – nesses "modelos reduzidos" de sociedades muito instruídas que eram cidades como a Florença do Renascimento. A segunda razão é que os iletrados são mais imperceptíveis; ora, é preciso, na medida em que hipóteses estão em jogo, garantir que fatos não sejam deixados em silêncio simplesmente porque são difíceis de estabelecer. A terceira razão é a mais importante: todos os que adquiriam uma "clerezia" – termo que designava correntemente a educação letrada – faziam-no num meio em que a maior parte das pessoas não tinha tal educação e na qual o essencial dos conhecimentos e das opiniões transmitia-se oralmente. Tal situação forçosamente afetava a apreensão que os raros letrados tinham de sua instrução e, portanto, da própria maneira como escreviam, tornando impossível compreender o mundo dos letrados fazendo abstração desse pano de fundo.

Pano de fundo que, em grande medida, é invisível. Como detectar aí a menor racionalidade? Por dedução. Entre as bases possíveis de uma tal dedução, há uma sumamente produtiva. Penso na tecnologia. Os historiadores da ciência tentaram chegar a um consenso sobre a data do nascimento da ideia de "experiência científica": testar uma teoria através da prática, num meio concebido para isolar uma causa e um efeito específicos. O debate se circunscreve, por um lado, em torno dos primeiros sentidos da palavra *experimentum*, e, por outro, em torno da descoberta de textos; a resposta parece se situar no fim do século XIII. Mas o historiador da tecnologia pode fazer melhor. Basta um pequeno ajuste para que ele descubra a essência da experiência na pré-história. O ajuste no qual penso concerne à escala temporal. Admitindo que uma experiência possa se estender não por uma hora ou um dia, mas por muitas gerações, sendo os resultados adquiridos por cada geração transmitidos à seguinte, então a evolução e a seleção de técnicas primitivas devem efetivamente ser reconhecidas como uma forma de experiência. O que tem consequências não negligenciáveis sobre a racionalidade das pessoas em questão.

Os documentos medievais só nos permitem entrever esse método. Vejamos um único exemplo dessa abordagem. Ele figura no primeiro verdadeiro tratado sobre gestão agrícola que possuímos, obra de Walter de Henley, professor do século XIII. Walter não expõe o método experimental com precisão, mas subentende sua aplicação como algo que não precisa ser explicitado. Recomenda o emprego de sementes compradas, de preferência a sementes produzidas pelo agricultor, e acrescenta: "Que se semeie das duas, em terrenos contíguos, lavrados simultaneamente e ver-se-á qual delas é melhor". Seu tratado contém muitas passagens desse tipo, o que leva a pensar que "experiências" similares precederam cada etapa da lenta sucessão de inovações que constitui a história dos métodos agrícolas medievais: a adoção e adaptação da charrua de relha metálica profunda; o arnês de atrelagem para os cavalos; as culturas e os planos de semeadura etc. E isso tudo independentemente de cálculos geométricos e aritméticos mais ambiciosos implicados nas medidas fundiárias.

A evolução lenta e às vezes caprichosa dos métodos agrícolas pode incitar a duvidar de sua racionalidade. Esta é mais fácil de provar quando se trata de tecnologia mecânica e industrial. Nesse domínio, como na agricultura, é errado considerar o período medieval um interregno de mil anos. Certas técnicas clássicas desapareceram, mas outras, em número bem superior, foram inventadas, importadas e desenvolvidas. Tirando do esquecimento as revoluções industriais da Idade Média, os historiadores de nossa época tecnológica inscreveram uma nova série de datas nos manuais de história, a das "descobertas" tecnológicas. O grupo mais importante concerne às fontes de energia não animais, desde o rápido desenvolvimento dos moinhos de água a partir do século IX até a invenção do moinho de vento no fim do século XII, aos quais se devem acrescentar os desenvolvimentos ulteriores. Essas descobertas inscrevem-se num movimento muito mais geral, relacionado a domínios econômicos tão diversos quanto a arquitetura, a construção naval, o trabalho em couro e a indústria têxtil etc. Sem esquecer o próprio ensino, com a melhora progressiva do material de escrita e de leitura (a primeira fábrica de papel foi posta em funcionamento em 1276; os óculos foram inventados por volta de 1290). É preciso igualmente lembrar que cada uma dessas inovações implica outras. Mencionando apenas algumas que foram bem-sucedidas, podemos lembrar que a invenção do moinho d'água esteve na origem de novas experiências em canalização e represamento de água, as quais exigiram, por sua vez, a invenção de técnicas de construção de barragens (incluindo os trabalhos de pilotis). Acrescentemos, a partir da roda de moinho, a experiência de transformação de um movimento rotativo em movimento linear, graças ao desenvolvimento do came, cujas aplicações ultrapassam amplamente os sonhos dos inventores romanos. Foi preciso, a seguir, desenvolver outros dispositivos, tais como as charneiras, os martelos e os foles hidráulicos, permitindo "mecanizar" a forja. Esta transformou-se, no século XIV, em altos-fornos, os primeiros do mundo, numa época em que os filósofos apenas começavam a definir o "método experimental".

Examinar a dimensão racional de uma civilização obriga a levar em conta sua dimensão tecnológica. E na forma de prefácio, não na de epílogo, a todo estudo dos mais eloquentes documentos sobre a razão. O impulso às discussões acadêmicas foi dado, em grande parte, pelos desafios práticos da vida cotidiana (R. Southern, *Scholastic Humanism*). Impulso que teve maior efeito entre os iletrados. Associado ao pensamento e ao saber livresco, teria consequências ainda mais importantes.

As ordens religiosas

Quem aborda o estudo da tecnologia medieval é surpreendido pela preponderância das ordens religiosas. Em certos momentos da Alta Idade Média, todos ou quase todos os documentos são provenientes dos grandes mosteiros, como Saint-Martin de Tours ou Saint-Germain-des-Prés.

Mesmo quando, depois do século XII, podem-se conhecer as populações das cidades e dos campos, as fazendas dos cistercienses e as forjas dos cartuxos mantêm-se na vanguarda tecnológica, ao passo que, até o século XV, a Ordem Teutônica, filha híbrida dos cistercienses no Báltico colonial, permanece como pioneira da produção em massa de gêneros alimentícios. É preciso também, naquela época, levar em conta os frades e sua ciência.

A importância do papel tecnológico das ordens religiosas explica-se, é evidente, pela documentação de que dispunham. Os monges deviam dominar a "tecnologia" da leitura e da escrita para estudar as Santas Escrituras e saber se servir de livros e calendários litúrgicos, habilidade profissional usada também em domínios puramente econômicos. No entanto, tal explicação é insuficiente. Por volta de 1300, época para a qual começamos a dispor de guias para administração provenientes de fontes laicas, estas manifestamente ainda coexistem com as ordens religiosas, às quais devemos o essencial dos manuscritos (mesmo Walter de Henley, autor do tratado de economia rural e doméstica já mencionado, era dominicano). Os primeiros estudos estatísticos, cujos autores são leigos italianos, datam aproximadamente da mesma época e também devem a parte mais bem estruturada de seus dados às ordens religiosas, como se houvesse um acordo tácito de reconhecimento de sua permanente superioridade em tudo que concerne a cifras.

Há, pois, um paradoxo. Se a razão de ser das ordens religiosas era fugir do mundo para responder ao apelo da fé, por que buscam tão ostensivamente compreender os mecanismos dele à luz da razão? A resposta situa-se em dois níveis. O mais evidente concerne à organização. O objetivo do mosteiro era subtrair seus membros ao meio social no qual haviam nascido e reuni-los numa "sociedade sem classes" em miniatura na qual — como o enuncia claramente a Regra de São Bento — as pretensões de nascimento, muito fortes fora do mosteiro, eram sistematicamente eliminadas, sendo substituídas por um tipo de "meritocracia", destituída, contudo, do caráter competitivo que tão bem conhecemos atualmente. Todo "mérito" deveria estar fundado na obediência e no humilde serviço a um Deus que havia, ele próprio, se colocado a serviço de outrem. Em outros termos, nenhum trabalho físico útil ao próximo era indigno. O princípio beneditino da "dignidade do trabalho" e do serviço produziu efeito de maneira suficientemente durável para deixar traços tangíveis na história. E a tecnologia medieval sentiu isso claramente.

Mas há um segundo nível, mais profundo. Os monges eram organizados, mas sobretudo consagravam-se à prece: a *opus Dei*, o "trabalho de Deus", ao qual "nada deve ser preferido". Quem o afirma é, ainda, a Regra de São Bento e, também nesse caso, trata-se de um ideal cuja realização admite muitos graus. Frequentemente foi negligenciado pelos monges preguiçosos; nem os monges ativos podiam lhe fazer justiça. Mesmo os monges mais fervorosos admitiam que havia uma justa medida na prece e que era necessário consagrar algum tempo a outras atividades. Beda, o Venerável, reconhece que paralelamente à observação regular, durante toda sua vida, "do ofício cotidiano cantado na igreja", sempre encontrou "prazer" em estudar, copiar e ensinar. Seis séculos mais tarde, a Ordem Dominicana limitará voluntariamente sua liturgia a fim de encorajar o estudo. No entanto, a prece permanece a finalidade primeira da vida religiosa e todos os outros objetivos, mesmo os mais "racionais", estavam imbricados nesse fim supremo.

Pode-se verificar o que foi dito considerando dois eventos históricos, ambos bem conhecidos mas raramente estudados em conjunto, ao menos desse ângulo. Ambos foram começos. Se o renascimento teológico do século XII teve um começo, este foi certamente o dia em que Anselmo da Cantuária empreendeu provar a existência de Deus somente pela razão. A validade de sua prova ontológica foi e continua sendo objeto de debate. Mas sua própria notoriedade e perenidade designam-na como um dos grandes momentos iniciais da metafísica racionalista. O segundo evento diz respeito ao domínio mais visível das realizações tecnológicas medievais: a construção. Os historiadores admitem que os trabalhos empreendidos por Suger na abadia de Saint-Denis inauguram a grande tradição da arquitetura religiosa medieval, que atualmente conhecemos com o nome de arquitetura "gótica". O problema mais espinhoso que Suger teve que resolver consistia na extensão do telhado, de uma largura sem precedentes. Depois de muitas reflexões, Suger termina por lembrar que deveria existir, nas vastas florestas reais próximas a Saint-Denis, árvores suficientemente grandes. Bastava cortá-las e dispô-las em todo seu comprimento sobre os muros dessa nova igreja. Essas duas realizações parecem-nos bem modestas. Mas os relatos autobiográficos de Anselmo e de Suger mostram que essas tentativas exigiram muito tempo e criaram muita angústia. Esses relatos mostram também em que momento apareceu a solução. No caso de Anselmo, durante o ofício noturno, no de Suger, logo depois. As realizações mais tangíveis da época, tanto no domínio da pura razão como no da razão prática, vieram à luz no contexto imediato do mais longo período de prece do *orarium* monástico.

A importância capital da *opus Dei* na vida monástica, entrecortada de períodos de estudos e atividade, convida-nos a recolocar nossa questão de outro modo: em que poderiam pensar os monges, os irmãos e os frades durante suas horas de prece, uma vez que, terminadas suas orações, eles se punham imediatamente a escrever obras históricas, a elaborar provas filosóficas e a conceber novas técnicas arquitetônicas? Tal questão nos leva a interrogar sobre a própria natureza da religião cristã e do Deus que ela ensina e venera. Pois, se tal era a reação dos monges, não haveria na própria essência de Deus alguma coisa que encorajava o uso da razão? É o que sugerem os fatos examinados até aqui. Mas, para prová-lo, é preciso atravessar o espaço que nos separa da biblioteca monástica para lançar os olhos, graças aos livros que ali se encontram, na história do próprio cristianismo. Talvez assim descubramos que se trata de uma religião essencialmente ou racionalista ou antirracionalista.

Cristianismo e razão

As religiões, ou ao menos os climas culturais (nos quais as religiões costumam desempenhar um papel de primeira importância), podem ter atitudes diversas em relação à razão humana. Elas tendem seja a estimulá-la, seja a desencorajá-la. O fator determinante depende amplamente do lugar no qual a cultura em questão situa seus objetivos. Se estes se encontram no mundo "visível", quer dizer, em certa medida, o mundo inteligível, a razão será uma faculdade importante. Mas os objetivos de uma religião podem também se situar no mundo *invisível*, um mundo que escapa à apreensão da razão. Nesse caso, é claro que esta última desempenhará um papel menor. Com efeito, se Deus e suas obras transcendem amplamente o entendimento humano, a atividade racional é, no melhor dos casos, uma distração e, no pior deles, uma perigosa ilusão. O lugar de honra será então ocupado pela vontade, cujo primeiro dever é "crer sem perguntar como".

O cristianismo constitui um caso particular, uma espécie de meio-termo entre as tradições do "Aqui" e do "Além". Ele associa as duas correntes, dualidade que se inscreve em sua história primitiva. Sendo na origem uma seita judaica, o cristianismo herda um Deus transcendente e misterioso, onisciente mas desconhecido. Essa nova seita judaica talvez tivesse permanecido uma seita judaica não fosse pelo legado essencial de Alexandre: a difusão da língua e da cultura gregas nas vastas regiões do Oriente Próximo. Trata-se da cultura helenística que deixara sua marca nos "Livros Sapienciais" do Antigo Testamento, trazendo ao cristianismo ainda na infância uma *lingua franca* que lhe permite disseminar a mensagem dos apóstolos no conjunto do mundo mediterrâneo: o grego dos Evangelhos e de São Paulo. E o grego, veículo de um modo de pensar malgrado todas as mudanças que sofreu entre a Antiguidade Clássica e o Novo Testamento, permanecia racionalista, no sentido de que nutria a especulação, a dialética e um emprego preciso das palavras. "O execrável debate", escrevia Efrem, o Sírio, poeta do século IV, "vem dos gregos."

Ora, Efrem era cristão. Sabia que esses mesmos "gregos" racionalistas haviam considerado a cruz de Cristo uma "loucura" (I Coríntios 1,23). Em sua prevenção contra os excessos do racionalismo grego, Efrem encarnava a corrente antirracionalista que o cristianismo devia a antigas raízes religiosas. Corrente particularmente vigorosa na Síria, onde dilaceraria o cristianismo ainda durante dois séculos, antes de ser absorvida pelo Islã. Durante esse tempo, no seio da cultura grega, que formava um "mar interior" próprio – um "Mediterrâneo cultural" cortando ao meio o Mediterrâneo geográfico –, o cristianismo não teria sobrevivido, e menos ainda se imposto, sem transigir com o racionalismo que caracterizava aquela cultura. Ele o fez desenvolvendo um elemento de sua própria natureza: não é suficiente crer nas doutrinas cristãs segundo o princípio do "crer sem perguntar como", ainda que elas ultrapassem o entendimento. Essas doutrinas deveriam ser definidas, na medida em que o permite a razão. Tal foi a exigência a que responderam os Pais Gregos e os quatro concílios ecumênicos organizados entre 325 e 451. Pode-se dizer de sua obra, da qual os artigos de fé são uma herança, que se trata da última grande realização da filosofia grega, conduzindo a razão até seus limites extremos, anunciando aquilo que está além da razão.

Assim, a fusão cristã da racionalidade e da irracionalidade testemunha, em parte, a reação dessa nova religião ao meio no qual ela se expande. Desse ponto de vista, ela aparece como fruto de antigas correntes históricas, independentes do cristianismo. Essa fusão emana, na realidade, do próprio coração do Evangelho. A razão pertence ao que os crentes chamam de *este* mundo. É o que dá todo seu peso à objeção dos antirracionalistas: Deus, dizem eles, está situado tão acima deste mundo, com suas crueldades e vaidades, que seria blasfemo associá-los. O maniqueísmo, que considera Deus e o mundo como polos opostos, batendo-se em interminável conflito, era apenas uma expressão dessa atitude, não correspondia perfeitamente ao antirracionalismo. Mas o dualismo teológico e o antirracionalismo têm uma face comum, e essa tendência dualista também dilacerará o cristianismo, do exterior e do interior, durante longos séculos. Do interior, a heresia monofisita permanecerá firme, recusando-se a admitir a natureza humana ao mesmo tempo que a natureza divina do Cristo. Ora, este era precisamente o objeto das definições conciliares. Em 451, os Pais de Calcedônia declaram que Jesus tinha mais do que uma natureza (*mono-physis*), porque era ao mesmo tempo Deus *e* homem, acima *e* parte do mundo, do qual havia sofrido as crueldades e as futilidades sem contribuir para elas. Essa fusão de dois "contrários" será um formidável obstáculo para certas tradições antigas, tanto de um lado como de outro. Do lado monofisita, não foi estranha à rapidez das conquistas islâmicas nos antigos bastiões monofisitas que eram o Egito e a Síria.

A razão "grega" estava, pois, em jogo na doutrina da Encarnação, a mesma cuja definição deu tanto trabalho aos Pais. Pois, de fato, não só estava em jogo, como claramente enunciada. Jesus não havia pedido aos que o ouviam que julgassem sua missão em bases racionais, por analogia com as previsões meteorológicas (Mateus 16,2-4)? No mesmo sentido, São Paulo não escreveu que o exame da Criação poderia nos dar a conhecer as "perfeições invisíveis de Deus" (Romanos 1,20)? Texto que será regularmente retomado no prefácio das obras medievais consagradas à ciência natural.

A fusão das correntes racionais e antirracionais no cristianismo se fez também no contexto de uma fusão ainda mais radical, a de Deus e do homem em Cristo. Longe de ser um elemento acessório da fé cristã, essa fusão é indissociável e, depois que as definições foram solidamente estabelecidas – aproximadamente por volta do fim do século VII –, torna-se inextirpável. Fato que teve duas consequências definitivas para o cristianismo.

Uma das consequências foi dolorosa, a outra, feliz. A consequência dolorosa foi que o cristianismo, enquanto religião, e cada um dos indivíduos que o professam, foram condenados a viver em perpétua tensão. O cristão, possuindo a razão, deve servir-se dela e estimá-la, mas não pode se apoiar nela. A razão é uma espécie de escada, que se deve dispensar quando se chega ao topo; uma lâmpada, que revela o quanto é limitado o campo que ilumina. Ela designa o eterno, mas é mortal. No entanto, malgrado essas tensões, é impossível rejeitá-la. Com efeito, só a razão é capaz de mostrar que Deus transcende a razão. Esse paradoxo foi enunciado, no século IV, com extrema clareza, por outro sírio, o Pseudo-Dioniso. Trata-se do paradoxo da *docta ignorantia*, para retomar o título do livro de um de seus numerosos discípulos medievais, Nicolau de Cusa, do século XV.

Essa consequência dolorosa é acompanhada de outra, esta feliz. Operando a fusão entre as duas correntes, o cristianismo evita se deixar levar por uma ou por outra até a posição extrema que ela encarna. Não se deixa levar, ou nunca por muito tempo e sem que prontamente se chame à ordem, em direção a um racionalismo árido, sofista, como aquele de que os reformadores zombam observando certos desvios da escolástica tardia; nem em direção a uma condenação radical da razão, como certas seitas "estusiastas". Essa fusão era ao mesmo tempo uma garantia e um princípio moderador. Enquanto tal, deu à cultura intelectual cristã sua qualidade histórica mais marcante: sua extraordinária receptividade.

De fato, um exame minucioso da cultura cristã revela... sua inexistência. Como as línguas de que ela se serve, a cultura cristã é herdada ou emprestada, trazida do exterior, o que não deprecia o cristianismo, bem pelo contrário. Da mesma maneira e pela mesma razão, pode-se dizer o mesmo de um organismo vivo que, em presença de outros organismos, ocupando eles também seu lugar na hierarquia dos seres vivos, examina-os, transforma-os, depois os reúne por uma química sutil num único organismo, mais poderoso. Do mesmo modo, o cristianismo examinou e digeriu tudo que julgou bom nas tradições que encontrou.

Contentemo-nos em lembrar um único episódio. Nos últimos séculos da Antiguidade, os Pais da Igreja cristã teriam podido cometer o "crime perfeito". No que concernia às principais doutrinas cristãs, eles já haviam emprestado da filosofia grega tudo de que precisavam. Bastava que cruzassem os braços, esperando a desaparição do restante de sua herança pagã. Mesmo encarnada em milhares de livros, esse gênero de herança não tem uma vida muito durável. Somente algumas gerações mais tarde, no século VII, o governador muçulmano de Alexandria perguntou ao califa muçulmano Omar o que convinha fazer com a célebre biblioteca de Alexandria, repleta de papiros gregos, a maior biblioteca do mundo. E o relato da resposta do califa circulou por muito tempo nas terras islâmicas: os livros contidos na biblioteca, respondeu o califa, só podem ou confirmar o *Alcorão*, e portanto são supérfluos, ou contradizer o *Alcorão*, e portanto são errôneos. Deveriam, pois, ser queimados. Os fornos de Alexandria foram alimentados com eles durante seis meses. Os Pais Latinos, por mais gélidos que fossem, não teriam precisado recorrer a tais extremos para destruir tudo que não fosse cristão. Bastaria que deixassem a cultura clássica perecer. O que fizeram? O contrário. Seguindo o projeto exposto por Agostinho na *De doctrina christiana*, Orósio, Boécio, Cassiodoro e outros esforçaram-se muito para preservar o saber antigo sob formas que iam servir de ponto de partida para a renascença medieval.

Eis por que os monges podiam refletir sobre problemas de lógica e de técnica durante o ofício noturno. Com certeza, essas reflexões podiam ser uma distração, obstruindo a *opus Dei* à qual "nada deve ser preferido". O equilíbrio entre o estudo e a prece sempre foi um problema para os religiosos cristãos, como, de resto, no sentido mais amplo da palavra "estudo", para todos os cristãos. Era a consequência dolorosa, a tensão do sistema. Mas a própria existência dessas reflexões e os frutos intelectuais muito variados que elas produziram, dizem respeito à natureza das crenças que estavam no núcleo da cultura medieval, crenças que deveriam abrir lugar à razão e encorajá-la, sempre insistindo sobre o fato de que a maior parte das verdades que ela ensina permanecem, e muito, fora de seu alcance.

Dante é intemporal. Mas viveu, fisicamente, numa época em que a escolástica já tinha tido tempo de enunciar algumas dessas verdades em seu jargão latino, e ele pôde resumir uma parte na sua língua vernácula. Quando Dante procurou definir o Paraíso, ele o fez utilizando a inteligência. Longe de afastá-lo do Paraíso, ela o conduzia a suas profundezas, de fato tão profundamente, que ele não pôde lembrar do que ela lhe havia dito. "Pois, aproximando-se de seu desejo, nosso intelecto vai tão fundo que a memória não pode segui-lo" (A *divina comédia*, "Paraíso", I, 7-9).

ALEXANDER MURRAY
Tradução de José Carlos Estêvão

Ver também

Artesãos – Cidade – Deus – Escolástica – Justiça e paz – Mercadores – Monges e religiosos – Números – Ordem(ns) – Tempo – Terra – Trabalho

Orientação bibliográfica

ARTS LIBÉRAUX ET PHILOSOPHIE AU MOYEN ÂGE. Paris: Vrin, 1991.

BALDWIN, J. W. *The Scholastic Culture of the Middle Ages, 1000-1300*. Long Grove, Waveland, 1997.

BEAUJOUAN, Guy. *Par Raison de nombres*: l'art du calcul et les saviors scientifiques médiévales. Paris, 1991.

BOEHNER, A. *Medieval Logic*: an Outline of its Development from 1250 to 1400. Manchester: Manchester University Press, 1952.

CHENU, M.-D. *La Théologie comme science au XIIIe siècle*. Paris: J. Vrin, 1969.

CLAGETT, Marshall. *The Science of Mechanics in the Middle Ages*. Madison: University of Wisconsin Press, 1959.

CROMBIE, Alistair C. *Styles of Scientific Thinking in the European Tradition in Philosophical, Religious and Institutional Context, 600 B.C. to A.D. 1450*. Chicago: Chicago University Press, 1992.

GREGORY, Tullio. *Mundana Sapientia*: forme di conoscenza nella cultura medievale. Roma: Ed. di Storia e Letteratura, 1992.

HISSETTE, Roland. *Enquête sur les 219 articles condamnés à Paris le 7de mars 1277*. Louvain e Paris: Publications Universitaires, 1977.

JAKOBI, Klauss (ed.). *Argumentationstheorie*: Scholastische Forschungen zu den logischen und semantischen Regeln korrekten Folgerns. Leiden e Nova York: Brill, 1993.

KANTOROWICZ, Ernest H. La royauté médiévale sous l'impact d'une conception scientifique du droit. *Philosophie*, Paris, n.20, p.48-72, 1988.

KNUUTTILA, Simo; TYORINOJA, Reijo; EBBESEN, Sten. *Knowledge and Sciences in Medieval Philosophy*. Helsinque: Luther-Agricola Society, 1990.

LIBERA, Alain de. *Penser au Moyen Âge*. Paris: Points, 1991.

LINDBERG, David C. *The Beginnings of Western Science*: the European Scientific Tradition in Philosophical, Religious and Institutional Context, 600 B.C. to A.D. 1450. Chicago: University of Chicago Press, 1992.

MINOIS, Georges. *L'Église et la Science*. T.I: *De Saint Augustin à Galilée*. Paris: Fayard, 1990.

MURDOCH, John Enery; SYLLA, Edith Dudley (eds.). *The Cultural Context of Medieval Learning*. Dordrecht e Boston: Reidel, 1975.

MURRAY, Alexander. *Reason and Society in the Middle Ages*. Oxford: Oxford University Press, 1978.

PANOFSKY, Erwin. *Architecture gothique et pensée scolastique* [1951]. Tradução francesa (com introdução de Pierre Bourdieu). Paris: Minuit, 1967.

RADDING, Charles M. *A World Made by Men*: Cognition and Society, 400-1200. Chapel Hill e Londres: The University of North Carolina Press, 1985.

ROSSI, Pietro; VIANO, Carlo A. (eds.) *Storia della filosofia*. Roma e Bari: Laterza, 1994. t.II: *Il Medioevo*.

SENNELLART, Michel. *Les Arts de gouverner*: du "regimen" médiéval au concept de gouvernement. Paris,: Seuil, 1995.

STELLA, Alessandro. "Ars *Lane* ou *ars rationandi*". In: *Le Marchand au Moyen Âge*. Saint-Herblain, 1992. p.113-20.

STUMP, Eleonore. *Dialectic and its Place in the Development of Medieval Logic*. Ithaca e Londres: Cornell University Press, 1989.

VIGNAUX, Paul. *Preuves et raison à l'Université de Paris*: logique, ontologie et théologie au XIVe siècle. Paris: Vrin, 1984.

Rei

O rei medieval foi um personagem novo e específico da história, entre os séculos VI e XVI. Esse personagem evolui e muda durante aquele longo período no curso do qual se podem distinguir três momentos: a época carolíngia, quando o rei torna-se um rei ungido e um rei ministerial; entre 1150 e 1250, quando aparece um rei administrativo em face de três realidades (a Coroa, o território e a lei); e ao final do período, quando o rei encontra-se diante de um Estado sacralizado, que ele se esforça por absorver. O rei medieval reúne heranças desde a Antiguidade, da Índia e do Oriente Médio à monarquia helenística, do Antigo Testamento ao Império Romano, ao mundo céltico e ao mundo germânico pré-medievais. Depende também de uma estrutura fundamental de poder: a monarquia. Esse aspecto estrutural não impede que a realeza medieval tenha sido criada e evoluído em condições históricas originais e em um espaço particular – o da Cristandade latina medieval, distinguindo-se de Bizâncio. O soberano bizantino, cujo nome *basileus* significa, aliás, "rei", e não "imperador", como habitualmente o traduzimos, permaneceu durante toda a Idade Média um ponto de referência para os reis do Ocidente medieval, que em relação a ele estavam simultaneamente na imitação e na oposição.

As três características do rei medieval

O rei medieval teve de vencer, inicialmente, uma desvantagem: o velho ódio do povo romano pelo *nomem regium*. Ódio que se enfraquecera sob o Império para desaparecer na segunda metade do século IV, especialmente por influência cristã, que indica a vontade de confundir *rex* e *imperator*. Mas o rei medieval aparece como produto de uma ruptura e de uma inovação em matéria política.

Há uma unicidade do poder real no Ocidente medieval. Os reinos da Idade Média têm à sua frente um rei único e, assim, o único superior. A realeza medieval não se divide, não obstante as experiências anglo-saxãs de *joint-kingship* e a partilha do reino merovíngio entre os filhos do rei, cada um criando reinos no interior da ficção de uma monarquia unitária. Quando o rei entre os Otônidas, Normandos, Plantagenetas da Inglaterra ou entre os primeiros Capetíngios, faz coroar ou sagrar um filho enquanto ele está vivo, mantém a superioridade e a realidade de um poder único. Mas essa unicidade do poder real produz, às vezes, graves conflitos entre o rei e seus filhos, ou entre os irmãos reais, da Inglaterra a Castela.

O caráter do rei cristão é, sem dúvida, o aspecto mais novo e mais importante. Seu fundamento ideológico último deve residir na passagem do politeísmo antigo ao monoteísmo. O rei é a imagem de Deus: *rex imago Dei*. É sobretudo com Cristo que o rei medieval desenvolve relações particulares. O *Christus rex* é um *rex gloria*, mas seu reino não é deste mundo. Disso resulta uma das ambivalências fundamentais da realeza cristã, a saber, a tensão entre os reinos terrestres e o reino celeste. Essa tensão sustenta a imagem de alguns reis medievais, a do rei messiânico. O caráter cristão do rei medieval enriquecerá sua imagem de importantes referências bíblicas. Os reis da história medieval são cópias dos reis do Antigo Testamento. O modelo mais utilizado é o de Davi. Carlos Magno, por exemplo, é um novo Davi, e São Luís, de sua parte, um novo Josias. O rei medieval herda do Antigo Testamento uma dupla imagem: a do rei e a do grande sacerdote. Outra imagem, esta vinda do Novo Testamento, é a dos Reis Magos. Os *magi regis* são um dos protótipos dos reis medievais. A imagem da entrada de Cristo em Jerusalém no dia de Ramos inspirará a cerimônia das entradas reais[1] nas cidades no final da Idade Média. A imagem tradicional de Cristo como médico sustentará também a crença no rei taumaturgo. A realeza de Cristo, entretanto, não foi argumento importante na grande luta entre o sacerdócio e o império, e o personagem veterotestamentário de Melquisedec, rei-sacerdote que alguns partidários do imperador ou de alguns reis tentaram explorar, foi recusado pela Igreja medieval.

Se o rei é a imagem de Deus, ele tem, no entanto, obrigações e limitações. A partir da época carolíngia, é um rei ministerial, ligado por seu ofício, por seu dever funcional, que o obriga a ser um defensor da fé e de seu povo, mas respeitoso da Igreja e dependente dela. O processo de Tomás Becket ilustrou de maneira exemplar essa situação. Rei coroado por Deus (*Rex a Deo coronatus*), o rei deve, contudo, para ser plenamente reconhecido, ter sido benzido pela Igreja, cuja *benedictio* torna-se uma *consecratio*. De início rei vencedor da morte na manhã da Páscoa, ou na cruz da Sexta-feira Santa, Cristo tornou-se um rei crucificado, um rei sofredor. A iconografia real medieval também desenvolveu a imagem de uma corte celeste de santos, de santos em torno de Cristo e da Virgem, que purificam as cortes terrenas em formação do século XII ao XV.

Alguns reis procurarão monopolizar oficialmente esse caráter cristão. O rei da França, pretextando o caráter miraculoso do óleo com o qual é sagrado em Reims, pretende uma superioridade sobre os outros reis cristãos e se faz chamar de *christianissimus*. Os reis da Espanha, após o fim da *Reconquista* e a unificação da Espanha, fazem-se reconhecer como reis católicos. A ideologia cristã do espaço encontra-se no lugar que o rei ocupa na sociedade. No cristianismo, em que o sistema dominante de orientação do espaço é a oposição entre um alto valorizado e um baixo depreciado, o lugar do rei está no alto, acima. O rei medieval é, assim, colocado em um sistema hierárquico segundo uma teoria que se constituiu desde a Alta

---

1 Elemento da liturgia monárquica, uma espécie de procissão laica, que faz da entrada solene do rei em uma cidade a reafirmação de sua posse sobre ela, a consolidação dos laços entre o rei e os súditos locais e a ocasião de manifestar seu poder quase sem participação clerical (a exceção é um *Te Deum*), ao contrário de outros momentos decisivos da trajetória régia (sagração, coroação, casamento, funeral). [HFJ]

Idade Média pela teologia dionisiana. Quando, a partir do século XII, se difunde a teoria orgânica, corporal, descrevendo a sociedade como um corpo humano, o rei está à testa desse corpo social. No momento da grande querela entre o rei da França, Filipe, o Belo, e o papa Bonifácio VIII, os partidários deste fazem dele o cabeça da Cristandade, e os partidários do rei fazem do monarca o coração: sustentam a superioridade desse órgão, produtor e regulador do sangue na sociedade, sobre a cabeça, que comandaria apenas o sistema nervoso.

A palavra gótica *kuni*, que significa "raça, família", é aparentada à latina *gens* e dará as palavras *king* e *König*. Este é o homem bem-nascido, o homem nobre, e o rei medieval recolhe também essa herança germânica do sangue. Ele é definido não somente por uma boa família, mas também em relação à aristocracia e à nobreza. O rei é o rei de todo o povo, porém permanece sempre especialmente ligado à nobreza e deve respeitar os privilégios dos nobres. A própria realeza afirma-se mais, a partir do século XIV, como uma realeza de sangue, na qual os descendentes diretos dos reis constituem a categoria superior dos "príncipes de sangue". Há na aristocracia medieval uma tendência a rebaixar o rei, a reduzi-lo a um *primus interpares* ["o primeiro entre os iguais"]. Mas somente o rei tem caráter sagrado.

Rei, imperador, papa

Em teoria, o rei está abaixo do imperador e do papa. A evolução do poder imperial e do poder pontifício na Idade Média opera em favor da emancipação do rei e do seu poder, tanto na relação com o imperador como na relação com o papa. Rei da Alemanha e dos romanos, o imperador só se torna imperador se se fizer coroar pelo papa em Roma, o que ocorre muito raramente. O desenvolvimento de uma hierarquia paralela entre clérigos e leigos tende – mesmo se o papa reivindica os dois gládios e *ratione peccati* ("em razão do pecado") a superioridade do espiritual sobre o temporal – a aproximar estes da hierarquia eclesiástica. Reconhecem-se no cerimonial dos três personagens e nos objetos simbólicos do seu poder – em particular, coroa e trono – os elementos que colocam os três mais ou menos no mesmo plano. O nome corrente para todos esses objetos emblemáticos, sejam exibidos por imperadores, papas ou reis, é *regalia*: a referência para todos é, portanto, a referência real. A imagem régia dos imperadores e dos papas deteriora-se ainda pelo fato de que a escolha de uns e de outros se faz pela eleição e não pelo sangue. As rivalidades e as vacâncias do poder (Grande Interregno, Grande Cisma) também minam a imagem e a autoridade do imperador e do papa. Em compensação, as rivalidades pelo título real não põem em perigo da mesma maneira a autoridade régia. Para os homens da Idade Média, o modelo encarnado da soberania não é o imperador ou o papa, mas, abstratamente, *o* rei, e, concretamente, *os* reis.

A legitimidade do rei

A eleição, a designação do seu sucessor pelo soberano, sua escolha por Deus graças a uma vitória militar ou a uma conquista, e a legitimidade dinástica foram as principais vias de ascensão ao poder real na Idade Média. Três casos especialmente esclarecedores mostram como os argumentos simbólicos sempre foram necessários, ao lado de argumentos de fato, nascidos da força, ou mesmo de argumentos puramente jurídicos. Em todos esses casos, trata-se de resolver o que é sentido e apresentado como uma usurpação. O primeiro é o da substituição forçada dos Merovíngios pelos Carolíngios. Os argumentos enunciados foram os da deslegitimação dos reis merovíngios por sua incapacidade de assumir as funções reais ("reis indolentes"). Mas a usurpação somente desapareceu de verdade quando Pepino, o Breve, e seus filhos, por uma dupla unção episcopal e depois pontifícia, adquiriram o caráter sagrado, imitado da unção dos reis de Israel definida no Antigo Testamento. O segundo caso é o da substituição dos Carolíngios pelos Capetíngios. O argumento dado, uma variante do argumento utilizado pelos Carolíngios no século VIII, foi o da realidade do poder. Hugo Capeto tinha o poder de fato, que havia escapado aos últimos Carolíngios. Era necessário passar do *de facto* ao *de jure*. A legitimidade dos Capetíngios, porém, só foi definitivamente estabelecida quando eles puderam reivindicar a descendência biológica dos Carolíngios, e mais particularmente de Carlos Magno. Foi o *redditus ad stirpem Karoli* ("retorno à linhagem de Carlos"), obtido somente na passagem do século XII ao XIII.

Entrementes, outro problema de usurpação colocou-se a propósito da conquista da Inglaterra pelo normando Guilherme, o Bastardo, e pela eliminação da dinastia anglo-saxônica. A legitimação da usurpação de Guilherme, tornado o Conquistador, apoiou-se essencialmente em dois motivos: um, de natureza feudal, deslegitimando Haroldo, por faltar ao seu juramento de vassalo; outro, de natureza militar, invocando o velho direito de conquista, sinal da vontade divina. Esse episódio produziu um objeto excepcional de legitimação, o bordado dito *Tapeçaria de Bayeux*.

A ascensão à realeza está, assim, frequentemente apoiada na posse de um lugar ou de um objeto de caráter simbólico e sagrado. Se o rei medieval, em função das tradições indo-europeias, mostrou seu poder constituindo, quase segregando em torno de sua pessoa, um território do qual será o fiador em virtude da inalienabilidade do reino, quase sempre foi esse território que fez o rei. Ainda no século XV, Carlos VII, antes da sagração decisiva em Reims, não gozava, enquanto rei de Bourges, senão de uma legitimidade inferior, como a do pretendente inglês, rei de Paris. Na França, mas também em outros reinos, as sagrações ou coroações, a entrega das *regalia*, tiveram como objetivo consolidar a legitimidade do novo rei e manifestá-la.

Com efeito, sobretudo na Alta Idade Média, a ascensão à realeza de um novo rei resultava da combinação desses vários critérios. Um deles desempenhou um papel cada vez menor, o do direito à coroa conferido pela vitória militar. A legitimidade adquiria-se, doravante, segundo dois critérios. Na Europa central e na oriental, o princípio eletivo quase sempre triunfou sobre o princípio dinástico; em outras partes, este se impôs pouco a pouco e se fixou sob a forma de sucessão em favor dos filhos reais pela primogenitura. Na França, onde esse princípio foi mais rigorosamente aplicado, e onde as mulheres e seus descendentes foram excluídos da sucessão, ele só se definiu por ordenação real sob Carlos V, na segunda metade do século XIV.

O sucesso do princípio dinástico corria paralelamente ao sucesso crescente da família agnática. O princípio familiar do sangue impôs-se de forma exemplar na França da Baixa Idade Média, onde o rei está cercado por príncipes de sangue, onde "filho do rei da França" é um título prestigioso, que estabelece precedência imediata após o filho primogênito tornado rei. Nessa evolução, a aprovação dos grandes e do *populus* é apenas uma formalidade, uma fórmula vazia e automática. Quando da sagração dos reis da França, o apelo ao assentimento do povo tornou-se o instante menos expressivo da cerimônia, residindo o momento mais significativo na investidura, na unção, na entrega das *regalia*, na coroação e na entronização, nos juramentos do rei.

O rei e o poder

O poder real definiu-se pelos princípios romanos da *auctoritas* e da *potestas*. No entanto, manifestou-se mais ainda por dois outros princípios fortemente marcados pelo cristianismo: a *dignitas*, ligada ao *officium* real (segundo o modelo das *dignitates* eclesiásticas) e conferida pela sagração; a *majesta*, de origem romana, cujo reaparecimento se afirmará somente a partir dos séculos XII e XIII. A referência à *majestas* justificará a um só tempo a difusão do *crimen majestatis*, o crime de lesa-majestade, e o exercício do direito de indulto. É o perdão real que, na França dos séculos XIV e XV, toma a forma de cartas de remissão. No século XIII, já se diz "Vossa Majestade" ao rei da França. A majestade real está fortemente marcada pela imagem frequente na arte românica e gótica de Deus ou do Cristo majestático. O rei medieval, enfim, caminhou para a "soberania", que não encontra no arsenal jurídico romano expressão adequada: *imperium* tinha outras conotações históricas e ideológicas. Essa soberania consolida-se, por exemplo na França, no século XIII, entre a carta de Inocêncio III, de 1202, ao admitir que o rei da França não conhecia superior em seu reino, e um século mais tarde a afirmação dos legistas de Filipe, o Belo: *rex est imperator in regno suo* ("o rei é o imperador em seu reino"), que teve o poder de ecoar em outros reinos. Essa noção de soberania se impõe nos fatos, sobretudo com a ajuda do direito canônico, e é criação da Idade Média.

Pode-se perguntar se o rei medieval era um rei constitucional ou um rei absoluto. É impossível, na falta de todo texto explícito, mesmo da *magna carta* inglesa, falar de Constituição na Idade Média e, em consequência, de rei constitucional. Mas, seja qual for a importância da caminhada do rei da Baixa Idade Média para o absolutismo, o rei medieval foi um rei contratual, que assumiu obrigações em face de Deus, da Igreja e do povo, especialmente quando dos juramentos da sagração e da coroação. A despeito, aliás, das declarações contraditórias dos juristas, a concepção dominante, na teoria e na prática, é a de que o rei medieval está limitado pela lei. É preciso insistir a respeito das limitações do poder real e acrescentar a isso a solidariedade com a nobreza, que os membros desta constantemente reclamaram.

Modelos de reis

A literatura normativa definindo o "bom" rei, nascido na Antiguidade, tanto hebraico quanto helenístico ou cristão, tomou especial importância durante o período carolíngio. Mais tarde, o *Policraticus* (1159), de João de Salisbury, desempenhou grande papel na mudança do ideal e da prática monárquicos. O século XIII é na França o século dos "espelhos de príncipes" (cinco sob o reinado de São Luís). A influência aristotélica aí se fez sentir com São Tomás de Aquino e, sobretudo, com Egídio Romano, mas somente após 1270. O capítulo 17 do livro do Deuteronômio constitui um espelho dos príncipes bíblicos que muito inspirou os príncipes medievais. As ordens (*ordines*) da sagração e da coroação, e as cerimônias que as descrevem ou regulamentam, constituíram espelhos de príncipes, em ato. As principais virtudes do rei medieval cristão ideal são: obedecer a Deus e servir à Igreja; assegurar a justiça e a paz ao seu povo; prover às necessidades deste. No último caso, alguns conceitos devem inspirar a ação do rei: os de *necessitas, utilitas* e *commoditas.*

A noção de "rei trifuncional", herdada do pensamento indo-europeu, afirmou-se na ideologia medieval especialmente com o rei Alfredo, na Inglaterra anglo-saxônica do século IX, e com o bispo Adalbéron de Laon, no início da monarquia capetíngia, no século XI. Os reis do Ocidente medieval não são, como nas antigas sociedades indo-europeias, reis da primeira, da segunda ou da terceira função, mas reúnem em si as três funções. Isso é consequência da imagem cristã do monarca no quadro do monoteísmo aplicado ao governo terrestre. No domínio da primeira função, jurídico-sagrada, são colocadas limitações ao poder real não apenas pela Igreja, que barra o caminho ao *rex sacerdos* – o rei medieval é um leigo –, mas também pelas instituições judiciárias, cujo funcionamento se desenvolve em relativa independência em relação ao poder real. A segunda função, guerreira, é a mais evidente, porém sofre uma evolução. Manifesta-se, por exemplo, no enfraquecimento da vitória militar como fonte e justificativa do poder real. Percebe-se isso na evolução do apelativo de Filipe Augusto, durante muito tempo chamado de Filipe, o Conquistador. Alguns sustentam, na Baixa Idade Média, que o rei e seus filhos não devem se aventurar no campo de batalha para não serem mortos ou aprisionados.

A terceira função é a mais difícil de definir. É uma função de prosperidade. A imagem real, nesse domínio, muda relativamente e se enfraquece. Evoca-se cada vez menos o *rex agricola*, que faz crescer ou recuar as colheitas quando de sua passagem, mas encontra-se essa imagem a propósito de Filipe Augusto. O tema continuou a existir por muito tempo na Europa central, na Polônia e especialmente na Boêmia, onde até aparece na iconografia a imagem do rei com charrua. O rei exerce essa função no domínio monetário, no qual ela se associa com a primeira função no monopólio régio na matéria. Manifesta-se também no papel real de proteção aos comerciantes.

De modo geral, o rei medieval exerce suas atividades no interior do sistema de uma sociedade fundada na doação/contradoação. Esse aspecto da terceira função real conhece importante desenvolvimento durante a Idade Média, sob a dupla imagem do rei esmoler e do rei despenseiro. Ele deve manifestar sua generosidade e sua liberalidade.

O rei também é um rei cerimonial, como testemunham o simbolismo e o ritual régios. Nos rituais de ascensão dos reis, é necessário destacar a importância da unção. O caso mais surpreendente é o da exploração da santa ampola pelo rei da França. Em compensação, Castela oferece o exemplo de uma realeza sem sagração, salvo em circunstâncias excepcionais. Nesses ritos, os sinais simbólicos têm uma importância particular: na França, a emergência das flores-de-lis, talvez imagem de um rei-sol, e a apropriação da cor azul mariana pela monarquia francesa. Constitui-se, no final da Idade Média, um sistema cerimonial que emoldura e ritma a vida dos reis: a sagração (unção e coroação), as felizes entradas, o trono do rei, os funerais.

Na França e em outras monarquias cristãs, o conservadorismo e o arcaísmo predominam no desenrolar dos rituais régios ao longo de toda a Idade Média, ao menos até a Revolução Francesa. O que deve, efetivamente, não apenas ilustrar, mas realizar os ritos da inauguração real, é o recomeço da origem do reino. Esses rituais são rituais de imobilização da História: o rei é um conservador e fiador do passado, uma garantia de estabilidade para o presente e para o futuro.

No domínio da religião, o rei pode apresentar diferentes aspectos. É preciso distinguir entre o rei sagrado, cuja pessoa e função são de natureza sobrenatural, o rei-sacerdote ou rei eclesiástico, que ocuparia lugar evidentemente elevado na hierarquia eclesiástica, o rei taumaturgo, realizando milagres sem ser, propriamente falando, um santo, e, enfim, o rei santo, trate-se de rei proclamado santo pela *vox populi* e reconhecido pela Igreja, ou de um oficialmente canonizado pela Igreja.

Rei laico, o rei é sagrado não por pertencer a uma família sagrada, ou pela natureza de sua função, mas graças a uma cerimônia religiosa realizada pela Igreja. No caso do rei da França, a unção era feita com o crisma pretensamente divino, conservado em uma ampola considerada milagrosa; o rei aproxima-se – sem, todavia, chegar de fato a isso – de um caráter propriamente sagrado. Quanto ao rei-sacerdote, a reivindicação, sobretudo imperial, jamais foi admitida pela Igreja. Sem dúvida, no momento da sagração, o rei da França parece adquirir algumas qualidades clericais: recebe a unção na testa, como um bispo, e carrega no braço a casula, levantada como um sacerdote. Enfim, comunga como os padres sob as duas espécies, mas esse gesto é único, jamais renovado, e a unção real mantém-se fundamentalmente diferente da ordenação sacerdotal ou episcopal.

Os reis taumaturgos tiveram dificuldade em institucionalizar suas virtudes taumatúrgicas. Esse reconhecimento foi definitivo apenas a partir de São Luís na França e de Henrique III na Inglaterra. A virtude reconhecida desses reis é muito limitada. Ela diz respeito a somente uma doença, as escrófulas (ou adenite tuberculosa). Ela se produz somente em certos dias, em certos lugares, e é conferida não dinasticamente, não pelo nascimento, mas pela sagração. Em Castela, o rei tem, às vezes, o poder de curar os possuídos pelo demônio, é um rei exorcista.

A santidade de alguns reis depende da evolução da ideia de santidade. Na Alta Idade Média, o personagem do rei sofredor é predominante. Em torno do ano 1000, a santidade é voluntariamente concedida ao rei que converte o povo: é o caso dos reis escandinavos e de Santo Estêvão da Hungria. O rei, enfim, quase a exemplo de outros santos, é reconhecido como santo em função tanto de suas virtudes pessoais como por seus milagres, e em decorrência de um processo de canonização. Apenas Luís IX (São Luís) se beneficiará dessa evolução, em 1297 (27 anos após sua morte). A expressão "religião real", que se tornou usual, deve, portanto, ser matizada em relação à Idade Média.

O tempo real

O rei situa-se em uma cadeia histórica. Quase sempre é uma cadeia dinástica, com o rei invocando *antecessores* ou *praedecessores nostri* e instituindo um verdadeiro jogo político entre ele e seus predecessores, sucessores ou herdeiros (*sucessores, heredes*). Existe também um tempo do poder, entre o momento da ascensão ao trono e a morte, ou, eventualmente, a renúncia ao poder ou a destituição. O principal problema, aqui, é o da eventual menoridade (que foi frequente) dos reis. Na França, essa idade foi fixada aos 14 anos (em 1374). O acaso biológico determina a idade da morte do rei, portanto a duração do reinado. Mesmo os reis, na Idade Média, morrem em geral relativamente jovens. Entretanto, de Hugo Capeto a São Luís, os reis da França frequentemente morreram entre os 50 e 60 anos.

Outro tempo real é o da chancelaria. Dela depende a datação dos atos régios. O problema, nas sociedades em que o rei tem um papel tão importante de fiador dos laços entre seu povo e Deus, é reduzir ao mínimo o tempo vazio entre os reinados. Na França, aparece na época de Luís VII, para tornar-se regular no período seguinte, o hábito de datar os atos do novo rei não da sua sagração, mas da morte do seu predecessor. Chega-se, assim, ao final da Idade Média à fórmula "o rei morreu, viva o rei". O que em latim se diz de maneira mais jurídica e mais simbólica: *rex nunquam moritur* ("o rei não morre jamais").

O tempo real é multiforme. Também o é o do emprego do tempo cotidiano. Sem ainda viver segundo a denominação de cada dia como os reis dos tempos modernos, o rei medieval, à medida que se torna a mola do Estado, tende a observar em cada dia uma sequência regular de atividades.

Para os reis da França, o primeiro exemplo documentado é o de Carlos V, de quem Cristina de Pisano narrou a jornada típica.

É ainda o tempo dos trajetos e dos deslocamentos. O rei é um *rex ambulans*, que se desloca por tradição, por necessidade e por política. Por tradição porque, não obstante o desenvolvimento das capitais, o rei medieval continua fundamentalmente a ser um itinerante. A necessidade itinerante que se impõe a ele é a do chefe de guerra que deve, se não em todas as primaveras, ao menos frequentemente durante seu reinado, tomar o caminho da expedição militar. Do mesmo modo, é a partir do momento em que o reino torna-se uma realidade territorial tanto humana como espiritual, que há necessidade de mostrar-se ao seu povo nas regiões afastadas de sua sede habitual. O rei, finalmente, é itinerante porque sai em peregrinação com frequência, e o rei peregrino foi, nos séculos XII e XIII, um rei cruzado nos caminhos terrestres ou marítimos de além-mar. O tempo dos trajetos reais é também o da rapidez com que as informações chegam ao rei. Ele não tem o monopólio desse tempo de informação, desde há muito dominado pelas redes monásticas. A partir do século XIII, uma nova categoria assume o primeiro plano no domínio do tempo das novidades, a dos comerciantes. Mas, no final da Idade Média, o rei organiza cada vez melhor um corpo de mensageiros reais.

Ao lado desses tempos longos, desses tempos regulares, há tempos de acontecimentos, o tempo excepcional de alguns divertimentos reais. Tempos de festa, tempos de sagrações e de armação de cavaleiros, em particular da "cavalaria" dos filhos dos reis, tempos de banquetes reais. O tempo de festas reais frequentemente é o das festas aristocráticas, elas mesmas herdeiras de velhas tradições pagãs. A esse respeito, uma data desempenha papel particular no calendário real, a Pentecostes, quarenta[2] dias após a Páscoa. O tempo real excepcional é ainda, para os reis da Inglaterra e da França, o dos dias em que "tocavam as escrófulas".

---

2 Na verdade, como indica a própria etimologia da palavra, a festa de Pentecostes – que no cristianismo celebra a descida do Espírito Santo sobre os apóstolos – ocorre cinquenta dias após a Páscoa. [HFJ]

Enfim, além do rei, há o tempo do Estado monárquico, que se encarna nos relógios mecânicos, monumentais a partir do século XIV. Ele é mais emblemático do que eficaz.

Os lugares reais: o rei e o espaço

Segundo Hocart, "a cidade não foi criada com finalidade defensiva ou social, mas porque é a residência do rei". Émile Benveniste lembrou que o rei é aquele que traça o espaço da cidade, e Janusz Banaszkiewicz mostrou que o poder dos chefes pré-cristãos que iam se transformar em reis estava situado em lugares sagrados, quase sempre marcados por altares, pedras, árvores, enfim, um sítio natural sagrado.

O lugar da coroação em geral é um lugar real, tendo desde muito tempo – ou pouco a pouco – adquirido um caráter ao mesmo tempo tradicional e extraordinário. Foi assim que, com dificuldade, afirmou-se na França medieval o sucesso de Reims sobre Orleans, Sens e outros lugares. Essa fixação de um local de inauguração do poder não foi sempre alcançada: na Escandinávia, por exemplo, não havia um lugar fixo de coroação.

Os lugares de residência real são lugares carregados de um simbolismo excepcional. São palácios onde predomina a função de residência e castelos onde prevalece a função de defesa. Os castelos reais, como o conjunto de castelos, evoluem lentamente de local de defesa para o de residência. Alguns conjuntos (*palacium* ou *castrum*) tiveram importância particular para os reis medievais. Foi o caso dos *Pfalzen* para os imperadores da Alemanha, dos castelos castelhanos para os reis de Castela, dos castelos na fronteira galesa para os reis da Inglaterra. O domínio de Frederico II na Itália do Sul apoia-se em uma rede de castelos de que o mais célebre foi o Castel del Monte. Após Filipe Augusto e São Luís, Filipe, o Belo, fez do Palácio Real de Paris o verdadeiro centro do poder. O jardim dos palácios reais também desempenha grande papel. Para os reis da França, o de Paris é o lugar da armação de seus filhos como cavaleiros, o da homenagem dos grandes vassalos. São Luís tornou célebre seu pequeno castelo suburbano de Vincennes, onde exerce a justiça.

A evolução da residência real faz aparecer lugares que são ao mesmo tempo a residência habitual de um rei cada vez mais sedentário e a sede dos órgãos do poder régio a caminho de se transformar em Estado monárquico: são as "capitais". Quase todo reino representa um caso particular, mas sempre com a ideia de propiciar a emergência de um pequeno número de capitais e, se possível, somente uma capital. Na Espanha, os progressos da Reconquista fizeram surgir um sistema de duas capitais, Toledo e Sevilha. Na Polônia, a capital religiosa de Gniezno não pôde impedir que a capital política se localizasse no sul, em Cracóvia. Caso absolutamente particular é o de Roma, teórica e simbolicamente a capital dos dois poderes monárquicos supremos da Cristandade, o imperador e o papa, mas descentralizada na Cristandade e perturbada pela turbulência dos habitantes locais. O papado, entretanto, não pôde, no século XIV, manter Avignon como capital. A força de Roma como capital simbólica a fez reencontrar o papel de capital real, mas de um único soberano, o papa.

Os mosteiros reais constituíram outros lugares muito importantes, seja pelo apoio que podiam dar a determinado candidato na ascensão ao trono, seja no papel de memória historiográfica, dinástica e nacional que podiam desempenhar, seja, enfim, como local de residência póstuma temporária, depois definitiva, como necrópole real. Na França do ano 1000, três mosteiros puderam pretender um papel eminente como mosteiro real: Tours, Fleury-sur-la-Loire, próxima de Orleans, e Saint-Denis. Saint-Denis, ligado ao sucesso de Paris, prevaleceu e tornou-se o mais extraordinário exemplo de mosteiro real. A realeza inglesa beneficiou-se de uma rede de mosteiros de outro tipo, com Westminster, espécie de Saint-Denis urbano integrado na capital política, Santo Albano, centro historiográfico, e Glastonbury, centro de elaboração de lendas tradicionais e de espiritualidade nacional. Durante um tempo, o mosteiro de Las Huelgas, às portas de Burgos, exerceu o papel de mosteiro real para a realeza castelhana.

Os lugares imaginários de residência de reis lendários também servem à imagem real. Assim, os lugares arturianos evoluem entre florestas primitivas como a de Broceliande e uma ilha do Além como Avalon, evocando o passado selvagem da realeza e seu destino escatológico. Um lugar real especialmente importante é o da capela real ou imperial. Deus, graças à capela real, tem na casa do rei, de maneira tanto particular quanto pública, uma morada e um aparato litúrgico. Uma das realizações mais notáveis nesse domínio foi a Sainte-Chapelle de São Luís.

Os deslocamentos e itinerários reais, além de seu significado temporal, têm um significado espacial. Os itinerários reais, como trajetos ao longo dos quais se exercem os direitos de hospedagem reconhecidos ao rei, definem uma espécie de mapa régio das estradas. A presença ou a ausência do rei em uma cidade é plena de sentido e, no fim da Idade Média, os trajetos reais serão cada vez mais demarcados no espaço pela cerimônia da entrada real nas cidades. "A terra que o rei não frequenta ressoa de clamores e gemidos dos pobres" (texto do século XII).

Alguns tipos de reis

A vontade dos reis usurpadores de justificar-se e legitimar-se levou à criação do tipo do "rei inútil". O *shadow-king* frequentemente teve êxito em fazer esquecer sua origem usurpadora. Foram os casos da substituição dos Merovíngios pelos Carolíngios, no século VIII; do destronamento de Sancho II, de Portugal, pelo seu irmão, em 1245; do assassinato de Eduardo II, na Inglaterra, no século XIV.

O termo *tyrannus* designava na Antiguidade um usurpador que se opunha a um chefe político legítimo, mas *rex tyrannus* tornou-se, na Idade Média, quase contraditório. É o caso de Rogério II, da Sicília, coroado por um antipapa, o que lhe valeu o nome de tirano e foi visto como sucessor dos tiranos sicilianos da Antiguidade, levando a Sicília a ser chamada de *patria tyrannorum*. Mas, após seu reconhecimento pelo papa Inocêncio II, em 1139, ele se torna *rex utilis et valde necessarius* ["rei útil e muito necessário"]. De modo geral, a emergência da concepção de "rei útil e necessário" situa-se na segunda metade do século XII. Ela está ligada à evolução da realeza para uma monarquia administrativa e racional, cujo primeiro exemplo foi a *new monarchy* de Henrique II. Todavia, o problema do tiranicídio não desaparece. Em meados do século XII, João de Salisbury hesita e depois condena o tiranicídio. Na França do século XV, o problema suscita polêmica por ocasião do assassinato, em 1407, do duque de Orleans, irmão do rei, por ordem do duque da Borgonha.

As relações do rei com o saber e a cultura definem outros tipos de reis. A expressão *rex illitteratus quasi asinus coronatus*, "um rei iletrado é apenas um asno coroado", apareceu com Guilherme de Malmesbury, cerca de 1125, e foi difundida por João de Salisbury. Esse novo ideal de rei letrado, culto e mesmo erudito, caminha paralelamente à transformação das realezas em Estado administrativo e burocrático, e é igualmente acentuado pela reabilitação de Salomão como modelo de rei. Uma nova relação de forças estabelece-se entre os três poderes, da Igreja, da realeza e da ciência, logo encarnada pelas universidades. É a trilogia *sacerdotium, regnum* e *studium*. Entretanto, se os reis adquiriram certa cultura, esta passava cada vez mais pela prática das línguas vulgares e cada vez menos pelo latim, cujo uso se reduz ao mundo dos clérigos. A partir de João Sem-Terra, os reis ingleses não falam mais correntemente o latim. A bagagem cultural dos reis permanece modesta, mesmo no domínio religioso. Houve, contudo, reis eruditos cuja cultura e curiosidade intelectual impressionaram vivamente os contemporâneos. É o caso de Afonso X, o Sábio, de Castela, na segunda metade do século XIII, e de Carlos V, da França, rei "aristotélico", na segunda metade do século XIV.

A expressão *rex facetus* ["rei espirituoso"] difundiu-se na segunda metade do século XII, ligada ao desenvolvimento da cortesia e mais especialmente das maneiras nas cortes reais, a *curialitas*. O primeiro *rex facetus* parece ter sido Henrique II, da Inglaterra. O *rex facetus* demonstra uma sociabilidade particular em relação às pessoas que o rodeiam, é o modelo do espírito da corte; ele se faz notar pela propensão ao gracejo de bom gosto, introduz um riso cortês na corte. Seduz os cortesãos, que, em homenagem ao soberano, escrevem coleções de histórias que se constituem em entretenimento instrutivo, como os *Otia imperialia* ["Lazeres do imperador"], que Gervásio de Tilbury escreveu para divertimento e instrução do imperador Oto IV de Brunswick.

Os dois grandes ideais que se espera que o rei faça predominar em seu reino são a paz e a justiça. Esses dois termos têm conotação escatológica. Representam o fim para o qual deve tender a humanidade de maneira a apresentar-se no Juízo Final em condição de ser salva. Mas, se o *rex iustus* é uma expressão banal, atribuída sem intenção particular a numerosos reis, *rex pacificus*, em compensação, sublinha o caráter escatológico do rei e sua vocação a ser um messias e a preparar o milênio que prefigurará na terra, ao final dos tempos, a era dos santos. Bonifácio VIII, na sua bula de canonização, deu a São Luís o título de *rex pacificus*.

O caráter messiânico do rei encarna-se particularmente em alguns dentre eles. Esse caráter manifesta-se nas lendas que cercam a morte de certos reis. Não se os considera verdadeiramente mortos, mas apenas escondidos, adormecidos em lugar secreto de onde despertarão para ser reis messiânicos no futuro e, em particular, no final dos tempos. O mais célebre rei escondido do Ocidente medieval foi o imperador Frederico Barba-Ruiva.

Os reis medievais podem ser ameaçados em certos períodos e em certas circunstâncias, por exemplo, no caso de reis frágeis: reis crianças, reis distantes, reis leprosos, reis loucos.

Houve numerosas menoridades reais na Cristandade medieval, e em particular entre os Capetíngios franceses. O problema é, então, menos o da regência do que o da infância do rei. De fato, a proteção divina não é igualmente obtida pelo rei criança como por um rei adulto. O rei criança pode exercer menos seu papel de intermediário entre seu povo e Deus. O dito do Antigo Testamento, "Infeliz a terra cujo príncipe é uma criança", pesou com força no sentimento dos povos durante a menoridade de seu rei. Os casos quase contemporâneos das menoridades de Henrique III, da Inglaterra, e de Luís IX, da França, mostraram os perigos desses períodos.

Vários reis do Ocidente medieval participaram das Cruzadas e estiveram ausentes de seus domínios ao menos durante um ano. Alguns deles foram feitos prisioneiros, o que redobrava sua ausência. Mesmo nos reinos bem organizados da Inglaterra e da França, deixados em mãos de regentes com autoridade e experiência, o afastamento dos reis criou um sentimento de inquietação, que favoreceu ambições e emoções irracionais. Foi o caso de Ricardo Coração-de-Leão. Foi mais ainda o caso de São Luís, que permaneceu seis anos fora da França quando de sua primeira cruzada. Do infortúnio desse rei distante, que esteve durante algumas semanas prisioneiro dos muçulmanos e que viveu em meio às miragens do Oriente, originou-se em grande parte o movimento milenarista pacífico, depois violento, dos pastorinhos, em 1251, que sacudiu a monarquia e a sociedade francesas.

O rei doente é um personagem diminuído, não apenas como todo homem doente, mas porque a plena realização de seu poder e de suas funções dá-se melhor quando goza de boa saúde – embora São Luís tenha imposto o prestígio de um rei sofredor. A doença do rei também faz nascer a imagem dramática da possibilidade de sua morte. Houve na Cristandade medieval ao menos um caso particularmente dramático de rei doente – o de Balduíno IV, rei de Jerusalém, que era leproso. Uma bula pontifícia convidou-o a renunciar ao trono, pois, sendo a lepra uma doença vergonhosa, sinal do Pecado Original, não permitiria a um rei exercer o poder em nome de Deus. Mas os cristãos da Terra Santa recusaram-se a levar em conta a admoestação pontifícia. Haviam adquirido outra mentalidade.

O caso da loucura do rei apresenta-se essencialmente na França com Carlos VI, rei de 1380 a 1422. Em um período particularmente difícil para a monarquia francesa, tomada entre as facções nacionais e a luta contra os ingleses, a loucura do rei, que paralisava mais ou menos o poder em certos momentos, agravou pesadamente a situação. Contudo, não se ousou nem depor o rei nem substituí-lo. Sua loucura não impediu Carlos VI de ser muito popular e de conservar o apelido de Bem-Amado, que lhe tinha sido dado no início de seu reinado. A loucura era, pois, uma desordem da monarquia, mas não um caso de afastamento do rei.

O imaginário real e a memória dos reis

A iconografia real foi muito rica durante toda a Idade Média. O rei medieval viveu cercado de imagens nos seus palácios, nas igrejas de seu reino, que refletiam se não sua imagem pessoal, ao menos a de sua função. O rei possuía manuscritos preciosos, alguns dos quais são manuscritos reais propriamente ditos. Foi o caso de seus saltérios. A grande criação artística do reinado de São Luís, a Sainte-Chapelle, oferece nos seus vitrais um verdadeiro programa iconográfico real. Um grande artesão da construção do poder real e da imagem do rei na França, o abade Suger, na primeira metade do século XII, deu à produção de imagens reais indiscutível progresso: encomendou o vitral da árvore de Jessé, tema que se tornou uma das grandes comprovações da filiação real de Jesus como descendente de Davi. Fez esculpir na fachada ocidental da abacial as estátuas-colunas que representam os reis da antiga Israel, o que vai se tornar o modelo de fachada real.

A maior parte dos reis teve uma política artística e marcou com sua função e suas características a arte em torno deles. Alguns manuscritos, contendo os ofícios litúrgicos das sagrações reais, comportam miniaturas representando esse momento especial em que o rei se torna plenamente rei e nos fornecem sobre a imagem real aspectos que não se encontram em outro lugar. Foi o caso de São Luís e Carlos V. Personagem eminente, que se coloca só à cabeça de uma hierarquia, o rei exerceu papel capital na promoção do indivíduo e do retrato.

O rei foi personagem frequente na literatura medieval, notadamente na literatura em língua vernácula. Esses reis imaginários nos informam particularmente sobre a representação do rei nas mentalidades e sensibilidades. Um rei totalmente imaginário, o Preste João, que se supunha reinar na Índia ou na Etiópia, conheceu no Ocidente, a partir do século XII, um sucesso admirável, que fez dele a figura idealizada do rei sagrado e desse rei impossível na Cristandade, o rei-sacerdote. Reis da literatura ou da história antiga encontraram nova vida nos romances antigos do século XII, como Alexandre. Os romances bretões giraram em torno de um rei, Artur. Em *Tristão e Isolda*, o rei Marcos deu outra imagem do rei e um pormenor do seu personagem, suas orelhas de cavalo, permitiu ligar o rei do imaginário medieval ao rei do folclore. Um rei histórico da Idade Média conheceu no imaginário um sucesso prodigioso: Carlos Magno, que reinou nas canções de gesta. Alguns desses reis literários representam, aliás, tipos reais: Artur aparece frequentemente como *rex inutilis* e Carlos Magno, a despeito de seu prestígio, figura outro tipo de rei tocado pela fragilidade, o rei ancião.

A sociedade animal, que conheceu na literatura uma enorme simpatia do público medieval, é uma sociedade régia, e o rei dos animais é um espelho do rei humano. No século XII, o velho rei tradicional dos animais, o urso, é destronado por um jovem usurpador, o leão. A heráldica veio a complicar a presença animal no imaginário real. A concorrência, aqui, é entre a águia e o leão, o leão e o leopardo.

Os reis gostavam de apresentar-se como descendentes de uma dinastia de origens fabulosas, históricas, lendárias ou mesmo diabólicas. Por exemplo, os reis da França, desde os Merovíngios, reivindicaram origens troianas, ligando-os à Antiguidade antes mesmo dos romanos. Os reis Plantagenetas da Inglaterra atribuíram-se uma origem diabólica de que Ricardo Coração-de-Leão se louvava, proclamando-se, por provocação, "filho do demônio". A maternal e diabólica Melusina foi na Idade Média mãe de reis.

A morte dos reis, quando não na guerra, ocorre em meio a um cerimonial que se torna ainda mais espetacular nos funerais. Ao ritual do funeral é necessário acrescentar a função dos monumentos funerários e das necrópoles reais, expressão fundamental da ideologia real. Os próprios reis frequentemente se preocuparam com a política funerária. Foi o caso particular de São Luís, quando refez profundamente a necrópole real de Saint-Denis para deixá-la de acordo com a nova imagem dinástica da monarquia francesa e para prolongar a vida dos reis pelas imagens dos jacentes em suas tumbas.

A salvação dos reis mortos inquieta-os durante sua vida e após sua morte preocupa seus descendentes e seus súditos. Por meio de fundações e esmolas, instituir uma cadeia de preces para a salvação de sua alma é a motivação fundamental dos testamentos reais. O cuidado com a própria salvação podia, no momento de sua morte e no seu testamento, entrar em conflito com os interesses do Estado (Carlos V, por exemplo, aboliu impostos em seu leito de morte).

Os reis e as dinastias são os objetos privilegiados dos cronistas medievais. Saint-Denis, que se torna no século XII o grande lugar da memória dinástica capetíngia, produz no final do reinado de São Luís uma crônica real que será apresentada a seu filho e sucessor Filipe III, o Ousado, e que levava significativamente o nome de "romance dos reis". A vida de Roberto, o Piedoso, por Helgaud, da abadia de Fleury, estabelecimento que tentou desempenhar no século XI o papel dinástico que Saint-Denis conseguirá monopolizar, apresenta um verdadeiro modelo real, um espelho dos reis. Em toda a Cristandade, desenvolveu-se grande atividade literária de crônicas em torno de figuras reais. Foi particularmente o caso das crônicas reais espanholas. Antes que aparecessem historiógrafos reais, como haverá na época moderna, alguns círculos desempenharam o papel de construtores e difusores da memória real que, mesmo sem contar o caso do santo rei Luís IX, tendia à hagiografia.

Do século XII ao XVI, a realeza transformou-se em realeza governada por regras jurídicas racionais (E. Kantorowicz), se bem que o próprio príncipe não se torne um jurista: *raro princeps iurista invenitur,* "raramente se encontra um príncipe jurista". Se tende a tornar-se absoluto, o rei deve submeter-se a essas duas grandes invenções do século XII, a razão e a natureza. O rei torna-se um "senhor natural" e seu governo deve ser guiado pela razão. A realeza parece dessacralizar-se e passa-se de uma "realeza centrada em Cristo" para "uma lei e uma humanidade centradas na realeza". Mas a pretendida laicização do poder real é apenas o deslocamento da sacralização para o Estado, que, doravante, impõe a todos, inclusive o rei, sua razão (razão de Estado) e seus mistérios (os "mistérios de Estado", de Kantorowicz). O rei vai tentar se apropriar do Estado, mas somente estendendo a Idade Média até o século XVII é que se pode fazer o rei dizer, com Luís XIV: "O Estado sou eu". Para melhor resistir à "fortuna", nova concorrente da Providência que não hesita em colocá-lo na sua roda, foi-lhe preciso ser virtuoso, *rex virtuosissimus.*

Pôde-se comparar os reis medievais com os reis da Índia, do Oriente Médio e do antigo Oriente Próximo, da antiga Israel, do Extremo Oriente, dos reinos helenísticos, com os reis arcaicos e os imperadores de Roma, os reis africanos. Tais comparações são interessantes, mas se o rei cristão medieval foi somente um caso entre os numerosos reis da terra e da história, foi um rei original.

Jacques Le Goff
Tradução de Daniel Valle Ribeiro

Ver também

Bizâncio – Clérigos e leigos – Corte – Deus – Império – Roma

Orientação bibliográfica

ANTON, H. H. *Fürstenspiegel und Herrscherethos in der Karolingerzeit.* Bonn: L. Röhrscheid, 1968.

BAGGE, Sverre. *The Political Thought of the King's Mirror* [1980]. Tradução inglesa. Odense: Odense University Press, 1987.

BAK, Janos M. (ed.). *Coronations*: Medieval and Early Modern Monarchic Rituals. Berkeley: University of California Press, 1990.

BARBEY, Jean. *Être roi*: le roi et son gouvernement en France de Clovis à Louis XVI. Paris: Fayard, 1992.

BARLOW, Frank. The Kings Evil. *English Historical Review*, Oxford, n.95, p.3-27, 1980.

BENVENISTE, Émile. *Le Vocabulaire des institutions indo-européennes*. Paris: Minuit, 1969. t.II: *Pouvoir, droit, religion*. Cap I: La royauté et ses privilèges. p.7-95.

BERGES, Wilhelm. *Die Fürstenspiegel des hohen und späten Mittelalters*. Leipzig: Karl W. Hiersemann, 1938.

BLANCHARD, Joel (ed.). *Représentation, pouvoir et royauté à la fin du Moyen Âge*. Paris: Picard, 1995.

BLOCH, Marc. *Os reis taumaturgos*: o caráter sobrenatural do poder régio, França e Inglaterra [1924]. Prefácio de Jacques Le Goff [1983]. Tradução brasileira. São Paulo: Companhia das Letras, 1993.

BORNSCHEUER, Lothar. *Miseriae Regum. Untersuchungen zum Krisen – Todesgedanken in den herrschafts-theologischen Vorstellungen der ottonischsalischen Zeit*. Berlim: De Gruyter, 1968.

BOUMAN, Cornelius Adrianus. *Sacring and Crowning*: the Development of Latin Ritual for the Anointing of Kings and the Coronation of an Emperor before the XIth Century. Groningue: J. B. Wolters, 1957.

BOUREAU, Alain; INGERFLOM, Claude-Serge (eds.). *La Royauté sacrée dans le monde chrétien*. Paris: Ed. de l'École des Hautes Études en Sciences Sociales, 1992.

BOUTET, Dominique. *Charlemagne et Arthur ou le roi imaginaire*. Paris: Champion, 1992.

BROWN, Élisabeth A. R. *The Monarchy of Capetian France and Royal Ceremonial*. Londres: Variorum, 1991.

DUGGAN, A. J. (ed.). *Kings and Kingship in Medieval Europe*. Londres: King's College London Centre for Late Antique and Medieval Studies, 1993.

ELZE, Reinhard. *Päpste, Kaiser, Könige und die mittelalterliche Herrshersymbolik*. Editado por Ludwig Schmugge e Bernhard Schimmelpfennig. Londres, 1982.

ERLANDE-BRANDENBURG, Alain. *Le Roi est mort*: étude sur les funérailles, les sépultures et les tombeaux des rois de France jusqu'à la fin du XIIIe siècle. Genebra: Droz, 1975.

FOLZ, Robert. *Les Saints Rois du Moyen Âge en Occident (VIe-XIIIe siècle)*. Bruxelas: Société des Bollandistes, 1984.

GUENÉE, Bernard; LEHOUX, Françoise. *Les Entrées royales françaises de 1328 à 1515.* Paris: Centre National de la Recherche Scientifique, 1968.

GUMLEV, Lev Nikolaevich. *Search for an Imaginary Kingdom*: the Legend of the Kingdom of Prester John. Cambridge: Cambridge University Press, 1987.

GYÖRFFY, Gyorgy. *König Stephan der Heilige.* Budapeste: Corvin, 1988.

HELLMANN, Manfred (ed.). *Corona regni*: Studien über die Krone als Symbol des Staates im späteren Mittelalter. Weimar: Böhlau, 1961.

JACKSON, Richard A. *Vivat Rex*: histoire des sacres et couronnements en France, 1365-1825. Paris: Diffusion Ophrys, 1984.

KANTOROWICZ, Ernst J. *Os dois corpos do rei*: um estudo sobre teologia política medieval [1957]. Tradução brasileira. São Paulo: Companhia das Letras, 1998.

KLANICZAY, Gabor. *The Uses of Supernatural Power.* Cambridge e Oxford: Polity; Basil Blackwell, 1990.

KRYNEN, Jacques. *L'Empire du roi: idées et croyances politiques en France, XIIIe-XVe siècle.* Paris: Gallimard, 1993.

LE GOFF, Jacques. Reims, ville du sacre. In: NORA, Pierre (ed.). *Les Lieux de mémoires.* Paris: Gallimard, 1986. t.II: *La nation.* p.89-184.

LEWIS, Andrew W. *Le Sang royal*: la famille capétienne et l'État. France, X^e-XIV siècle [1981]. Tradução francesa. Paris: Gallimard, l986.

LYON, Bryce Dale. What Made a Medieval King Constitutional? In: SANDQUIST, T. A.; POWEICKE, M. R. (eds.). *Essays in Medieval History presented to Bertie Wilkinson.* Toronto: University of Toronto Press, 1969. p.157-75.

NELSON, Janet L. *Politics and Ritual in Early Mediaeval Europe.* Londres: Hambledon, 1986.

NIETO SORIA, José Manuel. *Fundamentos ideológicos del poder real en Castilla (s. XIII-XVI).* Madri: Eudema, 1988.

PETERS, Edward. *The Shadow King: "Rex inutilis" in Medieval Law and Literature, 751-1327.* New Haven: Yale University Press, 1970.

PEYER, Hans Conrad. Das Reisekönigtum des Mittelalters. *Vierteljahrschrift für Social und Wirtschafts-geschichte,* Stuttgart, n.51, p.1-21, 1964.

THE SACRAL KINGSHIP. LA REGALITÀ SACRA. Contributions to the Central Theme of the VIIIth International Congress for the History of Religions (Rome, April, 1955). Leiden: E. J. Brill, 1959.

SAWEY, P. H.; WOOD, Ian N. (eds.). *Early Medieval Kingship.* Leeds: University of Leeds, 1977.

SCHNEIDER, Reinhard (ed.). *Das spätmittelalterliche königtum in europäischen Vergleich.* Sigmaringen: Thorbecke, 1986.

SCHRAMM, Percy Ernst. *Der König von Frankreich: das Wesen der Monarchie vom 9 zum 16 Jahrhundert*. 2.ed. Darmstadt: WBG, 1960. 2v.

_____. *Kaiser Könige un Päpste*. Stuttgart: Anton Hiersemann, 1968-1971. 4v.

_____. *Die deutschen Kaiser und Könige in Bildern ihrer Zei* [1928]. 2.ed. Munique: Prestel, 1983.

TIERNEY, Brian. The Prince Is not Bound by the Laws. *Comparative Studies in Society and History,* Cambridge, n.5, p.378-400, 1962-1963.

ULLMANN, Walter. *The Carolingian Renaissance and the Idea of Kingship*. Londres: Methuen, 1969. (*The Birkbeck Lectures 1968-1969.*)

WALLACE-HADRILL, John Michael. *The Long-Haired Kings and other Studies in Frankish History.* Londres: Methuen, 1962.

WARREN-HOLLISTER, C.; BALDWIN, John W. The Rise of Administrative Kingship: Henri I and Philip Augustus. *American Historical Review*, Bloomington, n.83, p.867-96, 1978.

WIERUSZOWSKI, Helene. Roger II of Sicily, Rex-Tyrannus, in XIIth Century Political Thought. *Speculum,* Chicago, n.38, p.46-78, 1963.

Ritos

Sem pretender dar uma formulação exaustiva e definitiva, pode-se dizer que o rito é uma sequência ordenada de gestos, sons (palavras e música) e objetos, estabelecida por um grupo social com finalidades simbólicas. Essa formulação simples, por imperfeita que seja, chama a atenção para algumas características fundamentais do fenômeno, cuja percepção não era todavia desconhecida dos autores medievais: o liturgista João Beleth, no início do século XIII, distinguia rigorosamente quatro elementos nos ofícios divinos: *loca, tempora, personae* e *res*. Com efeito, um rito supõe, ou melhor, constrói na sua execução o espaço (uma igreja, uma praça, uma sala de banquete, a liça de um torneio etc.) e o tempo (sua duração total, seus ritmos, as pausas e, em particular, os momentos de maior intensidade) que lhe são próprios. Um rito é pluridimensional, ao mesmo tempo gestual, vocal, vestimentário, emblemático, e comporta a manipulação de objetos simbólicos (a coroa ou o cetro da consagração régia, o anel do casamento, o vinho e o pão do rito eucarístico etc.). Ele é ordenado em ações sucessivas e hierarquizadas que comportam frequentemente a repetição solene de gestos ou de fórmulas (bênçãos, incensamentos e aspersões, litanias etc.) que prolongam o rito, retêm a ação, aumentam sua solenização, dramatizam os momentos essenciais. Falando de "estabelecimento" ritual dos valores simbólicos de uma sociedade, queremos realçar que os conteúdos e as funções simbólicas dos ritos não podem ser separados do desempenho ritual em si: poder-se-ia dizer que eles só existem no ritual, na ação solene que os realiza plenamente e que o rei, por exemplo, só é verdadeiramente rei na "ostentação" pública e ritual de sua majestade, quando, por exemplo, faz justiça ou entra solenemente em uma cidade.

Apresentar o rito como uma categoria da cultura e da sociedade medievais supõe distingui-lo de outras noções, derivadas (as de ritual e ritualização) ou vizinhas (as de mito e cerimônia). Com ritos ou rituais, no plural, queremos simplesmente lembrar a extrema diversidade de todas essas encenações, de acordo com os meios sociais, as circunstâncias, o grau de solenidade, a despesa efetuada, o que se pode perder ou ganhar. Nem todos são excepcionais como uma consagração real ou a grande missa do domingo de Páscoa. Caso se pudesse classificar as sociedades pela importância que dão ao ritual, poder-se-ia perguntar se a sociedade medieval não desenvolveu mais do que outras, por exemplo a nossa, a ritualização da vida cotidiana. Ela lhe deu ao menos outras formas, adaptadas às suas próprias hierarquias – não somente as da categoria social, mas as da idade e do sexo – e aos modos de regulação das trocas entre pessoas: a relativa raridade da escrita dava mais importância às formas gestuais e vocais do contrato. Pensamos também na ritualização ostentatória da salvação, do juramento, da invectiva e do desafio, cuja importância da forma aumentava na medida em que, feita em público, constituía uma questão de honra.

É possível que esses rituais não tivessem em todos os casos uma forma fixa *a priori* e sempre obrigatória. De acordo com os atores envolvidos ou com o contexto, uma ação que parecia normalmente comum e pouco ritualizada podia se transformar em um ritual saturado de valores simbólicos: o óbolo, dado ao pobre por um simples cristão, é apenas um ato individual de caridade; realizado pelo rei, na direção de quem convergem todos os olhares, é um ritual religioso e político digno de ser relatado pelos cronistas. Da mesma maneira, se a maioria dos agonizantes devia se contentar com um simples viático administrado pelo padre da paróquia, um grande senhor como Guilherme, o Marechal, tinha cuidado em organizar sua própria separação dos vivos, seu funeral e sua comemoração *post-mortem*, em um vasto ritual da morte regrado minuciosamente.

Rito e cerimônia

As relações entre rito e cerimônia provocam outras observações. A cerimônia evoca uma manifestação imposta, dirigida, observada pelo senso do dever ou sob efeito da coação. Para alguns antropólogos, ela estaria do lado do "ritualismo", tenderia para o formalismo da "etiqueta". Ao inverso do rito, ela não suscitaria emoção, por exemplo no caso de uma comemoração de circunstância. Aos ritos caberiam, ao contrário, a plenitude do sentido, a emoção compartilhada de uma comunidade que se reencontra ao fazer os mesmos gestos, ao comungar na mesma paixão. O rito obedeceria a um eixo "vertical" ligando os homens às potências sagradas que o animam, a cerimônia manifestaria, ao contrário, uma transação horizontal entre os homens, sem mobilização do sagrado.

Os historiadores alemães do direito, cujo papel pioneiro no estudo dos rituais deve ser lembrado, basearam suas distinções no critério da origem histórica e da inscrição sociocultural: a um fundo autóctone e consuetudinário (*Sitte, Gebräuche*) teria vindo se juntar o *Zeremoniell* imposto do alto pelas transformações das estruturas de poder. Assim, no ano 1000, o imperador Oto III tomou a decisão, surpreendente para seus contemporâneos, de comer sozinho em uma mesa redonda pretendendo, dessa forma, renovar a *consuetudo Romanorum*. Essa transformação participava de toda a política de *renovatio imperii* do jovem Oto, sob a dupla influência do soberano carolíngio e do modelo cerimonial da corte imperial de Bizâncio, introduzido por sua mãe. Enquanto os usos, os costumes, os ritos tradicionais pertenceriam ao "povo", a cerimônia falaria da força de inovação e do exercício do poder. Mais recentemente, sensível às determinações sociológicas e à observação sincrônica, Heinrich Fichtenau propôs introduzir entre a noção de cerimonial (*Zeremoniell*), característica da corte imperial ou real, e a de costume (*Brauchtum*), designando os usos do povo, a categoria de ritual (*Ritual*) para designar a especificidade das liturgias eclesiásticas.

Essas distinções de vocabulário têm o mérito de chamar a atenção para a necessidade de levar em conta os meios produtores de rituais, para estudar as diferentes formas e funções destes últimos. Mas não se deve desprezar a interpenetração permanente dos diversos planos, quando, por exemplo, o rei se vê obrigado a transigir com os costumes ou quando o alto clero, através da sua função, participa ativamente no ordenamento das cerimônias do soberano. É pela mesma razão que, em vez de duas categorias distintas, seria mais pertinente ver no rito e na cerimônia dois polos de um mesmo conjunto, cada um remetendo ao outro e a seus próprios limites. A cerimônia, embora bem regrada e controlada pela autoridade secular ou clerical, pode sempre ser vítima de um excesso ou de uma contestação que a levaria à ruína, ou ainda de uma "recuperação" inesperada que mudaria seu percurso e suas significações (como às vezes vemos hoje em um cortejo na via pública). Assim, o *ordo* da consagração e da coroação do rei da França (meados do século XIII) prevê a aclamação do novo soberano pelo "povo", mas procura deixar a participação deste para o final da "cerimônia" e fora da catedral de Reims: apesar da persistência da antiga noção de um "contrato" necessário entre o rei e seu povo, os grandes leigos e eclesiásticos que organizavam a cerimônia temiam os excessos que, por serem "rituais", lhes pareciam ainda mais intoleráveis... Em outro campo, podem-se fazer observações análogas a propósito do desenrolar ritual das peregrinações, quando, nos dias de festa, contra a vontade dos guardiões eclesiásticos do santuário, a multidão amontoava-se, ávida por alcançar o túmulo ou a imagem do santo.

O polo ritual podia também se juntar ao da cerimônia enquanto expressão de práticas consuetudinárias que, embora não gozassem oficialmente do mesmo estatuto, pareciam essenciais aos participantes. No ritual do casamento, o consentimento dos esposos e a bênção do padre tornaram-se os elementos determinantes para a Igreja, mas outras práticas rituais também contribuíam para a conclusão da aliança; tal era, em particular, o caso de todos os gestos de escárnio ritual por meio dos quais um grupo de jovens lembrava seus direitos sobre o "mercado" das alianças, denunciando, se necessário com um charivari, as uniões que contrariavam as normas consuetudinárias.

Se o "rito" aparece como um excesso ou um complemento de "cerimonial", este último pode representar também um risco para o rito. O rito pode se esclerosar em cerimônia quando se perde a intenção original que o sustentava, quando a forma tende a ser mais importante que o conteúdo:

sabe-se, por exemplo, graças a Marc Bloch, o que aconteceu com o toque nas escrófulas até que pela última vez, em 1824, o rei da França Carlos X, com explícita vontade de eliminar o hiato revolucionário, faz o que se tornara apenas uma cerimônia política e um manifesto ideológico.

Rito e mito

Como entender, enquanto medievalista, a distinção geralmente aceita entre rito e mito? De fato, não há rito cujos atores não proponham uma explicação da origem e das pretensas razões, um "mito etiológico" que é somente uma outra vertente de uma mesma linguagem simbólica. Mas, tanto quanto a palavra que enuncia o mito ou a imagem que descreve suas figuras, o rito apresenta em seu decorrer uma especificidade irredutível a qualquer comentário ou forma de representação. Claude Lévi-Strauss preveniu os antropólogos contra a tentação de reduzir a significação dos ritos que observam aos comentários dados pelos "informantes", o que ele chama de "mito implícito" do rito. O antropólogo deve partir da descrição dos ritos em si, como eles são realmente realizados e não como os contemporâneos os pensam e comentam. O sentido do rito reside antes de tudo no seu desempenho e, por conseguinte, modifica-se a cada ocorrência, já que sua forma, as circunstâncias, os atores, nunca são exatamente os mesmos.

Concernente à Idade Média, esses ensinamentos incitam a dar o justo lugar aos comentários que os clérigos deram dos rituais da Igreja, seja para enunciar as origens prestigiosas fazendo-as chegar às origens da Igreja ou à iniciativa de um santo (por exemplo, atribuindo a São Mamerto a instituição das rogações, ou a São Remígio, a Clóvis e ao Espírito Santo a origem da unção dos reis da França), seja para esclarecer as múltiplas significações simbólicas conformes ao exuberante gênero da alegorese litúrgica. Com efeito, esta conheceu desde o século V um primeiro desenvolvimento na Cristandade oriental (Pseudo-Dioniso), antes de se desenvolver no Ocidente a partir da época carolíngia, particularmente com Amalário de Metz, e sobretudo no século XII, por exemplo no *De sacramentis*, de Hugo de Saint-Victor. As categorias sistemáticas dessa literatura, como a enumeração rigorosa das significações simbólicas atribuídas aos gestos, preces, objetos, dias de festa, partes do edifício religioso, peças e cores das vestimentas, fornecem ao historiador informações insubstituíveis, mas cujas característica teológica e lógica especulativa distantes do "vivido" das práticas reais não devem ser subestimadas.

Contudo, supondo que o medievalista queira adotar todas as recomendações do antropólogo dos rituais, ele deve considerar que sua condição de observação apresenta traços particulares. Pois não tem acesso diretamente à observação dos rituais do passado, mas somente aos textos ou às imagens que lhes concernem. Textos e imagens "representam" os ritos, quer dizer, mostram-nos ou descrevem-nos de certa maneira – necessariamente parcial e limitada –, dando ao mesmo tempo uma interpretação, às vezes explícita, mas em todo caso sempre implícita, já que esta determina desde o início a escolha do vocabulário. Para o historiador, o "mito implícito" está inextricavelmente misturado ao "rito", do qual ele quer analisar o desenrolar e compreender as funções.

Os ritos no tempo

Aos olhos do medievalista, o rito ainda apresenta outra especificidade: ele está imerso na história, submetido não apenas às durações próprias do rito (o tempo médio de seu decorrer, o tempo cíclico dos ritos calendários, ou ainda o tempo da vida marcado pelos "ritos de passagem" do "berço ao túmulo"), mas também às transformações inerentes à duração histórica. Que os ritos tenham uma história significa primeiro que se conformam mais ou menos a modelos que nunca são heranças passivas, mas uma matéria-prima remodelada sem cessar. Tal é o uso feito na Idade Média dos modelos romanos e imperiais aos quais o papa, os bispos e o imperador germânico pretendiam se adequar, por exemplo no cerimonial de entrada na cidade ou na igreja, o *adventus*. Fundamental também é a influência bíblica do Antigo Testamento (por exemplo, na unção real que reivindica o modelo da unção dos reis de Israel, Saul e Davi, pelo profeta Samuel) e mais ainda a influência crística: em geral, todos os grandes rituais da Igreja, organizados de acordo com o ciclo do ano, referem-se a momentos da vida do Cristo narrados pelos Evangelhos. Através do efeito do que poderíamos chamar um pensamento tipológico regressivo, cada gesto e cada fase de um ritual são dotados de valores simbólicos justificados pelos correspondentes episódios da vida do Salvador. Os gestos de Cristo também podem inspirar diretamente o decorrer concreto de certos ritos da Igreja, como o lava-pés da Quinta-Feira Santa, rito ao qual o bispo humildemente se submete seguindo o exemplo de Jesus; a procissão de Ramos, que lembra a entrada em Jerusalém pouco antes da Paixão; mas, sobretudo, o rito mais essencial do cristianismo, o do cânone da missa, que reproduz os gestos e as palavras de Cristo quando compartilhou pela última vez o pão e o vinho com os discípulos.

A esses modelos iniciais somam-se outros, tirados do próprio curso da história e do desenvolvimento das sociedades medievais. Os atores dos rituais conformam-se a eles, adaptando-os se necessário. A consagração dos reis da França não tinha apenas como modelo a unção dos reis de Israel: a unção pelo santo crisma contido na ampola milagrosa de Reims referia-se ao batismo de Clóvis, assimilado a uma espécie de "primeira consagração" dos reis. E esse estrato semi-histórico, semimítico, somava-se ao exemplo prestigioso da primeira unção da primeira dinastia, a de Pepino, pai de Carlos Magno, em 754. Mas tais modelos não eram nunca recebidos e imitados passivamente. Por exemplo, em Roma, em 1155, Frederico Barba-Ruiva primeiro recusou segurar a rédea do cavalo do papa, pois via nesse gesto ritual um intolerável sinal de submissão ao papa. Para que aceitasse enfim se conformar ao ritual exigido dos candidatos à coroa imperial, foi necessário explicar que o gesto datava do imperador Constantino, do qual não se podia pensar que tivesse se humilhado diante do papa, já que, ao contrário, ele tinha sido poderoso o suficiente para fazer a Silvestre I a famosa "doação".

Por uma história dos ritos

Além das explicações, sempre duvidosas, dadas pelos contemporâneos, o historiador deve tentar reconstruir a história objetiva dos rituais. Às vezes é possível conhecer e datar o momento da criação de um novo rito. Com frequência, as condições de sua formação continuam obscuras, e o historiador percebe somente as transformações, os perpétuos arranjos que, assegurando a perenidade do rito, possibilitam sua adoção de um meio ou de uma época a outra, conservando ao mesmo tempo sua eficácia. Enfim, alguns ritos que se tornaram caducos desaparecem. Um bom exemplo de inovação ritual consciente é dado no início do século XI pelo bispo Thietmar de Merseburg, que, em sua crônica, comenta o gesto sem precedente feito por ele próprio em uma igreja ao colocar sobre um relicário a cédula que o padre do local havia lhe dado depois de nela ter escrito seus pecados: "Nunca ouvi falar nem vi ninguém que tivesse feito isso antes de mim", declara orgulhoso, plenamente consciente não apenas de ter inovado (mas temos certeza disso?), mas de ter proposto, graças à escrita, um modelo a ser imitado (e isto não é menos importante do que o rito em si). A maioria dos ritos não nasce de uma vez, mas conhece uma gênese progressiva até sua adoção geral, ou oficial, em um bispado ou no âmbito de toda a Igreja. Pode-se, assim, observar o nascimento da Festa de Deus ou *Corpus Christi*, com sua circunvolução solene em homenagem à hóstia, entre o início do século XIII quando ainda é apenas um uso local limitado à Flandres, e 1264, quando o papado o declara festa universal da Igreja.

As mutações de um rito também se deixam observar ao longo da história. Geoffrey Koziol mostrou, por exemplo, como o ritual da súplica que se formou na época carolíngia aparece plenamente no século XI, no movimento da "paz de Deus", sob a forma de uma transação entre partes adversas (cavaleiros, monges, bispos), antes de se concentrar no século XII no recurso ao poder cada vez maior do rei. A evolução das maldições monásticas, estudadas por Lester K. Little, ou da humilhação dos santos, analisada por Patrick Geary, autorizam observações similares. Esta última era uma espécie de greve da liturgia decidida por uma comunidade monástica quando considerava que seu santo padroeiro não cumpria seu dever de proteção: as relíquias do santo eram postas no chão, no pé do altar, e cobertas de espinhos, enquanto as missas e as orações litúrgicas eram suspensas até que acontecimentos mais favoráveis mostrassem que o santo voltara a ter melhores sentimentos. Mas desde o século XII surgiram críticas a essas práticas, exatamente no momento em que o fortalecimento do poder público permitia frear com mais segurança as ações hostis da aristocracia guerreira, enquanto a ameaça de excomunhão canônica, proferida pela hierarquia eclesiástica, podia duravelmente privar o acesso dos culpados aos sacramentos. A partir de então, o *clamor* lançado contra o santo e as maldições monásticas caíram em desuso e foram objeto da mais viva reprovação das autoridades eclesiásticas quando, por sua vez, igrejas locais ou simples leigos recorreram a eles.

Funções e atores do rito

Os rituais medievais tinham também a característica de concernir a sociedades complexas nas quais as instâncias produtoras de rituais eram diversas e por vezes rivais. A primeira dessas instâncias era com certeza a Igreja. Ela pretendia deter o monopólio dos ritos julgados mais importantes, os ritos religiosos ou sagrados que colocavam os homens em comunicação com as potências divinas. A Igreja foi também durante muito tempo a única a controlar todos os meios, escritos ou figurados, de representação, interpretação e julgamento dos ritos, os seus e os dos outros. Poder-se-ia falar da Igreja medieval como da "agência ritual" por excelência, mesmo se ela jamais pôde pretender realizar nem codificar todos os ritos.

Tratando-se de ritos que a Igreja controlava diretamente, sua função explícita era garantir aos homens, por intermédio dos clérigos, um certo domínio sobre as potências invisíveis que supostamente regiam o destino do mundo: Deus, os santos, mas também o Diabo e os demônios. Naquela sociedade, esta era uma função crucial. Ela exigia da parte dos clérigos, pelo menos dos que viviam em comunidade, os cônegos e sobretudo os monges, uma vigilância permanente, cuja garantia mais segura era uma ritualização quase total do tempo e da existência. Para ir ao refeitório, à igreja, ao capítulo, ao dormitório, os monges deslocavam-se de acordo com regras precisas. A obrigação do silêncio acrescentava à imagem ordenada recolhimento e justa medida que emanavam dos monges graças às longas vestes iguais e aos gestos controlados. A disciplina dos gestos, explicava Hugo de Saint-Victor a seus noviços, é a garantia da salvação. Ela cria em todo caso o *habitus*, a atitude e a aptidão físicas que possibilitam suportar o encadeamento contínuo das horas monásticas ou canônicas (a mais ou menos cada três horas segundo nossa própria medida do tempo), de dia e de noite, no coro ou no capítulo, para orar, cantar, ajoelhar-se, levantar-se, deambular juntos. O ritual contínuo das igrejas consumia muitíssimo tempo e dinheiro para manter os homens, as luminárias, para fumigar incenso, acumular ouro para as cruzes e os relicários, confeccionar os livros litúrgicos.

Que justificações dar para tais despesas? Elas se explicam fundamentalmente pela função de mediação dos homens de Igreja entre os dois outros grupos de atores desses rituais. De um lado, os destinatários invisíveis dos rituais, que se imaginava estarem bem próximos, e aos quais eram atribuídos imaginariamente traços humanos, uma identidade, um nome próprio (o Espírito Santo, a Virgem Maria, São Sebastião etc.); os santos eram visitados em sua tumba, representados por imagens, entre as quais algumas eram veneradas com fervor ou levadas em procissão. Quanto aos demônios, os ritos de exorcismo dos possuídos, de batismo ou de consagração das igrejas tinham como objetivo afugentá-los. Quando da conclusão da abacial de Saint-Denis, em junho de 1144, o abade Suger deu uma excelente descrição da consagração das igrejas com suas procissões, suas bênçãos e suas missas solenes.

De outro lado, os leigos, que supostamente deviam se beneficiar dos efeitos positivos dos ritos da Igreja para a salvação da alma e a saúde do corpo, para as colheitas, as empresas mercantis e guerreiras, sobretudo se estas últimas eram colocadas sob o sinal da cruz. A função social dos leigos era garantir a reprodução biológica e material da sociedade, enquanto os clérigos deviam, por sua vez, empregar a maior parte do tempo em orações e liturgias. Os leigos, em princípio, só podiam desempenhar um papel secundário nos ritos da Igreja: eles estavam excluídos do coro dos santuários e confinados na nave, e dependiam amplamente do clero, tanto para o acesso comedido (uma vez por ano) aos sacramentos da penitência e da eucaristia, quanto para realizar seus próprios "ritos de passagem" sob a forma cristã que a Igreja conseguiu progressivamente lhes dar: o batismo, o casamento e o funeral. Caso se requisitasse a participação deles em certos ritos solenes (no caso, por exemplo, do *adventus* do soberano ou da consagração ou coroação dos reis), era sobretudo para os clérigos e letrados que relatavam o evento congratularem-se pela presença maciça e alegre da *multitudo* anônima. A esta se opunha o papel ativo dos clérigos, os únicos habilitados a cantar as *laudes regiae* pela glória do novo rei.

Mas essa "divisão do trabalho ritual" não era um face a face inalterável e definitivamente regrado. Todas as vezes que era realizado, cada rito era a ocasião, digamos, de embaralhar de novo as cartas, de negociar mais uma vez os papéis de cada um, de medir a pressão dos dois polos do "ritual" e do "cerimonial", na relação dialética que descrevemos.

Ademais, quaisquer que fossem as pretensões dos clérigos, os ritos eclesiásticos nunca foram os únicos capazes de garantir exclusiva e totalmente a comunicação entre os homens e as potências sagradas. Mesmo os clérigos reconheciam que a Igreja nunca pôde eliminar os ritos "mágicos" realizados pelos leigos ou por clérigos mais ou menos à margem da instituição eclesial e de suas normas. A razão dessa duradoura concorrência, que foi sentida no final da Idade Média como uma ameaça ao equilíbrio da instituição eclesial e do corpo social, não deve ser buscada na persistência dos ritos de uma magia ou de uma feitiçaria ancestral ou paleocristã, mas antes na incapacidade dos ritos eclesiásticos para satisfazer todos os pedidos, como quando a invocação tradicional dos santos autorizados parecia insuficiente para devolver a saúde a um parente doente, para afastar os raios ou desviar os malefícios de um vizinho mal-intencionado. Todavia, os gestos rituais dos feiticeiros e mágicos nunca foram tão desenvolvidos quanto os da Igreja, diante dos quais eles tinham apenas uma autonomia relativa. Durante muito tempo, foi fácil conciliá-los com as bênçãos e os exorcismos oficiais. Foi a vontade dos juízes de identificar e perseguir os feiticeiros e feiticeiras que tardiamente deu às práticas mágicas a amplitude delirante do ritual imaginário do "sabá".

Transformação dos ritos

A contestação dos hereges impôs aos ritos da Igreja um outro limite. Em graus diversos, todos os hereges, porque recusavam o princípio da mediação do clero entre os homens e o divino, denunciaram a ostentação da liturgia da Igreja, ostentação que era ao mesmo tempo condição e consequência da liturgia. Foram os hereges que opuseram aos ritos da Igreja e às suas justificações teológicas e simbólicas as críticas mais radicais. Uma linha contínua pode ser traçada sobre esse ponto das heresias medievais à Reforma, quando sobretudo os calvinistas suprimiram todos os ritos da Igreja, do rito eucarístico ao culto dos santos, das relíquias e das imagens.

É necessário considerar ainda uma outra evolução. Nos últimos séculos da Idade Média, novas formas de devoção, monásticas, conventuais e em breve também laicas, masculinas e cada vez mais femininas (em particular nas beguinarias e nas ordens terceiras), procuram substituir a mediação ritual dos clérigos pela busca de uma aprovação individual e imediata da divindade. Algumas dessas tentativas foram acusadas de heresia, enquanto outras foram levadas ao altar. Ora, a *devotio moderna* e o misticismo feminino do final da Idade Média caracterizam-se ao mesmo tempo pelo questionamento da inadaptação dos ritos oficiais e coletivos à expressão ardente da fé individual (muitas mulheres devotas queriam comungar todos os dias, enquanto seus confessores procuravam frear essa fome eucarística) e pelo desenvolvimento igualmente exuberante de ritos pessoais, repetitivos e compulsivos, como a recitação interminável do rosário, as macerações obsessivas e o requinte calculado dos sofrimentos físicos que os místicos voluntariamente se infligiam. Diante da liturgia da Igreja, esse ritualismo individual constituiu, junto com a magia e a heresia, outra alternativa reveladora da estrutura do conjunto dos ritos religiosos da Idade Média.

Assim se confirma que em nenhum momento o campo medieval do ritual foi um mundo estável. Suas divisões internas não paravam de se deslocar, seja a divisão dos papéis entre clérigos e leigos, sejam as respectivas funções dos ritos "verticais" (que colocavam em jogo diretamente o divino) e dos ritos "horizontais", que confrontavam os homens entre si. Acerca disso, observa-se uma dupla evolução: por um lado, a tendência da Igreja a "cristianizar" um certo número de rituais laicos para que servissem à sua visão da sociedade cristã e do futuro dela. Por outro, o desenvolvimento de rituais "profanos", por meio dos quais novos segmentos da sociedade laica puderam, em diferentes épocas, reforçar sua autonomia.

A história dos ritos do casamento é um bom ponto de observação da primeira tendência. Os bispos, os canonistas, o papado, quiseram de qualquer jeito controlar o desenvolvimento, as condições de impedimento e, se fosse o caso, a anulação do casamento. Se primeiro concentraram sua atenção, por razões políticas e simbólicas, nas dinastias reais e nas principais linhagens, em breve ela se estendeu a todo o corpo social. A evolução das representações figuradas do rito do casamento mostra bem a maneira como o padre substituiu o *pater familias* no papel central daquele que junta entre suas mãos as mãos dos esposos, ao mesmo tempo que sacraliza a união pelo seu estatuto e pelas suas palavras sagradas, o que é expresso nas imagens pela posição frontal do padre e seu gesto de bênção.

Também foi notável a dominação da Igreja sobre o rito do adubamento que marcava a entrada na cavalaria do grupo de jovens guerreiros considerados aptos a usar armas. Um conjunto de mutações convergentes mostra os esforços feitos pela Igreja para converter a perigosa classe dos *milites* a seus próprios valores e interesses por meio desse ritual: a vontade de que a cerimônia coincida com uma das maiores festas do calendário cristão, o Pentecostes; a instituição da vigília de oração e do juramento sobre relíquias exigido do impetrante; a bênção das armas e a justificação simbólica de uma nova "milícia" cristã cujo adubamento seria o rito de integração. Considerando o *Racional dos ofícios divinos*, do bispo Guilherme Durand de Mende, essa evolução tinha se concluído em meados do século XIII. Mas ela não abrangia a totalidade dos rituais aristocráticos: os ritos de entrada na vassalidade – dos quais se pode dizer que não engajavam o cavaleiro em seu ser nem a cavalaria enquanto *ordo* desejada por Deus, mas repartiam no interior da aristocracia os direitos sobre a terra e sobre os homens – não sofreram a mesma influência eclesiástica e não foram objeto, ao contrário do adubamento, de comentário simbólico da parte dos clérigos. Isso se deve ao fato de eles se referirem essencialmente a um outro sistema de valores, o de um parentesco artificial ligando os nobres entre si.

A partir do século XI, a renovação das cidades, seu rápido crescimento demográfico, a autonomia política das "comunas", cujas liberdades foram com frequência conquistadas em detrimento de senhores eclesiásticos, impediram ainda mais um domínio total dos clérigos sobre os ritos urbanos. Foi a cidade que quis empregar seu clero como uma corporação dentre outras, cuja "profissão" consistia em interceder junto a Deus, à Virgem ou ao santo padroeiro, em favor da cidade e de sua população. Nessa condição é que o bispo, o clero secular e os frades das Ordens Mendicantes tinham um lugar nas procissões que percorriam a cidade, por exemplo nas festas dos padroeiros. Mas o polo em torno do qual se organizavam os rituais urbanos eram, tanto quanto a catedral ou a igreja principal, a "casa comum", o palácio do magistrado, o podestade, o palácio do Senhorio (em Florença), o centro do poder comunal, da justiça urbana e de todas as manifestações públicas. Diante desse edifício, na praça maior, ocorriam as cerimônias que glorificavam a comuna, suas liberdades, suas lendas, e uma unanimidade social e política que às vezes existia apenas nas aparências. Pois podia acontecer que os rituais do poder tomassem a forma ritualizada do motim: em Florença, em 1378, os pobres artesãos da lã, os Ciompi, parodiaram cada aspecto dos ritos do patriciado em "ritos de inversão". Graças à força de expressão simbólica, os rituais populares eram carregados de reivindicações sociais e políticas: no século XVI, foi também o caso do sangrento carnaval de Romans.

Eficácia dos rituais

Qual é, nessa sociedade, a função dos rituais? O historiador pode se contentar com uma explicação de tipo funcionalista, vendo nos ritos somente a resposta coletiva imediata às necessidades e às contradições do corpo social? Ou com uma interpretação de tipo durkheimiano, que considera os ritos a expressão emocional da unanimidade comunitária? O que dissemos sobre a polarização das formas (entre "rito" e "cerimônia") e dos atores (entre clérigos e leigos, nobres e pessoas comuns, homens e mulheres etc.) faz que consideremos os rituais medievais como sistemas elaborados de negociação entre grupos de estatutos diferentes em um jogo social que, para se prolongar sem atritos demais, deve conciliar os contrários sem nunca buscar abolir sua contradição.

Por ser central para o funcionamento dos rituais da Cristandade medieval, tomemos o exemplo do rito eucarístico. Através dele se reproduz todos os dias – de acordo com os termos de seu "mito implícito" – o mistério da Encarnação. Em seu desenrolar concreto e com graus variáveis de solenidade, esse rito caracteriza-se por dois traços: por um lado, a confrontação de uma personagem consagrada, o padre, e os "fiéis", os que têm a "fé" (*fides*). Por outro, a manipulação de alimentos comuns, pão e vinho, que o padre – diante e em intenção do "povo" – supostamente transforma de forma ritual, por meio de palavras e gestos imutáveis, em corpo e sangue do Cristo. Nada na aparência das espécies mostra uma transformação tão radical: o rito não tem nenhuma eficiência técnica, ao contrário, por exemplo, de um sacrifício com derramamento de sangue. A missa e toda a liturgia, que convergem ao instante crucial da consagração, têm apenas o efeito aparente de uma mudança de *nome*. Essa denominação é somente um ato de linguagem, um ato simbólico no sentido de que não tem nenhuma realidade material. Mas seus efeitos são *reais*, como é possível ver no instante de emoção que toca os fiéis que olham a hóstia que o padre de costas levanta acima da cabeça. Pelo efeito do rito, a assembleia reunida na igreja é realmente transformada ou criada enquanto comunidade sacrifical. Mas essa eficácia do rito é frágil; ela repousa na crença compartilhada no poder do padre e das palavras rituais que ele pronuncia, e exige, por conseguinte, que se tomem infinitas precauções na realização do rito e no respeito escrupuloso das formas verbais e gestuais. É provável que nenhum outro procedimento ritual medieval tenha gerado tantos debates quanto a elevação da hóstia diante dos fiéis logo depois da consagração.

A observação minuciosa das palavras e dos gestos rituais é tão notável quanto a angústia compartilhada da mácula – a da igreja, dos vasos sagrados, da pessoa do padre – capaz de corromper a validade do rito. A tal ponto que a Igreja teve que lembrar, contra os patarinos e outros hereges, que mesmo um padre vivendo na devassidão conservava seu poder sacramental. A importância desse debate revela que a crença na eficácia do rito dependia do elo de confiança estabelecido entre a comunidade dos fiéis e o padre. A função social do ritual da missa não era reafirmar sempre esse elo entre *populus* e *sacerdos*, entre os leigos e os clérigos que formavam a Igreja? De forma ainda mais geral, não se podem definir os rituais medievais em termos de uma negociação semelhante, que deve ser sempre recomeçada, entre os grupos distintos e às vezes hostis que formavam essa sociedade complexa?

As pesquisas feitas nos últimos anos sobre os rituais de resolução de conflitos no Ocidente dos séculos XI e XII – como a arbitragem judicial que esteve muito tempo no centro do rito regrado da justiça, a "paz de

Deus", os ordálios – mostram, com efeito, que os ritos não devem necessariamente ser vistos como a busca de uma solução definitiva ou de uma decisão unívoca, que suporia a designação de um vencedor e de um vencido, de um culpado e de uma vítima. O objetivo seria antes deixar a porta aberta a novas negociações, graças à manipulação cúmplice dos sinais, à vontade comum de manter os equívocos, sem humilhar nenhuma das partes presentes. Era também uma maneira de nunca terminar o ritual, que bastava reativar quando necessário. Como mostra Geoffrey Koziol, o que faz "a força do ritual" não é a vontade de estabelecer um consenso entre as partes presentes, mas, paradoxalmente, a "concentração das contradições": uma tensão que se tornara excessiva impõe que todos negociem, um acordo é obtido, produz-se um período de calmaria, que cada um utiliza para pegar de novo as armas... Ainda hoje, algumas guerras fratricidas nos ajudam a compreender o mecanismo dessas "tréguas" rituais.

Da mesma forma, o caso dos ordálios – para os homens livres por meio do ferro incandescente, para os servos por meio da água – possibilita apreender concretamente o funcionamento de um ritual judiciário e compreender por que, no início do século XIII (Concílio de Latrão de 1215), os ordálios foram julgados "irracionais" e explicitamente condenados. O julgamento final dependia tanto do contexto político local quanto da observação "objetiva" dos efeitos do ordálio. É nessa plasticidade do ritual que residiu durante muito tempo a vantagem dos ordálios, mas também é essa plasticidade que, a partir do século XIII, cada vez mais aparece como um inconveniente ou um risco: os ordálios não eram mais um meio eficaz de fazer justiça. Uma investigação acirrada e uma confissão produzida pela tortura eram bem mais eficazes. Assim, o exame contraditório dos sinais foi substituído pelo terror de um procedimento secreto, justificado pela consciência que os juízes, que formam doravante uma profissão e um corpo, tinham da eminente função de seu papel. De público só restou a fase final, a encenação do castigo para a qual o povo era sempre convocado, mas no papel de espectador submisso à lei.

Jean-Claude Schmitt
Tradução de Eliana Magnani

Ritos

Ver também

Cavalaria – Clérigos e leigos – Feitiçaria – Heresia – Masculino/feminino – Rei

Orientação bibliográfica

BLOCH, Marc. *Os reis taumaturgos*: o caráter sobrenatural do poder régio na França e Inglaterra [1924]. Tradução brasileira. São Paulo: Companhia das Letras, 1993.

BONNE, Jean-Claude. Rituel de la couleur: fonctionnement et usages des images dans la sacramentaire de Saint-Étienne de Limoges. In: PONNAU, Dominique (org.). *Image et signification*. Paris: La Documentation Française, 1983. p.129-39.

CARRÉ, Yann. *Le Baiser sur la bouche au Moyen Âge*: rites, symboles, mentalités, XIe-XVe siècle. Paris: Le Léopard d'Or, 1992.

GEARY, Patrick J. L'humiliation des saints. *Annales ESC*, Paris, n.34, 1979. p.27-42.

GIESEY, Ralf. *Le Roi ne meurt jamais*: les obsèques royales dans la France de la Renaissance. Tradução francesa. Paris: Flammarion, 1987.

GUENÉE, Bernard; LEHOUX, Françoise. *Les Entrées royales françaises de 1328 à 1515*. Paris: Centre National de la Recherche Scientifique, 1968.

GY, Pierre-Marie. *La Liturgie dans l'histoire*. Paris: Cerf, 1990.

ISAMBERT, François-André. *Rite et efficacité symbolique*: essai d'anthropologie sociologique. Paris: Cerf, 1979.

JACKSON, Richard A. *Vivat rex*: histoire des sacres et couronnements en France, 1364-1825. Paris: Ophrys, 1984.

KANTOROWICZ, Ernst H. *Laudes regiae*: a Study in Liturgical Acclamations and Medieval Ruler Worship. Berkeley e Los Angeles: University of California Press, 1946.

KLAPISCH-ZUBER, Christiane. *La Maison et le nom*: stratégies et rituels dans l'Italie de la Renaissance. Paris: Editions de l'École des Hautes Études en Sciences Sociales, 1990.

KOZIOL, Geoffrey. *Begging Pardon and Favor: Ritual and Political Order in Early Medieval France*. Ithaca e Londres: Cornell University Press, 1992.

LE GOFF, Jacques. O ritual simbólico de vassalagem. In: *Para um novo conceito de Idade Média* [1977]. Tradução portuguesa. Lisboa: Estampa, 1979. p.325-92.

_____; SCHMITT, Jean-Claude (orgs.). *Le Charivari*. Paris: Éditions de l'École des Hautes Études en Sciences Sociales; Haia e Nova York: Mouton, 1981.

LÉVI-STRAUSS, Claude. *O homem nu* [1971]. Tradução brasileira. São Paulo: Cosac & Naify, 2011. (Mitológicas IV.)

LEYSER, Karl. Ritual, Zeremonie und Gestik: das ottonische Reich. *Frühmittelalterliche Studien,* Münster, 27, p.1-26, 1993.

LITTLE, Lester K. *Benedictine Maledictions*: Liturgical Cursing and the Early Medieval West. Ithaca e Londres: Cornell University Press, 1993.

PALAZZO, Éric. *Histoire des livres liturgiques*: le Moyen Âge. Paris: Beauchesne, 1993.

ROBERTSON, Anne Walters. *The Service-Books of the Royal Abbey of Saint-Denis*: Images of Ritual and Music in the Middle Ages. Oxford: Clarendon, 1991.

RUBIN, Miri. *Corpus Christi*: the Eucharist in Late Medieval Culture. Cambridge: Cambridge University Press, 1991.

SCHMITT, Jean-Claude. *La Raison des gestes dans l'Occident médiéval.* Paris: Gallimard, 1990.

TREXLER, Richard. *Public Life in Renaissance Florence.* Nova York: Academic Press, 1980.

TURNER, Victor W. *Le Phénomène rituel*: structure et contre-structure [1969]. Tradução francesa. Paris: Presses Universitaires de France, 1990.

VAN GENNEP, Arnold. *Os ritos de passagem* [1909]. Tradução brasileira. Petrópolis: Vozes, 1978.

WRIGHT, Craig M. *Music and Ceremony at Notre-Dame of Paris, 500-1550.* Cambridge, 1989.

Roma

Todo o mundo mediterrâneo fica aterrorizado quando Roma é saqueada durante três dias pelos visigodos de Alarico, no final do mês de agosto do ano 410 da nossa era. Mas, para a própria cidade, é um simples incidente: não obstante a pilhagem, os incêndios, os estupros e os homicídios, os visigodos respeitam o direito de asilo das igrejas e tomam apenas os bens mais preciosos e mais fáceis de transportar. *Domus* ("residências") aristocráticas e edifícios monumentais são saqueados, incendiados, semidestruídos, mas tudo pode ser reparado.

Em compensação, a derrocada completa do papel de Roma é irreparável. Se a capital do Império ainda é a sede do Senado no início do século V, ela perdeu suas antigas funções governamentais; não é mais o centro do poder, mas um lugar de memória. Os próprios imperadores do Ocidente residiram em Ravena entre 286 e 402.

Em junho de 455, os vândalos de Genserico devastam a cidade de maneira muito mais severa, mas mesmo esses novos estragos são reparáveis. De fato, no ano 500, o monge Fulgêncio cairá em êxtase diante da majestade de Roma, a ponto de se perguntar: como pode ser a Jerusalém celeste, se esta cidade terrestre é tão bela?

Em meados do século V, a população está reduzida a 300 mil ou 350 mil habitantes – o que indica verdadeira queda demográfica em relação aos 800 mil habitantes da época de Constantino. Durante esse tempo,

Constantinopla tornou-se a cidade mais povoada do Mediterrâneo. Ao longo desse mesmo século V, a cidade conhece duas transformações concomitantes. De uma parte, a romanização do cristianismo faz progressos, de sorte que perde muitos de seus traços orientais. De outra parte, a cristianização da cidade aparece claramente através do controle simbólico do espaço e do tempo urbanos, mesmo que a zona monumental do centro antigo permaneça de certo modo sagrada. Em particular, os representantes das grandes famílias senatoriais e proprietárias de terra, que recentemente tinham ciosamente defendido a cidade e a cultura pagã, entram nas estruturas da Igreja de Roma. A carreira eclesiástica substitui o clássico *cursus honorum* ("carreira das honras"), mas a tarefa permanece a mesma: governar a cidade.

Ainda no século V, uma série de grandes papas polemizam com a Igreja de Constantinopla e reivindicam para a Igreja de Roma (Sé Apostólica, consagrada pelos mártires apóstolos Pedro e Paulo) a "preeminência" (*principatus*) sobre a Cristandade. Os papas representam o poder e administram a cidade porque garantem a provisão de mantimentos, assim como outras formas de assistência de que se beneficiam todas as classes necessitadas. Ao mesmo tempo, constroem novas igreja do modelo basilical, escolhido por Constantino, por terem se tornado defensores da tradição clássica.

Definitivamente, nem o ano 410 nem o ano 455, nem mesmo o mítico ano 476 marcam etapas decisivas para Roma. Foi somente no século VI (com a guerra bizantino-gótica, entre 535 e 553) que se acelera a passagem da cidade tardo-antiga para uma nova realidade urbana. As transformações da guerra, os cercos, a escassez, a peste e outras epidemias reduzem a população a cerca de 50 mil habitantes. Aquedutos e infraestruturas urbanas funcionam pouco e mal. O abandono generalizado e a crise econômica agravam os estragos causados pela guerra, pelo tremor de terra e pelas inundações fluviais.

Após a efêmera reconquista bizantina, Roma e os territórios do ducado romano tornam-se uma ilhota periférica, separada de outras colônias bizantinas e cercada pela maré lombarda. Para conter a invasão, os papas são forçados a utilizar seus recursos militares, diplomáticos, financeiros e religiosos. A classe senatorial está doravante dispersada (seus membros haviam perecido ou fugido para Constantinopla), o que leva ao desaparecimento do Senado e mesmo da prefeitura urbana – a magistratura que dirigia a cidade.

Em 590, a peste atinge uma população que talvez se aproximasse dos 100 mil habitantes, consequência da chegada de numerosos fugitivos provenientes de zonas ocupadas pelos lombardos. "O último dos romanos", Gregório (descendente da família Anicia e bisneto de outro papa), deve velar pelos destinos de uma cidade doravante fragmentada. No interior do limite dos muros, raras ilhotas densamente povoadas perdem-se em um oceano de vastos setores urbanos pouco habitados. Contudo, não se encontra em Roma o fenômeno da cidade "comprimida" e o semiabandono favorece a ruralização de vastas zonas *intramuros*.

Gregório Magno (590-604) acompanha Roma em direção a uma nova época. Assiste-se ao desaparecimento de um modo de produção e de um modelo de vida cotidiana, de uma organização social e de um regime político. Um corte antropológico e o desabamento das estruturas do ensino apagam a lembrança da cidade antiga, que não sobrevive a não ser na memória de um pequeno número de espíritos cultos.

A cidade cristã

Em 609, o papa Bonifácio IV confirma o nascimento da "Roma cristã", ao transformar o Panteão, santuário antigo de todas as divindades pagãs, em igreja cristã de Santa Maria dos Mártires. Durante séculos, grandes edifícios antigos são abandonados antes de serem transformados em pedreiras. Em toda parte encontram-se grandes espaços pouco habitados, que serão abandonados e/ou cultivados a partir do século IX. Ao mesmo tempo, tendo desaparecido a interdição pagã de sepultamento, as sepulturas e as necrópoles urbanas multiplicam-se. O número de construções religiosas não para de crescer. Assiste-se ao surgimento de novas igrejas titulares, novos oratórios, novas capelas, mosteiros para homens e mulheres, diaconias para a assistência dos *xenodochia* (hospícios para estrangeiros). A cidade está inserida em uma rede cristã. Após Gregório Magno, o clero romano precisa produzir bons administradores para suprir o desaparecimento da antiga classe dirigente: a Igreja substitui o Estado e satisfaz as necessidades de toda a população, e não apenas da comunidade cristã ou dos pobres.

A autoridade imperial está cada vez mais distante e a ameaça lombarda torna-se cada vez mais temível. O bispo de Roma considera-se o único verdadeiro depositário do poder em Roma e no ducado romano: apenas a Igreja, que é a mais rica proprietária territorial da península e das grandes ilhas, pode assegurar o aprovisionamento da população e da guarnição bizantina, a manutenção da infraestrutura urbana, as atividades de assistência e o pagamento dos tributos aos invasores lombardos.

Pouco a pouco, eclesiásticos e leigos fundem-se em uma nova estrutura administrativa, que exerce diversas funções públicas. Surge uma nova sociedade tripartite, composta pelo clero, pela *militia* ("classe militar") e pelo povo. A *militia* compreende ao mesmo tempo os mais ilustres representantes da classe militar bizantina e os herdeiros indiretos da antiga aristocracia senatorial. Mas essa classe de homens livres e armados, aliados à Igreja romana, perde pouco a pouco muitas de suas características militares, especialmente porque passa a ocupar também os escalões superiores da hierarquia eclesiástica.

A partir do século VII, na zona das colinas, o desaparecimento das grandes famílias permite às igrejas e aos mosteiros urbanos herdar vastos terrenos. Setores inteiros da cidade *intramuros* (no Aventino, Célio, Esquilino e Viminal) caem nas mãos de eclesiásticos. Após o século IX, eles se tornarão "reinos do silêncio e da solidão" (Gregorovius). No interior dos muros surgem sistemas defensivos locais, levantados sobre restos dos grandes edifícios de outrora: o mausoléu de Adriano, por exemplo, é transformado em fortaleza, com o objetivo de defender e controlar a passagem entre a zona mais habitada na margem esquerda do Tibre e o burgo Vaticano, que se formou em torno da basílica de São Pedro. As transfigurações da guerra, as catástrofes naturais e o abandono conduzem ao desabamento de numerosas pontes. Funcionam apenas a ponte Aelius ou ponte Santo Ângelo, as duas pontes Fabrícia e Céstia (de uma e de outra parte da ilha Tiberina) e a ponte Emília – outrora denominada Senatorial, Maior ou Santa Maria. Desde então, o controle das pontes é prerrogativa do poder. O cerco dos lombardos reativa o porto fluvial, única via de aprovisionamento e de ligação com outras colônias bizantinas.

É nessa época que uma colônia "grega" (composta de diversas etnias orientais) instala-se entre as margens do Tibre e os fóruns imperiais: compreende comerciantes, marinheiros e militares. É a *Ripa graeca* (a "margem grega"). Nesse espaço aparecem, no final do século VII, as primeiras diaconias monásticas de rito grego. E essas diaconias tornam-se para a classe militar bizantina uma via de acesso aos escalões inferiores da administração eclesiástica. Somente em um segundo momento essas diaconias (que são instituições públicas devotadas à assistência caritativa, religiosa e social) seguirão o rito latino.

Na primeira metade do século VIII, os papas tiveram de enfrentar o iconoclasmo, isto é, a abolição do culto das imagens sagradas. Os pontífices encontram aliados entre as próprias tropas bizantinas e reforçam sua influência em Roma e no ducado romano. Eles veem, contudo, confiscadas suas grandes propriedades territoriais na Itália meridional e concentram seus esforços nos *patrimonia* ("bens patrimoniais") mais próximos da cidade, pondo em execução uma reestruturação territorial com a criação dos *domus cultae* ("domínios de exploração agrícola"). Esses domínios não são simples explorações agrícolas, mas polos de agregação do patrimônio de São Pedro: garantem o controle estratégico e a defesa do território em torno de Roma, e são centros de repovoamento e produção, além de oferecer recursos necessários à autonomia política dos papas. Ao mesmo tempo, a aliança com a dinastia carolíngia libera o papado da tutela bizantina e da ameaça lombarda.

No último quartel do século VIII, sob Adriano I (722-795), a cidade acaba de se metamorfosear em cidade cristã: doravante ela identifica-se mais com a Igreja e com o sucessor de São Pedro. A continuidade topográfica com a cidade antiga é em parte interrompida, e a lembrança histórica dela fica desfigurada. Essa atmosfera torna verossímil a pretendida "doação" de Constantino, que transmite ao papa os poderes imperiais.

Adriano I restaura as muralhas e recoloca em serviço os aquedutos. Constrói novas igrejas, repara, engrandece e reconstrói velhas igrejas ou grande pórticos para proteger o acesso dos peregrinos às basílicas de São Pedro, São Paulo e São Lourenço Fora-dos-Muros. Reorganiza a rede de diaconias urbanas para a assistência. De outro lado, consolida e aperfeiçoa o anel dos *domus cultae* que cerca a cidade.

É precisamente por ser Roma a cidade "santa" da Cristandade ocidental e o destino escolhido pelos peregrinos, que numerosas colônias ou *scholae peregrinorum* ("escolas de peregrinos") aí vêm se estabelecer: saxões, frísios, francos, lombardos, depois alamanos, borgúndios e bávaros.

No final do século VIII, a *militia* torna-se uma aristocracia da qual saem funcionários e administradores civis, chefes militares e prelados superiores da Igreja romana. Os interesses dessa aristocracia estão sempre estreitamente ligados aos da cúria apostólica, e para ela é fundamental controlar a eleição do papa.

No século IX, os sarracenos de origem siciliana e africana lançam repetidas incursões na península e saqueiam, em 846, as basílicas de São Pedro e São Paulo. O escândalo é enorme em toda a Cristandade e, nos anos 847-852, Leão IV reforça o burgo Vaticano com um cinto de muralhas.

A Cidade leonina ou burgo Vaticano (depois simplesmente "Burgo") representa a maior obra urbana da Alta Idade Média em todo o Ocidente cristão. A Cidade leonina tornou-se durante mil anos novo polo de agregação urbana e subverte a estrutura antiga. A partir daquela época, o Castelo de Santo Ângelo não é somente a peça-mestra das novas fortificações: constitui também o ponto de junção da estrutura bipolar formada por Latrão (centro do poder episcopal citadino) e pelo Vaticano (centro sagrado do Ocidente cristão, já que a tumba de São Pedro legitima o primado pontifício).

Na Cristandade ocidental, a Cidade leonina consolida o papel de Roma como cidade "santa", como "nova Jerusalém". Na história do Ocidente cristão, o século IX é um período de subdesenvolvimento econômico geral, enquanto em Roma o afluxo de peregrinos assegura um notável dinamismo econômico. Ao lado dos rendimentos do patrimônio de São Pedro, os donativos dos peregrinos constituem a base do poder pontifício. A gestão dessa riqueza em numerário é fundamental para a aristocracia romana, que reforça sua influência sobre a cúria e o papado.

Os peregrinos negligenciam os monumentos antigos: buscam os traços do cristianismo original, e o Coliseu torna-se central no imaginário medieval apenas porque tinha sido o local de martírio de numerosos cristãos. Oratórios, *sacella*, capelas e igrejas multiplicam-se, enquanto a forma basilical, herdada de Constantino, prevalece sobre os modelos bizantino-orientais. Ao mesmo tempo intensifica-se uma prática igualmente herdada de Constantino: a reutilização do antigo, que por mil anos transforma a cidade pagã em fornecedora de material de construção.

No correr do século IX, o poder central entra em crise e os poderes locais sobre os quais repousa a defesa do território reforçam-se. No final do século, o desmoronamento do poder carolíngio favorece a aristocracia romana, da qual se originam os altos dignitários da hierarquia eclesiástica. Oficialmente, a eleição do papa cabe ao clero e ao povo romano. Mas, concretamente, torna-se questão privada das grandes famílias "papais". Não é um acaso se em alguns decênios três pontífices saíram do mesmo grupo familiar: Estêvão IV (816-817), Sérgio II (844-847) e Adriano II (867-872). Por outro lado, é usual eleger para a Santa Sé apenas homens de idade avançada, para evitar longos pontificados.

As diversas facções da aristocracia e do alto clero controlam o poder e a riqueza da Igreja romana. Sua competição não se limita a meias medidas: o cegamento ou aprisionamento de papas e antipapas são práticas correntes e o cadáver do papa Formoso (891-896) é mesmo objeto de diligências judiciárias. Esse processo tem, aliás, importante papel na renovação e no reforço da polêmica antirromana. O mundo cristão ocidental está prestes a aceitar o papa escolhido pelos romanos, mas recusa que lutas internas da aristocracia laica e eclesiástica causem escândalos e perturbem a vida religiosa dos católicos. Entre os séculos IX e X, a aristocracia tende a desmembrar os *domus cultae* e procura administrar em seu próprio proveito o imenso patrimônio eclesiástico, sabendo que a posse da terra é a base de todo o poder em uma sociedade ruralizada e militarizada. Efetivamente, os representantes da aristocracia são grandes proprietários de terras, detêm os principais cargos laicos ou eclesiásticos e devem ser homens de armas em uma época em que a defesa militar prima sobre todas as outras funções urbanas.

Teofilacto, conde de Tusculum, sai vitorioso dessa luta entre as várias facções e tenta fundar um domínio familiar estável. Seu sobrinho Alberico, "príncipe e senador dos romanos", governa durante mais de vinte anos

(932-955) e consolida a autonomia da cidade-estado de Roma. Ele se alia à aristocracia urbana, enfraquece o poder da hierarquia eclesiástica e explora a ausência do poder imperial. Alberico queria instalar a "diarquia" urbana, preparando a eleição de seu filho Otávio ao papado (João XII, 955-964). Mas seu sonho despedaça-se em virtude da incompetência de seu herdeiro.

Pouco depois de meados do século X, Liutprando, bispo de Cremona, compôs um texto hostil a Bizâncio e a Roma. Na base dessa posição antirromana está a reivindicação por parte dos germanos do reconhecimento de seu valor militar em face dos romanos do século X, nos quais nada resta da glória militar da Roma antiga. Ao mesmo tempo, já se encontra em Liutprando um ideal de reforma da Igreja ("restabelecer [*reformare*] a santa Igreja no seu estado próprio [*in statum proprium*]"), ligado à eterna polêmica em torno da corrupção dos romanos e da cúria.

No fim do século X, Oto I e Oto II reduzem pela força a autonomia da cidade e impõem de novo a ideia de uma Roma capital do Império, contra a ideia de uma Roma dos romanos. Nos séculos IX e X surgem novos lugares de culto, que continuam a retomar a forma basilical e os modelos paleocristãos. A partir daquela época, o Castelo de Santo Ângelo torna-se o centro e o símbolo do poder urbano. Ele é, desde então, e por séculos, uma constante na história da cidade: quem detém o castelo domina a cidade ou barra o caminho do poder aos adversários.

As duas grandes fontes de recursos naquela cidade rural e coberta de vegetação continuam sendo o turismo religioso (com o muito proveitoso comércio das relíquias, verdadeiras ou falsas) e a burocracia eclesial. As grandes construções imperiais são completamente abandonadas: apenas são preservados os edifícios antigos que tinham sido transformados em lugar de culto, em centros de defesa ou simplesmente em prédios de habitação. Na área dos fóruns, os edifícios antigos tinham desmoronado, estavam meio enterrados (o nível do solo da cidade elevara-se perto de 5 ou 6 m) ou transformados. Para os habitantes posteriores ao ano 1000, o Fórum romano torna-se o *Campo Vaccino* ("campo das vacas") e o Capitólio, o *Monte Caprino* ("monte das cabras"): esses dois locais não são mais que pastagem. Ao mesmo tempo, a transformação da paisagem urbana corresponde a uma mudança na composição da população.

No final do século X, veem-se aparecer os primeiros sinais de uma divisão do hábitat da margem esquerda do Tibre em doze zonas (que anunciam os futuros doze bairros): em 965, Oto I prende doze chefes romanos para dar uma lição aos rebeldes, e a *militia* romana alinha doze *bandora* ("bandeiras"), cada uma levada por um *banderese* ("porta-bandeira").

Na primeira metade do século XI, os condes de Tusculum dominam a vida urbana. Fazem eleger três papas de sua família (Bento VIII, João XIX e Bento IX), que procuram reforçar o domínio da Igreja de Roma na "terra de São Pedro" reorganizando a administração das riquezas eclesiásticas e instaurando laços de dependência vassálica, fazendo cessar a usurpação. Na cidade, a população cresce nos três centros mais urbanizados (a curva fluvial, o Burgo e o Trastevere). Nota-se, igualmente, um crescimento da importância econômica dos habitantes "médios" e "menores", que procuram maior autonomia em relação ao poder pontifício.

Na segunda metade do século XI, uma luta política complexa desenrola-se em Roma. As facções da aristocracia e do povo aliam-se contra a ingerência imperial "nos negócios dos romanos" e contra o impulso inovador dos reformadores da Igreja. Três posições inconciliáveis defrontam-se: a dos partidários de um papado que seria o instrumento do poder imperial na Europa, a que queria fazer do papado a expressão de uma reforma da Igreja conduzida pela cúria romana e, enfim, a que continua a ver na eleição do papa uma questão interna da cidade.

Desde então, os reformadores lutam contra a polêmica antirromana, retomando o tema da *translatio imperii* ("translação do Império"), que consistiu sobretudo na doação de Roma à Santa Igreja romana: a nova Roma não é mais aquela que Rômulo e Remo tinham fundado, mas a que foi edificada pelos apóstolos Pedro e Paulo *super Christi petram* ("sobre a pedra de Cristo"). Nesse sentido, o poder da Roma pagã somente preparou e antecipou a glória universal da Roma cristã, que pode reivindicar o patrocínio dos dois apóstolos e de inumeráveis mártires e confessores da fé (Clemente, Sixto, Lourenço, Cornélio...). Os reformadores invertem, de fato, os termos da polêmica antirromana e, de maneira contraditória, Roma torna-se ao mesmo tempo um contravalor e a medida das grandes coisas.

Gregório VII (1072-1085), reformador intransigente, leva a cidade a situações e combates mortais, quer se tratasse de estragos causados pelas tropas imperiais inimigas ou incursões ruinosas efetuadas por bandos de normandos "amigos". O papa tende a tornar-se um monarca absoluto, que dirige uma burocracia curial eficiente e que utiliza os laços feudo-vassálicos para transformar a "terra de São Pedro" em um "Estado" da Igreja. A reforma eclesiástica é encorajada pelas novas classes urbanas, mas leva a uma autogestão municipal mais pronunciada, fazendo afrouxar os laços que uniam a hierarquia eclesiástica e as classes feudais ou aristocráticas.

Durante o século XI, a aristocracia romana se renova. Veem-se emergir as linhagens de senhores territoriais e da aristocracia urbana, entre os quais os Frangipani e os Pierleoni acabam por sobressair-se: os primeiros são rapidamente integrados na estrutura feudal militar, enquanto os segundos ficam conhecidos como homens de finança. Todas essas famílias se enraízam no tecido urbano e controlam os pontos estratégicos, construindo conjuntos fortificados. Em particular, os senhores territoriais buscam controlar as rotas que conduzem aos seus feudos.

Roma está dilacerada por uma guerrilha urbana contínua. Acontece frequentemente que os papas passem grande parte de seu pontificado fora da cidade ou ao abrigo de fortalezas urbanas das famílias amigas. Importa somente ter homens armados e dinheiro, que permite recrutar mercenários ou comprar adversários. Tal marasmo aumenta a importância estratégica do Castelo de Santo Ângelo (que controla a passagem para o Burgo), assim como a do Teatro de Marcelo e da Ilha Tiberina (que controlam a passagem para o Trastevere).

Com o século XII, abre-se nova fase urbana e a cidade cristã conhece nova transformação. As três zonas urbanas vitais e dinâmicas (o *continuum urbanum* ou "tecido urbano" da margem esquerda da curva fluvial, o Burgo e o Trastevere — ambos situados na margem direita) dependem estreitamente do Tibre, que permite o abastecimento de cereais e a oferta de matérias-primas, garante o aprovisionamento de água e fornece energia hidráulica (para os moinhos, os pisões e martelos-pilões). Mas o rio também é o grande inimigo, com suas cheias, aluviões e inundações, amedrontando a população.

Na primeira metade do século XII, o mito de uma Roma capital e rainha do mundo afirma-se em todas as classes sociais da cidade e serve de estandarte às três posições inconciliáveis mencionadas. Ao mesmo tempo, porém, o mito da anti-Roma permanece vivo em todo o Ocidente cristão: São Bernardo de Claraval aconselha Eugênio III (1145-1153) a combater a indignidade e a corrupção do clero romano e a resistir ao povo romano, conhecido há séculos por sua arrogância, suas rebeliões, sua venalidade e seu orgulho desmesurado. O cisma de 1130 é uma manifestação de violentos conflitos que opõem facções aristocráticas. A luta feroz que opõe os dois rivais decide-se a favor da exigência dos habitantes de Roma: atenuação da supremacia papal na gestão municipal. Por outro lado, uma prolongada fase de crescimento econômico e demográfico permite a consolidação de um conjunto bem organizado de classes médias. Estas se juntam a alguns descontentes dos níveis inferiores do feudalismo e da aristocracia urbana para criar uma nova força política, o Povo.

Em 1143-1144, o Povo, que se une sem os dois componentes superiores da sociedade, restaurou o Senado e a "república". Ao lado de 56 senadores, um "patrício" exerce o poder executivo, e a comuna autônoma, em 1157, restaura as muralhas do lado sul. A palavra "senador" designa novamente o membro de uma assembleia e não mais o membro de uma aristocracia.

A cúria apostólica transmitiu durante muito tempo uma cultura cristianizada e uma visão ideológica (favorável à supremacia pontifícia) da herança tardo-antiga e paleocristã. Mas, no século XII, uma corrente autóctone e laica recolhe outras heranças da Antiguidade. A própria terminologia dos cargos e das instituições é indício de uma persistência do mito da Roma antiga. É também por essa razão que o palácio do poder civil é chamado "palácio senatorial" e está edificado no Capitólio. No entanto, acontece uma mudança de perspectiva: na Antiguidade, o Capitólio estava voltado para os fóruns e para a *Sacra Via*, ao passo que, no século XII, está voltado para o ângulo fluvial. Nasce então uma nova estrutura urbana bipolar, composta do Capitólio e do Castelo de Santo Ângelo: a sede do poder civil e a fortaleza do poder pontifício ficam em frente a duas partes da área mais habitada da cidade.

No século XII, a economia romana é essencialmente agrícola, embora apareçam novas forças econômicas, ligadas não somente às atividades manufatureiras, mas também às trocas, uma vez que os produtos agrícolas dos grandes domínios também precisam ser comercializados. Apesar de seu quadro político muito original, a realidade municipal romana está próxima de inúmeras comunas do centro ou do norte da Itália, mas as aspirações do povo são obstadas pelo papa e pela cúria, pelos feudatários territoriais e pela aristocracia urbana, pelas comunas do Lácio (Viterbo, Veletri, Tivoli etc.) e pelos imperadores.

Em 1188, os romanos chegam a um compromisso com o papa Clemente III. A ingerência imperial fica limitada à nomeação do prefeito, cujas atribuições são mais honoríficas que reais. Os romanos reconhecem a supremacia pontifícia, devolvem os domínios confiscados à Igreja e prestam juramento de fidelidade ao papa: mas obtêm subsídios, subvenções e o reconhecimento da autonomia municipal. Em 1191-1193, a nova classe dirigente restaurou a ponte Céstia — as ligações entre as duas margens são fundamentais em uma fase de retomada demográfica e econômica.

No final do século XII, as instituições são objeto de uma revisão: o Senado e o patrício são substituídos por um único senador, depois por dois ou vários senadores. Concretamente, essa comuna atípica queria se libertar da supremacia papal e construir seu próprio *contado*. Mas esse duplo desígnio político choca-se com o projeto da Igreja de Roma: a transformação das "terras de São Pedro" em um Estado coerente. O conflito se prolongará até os séculos XIII e XIV, opondo dois adversários que são ao mesmo tempo muito fortes para serem vencidos e muito fracos para serem vitoriosos.

O crescimento demográfico devolve importância ao porto fluvial. Roma é um grande mercado consumidor, cercado de raras áreas produtivas — mesmo que ainda não seja o deserto improdutivo da época moderna. Na margem esquerda do Tibre, a *Ripa graeca* continua produtiva. Na margem direita instala-se uma *Ripa romea*, onde atracam os navios dos *Romei* (os peregrinos que vão a Roma). Enfim, acima da ilha Tiberina numerosos cais estão ativos, onde se descarregam gêneros alimentícios e matérias-primas provenientes especialmente da Sabina. A ideologia municipal reivindica uma autonomia total do poder civil em nome da grandeza de outrora, e a exaltação dos símbolos da Antiguidade (a loba do Capitólio ou a estátua de Marco Aurélio) reveste-se de valor político. As restaurações e as novas construções, os embelezamentos e as reconstruções, as intervenções arquitetônicas, picturais e esculturais em numerosas igrejas formam um conjunto homogêneo, sempre respeitando os grandes modelos constantinianos e paleocristãos: a manutenção da forma basilical e o respeito à tradição paleocristã permanecem os pilares da ação cultural que visa reforçar a legitimidade da Igreja de Pedro.

Com Inocêncio III (1198-1216), que pertence à família dos Conti di Segni, o papado acentua suas características de monarquia absoluta e consolida as bases feudais de um "Estado" pontifício. O desígnio teocrático dos papas impõe-se de fato no decorrer do século XIII. O hábito, desde então, é escolher o senador (depois os senadores) no seio das grandes linhagens e entre os "fiéis" da Igreja.

No século XIII, a fase de crescimento econômico e demográfico acelera-se. O Castelo de Santo Ângelo e o Capitólio afirmam-se ainda mais como polos de organização e de controle do complexo urbano. As novas construções, longe de alargar a área habitada, preenchem os largos espaços não construídos, até acolher uma população de 30 mil ou 40 mil habitantes. Ao mesmo tempo, uma alteração ocorre na topografia urbana e a divisão da cidade em doze bairros acentua-se na margem esquerda do Tibre, sem contar um décimo terceiro bairro na margem direita. A aristocracia romana renova-se, ainda em relação com a cúria, que era a grande distribuidora de privilégios, riquezas, feudos e títulos de nobreza. Na segunda metade do século, a comuna romana conhece um período de grande autonomia com o senador "estrangeiro" Brancaleone degli Andalò. Este pratica uma política "laica" favorável às classes comerciantes e artesanais, derruba ou corta o cimo de 140 torres dos aristocratas mais rebeldes, esforça-se em submeter o clero às taxas e à jurisdição comunal, enfim, alarga a esfera de influência da comuna no Lácio.

Mas o desenvolvimento da comuna foi freado pelo fato de a Sé Apostólica ser o centro de uma imensa empresa financeira, que acumula em Roma os rendimentos dos dízimos, das vendas de cargos eclesiásticos, do óbolo de São Pedro, do censo e de diversos direitos. O papa, os cardeais e a alta hierarquia da cúria administram somas enormes, que condicionam a economia da cidade, aumentando os patrimônios das famílias mais ligadas à cúria.

A paisagem urbana continua caracterizada por conjuntos fortificados das linhagens feudais e aristocráticas, que dominam vastos setores urbanos cujas torres são, na época, os sinais exteriores do poder. Papas e cardeais são grandes mecenas que renovaram o aspecto da cidade respeitando as tradições clássica, paleocristã e romana. Em Roma, a relação com o antigo é conscientemente preservada e a reutilização de materiais antigos mostra que a Antiguidade é "uma presença viva e concreta, e não uma reminiscência histórica" (R. Krautheimer). No Vaticano, Inocêncio III engrandece e embeleza o *Palatium novum* de Eugênio III, agregando-lhe novos edifícios e reforçando-o com uma torre.

Na segunda metade do século XIII, os papas franceses ou francófilos, favorecendo a conquista angevina do reino meridional e acelerando o declínio da potência suábia, reduzem as margens de autonomia da comuna de Roma. É então que aumenta o prestígio do colégio cardinalício, muito poderoso durante os períodos de vacância do trono papal.

A aristocracia urbana não está ainda fixada em nobreza "de direito" e o crescimento do seu patrimônio continua a depender de seus laços com a cúria. Constitui-se desde então uma classe homogênea, que detém patrimônios territoriais extensos e importantes e bem fortificadas áreas de habitação na cidade. No interior dessa classe, podem-se distinguir vários níveis. No cume, vinte famílias detêm vastas possessões fundiárias, feudos, jurisdições sobre terras e castelos, senhorios castelões, e têm sob suas ordens "vilões" e homens de armas. A nata dessa elite é constituída por um pequeno número de linhagens de "barões" (os Annibaldi, os Colonna, os Conti, os Orsini, depois os Savelli e, enfim, os Caetani). Esse grupo restrito manifesta uma precoce consciência de si mesmo, dispõe de exércitos privados e é orgulhosa de seus emblemas e de sua memória familiar, que cultiva pelo estabelecimento de árvores genealógicas às vezes míticas. É assim que surge, no final do século XIII, a oposição dos "gibelinos" Colonna aos "guelfos" Orsini, que se torna uma constante na história de Roma.

A riqueza da cúria (que é uma verdadeira organização burocrática), das grandes famílias, das artes e das associações religiosas reflete-se na cidade.

As habitações particulares são embelezadas, engrandecidas, reconstruídas, a exemplo das igrejas e basílicas. A residência pontifícia fortificada do Vaticano é embelezada e engrandecida por Nicolau III Orsini (1277-1280) e por outros pontífices do final do século XIII. No mesmo momento em que acontece a primeira tentativa de fixar no Vaticano a residência papal, vê-se reforçar o hábito dos deslocamentos contínuos do papa, do colégio cardinalício e da cúria em diversas cidades das "terras de São Pedro".

Esses pontífices impõem um projeto de transformação da cidade cristã na cidade dos papas. Roma é um centro artístico de importância europeia e a renovação artística também está ligada à vontade de explicitar o primado universal dos pontífices romanos. Nicolau III, "romano de Roma", entra em acordo com seus concidadãos e torna-se pessoalmente senador de Roma, governando por intermédio de um vicário. Em compensação, Bonifácio VIII Caetani, tomado por seus sonhos de teocracia, mostra-se mais despótico em relação à comuna. Mas é de seu pontificado que data, em 1300, a instauração fundamental do primeiro ano santo.

Até 1870, o tempo da cidade dos papas será contado pelos pontificados e sobretudo pelos jubileus. Com o jubileu, a peregrinação ao túmulo de São Pedro torna-se um grande assunto econômico. O preço dos aluguéis, dos gêneros alimentícios e das roupas eleva-se ao aproximar-se o jubileu e desabam logo após. A indústria turística ligada à peregrinação (locações, hotelaria, turismo religioso, venda de quinquilharia, prostituição etc.) acentua seu papel central na economia da cidade. Durante séculos, as intervenções nos domínios da arquitetura, ornamentação e administração das vias públicas concentram-se nos anos que precedem os jubileus.

Com o ano santo instituído por Bonifácio VIII, o prestígio do papado atinge seu apogeu. Mas logo a seguir, para aumentar as possessões e poder de sua família, o papa Caetani procura destruir o poder da velha casa dos Colonna: ora, esta se alia ao rei da França e acaba por humilhar o papa. A derrota de Bonifácio VIII enfraquece a supremacia pontifícia, o que leva à transferência do papado e da cúria para a cidade de Avignon: esse deslocamento pôs fim ao projeto de primado universal do papa, mas, sobretudo, perturba os equilíbrios municipais e provoca uma prolongada fase de depressão econômica e de recuo demográfico que desemboca, em meados do século XIV, em uma crise urbana.

A partida da cúria levou consigo altos prelados, notários, jurisconsultos, banqueiros, grandes comerciantes, homens de armas, homens de letras e artistas. Mesmo as prostitutas deixam Roma, sobre a qual acaba por se abater a peste negra. A realidade de uma economia exclusivamente rural contradiz o mito de Roma tal como o propagavam Dante, Petrarca e Cola de Rienzo. O abandono dos grandes edifícios e o desmoronamento dos tetos das basílicas provam que o fluxo do dinheiro de São Pedro é desviado para Avignon. As áreas habitadas comportam daqui em diante numerosos núcleos capazes de assegurar sua própria defesa.

Durante a dupla e efêmera aventura de Cola de Rienzo, os habitantes obtêm a concessão de um jubileu em 1350: Roma pode, a rigor, dispensar o papa, mas o jubileu é indispensável! A afluência de peregrinos é excepcional e reanima a economia da cidade. A comuna romana busca, constantemente, com mais ou menos sucesso, ampliar sua jurisdição territorial. Desde então, ela está continuamente em conflito com os centros urbanos de várias regiões geo-históricas circunvizinhas (Tuscia ou patrimônio de São Pedro, Sabina, região de Tivoli, Campânia, província marítima) e com as famílias de barões.

Em meados do século XIV, a prolongada ausência dos pontífices favorece a autonomia comunal e a afirmação do Povo. Este reúne as forças econômicas emergentes (especialmente o grupo dos *bovattieri*, que são ao mesmo tempo ricos proprietários, fortes empresários agrícolas, criadores de gado e grandes emprestadores de dinheiro), mas também os *cavalerotti* (as camadas inferiores da aristocracia urbana), enquanto algumas famílias "populares" começam sua ascensão para a aristocracia e a seguir para o enobrecimento.

A partir de 1358, os romanos reconhecem o poder pontifício e a nomeação de senadores pelo papa, e em troca conseguem que a administração e a jurisdição municipais sejam confiadas a "regentes" ("governadores", "conservadores") romanos. Os estatutos de 1363 consagram o crescimento de poder do Povo e o regime comunal identifica-se com a "feliz sociedade dos besteiros e portadores de escudos". Privada do papa, da cúria e do enorme afluxo de dinheiro dos países cristãos, Roma cai ao nível de uma comuna média e não pode mais rivalizar com as grandes cidades comunais ou senhoriais (Milão, Veneza, Florença).

A situação poderia ser restabelecida com o retorno a Roma de Gregório IX, em 1377. Mas o Grande Cisma do Ocidente irrompe em 1378 e dois ou três papas eleitos pelos "partidos" concorrentes do colégio cardinalício irão se opor durante quarenta anos. Assim, Roma encontra-se novamente envolvida em lutas internas e guerras externas. Desse modo, assiste-se a uma nova onda da polêmica antirromana. Aos temas antigos, juntam-se, camufladas, invectivas de heréticos contra Roma, vista como expressão da "Igreja carnal" (em oposição à "Igreja espiritual"), como foco de todos os vícios, como a nova Babilônia.

Nesse período perturbado, o pontificado de Bonifácio IX Tomacelli (1389-1404) marca uma mudança na história da cidade. Com efeito, Bonifácio IX antecipa o jubileu para o ano 1390 e lança grandes trabalhos de restauração das igrejas e manutenção ou melhoria das vias públicas, reanimando, assim, a economia romana. Restabelece a dominação pontifícia na cidade, reforça simbolicamente o Castelo de Santo Ângelo (dotando-o de uma artilharia moderna) e fortifica o Palácio Senatorial no Capitólio, a fim de controlar os dois flancos do *continuum urbanum* da curva do rio. Após sua morte, Roma sofrerá algumas conjurações aristocráticas, insurreições populares, rebeliões de barões e a presença de tropas estrangeiras de ocupação, mas o domínio pontifício permanecerá solidamente estabelecido e nenhuma força será capaz de contestá-lo.

Vênus e Lúcifer

Todo o mundo parece doravante convencido de que é preciso abandonar a clássica oposição entre Idade Média e Renascimento, posto que houve vários renascimentos após o ano 1000: em Roma, por exemplo, o conhecimento da Antiguidade e o sentido de inovação na tradição sempre estiveram presentes. De outra parte, porém, se o modo de produção não muda após o século XIV, em compensação a cidade, a sociedade e a mentalidade coletiva transformam-se.

Ainda que o século XIV tenha sido para Roma um século de depressão econômica e recuo demográfico, o retorno definitivo dos papas (com Martinho V Colonna, 1417-1431) marca o começo de longa fase de crescimento demográfico e expansão econômica: Roma torna-se de novo não somente um grande centro consumidor, mas também uma encruzilhada muito importante para o fluxo financeiro. Em especial, o retorno do papa Colonna abre uma fase de transformações urbanas contínuas. Importantes intervenções (realizadas sobretudo por Nicolau V, Sixto IV, Alexandre VI, Júlio II e Leão X) modificam radicalmente o aspeto arquitetural e viário de Roma.

A estrutura bipolar Latrão-Vaticano desaparece e o Vaticano torna-se a residência fixa dos papas. Ao mesmo tempo, a corte pontifícia, a sociedade e a cultura urbana transformam-se. Por exemplo, o estilo romano sofre desde o século XIV uma primeira evolução notável, em razão da importante imigração de toscanos. A cúria torna-se cada vez mais italiana e menos romana. Do mesmo modo, a aristocracia começa a ser uma "nobreza de sangue", mesmo se a eleição do pontífice leva ao enobrecimento de sua família.

Na segunda metade do século XV, os papas (notadamente Nicolau V Parentucelli, 1447-1455, e Sisto IV Della Rovere, 1471-1484) tentam eliminar as construções fortificadas dos grupos familiares aristocráticos e buscam engrandecer e melhorar as vias públicas. À mesma época, a torre é substituída como sinal exterior de poder pelo *palazzo*, e novos tipos de residências aristocráticas contribuem para racionalizar o espaço urbano e acelerar a transformação das vias públicas.

De Nicolau V a Júlio II Della Rovere (1503-1513), os arquitetos teorizam e colocam em prática a ideia, cada vez mais difundida, de que uma rua "moderna" deve ser larga, longa e sobretudo retilínea. Assim, a Via Recta ou a Via dei Coronari, a Via Sistina ou Borgo Sant'Angelo, a Via Alessandrina ou Borgo Nuovo, a Via Giulia, a Via Lungara e a Via da Lungaretta in Trastevere modificam diretamente o tecido imobiliário do velho conjunto urbano das duas margens do Tibre. A Via Leonina ou Via di Ripetta, depois a Via Clementina ou Via del Babuino tornam-se, na época dos Médicis, os protótipos dos novos eixos viários que estruturam o desenvolvimento imobiliário da futura cidade. Ao mesmo tempo, dois bairros, Parione e Ponte, ocupam uma posição privilegiada no hábitat, com a adição do Burgo, próximo da única fonte de poder e riqueza: o papa, que ia se tornar o soberano pontífice

Nessa cidade trabalham os mais famosos arquitetos, escultores, pintores, artesãos, decoradores e homens de letras, e todos esses homens de cultura são muito diferentes em sua origem, meio e formação. Como na segunda metade do século XIII, Roma volta nos séculos XV e XVI a ser um centro artístico e cultural de importância europeia. Mas tudo contribui para fazer esquecer a cidade medieval, e a demolição da basílica constantiniana no Vaticano é emblemática como forma de ruptura com o passado.

Ao termo de uma fase secular de desenvolvimento, a população dobrou e as trocas, especialmente monetárias, multiplicaram-se. Entretanto, o saque dos mercenários alemães, em 1527, com suas destruições e carnificinas, é o acontecimento traumático que modifica a cidade, a sociedade, as mentalidades, a religiosidade, a produção artística e a língua romana, e cria um corte antropológico em uma população reduzida quase à metade. Mas o saque de 1527 só pode ser entendido não se esquecendo de que ele é a manifestação concreta do ódio luterano contra Roma, sede da "Igreja carnal" e nova Babilônia. É a tradução guerreira da velha polêmica antirromana, sempre viva e renovada no decorrer dos séculos

Do mesmo modo que uma única e mesma estrela anuncia a noite (Vênus) e indica o irromper do dia (Lúcifer), essa fase secular de transformações urbanas marca o desaparecimento da cidade medieval "cristã" e o nascimento da moderna "cidade dos papas".

Mario Sanfilippo
Tradução de Daniel Valle Ribeiro

Ver também

Centro/periferia – Igreja e papado – Império – Peregrinação

Orientação bibliográfica

ARNALDI, Girolamo. Mito e realtà del secolo X romano e papale. Introdução a *Il secolo di ferro*. XXVIII Settimana di Studio del Cisam. Spoleto: Fondazione Cisam, 1991.

ARNALDI, Girolamo. Le origini del Patrimoni di S. Pietro. In: GALASSO, Giuseppe (org.). *Storia d'Itália*. Turim: Utet, 1987.

_____. *Natale 875*: politica, ecclesiologia, cultura del papato altomedievale. Roma: Istituto Storico Italiano per il Medioevo, 1990.

CAROCCI, Sandro. *Baroni di Roma: dominazioni signorili e lignaggi aristocratici nel Duecento e nel primo Trecento*. Roma: École Française de Rome, 1993.

CHASTEL, André. *Le Sac de Rome*: 1527. Paris: Gallimard, 1983.

CHIABO, Maria et al. *Alle origini della nuova Roma, Martino V (1417-1431)*. Roma: Istituto Palazzo Borromini, 1992.

DURLIAT, Jean. *De la Ville antique à ville byzantine*: les problèmes de la subsistance. Roma: École Française de Rome, 1990.

ESCH, Arnold. *Bonifaz IX und der Kirchenstaat*. Tübingen: Niemeyer, 1969.

HUBERT, Étienne. *Espace urbain et habitat à Rome du Xe siècle à la fin du XIIIe siècle*. Roma: Istituto Storico Italiano per il Medio Evo, 1990.

KRAUTHEIMER, Richard. *Rome*: Profile of a City. 312-1308. Princeton: Princeton University Press, 1980

LLEWELLYN, Peter. *Roma nei secoli oscuri*. Roma e Bari: Laterza, 1975.

MAIRE VIGUEUR, Jean-Claude. Comuni e signorie in Umbria, Marche e Lazio. In: GALASSO, Giuseppe (org.). *Storia d'Italia*. Turim: Utet, 1987.

MIGLIO, Massimo et al. *Un pontificato ed una città*: Sisto IV (1471-1484). Roma: Istituto Storico Italiano per il Medio Evo, 1986.

MOSCATI, Laura. *Alle origini del Comune romano*. Roma: B. Carucci, 1980.

NARDELLA, Cristina. *Il fascino di Roma del Medioevo*: le "Meraviglie. di Roma" di maestro Gregorio. Roma: Viella, 1997.

PALERMO, Luciano. *Il porto di Roma nel XIV e XV secolo*: struttura socioeconomiche e statuti. Roma: Istituto di Studi Romani, 1979.

PAROLI, Lidia; DELOGU, Paolo (orgs.). *La storia economica di Roma nell alto medioevo alla luce dei recenti scavi archeologici*. Florença: All'Insegna del Giglio, 1993.

PETRI, Charles. *Roma cristiana*. Roma: Bibliothèque des Écoles Françaises d'Athénes, 1976.

ROMANINI, Angiola Maria (org.). *Roma anno 1300*. Roma: L'Erma di Bretschneider, 1983.

_____. *Roma nel Duecento*: l'arte nella città dei papi da Innocenzo III a Bonifacio VIII. Turim: Edizioni Seat, 1991.

SANFILIPPO, Mario. *Le "tre" città di Roma*. Roma e Bari: Laterza, 1993.

_____. Il sacro e le tre città di Roma. In: CARDINI, Franco (org.). *La città e il sacro*. Milão: Libri Scheiwiller, 1994.

SCHIMMELPFENNING, Bernhard; SCHMUGGE, Ludwig. *Rom im hohen Mittelalter Studien zu den Romvorstellungen und zur Rompolitick von 10. Bizum 12. Jahrhundert.* Sigmaringen: Jan Thorbecke, 1992.

LA STORIA DELL'ALTO MEDIOEVO ITALIANO (VI-X SECOLO) ALLA LUCE DELL ARCHEOLOGIA. Florença: All'Insegna del Giglio, 1992. (Artigos de D. Manacorda, F. Marazzi, A. Zanini, A Augenti.)

TAFURI, Manfredo. *Ricerca del Rinascimento*: principi, città, architetti. Turim: Einaudi, 1992.

TOUBERT, Pierre. Il patrimonio di S. Pietro fino alla metà dell XI secolo. In: GALASSO, Giuseppe (org.). *Storia d'Italia*. Turim: Utet, 1987.

WALEY, D. Lo stato papale dal periodo feudale a Martino V. In: GALASSO, Giuseppe (org.). *Storia d'Italia*. Turim: Utet, 1987.

Santidade

A santidade no Ocidente medieval constitui um fenômeno considerável, de múltiplas dimensões: fenômeno espiritual, ela é a expressão da busca do divino; fenômeno teológico, ela é a manifestação de Deus no mundo; fenômeno religioso, ela é um momento privilegiado da relação com o sobrenatural; fenômeno social, ela é um fator de coesão e de identificação dos grupos e das comunidades; fenômeno institucional, ela está no fundamento das estruturas eclesiásticas e monásticas; fenômeno político, enfim, ela é um ponto de interferência ou de coincidência da religião e do poder. Pode-se, consequentemente, considerar a santidade o lugar de uma mediação bem-sucedida entre o natural e o sobrenatural, o material e o espiritual, o mal e o bem, a morte e a vida. Em uma perspectiva histórico-antropológica, ela é um ponto de observação privilegiado para quem quer estudar a percepção individual e/ou coletiva da fronteira entre o natural e o sobrenatural, a possibilidade de estabelecer contatos e controles (milagres, ritos, devoções etc.) e, enfim, a função social e política dessa dimensão sacra que se constrói em torno de um homem durante sua vida e/ou após sua morte.

Pois a santidade cristã aparece como uma construção: a percepção e o reconhecimento do caráter excepcional de um homem ou de uma mulher – quer dizer, a santidade como existe para os outros e através dos outros (P. Delooz) – repousam sobre o processo durante o qual esse homem ou essa mulher constroem sua própria santidade operando certas escolhas de vida, praticando certos exercícios espirituais (prática das virtudes, oração, formas de ascese etc.) e inspirando-se em modelos gerais (Cristo) ou específicos (formas de vida religiosa já praticadas e codificadas). A escolha religiosa deve ser visível e reconhecível. Disso resulta a importância central dada ao corpo: controlado, atormentado, dominado, o corpo é a realidade física na qual o percurso espiritual se coloca em evidência (tomando sobretudo formas extremas, que são consideradas a prova da identificação com Cristo: estigmas, troca do coração, materialização dos símbolos da cruz). O combate vitorioso contra a natureza corporal parece tão extraordinário que implica a aquisição de um poder sobrenatural, cujos efeitos são tanto materiais (sobre o corpo dos outros homens, sobre os animais, sobre as coisas e sobre os elementos) quanto espirituais (visões, sonhos, predições, profecias).

Essa importância central do corpo no percurso da santidade explica por que lhe é atribuído, inclusive depois da morte, um poder taumatúrgico que se torna a prova da sobrevivência da alma: as relíquias são garantias tangíveis de uma comunicação permanente entre a terra e o Céu. O conceito de santidade atinge a dimensão de uma sacralidade difusa: sacralidade dos objetos ("relíquias de contato", imagens etc.), sacralidade dos lugares (santificados pela presença do santo, morto ou vivo), sacralidade do tempo (coincidência entre aniversários litúrgicos e momentos da vida social, como as feiras e os mercados, os prazos contratuais e jurídicos).

O problema das origens

As civilizações clássicas conheceram formas de divinização: os gregos criaram os heróis (homens – Hércules, por exemplo – aos quais o mito atribui um caráter excepcional e, ao mesmo tempo, a imortalidade) e os romanos praticaram o culto dos imperadores. Além dessa sacralização de seres humanos, recordemos a presença difusa, no Baixo Império, da crença nos demônios, seres "intermediários", ameaçadores ou benéficos, que povoam os ares e transtornam a realidade e o imaginário dos homens.

Na cultura hebraica, a santidade começou sendo atributo exclusivo de Iahweh, cujo isolamento e inacessibilidade são indicados por ela. A santidade estende-se em seguida ao que está próximo dele ou ao que lhe é consagrado (objetos, templos, sacerdotes etc.). Ela adquire progressivamente um valor moral e espiritual, atribuído tanto à coletividade (o povo de Israel) quanto a certos homens em particular, eleitos por Deus, dotados por ele de um espírito profético e de poderes taumatúrgicos, e que são, enquanto tais, "mediadores" da palavra e do poder de Deus junto aos homens. Duas figuras exemplares impõem-se: Moisés, que encontra Deus e relata sua vontade escrita materialmente nas Tábuas da Lei, e João Batista, que, através da penitência e da palavra, testemunha sua relação com Deus.

Esses dois grandes modelos são, todavia, ultrapassados por uma figura inteiramente nova, o Cristo dos Evangelhos, cuja especificidade reside em uma filiação direta de Deus e na ressurreição: esse duplo milagre faz dele o mediador por excelência, aquele que, tendo vencido a morte física, garante a imortalidade da alma e do corpo de cada homem. Mas é o conjunto de seu percurso biográfico que se torna um modelo de santidade: seu amor por Deus e pelo próximo, sua prática das virtudes, sua luta contra as tentações materiais e espirituais, sua autoridade sobre a natureza. No entanto, o relato dos Evangelhos deixa entrever a possibilidade de uma ambivalência dos sinais da santidade – e sobretudo do milagre, que é uma manifestação de Deus, mas também do Diabo –, ambivalência que continuará constante durante os séculos seguintes. A literatura chamada apócrifa oferece um quadro rico, mas igualmente curioso e às vezes preocupante, dos poderes sobrenaturais atribuídos aos protagonistas: por exemplo, Jesus aparece como uma criança poderosa, mas também vingativa.

Ao contrário, as testemunhas da fé – mártires e depois confessores –, inicialmente apenas "mortos excepcionais" cuja lembrança era perpetuada pela comunidade através da celebração do aniversário da morte (o *dies natalis*, dia do nascimento para a verdadeira vida), rapidamente se tornam "intercessores" (H. Delahaye), graças à evidência da proximidade que tinham com Deus. Considerado um mediador junto a Deus e um protetor eficaz, o santo adquire o título de "patrono" e efetua funções análogas às exercidas pelo *patronus* ("patrono") romano em relação a seus *clientes* (que podem ser tanto comunidades inteiras como simples indivíduos). O santo é o "companheiro invisível" (P. Brown) de homens que vivem em uma época de crise e precisam estabelecer uma relação de intimidade tranquilizadora com algum defunto ilustre.

A extensão e a diversificação do fenômeno provocam uma verdadeira especialização, tanto no que toca aos modelos quanto aos poderes. No interior da religião cristã, apesar de rigorosamente monoteísta no plano teológico, vê-se constituir uma espécie de panteão diferenciado segundo os gêneros, os modelos e as funções, que engloba os novos santos, mas também "santifica" figuras históricas ou míticas do Antigo e do Novo Testamento. Isto garante uma melhor conformidade com as exigências e as crenças dos fiéis, e propicia a difusão da nova religião: mesmo o culto da Virgem Maria, certamente rico em possibilidades de homogeneização cultual, não conseguirá se opor à diversificação dos cultos.

O culto das relíquias

Desde a origem, a importância central do corpo durante a vida e após a morte constitui, qualitativa e quantitativamente, o aspecto primordial do culto dos santos. Lugar de uma inscrição visível do percurso espiritual, o corpo do santo testemunha a possibilidade de uma unidade entre o homem e o divino que a morte – quer dizer, a união da alma com Deus – não poderia interromper, apenas reforçar. Desde o início da era cristã, as primeiras comunidades eclesiásticas ou monásticas cuidam do corpo do mártir ou do santo, fonte de sacralidade, prestígio e poder. O túmulo "garante" a dupla presença do santo no Céu e na terra, e é, por essa razão, o lugar privilegiado da mediação entre os fiéis e Deus, a garantia de uma proteção sempre "disponível" contra as calamidades, as doenças, os perigos que podem ameaçar os indivíduos ou a coletividade, e, ao mesmo tempo, uma garantia de salvação para as almas dos defuntos enterrados "junto aos santos". Para medir a importância do túmulo do mártir ou do santo, basta constatar o desenvolvimento dos cemitérios extraurbanos das cidades romanas, a sucessão de translações de corpos nas igrejas urbanas – que procuravam ligar estreitamente o culto às instituições eclesiásticas e possibilitar que os fiéis aproveitassem mais facilmente as relíquias – e a multiplicação dos lugares santos.

Contudo, o culto ligado ao lugar de sepultura não basta para resolver o problema complexo da função dos restos mortais de personagens considerados por causa de sua fé como heróis. O culto das relíquias atesta sem equívoco que a qualquer corpo santo, assim como a cada fragmento seu, é atribuído de fato um poder intrínseco. Esta é a razão pela qual são guardadas sob altares erigidos especialmente ou em receptáculos preciosos (os relicários, que têm, com frequência, um grande valor artístico): materialidade e sacralidade fazem da relíquia um objeto de devoção que, em vários aspectos, é análogo e às vezes concorrente do corpo de Cristo, conservado nas igrejas nas espécies eucarísticas.

As pessoas carregam consigo relíquias para garantir proteção pessoal, mas elas também podem ser doadas para aprofundar os elos de amizade entre indivíduos, ou para reforçar as relações religiosas entre comunidades distantes, ou ainda para consagrar relações de natureza política e eclesiástica. Outra prática frequentemente atestada, a "invenção" de relíquias, pode ser entendida no sentido próprio de descoberta de corpos santos, mas também no sentido moderno de atribuição aos corpos encontrados de uma paternidade bem duvidosa: trata-se então de uma inversão do percurso habitual, a atribuição de uma *virtus* a restos mortais "anônimos" resultando na construção da identidade do santo. A possessão material desses restos é tão decisiva que ela autoriza as contestações, as violências e os roubos (P. J. Geary). O valor ao mesmo tempo real e simbólico das relíquias é confirmado pelos testemunhos, que os consideram, por exemplo, seres dotados de uma "personalidade" jurídica (N. Herrmann-Mascard) ou "materiais" suscetíveis de defender as muralhas da cidade.

As elites eclesiásticas destacam-se quanto à veneração e propaganda: do papa Damásio I (366), autor de relatos sobre os mártires e muito interessado pelos túmulos, a Ambrósio, que se orgulhava de ter descoberto os corpos dos mártires Gervásio e Protásio (386); de Victrice de Ruão a Gaudêncio de Brescia, dois bispos que se vangloriavam de ter acumulado relíquias para garantir honra e proteção às suas cidades. Grandes intelectuais reúnem nos *Libelli miraculorum* ("Coletâneas de milagres") as provas dos milagres realizados pelos corpos santos (como Agostinho a propósito de Santo Estêvão, ou Gregório de Tours a propósito de São Martinho e de São Juliano de Brioude) e fornecem uma mina de informações sobre as condições sociais, a proveniência geográfica, o sexo e a idade dos fiéis, sobre os rituais e as devoções, enfim, sobre as diferenças entre organização institucional e práticas populares. Pois, mesmo através dessa literatura erudita, pode-se observar a forte presença de tradições e práticas folclóricas (J. Le Goff), provavelmente transmitidas por homens que ocupam uma posição "fronteiriça" no plano social e cultural, como é o caso dos membros do baixo clero.

O culto das relíquias, cujas raízes estão nos primeiros séculos do cristianismo e nas regiões mediterrâneas, é um fio que percorre todo o cristianismo medieval. Mas, desde a Idade Média, ele constitui um aspecto preocupante da religiosidade, na fronteira da superstição, do abuso e da impostura. Guiberto, abade de Nogent (século XII), dedicou uma obra a esse problema (*De pignoribus sanctorum*, "Sobre as relíquias dos santos") na qual ele denuncia principalmente a inautenticidade de certas relíquias famosas e cercadas da maior veneração. O pregador dominicano Estêvão de Bourbon menciona a existência de um culto das relíquias de um "cachorro santo" (J.-Cl. Schmitt). Quanto à literatura, ela não deixa de ironizar cruelmente esse tema, como testemunham certos contos de Boccaccio.

Com certeza não é um acaso se, durante a segunda Idade Média, se difunde progressivamente o hábito de confiar a funcionários públicos (os notários) a tarefa de certificar a autenticidade das deposições e, consequentemente, de fornecer as provas da característica sobrenatural das curas que aconteceram perto de relíquias. De qualquer forma, o sucesso cultual dos lugares de sepultura continuará sendo considerado, durante toda a Idade Média, a mais significativa manifestação da excepcionalidade dos santos.

Lugares sagrados e espaços da santidade

Em meados do século V, o autor anônimo da coleção de milagres de Santa Tecla, enterrada e venerada em Selêucia, escreve que Deus dispersou santos pela terra "como se ele tivesse dividido o mundo entre não sei quais excelentes médicos". Os santos, vivos ou mortos, estão enraizados na realidade e, por sua vez, estão entre os fatores mais eficazes de enraizamento da nova religião em toda a região mediterrânea e nas terras cristianizadas durante os séculos seguintes. São os lugares (montes, grutas, fontes, rios, florestas etc.) que tornam visível, em todos seus aspectos, a mudança de culto (como Bento em Monte Cassino). E a produção hagiográfica caracteriza-se desde o início pela grande precisão na indicação dos lugares – o elemento mais indubitavelmente histórico da narrativa –, precisão ainda mais significativa na medida em que contrasta com a indeterminação cronológica.

Assim, a santidade constrói desde a origem uma nova geografia. Esta resulta dos deslocamentos do próprio santo que manifestam seu percurso espiritual e sua busca da perfeição segundo um itinerário inspirado por Deus: da cidade à solidão do deserto ou da floresta, do Oriente ao Ocidente, do país de origem ao país de missão etc. Os lugares são os instrumentos da santidade na medida em que testam a excepcionalidade do santo (resistência física ao calor, ao frio, às intempéries, à falta de alimento). Ao mesmo tempo, eles são submetidos aos efeitos da santidade por serem moldados e transformados pela presença do santo (fontes jorrando da rocha, rochedos deslocados, desertos que se povoam, terrenos incultos que são cultivados). A paisagem não é simplesmente o pano de fundo da narrativa, mas um elemento que interage com as virtudes e os milagres do santo e que faz parte de sua singularidade histórica: meio urbano ou rural, deserto ou floresta, planície ou montanha contribuem a determinar os aspectos históricos da religião cristã. Todo percurso hagiográfico é também um percurso geográfico: Antônio, Martinho, Bento, Francisco ou Catarina de Siena são suficientes para prová-lo. As relíquias desenham um verdadeiro mapa de lugares sagrados, que fazem cada vez mais concorrência aos lugares consagrados pela presença do Cristo e oferecem um panorama inédito de relações entre países, cidades e indivíduos próximos ou distantes. As peregrinações aos túmulos reforçam as vias de comunicação tradicionais e definem novos itinerários de longa, média e curta distância.

Os espaços da santidade também são aqueles que o próprio santo constrói no plano espiritual (a "cela do pensamento" de Catarina de Siena e, em geral, os espaços mentais da experiência mística), os que ele percorre graças à imaginação (as viagens ao Além ou a outros lugares fantásticos) e, mais frequentemente, aqueles em que se misturam o real e o imaginário, o natural e o sobrenatural, o físico e o psíquico (por exemplo, nas tradições relativas a São Patrício e a São Brandão). Isso sem esquecer o espaço determinado pela emanação (mais ou menos extensa) da personalidade do santo, ou aquele em que constrói uma comunidade com objetivo de proteção, mediação e expansão.

Tipologias

Desde meados do século II, um gênero literário novo pela língua, pela forma e pelo conteúdo — mesmo se talvez tenha tido antecedentes no que se chama de *Acta martyrum paganorum* ("Atos dos mártires pagãos") — inaugura a produção hagiográfica, destinada a fixar a memória histórica das ações dos heróis da nova fé. Trata-se em certos casos de testemunhos diretos, às vezes autobiográficos (como a belíssima *Passio Perpetuae et Felicitatis*, "Paixão de Perpétua e de Felicidade", do início do século III), sobre o martírio do santo e sobre a veneração que suscitou em uma ou outra comunidade de língua grega ou latina. Além dessas raras paixões autênticas, algumas fontes epigráficas, arqueológicas ou litúrgicas conservam alguns traços históricos da santidade dos primeiros séculos: entre os diversos calendários e martirológios, encontra-se principalmente, no século V, o famoso martirológio atribuído a um autor de prestígio, São Jerônimo.

Mas, em muitos casos, o trabalho de perpetuação da lembrança é confiado essencialmente, ou exclusivamente, aos textos literários que com frequência são construídos de acordo com estereótipos narrativos para tornar conhecido um personagem e difundir seu culto, e dos quais se suspeita o aspecto fantasista desde o século VI. Essas paixões constituem, todavia, um testemunho essencial para a história e a geografia dos cultos antigos durante toda a Idade Média. Apesar da inconsistência da dimensão histórico-biográfica, personagens como São Jorge, Santa Catarina de Alexandria, São Dioniso de Paris, Vicente de Saragoça ou os "médicos" Cosme e Damião tornaram-se, em todo caso, figuras da história do Ocidente medieval, precisamente graças a uma produção hagiográfica continuamente reelaborada e atualizada em função das novas exigências culturais, eclesiásticas e políticas. A figura do santo mártir antigo continua viva na literatura e nas práticas cultuais, e permanece um modelo, reatualizado no decorrer dos séculos – principalmente na pessoa dos novos evangelizadores ou das vítimas dos conflitos político-eclesiásticos.

A nova visibilidade política e social do cristianismo a partir do século IV modifica a imagem que se pode ter da santidade no conjunto da bacia mediterrânea. Como novos mártires que teriam substituído o martírio do sangue pelo da penitência e da prática das virtudes, os eremitas, cenobitas e bispos tornam-se "protótipos" destinados a exercer uma influência constante sobre as formas de vida espiritual, através de hagiografias que transmitem sua lembrança histórica e alimentam seu culto.

A partir dos grandes textos do bispo Gregório de Tours sobre a Gália (o *Livro à glória dos mártires*, o *Livro à glória dos confessores* e a *História dos francos*) e do papa Gregório Magno sobre a Itália (os *Diálogos*), a produção hagiográfica dos séculos VI e XII constitui o principal testemunho sobre as fortes transformações sofridas por toda uma região geopolítica: fim da unidade mediterrânea; contato com populações não romanas (germânicas, depois húngaras e normandas); alargamento das fronteiras internas (com a repressão contra pagãos, judeus, hereges) e externas (na Europa setentrional e oriental); desenvolvimento das instituições eclesiásticas e monásticas, e progressiva fusão das elites políticas e elites religiosas (que repercute cada vez mais na administração do poder e nos projetos de conquista e cristianização); dramas suscitados por calamidades naturais e guerras; múltiplas formas de divisão dos poderes no decorrer dos séculos, tendo como pano de fundo uma modificação das relações entre cidade e campo.

Uma Igreja que se identificava às suas estruturas eclesiásticas e monásticas só podia produzir uma hagiografia dominada pelas figuras de bispos e abades ou, em todo caso, por personagens dotadas de um estatuto religioso bem preciso – e, na maioria das vezes, masculinas. Pode-se falar de modelos persistentes, embora nunca estáveis nem homogêneos: incontestavelmente, houve uma mudança com o florescimento de santos reformadores nos séculos X, XI e XII, tanto entre os monges (de Odo de Cluny a Romualdo de Camaldoli, de Roberto de Molesme a Gilberto de Sempringham) quanto entre os bispos (de Yves de Chartres a Anselmo de Aosta ou Bruno de Segni). No século XI, a reforma da Igreja a partir de seu topo fez aparecer um novo modelo, a santidade "de função" do papa, estabelecida graças a um trabalho teológico e a uma prática cultual cujo promotor mais resoluto é Gregório VII.

Se a figura bastante particular de Geraldo de Aurillac, que é descrita por Odo de Cluny e que sintetiza os valores nobiliários e os valores monásticos, deve ser considerada uma exceção, o aparecimento de uma santidade régia constitui, ao contrário, uma novidade. É verdade que foi preciso esperar que Frederico Barba-Ruiva exercesse algumas pressões políticas sobre o antipapa Pascoal III para se lançar o culto de Carlos Magno, mas pode-se falar de santidade dinástica a propósito dos Otônidas: a rainha Matilde, a imperatriz Adelaide (esposa de Oto I, celebrada por Odilon de Cluny) e o casal imperial formado por Henrique II e Cunegunda. De seu lado, a Inglaterra venerou a figura de Eduardo, o Confessor, falecido pouco antes da conquista normanda (1066). As novas monarquias da Europa oriental encontraram na própria pessoa dos reis – combatentes, propagadores, defensores e às vezes mártires da fé – o fundamento de sua sacralidade e de seu poder territorial no mundo cristão: Olavo da Noruega, Estêvão da Hungria, seu contemporâneo Venceslau da Boêmia, Canuto da Dinamarca, Henrique da Suécia, o casal de santos mártires russos Bóris e Gleb, e Alexandre Nevski são provas ilustres. Quanto ao rei da França Luís IX (morto em 1270 e canonizado em 1297), ele recapitula vários aspectos de nossa tipologia, mas afasta-se profundamente dela por sua espiritualidade pessoal, individual e bastante interiorizada. Da mesma forma, existe uma grande diferença no que toca às rainhas, entre a merovíngia Radegunda (século VI), mais religiosa do que rainha, Margarida da Escócia (século XI), ainda dependente de um modelo ligado à função real, e Isabel da Hungria (século XIII), que recusa desempenhar seu papel e que pratica as virtudes da caridade e da pobreza. O fenômeno é explicado por várias transformações profundas da sociedade e da religiosidade.

Promoção dos leigos e santidade feminina

Os leigos também entraram em cena como protagonistas da santidade e promotores de cultos. A vitalidade das cidades europeias influiu sobre os cultos e as formas de religiosidade. Com a valorização e aquisição de relíquias (por exemplo, a exploração que se faz do culto de São Marcos em Veneza e de São Nicolau em Bari), os santos padroeiros urbanos tornam-se o símbolo de uma unidade política em fase de formação. Durante as últimas décadas do século XII, os leigos urbanos expressam uma religiosidade capaz de reinterpretar o Evangelho sob novas formas individuais e coletivas. De onde, com certeza, o incrível sucesso do projeto de Francisco de Assis, no século XIII, projeto tão desconcertante por sua pureza e radicalismo que levou seu autor a seguir um percurso biográfico bastante agitado e suas *Vidas* serem — coisa inusitada — destinadas à destruição pelo geral da ordem, Boaventura. A Ordem dos Pregadores fundada por Domingos de Guzman, no século XIII, conheceu o mesmo sucesso. Tornadas ilustres por numerosos membros de prestígio (de Santo Antônio de Pádua a São Bernardino de Siena, de São Tomás de Aquino a Jerônimo Savonarola), as Ordens Mendicantes aperfeiçoaram igualmente formas de institucionalização bastante variadas: a "ordem terceira" teve a inteligência de propor aos leigos uma religiosidade regrada e controlada.

Dentro dessa explosão de religiosidade, as mulheres adquiriram uma visibilidade inédita e original. Maria de Oignies associa uma vida espiritual intensa, marcada por visões e profecias, com uma atividade original de organização das beguinarias. A mesma dimensão espiritual mística encontra-se na beguina provençal Douceline. Ao contrário, Clara de Assis é convencida por Francisco a levar uma vida enclausurada de penitência e contemplação, enquanto Margarida de Cortona, no século XIII, torna-se uma penitente da ordem terceira franciscana, preocupada essencialmente em redimir sua vida mundana sob a direção espiritual de seu confessor-biógrafo, Giunta Bevignate. Clara de Montefalco, reclusa, religiosa, abadessa, disputada pela Ordem Franciscana e pela Ordem dos Eremitas de Santo Agostinho (a terceira das Ordens Mendicantes fundadas no século XIII), encarna uma forma de vida ascética marcada pela prática do jejum, da flagelação e do silêncio. No século XIV, a tradição da mística feminina ainda possui algumas representantes eminentes como Ângela de Foligno, Delfina de Puymichel (com sua singular experiência de casamento virginal) e Doroteia de Montau, reclusa e mística. O cruzamento das dimensões mística, profética e visionária também caracteriza profundamente a espiritualidade de Brígida da Suécia e de Catarina de Siena, mesmo se ambas estavam igualmente engajadas na vida pública, em favor da reforma da Igreja e da volta dos papas de Avignon para Roma. Várias mulheres do século XIII escolhem uma vida de penitência que toma a forma de reclusão voluntária: de um lado, Umiliana, oriunda da grande família florentina dos Cerchi, levando uma vida de viúva e penitente na própria casa; de outro, as "santas servidoras" como Veridiana de Castelfiorentino, voluntariamente murada em uma cela, símbolo de identidade social e de proteção para a comunidade.

A variedade da experiência religiosa feminina a partir do século XIII abre novos horizontes sobre o complexo fenômeno da santidade medieval. A dimensão corporal, por exemplo, adquire uma importância inédita e novas características, começando pela instauração de um elo entre alimento, jejum e eucaristia (C. W. Bynum) e pela ênfase dada aos aspectos físicos de uma união mística que pode chegar até à troca de coração com Cristo (como Catarina de Siena). Dois traços, sobretudo, tornam evidente a diferença entre os dois sexos: por um lado, as experiências femininas são autônomas e originais; por outro, as ordens masculinas e a hierarquia eclesiástica procuram exercer seu controle sobre elas – em particular os confessores, preocupados pelas múltiplas formas de religiosidade através das quais as mulheres, excluídas do sacerdócio, buscam uma união direta com Deus e adquirem de fato um papel na vida da Igreja e na sociedade. Passa-se da desconfiança (em relação a uma Maria de Oignies) à tutela permanente (de uma Catarina de Siena) para chegar à discriminação sistemática entre manifestações presumidas divinas e manifestações presumidas diabólicas. O fato de sua missão pública, política e militar ter sido inteiramente colocada sob o signo do sobrenatural está na origem do sucesso de Joana d'Arc, no século XV, mas também teve como consequências sua incriminação por feitiçaria e sua condenação à fogueira. Assim, mesmo no que concerne à história do reconhecimento de sua santidade pela Igreja, as mulheres fornecem um ponto de observação privilegiado.

Canonizações e devoções

Desde a origem e durante vários séculos, o reconhecimento da santidade é uma prerrogativa de cada igreja local ou das comunidades monásticas, que controlam cultos promovidos e organizados pela base, enquanto as autoridades eclesiásticas – e políticas – com frequência proíbem certos cultos "populares" (é, por exemplo, o caso de Carlos Magno). Mas o crescente fortalecimento da autoridade pontifical a partir de Gregório VII traduziu-se particularmente por uma centralização das canonizações. Esta se produz entre as últimas décadas do século XII e as primeiras décadas do XIII, segundo um processo lento, nem sempre linear (A. Vauchez). Algumas etapas importantes: cerca de 1171-1172, Alexandre III intervém junto ao rei da Suécia para proibir um culto praticado sem a autorização da Igreja (e esse gesto é integrado em 1234 nas *Decretais* de Gregório IX); depois Inocêncio III inaugura a *riserva pontificia* ("reserva pontifical"), quer dizer, o poder de canonizar os santos em virtude da *plenitudo potestatis* ("plenitude do poder"). Mas a vontade de controlar com minúcia e a empreitada de homogeneização não puderam resistir à pressão de uma realidade religiosa vasta e variada demais. A partir da segunda metade do século XV, a Igreja de Roma renuncia à canonização como forma generalizada de sanção dos cultos, aceitando de fato a distinção entre formas de reconhecimento espontâneo local e formas de reconhecimento oficial central.

O procedimento centralizado fornece novas fontes ao historiador da santidade. Primeiro instruídos a nível local, depois por instâncias centrais, os processos de autentificação das virtudes e dos milagres do "candidato" constituem um testemunho precioso sobre os critérios da seleção eclesiástica (tipologia das virtudes, relação entre virtudes e milagres etc.); eles possibilitam ao mesmo tempo observar, através dos depoimentos das testemunhas, as formas que a percepção do excepcional pode tomar, segundo os diversos contextos geográficos, sociais e culturais. Essas fontes evidenciam a evolução de um "modelo evangélico" centrado na pobreza e na ascese (final do século XII-final do XIII) para um "modelo intelectual" (período do papado em Avignon) e depois para um "modelo místico" (até as primeiras décadas do século XV); revelam igualmente uma geografia da santidade que opõe uma área setentrional, onde prevalece a singularidade social do personagem e sua morte sangrenta, a uma área mediterrânica, onde se estabelece uma santidade laica e "burguesa", centrada na pobreza, na caridade e no ascetismo.

As etapas e modalidades de canonização fazem parte da construção biográfica do santo. Para alguns, já mencionados, a canonização é bastante rápida: Tomás Becket, Francisco e Clara de Assis, Antônio de Pádua, Pedro Mártir. Para outros, leva alguns anos: Domingos (entre 1221 e1234) e São Tomás de Aquino (1323). Por outro lado, a exemplaridade franciscana de Ângelo Clareno nunca foi reconhecida, a canonização de Clara de Montefalco (1728) foi postergada vários séculos, assim como a (1671) do rei Fernando de Castela (1199-1252); Ângela de Foligno foi apenas beatificada, e mesmo assim tardiamente (1694), sem falar da canonização de Joana d'Arc, que ocorreu somente no século XX. Evidentemente, as ordens religiosas são as principais fornecedoras de santidade e esta é ligada direta ou indiretamente a elas (como se vê, por exemplo, nos numerosos casos de mulheres mencionados).

A segunda Idade Média assiste, portanto, à multiplicação de formas de santidade vivida e santidade venerada, em uma coexistência constante de antigos e novos santos, de antigas e novas devoções, de antigas e novas formas de memória histórica. Assiste-se à difusão ou ao desenvolvimento do culto de santos antigos que, com o tempo, adquirem novas identidades ou valores: basta pensar no caso de Maria Madalena, que de início é uma personagem bastante confusa nos Evangelhos e acaba por aparecer como imagem da penitência, cada vez mais resplandecente e destinada a um sucesso extraordinário; ou no modelo elitista construído pela arte e pela literatura na época humanista em torno da figura de São Jerônimo; ou ainda na especialização taumatúrgica adquirida pelo mártir Sebastião, que, crivado de flechas e associado (em um famoso par iconográfico) a seu "companheiro" do século XIV, São Roque, protege os fiéis contra as "setas" da peste. Ao inverso, o culto de Rita é bastante polivalente. Esposa, mãe, religiosa, modelo feminino de paciência doméstica, mas também santa do impossível: se o "roubo" que efetua para entrar no mosteiro constitui no início um episódio preocupante que evoca a magia e a feitiçaria, torna-se de fato sinal de um poder ilimitado.

Mas a história da santidade é sempre, ao mesmo tempo, uma história de inovações e tendências permanentes à conservação, como provam, por um lado, a duração dos cultos e da patronagem das igrejas, e, por outro, a presença persistente dos martírios e das vidas de santos antigos até em obras novas pela forma e pela finalidade: as *legendae novae* ("novas legendas") ou legendas breves, que são destinadas à pregação das Ordens Mendicantes, das quais a mais famosa e mais difundida é a *Legenda áurea*, do dominicano Jacopo de Varazze (século XIII). Mesmo a cultura humanista não despreza esses reescritos ou essas coleções de textos antigos ligados às antigas tipologias dos mártires.

Não se pode fornecer um quadro completo da história da santidade e das devoções durante a segunda Idade Média sem levar em consideração a iconografia. Esta possibilita, com efeito, observar as formas claramente inteligíveis da constituição dos panteões de santos padroeiros protetores de igrejas e cidades, caracterizar as relações "hierárquicas" dos santos entre si e do conjunto dos santos com a Virgem, conhecer os pedidos e as práticas, notar as inovações e as permanências culturais. As imagens veiculam os modelos, ou melhor, elas os evidenciam graças a atributos fixos bem reconhecíveis, propagando assim a veneração que os cerca e influindo na natureza das experiências religiosas: as imagens podem, com efeito, inspirar visões que serão em seguida transmitidas pela hagiografia escrita, que por sua vez poderá suscitar novas imagens. A iconografia permite promover a santidade, colocando seus "sinais" em evidência; basta pensar no papel que ela desempenhou na história dos estigmas de Francisco ou na representação da auréola – que não gozava de reconhecimento oficial – para compreender que se trata de uma verdadeira forma de "canonização" pelas imagens. A função que essas imagens exercem conferem a elas um valor sacral que completa ou substitui o das relíquias (o Santo Sudário constitui um verdadeiro caso de fusão desses dois valores).

Da crítica à ciência

A importância central do fenômeno da santidade no Ocidente medieval salta aos olhos quando se considera o período que vai do final da Idade Média ao início dos tempos modernos. A multiplicação das polêmicas irônicas ou das contestações teológicas (de Wyclif ou de Gerson, por exemplo) é a clara prova disso. Entre o final do século XV e a primeira metade do XVI, novas exigências religiosas e culturais suscitam o aparecimento de uma atitude fortemente crítica diante de cultos considerados supersticiosos ou diante de relatos julgados mais prejudiciais do que favoráveis à causa dos santos. Nesse sentido, a crítica formulada por Erasmo de Roterdã na *Vida* de Jerônimo é particularmente exemplar.

No que toca aos teólogos da Reforma, a rejeição da função mediadora dos santos foi acompanhada de violentas críticas contra formas cultuais consideradas idólatras (no *Tratado das relíquias*, de Calvino, por exemplo), sem todavia abalar a fé que têm nos mártires antigos (como é o caso dos autores das *Centúrias de Magdeburgo*), nem a admiração que manifestam pelos mártires de sua época, dignos de memória (e inscritos nos martirológios protestantes). Do lado católico, a defesa teológica que culmina com os decretos do Concílio de Trento é acompanhada de um forte engajamento nos âmbitos pastoral e histórico-cultural.

Mas foi somente entre o final do século XVI e o início do XVII que a erudição eclesiástica coloca as bases da hagiografia científica, que se torna um verdadeiro ramo da historiografia (o termo "hagiografia" conservou o sentido original de escrito relativo aos santos, mas também adquiriu com o tempo o sentido pejorativo de relato deturpado por motivos apologéticos). O mérito dessa nova orientação histórico-crítica deve-se a alguns jesuítas belgas. O projeto inicial de Heriberto Rosweyde foi desenvolvido e realizado graças a Jean Bolland (que deu seu nome à Sociedade dos Bollandistas), assistido principalmente por Godfried Henskens e Daniel Van Papenbroeck. Em 1643, Bolland começa a publicação de um trabalho monumental (as *Acta sanctorum*) que segue a ordem do calendário litúrgico e comporta, para cada santo, um comentário histórico-crítico e a edição das principais fontes. A busca da verdade histórica, concebida como o único meio de defender o culto dos santos contra os críticos, o descrédito e as superstições, questionou não apenas a antiguidade de alguns cultos, mas também a própria existência de certos santos cercados, no entanto, de grande veneração.

Sofia Boesch Gajano
Tradução de Eliana Magnani

Ver também

Além – Corpo e alma – Deus – Diabo – Fé – Igreja e papado – Imagens – Literatura(s) – Masculino/feminino – Milagre – Morte e mortos – Peregrinação – Pregação

Orientação bibliográfica

AIGRAIN, René. *L'Hagiographie*: ses sources, ses méthodes, son histoire. Paris: Bloud & Gay, 1953.

BENVENUTI PAPI, Anna. *"In castro penitentiae"*: santità e società femminile nell'Italia Medievale. Roma: Herder, 1990.

BOESCH GAJANO, Sofia (org.). *Agiografia altomedievale*. Bolonha: Il Mulino, 1976.

_____. *La santità*. Roma: Laterza, 1999.

_____; SCARAFFIA, Lucetta (orgs.). *Luoghi sacri e spazi della santità*. Turim: Rosenberg & Sellier, 1990.

BROWN, Peter. *Le Culte des saints*: son essor et sa fonction dans la chrétienté latine [1981]. Tradução francesa. Paris: Cerf, 1984.

BYNUM, Caroline W. *Jeûnes et festins sacrés*: les femmes et la nourriture dans la spiritualité médiévale [1987]. Tradução francesa. Paris: Cerf, 1994.

CHIOVARO, Francesco et al. *Histoire des saints et de la sainteté chrétienne*, I-IX. Paris: Hachette, 1986-1988.

DALARUN, Jacques. *La Sainte et la cité*: Micheline de Pesaro (†1356) tertiaire franciscaine. Roma: École Francaise de Rome, 1992.

DELAHAYE, Hippolyte. *Sanctus*: essai sur le culte des saints dans l'Antiquité. Bruxelas: Société des Bollandistes, 1927.

DELOOZ, Pierre. *Sociologie et canonisations*. Liège: Faculté de Droit, 1969.

DINZELBACHER, Peter; BAUER, Dieter R. (orgs.). *Heilingenverehrung in Geschichte und Gegenwart*. Ostfildern: Schwabenverlag, 1990.

DUBOIS, Jacques; LEMAÎTRE, Jean-Loup. *Sources et méthodes de l'hagiographie médiévale*. Paris: Cerf, 1993.

LES FONCTIONS DES SAINTS DANS LE MONDE OCCIDENTAL (IIIE-XIIIE SIÈCLE). Roma: École Française de Rome, 1991.

GEARY, Patrick J. *Le Vol de reliques au Moyen Âge* [1978]. Tradução francesa. Paris: Aubier, 1993.

HERRMANN-MASCARD, Nicole. *Les Reliques des saints*: formation coutumière d'un droit. Paris: Klincksieck, 1975.

PATLAGEAN, Évelyne; RICHÉ, Pierre (orgs.). *Hagiographie, cultures et sociétés (IVe-XIIe siècle)*. Paris: Études Augustiniennes, 1981.

SCHMITT, Jean-Claude. *Le Saint lévrier*: Guinefort, guérisseur d'enfants depuis le XIIIe siècle. Paris: Flammarion, 1979.

VAUCHEZ, André. *La Sainteté en Occident aux derniers siècles du Moyen Âge d'après les procès de canonisation et des documents hagiographiques* [1981]. Roma: École Française de Rome, 1988.

WILSON, Stephen (org.). *Saints and their Cults: Studies in Religious Sociology, Folklore and History*. Cambridge: Cambridge University Press, 1983.

ZARRI, Gabriella. *Funzione e santità tra Medioevo e Età moderna*. Turim: Rosenberg & Sellier, 1991.

Senhorio

Vários volumes seriam insuficientes para a análise historiográfica daquilo que os medievalistas chamaram o "senhorio", um tipo de poder não estatal, próximo, rude e privatizado. A própria palavra *dominium*, e as de sua família, não têm nenhuma conotação particular nas fontes medievais, e é normal que o historiador elabore o conceito, apresentando-o em seguida para discussão.

Extremamente amplo, o conceito de senhorio aplica-se de fato a vários objetos históricos. Ele pode ser tanto um domínio rural e uma célula da vida social de enorme pujança, na qual os homens aproximam-se de seu chefe, quanto o despotismo de um castelão, gerador de fratura social. Pode ser a relação de homem a homem entre um senhor medieval e seu servo, relação negociável e personalizada como aquela com um "vassalo de nível inferior", que os distingue do senhor e do escravo da teoria antiga. É a relação fundiária estabelecida, a diversos títulos, entre o possessor de uma terra e seus "tenanceiros",[1] uma partilha dos direitos de propriedade e um encadeamento de elementos reais e pessoais que desafiam os princípios do

---

1 Em francês *tenanciers*, cujos correspondentes às vezes usados em português (rendeiro, tenente etc.) têm acepções que alteram o sentido técnico da palavra, surgida em 1461 por derivação de *tenance* (século XII), por sua vez vinda do verbo *tener* (fins do século X), saído do latim popular *tenire*, "ter em mãos", "manter", "possuir" etc. Em razão disso é que propomos o neologismo "tenanceiro". [HFJ]

direito moderno, mas que não chegam a surpreender os apreciadores da antropologia. Mais tarde, após a grande mutação do século XII, ele pode consistir na administração implacável, porém legal, do todo ou de parte de um "senhorio de aldeia" pelos agentes (ministeriais) do nobre senhor que detém o título e a torre. Tal sociedade é tecida por uma série de relações de poder de grande complexidade, que criam diversos tipos de "senhorio". Por outro lado, a história medieval é longa e rica, e sob a marca da continuidade do poder nobre, apoiado pela ideologia cavaleiresca, há, de fato, inúmeras e sucessivas mutações.

Estas são frequentemente descritas como "nascimentos do senhorio", que cada historiador entende de forma diferente, escalonando-as do século III ao século XII. Sob essa expressão, o historiador narra os diversos desdobramentos do poder nobre e cavaleiresco, quase sempre em períodos de crise ou de enfraquecimento do Estado central e, com ele, do direito erudito. Desde o século V, Salviano de Marselha fustiga com veemência a tirania de pessoas privadas que desviam, em benefício pessoal, os impostos e a justiça. A aristocracia galo-romana solapa a ordem pública com sua dureza e violência sem freio. De que adianta aplaudir a resistência dos bagaudas[2] ou a ascensão dos bárbaros? Estes últimos não deixarão, na verdade, de se unir à referida aristocracia...

No século VII, assiste-se ao declínio dos Merovíngios. Seria esse o momento crucial para o advento do "regime senhorial"? Sim, segundo Fustel de Coulanges e, mais recentemente, Chris Wickham, considerando o desenvolvimento das imunidades, das corveias dominiais e das clientelas vassálicas.

Contudo, na história da França, é sobretudo a derrocada final do poder carolíngio (877-884) que faz soar a hora do "senhorio", isto é, do "feudalismo", pois ele não se distingue verdadeiramente do "feudo" a não ser a partir de uma data recente. Daí em diante, os castelos fortificados simbolizam e estabelecem materialmente o poder e a autarcia suspeita dos "feudais". Para eles, a partir dos anos 860, a sombra do feudalismo propaga-se pela paisagem e pela sociedade da França, e se tornará ainda mais densa,

---

2 Camponeses revoltados contra a ordem social romana e esmagados por Maximiano em 285. [HFJ]

segundo alguns autores, quando, por volta do ano 1000, a madeira vier a substituir a pedra [na construção de castelos]. Entretanto, insinua-se em meio às sombras um raio de luz. Ao pé dos castelos, os monges rezam e prosperam. Durante trezentos anos, mas sobretudo após o ano 1000, seus escritos (diplomas, crônicas ou narrativas de milagres) relatam observações surpreendentes sobre o "mau senhorio". Os poderosos do castelo exigem maus costumes, taxas e direitos de justiça, recorrendo à força. Alguns dias, entretanto, são dedicados ao arrependimento e aos dons, e comportam-se então como cavaleiros cristãos, reverenciando os "senhores" (*seniores*) do claustro.

Essa época (850-1150) é considerada a mais "senhorial" da história da França. Vou evocar aqui, a título de exemplo, o interesse e as dificuldades da descrição e da história do "senhorio castelão", em torno do qual tudo parece então gravitar.

O paradigma e as fontes

Subjaz a todos os livros modernos o vigoroso paradigma de um período feudal inteiramente entregue a senhores castelões independentes e, por consequência, à violência social. Ele representa, em nossa história, o caos inicial, a selvageria cujo reflexo precede e justifica, como na mitologia de um povo "primitivo", suas instituições atuais. O ano 1000 é o ano zero da França, momento de todos os males, cuja supressão demandará, em seguida, a enérgica ação da Igreja e dos reis.

Os séculos do senhorio castelão foram incontestavelmente uma época de guerras privadas. O paradigma extrai sua força da importante parte de verdade que existe nisso, e fornece assim as referências de que o conhecimento histórico necessita. Da mesma forma que na época anterior (carolíngia), a classe dominante define-se no período feudal como uma cavalaria. Mas ela já não é conduzida à guerra régia, nem, entre 911 e 1095, à guerra contra os não cristãos do exterior. Daí as lutas intestinas de uma cavalaria cujas grandes manobras são travadas na própria região, tomando como pontos de apoio e alvo os castelos cada vez mais numerosos e aperfeiçoados (com outeiros e torres).

Mas essas lutas são guerras totais? O paradigma dos "séculos de ferro" não nos habilita a observar os inumeráveis pactos que as interrompem, entre outros o da "paz de Deus". Ele é enganador se nos conduz a um balanço geral extremamente nefasto por comparação com outras épocas. O estudo de Georges Duby sobre o Mâconnais (1953) traz várias correções a essa impressão desastrosa, fazendo-nos redescobrir, enquadrada nos principais castelos, uma sociedade um pouco menos "feudal" (porque submetida à sua verdadeira complexidade) e, sobretudo, "menos conturbada do que se afirmou" (posto que dominada por uma elite de herdeiros, hábil para certos compromissos). Contudo, em sua obra, ele recorre ao tema tradicional da ascensão de um mau senhorio às expensas da ordem pública: a "independência" do castelão faz dele um tirano em sua terra porque apenas uma autoridade superior seria capaz de impor-lhe limites. Transpondo esse tema para além da periodização corrente (860-920), coloca o "desmembramento" entre 980 e 1030, e não mais de um reino, mas de cada "região" (*pagus*) na qual um conde hereditário havia feito até então, bem ou mal, perdurar a justiça. O incômodo nessa nova cronologia da revolução feudal é que ela não corresponde mais a nenhum acontecimento decisivo, repousando tão somente sobre uma mutação documental cuja interpretação é contestável.

Na realidade, o condado manteve-se na França, após o fim do século IX, como quadro estável de uma certa comunidade política constituída pelo conde, pela nobreza e pelo alto clero, e como tal permaneceria mesmo depois do ano 1000. E é em meio a esse cenário que se deve refletir sobre o senhorio castelão, com sua justiça, que, como a do condado, visa à manutenção da paz entre os nobres (cavaleiros). Conhecemos sobretudo sua relação com os senhorios de igrejas, com base em fontes que se tornam um pouco mais densas, mas ao mesmo tempo bastante parciais. Considerado a partir desse ângulo, o senhorio castelão com frequência parece pernicioso.

As duas faces do castelão

O "mau senhorio" é um tema bem anterior ao ano 1000. Desde o século V, Santo Agostinho fornece o motivo da horda de salteadores que legitima o seu poder *a posteriori* (*A Cidade de Deus*, XIX, 12), o que permite fragilizar antecipadamente todas as legalidades medievais e modernas! Há, em seguida, Salviano de Marselha e, sobretudo, os veementes e reiterados protestos de Hincmar, arcebispo de Reims (845-882), contra os "poderosos" que não cessam de oprimir os "pobres".

Em um contexto de pleno progresso da reforma, vários dos grandes mosteiros do ano 1000 (Cluny, Fleury, Saint-Victor de Marselha...) lançam uma nova campanha de denúncia dos poderosos. Sua cultura jurídica e moral deve muito à época de Hincmar. Contudo, vários tópicos são inovadores nessa polêmica que, na realidade, desenvolve-se em faixas cronológicas muito longas e variadas, conforme os casos. A palavra de ordem consiste na rejeição dos "maus costumes". Trata-se, por vezes, de taxas senhoriais recebidas desde muito tempo, como os direitos de justiça e proteção que podem ser entrevistos desde o fim do século IX, vinculados ou não a um castelo. Mas a reforma dos monges torna-os mais exigentes, tanto em relação aos outros como a eles próprios. Os "maus costumes" são tão distanciados da regra e do espírito monásticos quanto aqueles da reverência devida pelos vizinhos laicos. Outros "maus costumes" atingem as terras recentemente cedidas aos monges pelos nobres, por testamento. Os herdeiros destes se queixam e tentam recuperar algumas rendas. Outros "maus costumes" são o efeito, abundantemente descrito ao longo do período, da construção de um novo castelo: o da colina artificial é uma tecnologia nova em fins do século X e pode servir à causa dos herdeiros lesados. Creio, sobretudo, que ela se insere em geral nos castelos, ou nas redes e nos sistemas de castelos já existentes, que assim se ampliam. O grande lobo mau do século XI não é um simples falcão empoleirado em sua torre ou sua colina artificial, mas o magnata que "possui" ou "domina", como se diz, vários castelos, em parte ou na sua totalidade. Tal senhorio nos é revelado por volta do ano 1000, por ocasião de conflitos em zonas sensíveis, e com um adversário monástico subitamente mais impetuoso.

O "costume" pareceu aos historiadores modernos o próprio princípio do "mau senhorio", novo e perverso, oposto ao direito, "propriamente senhorial". De fato, o tom é sempre mais ou menos negativo, menos com Marc Bloch, mais com Georges Duby. O costume não é instável, submetido ao acaso das relações de força? Há, igualmente, um pouco de ingenuidade em opô-lo, de forma radical, a nosso direito. Há também arrogância em negar às sociedades tradicionais todo sentido da lei. O costume é direito. Como bem o destacaram, no século XI, Abbon de Fleury e Yves de Chartres, estabelecendo apenas uma distinção hierárquica entre os costumes e a lei fundamental, escrita ou não. Afinal de contas, a própria rejeição dos "maus" costumes supõe a existência dos bons. Da mesma forma, a censura aos "tiranos", aos "malfeitores" que dominam os castelos vizinhos aos mosteiros é feita para pleitear contra eles na instituição judiciária (jamais aniquilada) e em face da opinião social (sempre um elemento de pressão), isto é, no interior de um sistema de valores partilhado pelos próprios malfeitores. Diante dos normandos, os monges fugiam com suas relíquias; diante dos senhores castelões, eles as exibiam e faziam-nas produzir milagres para obter justiça.

Esses tiranos dos outeiros ou das torres, coisa estranha, são mais malfeitores quanto mais seus conflitos com os mosteiros (ou catedrais) são mais rudes e intermináveis! Bem próximo a Conques e a Lobbes, famílias perversas e bandos de salteadores sucumbem à vingança de Deus e dos santos, que destroem o seu castelo. Porém, em geral, o tirano de hoje torna-se um generoso doador de amanhã. O temor de Deus e, possivelmente, um interesse comum de classe produzem, entre ele e os monges, um *gentlemen's agreement...* Nesse momento (extremamente fugaz), o diploma e a crônica glorificam a sua nobreza e fazem reluzir sua condição de cavaleiros.

Torna-se, pois, uma pessoa de bem, "portador do gládio da milícia secular". O século XI reemprega, aqui, o vocabulário do serviço público. Por pouco se acreditaria estar em Roma. E, apesar disso tudo, o paradigma tradicional encerra elementos positivos, que nos obrigam a representar um contexto diferente, a elaborar o raciocínio por articulações (mundo rural, direito erudito marginalizado, guerra privada), sem as quais o pensamento histórico fica ameaçado. Um Lancelin de Beaugency, um Rotrou du Perche e um Hugo de Lusignan não são funcionários de um Estado antigo, mas senhores do século XI, emancipados e possuidores de uma "honra" claramente patrimonializada. São, literalmente, cavaleiros (*milites*) cujo poder é ambivalente, ao mesmo tempo predador e regulador. Em tribunais castelões, vê-se ao longo de todo o século XI, fazem arbitragens entre os cavaleiros que frequentam seus castelos, ou entre eles e as igrejas.

O mais belo dos títulos

A cavalaria faz somente guerras e valoriza sua legitimidade. O poder de fato é, no final das contas, muito mais frágil do que uma autoridade consagrada! Se "o senhorio" repousasse apenas sobre a força bruta, seria absolutamente desgastante para os próprios senhores.

Quem, por exemplo, afirma que os castelões não desejavam outro título que o de "senhor doméstico", à maneira do carvoeiro? O paradigma ou as fontes? Seguramente, apenas o primeiro. É este que anseia por um chefe de bando ou um déspota autônomo, fechado no seu orgulho como em seu torreão inexpugnável, repetindo a si mesmo frases como "Não sou rei, nem príncipe, tampouco duque ou conde; sou o senhor de Coucy". Ora, isso não é mais do que uma divisa forjada posteriormente, uma representação de um sonho moderno. De toda forma, no século XI, muitos senhores castelões são condes ou viscondes, e outros são amplamente reconhecidos como "príncipes" ou (no sul) *comtors* de seus castelos. Todos são ao menos saudados como cavaleiros, no primeiro escalão dos hóspedes nobres de suas regiões.

Há uma forte legitimidade social e política inerente a um simples título cavaleiresco. Desde 999 reina em Rochecorbon (perto de Tours) "Corbon, nobilíssimo cavaleiro pela graça de Deus". Ser cavaleiro é pertencer a uma sociedade ampla, à elite de um lugar (*pagus*), reagrupada com frequência em torno de um duque ou de um conde poderoso, formando uma vasta rede de parentesco e de sociabilidade a despeito dos conflitos internos, isto é, das relações conflituosas que perpassam a sociedade cavaleiresca. Quanto ao "pela graça de Deus", apenas no século XV o rei interpretou expressões semelhantes como um desafio à sua soberania. No século XI, toda a hierarquia social, todo o sistema das três ordens é estabelecido, mantido e defendido pela graça de Deus. Os senhores daquela época jamais reivindicaram a independência, nem desdenharam toda legalidade. Nós os tomamos por usurpadores de soberania apenas por causa dos esbirros do cardeal de

Richelieu (um Galland, um Mézeray). Com efeito, nos anos 1630 reivindica-se para o rei o monopólio da soberania no reino, considerando-se, retrospectivamente, os "príncipes" do passado como usurpadores. Insiste-se, pois, em denegri-los com base em considerações anacrônicas e em fazer pesar a história da França sobre suas costas.

Dificuldades de uma descrição

A partir do castelo, dizem ainda hoje, um verdadeiro bando faz sua lei reinar sobre a região, impondo seu imposto e estabelecendo uma espécie de pequeno Estado predatório. São estes, em linhas gerais, os termos de Flach (1884), autor que inspirou Duby em sua descrição da região de Mâcon no século XI, e ele não está completamente errado. Pois o castelo importante não é feito só de uma habitação, e não é mais propriedade de apenas uma família. É necessário distinguir toda uma série de "costumes" exigidos em nome da ordem pública (como a proteção, "chamada assim ironicamente", segundo um documento de Saint-Denis escrito em 1005) dos "costumes" relacionados à propriedade do solo. Os primeiros parecem consistir em um direito da cavalaria dominante quando se sobrepõem aos segundos, exigidos por um mosteiro, possuidor do solo, dos seus "tenanceiros" (que são, por isso, seus homens próprios). Os direitos de proteção vinculam-se sempre, em grau maior ou menor, a um castelo e, portanto, ao "senhorio castelão". Mas tal quadro decorre de um verdadeiro princípio, ou apenas do fato de que todo cavaleiro, isto é, todo notável de uma região dominava um ou vários castelos importantes, mesmo que não possuísse suas próprias fortalezas?

A perspectiva de Flach pode induzir a erro, uma vez que o grupo cavaleiresco não constitui um verdadeiro bando, oriundo do exterior e estabelecido em uma "castelania" como se fora terra conquistada. Na pessoa dos cavaleiros do castelo abordamos a própria sociedade local, seus elementos mais evidentes, lá instalados com suas divisões e diferenças internas. São esses detentores de direitos sobre o solo que, além do mais, podem adquirir costumes de outro tipo, cuja origem pode ser muito rapidamente esquecida e cujo próprio pretexto muda: é o que se vê em Mont-Saint-Jean (Borgonha) nos anos 1070. De qualquer forma, é incomum, no século XI, que o verdadeiro proprietário de um senhorio fundiário ("alódio", *villa*) não detenha também a justiça inferior e superior sobre seus camponeses. Os próprios mosteiros cedem aos condes, aos senhores castelões ou a seus agentes apenas os casos de alta justiça, e ainda assim a contragosto, tentando subtrair dessa jurisdição seus verdadeiros servos. Os não nobres são julgados e governados na "aldeia" (*villa*), e não no castelo, daí seu nome de vilãos.

Não é absolutamente necessário crer que no século X o campesinato livre era julgado na circunscrição de uma *viguerie* (subdivisão do *pagus*), ou seja, em uma jurisdição pública, e que em seguida a mutação do ano 1000 destruiu esse tribunal e desmembrou o *pagus* em castelanias privatizadas. A *viguerie* era, no século X, apenas uma referência que em seguida foi abandonada, nem sequer substituída. Quanto à castelania, esta só se afirmaria como circunscrição territorial no século XI. Portanto, há apenas a paróquia, além do *pagus*, que efetivamente subsiste. Na realidade, nos séculos X e XI, na França central concentram-se no *pagus* a "honra" do conde (ou do visconde), além das "honras" dos "príncipes de castelos" e as terras das igrejas. A transformação dessas honras em verdadeiros territórios — domínio condal, castelania, *ban* de uma igreja — efetua-se gradualmente ao ritmo do fortalecimento dos quadros administrativos, processo sensível a partir de meados do século XI (com os prebostes, prefeitos, *viguiers* e diversos tipos de agentes) e concluído no alvorecer do século XIII.

No século XI, a "honra" castelã é, para os contemporâneos, uma evidência imediata e sintética. O prodigioso *Récit des Pactes* (*Conventi*) entre Hugo de Lusignan e o conde de Poitiers, nos anos 1020, não fala de outra coisa! Percebe-se que sob essa expressão encontra-se, ao mesmo tempo, o feudo e o senhorio, emblema do homem e riqueza material, função pública e patrimônio... Contudo, é extremamente difícil descrever esse tipo de honra, tanto no que se refere a seu princípio quanto aos seus dispositivos concretos. Sofremos com a escassez das fontes: não há inventários completos, e faltam até mesmo referências em zona de atrito com determinado senhorio de igreja. E nossas categorias modernas mostram suas limitações. A velha escola do século XIX tem razão: com base em nossos critérios, confunde-se indevidamente soberania e propriedade. E, contudo, é preciso aprendermos a esclarecer cada uma dessas noções. Não há, no século XI, propriedades ou soberanias abstratas, plenas e integrais, e sim, por toda a parte, verdadeiros laços de relações sociais (Duby o dizia muito bem): a posse de uma terra ou mesmo de um castelo supõe sempre uma relação entre diversos detentores de direitos, quer sejam eles os mesmos e concorrentes (alternados ou partilhados), quer sejam direitos de tipos diferentes que nós não mais dissociamos. Quase não conseguimos imaginar, por exemplo, que se possa deter um castelo ou uma terra sem o direito de aliená-los à vontade, o que no entanto é extremamente frequente no século XI. Predominam os direitos de uso sobre os de abuso. De maneira geral, as servidões que pesam sobre um homem e seus bens são mais numerosas do que na época moderna, sobretudo depois de 1789, e é a toda essa atmosfera mental e sociojurídica que se chama "feudalismo" ou "ordem senhorial", expressões mais imprecisas do que propriamente erradas.

A "honra" de um senhor castelão, como a de um conde ou a de um cavaleiro de menor envergadura, tem, portanto, qualquer coisa de compósita. Os historiadores interpretam-na de várias formas, de acordo com o aspecto que privilegiam. Para os membros da velha escola, trata-se de uma dependência feudal; para Duby, é um "senhorio banal". Ambas as interpretações são, ao mesmo tempo, verdadeiras e falsas, porque demasiado parciais.

Senhorio banal? O termo é, de fato, muito mal escolhido, e não extraído das próprias fontes. No Mâconnais há apenas uma alusão ao *ban*, em 1095, em um ato pontifício relativo ao "*ban* de Cluny", senhorio completo do abade sobre a própria área do mosteiro, o burgo e algumas localidades vizinhas (uma *banlieue*, "subúrbio"). A justiça sobre os não nobres, o *ban* que os arrasta ao moinho são exercidos mais pelo senhor do solo do que pelo do castelo. Este último os detém somente sobre uma parte do próprio castelo e do burgo. A própria expressão "senhorio banal" chegou até Duby de uma teoria forjada por historiadores que o entendiam como o *ban* régio, no intuito de insistir sobre a origem pública, regaliana de certos direitos senhoriais. Ora, o erro está em considerar a justiça no seu conjunto e sobre todos (como se os próprios reis da Alta Idade Média em algum momento a tivesse tido!). Em compensação, é verdade que a "honra" castelã não é essencialmente um senhorio do solo habitado e cultivado; ele concentra todos os espaços de tipo público: além do próprio castelo, a floresta que frequentemente está nos seus limites, os rios e as estradas, a feira que se realiza cada semana na encruzilhada próxima dele, enfim, as igrejas. Os principais agentes de um senhor castelão são, no século XI, os monteiros ou guardas-florestais e os recebedores de pedágios, guardas de estradas e de mercados, além daqueles que intervêm em seu nome nas terras dos mosteiros para dispensar, em princípio, proteção e justiça.

E quanto à castelania como dependência feudal? Não é evidente, com efeito, que os senhorios fundiários ("alódio", *villa*) sejam todos detidos como feudo pelo senhor castelão em sua esfera de influência. Alguns o são, e sobretudo entre ele e os senhores do solo, que são cavaleiros do castelo, produz-se a partilha dos direitos do senhorio castelão, de caráter um pouco mais público. Assim, a cavalaria da área, sediada no castelo, recebe como feudo partes das florestas, dos mercados e das igrejas (repartição dos "ganhos do *ban*", observa Duby). Por outro lado, a autoridade superior conserva um certo direito de vigilância, e o senhor castelão deve, naturalmente, homenagem e fidelidade ao conde, e com frequência (maior do que se afirmou) tem a obrigação de abrir-lhe as portas de seu castelo.

Nessas condições, é impossível um verdadeiro despotismo de sua parte. Incompletamente emancipado do conde, o senhor castelão não é, portanto, um senhor absoluto, mesmo porque os cavaleiros de seus castelos mantêm com ele uma relação equilibrada. Eles o apoiam, mas também podem desequilibrá-lo. São suas próprias guerras privadas que preservam sua preeminência, e no entanto ele custa a apaziguá-las. Foi preciso a passagem das relíquias de Santo Ursmer, em 1060, pelos castelos flamengos para pôr fim às suas querelas. Ainda assim, por quanto tempo? De seus vassalos, um senhor não faz o que lhe apraz. E também não de seus agentes (ministeriais), pois necessita permanentemente deles, e sua servidão ritualizada dificilmente basta para reduzir sua "arrogância". Enfim, nada é menos seguro do que a passividade camponesa diante de todo esse sistema. Quando, nos anos 1080, os monges de Saint-Aubin de Angers fazem uma lista dos abusos dos agentes do senhor de Montreuil-Bellay, o dossiê permite sobretudo entrever os rústicos astuciosos e insubmissos. Os vilãos do século XI são cabeças-duras, e a brutalidade senhorial talvez seja a marca de certa impotência diante deles.

Estado, senhorio, anacronismo

Portanto, os paradigmas que sustentam o conhecimento histórico podem, igualmente, deformá-los, como ocorre quando um fenômeno medieval é desfigurado por sua caricatura moderna. O senhor castelão do século XI, personagem central de um sistema social ramificado, é transformado em déspota isolado, em uma quimera. Mézeray sustentava, em 1643, que os monstros do folclore francês eram inspirados nos senhores castelões daquela época. Não se poderia tratar justamente do inverso? E se fosse a concepção de Mézeray acerca deles que provinha do folclore?

Entretanto, não se trata de afirmar que todas as nossas concepções herdadas são enganosas. Como não ver a violência difusa em toda a sociedade, antes e depois do ano 1000? Como deixar de relacioná-la à relativa deficiência das autoridades superiores? A onipresença dos "costumes" senhoriais testemunha o esforço de apropriação da região pela cavalaria em seu conjunto, tanto porque ela detém as armas, quanto porque se acredita nela. Mas estou convencido de que não houve nem tirania nem terrorismo de classe: a guerra privada frequentemente incomoda os agentes senhoriais. Já se afirmou, à exaustão, que a fraqueza do Estado central e do direito erudito deixava as mãos livres aos castelões. Mas, assim, ela não os priva de um sustentáculo potencial?

O castelo fortificado data apenas do início do Estado moderno (século XIII), que apoiou com suas finanças os grandes barões. O senhorio mais forte não é também aquele que indiretamente apoia os funcionários régios? É preciso cuidado com as hipóteses demasiado contestatárias... Mas, ainda assim, mantém-se a dúvida sobre se, na Idade Média, o que é ruim para o Estado sempre é bom para o senhor.

DOMINIQUE BARTHÉLEMY
Tradução de Mário Jorge da Motta Bastos

Ver também

Castelo – Cavalaria – Feudalismo – Idade Média – Nobreza – Ordem(ns) – Violência

Orientação bibliográfica

BARTHÉLEMY, Dominique. *La Société dans le comté de Vendôme de l'an mil au XIVe siècle*. Paris: Fayard, 1993.

_____. *La Mutation de l'an mil a-t-elle eu lieu?* Paris: Fayard, 1997.

_____. Note sur le titre seigneurial (*dominus* ou *senior castri*), en France au XIe siècle. *Archivum Latinitatis Medii Aevi*, Genebra, t. LIV, p.131-58, 1996.

BLOCH, Marc. *A sociedade feudal* [1939-1940]. 2.ed. Lisboa: Edições 70, 1987.

BONNASSIE, Pierre. *La Catalogne du milieu du Xe à la fin du XIe siècle: croissance et mutations d'une société*. Toulouse: Association des Publications de l'Université de Toulouse-le-Mirail, 1975-1976. 2v.

DUBY, Georges. *Economia rural e vida no campo no Ocidente medieval* [1962]. Tradução portuguesa. Lisboa: Edições 70, 1987-1988. 2v.

_____. *La Société aux XIe et XIIe siècles dans la région mâconnaise* [1953]. 2.ed. Paris: Sevpen, 1971.

_____. *A sociedade cavaleiresca* [1973]. Tradução brasileira. São Paulo: Martins Fontes, 1989.

_____. *As três ordens ou o imaginário do feudalismo* [1978]. Tradução portuguesa. Lisboa: Estampa, 1982. Reed. 1994.

FLACH, Jacques. *Les Origines de l'ancienne France, X^e et XIe siècles*. Paris: L. Larose et Forcel, 1886-1917. 4v.

FOSSIER, Robert. Naissance de la seigneurie en Picardie. In: *Histoire et société: mélanges offerts à Georges Duby*. Aix-en-Provence: Université de Provence, 1992. p.9-21, t.II.

FUSTEL DE COULANGES, Numa D. *Histoire des institutions politiques de l'ancienne France*. Paris: Hachette, 1890. t.III.

PERRIN, Charles-Edmond. *Recherches sur la seigneurie rurale en Lorraine d'après les plus anciens censiers (IXe-XII^esiècle)*. Estrasburgo: Les Belles Lettres, 1935.

POLY, Jean-Pierre; BOURNAZEL, Éric. *La Mutation féodale, X^e-XII^esiècle* [1980]. 2.ed. Paris: Holmes & Meier, 1991.

REYNOLDS, Susan. *Kingdoms and Communities in Western Europe, 900-1300* [1984]. 2.ed. Oxford: Clarendon, 1997.

ROULAND, Norbert. *Anthropologie juridique*. Paris: Les Presses Universitaires de France, 1988.

VIOLANTE, Cinzio. La signoria rurale nel secolo X: proposte tipologiche. In: *Il secolo di ferro*, XXXVIII Settimana di studio del C.I.S.A.M. Spoleto: Centro Italiano di Studi sull'Alto Medioevo, 1991. p.329-89.

WERNER, Karl Ferdinand. *Naissance de la noblesse*. Paris: Fayard, 1998.

WICKHAM, Chris. The Other Transition from the Ancient World to Feudalism. *Past and Present*, Londres, 103, p.3-36, 1984.

Sexualidade

De todas as funções humanas, a sexualidade é, ao mesmo tempo, a mais pessoal, a mais vital, e também a mais normatizada nas sociedades antigas, uma vez que as estruturas de parentesco e, mais ainda, toda a organização social estão embasadas na codificação das relações sexuais. Ademais, o discurso sobre o sexo é essencialmente desenvolvido por homens – monges ou eclesiásticos – que, por voto, renunciaram a toda vida sexual, e escrevem então com precaução e parco conhecimento – em princípio – daquilo sobre o que falam. De sua parte, os dirigentes laicos permanecem quase silenciosos, e as mulheres, com raríssimas exceções, mudas.

É verdade que quando se impõe a palavra escrita e que os tribunais da Igreja (as cortes espirituais), seguidos pelos seculares ou laicos, passam a funcionar com eficácia, o seu controle estende-se a domínios até então regidos pela família, levando homens e mulheres, solteiros ou casados, a manifestar-se em relação à natureza e ao sexo. Mas, como eles o fazem diante de juízes, na condição de denunciantes, vítimas ou testemunhas, escolhem as palavras, escandalizam-se facilmente com aquilo que se pretende que denunciem e dissimulam o essencial...

Restam-nos as transposições, as teatralizações, as idealizações poéticas, romanceadas ou pictóricas, as comédias e farsas que, antes do fim da Idade Média, enquadram as intrigas amorosas em um cenário realista. Fontes sem dúvida preciosas, mas que é preciso interpretar com a maior prudência, tendo em vista que os inumeráveis fragmentos do real que se encontram dispersos nessas obras são filtrados, inscritos "em uma encenação convencional do amor e da sexualidade" (G. Duby), um conjunto que depende do imaginário. Impõe-se, pois, uma abordagem prudente e uma crítica cuidadosa dos testemunhos, todos ambíguos, sobre os quais o historiador de hoje é tentado a projetar suas próprias experiências, seus fantasmas e seu saber.

O sistema moral cristão

"Os cristãos não foram totalmente reprimidos, isto é um fato", afirma P. Veyne, que traça as linhas de ruptura no século I do Império. Os medievalistas, em geral, opõem-se a essa formulação voluntariamente peremptória, mas devem reconhecer hoje em dia que, em matéria de ideologia, a herança foi considerável, tanto médica quanto filosófica, e até ritual.

As certezas eruditas que, na Idade Média, justificam e envolvem os discursos da ordem ou as propostas de tolerância foram amplamente retomadas dos saberes antigos. As ideias fundamentais dos grandes *corpora* da medicina greco-latina (interpretadas ou não pelos árabes), que jamais haviam desaparecido dos discursos, circularam livremente entre os doutos graças a alguns tratados fundamentais (como o *De coitu*, atribuído a Constantino, o Africano, o *De curis mulierum*, cuja autora teria sido a misteriosa Trotula, e, sobretudo, o *Canon*, de Avicena, que viria a ser o manual de base a partir do século XIII). Suas concepções foram amplamente difundidas, desde fins do século XIII, pelas grandes enciclopédias em línguas vulgares que atingiam um público considerável.

Segundo essa tradição, corpo e prazer sexual não estão sistematicamente associados ao mal, e a preocupação dominante continua a ser com a saúde. De qualquer forma, os diagnósticos mais importantes reforçam facilmente a moral e condicionam as atitudes.

O esperma é o extrato mais puro do sangue. Predomina a concepção de que essa preciosa substância, composta de sangue e pneuma, constitui "a vida em estado líquido", e de que as regiões cervicais e oculares contribuem muito para a sua formação.

O espasmo é, então, um esforço penoso que equivale, pode-se dizer, a duas sangrias. Em consequência, convém administrar economicamente o capital genésico, não o utilizando muito cedo para evitar seu enfraquecimento e exercendo sempre essa atividade com moderação. Pois, se a retenção do esperma não é saudável, o abuso do coito é, por outro lado, muito mais perigoso: ele abrevia a vida (a destacada longevidade dos eunucos prova-o *a contrario*), debilita o corpo, consumindo-o, diminui o cérebro, destrói os olhos, conduz à estupidez...

Mesmo que o indivíduo seja dotado de um temperamento favorável e de boas capacidades (os magros são, segundo alguns, mais espermáticos do que os gordos; os sanguíneos, por sua vez, mais bem dispostos do que os melancólicos), e que a estação seja propícia ao desejo (a potencialidade do homem é maior no inverno, a da mulher no verão; o outono os separa e a primavera – período sexualmente favorável – os reúne), convém jamais exceder os impulsos corporais. Arnaldo de Vilanova, no início do século XIV, autoriza duas a três relações semanais, não mais que isso.

É necessário tornar mais racional a mulher, particularmente sujeita ao desejo (úmida, fria, frágil, aberta e voluptuosa, portanto mais próxima da animalidade), dotada da capacidade de gozos repetitivos que supera, em muito, a do macho, ela é insaciável (supõe-se que, mesmo vítima de uma violação, a mulher sente prazer). Cabe, pois, ao homem, não se entregar a carícias imoderadas, a fim de evitar um estado de agitação impossível de refrear, ainda que convenha satisfazer a mulher engravidando-a.

As qualidades higiênicas e eróticas do ato estão ligadas a seu valor genésico. A anatomia feminina (sua representação, bem entendido) explica a relação organicamente estabelecida entre o prazer feminino, a normalidade copulativa (a penetração) e a finalidade genésica. Com efeito, o aparelho genital da mulher reproduz, simetricamente, em seu aspecto côncavo, o sexo masculino. Segundo uma das grandes tradições médicas (Galeno), as duas sementes devem necessariamente concorrer para o ato procriador. Em outras palavras, a mulher deve emitir e, portanto, atingir o orgasmo. Para os seguidores da tradição aristotélica, existe apenas uma única semente, o esperma masculino. Em consequência, a criança provém do pai, enquanto a mulher, receptáculo passivo, não é mais do que a nutriz de um gérmen que lhe é estranho.

Resumindo, médicos e filósofos concordam que a saúde do espírito é inversamente proporcional ao vigor genital, tendo em vista que as agitações carnais, antes de representarem um pecado contra Deus, são faltas contra a razão. O gozo físico é distinto do prazer racional; ele é uma força incontrolável, "senhor enraivecido e selvagem", um tipo de loucura, de furor. Como reafirmam os filósofos do século XIII, depois dos latinos, dos gregos ou dos árabes, o desejo é subversão e submersão do ser. Os órgãos genitais, parte mais vulnerável do homem, não estão sob controle integral da vontade, como puderam estar em outra época, em um tempo mítico, como o do Éden.

No judaísmo, como em muitas religiões antigas, o sexo está em relação perigosa com o sagrado, e os homens que se acercam dele devem preparar-se ritualmente. Mesmo se Cristo fala muito pouco da impureza, uma das crenças religiosas mais disseminadas na Antiguidade tardia determina que aqueles que vivem em contato com o sagrado guardem-se da poluição suprema, aquela que mais violentamente os afasta do divino.

Numa palavra, a Igreja apropriou-se de vários conceitos e integrou-os em uma argumentação construída, fundando uma verdadeira antropologia na qual Crisóstomo, Ambrósio, Jerônimo e Agostinho definem o lugar do sexo na obra divina e o papel das relações sexuais na vida cristã. A convicção de que "os tempos são curtos" (Paulo), além do fato de que a maior parte dos Pais foi monge ou eremita em um momento ou outro de sua vida, explicam a parte esmagadora dos valores ascéticos em matéria de sexualidade. Se esta não pode ser totalmente recusada, a sexualização é apresentada como uma consequência da Queda. Na ressurreição dos mortos, ambos os sexos estarão abolidos e a natureza será reunificada.

A mesma corrente de pensamento que faz da sexualização o efeito da vingança divina só pode banir o corpo sexuado, marca da decadência e do pecado. O sexo, intrinsecamente ruim, torna-se em todos os casos antagonista do sagrado. Na tríade das ordens de perfeição, os *virgines* ocupam o nível supremo, e os teólogos da virgindade apresentam essa vida assexuada (que se diz angelical) como signo indubitável da adesão a Deus e como modelo a seguir. A superioridade dos *oratores* está ligada à renúncia ou à continência, e a castidade do padre – mesmo imaginária – confere-lhe autoridade moral em relação aos *conjugati* e aos outros.

Essa concepção da hierarquia dos valores não favoreceu a reflexão positiva acerca do casamento, "remédio à concupiscência", "alternativa à danação para os incontinentes", única forma de conjugação admitida a fim de conter a volúpia e, com esta última, a desordem. Partindo dos modelos evangélicos e romanos, os Pais falam em *ordo conjugatorum* e elaboram uma teologia do matrimônio que dedica, bem ou mal – mas muito tardia e parcimoniosamente –, um lugar ao sexo. E o fazem visando ao melhor uso de uma prática condenável quando não inteiramente subordinada à sua única finalidade lícita, a procriação. Portanto, convém respeitar estritamente as regras e os ritos de uma conjunção de corpos que têm igualmente por função moderar a luxúria. A advertência, tantas vezes citada depois de Santo Agostinho, ecoou através dos séculos: "Também é adúltero quem ama com demasiado ardor sua mulher". A única relação suscetível de escapar ao pecado é aquela que os cônjuges empreendem e conduzem a uma boa finalidade genésica. Os esposos não pecam quando restituem o *debitum* e respondem a uma exigência do outro que eles próprios não sentem, mas é necessário afastar resolutamente as ocasiões ou comportamentos que favorecem a concupiscência, limitar-se às relações noturnas, esquivar-se da nudez e não provocar a volúpia por gestos, cantos ou atitudes impudicas. Recomenda-se não abusar da mesa, pois o excesso de carne e vinho inflama o desejo carnal. É necessário saber dominar os corpos a fim de reduzir o número de encontros. Visando a esse objetivo, basta observar algumas regras simples: que a mulher, passiva, deixe toda iniciativa ao homem, e que este último conforme-se com o modo de conjunção que é próprio da espécie, pois o resto é invenção da incontinência e reduz as chances de procriação. Além disso, as posições incomuns são perigosas, provocam a cólera de Deus, ultrajam a ordem natural (como o *equus eroticus*) e podem dar lugar a concepções monstruosas (por exemplo, o acoplamento *more canino*). Ocorre o mesmo com o desrespeito aos períodos interditos, que totalizam, inicialmente, mais de 250 dias, reduzindo-se pouco a pouco com a supressão, desde o século XI, dos períodos de abstinência mais longos (salvo a Quaresma). Restam, entretanto, várias – e semanais – chamadas à continência, que se juntam aos períodos de impureza da mulher, aos da gravidez ou da penitência.

Essas múltiplas épocas de renúncia constituem, além disso, aos olhos dos teólogos (quando, extraordinariamente, encaram o problema), o único meio lícito de limitação dos nascimentos, uma vez que toda ação contraceptiva representa uma falta mortal, e que a sodomia é ainda mais abominável no matrimônio do que nos territórios sombrios das *illicitae copulae*. Todavia, o mais indicado é o mútuo consentimento da abstinência, preâmbulo de uma castidade conjugal de múltiplos graus que, perfeitamente executada, permite participar no futuro da glória dos eleitos.

Observam-se, desde fins do século XII, as primeiras inflexões de uma moral que até então, em seu desenvolvimento teórico, concedera pouquíssima importância ao real. As origens dessa revisão, um tanto radical, remontam de fato aos combates travados, desde meados do século XI, pelos gregorianos contra a incontinência dos clérigos e pela santificação do casamento. Sua intromissão nesse domínio suscitara, quase imediatamente, vigorosas reações. Os defensores do matrimônio dos clérigos (os nicolaístas) argumentavam que a continência era uma graça e que não poderia ser imposta sem risco aos homens cuja compleição demandava uma purgação periódica. Os homens e as mulheres lançados na ampla movimentação herética professavam o maior desprezo ao que é carnal. Os mais radicais desejavam purificar o mundo, subjugar o reino do mal e, portanto, recusavam o casamento, condenavam a procriação e chegavam até a rejeitar todo alimento produzido pelo ato sexual. Apenas uma elite de Perfeitos observava a castidade total, mas todos aqueles que se opunham a confundir mácula sexual e sacramento, a diferenciar casamento e concubinato, a reduzir a relação carnal ao ato procriador, recebiam com simpatia a predicação herética. O sucesso desta em todas as regiões do Ocidente submetidas à reforma gregoriana forçou os teólogos a rever suas opiniões em matéria de casamento e sexualidade.

Além disso, os homens das novas ordens, encarregados de lutar contra a heresia, formados no mundo urbano e confrontados a seus problemas, acreditavam que a falta cometida pudesse vir a ser apagada posteriormente pela penitência, neste mundo (Maria Madalena) ou no outro (a teologia do Purgatório acaba de se constituir). O pecado reside mais na intenção do que no ato.

As grandes crises do século XIV – a queda demográfica, em particular – reforçam esse movimento, já que, para muitos, tornou-se mais urgente repovoar a terra do que o Paraíso: "A guerra não é mais entre o carnal e o espiritual, mas entre o natural e aquilo que o contraria" (G. Duby), e a maioria dos doutos reúne-se em torno de algumas ideias centrais.

Aqueles que, vivendo em meio às mulheres, pretendem reprimir sua concupiscência são hipócritas, pois não receberam a graça especial que, pelo sacramento da ordem, permite aos padres resistir ao poder do desejo. A castidade – *a fortiori* a virgindade – não tem grande valor espiritual quando não é acompanhada por outras virtudes, e sua forma mais valorosa é a castidade voluntária vivida no matrimônio.

Está bem claro que a *copula carnalis* é indispensável à perfeição do casamento, que a impotência do cônjuge ou a frigidez/esterilidade de sua esposa desencadeia a esterilidade da união, e que a sexualidade procriadora, natural, é legitimamente acompanhada de um prazer não condenável, se moderado.

Esse *aggiornamento* doutrinal encontra muito rapidamente seus limites. João Bromyard, no século XIII, e Bernardino de Siena, no século XV, entre muitos outros, reconhecem e lamentam que (assim como havia notado um médico do século XIII) "quase todos os homens desejam o coito em razão do prazer e pouco na esperança de conceber filhos".

Inevitáveis corolários da reabilitação ou do elogio do prazer natural: uma atenção sempre mais inquieta contra os desvios e uma condenação sem reservas das depravações da contranatureza. A sodomia (hetero ou homossexual), claramente vinculada à heresia pelas razões já indicadas, crime contra a graça, a razão e a natureza (Alberto Magno), é denunciada como uma das mais graves (senão a mais grave) formas da luxúria. A homossexualidade, corrupção mais vil da alma, é uma perversão situada por Santo Tomás na vizinhança imediata do canibalismo e da bestialidade, "tão repugnante e tão grave" que todos aqueles que a cometem veem sua própria imagem francamente associada aos estereótipos do inimigo comum.

Acredita-se também que a masturbação debilita, efemina o indivíduo, preludia o homossexualismo e impede a procriação.

É por isso que os teóricos concedem à fornicação simples (relação heterossexual e natural concordada entre dois parceiros livres de todo laço) uma função um tanto particular. Todos admitem a ubiquidade desse pecado, e a maioria concorda que se trata de uma falta perdoável em numerosas circunstâncias, em particular quando cometida por celibatários com prostitutas públicas.

Tais são os traços maiores de um sistema moral cristão que, como se vê, não permaneceu durante um milênio sem mudanças, porque a teologia é um produto da história e porque os clérigos jamais se manifestaram em uníssono. E, sobretudo, porque suas palavras sempre foram recebidas diversamente, interpretadas, deformadas ou combatidas pelos meios culturais no seio dos quais a norma não procedia apenas do ensino dos padres, mas da eficácia do real e da força das práticas.

A força das práticas

Não esqueçamos inicialmente que, apesar das posições teológicas que a princípio igualam homem e mulher em matéria de direitos e responsabilidades sexuais, as sociedades medievais viveram sob uma moral sexual dual, atribuindo ao homem todas as liberdades aferentes à superioridade de seu sexo e reservando à mulher a modéstia. Uma mulher (exceto a pertencente a ínfimas minorias) não podia encarar uma relação sexual normal sem recear as consequências comuns: a desonra para as donzelas e/ou a fadiga de gravidezes sucessivas e de partos perigosos.

Mesmo se, no meio social, o casal é a forma comum da vida familiar, o modelo conjugal romano-cristão continua a inserir-se no vasto conjunto do clã ou da parentela. Tais estruturas impõem-se vigorosamente ao indivíduo, constrangido pelas resoluções dos antigos, pelas necessidades endogâmicas e pelo consentimento dos pais. A cognação, o repúdio da esposa infecunda, o caráter inteiramente profano dos rituais de casamento, definem essas práticas na maior parte do Ocidente até o século XI.

Nas grandes famílias, o concubinato e as aventuras passageiras acompanham normalmente o matrimônio, constituindo uma poligamia de fato que os clérigos dos palácios são totalmente incapazes de extirpar. Os autores de anais carolíngios dão-nos a conhecer onze esposas e companheiras de Carlos Magno, que teve um número de amantes muito mais imperial. A monogamia é, então, uma marca dos pobres, e a continência uma virtude muito rara reservada à elite clerical, uma vez que a maior parte dos clérigos seculares vivem em concubinato, quando não são abertamente casados.

Nas regiões periféricas (Escandinávia, regiões celtas, fronteiras do Islã), a ordem sexual sonhada pelos reformadores realiza-se parcialmente. O combate pela continência foi travado pelos gregorianos desde o século XI nas províncias mais bem controladas (no Lácio, por exemplo, onde a proporção de padres concubinados diminuiu antes de 1100), mas apenas 100 ou 150 anos mais tarde em outras regiões. Nessa luta, os leigos desempenharam um grande papel por suas exigências espirituais (cuidado em evitar a mácula no sacrifício), e sobretudo pela concordância dos chefes de linhagens que desejavam conter – pela "continência instalada" – a multiplicação dos núcleos familiares.

Ainda assim, a "vitória" gregoriana, muito incompleta, deixa subsistir um grupo estável de clérigos concubinados (aproximadamente 20% na Toscana) muito importante nas províncias do Norte, na Inglaterra e também na Espanha. Um pouco por toda parte, na medida do possível, os bispos ignoram o problema e os sínodos intervêm apenas se há escândalo. Pois – atingimos aqui um ponto essencial –, com o correr do tempo, sob a pressão dos fatos e do espírito "laico", a hierarquia dedica menos energia e rigor do que anteriormente à repressão da incontinência, à penalização das mulheres e à defesa de um ideal de virgindade apresentado como uma escolha "heroica" por seus defensores, mas como "contrário à natureza" por seus detratores burgueses dos anos 1400, enquanto o conceito de castidade torna-se mais fluido. Observa-se, após o século XII, o recuo lento, mas inexorável, dos valores temporais e espirituais da virgindade voluntária ou imposta. Seus efeitos são múltiplos: os aristocratas consideram o casamento das filhas necessário, os burgueses fazem legados às donzelas pobres, para casá-las, e os juízes de oficialidade duvidosa sancionam atos (inumeráveis) de fornicação, chegam mesmo a ignorar os casos (certamente numerosos) de defloração ilícita.

Nessas condições, não nos espantemos se os autores dos *fabliaux* ou das farsas fazem padres e monges jurar – para fazer rir, e a receita é infalível – "por sua virgindade". Os mesmos autores não ousam ironizar a virgindade das monjas, que eles sabem estar na maioria obrigadas à virtude. As pequenas comunidades femininas (os conventos de beguinas) constituíam-se em centros de uma moderação sexual voluntarista da qual a Igreja desconfiava mais que os notáveis, que, apesar de suas reticências, sempre encorajaram a existência dessas pequenas ilhotas de oração, ou até de perfeição espiritual, que aos seus olhos compensavam as fraquezas e faltas cometidas pelos cidadãos, no casamento ou fora dele.

A sociedade, apesar de tudo, curva-se bastante bem diante de um tipo de conjugalidade que obedece ao modelo de conjunção sexual forjado pelos doutores. É a morte que atua como principal perturbadora dos modelos monogâmicos, apesar das prevenções da Igreja, forçada a dobrar-se, ainda que tardiamente, à massificação dos fatos e a abençoar as segundas e terceiras bodas. Os casais têm vida curta, sobretudo em um período demograficamente conturbado (em média 10 a 15 anos, no máximo, no caso da aristocracia de fins da Idade Média; 12 anos entre os não nobres, e 16 anos entre os nobres de Veneza). Entre os habitantes de uma cidade do século XV, não menos do que 30% a 40% dos casais estão no segundo ou terceiro enlace.

Os jogos do adultério também corroem a ordem conjugal, quaisquer que tenham sido as defesas erigidas pela comunidade – em relação às mulheres, bem entendido, pois o crime é considerado essencialmente feminino; uma denúncia contra o homem é virtualmente impossível (salvo em caso de adultério público). Outrora, a família encarregara-se, se necessário através do assassinato, de vingar a humilhação sofrida. As formas de vingança privada persistiram, sem dúvida, por muito tempo, a par das sanções públicas inicialmente muito cruéis (o desfile dos amantes, nus, pela aldeia). Desde o século XII, a multa substituiu as penas corporais (mantidas em caso de não pagamento), e com o correr do tempo houve abrandamento da sanção, aliás imposta mais para solucionar questões materiais do que para erradicar um crime social.

O concubinato, enfim, constitui uma forma de conjugação que resiste com grande eficácia ao casamento, mesmo depois da mutação gregoriana. Tal fenômeno era, anteriormente, muito comum no seio das grandes famílias, e foi apenas no século XI que se acentuou a distância entre concubinas e esposas, considerando-se bastardo o filho do concubinato. Entretanto, nos séculos XIII e XIV, os civilistas fazem dele um "quase matrimônio", e alguns pensam mesmo que não deva ser submetido a nenhuma pena legal. Em Montaillou, por volta de 1300, 10% dos homens vivem assim, e, nas gerações seguintes, 15% a 25% dos casais (em algumas paróquias normandas dependentes da oficialidade de Cerisy).

Posto que poetas e filósofos proclamam que não é bom contrariar a natureza, e que médicos afirmam com crescente insistência que a continência é um perigo, sobretudo para os jovens, e que as doenças daí procedentes (como as que nascem da paixão amorosa) devem ser curadas pela satisfação do desejo, não surpreende que a moral social reconheça a sexualidade de todos aqueles que os gregorianos pretendiam submeter fosse à virgindade, fosse a uma espécie de "dormência" sexual. Liberdade, pois, para os homens, amplamente preservados de toda punição, com a única condição de que suas experiências ou aventuras não contrariem a natureza, não choquem os outros (pelo menos os de sua classe) e não violem a paz.

Comportamentos subversivos

Dois tipos de comportamentos, sobretudo a partir do século XIII, são percebidos como fortemente subversivos: o autoerotismo e a homossexualidade, emersa da vasta categoria de atos qualificados de "sodomíticos".

A caça aos homossexuais ou aos "efeminados", intensificada em torno de 1400, e sua execração, proferida em todo o Ocidente pelos moralistas laicos ou religiosos, reforçavam, *a contrario*, os valores positivos e invejáveis da masculinidade e da virilidade. Ora, são exatamente os excessos desta última que se manifestam com maior evidência nas cidades da Baixa Idade Média. A "paquera", mesmo barulhenta, insistente, coletiva e inconveniente, não está totalmente em questão, ao contrário da caça às jovens, da provocação pública (levantar o capuz de uma mulher significa muito claramente comprometê-la) e da agressão pura e simples concluída pela violação coletiva. O estupro cometido contra moças de humilde condição ou até mulheres de má reputação é, naquele momento como mais tarde, a expressão extrema e subcultural das frustrações da juventude: um ato de virilidade e, portanto, de integração nas facções de bairro. A frequência desse tipo de ato inquieta os dirigentes, que, antes de tudo, receiam as eventuais transgressões sociais à custa de mulheres constrangidas ou concordantes.

Compreende-se, assim, porque as autoridades urbanas permitem que a prostituição se desenvolva sem jamais reprimi-la com vigor, constância e coerência. Essa relativa "integração" da prostituição, concebida, ao menos no século XV, como uma terapêutica do corpo, das paixões e da sociedade, é acompanhada – fato revelador da importância atribuída à sexualidade nas sociedades urbanas – de uma enorme tolerância em relação aos estabelecimentos de banho notoriamente prostibulares, que satisfazem às necessidades de uma clientela carnal e materialmente mais exigente. As "prostitutas honestas" atuavam periodicamente nas melhores dessas grandes casas que os notáveis e príncipes (Filipe, o Bom, ou o imperador Sigismundo) não deixavam de franquear a seus hóspedes.

Na verdade, essa idade de ouro da prostituição, que também foi a de uma relativa tolerância social para com os concubinos e fornicadores machos, não resistiu por muito tempo à Reforma Católica, nem ao anseio de ordem e controle das vigorosas monarquias da pré-Renascença. Enquanto as casas de banho eram fechadas (antes de 1500), a união livre via-se proscrita e os concubinos condenados.

A sexualidade dos esposos

A conformidade aos modelos revelou-se melhor na penumbra do quarto? Uma concepção otimista da história levaria a crer que o tempo (ao menos a longa duração) é, nesse domínio como em outros, caracterizado por um progresso, e que – apoiado pela teologia do casamento e pela promoção "cortesã" da mulher – o pacto carnal impôs-se entre os parceiros.

É verdade que uma corrente intelectual, inicialmente minoritária (Abelardo é seu principal representante no século XII), admite que a dominação masculina "cessa no ato conjugal, no qual o homem e a mulher detêm um igual poder sobre o corpo do outro". É igualmente verdadeiro que, mesmo se a *fin amor* não se importava com a igualdade, a cultura cortesã do adultério devia preocupar-se com a prudência. As *Arts d'aimer* (André, o Capelão) mencionam diversas técnicas amorosas; os *Secrets des femmes* (derivados da literatura médica árabe) fazem o mesmo, assim como as coletâneas de conselhos médicos que, sob a máscara da eficácia genésica, indicam diversos meios (táteis ou psicológicos) de aumentar ou estimular o prazer feminino, além dos melhores afrodisíacos, víveres raros ou plantas caseiras suscetíveis de reparar as carências.

Apesar de tudo, vários fatores dissuadem a mulher (ao menos a maioria delas) de crer na possibilidade de sustentar um verdadeiro diálogo nesse domínio, ou de orientar a conversação. "O marido é dono do corpo de sua mulher, ele a herdou" (G. Duby). A posse marital do corpo da esposa é, sem dúvida, o dado da realidade mais partilhado socialmente.

A diferença de idade no casamento ou, se preferirem, a dessemelhança de idades entre os esposos atua igualmente contra as moças, que, na aristocracia, são entregues ainda muito jovens por seu pai (quase sempre aos 14 ou 15 anos) a um homem já maduro. Ocorre o mesmo entre os cidadãos livres, e os próprios *mediocres* tendem a seguir esse modelo. Em Florença, no século XV, a diferença de idade entre marido e mulher é de quinze anos em média, menor entre os humildes, mas apenas nas primeiras núpcias. Contudo, quase sempre, a mulher choca-se com a autoridade temível que a idade acrescenta ao sexo.

Uma mulher é sempre conhecida carnalmente, mas jamais reconhecida em seu íntimo por um homem cujo primeiro dever consiste em não se deixar levar pela mulher. A relação carnal é um ritual de poder que está no centro da identidade masculina. Explicam-se, assim, as práticas amorosas que misturam brutalidades e galanteios cortesãos. Esclareçam-se igualmente as dificuldades de criminalização das violências sexuais, mal diferenciadas de outros comportamentos; quanto mais se desce na escala social, mais a violação pode deixar de ser crime.

Nessa perspectiva machista, a normalidade da relação confunde-se com uma penetração que, para ser plenamente viril, termina por uma ejaculação "natural". No pior dos casos, ocorre o *blitz coit*: nada de preparação, uma posição de superioridade masculina, uma rápida ejaculação na quase total indiferença pelo prazer da parceira. Nesse caso, o homem vai à mulher como vai à privada: para satisfazer uma necessidade. Qual é a proporção de homens que buscam, por razões muito diversas, entrar em acordo com os ritmos e desejos de sua parceira? Evidentemente, jamais o saberemos. Mas somos levados a pensar que é mínima, se nos reportamos, por exemplo, à linguagem comum, às expressões empregadas pelos trabalhadores ou artesãos do século XV, que, quando de suas aventuras, vão "cavalgar", "lutar", "lavrar" ou "*roissier*" (quer dizer, "bater, golpear") sem talvez se preocupar muito com as consequências de sua conduta. A questão essencial é, com efeito, saber se a busca do prazer comum dissocia-se de sua legitimidade, e se – por esse motivo, ou por receio de uma gravidez indesejada – os amantes esforçam-se, de uma maneira ou de outra, pelo artifício ou pelo controle, em evitar os riscos da procriação. Questão de conhecimentos, de meios, de "mentalidade".

As práticas contraceptivas

A Idade Média dispôs, sobre esse assunto, de tanta informação quanto os romanos. Bem entendido, não se conhecia nada acerca dos ritmos de fecundidade, e pode-se mesmo pensar que o período mediano do ciclo menstrual era o menos propício à procriação. Por muito tempo, nas regiões ainda pouco cristianizadas, as mulheres exerceram uma função mágico-medicinal, sabendo utilizar em particular ervas e poções contraceptivas e abortivas. Resta o essencial: o comportamento masculino. Contudo, ignoramos se a prática do *coitus interruptus* (classificado pelos clérigos na categoria dos atos contra a natureza) foi socialmente significativa.

Estas são as tendências que, governando em níveis variados as diversas camadas sociais, podem explicar a extensão bastante restrita dos comportamentos contraceptivos. Sabe-se que os rituais populares de fecundidade – livremente associados às bênçãos eclesiásticas do quarto e do leito – achavam-se entre os mais difundidos, e que os mesmos foram ainda mais valorizados após 1400 pela propaganda oficial favorável à natalidade. Tais ritos uniam-se às manifestações de derrisão, frequentemente conduzidas por jovens, dirigidas a casais que não tinham filhos no primeiro ano de casamento. O desejo de filhos – pois a descendência, se não é, como no patriciado, sinal manifesto de potência ou de riqueza, representa, contudo, neste mundo incerto, uma garantia para a velhice – parece ao menos tão forte quanto o desejo de prevenção. Isso explicaria, por exemplo, a difusão da adoção (entre os séculos XII e XV) entre os casais que dispunham de meios para isso. A tradição comportamental masculina (que, como vimos, confunde facilmente normalidade do coito com ato gerador) não é impugnada pela didática erótica. Os autores mais atentos à sensibilidade feminina fazem do orgasmo simultâneo uma condição da geração, o que pode, *a contrario*, levar o homem a crer que seu prazer egoísta não tem grandes consequências genésicas. De qualquer forma, observa-se, no século XV, uma taxa de natalidade proporcional à fortuna do casal, sem que se possa determinar a influência dos comportamentos contraceptivos, da idade no momento do casamento (os pobres casam-se mais tarde que os ricos) e do desgaste biológico, sem dúvida mais precoce entre os *minores*.

Alguns indícios levam-nos a pensar que as práticas contraceptivas existem e são mais correntes entre os citadinos do que entre os rurais, mais entre os *mediocres-minores* (nos primeiros níveis dos estratos médios) do que nas zonas extremas da hierarquia social, mais após vários anos de casamento do que no início da união, mais nas áreas culturais suficientemente desvinculadas da influência dos padres ou das inércias da tradição do que nas pequenas cidades ou nos desertos urbanos. Em resumo, somente se beneficiam do controle de natalidade algumas minorias cultivadas e de modesto bem-estar. Fora delas, as mulheres em sua imensa maioria devem entregar-se, com ou sem o conselho de matronas – que as municipalidades esforçam-se por controlar –, a técnicas abortivas, dentre as quais as mais eficazes (poções, alimentos irritantes, asfixia do feto no ventre da mãe) são também as mais dolorosas e perigosas, tomando o cuidado de agir rapidamente para evitar a acusação de infanticídio.

Não devemos esquecer esses árduos caminhos quando observamos os sinais, multiplicados a partir do século XIII, da reabilitação do mundo, do corpo e dos prazeres carnais. Concede-se extrema importância à vestimenta, ao paramento, ao *cultus* e ao *ornatus*, às fantasias e disfarces, portanto, aos instrumentos mais eficazes de sedução, de captação dos olhares e da alma. A utilização erótica da vestimenta, sensível a partir do século XIII, precipita-se no século XIV em um movimento rápido e amplo de valorização do corpo e de acentuação das diferenças sexuais. A *cotte-hardie*, cerca de 1400, expõe as formas do busto, o decote abre-se e prolonga-se, e as aberturas, aqui e ali, levam a pensar na nudez que na verdade cada vez menos se tenta disfarçar. Essa dialética da provocação e da vergonha não se aplica somente às mulheres (vejam-se os gibões, calções e braguilhas) e se faz acompanhar do surgimento do nu representado como glorioso, ou associado à festa e não mais aos tormentos, à vergonha e aos rituais de humilhação. Assim, algumas miniaturas representam banhos públicos, onde homens e mulheres, juntos nas mesmas cubas, trocam carícias antes de seguirem para os leitos que os aguardam próximos dali.

Permitindo, sobretudo, que no coração dos bairros comerciais ou judiciários prosperassem centros de acolhimento de amores venais (e, frequentemente, de adultérios), a sociedade urbana e seus intelectuais, clericais ou laicos, dão claramente a entender que a satisfação das necessidades sexuais era desejável para todos os níveis do edifício social, e poderia ao mesmo tempo revestir-se de formas honestas, ou até louváveis. O ambiente confortável das casas de banho, onde a mesa localizava-se ao lado da banheira e do leito, tendia a desculpabilizar a expressão de uma sexualidade associada ao relaxamento, ao repouso, à satisfação do gosto, e cujas representações literárias e artísticas harmonizaram-se, por vezes, depois dos anos 1200, com os ideais e sonhos tanto dos humildes quanto dos aristocratas.

O imaginário erótico

O imenso espaço, ainda incompletamente reconhecido, do erotismo – ou melhor, dos erotismos – da época medieval justapõe territórios diversos (tratados, obras literárias ou poéticas, imagens pintadas, esculpidas, gravadas, cenas de ruas mais ou menos teatralizadas), em que todos produzem generosamente sua parte de fantasmas luxuriosos, de modelos comportamentais, de *stimuli* fisiológicos. Os doutos não se enganam, valorizam muito a imaginação, que situam entre a matéria e o espírito. Os monges, em seus combates noturnos contra Satã, fazem triunfar as imagens impuras que a memória acumula. O imaginário erótico pode, por vezes, conduzir para bem longe do cotidiano, jogar livremente com os objetos do real, mas inicialmente ele ordena, conforta e hierarquiza. A normalidade está no centro, no espaço familiar vivido, conhecido. O alhures distante é o domínio das metamorfoses, das maravilhas e dos prodígios. Um outro modelo, originado da teoria dos climas, superpõe-se a esses princípios da geografia humana. O sul conduz à luxúria, o norte, à brutalidade. À época de Adalberon de Laon, os defensores da ordem, no norte, reprovam os modos efeminados vindos do sul, que tendem à confusão dos sexos. Um século mais tarde, imputa-se a Eleonora e a seu círculo a propagação de perigosas leviandades cortesãs originárias da Aquitânia. Quase todos os autores concordam em dizer que a homossexualidade propagou-se a partir das regiões do Islã (uma vez que os muçulmanos, incitados por Maomé, são particularmente inclinados à luxúria), e que os cruzados difundiram a "doença". Segundo Cristina de Pisano, o mal de além-montes (o *Florenzen* dos alemães do século XV) é desconhecido na Gália; cem anos mais tarde, o pregador Guilherme Pépin reconhece que ele acaba de fazer sua aparição após ter sido importado da Itália pelos soldados, e o mesmo ocorreria, alguns anos mais tarde, segundo Brantôme, com a homossexualidade feminina.

Outro esquema mental igualmente bem partilhado, a propensão à luxúria, aumenta quando às condições naturais aliam-se a riqueza, a abundância e as incitações de uma sociabilidade extremamente profana. Os pobres e os trabalhadores não são esquecidos: segundo os porta-vozes da honesta moderação, eles são providos de vigores singulares. Em suma, nesse domínio, cada um (ao menos cada grupo social) inveja ou denuncia o erotismo do outro, visto que, em várias regiões do Ocidente, os autores ou as testemunhas da perversão dos espíritos e dos corpos estão à espreita, ameaçadores e ativos.

Os hereges, que chafurdam na devassidão sexual e andam muitas vezes nus, usam, por ocasião de suas cópulas coletivas, noturnas e demoníacas, de um e outro sexo sem se preocupar com a idade ou com os laços de parentesco. Seu apetite sexual iguala-se ao dos judeus, cuja voracidade é superada apenas pela dos leprosos. Entre estes, o fogo da luxúria e o desenvolvimento dos órgãos genitais são as próprias marcas de uma doença hereditária ou adquirida, mas originalmente provocada pelas transgressões sexuais. É conhecido o suplício infligido a Isolda, entregue a Yvain, o Leproso, e a seus companheiros...

As ameaças que mais ordinariamente perseguem o espírito dos cidadãos honestos (cujas obsessões nos são bem conhecidas desde o século XIII) originam-se de personagens menos extraordinários, popularizados pelos autores de romances, novelas ou farsas. Nas comédias, nas novelas mais ou menos inspiradas em Boccaccio e nas obras que caricaturam a lírica cortesã, o proibido parece distante e, em matéria de sexualidade, o tom e as situações são da mais inteira liberdade. Mas não podemos nos guiar pelas aparências, que, além de tudo, não chegam a mascarar o essencial, a extrema conformidade com a norma.

Consideradas em conjunto, as realidades medievais dos reinos da carne foram menos uniformes, menos austeras e menos repressivas do que os historiadores do passado compraziam-se em crer. O cristianismo, sintetizando as diversas referências – religiosas, filosóficas, científicas – que o alimentavam, construiu uma antropologia que culpabilizou de maneira duradoura o desejo e a carne, opondo ainda a saúde ao prazer a fim de melhor submeter as sociedades ocidentais a um ideal de moral ascética. Mas a teologia é parcialmente um produto da história. Ainda que não se encontre sempre, na moral doutrinada, os três modelos sucessivos definidos por J. Brundage, todos concordam em situar por volta de fins do século XII uma inflexão capital que conduz da reabilitação da natureza à da carne, ao menos no casamento. Seria bom saber como os diversos meios sociais e/ou culturais contribuíram para atenuar ou acentuar essa inflexão, e assim a eventualmente modificar as práticas comportamentais. Mas com que amplitude e seguindo quais ritmos? A segunda Idade Média viu sucederem sociedades de temperaturas desiguais. A evolução plurissecular continua, porém, a ser a mais difícil de discernir. Êxitos da liberdade, da civilização dos costumes e das práticas? Ou, ao contrário, reforço do controle e da repressão impostos conjuntamente pelos eclesiásticos e pelos funcionários do príncipe? Provavelmente os dois, com os comportamentos minoritários sofrendo duramente as consequências da melhoria dos outros. Melhoria, aliás, muito relativa, posto que essencialmente masculina, como tudo aquilo que entrevemos das sexualidades medievais. Todavia, se a mulher constitui para o homem "um dos trunfos de seu júbilo" (D. Régnier-Bohler), ela sem dúvida também é – naquele universo moral patriarcal e machista – o maior elemento de seu temor.

JACQUES ROSSIAUD
Tradução de Mário Jorge da Motta Bastos

Ver também

Amor cortês – Corpo e alma – Feitiçaria – Heresia – Masculino/feminino – Medicina – Natureza – Parentesco – Pecado

Orientação bibliográfica

BALDWIN, John W. *The Language of Sex*: Five Voices from Northern France around 1200. Chicago: University of Chicago Press, 1994.
BRUNDAGE, James A. *Law, Sex, and Christian Society in Medieval Europe*. Chicago: University of Chicago Press, 1987.
DUBY, Georges. *Idade Média. Idade dos Homens*: do amor e outros ensaios [1988]. Tradução brasileira. São Paulo: Companhia das Letras, 1989.
FABLIAUX ÉROTIQUES. Paris: Le Livre de Poche, 1992.
FLANDRIN, Jean-Louis. *L'Église et le contrôle des naissances*. Paris: Flammarion, 1970.
_____. *Le Sexe et l'Occident* [1981]. 2.ed. Paris: Seuil, 1986.
_____. *Un Temps pour embrasser*. Paris: Seuil, 1983.
JACQUART, Danielle; THOMASSET, Claude. *Sexualité et savoir médical au Moyen Âge*. Paris: Presses Universitaires de France, 1985.
JEAY, Madeleine. *Les Évangiles des Quenouilles*. Paris-Montreal: Vrin/Presses de l'Université de Montréal, 1985.
ROSSIAUD, Jacques. *La Prostitution médiévale*. Paris: Flammarion, 1988.
ROY, Bruno (org.). *L'Érotisme au Moyen Âge*. Paris-Montreal: Éd. de l'Aurore, 1977.

Símbolo

O símbolo é um modo de pensamento e de sensibilidade tão "natural" para os autores da Idade Média que eles não sentem a menor necessidade de prevenir os leitores de suas intenções teóricas, semânticas ou didáticas, nem de definir sempre os termos que vão utilizar. O que não impede que o léxico latino do símbolo seja de grande riqueza e notável precisão. E isso tanto na pena de Santo Agostinho, pai de toda a simbólica medieval, quanto na de autores mais modestos, como enciclopedistas ou compiladores das recolhas de *exempla*.

Problemas de léxico

As línguas ocidentais contemporâneas quase não dispõem de ferramenta terminológica capaz de traduzir com exatidão a diversidade e a sutileza do vocabulário latino usado na Idade Média para definir ou empregar o símbolo. Tomemos alguns exemplos. Quando, em um mesmo texto, o latim utiliza sucessivamente palavras como *signum, figura, exemplum, memoria, similitudo* – termos que em francês moderno podem, com frequência ou às vezes, ser traduzidos por "símbolo" –, não o faz indiferentemente; ao contrário, escolhe as palavras com cuidado e introduz entre elas nuanças essenciais. São termos fortes, impossíveis de ser traduzidos com precisão, tão vasto e sutil é seu campo semântico, mas de forma nenhuma são termos intercambiáveis. Do mesmo modo, quando, para evocar a ação de "significar", o latim recorre a verbos como *denotare, depingere, exprimere, figurare, monstrare, repraesentare, significare*, nunca há entre uns e outros equivalência ou sinonímia, e sim, na preferência concedida a um deles, uma escolha ponderadamente pensada, que ajuda a expressar com mais precisão o pensamento do autor.

Tal riqueza ressalta o quanto, na cultura medieval, o símbolo faz parte do instrumental mental. Ele exprime-se por múltiplos vetores, situa-se em diferentes níveis e pertence a todos os domínios da vida intelectual, social, moral e religiosa. Porém, ao mesmo tempo, ela permite entender por que a noção de símbolo é rebelde a qualquer generalização, a qualquer simplificação. O símbolo é sempre proteiforme, polivalente, ambíguo. Ele não se manifesta apenas através de palavras e textos, mas também por imagens, objetos, gestos, rituais, crenças, comportamentos. O símbolo está em todos os lugares e reveste tudo com aspectos variáveis e imperceptíveis. Seu estudo é sempre difícil. Tanto que, aquilo que os próprios autores medievais dizem, de forma nenhuma esgota o alcance de seus campos de ação, nem a diversidade ou a flexibilidade de seus modos de intervenção. Além disso, trata-se de um objeto de história em cujo estudo o perigo de anacronismo ronda o historiador a cada canto do documento. Esse estudo, pelo simples fato de ser dirigido, apresenta frequentemente o risco de fazer o símbolo perder boa parte de suas dimensões estética, afetiva, poética ou onírica. Ora, estas são propriedades essenciais, necessárias à sua utilização.

Na pena de autores modernos, o empobrecimento do símbolo encontra-se sobretudo nas obras de divulgação. Nenhuma área do medievalismo foi talvez tão aviltada por trabalhos e livros de qualidade medíocre. Em matéria de "simbólica medieval" — noção vaga, de que se abusa —, o grande público e os estudantes quase sempre só têm acesso a obras aliciadoras ou esotéricas, que brincam com o tempo e o espaço, fundindo em uma desprezível mistura comercial os cátaros, os templários, o Graal, a alquimia, a heráldica, a cavalaria, a sagração dos reis, a arte românica, os canteiros das catedrais, as Cruzadas.

Uma história por fazer

Essa situação é ainda mais lamentável porque certamente há espaço no contexto dos estudos medievais para uma "história simbólica" tendo, como a história social, política, econômica, religiosa, artística ou literária – e em estreita relação com elas, é evidente –, suas fontes, seus métodos e seus desafios. Essa disciplina está quase inteiramente por construir. Sem dúvida, existem trabalhos de qualidade relativos ao estudo do símbolo; contudo, ou eles se restringem aos mais especulativos picos da teologia e da filosofia, ou invadem amplamente o mundo do emblema e da emblemática. Ora, na Idade Média, emblema não é símbolo, mesmo que a fronteira entre o primeiro e o segundo permaneça sempre permeável. O emblema é um sinal que diz a identidade de um indivíduo ou de um grupo de indivíduos: o nome, o brasão, o atributo iconográfico são inicialmente emblemas. O símbolo, ao contrário, tem por significado não uma pessoa física, mas uma entidade abstrata, uma ideia, uma noção, um conceito. Várias vezes, certos signos, certas figuras, certos objetos são ambivalentes e desempenham, ao mesmo tempo, um papel de emblema e uma função de símbolo. É o caso do nome próprio, mas também de muitos objetos e imagens. Entre os *regalia* do rei da França, por exemplo, a mão de justiça[1] é simultaneamente um atributo emblemático, que o identifica e o diferencia de outros soberanos, e um objeto simbólico, que traduz certa ideia da monarquia francesa. Igualmente, se as armas reais, "de esmalte azul pontilhado de flores-de-lis douradas", constituem uma imagem emblemática que ajuda a reconhecer o rei da França, em compensação, as figuras e as cores que as compõem – o azul, o dourado, as flores-de-lis – são portadoras de forte carga simbólica.

Essas duas palavras, "emblema" e "símbolo", não têm na cultura medieval os sentidos genéricos que lhes damos hoje; aliás, são de uso relativamente raro. A palavra latina *symbolum*, oriunda do grego *sumbolon*, tem sobretudo sentido religioso e dogmático: ela não designa tanto um signo ou uma construção de tipo analógico, como o conjunto dos principais assuntos da fé cristã, mormente o "símbolo dos apóstolos", isto é, o credo. Quanto ao latim *emblema*, calcado no grego *emblêma*, também é palavra erudita, ainda mais rara, pois só serve para designar, em arquitetura, ornamentos colados ou aplicados. O que entendemos hoje por "emblema" ou por

---

[1] *Main de justice*, peça esculpida de marfim que representa uma mão com os dedos erguidos e está colocada na ponta de um cetro. [N.T.]

"símbolo" exprime-se, na Idade Média, em latim e nas línguas vulgares, por outras palavras, especialmente as pertencentes à mui rica família do termo *signum* ("signo").

A analogia

Mesmo sendo polimorfo e polivalente, o símbolo quase sempre se constrói, na Idade Média, em torno de uma relação do tipo analógico, isto é, apoiada na semelhança (mais ou menos vaga) entre dois objetos, duas palavras, duas noções ou, então, na correspondência entre uma coisa e uma ideia. O pensamento analógico medieval esforça-se especialmente para estabelecer um vínculo entre alguma coisa aparente e alguma coisa oculta; e, mais particularmente ainda, entre o que está presente no mundo terreno e o que tem seu lugar entre as verdades eternas do Além. Uma palavra, uma forma, uma cor, uma matéria, um número, um gesto, um animal, um vegetal e mesmo uma pessoa podem ser revestidos de função simbólica e por isso mesmo evocar, representar ou significar outra coisa além do que pretendem ser ou mostrar. A exegese consiste em cercar essa relação entre o material e o imaterial e analisá-la, para encontrar a verdade escondida nos seres e nas coisas. Com muita frequência, explicar, ensinar ou mesmo pensar consiste inicialmente em investigar e descobrir significações ocultas. Somos remetidos aqui ao sentido primeiro da palavra grega *sumbolon*, sentido que se tornou discreto em latim: um signo de reconhecimento, materializado pelas duas metades de um objeto que duas pessoas dividiram. Para o pensamento medieval, tanto o mais especulativo quanto o mais comum, cada objeto, cada elemento, cada ser vivo, é figuração de outra coisa que lhe corresponde em um plano superior ou eterno e da qual ele é símbolo. Isso diz respeito tanto aos sacramentos e mistérios da fé, que a teologia procura explicar e tornar inteligíveis, quanto às *mirabilia* mais grosseiras, tão intrigantes para a mentalidade comum. Todavia, no primeiro caso, realiza-se sempre uma dialética entre o símbolo e o que ele significa, ao passo que, no segundo, a relação entre o objeto significante e a coisa significada articula-se de modo mais mecânico.

Isto posto, quer se trate de teologia, de *mirabilia* ou de vida cotidiana, a correspondência entre a aparência enganosa das coisas e as verdades ocultas que abrigam coloca-se sempre em vários níveis e expressa-se de diferentes maneiras. Assim, a relação pode ser natural, formal, estrutural, fônica, gráfica, plástica, mas também pode se apoiar em considerações afetivas, mágicas ou oníricas, e, por isso mesmo, ser difícil de reconhecer. O fato de nossos saberes e sensibilidades modernas não serem os dos homens e mulheres da Idade Média constitui um obstáculo para reencontrar a lógica e o sentido do símbolo. Tomemos um exemplo simples, referente às cores. Para nós, o azul é uma cor fria; isto nos parece uma evidência, se não uma verdade. Ora, para a cultura medieval, o azul é, ao contrário, uma cor quente, porque é a cor do ar e o ar é quente e seco. O historiador da arte que se propusesse, portanto, a estudar em um vitral, uma miniatura ou um painel pintado, a repartição das cores quentes e das cores frias, e que pensasse ser o azul, na Idade Média como hoje, uma cor fria, estaria totalmente enganado. Da mesma forma que se enganaria, e ainda mais gravemente, se apoiasse suas investigações na classificação espectral das cores, na noção de contraste simultâneo, ou na oposição entre cores primárias e cores complementares: todos esses conhecimentos são ignorados pelos pintores medievais, por seus comanditários e por seu público; todos eles classificam, pensam e vivem a cor diferentemente de nós.

Outro exemplo, relativo ao mundo animal: o pesquisador que apoiasse seus trabalhos em nossas taxinomias modernas – considerando a simples noção de "mamíferos", ou então a oposição, mais banal ainda, entre animais nativos e animais exóticos – provavelmente nada entenderia da simbólica animal na arte e na literatura da Idade Média. O golfinho, por exemplo, não figura como mamífero (noção evidentemente desconhecida), mas como rei dos peixes, encontrando-se por isso dotado de uma coroa e de forte significação cristológica. Quanto ao leão, não é absolutamente uma criatura exótica, mas um animal que se encontra em qualquer lugar, sobre qualquer imagem, qualquer suporte, e que para o público quase faz parte da vida cotidiana. Como faz parte da vida cotidiana o dragão, símbolo do mal que se vê por todo lado e que ocupa, nas mentalidades, espaço considerável.

Não só o estudo dos símbolos precisa não projetar no passado os nossos saberes de hoje, mas igualmente convida a não estabelecer fronteira muito nítida entre o real e o imaginário. Para o historiador – e para o historiador da Idade Média talvez mais que para nenhum outro –, o imaginário sempre faz parte da realidade.

A etimologia

É por meio das palavras que o símbolo medieval se deixa melhor apreender. O estudo dos fatos do léxico constitui, portanto, a primeira investigação necessária para compreender-lhe os mecanismos e as possibilidades. Para um bom número de autores medievais, nas palavras reside a verdade dos seres e das coisas: encontrando a origem e a história de cada palavra, pode-se então chegar à verdade ontológica do ser ou do objeto que ele designa. Mas a etimologia medieval não é a etimologia moderna. As leis da fonética são desconhecidas, e a ideia de uma filiação entre o grego e o latim só emerge claramente no século XVII. É, portanto, na própria língua latina que se procura a origem e a história de uma palavra latina, com a noção de que a ordem dos signos é idêntica à ordem das coisas. Donde certas etimologias que chocam nossa ciência filológica e nossa concepção de língua. O que os linguistas modernos, depois de Saussure, chamam de "arbitrariedade do signo", por exemplo, é estranho à cultura medieval. Tudo é motivado, às vezes ao preço do que nos parecem ser frágeis malabarismos verbais. O historiador não deve absolutamente ironizar essas "falsas" etimologias. Ao contrário, deve considerá-las documentos completos de história cultural... e lembrar-se de que o que nos parece hoje cientificamente estabelecido talvez faça sorrir os filólogos que nos sucederão em dois ou três séculos. Além disso, é preciso ter em mente que certos autores da Idade Média, a começar por Isidoro de Sevilha, podem às vezes estar se divertindo quando se dedicam ao exercício etimológico. Nele as construções mais especulativas avizinham-se, às vezes voluntariamente, dos paralelismos mais grosseiros.

Essa verdade das palavras explica um grande número de crenças, imagens, sistemas e comportamentos simbólicos. Ela tem relação com todos os elementos do léxico, mas especialmente os substantivos, os nomes comuns e os nomes próprios. Tomemos alguns exemplos. Entre as árvores, a nogueira passa por maléfica, porque o nome latino que a designa, *nux*, geralmente está ligado ao verbo que significa "prejudicar", *nocere*. A nogueira é, portanto, uma árvore nociva: não se deve dormir sob sua folhagem, por medo de ser visitado pelo Diabo ou por maus espíritos; não se deve deixar suas raízes se aproximarem dos estábulos ou das cavalariças, porque isso arrebentaria os animais; enfim, deve-se evitar esculpir em pau de nogueira uma estátua do Cristo, da Virgem ou de um santo, pois seria sacrilégio. A mesma ideia aplica-se à macieira, cujo nome, *malus*, evoca o mal. Aliás, ela deve a seu nome ter se tornado pouco a pouco, na tradição e na iconografia, a árvore do fruto proibido, motivo da Queda e do Pecado Original. Tudo está dito no nome e pelo nome. Eis por que o historiador deve sempre começar suas pesquisas da simbólica medieval pelo estudo do vocabulário. Com muita frequência, ela o colocará no caminho correto e evitará que se perca em explicações por demais esotéricas ou psicanalíticas, e mesmo completamente anacrônicas. Vários romances franceses de cavalaria, dos séculos XII e XIII, desconcertaram numerosos eruditos ao colocar em cena uma solha, estranho prêmio entregue ao vencedor de um torneio. Nem a simbólica geral dos peixes, nem a da solha em particular, têm a ver com a escolha de tal recompensa; da mesma forma, não está em causa o obscuro tema junguiano das "águas primordiais", nem o do animal selvagem, "imagem arquetípica" do guerreiro predador, como se escreveu algumas vezes. O que explica a escolha de uma solha para recompensar o cavaleiro vencedor de um torneio é simplesmente seu nome: em francês antigo, esse peixe é chamado *lus* (do latim *lucius*), nome próximo do termo que designa recompensa: *los* (do latim *laus*). De *los* a *lus*, a relação é "natural" para o pensamento medieval, e bem longe de constituir o que atualmente chamaríamos de imprecisão ou trocadilho; ela compõe uma articulação notável em torno da qual se pode localizar o ritual simbólico da recompensa cavaleiresca.

Uma relação verbal de igual natureza encontra-se nos nomes próprios. O nome diz a verdade da pessoa, permite descrever sua história, proclama o que será seu futuro. A simbólica do nome próprio desempenha, assim, papel considerável na literatura e na hagiografia. Nomear é sempre um ato extremamente forte, porque o nome mantém relações estreitas com o destino da pessoa que o carrega. É o nome que dá sentido à vida. Muitos santos, por exemplo, devem sua *vita*, sua paixão, sua iconografia, seu patronato ou suas virtudes apenas a seu nome. O caso mais famoso é o de Santa Verônica, que deve sua existência – tardia – tão só à construção de um nome próprio de pessoa sobre duas palavras latinas, *vera icona*, designando a Santa Face, isto é, a "verdadeira imagem" do Salvador, impressa em um sudário. Desse modo, Verônica tornou-se uma jovem que, por ocasião da subida ao Calvário, enxugou com um lenço o suor de Cristo carregando sua cruz; miraculosamente, os traços de Cristo teriam ficado impressos no lenço.

São numerosos os exemplos semelhantes, em que é o nome que cria a legenda hagiográfica. O apóstolo Simão teria sofrido o martírio de ser serrado de comprido, suplício igual ao do profeta Isaías e do jovem São Cyr, pois esses três nomes próprios lembram, com efeito, o da serra (*scie*) – instrumento abominável para a sensibilidade medieval porque, contrariamente ao machado, só completa o martírio lentamente – e contribuem para criar, nos três casos, uma legenda, imagens e patronatos. Inversamente, Santa Catarina de Alexandria, que sofreu o suplício da roda, torna-se a padroeira de todas profissões que utilizam ou fabricam rodas, a começar dos moleiros e dos fabricantes de carroças. E pôde-se observar que na Alemanha, no fim da Idade Média, o nome de batismo Katharina era frequentemente dado às meninas cujo pai exercia uma dessas profissões; uma canção até afirma que "todas as filhas de moleiro se chamam Catarina" e são ricas donzelas para casar.

Uma parte dos santos que curam deve igualmente seus poderes terapêuticos ou profiláticos apenas a seu nome. Como a expressiva relação entre o nome do santo e o da doença não é a mesma nas diferentes línguas, as virtudes de cada santo diferem conforme o país. Na França, São Maclou é invocado contra um grande número de enfermidades por pústulas (*clous*), enquanto na Alemanha é São Gall que desempenha papel semelhante (*die Galle*, "o tumor"). Do mesmo modo, se nos países germânicos Santo Agostinho cura a cegueira ou alivia os males dos olhos (*die Augen*), para os mesmos problemas solicita-se, na França, Santa Clara e, na Itália, Santa Lúcia (jogo de palavras com o latim *lux*, "luz").

Conhecer a origem de um nome próprio é, portanto, conhecer a natureza profunda de quem o possui. Daí as numerosas glosas paraetimológicas que hoje nos parecem risíveis, mas que na Idade Média tinham valor de verdades. Terminemos com um exemplo célebre: o de Judas. Na Alemanha, a partir do século XII, seu sobrenome Iscariote (em alemão, *Ischariot*) – o homem de Carioth – é decomposto em *istgar rot* (quem "é todo vermelho"). Judas é o homem vermelho por excelência, aquele cujo coração está possuído pelas chamas do Inferno, aquele que nas imagens tem os cabelos flamejantes, isto é, ruivos, sendo a cor ruiva indício de sua natureza desleal e anúncio de sua traição. Assim, a exegese do nome do personagem permite inserir nele não apenas a desvalorizante simbólica da cor vermelha, aqui associada ao Diabo e ao Inferno, mas também lhe atribuir tudo o que, desde a Antiguidade grega, o discurso fisionômico diz de pejorativo sobre os homens ruivos. Na iconografia, essa cabeleira ruiva vem aumentar um repertório de atributos já bem abastecido: veste amarela, pele escura, pequena estatura, fisionomia bestial, lábios pretos e mão segurando a bolsa com as trinta moedas.

O desvio, a parte e o todo

Aos modos de pensamento analógico e às especulações do tipo etimológico, o simbolismo medieval frequentemente acrescenta procedimentos que se poderiam qualificar de "semiológicos", especialmente em imagens e textos literários. Trata-se de fórmulas, às vezes mecânicas e outras vezes muito sutis, tendo por objeto a distribuição, a repartição, a associação ou a oposição de diferentes elementos no interior de um conjunto. O procedimento mais frequente é o do desvio: em uma lista ou um grupo, um personagem, um animal ou um objeto é exatamente semelhante a todos os outros, com exceção de um pequeno detalhe; ora, é esse pequeno detalhe que o valoriza e lhe dá sua significação, laudatória ou pejorativa. Ou, então, esse mesmo personagem desvia-se em relação ao que sabemos dele, ao lugar que deve ocupar, ao aspecto que deve ter, às relações que mantém com os outros. Esse desvio em relação ao uso ou à norma faculta o acesso a uma simbólica de natureza exponencial, que os antropólogos algumas vezes classificam de "selvagem", isto é, uma simbólica em cujo interior as lógicas e os procedimentos utilizados transgridem a si mesmos para situar-se em um outro nível, superior ao precedente. Tomemos um exemplo simples. Nas imagens medievais, todos os personagens que carregam chifres são personagens inquietadores ou diabólicos. O chifre, como todas as protuberâncias corporais, tem alguma coisa de animal e de transgressivo (aos olhos dos prelados e dos pregadores, por exemplo, mascarar-se de animal chifrudo é pior que se mascarar de animal sem chifres). Todavia, existe uma exceção: Moisés, que a iconografia desde cedo dotou de chifres, por incompreensão de uma passagem bíblica e da má tradução de um termo hebreu. Com isso, supervalorizou-o. Chifrudo entre os seres chifrudos, Moisés, que não pode evidentemente ser mal interpretado, é distinguido e admirado justamente por seus chifres. Inversamente, sempre nas imagens, onde todos os diabos têm o hábito de usar chifres, um diabo desprovido de tal atributo é ainda mais inquietante que um diabo chifrudo.

Essa prática do desvio está na origem de numerosas construções poéticas ou simbólicas. Ela é tanto mais eficiente porquanto, para a sociedade medieval, os seres e as coisas devem permanecer no seu lugar e no seu estado habitual ou natural, a fim de respeitar a ordem desejada pelo Criador. Transgredir essa ordem é um ato forte, que jamais passa despercebido.

Da mesma maneira, transgredir uma sequência, um ritmo ou uma lógica no interior de determinada obra é um meio comumente utilizado para fazer intervir o símbolo. Assim, certos autores sabem habilmente captar a atenção de seu público rompendo bruscamente com o ritmo, o código ou o sistema simbólico que eles próprios elaboraram e ao qual habituaram o leitor. Em um grande poeta como Chrétien de Troyes, assinalam-se vários exemplos. Fiquemos com o do "cavaleiro vermelho". Na maioria dos romances de Chrétien e de seus continuadores, os cavaleiros vermelhos, isto é, cavaleiros cujas armas e vestimenta são da cor vermelha, encarnam personagens maus, tentadores, às vezes vindos de outro mundo para desafiar o herói ou provocar uma situação de crise. No início do *Conto do Graal*, Chrétien coloca em cena um cavaleiro vermelho que se dirige à corte de Artur, insulta a rainha Guinevere e desafia os cavaleiros da Távola Redonda presentes. Ora, esse cavaleiro é rapidamente vencido pelo jovem Percival, que se apossa de suas armas e logo se torna, por sua vez, antes mesmo de ser sagrado, um "cavaleiro vermelho". Mas Percival não é um personagem negativo. Pelo contrário, a inversão do código faz dele um herói fora do comum, um cavaleiro extraordinário, cujas armas, inteiramente vermelhas, infringem de propósito todos os sistemas de valores construídos pelo autor, seus predecessores e seus epígonos.

Próximo desse procedimento de desvio ou de inversão está o do encontro dos extremos. O simbolismo medieval não tem o monopólio dele, mas sabe jogá-lo com muita flexibilidade. Seu ponto de partida é a ideia – cara à cultura ocidental considerada na longa duração – de que os extremos se atraem mutuamente e terminam por se juntar. Ideia perigosa, mesmo subversiva, mas que permite sair das fórmulas do simbolismo comum e colocar em epígrafe o que merece estar. Para que o processo conserve toda sua força, é preciso saber empregá-lo com parcimônia. É o que fazem os autores e artistas da Idade Média. É quase sempre em um contexto cristológico que se utiliza o procedimento. Retomemos o exemplo de Judas e seus cabelos ruivos: em numerosas imagens pintadas representando a prisão de Jesus e o beijo da traição, a cor ruiva do apóstolo traidor parece transmitir-se, como por osmose, aos cabelos e à barba de Cristo; o algoz e sua vítima, que não podem absolutamente confundir-se, são simbolicamente reunidos pela mesma cor.

Enfim, a esse simbolismo do desvio, da inversão ou da transgressão acrescenta-se, com frequência, o da parte pelo todo, a *pars pro toto*. Ele também é de tipo semiológico na sua estrutura e nas suas manifestações. Mas apoia-se, igualmente, em noções mais especulativas, referentes às relações entre microcosmo e macrocosmo: o homem e tudo o que existe aqui embaixo formam universos em miniatura, construídos à imagem do Universo em sua totalidade. O finito existe, portanto, à imagem do infinito, a parte vale pelo todo. Essa ideia é retomada em numerosos rituais. Ela também participa da codificação de muitas imagens, especialmente aquelas que concedem amplo espaço ao ornamental. Em um ornamento, uma trama, uma textura, nunca há, efetivamente, diferença entre uma pequena e uma grande superfície: 1 cm^2 vale por 1 m^2 e até mais.

Essa figuração da parte pelo todo constitui, em muitas áreas, o primeiro grau da simbolização medieval. No culto das relíquias, por exemplo, um osso ou um dente valem pelo santo inteiro; na encenação do rei, a coroa ou o selo substituem eficazmente o soberano; na concessão de terra a um vassalo, um torrão ou um feixe de relva bastam para materializar essa terra; na representação de um lugar, uma torre figura um castelo, uma casa figura uma cidade, uma árvore figura uma floresta. Mas não se trata apenas de atributos ou substitutos: a árvore é verdadeiramente a floresta; o torrão é toda a terra concedida como feudo; o selo é plenamente a pessoa do rei; o osso é realmente o santo... mesmo se este último tiver deixado, nos quatro cantos da Cristandade, várias dezenas de fêmures ou de tíbias. O símbolo é sempre mais vigoroso e mais verdadeiro do que a pessoa ou a coisa real que ele tem por função representar, porque, na Idade Média, a verdade situa-se sempre fora da realidade, em um nível que lhe é superior.

Ambivalência e polissemia

Tais são os principais modos e procedimentos em torno dos quais se constrói o símbolo medieval. De maneira alguma eles lhe esgotam a substância ou as possibilidades. Mas esse é o aspecto do símbolo em que o historiador mais atua. Boa parte de suas outras dimensões (afetiva, poética, estética) são com frequência rebeldes à análise ou então lhe escapam inteiramente.

Resta, enfim, falar da simbólica aplicada, a que se apoia em códigos de correspondência e de significação mais ou menos recorrentes nos textos e nas imagens. A natureza e a história santa são as duas grandes áreas em que essa forma de simbólica é utilizada. Numerosas obras medievais (textos patrísticos e litúrgicos, enciclopédias, compilações de *exempla*, bestiários, florais e lapidários) permitem estudá-la. Mas essas obras, que parecem nos dizer tudo da simbólica dos animais, dos vegetais, das cores, das formas, dos números, das figuras e dos episódios bíblicos, são frequentemente contraditórias. Há várias razões para isso, sendo a principal, sem dúvida, a ambivalência de cada símbolo. O leão, por exemplo, é simultaneamente diabólico e divino: de um lado, há o temível leão do livro dos *Salmos* ("Salve-me da goela do leão..."); de outro, o dos bestiários, que ressuscita seus pequenos natimortos e que é a própria imagem de Deus. Quase todos os animais são, assim, dotados de dupla dimensão simbólica. E o que é verdadeiro para os animais é mais ainda para as cores, cuja simbólica, é preciso reconhecer, foi às vezes utilizada de todas as maneiras pela história literária e pela história da arte. Não sem razão: na Idade Média, o verde pode muito bem ser, ao mesmo tempo, a cor da esperança e do desespero; o azul, a cor da ciência e da tolice; o amarelo, a cor da verdade e da mentira; o preto, a cor da temperança e do pecado. Quanto ao vermelho, sua riquíssima paleta simbólica articula-se em torno de quatro polos. O vermelho, com efeito, é quase sempre associado ao fogo ou ao sangue; ora, existe um bom e um mau fogo, assim como um bom e um mau sangue. O vermelho fogo, tomado pelo lado bom, é o do Pentecostes e do Espírito Santo; é purificador, ao passo que, do lado oposto, se encontra o vermelho destrutivo, das chamas do Inferno. Da mesma maneira, o vermelho sangue salvador e redentor da Paixão opõe-se ao vermelho impuro e mortal do pecado e dos crimes a ele ligados.

De fato, na simbólica medieval, como em qualquer outro sistema de valores ou de correspondências, nada funciona fora do contexto. Um animal, um vegetal, um número, uma cor adquire todo seu sentido apenas quando associado ou oposto a um ou vários outros animais, vegetais, números, cores. Em um primeiro momento, o historiador deve sempre se esforçar por partir do documento que está começando a estudar e, de início, buscar nesse documento os sistemas e modos de significação dos diferentes elementos simbólicos que aí se encontram. Apenas em um segundo momento é que ele deverá fazer comparações com outros documentos de mesma natureza, depois com outras situações, a fim de aproximar os textos das imagens, as imagens dos lugares, os lugares dos rituais e comparar suas respectivas contribuições. Finalmente, em um último estágio da análise, ser-lhe-á lícito recorrer a uma simbólica mais geral, aquela em que os autores da Idade Média podem ser loquazes, mas que conduz, às vezes, a pistas falsas, porque essas pistas se encontram fora de todo contexto documental. Poder-se-ia dizer que na simbólica medieval os elementos significantes (animais, cores, números etc.) não têm, como as palavras, sentido neles mesmos, mas apenas usos. Em todo sistema simbólico, a estrutura sempre predomina sobre a forma, e o conjunto de relações que os diferentes elementos estabelecem entre si é sempre mais rico de significados do que a soma das significações isoladas que tem cada um desses elementos. Em um texto, uma imagem, um monumento, a simbólica do leão, por exemplo, é sempre mais rica e mais fácil de entender quando associada ou comparada à da águia, do dragão ou do leopardo, do que quando considerada isoladamente.

Modos de intervenção e níveis de significação

Indo mais longe, poder-se-ia mesmo dizer que os símbolos medievais se caracterizam mais pelos modos de intervenção do que por esta ou aquela significação particular. Mantendo-se o exemplo das cores, pode-se afirmar que o vermelho não é tanto a cor que significa a paixão ou o pecado, como a cor que intervém violentamente (para o bem ou para o mal); o verde, a cor que é causa de ruptura, de desordem e depois de renovação; o azul, a que acalma ou repele; o amarelo, a que excita ou transgride. Dando prioridade a esses modos de intervenção sobre os códigos de significação, o historiador conserva no símbolo toda sua ambivalência, mesmo sua ambiguidade; ambiguidade que faz parte de sua natureza mais profunda e que é necessária a seu bom funcionamento. Além disso, adotando tal atitude em relação ao símbolo, o medievalista pode entregar-se ao comparativismo, ou então inscrever certos problemas na longa duração e não separar a simbólica medieval da simbólica antiga; particularmente a da Bíblia e a da cultura clássica, para as quais esses modos de intervenção parecem às vezes mais importantes que essa ou aquela função ou significação precisa. Na mitologia grega, por exemplo, Ares (Marte, para os romanos) não é tanto o deus da guerra, como o deus que, sempre e em toda parte, intervém com violência. Um pouco como age a cor vermelha nos textos e imagens da Idade Média.

Os grandes eixos da simbólica medieval, conforme utilizados durante os cinco ou seis primeiros séculos do cristianismo, não são construções saídas *ex nihilo* da imaginação de alguns autores e teólogos. Pelo contrário, são resultado da fusão de vários sistemas de valores e modos de sensibilidade anteriores. Nesses domínios, a Idade Média foi beneficiada por tripla herança: a da Bíblia, sem dúvida a mais importante, a da cultura greco-romana e a dos mundos "bárbaros", germânico, celta, escandinavo, e mesmo outros mais remotos. E, ao longo de um milênio de história, ela acrescentou a isso suas próprias categorias. Na simbólica medieval, nunca se elimina nada completamente; ao contrário, tudo se superpõe em uma multidão de camadas que se interpenetram no decorrer dos séculos e que o historiador tem dificuldade para distinguir. O que às vezes o leva – erradamente – a crer na existência de uma simbólica transcultural, apoiada em arquétipos e dependente de verdades universais. Tal simbólica não existe. No mundo dos símbolos, tudo é cultural e deve ser estudado em relação à sociedade que dele faz uso, em determinado momento de sua história e em um contexto preciso. O que não impede um objeto ou um ritual simbólico de ser constituído por camadas que se superpuseram ao longo do tempo e que explicam sua polivalência.

Tomemos o exemplo de um ato simbólico particularmente forte e, a nossos olhos, surpreendente. Em 1352, sentindo a morte próxima, o papa Clemente VI pediu para ser sepultado "estreitamente costurado em uma pele de cervo". O que foi feito no mês de dezembro: seu corpo foi encerrado em uma pele de cervo, transportado nesse atavio de Avignon a La Chaise-Dieu e colocado no túmulo exatamente assim. Choca-nos semelhante atitude da parte de um papa, porque parece ser o resto de um culto animalista pagão. Ora, ela não parece ter impressionado excessivamente os contemporâneos de Clemente VI. Sem dúvida, tratava-se de um pedido incomum. Nesse meado do século XIV, pontífices e prelados preferiam fazer-se sepultar, por humildade, com vestes de monges ou de religiosos. Na juventude, Clemente VI tinha sido beneditino e, ao longo de seu reinado, protegeu as Ordens Mendicantes. Uma vestimenta monástica ou religiosa teria sido, pois, mais apropriada. Porém, no século XIV, a simbólica do cervo está em plena expansão; ele é associado à imagem dos fiéis que têm sede de Deus e que aspiram a restabelecer-se junto dele. Com efeito, de há muito o cervo mantém estreitas relações com nascentes e fontes: o salmo 41, várias vezes glosado, compara a sede do cervo à da alma que busca o Senhor. Quanto aos bestiários, eles explicam como o cervo, inimigo da serpente, portanto do demônio, vive por um tempo extremamente longo matando regularmente a sede nas águas de uma fonte pura e maravilhosa. Durante toda a Idade Média, a dimensão simbólica e religiosa desse animal não cessa de valorizar-se (especialmente na caçada, onde, em lugar do urso e do javali, ele torna-se caça monárquica). Constantemente associado ao batismo e à ressurreição, tende a tornar-se o animal cristológico por excelência. Fazer-

-se enterrar em uma pele de cervo não é, portanto, totalmente incongruente da parte de um homem que se prepara para reunir-se a Cristo na eternidade. Ora, recuando nos séculos, observa-se que nas culturas antigas o cervo já era símbolo de regeneração e de eternidade. Melhor ainda: ele era considerado psicopompo; em Roma como entre os celtas, encontraram-se túmulos onde os cadáveres estavam próximos de galhas ou ossadas de cervídeos. Essa imagem do cervo ajudando o morto a realizar sua viagem ao Além é comentada por vários Pais da Igreja, especialmente Orígenes. Difunde-se em seguida nas enciclopédias e depois na literatura zoológica em língua vulgar. Portanto, o estranho desejo do papa Clemente VI para sua última cerimônia é ao mesmo tempo reflexo de certa atualidade da simbólica do cervo no século XIV e prolongamento de crenças e práticas que, nas sociedades ocidentais, remontam a uma antiguidade muito mais longínqua. O historiador deve estudá-lo na sincronia e na diacronia.

Práticas simbólicas e fatos de sensibilidade

A ênfase posta no modo de intervenção do símbolo, mais que no repertório das equivalências ou significações, assinala igualmente como, nas sociedades medievais, é impossível separar as práticas simbólicas dos fatos de sensibilidade. No mundo dos símbolos, sugerir é frequentemente mais importante que dizer, sentir que compreender, evocar que provar. Por esse motivo, a análise que fazemos hoje dos símbolos medievais é com frequência anacrônica, porque é muito mecânica, muito cartesiana. Os números constituem o melhor exemplo disso. Na Idade Média, eles expressam tanto qualidades quanto quantidades, e não devem ser sempre interpretados em termos aritméticos ou contáveis, mas em termos simbólicos. Três, quatro ou sete, por exemplo, significam sempre mais que só as quantidades de três, quatro e sete. Doze não representa apenas uma dúzia de unidades, mas também uma totalidade, um conjunto perfeito. Quanto à quarenta, tão recorrente em todos os domínios, não deve em absoluto ser compreendido como número preciso, mas como a ideia genérica de um grande número, um pouco como atualmente usamos cem ou mil. Seu valor não é quantitativo, porém qualitativo e sugestivo. Dirige-se mais ao imaginário que à razão.

O que é verdade para os números também o é para as formas, as cores, os animais e todos os signos. Eles sugerem e modalizam[2] tanto quanto dizem. Eis por que podem expressar-se em todos os campos, por todas as técnicas, através de todos os saberes. Pela mesma razão, existem fortes vínculos entre textos e imagens, entre imagens e rituais, entre rituais e crenças, sejam elas eruditas ou populares. Na cultura medieval, tudo se liga. O historiador não deve esquecer nem opor muito enfaticamente o mundo dos clérigos e o dos leigos, o mundo dos eruditos ou dos poetas e o dos artesãos ou dos camponeses. Os conhecimentos dos primeiros encontram-se frequentemente nas práticas dos segundos, porque entre o especulativo e o material, entre o abstrato e o concreto, a fronteira é sempre permeável.

Para terminar, tomemos o exemplo dos materiais, um campo em que, à primeira vista, se poderia acreditar que o símbolo intervém pouco. Um engano: ele aí está fortemente presente e essa presença explica por que, na Idade Média, todo material é de início um animal, um vegetal ou um mineral, antes de ser chifre, marfim, madeira ou pedra. Uma madeira, por exemplo, nunca é qualquer madeira. É sempre uma essência identificada, até individualizada, que possui sua história, suas lendas, suas propriedades. E estas não são apenas físicas ou químicas. Sem dúvida, existem madeiras duras e macias, madeiras porosas e impermeáveis, madeiras lisas e nodosas. Mas há igualmente madeiras masculinas e femininas, madeiras nobres e madeiras plebeias, madeiras justiceiras (o olmo, o carvalho), outras punitivas (a bétula), outras ainda guerreiras (o freixo) ou musicais (a tília). Existem sobretudo madeiras benéficas (o carvalho, a faia, a tília) e madeiras julgadas mais inquietantes (o amieiro), mais nefastas (a nogueira), e até verdadeiramente mortíferas (o teixo). O artesão que fabrica uma ferramenta ou um instrumento levará isso em conta, e assim como os textos eruditos explicam que existem árvores masculinas e femininas, da mesma forma ele nunca entalhará uma ferramenta manejada por homem em madeira reputada feminina, nem o contrário. Inversamente, ele fabricará de bom grado

---

2 No original, *modalisent*: em linguística, chamam-se *modalizadores* os meios usados pelo falante para indicar sua relação com o próprio discurso (advérbios: *talvez*, *provavelmente*; orações intercaladas: *conforme minha opinião* etc.). [N.T.]

um instrumento de música em madeira de tília, não apenas porque é macia, leve e possui inegáveis propriedades acústicas, mas também, e sobretudo, porque a tília passa por ser a árvore preferida das abelhas, porque parece viver ao ritmo de seu canto e porque, desde Virgílio, os poetas e enciclopedistas fizeram dela a árvore musical por excelência. Qualidade simbólica essencial, que faz que uma tília seja inteiramente uma tília. Mesmo que não tenha lido os poetas nem os enciclopedistas, o artesão da Idade Média não o ignora. O arqueólogo de hoje também não deveria ignorá-lo.

MICHEL PASTOUREAU
Tradução de Lênia Márcia Mongelli

Ver também

Imagens – Literatura(s) – Maravilhoso – Números – Ritos – Sonhos

Orientação bibliográfica

CHYDENIUS, Johan. La théorie du symbolisme médiéval [1960]. Tradução francesa. *Poétique, revue de théorie et d'analyse littéraires*, Paris, p.322-41, 1975. t. XXIII.
HENKEL, Nikolaus. *Studien zum Physiologus im Mittelalter*. Tübingen: Niemeyer, 1976.
HUIZINGA, Johan. *O outono da Idade Média* [1919]. Tradução brasileira. São Paulo: Cosac Naify, 2010.
LADNER, Gerhard B. Medieval and Modern Understanding of Symbolism: a Comparison. *Speculum*, Chicago, n.54, p.223-56, 1979.
LUBAC, Henri de. *Exégèse médiévale*: les quatre sens de l'Écriture. Paris, 1959-1964: Aubier. 4v.
MEYER, Heinz; SUNTRUP, Rudolf. *Lexikon der mittelalterlichen Zahlenbedeutung*. Munique: Fink, 1987.
PASTOUREAU, Michel. *Figures et couleurs*: études sur la symbolique et la sensibilité médiévales. Paris: Le Léopard d'Or, 1986.
SCHRAMM, Percy Ernst. *Herrschaftszeichen und Staatssymbolik*. Stuttgart: Hiersemann, 1954-1956. 3v.
SIMBOLI E SIMBOLOGIA NELL'ALTO MEDIOEVO. Settimane di Studio del Centro Italiano di Studi sull'Alto Medioevo. Spoleto: Centro Italiano di Studi sull'Alto Medioevo, 1976. t.XXIII.

Sonhos

Quando o cristianismo passa a ser a religião e a ideologia dominantes no Ocidente a partir do século IV, dentre os fenômenos culturais que ele tem que administrar estão os sonhos e sua interpretação, cuja importância é conhecida para diversas sociedades humanas. Como todo conjunto cultural novo, o cristianismo recolheu heranças e em primeiro lugar a da cultura pagã greco-romana. O documento que sem dúvida melhor exprime a angústia dos letrados cristãos do século IV diante dessa cultura pagã é precisamente um relato de sonho, o de São Jerônimo, que se vê transportado para o Céu diante de um tribunal presidido por Cristo, que o acusa de ser "mais ciceroniano que cristão".

Para esclarecer essas atitudes, primeiro evocarei brevemente a herança bíblica e as heranças greco-romanas sobre os sonhos e sua interpretação. Deixarei de lado as heranças oníricas "bárbaras" (celtas, germânicas, eslavas) mal conhecidas e cuja influência só será percebida mais tarde, a partir do século VII. Mostrarei em seguida as incertezas e as contradições dos intelectuais e pastores cristãos em suas atitudes e teorias diante dos sonhos do século II ao IV. Enfim, destacarei a escolha de uma atitude de desconfiança, mas sobretudo a elaboração cristã de uma nova tipologia, de uma nova teoria, de novos comportamentos durante a Antiguidade tardia e a Alta Idade Média, privilegiando novos tipos de sonhadores. No século XII ocorre uma grande reviravolta na atitude da Igreja diante dos sonhos e dos sonhadores, e o final da Idade Média concede-lhes um grande lugar no pensamento, na literatura, na arte e nas práticas do conjunto da sociedade, do topo à base.

A herança bíblica

Os sonhos são frequentes no Antigo Testamento (43), raros no Novo. Neste só encontramos nove sonhos (ou aparições ou visões), dos quais cinco estão no Evangelho de Mateus, quatro referindo-se ao nascimento de Jesus e um ao sonho da mulher de Pilatos. Os outros quatro encontram-se nos Atos dos Apóstolos e todos dizem respeito a São Paulo, cujo apostolado situa-se em ambiente grego, acostumado à oniromancia, e que concede um prestígio crescente aos sonhadores visitados pela divindade ou seu mensageiro (anjo). Os principais aspectos da herança onírica bíblica ativos na Idade Média são os seguintes:

— O caso privilegiado do sonho vindo de Iahweh, de Deus, que dá uma advertência ou uma ordem seja a seus eleitos (os hebreus), seja aos pagãos de alta condição (faraó, Nabucodonosor). Neste último caso, trata-se quase sempre de sonhos régios, categoria privilegiada de sonhos na longa duração, desde a proto-história.

— A distinção entre a visão clara e o sonho a ser interpretado, que na Vulgata corresponde em geral, mas não sempre, à oposição entre *visio* e *somnium*. Deve-se, em todo caso, excluir do domínio cristão dos sonhos a visão em estado de vigília. O sonho ocupa um outro grande campo da antropologia religiosa, em particular no cristianismo: o sono. A fronteira é às vezes delicada a determinar e valoriza uma hierarquia de sonhadores definida pelo caráter mais ou menos claro das mensagens oníricas divinas, segundo a maior ou menor familiaridade dos sonhadores com Deus.

— Um conjunto de sonhos assustadores, acompanhados de manifestações corporais e psíquicas, angústias e tremores. Eles alimentam um capítulo importante da antropologia histórica dos sonhos: o sonho e o medo. No Antigo Testamento, são essencialmente os sonhos-pesadelos de Jó.

— O sonho forma um conjunto que age pela união da visão e da palavra, da visão e da audição. As aparições oníricas falam, e suas palavras, claras ou obscuras, evidentemente fazem parte da mensagem. A visão muda é rara. Não há aparições de mortos e de demônios nos sonhos bíblicos. É notável que os mortos sejam afastados das aparições oníricas bíblicas, uma vez que o problema dos fantasmas está muito ligado ao dos sonhos. Do mesmo modo, se os anjos são numerosos nesses sonhos, os maus habitantes do Céu estão ausentes. O sonho não é a via de acesso aos mortos e aos demônios.

— Enfim, a Bíblia exprime uma certa recusa do sonho. Os sonhos podem ser mentiras, tentações enviadas por falsos profetas. Essas ilusões são frequentemente noturnas, são provações. Essa condenação dos sonhos é particularmente viva no Eclesiastes e no Eclesiástico, livros tão obsessivos para a cultura e a sensibilidade medievais. Para que investigar os sonhos? Iahweh deu sua palavra, um sonho não pode acrescentar nada. Quando há na Bíblia sonhos significativos, são sobretudo sonhos que unem mais a terra ao Céu do que o presente ao futuro, como na oniromancia pagã, em particular a dos magos caldeus. O tempo só pertence a Deus. O sonho põe o sonhador humano em contato com Deus mais do que lhe revela o futuro.

A herança greco-romana pagã

Em matéria de sonho e de interpretação dos sonhos, o paganismo greco-romano traz até o século II da era cristã teorias e práticas, ideias e atitudes que terão certa posteridade na Idade Média. Ele realiza uma distinção fundamental entre os sonhos verdadeiros e os sonhos falsos (*Odisseia*, *Eneida*).

Os sonhos gregos e romanos são aparições de sombras, de fantasmas, de formas vaporosas que têm um lugar próprio nos Infernos. Mundo dos mortos, país dos sonhos. Povo dos mortos, povo dos sonhos. Se as personagens dos sonhos na Idade Média não são mais aparições, o elo entre sonho e morte, sonho e Além, permanece muito forte. Um pensamento culto hostil aos sonhos, considerando-os ilusões e recusando a presença de alguma verdade ou de alguma razão nos sonhos, subsistiu em toda a filosofia grega e romana. Três pequenos tratados de Aristóteles levaram a uma "desvalorização radical" dos sonhos. Essa tendência crítica e racionalista se reproduzirá na Idade Média.

A segunda tipologia, essencialmente utilitária, baseia-se na natureza dos sonhos. Foi no final do século IV que o pensamento pagão produziu o tratado mais completo sobre os sonhos: o *Commentarius in Somnium Scipionis*, de Macróbio. Este, nascido em 360 e falecido após 422, é membro de um pequeno e importante grupo de polígrafos e enciclopedistas, pagãos e depois cristãos, que tentaram resumir e vulgarizar as artes liberais clássicas e os ensinamentos da filosofia e da ciência da Antiguidade, cujo último e mais ilustre representante será Isidoro de Sevilha. A teoria dos sonhos que Macróbio expõe em seu comentário de *O sonho de Scipião*, de Cícero, será a peça-mestra, no século XII, do renascimento do saber sobre os sonhos no pensamento cristão, com o *De spiritu et anima*, atribuído a Agostinho, e o *Policraticus*, de João de Salisbury.

Ao lado da ideia tradicional no pensamento antigo de que há uma hierarquia de sonhadores e que os únicos que podem ser considerados sonhos premonitórios de autenticidade irrefutável são os sonhos de personagens revestidos de uma autoridade suprema, Macróbio distingue cinco tipos de sonhos cujos nomes latinos são *somnium, visio, oraculum, insomnium* e *visum*. *Insomnium* e *visum* não são dignos de interpretação, pois não ensinam nada sobre as coisas ocultas e sobre o futuro. Restam os outros três. Antes que o renascimento do século XII restabeleça seu sentido e sua utilização, eles encontram-se de uma maneira não erudita, prática, na ciência cristã dos sonhos, fundada sobre a distinção entre o sonho (*somnium*) que aparece no sono, a visão que surge no estado de sonho, e o *oraculum*, que se encontra nos sonhos, pouco numerosos, vindos diretamente de Deus e finalmente rejeitados pelo cristianismo como adivinhação, erro pagão condenado. Quanto ao *insomnium*, ele será substituído na Idade Média por um novo tipo de sonho que o psicanalista Ernst Jones, discípulo e biógrafo de Freud, batizará *nightmare*, "pesadelo", sonho ruim inventado pela Idade Média.

Uma antiga tradição filosófica que remonta a Pitágoras liga estreitamente o sonho à alma. Ele se revela à noite quando a alma está liberta do corpo e seu valor depende da pureza da alma. Esse misticismo do sonho é reencontrado no primeiro autor cristão de uma teoria dos sonhos, Tertuliano.

Um dos aspectos mais notáveis dos comportamentos dos antigos com relação aos sonhos foi o recurso a especialistas em sua interpretação: adivinhos "populares" que exerciam seu trabalho especialmente nas praças públicas, verdadeiros sábios que tiravam seu conhecimento de obras especializadas e que davam consultas em suas casas ou nos templos, ou ainda por ocasião de grandes feiras, mercados ou festas. Dentre eles, uma elite era formada por teóricos que escreviam tratados sobre o sentido dos sonhos. A adivinhação pelos sonhos, por mais popular que possa ter sido, foi julgada pelos antigos como secundária, de menor dignidade, particularmente se comparada à adivinhação pelas entranhas das vítimas ou pelo voo dos pássaros; os arúspices e os áugures eram sacerdotes, mais considerados do que os oniromantes.

As atitudes com relação aos sonhos do século II ao IV

Durante esse período, pagãos e cristãos estão mergulhados num mesmo clima, numa atmosfera de angústia. Os sonhos são arrastados nessa dramatização das sensibilidades e das mentalidades. Observamos uma efervescência onírica e onirocrítica particularmente no Oriente. Os sonhos ocupam um lugar não negligenciável na renovação filosófica do século III, especialmente nos meios neoplatônicos, em Alexandria e Roma, onde sua abordagem filosófica busca colocar o indivíduo em relação direta com Deus pelo êxtase e pela contemplação, método que o cristianismo, influenciado por eles, irá prolongar.

Ao mesmo tempo, desenvolve-se a prática do sonho induzido pelo rito da incubação, intimamente ligado aos templos de certos deuses curandeiros (Sérapis, mas sobretudo Asclépio), o que os cristãos buscarão nas igrejas, no contato com túmulos dos santos. Esses grupos oniromantes manifestam o sentimento de uma conexão entre sonho e saúde, que reencontraremos na Idade Média, por exemplo nas *Causae et curae*, de Hildegarda de Bingen, no século XII. Também aparece um gênero literário que Georg Misch apropriadamente chamou de "autobiografia onírica", uma autobiografia cujos acontecimentos essenciais são sonhos terapêuticos, premonitórios ou simplesmente sagrados, porque foram iluminados pela presença do deus, ou de Deus. As *Confissões*, de Santo Agostinho, podem ser consideradas uma autobiografia onírica, e mais ainda o *De vita sua*, de Guiberto de Nogent, no século XII. Nenhum poder autoritário, nenhum tirano pode suprimir esse direito de cada um ao sonho. O sono e o sonho são o domínio por excelência da liberdade individual. Vemos enfim se desenvolver no século IV uma tendência a assimilar a adivinhação – e particularmente a oniromancia – à magia e a condená-la "por razão de Estado". Assim, quando o cristianismo triunfa, se a oniromancia afirma-se como uma crença e uma prática difundidas sob formas em que se desenvolve a tradição, torna-se mais clara uma tendência à repressão do florescimento onírico.

Antes do século IV e do reconhecimento do cristianismo como religião autorizada e depois oficial, as atitudes cristãs com relação aos sonhos e sua interpretação revelam primeiro interesse, depois inquietude e finalmente incerteza. Os sonhos, em vários textos, aparecem ligados a acontecimentos essenciais da vida do cristão daquela época: a conversão, o contato com Deus, o martírio. A paixão das santas mártires Perpétua e Felicidade, escrita por volta de 203 em Cartago, talvez por Tertuliano, evoca mesmo em sonho um lugar do Além que anuncia o Purgatório definido na Idade Média. Entretanto, muito cedo, os chefes do cristianismo associaram o sonho aos hereges.

O primeiro teólogo cristão do sonho: Tertuliano

Foi entre 210 e 213 que Tertuliano escreveu nos capítulos XLV a XLIX do *De anima* um verdadeiro tratado sobre os sonhos. Portanto, foi um semi-herege que propôs a primeira teoria cristã coerente do sonho. Ela reflete as incertezas do cristianismo diante dos fenômenos oníricos. O sonho ocorre num espaço ambíguo entre o sono e a morte, e pode suscitar fantasmas. Embora desconfie dos sonhos, Tertuliano não somente crê que haja sonhos "verdadeiros", mas vai quase afirmar que o sonho é característico do homem. Seguro de sua cultura "pagã", ele enumera toda uma série de sonhos proféticos relatados pelos gregos e latinos, seja anunciando a futura aquisição de poder, ou então perigos e mortes.

Ele começa seu pequeno tratado afirmando que é preciso enunciar uma doutrina cristã dos sonhos. Tertuliano conhece a maioria das teorias pagãs sobre o assunto. Ele adota uma tipologia conforme a origem e retoma, cristianizando-a, a classificação segundo três fontes: os demônios, que enviam sonhos enganadores; Deus, que pode enviar sonhos proféticos, e Tertuliano afirma que a maioria dos homens aprende a conhecer Deus por meio das visões; a alma, que envia sonhos a si mesma em função das circunstâncias. Tertuliano, como muitos cristãos de seu tempo, mas especialmente os hereges, distingue uma quarta "forma" (mais que uma origem) de sonhos, aqueles ligados ao êxtase. Os sonhos são enviados ao homem seja por sua alma, seja por seu corpo. Eles se produzem sobretudo no final da noite e do sono, e diferem segundo as estações. Os sonhos dependem da posição do corpo da pessoa, de sua alimentação, de seu grau de sobriedade. Tertuliano afirma que podemos sonhar em qualquer lugar e condena a incubação, que é só uma superstição. Enfim, o autor insiste no caráter universal dos sonhos: no último capítulo de seu pequeno tratado, ele estende a experiência do sonho a toda a humanidade. Assim, apesar de incerto, Tertuliano reforça a tendência à universalidade dos sonhos que, pouco menos de dois séculos mais tarde, resultará na democratização do sonho professada por Sinésio.

Do século IV ao VII forma-se, na teoria e na prática, uma onirologia cristã. Não há, entretanto, entre os Pais da Igreja uma exposição doutrinal sobre os sonhos; é preciso esperar por Gregório Magno e Isidoro de Sevilha para que se exprima uma visão de conjunto sucinta sobre os sonhos. Quanto à prática, ela nos escapa na maioria das vezes. O cristianismo suprime todos os especialistas da interpretação dos sonhos. Muito cedo, a adivinhação pelos sonhos é proibida (primeiro Concílio de Ancira, 314). Os cristãos serão dali em diante abandonados a si mesmos para interpretar seus sonhos, enquanto seus pais e ancestrais tinham o costume de contar, quando davam importância a seus sonhos, com especialistas. Assim nasceu, por séculos, uma sociedade de sonhos bloqueados, uma sociedade desorientada no domínio onírico. Certamente, os sonhadores da Alta Idade Média buscaram interpretações. Os homens e as mulheres continuaram, sem dúvida, a se dirigir a "feiticeiros" e a "feiticeiras" da aldeia ou do bairro, e mesmo, com sucesso, a alguns desses novos "sábios", monges e padres. Mas isso num clima de semiclandestinidade ou de tolerância sempre revogável.

Até o século XII, o cristianismo conservará apenas uma tipologia segundo a origem, que consagrará as três fontes de sonho: Deus, os demônios, o homem, seja através de seu corpo (práticas alimentares, constituição fisiológica, doença etc.), seja através de sua alma (memória, pureza ou impureza e – caso-limite – êxtase). Mas o cristianismo oficial não chegará (ou não vai querer chegar) a uma definição de critérios que permitam reconhecer claramente a origem dos sonhos, e – dada a dificuldade em distinguir entre o bem (Deus), o mal (os demônios) e a mistura de bem e de mal (o homem) – a sua atitude fundamental com relação aos sonhos será de reticência. Ligado ao corpo, o sonho vai pender para o lado do Diabo e ser objeto de uma desconfiança crescente.

Após a unificação do mundo dos maus demônios sob o comando de Satã, os sonhos que eram enviados pelos demônios (é ainda o caso em Tertuliano) foram, a partir de então, enviados pelo Diabo, pelo próprio Satã. Essa entrada em cena no teatro dos sonhos do pior inimigo do homem contribuiu de forma decisiva para atrair o sonho para o domínio satânico, ou pelo menos para fazer pesar sobre ele (e sobre o sonhador) essa ameaça mortal. Houve uma diabolização dos sonhos. O papel desempenhado por um tipo de hipertrofia da visão e do sonho em certas heresias, em particular nas heresias gnósticas, também contribuiu fortemente para aumentar a desconfiança do cristianismo oficial. O sonho é suspeito, pois ele provoca um curto-circuito na intermediação eclesiástica nas relações com Deus. A grande atração dos pagãos pelos sonhos vinha sobretudo do fato de que alguns deles, os sonhos proféticos, podiam revelar o futuro. Mas, de agora em diante, o futuro faz parte do domínio reservado do Deus cristão. Com raríssimas exceções, o sonho não é mais portador de futuro e de salvação.

Um outro comprometimento do sonho ocorre no domínio da sexualidade. A partir do momento em que o Diabo e o homem desempenham um papel importante no envio e na produção dos sonhos, o primeiro multiplica os sonhos mais tentadores, os que estimulam a carne e especialmente o sexo, e, correspondentemente, o segundo encontra nos sonhos essas imagens voluptuosas que seu corpo luxurioso e sua alma concupiscente produzem e que ele repeliu quando estava consciente. O sono, a noite, o sonho e o sexo conjugam-se para fazer daquele que dorme a presa de sonhos indecentes. O sonho torna-se assim o veículo privilegiado das tentações oníricas da noite e o intermediário eficaz das poluções noturnas. A progressiva sexualização das tentações de Santo Antônio, modelo das ilusões oníricas em que o Diabo busca uma presa para o Inferno, revela essa inclinação do sonho para a luxúria. Ninguém contribuiu mais para essa evolução do que Santo Agostinho.

A atitude de Agostinho diante dos sonhos deve ser recolocada no contexto africano: continuidade entre certas tradições da época helenística e certas atitudes cristãs, caráter privilegiado dos sonhos dos mártires, popularidade das visões entre os hereges, gosto dos homens do século IV, pagãos e cristãos, particularmente os africanos, pelos sonhos e sua interpretação, avaliação de vários sentidos (em particular a visão e a audição) em vários sonhos. Além disso, Agostinho apresenta-se nas *Confissões* como o herói de uma dessas autobiografias oníricas que os africanos de seu tempo adoravam. No grande acontecimento de sua vida, a conversão, os sonhos desempenham um papel essencial. Ele atribui à sua mãe, Mônica, o primeiro sonho de conversão.

Quanto à própria conversão de Agostinho — nove anos após o sonho de sua mãe, em agosto de 396, na famosa cena do jardim de Milão onde Agostinho está deitado sob uma figueira —, ela resulta de uma visão auditiva, uma voz que lhe faz abrir os Evangelhos numa página em que São Paulo pede ao cristão que se volte para Cristo renunciando às cobiças da carne. E os sonhos fazem parte dessas cobiças. Dali em diante, Agostinho cruza os fatores internos do sonho com fatores externos, e aproxima-se da teoria cristã dominante de uma tipologia segundo a origem. E essa origem é incerta. Tendo verificado a "falsidade" da visão que um de seus discípulos tinha tido sobre ele, perdeu toda a confiança nesse sonho. Mais tarde, quando no *De cura pro mortuis gerenda* (421) teve que se ocupar das crenças concernentes aos fantasmas, exprimiu sua suspeita com relação aos sonhos em que surgiam mortos e que lhe pareciam estar ligados ao culto dos defuntos. Enfim, sua aversão pela carne, pela concupiscência (e particularmente suas formas sexuais), desenvolvida ao longo da vida e no momento da conversão, destacou a seus olhos o perigo de uma categoria invasora de sonhos, os sonhos eróticos.

Definitivamente, Agostinho, de todas as formas, reduziu o sonho a um fenômeno essencialmente psicológico. Mas a alma que age no sonho ainda não está purificada e as imagens oníricas não são imagens como as outras. O que Agostinho, no fundo, sente a respeito dos sonhos é um mal-estar. Em todo caso, o sonho não é uma via de acesso privilegiada para a verdade. Mais tarde, no século XII, quando renascem as ideias antigas sobre os sonhos, Agostinho, em vez de ser arrastado no crescente descrédito da tipologia cristã tripartida dos sonhos segundo sua origem, irá se tornar, graças a seu interesse pelo papel da alma e do *pneuma* nos sonhos, o pai da nova onirologia cristã inspirada na Antiguidade, e será atribuído a ele o tratado que marca o nascimento dessa nova onirologia, o *De spiritu et anima*.

Os sonhos sob vigilância

Esse mal-estar, essa desconfiança, levou a Igreja a exercer um controle mais ou menos rígido sobre os sonhos. Ele se traduziu particularmente no reconhecimento de uma nova elite de sonhadores habilitados a buscar o sentido de seus sonhos. Ao mesmo tempo, esses sonhos contribuíram para impor uma nova ideologia, novos valores, um novo estilo de relações com o divino, uma nova hierarquia dominada por novas personagens com poder simbólico em parte proveniente de seus sonhos. O cristianismo aceitou a manutenção e até o renascimento de uma elite tradicional de sonhadores privilegiados: os reis. Tendo se tornado cristãos, os imperadores viram seu prestígio reforçado por alguns sonhos: sonho de Constantino em 312, na véspera da batalha da ponte Milvius, e sonho de Teodósio lutando em 394 numa batalha decisiva contra um usurpador. A crônica e a canção de gesta também utilizarão o sonho régio. Um dos mais célebres exemplos encontra-se na *Canção de Rolando*, em que, em quatro momentos cruciais da epopeia, Carlos Magno tem um sonho profético.

Mas, ao lado do tradicional sonhador régio, o cristianismo faz aparecer um outro sonhador de elite, o santo. A hagiografia nas fronteiras da Antiguidade tardia e da Alta Idade Média está cheia de sonhos de santos, começando pelos de São Martinho no final do século IV, relatados por Sulpício Severo e por Gregório Magno. Em Gregório de Tours, o sonho está integrado numa prática cristianizada de incubação. Os sonhos de incubação são numerosos nessas obras hagiográficas. A relação cada vez mais estreita entre sonhos e santos é ainda indicada por um *topos* hagiográfico: o da descoberta do corpo de santos (de preferência mártires) graças a um sonho, como na "invenção" do corpo dos santos mártires Gervásio e Protásio por parte de Santo Ambrósio.

Do século V ao VII, a tipologia cristã dos sonhos conforme a origem torna-se fixa e empobrecida. Como em muitos outros temas legados à Idade Média pelo enciclopedismo da Alta Idade Média, os dois principais teóricos são Gregório Magno e Isidoro de Sevilha. Neles reencontramos a tipologia das três origens: o homem (ventre ou reflexão, corpo ou pensamento), Deus (revelação), o Diabo (ilusão). A sutileza de Gregório, que distingue os sonhos mistos, só serve na verdade para favorecer o propósito a que se propõe esse pastor moralista: desviar os cristãos dos sonhos e de sua interpretação. De fato, as categorias mistas redobram as dificuldades de identificação da origem dos sonhos. O homem, formado de bem e de mal, produz sonhos muitas vezes ambíguos, que ele pode todavia negligenciar sem grande risco; mas só podia aumentar a desconfiança a respeito dos sonhos o fato de alguns deles serem particularmente inspirados pelo Diabo, devendo portanto ser inteiramente rejeitados, enquanto outros, de origem parcialmente divina, deveriam ser conservados. Somente os santos (*sancti viri*) sabem reconhecer os sonhos vindos de um "bom espírito" (enviados por Deus) e aqueles que são só ilusão (vindos do Diabo).

Isidoro de Sevilha, no primeiro terço do século VII, trata dos sonhos no capítulo VI do III livro de suas *Sententiae*, apropriadamente chamado *De tentamentis somniorum* (*As tentações dos sonhos*) pelo editor moderno. Segundo ele, é preciso ser extremamente prudente e desconfiado em relação aos sonhos. Mesmo para os sonhos verdadeiros, "não se deve acreditar facilmente neles com receio de que Satã [...] nos engane". Isidoro termina com os sonhos luxuriosos: se estes se produzem no sono contra a vontade da pessoa, não são pecados; mas se, como é frequentemente o caso, eles apenas reproduzem à noite as imagens dos pensamentos com os quais se deleitou durante o dia, então o sonhador comete um pecado. A prece é o remédio para os sonhos.

Assim, a incapacidade da Igreja em fornecer ao cristão critérios de distinção de origem e portanto de valor dos sonhos leva o sonhador a rechaçá-los. A sociedade cristã da Alta Idade Média é uma sociedade de sonhadores frustrados. A propaganda contra os sonhos penetra até na liturgia. Em compensação, se a reflexão teórica sobre os sonhos é pobre e essencialmente negativa, os relatos de sonhos começam a se multiplicar e a se desenvolver na literatura eclesiástica, hagiográfica e/ou didática. É o caso de Gregório Magno. Talvez o que mais surpreenda nesses sonhos ou visões relatados por Gregório Magno seja a parte dedicada a tudo o que concerne à salvação, ou seja, a morte e o Além. O sonho e a visão tornam-se o veículo, a forma da viagem ao Além. O domínio do sonho reduz-se a esses temas, mas um campo imenso abre-se para ele, onde estará lado a lado, como sobre a estreita ponte do Além, com o Paraíso e o Inferno.

Se os mártires e depois os santos foram muito cedo os sonhadores por excelência da onirologia cristã, durante a Alta Idade Média um círculo mais amplo – embora fechado, ao menos teoricamente, menos prestigioso porque ainda não tinha adquirido a glória celeste, mas exemplar na terra, onde é como um viveiro do Paraíso e de anjos momentaneamente ancorados no Aqui –, o círculo monástico, tornou-se uma fonte de sonhadores privilegiados e de grandes produtores literários e pastorais de sonhos. De Cassiano, na Marselha do século V, a Beda, nas ilhas britânicas dos séculos VII e VIII, e aos mosteiros carolíngios nos séculos VIII-IX, o relato onírico multiplica-se e amplifica-se. Relatos vigiados pelas próprias Ordens Monásticas e pela Igreja, mas na realidade acolhidos, construídos ou reconstruídos, produzidos num campo amplamente aberto, mas que por muito tempo entesoura os sonhos. Quando a revolução urbana, a reforma gregoriana, a evolução das próprias ordens, o aparecimento das Ordens Mendicantes tornarem mais permeável ou suprimirem a reclusão monástica, o tesouro dos sonhos monásticos entrará em circulação, será difundido no seio de novas teorias, de novas práticas da onirologia cristã, numa sociedade renovada cujo imaginário também se transformará profundamente.

Dois fenômenos de longa duração relativos ao sonho e à sua interpretação desempenharam, na Antiguidade tardia e na Idade Média, um papel importante no mundo cristão. São, primeiro, o refluxo e a manipulação dos sonhos impostos, como para a sexualidade, pela censura eclesiástica – o que, para o melhor e o pior, conduzirá à psicanálise. Aparece então o par histórico "o sonho e o medo". O sonho, por sua diabolização, entra nesta síndrome do *contemptus mundi*, da recusa do mundo que o monasticismo da Alta Idade Média infatigavelmente construiu. Não é por acaso que o jovem cardeal Lotário, que iria se tornar o papa Inocêncio III, consagra um capítulo de seu *De contemptu mundi*, por volta de 1196, ao "medo dos sonhos", num momento em que os sonhos conhecem uma primeira onda de liberação na grande mutação da virada do século XII ao XIII.

Os sonhos constituem-se também em contrassistema cultural e, outra vez, a contestação onírica liga-se à contestação herética. O camponês Leutardo, da Champanha, tornou-se, segundo Raul Glaber, o primeiro herege "popular" após o ano 1000 ao ter uma visão enquanto dormia em seu campo. Emmanuel Le Roy Ladurie mostrou a fascinação que os sonhos exerciam sobre os cátaros de Montaillou no século XIII.

O sonho é um fenômeno coletivo, mas ele se insere nos planos sociais e culturais de uma sociedade, sendo uma das principais vias de afirmação do indivíduo. O desenvolvimento do sonho esteve estreitamente ligado à voga da viagem ao Além e à crescente importância do julgamento individual imediatamente após a morte.

Recuperação e democratização dos sonhos

O século XII pode ser considerado uma época de reconquista do sonho pela cultura e mentalidade medievais. Para resumir, podemos dizer que o Diabo então recua em benefício de Deus e que se dilata o campo do sonho "neutro", do *somnium*, mais estreitamente ligado à fisiologia do homem. Essa relação entre o sonho e o corpo, essa passagem brusca da oniromancia para a medicina e a psicologia, irá se concretizar no século XIII com Alberto Magno e depois com Arnaldo de Vilanova. Ao mesmo tempo em que se dessacraliza, o sonho se democratiza. Simples clérigos – quando não vulgares leigos – são favorecidos com sonhos significativos.

O renascimento do século XII manifesta-se por uma grande inovação das teorias sobre o sonho e sua interpretação. O *De spiritu et anima*, atribuído pelos medievais a Santo Agostinho, retoma a classificação em cinco espécies de sonhos, presente em Macróbio, mas depois insiste na diversidade dos sonhos ligada à variedade dos tipos de indivíduos nos quais eles se produzem. O sonho (*somnium*) tornou-se amplamente independente da visão (*visio*) vinda do alto; é um fenômeno humano. Se podemos e devemos buscar seu significado oculto, revelador, premonitório ou simbólico, esse significado deve ser obtido na qualidade de "veículo" de sentido, a partir das características dos indivíduos, todos igualmente "objetos" de sonhos a interpretar. Se essa interpretação deve levar em conta as correspondências entre o homem-microcosmo e o universo-macrocosmo, e em particular o momento do tempo durante o qual o sonho se produz (dia ou noite, uma estação em particular), este termina por "entrar no ciclo psicológico do indivíduo" (M. Fattori). De especial importância para a natureza e o tratamento dos sonhos é o tipo de humor dominante no sonhador: sanguíneo, colérico, fleumático, melancólico. Sonho e compleição também estão intimamente ligados no tratado *Sobre o prognóstico dos sonhos*, de Guilherme de Aragão.

A célebre abadessa visionária Hildegarda de Bingen, que oferece uma verdadeira teoria psicofisiológica do sonho em seu tratado *Causae et curae* (*Causas e remédios*), apresenta o sonho (*somnium*), por oposição ao pesadelo, como um fenômeno normal do "homem de bom humor". A difusão em latim das obras dos grandes filósofos árabes, Avicena e Averróis, virá corroborar essa referência dos sonhos à fisiologia dos sonhadores. Para Averróis, "os homens cujos sonhos são verdadeiros são sobretudo aqueles de compleição temperada". Dessa forma, afirma-se a renovação de um elo tradicional – pelo menos desde Hipócrates – entre o sonho e a medicina. Através de numerosos intermediários, dentre os quais um dos mais importantes é, no século XIII, o santo dominicano Alberto Magno, esse elo irá se firmar na virada do século XIII ao XIV com o célebre médico espanhol Arnaldo de Vilanova.

Pascal, o Romano, em seu *Liber thesauri occulti* (*O livro do tesouro oculto*), composto em Constantinopla em 1165, testemunhando a mudança cristã de atitude com relação aos sonhos, já reivindica um estatuto científico para a interpretação deles. Ele insistia na importância de suas causas naturais físicas, que faziam dele uma indicação preciosa para os médicos no estabelecimento do diagnóstico das doenças, e iria até afirmar que "mesmo os sonhos que parecem ilusórios ensinam muito ao homem sobre sua condição futura". Ele acrescentava que essa ciência dos sonhos requeria o conhecimento da tradição clássica, latina e grega, relativa ao saber dos magos e dos filósofos "caldeus, persas, faraônicos", expondo-a com a ajuda da "divina e humana escrita", da "prática experimental" e da "razão".

Um dos maiores nomes do humanismo de Chartres no século XII, o inglês João de Salisbury, em seu grande tratado *Policraticus* (1159), atribui ao sonho um lugar privilegiado numa verdadeira semiologia do saber. Insiste na multiplicidade dos significados que os sonhos trazem e define claramente os princípios de uma oniromancia cristã: "Ela manifesta em seu mais alto grau a arte da conjectura se souber distinguir cuidadosamente a diversidade das coisas sob a semelhança dos sinais", se se esforçar em captar o enigma dos sonhos e sua ambiguidade situando bem os símbolos oníricos em seus laços precisos com os temperamentos e os climas, com as condições históricas e o estatuto social do sonhador (T. Gregory). Ela deve, é verdade, recusar ir muito além na penetração do mistério das relações entre Providência divina e liberdade humana.

Mesmo um cisterciense como o renano Cesário de Heisterbach, no começo do século XIII, em seu tratado de doutrina cristã para uso dos pregadores e da massa dos fiéis, o *Dialogus miraculorum*, considera-se obrigado, num capítulo em que mostra a importância das visões, a dar uma lista das origens dos sonhos retomando as distinções antigas e tradicionais, mas insistindo, de maneira moderna, na "diversidade" dos sonhos.

Esse florescimento de textos, declarações e discussões em torno dos sonhos é fortemente marcado pela ciência antiga grega e helenística transmitida pelos bizantinos, judeus e árabes, que acrescentaram a ela o peso de suas próprias pesquisas e produções científicas e culturais. No plano do grande pensamento filosófico e teológico, as ideias de Avicena e depois de Averróis e Aristóteles foram de particular eficácia para o desenvolvimento do pensamento e da cultura cristãos nos séculos XII e XIII. Delas resultou, além das traduções dos tratados de oniromancia orientais em latim – e logo após alguns textos em língua vernacular –, sua imitação em obras como o *Liber thesauri occulti*, composto por um cristão latino em Constantinopla, ou a produção de textos e de práticas mais rudimentares, manifestando o cruzamento entre cultura letrada e cultura popular, e a difusão social do discurso sobre os sonhos. Prova disso é o sucesso de várias "chaves dos sonhos", cujo protótipo é a tradução por Lenao, o Toscano, em 1177, da chave árabe dos sonhos de Achmet. É preciso acrescentar a vulgarização da prática do "saltério onírico", existente talvez há muito tempo, porém cada vez mais abertamente consumada: um sonhador leva seu sonho a um padre que abre ao acaso um saltério, e uma frase da página em que (misteriosamente, providencialmente?) o livro se abriu fornece, por intermédio do padre, o sentido do sonho.

O sonho estende sua função ao domínio cultural e político. Ele desempenha seu papel na recuperação da cultura antiga: sonhos da Sibila, sonhos premonitórios do cristianismo, sonhos dos grandes intelectuais precursores da religião cristã, Sócrates, Platão, Virgílio. É o impulso onírico de uma nova história das civilizações e da salvação. Ele reencontra, modernizado, o papel que tinha desempenhado na Antiguidade tardia para justificar a recepção da herança cultural pagã pelo cristianismo e certas conversões à nova religião. Num texto autobiográfico surpreendente, o judeu convertido Hermann faz do sonho o realizador de sua conversão.

O sonho torna-se um dos motores da criação literária, inicia e estrutura a intriga das canções de gesta e dos romances corteses. "A ideia do sonho gerador de poesia encontra-se de maneira incomparável na obra de Guilherme de Lorris, no século XIII, que, ao apresentar seu *Roman de la Rose* como o relato de um sonho, faz dele o protótipo da literatura cortesã onírica [...]. O jardim onírico onde o amante-poeta acredita penetrar não é unicamente este lugar fechado e interiorizado onde se 'escolhe', sob a aparência da rosa, o objeto sempre distante do desejo [...]. A literatura só sonha com si mesma" (H. Braet). A literatura é também testemunha do aparecimento do homem simples favorecido por sonhos premonitórios. No poema em alemão antigo do século XII, *Meier Helmbrecht*, de forte conteúdo social, Helmbrecht pai, um camponês comum e submisso à sua condição por respeito à ordem social ordenada por Deus, vê em quatro sonhos sucessivos o trágico destino de seu filho revoltado contra essa ordem e caído numa degradação criminal.

Na arte, as representações de sonho multiplicam-se, dando origem a um *topos* gestual onírico: "Aquele que sonha é, na grande maioria dos casos, representado deitado de lado, com os olhos fechados e a cabeça sustentada pela mão". Mas esse gesto técnico é significativo. Ele é ao mesmo tempo a ressurgência de uma prática muito antiga e a afirmação da nova autonomia da criação artística. Ele ressuscita o gesto ritual da incubação, mas desloca-o "para o lado da escrita". O sonho, sob a forma de visão, desempenha também um papel-chave na evolução do sentimento religioso. Sendo uma forma significativa da viagem ao Além cada vez mais em voga, ele contribui de forma decisiva para a invenção de um terceiro lugar do Além, o Purgatório, para o qual uma visão transporta cada vez mais fiéis. Melhor, é um instrumento essencial das novas trocas entre os vivos e os mortos que o Purgatório cria ou reanima. O sonho tornou-se nos séculos XII e XIII uma "experiência total" que envolve o corpo e a alma, o indivíduo, suas relações com a coletividade dos cristãos e suas chances de salvação.

Entretanto, apesar da humanização, naturalização, racionalização e interpretação do sonho, ele, recuperado, modernizado, continua a veicular duas potencialidades religiosas fundamentais numa sociedade cristã. Revela, definitivamente, o sagrado e conduz a ele. É sempre Deus o criador e a finalidade do sonho. O sonho é o Graal, descoberto aqui embaixo num contato direto com Deus, cuja fragilidade carrega a promessa da visão beatífica. Ele sempre contém em si as ambiguidades e os riscos que alimentam as incertezas e temores dos homens e mulheres – de todos os homens e de todas as mulheres a partir de então – para consigo.

Essa mistura de audácias e incertezas que se manifestam no sonho evoluído e na sua interpretação renovada foi mais bem esclarecida e teorizada pelos grandes escolásticos. Estes construíram uma teoria dos sonhos em uma nova exegese – com a ajuda da Bíblia, sempre de Santo Agostinho, de "modernos" como João de Salisbury ou de filósofos pagãos, de muçulmanos como Avicena e Averróis, de gregos antigos como o redescoberto Aristóteles – como o fizeram, por exemplo com o riso, para evocar um outro fenômeno que põe em jogo o corpo e a alma intimamente unidos e sujeitos a uma evolução cultural histórica.

Todos dedicam, em razão de sua profissão e seu estatuto de teólogos, um interesse particular aos problemas da verdade e da credibilidade dos sonhos. Alberto Magno retoma a distinção entre os sonhos despertos (*in vigilia*), diferenciando de forma tradicional o sonho propriamente dito (*somnium*), a visão (*visio*) e a profecia (*prophetia*), fixando-se nesta última, mais problemática por um lado em razão do peso da tradição bíblica e histórica, por outro, da efervescência profética de sua época. Mas evoca a complexidade do sonho em que se manifestam a imaginação, a fantasia, até mesmo os fantasmas, de maneira mais ou menos clara, conforme a maior ou menor força de alienação em relação ao mundo exterior entre a vigília consciente e a progressiva inconsciência que conduz ao sono. Alberto Magno não questiona a verdade da maioria dos sonhos, nem a importância das condições naturais, psicofisiológicas e cosmológicas do sonho, mas insiste na complexidade e nas dificuldades do trabalho do sonhador e do perito na interpretação dos sonhos. Assim, poderão ser eliminados os fantasmas e as ilusões, e verificado o prognóstico das coisas futuras, ideia retomada por São Tomás de Aquino.

Ainda que também não questione a verdade divinatória de alguns sonhos, São Boaventura é mais tradicional e mais restritivo. Partindo de uma classificação mais clássica entre sonhos provenientes de uma origem externa ("disposição do corpo" e "preocupação do espírito") e sonhos que têm uma causa interna ("ilusão diabólica", "revelação angélica", "visitação divina"), ele afirma que apenas essas duas últimas proveniências dos sonhos têm um "valor divinatório" e conclui que "não há previsão do futuro nos sonhos se a visitação não emana de Deus". O sonho divinatório entra então na esfera do sagrado definida pelas Escrituras, pela tradição e pela Igreja. Mais seguro e mais racionalista, Santo Tomás de Aquino, que consagra um artigo de sua *Suma teológica* à "adivinhação pelos sonhos" (II, II, q.95, a.6), reconhece a legitimidade dessa adivinhação contentando-se em excluir os sonhos de origem diabólica: "Os sonhos são algumas vezes os sinais de acontecimentos futuros na medida em que podemos relacioná-los a uma causa comum aos sonhos e aos acontecimentos futuros. Nessas condições, a maioria das premonições do futuro provém dos sonhos".

O sonho no "outono da Idade Média"

Nos séculos XIV e XV, o sonho evolui em dois sentidos diferentes. Por um lado, é tomado pela exuberância barroca, resultado da exagerada reação dos homens e das mulheres à crise engendrada pelas calamidades do tempo. O sonho invade a literatura, a arte, a política e muitas vezes toma a forma de elocubrações fantásticas. Mas, por outro lado, frequentemente se banaliza, reduzindo-se ao plano formal de um gênero literário, de um quadro estético.

A interpretação dos sonhos liga-se cada vez mais à astrologia, que, a partir da moda dos horóscopos desde meados do século XIV, deve satisfazer a crescente obsessão de homens e mulheres em conhecer o futuro. Pascal, o Romano, no *Liber thesauri occulti*, já tinha insistido na primazia do astrônomo na interpretação dos sonhos e no papel das estrelas benignas ou malignas em sua interpretação. Guilherme de Aragão, em seu *De pronosticatione sompniorum*, por volta de 1330, tinha ressaltado a importância da Lua na determinação dos sonhos, pois ela concentra em si a virtude de todos os planetas e de todas as estrelas. No início do século XV, um copista, provavelmente Venâncio de Moerbecke, fez preceder a obra de Guilherme de Aragão de um tratado sobre os sinais celestes enviados por Deus para conhecer o futuro, dentre os quais "as visões em sonho" têm um lugar particular.

Nessa época em que se afirma o poder dos príncipes, estes estão particularmente interessados nesse suplemento de poder, o conhecimento do futuro, fornecido pela astrologia e pelos sonhos. Eles continuam assim, num contexto novo, a tradição do sonho régio, do sonho político. Já no século XII, segundo a crônica de um sonho que foi claramente ilustrado por uma miniatura do manuscrito, o rei da Inglaterra Henrique I teve um sonho de advertência relacionado com as três funções indo-europeias: ele se via atacado primeiramente pelos bispos com seu báculo, em seguida pelos cavaleiros com suas armas e enfim pelos camponeses com suas ferramentas. No século XIV, o futuro imperador Carlos IV teve um outro sonho célebre: em 1333, no dia da Assunção da Virgem Maria, sonhou que um anjo, segurando-o pelos cabelos, levava-o para assistir à morte e à transferência ao Inferno de seu parente, o delfim, que durante a vida tinha se entregado à luxúria. Sonho de admoestação destinado a desviar o jovem Carlos de suas tentações carnais. Vinte e dois anos mais tarde, sempre sob o impacto desse sonho, o imperador ordenou a construção de uma igreja no local do sonho e o desenvolvimento da liturgia marial em Praga.

Sonhos régios e sempre sonhos de santos, mesmo que fossem de santos de um novo tipo. A devoção a São Francisco de Assis desenvolve-se em meio a sonhos. O do próprio santo, que não se realizará, pois aconteceu em sua juventude, antes de sua conversão. Francisco, que queria ter estatuto de cavaleiro e não de filho de mercador, preso em Perugia depois de ter lutado em companhia de jovens nobres, vê em sonho uma casa cheia de armas e de armaduras. Mas o sonho não é premonitório de seu futuro, e sim de sua conversão, que o fará renunciar à nobreza e às atividades guerreiras. Em contrapartida, é um verdadeiro sonho premonitório que tem o papa Inocêncio III, que em sonho vê Francisco sustentando o edifício da Igreja abalado pelos hereges. Outros sonhos intervêm em outros movimentos da renovação religiosa dos séculos XIII ao XV. São os dos místicos, em particular os das mulheres, que têm nisso um lugar de destaque.

O sonho também penetra no início do pensamento e da cultura humanistas. Dante tinha frequentemente dado lugar ao sonho em sua obra, e em particular na *Divina comédia*. Petrarca faz do sonho a fonte e a origem de seus *Trionfi*, que se desenvolvem entre sonho e visão. Boccaccio, que transporta o sonho para o mundo laico e instala-o no realismo da existência humana, confere a ele uma presença determinante em duas de suas obras, o *Corbaccio* e *L'amorosa visione*.

Enfim, a teoria dos humores que atravessa o final da Idade Média e introduz-se nos séculos XV e XVI, no que chamamos Renascimento, faz que se desenvolva então um aspecto do sonho sobre o qual já tinham insistido Averróis e Alberto Magno. O humor mais inclinado ao sonho é o humor negro (M. Fattori). Sonho e melancolia passam juntos da Idade Média ao Renascimento.

Na tradição do sonho político, entretanto, o sonho, como muitas vezes a profecia, não é mais do que uma moldura formal, um *topos* literário, retórico. Um dos exemplos mais célebres é o *Songe du vergier*, dedicado ao rei da França Carlos V, que de um sonho do autor adormecido em um pomar tirou um dos mais notáveis tratados de política da Idade Média.

Mas, mesmo se no final da Idade Média ele sai em parte da esfera do sagrado, o sonho frequentemente permanece em um domínio transcendente do imaginário e da cultura, e o sonho medieval se reencontrará no *Traumdeutung*, de Freud, e fará uma nova carreira na psicanálise. Aliás, ele não perdeu, em certos meios repressivos do final do século XV, a aura diabólica e a atmosfera de medo nas quais o cristianismo da Antiguidade tardia e da Alta Idade Média o havia envolvido. No *Martelo das feiticeiras*, os dois inquisidores dominicanos renovam mais uma vez a interdição de interpretar os sonhos e os presságios.

JACQUES LE GOFF
Tradução de Vivian Coutinho de Almeida

Ver também

Além – Animais – Anjos – Corpo e alma – Diabo – Imagens – Maravilhoso – Santidade – Sexualidade – Símbolo

Orientação bibliográfica

BRAET, Herman. Le songe dans la chanson de geste au XIIe siècle. *Romanica Gandensia*, Gand, XV, 1975.

CAILLOIS, Roger; GRUNEBAUM, Gustave Edmund von (orgs.). *O sonho e as sociedades humanas* [1966]. Tradução brasileira. Rio de Janeiro: Francisco Alves, 1978.

DIEPGEN, Paul. *Traum und Traumdeutung als medizinischnaturwissenschaftliches Problem im Mittelalter*. Berlin: Springer, 1912.

DINZELBACHER, Peter. *Mittelalterliche Visionsliteratur*. Darmstadt: Wissenschaftliche Buchgesellschaft, 1985.

DULAEY, Martine. *Le Rêve dans la vie et la pensée de Saint Augustin*. Paris: Études Augustiniennes, 1973.

FISCHER, Steven R. *The Complete Medieval Dreambook*: a Multilingual Alphabetical Somnia Danielis Collation. Berna e Frankfurt: Lang, 1982.

GREGORY, Tullio (ed.). *I sogni nel Medioevo*. Seminario Internazionale (Roma, 1983). Roma: Edizioni dell'Ateneo, 1985.

JONES, Ernst. *Le Cauchemar* [1949]. Tradução francesa. Paris: Payot, 1973.

KRUGER, Stefen F. *Dreaming in the Middle Ages*. Cambridge: Cambridge University Press, 1992.

LE GOFF, Jacques. Os sonhos na cultura e na psicologia colectiva do Ocidente medieval. In: *Para um novo conceito de Idade Média* [1977]. Tradução portuguesa. Lisboa: Estampa, 1979. p.281-8.

_____. O cristianismo e os sonhos (séculos II-VII). In: *O imaginário medieval* [1985]. Tradução portuguesa. Lisboa: Estampa, 1994. p.283-333.

LE GOFF, Jacques. A propósito dos sonhos de Helmbrecht pai. In: *O imaginário medieval* [1985]. Tradução portuguesa. Lisboa: Estampa, 1994. p.335-48.
PARAVICINI-BAGLIANI, Agostino; STABILE, Giorgio. *Träume im Mittelalter*: Ikonologische Studien. Stuttgart: Belser, 1989.
SCHMITT, Jean-Claude. *Os vivos e os mortos na sociedade medieval* [1994]. Tradução brasileira. São Paulo: Companhia das Letras, 1999.
SUCHIER, Walter. Altfranzösische Traumbücher. *Zeitschrift für französische Sprache und Literatur* Stuttgart, LXVII, p.129-67, 1956.

Tempo

O modo como os homens do passado conceberam e viveram o tempo é uma via privilegiada para compreender a sociedade à qual pertenceram. Para nós que, embora engajados numa multiplicidade de tempos, referimo-nos sempre a um tempo unificado, divisível em unidades cuja medida se efetua com a ajuda de instrumentos cada vez mais sofisticados, é difícil perceber as realidades temporais de uma sociedade na qual esse tempo unificado não existe. Tal é o caso da sociedade medieval. No entanto, essa sociedade evoluiu lentamente em direção a um maior controle do tempo.

O tempo da Idade Média é, em primeiro lugar, um tempo de Deus e da terra, depois, dos senhores e dos que estão sujeitos ao senhorio, depois – sem que os tempos precedentes tenham deixado de ser presentes e exigentes – um tempo das cidades e dos mercadores, e, finalmente, um tempo do príncipe e do indivíduo.

Um novo tempo cristão

Em relação ao tempo, como em quase todas as coisas, os homens e as mulheres da Europa conheceram profundas transformações durante os séculos da Antiguidade tardia e da Alta Idade Média. E, também aqui, a ação mais decisiva foi a do cristianismo e da Igreja. O tempo dos deuses foi sucedido pelo tempo do Deus único. O calendário romano cedeu lugar a um calendário marcado por novas divisões e novos ritmos.

O grande instituidor, o grande mestre da Idade Média cristã, Santo Agostinho, propôs uma conversão fundamental em relação ao tempo. Segundo ele, o agenciamento divino do temporal deve ordenar, no mais profundo de cada fiel, a experiência pessoal de um tempo espiritual. Assim, o cristão pode aproximar-se de Deus e esperar reunir-se a ele, aqui embaixo, neste concentrado de tempo que é o "instante" e, depois, no fim dos tempos, na eternidade. Simplificado, deformado, misturado a outras concepções e a outras experiências, o tempo agostiniano, definido nas obras doutrinárias e posto em cena nas *Confissões*, impregnou por longo tempo a experiência existencial medieval do tempo e da duração.

Embora o tempo medieval tenha permanecido dependente dos ritmos naturais e da marcha do sol, o tempo decadário predominante foi definitivamente substituído pelo ritmo hebdomadário. O tempo tornou-se escandido pelos períodos e datas definidos pela religião cristã. Esse novo calendário impôs-se às atividades profissionais, sociais, políticas, religiosas.

O núcleo da semana é o domingo, que se torna, então, essencial para toda a vida humana: tempo de trabalho definido por um período de seis dias de labuta e um de descanso a cada sete dias; tempo social marcado pela homenagem prestada ao Senhor e por uma sociabilidade religiosa na qual homens e mulheres encontram-se para participar dos ofícios religiosos dominicais, e por uma sociabilidade festiva na qual, ao lado do repouso individual e geral, homens e mulheres reúnem-se para a festa e o divertimento. O estabelecimento do domingo foi um evento que se impôs pouco a pouco, na longa duração, como um fenômeno coativo. Concílios eclesiásticos e poderes temporais cristãos repetem, até o século IX, a obrigação de respeitar o domingo. A legislação carolíngia parece ter sido o ponto culminante e a finalização da instituição do tempo novo.

O tempo cristão que se impõe lentamente aos homens não é unificado. Combina três tipos de tempo. Primeiro, o tempo circular da liturgia, articulado pelo ritmo das estações. É regrado pela vida de Cristo e começa por um período de espera: o Advento. Ele se conclui com a data do nascimento do Cristo, a festa da Natividade, familiarmente, o Natal. O estabelecimento do Natal esclarece o modo pelo qual o tempo cristão substitui o tempo pagão, frequentemente se instalando no mesmo leito. Somente no século IV, o Natal foi fixado em 25 de dezembro, no lugar de uma festa do Sol. E o tradicional período de doze dias que marcava a transição de um ano a outro perpetuou-se no espaço compreendido entre o 25 de dezembro e a festa da Epifania, fixada em 6 de janeiro (*Twelfth Night*, em inglês). Esse período absorveu uma data herdada da Antiguidade, data que conheceu um longo eclipse antes de se impor, na Baixa Idade Média, como início do ano e do calendário anual: o 1º de janeiro, no qual se conservou, no entanto, o costume de oferecer presentes, as entradas (*strennae*).

O ano litúrgico chega, em seguida, à data da ressurreição do Cristo, a Páscoa. Essa data permanece móvel, introduzindo uma referência lunar num sistema de calendário centrado no Sol. O cálculo da data da Páscoa todo ano suscita operações complexas, o cômputo eclesiástico, que dá lugar a uma intensa atividade científica por parte da Igreja. O dia de Páscoa é precedido por dois períodos particulares: um período penitencial de quarenta dias, a Quaresma, do qual a última semana (a Semana Santa) resume a Paixão de Cristo – sua entrada em Jerusalém no Domingo de Ramos (ou de Palmas), a instituição da Eucaristia (Quinta-Feira Santa), sua morte na Cruz (Sexta-Feira Santa) e sua ressurreição (Domingo de Páscoa). A coincidência dessas celebrações com as festas de Páscoa judaicas faz do período pascal um tempo favorável às perseguições aos judeus. Ela continua com as datas comemorativas dos eventos que se seguiram à Ressurreição: a ascensão do Cristo aos Céus e a descida do Espírito Santo sobre os apóstolos, cinquenta dias depois da Páscoa, o Domingo de Pentecostes. Tradições pagãs encontram-se também nessas datas gloriosas, em especial o Pentecostes. Esse é um dia de grandes festas régias e senhoriais: assembleias solenes em torno do rei e do senhor (inclusive na literatura arturiana), armação de novos cavaleiros.

Esse tempo litúrgico anual começa em dias diferentes: é o caso, por exemplo, do "estilo de Natividade" (começando a 25 de dezembro) ou "da Anunciação" (25 de março). A partir do século XII, impôs-se na França e numa parte da Cristandade o "estilo pascal", mas, como a Páscoa é uma festa móvel, a cronologia da história medieval é delicada de ser estabelecida pelos historiadores modernos. As chancelarias régias habituam-se, também, a datar seus atos pelo ano de reinado dos soberanos, complicando ainda mais essa cronologia.

O ano litúrgico é ritmado por outras festas religiosas, em particular as dos santos, que foram também os marcadores do tempo na sociedade cristã. Também aqui, certos santos inscrevem-se no calendário das antigas datas festivas pagãs, legitimando a continuidade de certos costumes: por exemplo, São João, 24 de junho, cujas fogueiras celebram o solstício de verão no hemisfério norte. Os etnólogos viram no calendário de certos santos no decurso do verão uma cadeia de santos caniculares enfatizando a perenidade de certas festas pagãs ligadas aos trabalhos estivais dos campos. Um outro exemplo, 2 de fevereiro, coincidindo com a Candelária (que festeja a assunção da Virgem), recobre a festa de aparecimento da constelação do Urso e outros ritos pagãos semelhantes anunciando o retorno da primavera. As festas mariais adquirem grande importância com o desenvolvimento do culto de Maria. Do mesmo modo, a afirmação da piedade em relação aos mortos faz nascer, por iniciativa da Ordem de Cluny, no século XI, uma comemoração dos mortos em 2 de novembro, na véspera da festa de Todos os Santos. No século XIII, a Igreja acrescenta a festa do Corpo de Cristo, ligada ao desenvolvimento do culto eucarístico e fixada no segundo domingo após o Pentecostes. O calendário cristão medieval dá grande importância aos Quatro Tempos associados à sucessão das estações e duplica a celebração com uma observância particular da véspera das grandes festas, as vigílias, dias de preparação que dão continuidade às práticas pagãs da incubação.

Esse tempo litúrgico determina também um tempo do corpo e da sexualidade. Define um tempo psicológico, marcando no calendário as relações sexuais autorizadas pela Igreja – que as interditava especialmente durante a Quaresma e durante o período menstrual da mulher (os leprosos eram considerados como concebidos por pais que haviam tido relações sexuais durante esses períodos de interdição carnal). A vida monástica, do seu lado, ritmava-se pelos dias de sangria (*minutio*) dos monges. Embora circular, esse tempo litúrgico do qual a vida do Cristo forma a ossatura engloba também uma concentração de tempo histórico linear, o da existência terrestre de Jesus.

A grande novidade do tempo cristão é afirmar, em combinação com o retorno de um tempo litúrgico anual, um tempo linear, o da História, o tempo histórico criado por Deus. Os historiadores insistiram com justeza sobre o fato de que o cristianismo é uma religião histórica, ancorada na história e se afirmando como tal. Daí um calendário diacrônico por longo tempo submetido a uma periodização bíblica que pouco a pouco cai em desuso – a das seis idades da humanidade começando com Adão. Nessa perspectiva, o período medieval é considerado pela Igreja a sexta e última idade, definida como a velhice do mundo e da humanidade – *Mundus senescit* ("o mundo envelhece"). Essa concepção pessimista do tempo da história se enfraquece na mesma medida que recua a noção conexa de *contemptus mundi* ("desprezo do mundo").

A afirmação do cristianismo como religião ancorada no tempo e na história torna mais rigorosa a oposição cristã às concepções gnósticas que inspiram certas concepções heréticas medievais mais radicais, em particular dos cátaros. Nessas concepções, o tempo é condenado com o conjunto da Criação. O tempo é inferno, decadência, fatalidade, angústia. A salvação está no intemporal. Esses contestatários radicais do cristianismo têm nostalgia do "tempo primitivo", do tempo antes do tempo. Esse tempo gnóstico e pós-gnóstico não é nem circular, nem linear, é mítico.

Por fim, a terceira característica do tempo cristão é de ser um tempo sagrado e orientado. Procede de uma dupla origem divina, de um duplo evento original: a Criação renovada pela Encarnação. Marcha em direção a uma consumação, um fim marcado pelo Juízo Final. O tempo dirige-se para a eternidade, que o abolirá. Esse tempo que comporta dois outros tempos, o circular e o linear, também é, para o homem, o tempo do destino, no qual ele alcançará a salvação eterna – ou cairá na danação, igualmente eterna. É um tempo escatológico que sai do nada e vai em direção a seu aniquilamento. Mas deve ser precedido, na terra, de um período dramático, o dos "últimos tempos" anunciados pelo livro do Apocalipse, que trarão, antes do Juízo Final, um longo período de retorno do Cristo sobre a terra e o reino dos santos, o Milênio. A crença num Milênio que estaria por vir foi intensamente combatida pelos Pais da Igreja, sobretudo por Santo Agostinho e pela Igreja medieval. Tal crença suscitou movimentos para-heréticos ou heréticos: os milenaristas, cujo principal profeta foi Joaquim de Fiore, na passagem do século XII para o XIII. O tempo milenarista é um tempo perturbador do tempo da Igreja, quase revolucionário.

O tempo linear cristão deu lugar a uma notável atividade historiográfica medieval. Por muito tempo foi dominada pela periodização anual (anais) e pela obsessão da crônica universal. Os eventos anotados são as intempéries, os signos do céu, os tremores de terra, os ataques dos pagãos, irrupção no tempo humano da natureza, do Diabo e dos homens maus.

O tempo feudal privilegia o passado. É o tempo da memória que desenvolve as potencialidades do cristianismo como religião da memória — memória de Jesus, memória desses mortos modelares que são os mártires e os santos. Desenvolve-se um verdadeiro culto dos ancestrais, primeiro nos meios monásticos, depois em meios laicos, aristocráticos de início, urbanos e burgueses em seguida. O prestígio do passado engendra a voga das genealogias, que frequentemente evocam ancestrais legendários de um tempo mítico. Com a afirmação das monarquias, o tempo dinástico torna-se um tempo da sucessão, distinguindo antecessores ou predecessores exaltados em ancestrais e sucessores, privilegiando os primeiros em função da obsessão da Antiguidade e das origens. Obsessão que se manifesta muito cedo, na busca das origens e dos fundadores (míticos), à moda antiga, dos povos, das dinastias, dos Estados nascentes, da qual é um exemplo a crença na origem troiana dos francos, depois dos franceses. Crença que só desaparece no século XVI, sob o impacto de uma história mais "científica", substituída pelo conflito, rapidamente ideologizado, entre as origens gaulesas e as origens francas.

A medida do tempo e seus confrontos

Tempo cristão, o tempo medieval caracteriza-se também pela multiplicidade dos tempos vividos e pelos lentos e difíceis progressos em controlar o tempo e sua medida.

Entre esses tempos significativos, muito dependentes da natureza, do nascer e do pôr do sol, do ritmo das estações, marcados pelo medo da noite, emerge o tempo religioso (em particular o tempo monástico), o tempo camponês de um mundo essencialmente rural, o tempo urbano construído pelo desenvolvimento das cidades, o tempo guerreiro privilegiando a primavera e o verão, o tempo senhorial, ritmado pelas expedições militares, homenagens e datas de pagamento dos encargos camponeses, o tempo do mercador, por longo tempo prejudicado pela impossibilidade de navegação durante o inverno, o tempo público imposto pelos reis e príncipes segundo o ritmo da construção do Estado moderno. Numa sociedade na qual a expectativa de vida é fraca (forte mortalidade infantil, expectativa de vida de menos de 40 anos para as crianças de mais de um ano), o tempo da vida engendra ainda tanto o prestígio dos anciãos, em particular dos monges, submetidos a uma vida mais higiênica, quanto uma sensibilidade ambígua em relação à vida frágil dos jovens.

Os monges fornecem duas grandes novidades para o controle do tempo: os sinos, a partir do século VII (tempo monástico e tempo rural), e o emprego do tempo cotidiano (horas canônicas), modelo de todos os futuros empregos do tempo, dividido entre um tempo da prece e um tempo de trabalho, fixação de um tempo de alimentação. Desde o século XII, um manual de comportamento do bom cristão, o *Elucidarium*, propõe um regulamento bem ordenado do tempo cotidiano: despertar, trabalho, repasto, repouso, vida social. As cidades laicizam o tempo: tempo da sentinela, dos sinos urbanos, dos sinos de trabalho. É o confronto do tempo da Igreja e do tempo do mercador. É também um novo tempo festivo, pela urbanização do carnaval, do tempo do citadino, "cidadão cerimonial".

No século XIII, o pensamento escolástico apossa-se do problema do tempo, sobretudo depois da introdução do pensamento de Aristóteles, que define o tempo como "número do movimento". Seguindo Alberto Magno e São Tomás de Aquino, o dominicano inglês Roberto Kilwardby, arcebispo de Cantuária, no seu tratado *De tempore* situa a medida e a quantidade no centro da reflexão erudita sobre o tempo. Essa atitude intelectual terá consequências importantes, notadamente no domínio da música, na qual os cuidados com uma nova temporalidade mensurável levarão à *ars nova* do século XIV.

O tempo do trabalho enfatiza, por outro lado, a oposição entre tempo diurno e tempo noturno. Sem dúvida, as interdições frequentes do trabalho noturno visam assegurar uma melhor qualidade de trabalho numa sociedade em que é fraca a iluminação artificial (vela, instrumento de medida do tempo predominante no interior, como o quadrante solar o é no exterior). Mas sobre essas interdições pesa o medo da noite, tempo dos malfeitores e das feiticeiras, tempo do mal, tempo do Diabo. Um delito ou um crime cometido à noite é mais duramente castigado que se fosse executado de dia.

Os universitários trazem um novo tempo, o tempo de um novo *otium*, o das férias. Para os ofícios, o tempo do repouso é o das numerosas festas sem trabalho. Ao lado do tempo do trabalho desenvolve-se um tempo de lazer, que São Tomás de Aquino define como um tempo de *recreatio*, de reparação das forças vitais dadas ao homem por Deus. O tempo torna-se um confronto social: o tempo do trabalho é, na crise do século XIV, um elemento das lutas sociais.

O tempo torna-se, também, um confronto político, um confronto de poder. Príncipes e mercadores rivalizam no estabelecimento de uma rede de mensageiros e no encurtamento do tempo de comunicação. O rei procura monopolizar o tempo. Disputa com a cidade o instrumento revolucionário que o mede: o relógio mecânico. Os instrumentos arcaicos (o quadrante solar, a clepsidra, a ampulheta, a candela) cedem terreno ao relógio que engrena horas iguais. Mas a origem da contagem das horas permanece diferente em cada lugar, dependendo do nascer e do pôr do sol, e os dispositivos mecânicos são por muito tempo vítimas de frequentes avarias. O relógio torna-se, no século XV, o símbolo contraditório da temperança e da morte, produzindo uma concepção de ambivalência do tempo que a Idade Média lega à Renascença e aos tempos modernos.

Os príncipes, contudo, esforçam-se por encampar as novas técnicas de medida e de imposição do tempo, algumas vezes com sucesso. Na França, Filipe, o Belo, consegue fazer prender os templários em todo o reino, no mesmo dia, na mesma hora. Carlos V ordena que todos os relógios do reino sejam regulados pelo de seu palácio em Paris. A partir de meados do século

XIV, os poderosos buscam confiscar em seu proveito o conhecimento do futuro graças à astrologia, apesar da hostilidade da Igreja (o maravilhoso relógio de Padouan Dondi, relógio astronômico podendo servir para a astrologia, é propriedade dos duques de Milão).

Tempo, história, morte

Historiadores e cronistas constroem cada vez mais metodicamente um tempo da história. A distinção entre anais, crônica e história torna-se mais precisa. Vindo da Antiguidade, o gênero dos anais, segundo a cômoda e fundamental unidade temporal do ano, perdura mas recua diante do desejo de substituir esse tempo picotado e "mecânico" por uma duração mais contínua, mais "literária", mais evolutiva e mais explicativa. A distinção entre crônica e história retoma exatamente a velha definição de Eusébio de Cesareia (século IV): a crônica privilegia a cronologia, a história privilegia o relato. Embora a menção do dia continue por muito tempo negligenciada e designada pela festa religiosa, em especial a do santo apropriado (São Bartolomeu manifesta cruelmente essa persistência no século XVI), o cuidado da datação torna-se mais intenso, em particular para as datas de nascimento (e de batismo, verdadeiro nascimento do cristão recém-nascido). O esforço de afirmação da verdade cronológica segue três linhas (B. Guenée): a da *distinctio temporum* (as idades do mundo) fundadas sobre a Bíblia, que se esvai lentamente, para desaparecer no século XII, substituída pela cronologia uniforme elaborada por Dioniso, o Pequeno, a partir do século VI (fixando como origem a suposta data do nascimento do Cristo e dividindo a história em antes e após Jesus Cristo); a da *supputatio annorum*, o cálculo das datas, longo e difícil, que leva, no fim do século XIII, às listas de reis e grandes personagens dotados de um número; por fim, a de *ratio temporum*, um cálculo racional do tempo que, por um método crítico, começa a fundar o método de trabalho do historiador. A noção de século, período de cem anos mas com uma origem mais ou menos arbitrária correspondendo aos anos que terminam por 00, aparece em meados do século XIII, embora o século tal como nós o definimos afirme-se (de forma ainda limitada) apenas no fim do século XVI. A partir de 1300, celebra-se, teoricamente a cada cinquenta anos, um ano jubileu, festejado em especial em Roma, que retoma a antiga tradição judaica do jubileu. Seria necessário, embora ultrapasse este esboço sumário, evocar a potente construção da memória que se afirma com os *libri memoriales* nos meios monásticos e que fazem multiplicar as *artes memoriae*, os manuais de teorias e práticas mnemotécnicas.

O tempo dos indivíduos, que se tenta periodizar segundo as divisões incertas das idades da vida, em razão das novas atitudes em relação à morte e ao Além, fixa-se sobre o tempo da morte (*artes moriendi*) e sobre a contabilidade do tempo do Além ligada ao novo tempo do Purgatório. Uma cristalização do tempo de aproximação da morte, da agonia e do imediato pós-morte, reforçada pela afirmação do indivíduo, faz aparecer, em particular nos testamentos dos séculos XIII e XIV, um "tempo da morte" (*tempus mortis*).

Com a afirmação do indivíduo, o tempo torna-se, segundo o arquiteto e humanista Alberti, no começo do século XV, "um de seus bens mais preciosos" – aguardando a aparição do relógio individual no fim do século XV. O tempo romanesco, o dos romances arturianos dos séculos XII e XIII, hesitava em relação à recusa do tempo, a da duração que faz o herói viver um tempo de acontecimentos sem data ("num belo dia de primavera"), e mesmo em cristalizá-lo na atemporalidade na "vida perdurável", espécie de eternidade terrestre romanesca. Mas o romance, cujo nascimento no século XII está ligado à afirmação do tempo e à construção da duração do relato até a morte do herói (*A morte do rei Artur*), impõe o sentimento do "tempo que passa" e que se pode perder ou ganhar ("mas eu gasto o tempo"). Os poetas sensibilizam seus ouvintes e seus leitores para esse tempo que passa, que foi ("mas onde estão as neves de antanho?", pergunta Villon).

Em conclusão, pode-se dizer que, malgrado uma afirmação crescente, desde o fim do século XII, da atenção ao presente (*nostris temporibus*), o presente do homem medieval foi por muito tempo esmagado entre o prestígio do passado, tempo das autoridades, e a avidez por conhecer o futuro. A lição de Santo Agostinho, convidando a sentir a eternidade no instante, talvez tenha sido vivida pelo homem medieval, embora ele não a tenha pensado.

Jacques Le Goff
Tradução de José Carlos Estêvão

Ver também

Além – Escatologia e milenarismo – Flagelos – Idades da vida – Memória – Monges e religiosos – Natureza – Ritos – Sexualidade – Universo

Orientação bibliográfica

ARIÈS, Philippe. *O tempo da história* [1954]. Tradução brasileira. São Paulo: Editora Unesp, 2013.

BELLENGER, Yvonne. *Le Temps et la durée dans la littérature du Moyen Âge et à la Renaissance* (Colóquio de Reims, 1984). Paris: A. G. Nizet, 1985.

BILFINGER, G. *Die mittelalterlichen Horen und die modernen Stunden.* Stuttgart: W. Kohlhammer, 1982.

BRAUDEL, Fernand. História e ciências sociais: a longa duração. In: *Escritos sobre a História* [1969]. Tradução brasileira. São Paulo: Perspectiva, 1978. p.41-78.

CARDINI, Franco. *Il cerchio sacro dell'anno*: il libro delle feste. Rimini: Il Cerchio, 1996.

CAROZZI, Claude. *Eschatologie et au-delà*: recherches sur l'Apocalypse de Paul. Aix-en-Provence: Presses Universitaires de Provence, 1994.

_____; TAVIANI-CAROZZI, Huguette. *La Fin des temps*: terreurs et prophéties au Moyen Âge [1982]. Paris: Flammarion, 1999.

CIPOLLA, Carlo. *Clocks and Culture. 1300-1700.* Nova York: Walker, 1967.

DOHRN-VAN ROSSUM, Gerhard. *L'Histoire de l'heure*: l'horlogerie et l'organisation moderne du temps [1992]. Tradução francesa. Paris: Ed. de la Maison des Sciences de l'Homme, 1997.

EHLERT, T. *Zeitkonzeptionen, Zeiterfahrung, Zeitmessung Stationen ihres Wandels von Mittelalter zur Moderne.* Paderborn: F. Schöningh, 1997.

FIN DES TEMPS ET TEMPS DE LA FIN DANS L'UNIVERS MÉDIÉVAL. Aix-en-Provence: Presses Universitaires de Provence, 1993. (Senefiance,33)

FLANDRIN, Jean-Louis. *Un Temps pour embrasser.* Paris: Seuil, 1983.

GEUENICH, Dieter; OEXLE, O. G. (eds.). *Memoria in der Gesellschaft des Mittelalters.* Göttingen: Vandenhoeck & Ruprecht, 1994.

GOUREVITCH, Aron I. *As categorias da cultura medieval* [1972]. Tradução portuguesa. Lisboa: Caminho, 1990.

GUENÉE, Bernard. *Histoire et culture historique dans l'Occident médiéval* [1980]. Paris: Aubier, 1991.

KILDWARDBY, Robert. *On Time and Imagination: De Tempore. De Spiritu Fantastico.* Editado por O. Lewry. Londres e Toronto: Oxford University Press, 1987.

LANDES, David Saul. *L'Heure qu'il est. Les horloges*: la mesure du temps et la formation du monde moderne [1983]. Tradução francesa. Paris: Gallimard, 1987.

LE GOFF, Jacques. *História e memória* [1988]. Tradução brasileira. São Paulo: Editora da Unicamp, 1990.

_____. Na Idade Média: tempo da Igreja e tempo do mercador. In: *Para um novo conceito de Idade Média* [1977]. Tradução portuguesa. Lisboa: Estampa, 1979. p.43-60.

LUNEAU, Auguste. *L'Histoire du salut chez les Pères de l'Église*: la doctrine des âges du monde. Paris: Beauchesne, 1964.

MAIELLO, Francesco. *Histoire du calendrier (1450-1800)*: de la liturgie à l'agenda. Paris: Seuil, 1993.

MARROU, H. I. *L'Ambivalence du temps de l'histoire chez Saint Augustin*. Montreal: J. Vrin, 1950.

NORA, Pierre (ed.). *Les Lieux de mémoire*. Paris: Gallimard, 1984-1993. 7v.

DUMOULIN, O.; VALÉRY, R. (orgs.). *Périodes*: la construction du temps historique. Paris: Éditions de l'École des Hautes Études em Sciences Sociales, 1991.

PIETRI, Charles; DAGRON, Gilbert; LE GOFF, Jacques (eds.). *Le Temps chrétien de la fin de l'Antiquité au Moyen Âge, IIIe-XIIIe siècle*. Paris: CNRS, 1984.

POIRION, Daniel (ed.). *La Chronique et l'histoire au Moyen Âge* (Colóquio de 1984). Paris: Presses de l'Université de Paris-Sorbonne, 1984.

POMIAN, Krzysztof. *L'Ordre du temps*. Paris: Gallimard, 1984.

RIBEMONT, Bernard (ed.). *Le Temps*: sa mesure et sa perception au Moyen Âge (Colóquio de Orleans, 1991). Caen: Paradigme, 1992.

RICOEUR, Paul. *Tempo e narrativa* [1993]. Tradução brasileira. São Paulo: Martins Fontes, 2010. 3v.

TEMPO Y MEMÓRIA EN LA EDAD MEDIA. Buenos Aires, 1992. (Número especial de *Temas medievales*, 2.)

TEMPS, MÉMOIRE, TRADITION AU MOYEN ÂGE. (Colóquio de Aix-en-Provence, 1982). Aix-en-Provence: Université de Provence, 1983.

Terra

Durante o milênio medieval, a terra e aqueles que a trabalham são a base de toda a sociedade: as liberdades urbanas, o mecenato principesco, a audácia dos mercadores, só têm sentido em relação a esses dados essenciais. A terra é a fonte do poder, a origem da riqueza, o espaço da vida: ela é fonte de prestígio e sinal de prosperidade para sete dentre dez homens às margens do mar latino, oito a nove na França ou na Germânia, todos ou quase todos mais ao norte ou a leste. A aldeia, em todas as formas que pode apresentar, é o núcleo da sociedade.

Infelizmente, a aldeia e a terra que a cerca são de difícil apreensão. As alusões literárias são vagas: vidas de santos, contos épicos, romances corteses, fábulas e provérbios, e mesmo as crônicas, são destinados aos clérigos e aos guerreiros, e não tratam dos lotes camponeses. Os tratados de agricultura, notadamente ingleses no século XIII (*Husebondrie*, *Fleta*), não ultrapassam a teoria; as atas de gestão imobiliária, ainda que não digam respeito somente aos ricos, não elucidam a face jurídica da terra. As contas, as listas dos lotes (polípticos, registros de censos, tombos), ou são muito raros, confusos e distantes (século IX), ou então muito pontuais e demasiado tardios (séculos XIV e XV); aliás, eles não dizem nada sobre a paisagem ou as técnicas. A iconografia, trabalhos dos meses ou horizontes pintados no segundo plano de uma cena religiosa, seria mais atraente, porém o simbolismo sistemático, o respeito devoto a modelos sem idade, limitam seu emprego. Resta a arqueologia, que poderá fornecer restos de utensílios quebrados, reservas ou resíduos alimentares e raros traços de cultivo, como na Inglaterra dos *enclosures*. Mas é provavelmente o estudo do ambiente vegetal que permitiria melhor enquadrar a atividade dos homens: infelizmente, o estudo dos pólens fósseis (palinologia) está longe de ser generalizado, e o estudo dos carvões vegetais (antracologia) está apenas começando. Em suma, comparativamente à cidade, a terra é quase tudo e aquilo que a esclarece é quase nada; isso explica por que em várias regiões onde a primeira brilhou intensamente, a segunda permanece aos olhos dos historiadores mergulhada na noite.

"Ager" e "saltus"

Desde a proto-história, a terra no oeste e no sul da Europa tem duas faces: a inculta, não dominada, o *saltus*, o *bosc*, o *outfield*, e o solo dominado, o *ager*, o *plain*, o *infield*. E é natural que cada face apresente cem aspectos diferentes. O *saltus* pode ser uma floresta no sentido atual, matas de difícil acesso mais do que bosques, um conjunto de carvalhos, faias e bétulas, e mesmo de coníferas no norte da França, no arquipélago, na região além-Reno, imensa e hospitaleira, contudo, mais a oeste, dispersa e enevoada, cheia de clareiras ameaçadas por espíritos maus; em direção ao sul, é a impenetrável *mescla*, matagal, talvez resíduo de uma antiga e furiosa degradação. Mas, além disso, também é constituído por charnecas rasas, savanas de gramíneas, turfeiras, bosques arenosos, roseiras invasoras e pastagens montanhosas. O *ager* não apresenta maior homogeneidade: lavouras obviamente, raros cultivos de jardim, vinhas e oliveiras, e mesmo alguns prados de ceifa; mas as técnicas impõem longos repousos ao solo, o alqueive a cada dois ou três anos, às vezes mais tempo, ao qual se somam os solos em restolho após a colheita, as "bordas" (*ferragina*) das encostas meridionais, os terrenos pedregosos ou ainda os solos de *karst* que são cultivados aqui e ali, em depressões circulares ou entre os feixes de arbustos.

Se fosse preciso caracterizar em duas frases a economia medieval fundamental, diríamos que o ecossistema desses dez a doze séculos repousou sobre a exploração pelo homem, conjunta, complementar e indispensável, daqueles dois domínios naturais, e que a história da terra foi durante esse longo tempo um contínuo reajuste de um ao outro, avanço ou recuo, correções ou paliativos; de forma que, quando esse "círculo vicioso" da agricultura for rompido, a "idade média" terá acabado, e seus quadros sociais serão deslocados. São as condições empregadas na manutenção do equilíbrio ecológico que devemos examinar primeiro, antes de repor esse longo esforço em seu quadro social e, sobretudo, no quadro concreto da aldeia, que assegura sua continuidade.

O ecossistema

A exploração da terra foi ditada por exigências que certamente variaram em tempo tão longo. Primeiramente a dos solos: as terras da Europa ocidental não estão dentre as mais promissoras de nosso planeta, menos ainda as de seu flanco sul. As condições climáticas, particularmente "variáveis", expõem as colheitas a grandes imprevistos – secas ou inundações, invernos caprichosos e estações "úmidas" – cujo balanço medieval tentamos atualmente estabelecer. Apenas o Mediterrâneo escaparia dessas surpresas desastrosas, mas o solo ali é dos mais ingratos. A vegetação natural é mediocremente frutífera: mais bagas do que frutas, mais raízes do que legumes; quanto ao grão, que se sabe exigir muito azoto, ele só germina ao preço de grandes esforços: aqui não há solos negros e pesados (*chernozens*), no máximo marrons e vermelhos formados de terra calcária eólica (*rendzinas*) e especialmente, em grande quantidade, solos cinza, siliciosos, ácidos, decompostos (*podzols*), nos quais a espiga será magra e a palha curta. Ora, são somente estes últimos solos que, pelo menos nos primeiros séculos medievais, o homem é capaz de trabalhar, porque dispõe apenas de instrumentos fracos e de tração lenta, arado e bois. Essa tirania das terras medíocres, cujos efeitos são bem perceptíveis sobre o nível de produção, foi combatida nas regiões onde se pôde trabalhar as rendzinas, as bacias sedimentares do noroeste da Europa e da Germânia. Esta é a causa da progressiva desqualificação econômica ou mesmo social dos camponeses mediterrâneos. Mas o prestígio do vinhateiro, cujo trabalho, em compensação, contenta-se com solos bem expostos mas medíocres, sem dúvida vem não tanto de produzir a segunda espécie eucarística, o vinho, quanto de conseguir fazê-lo da Escandinávia à Sicília, naturalmente deixando de lado a qualidade do produto.

Portanto, a mediocridade dos solos, somada a um vigoroso impulso demográfico, levou os grupos humanos a ampliar a zona de cultivo, a mais considerável desde a pré-história, dizia Marc Bloch, e forçosamente à custa do *saltus* produtivo. As contingências pedológicas deram então lugar às contingências técnicas. Os historiadores discutem sobre a origem, as etapas, a amplitude dos aperfeiçoamentos nas ferramentas então utilizadas pelos homens. Se algumas das questões levantadas dependem enfim do preciosismo de especialistas — como conhecer a parte das invenções "antigas", em geral estéreis, ou o começo do movimento desde os Carolíngios —, o essencial repousa no domínio da força animal (atrelagem de coleira ou de jugo para a tração das carroças e dos instrumentos de arado, ferradura e boleia para o transporte), no controle da água corrente (moinhos de grão, de azeite, de casca de carvalho, de ferro, de pisoar), e no aperfeiçoamento do trabalho do ferro (começo dos altos-fornos, forja deslocada para o centro da aldeia). Naturalmente, as minas ou a madeira para queimar não se encontram em todos os lugares; a água corrente é rara e caprichosa no sul; um instrumento de lavra eficiente com relha e aiveca não se impõe nas regiões onde há somente *podzols*, como nas margens do Mediterrâneo; o cavalo é vigoroso e rápido, mas caro e frágil, e a Inglaterra permanecerá por muito tempo hostil a ele. E depois nem tudo pode ser feito em todos os lugares e imediatamente: tem-se a impressão de um começo por volta de 920-950, mais no sul (moinhos, fornos), seguido por fortes vagas no século IX e por uma grande explosão em todos os domínios de 1080 a 1180, o "século do grande progresso", quando ondas de progresso atingem a Europa do norte ou germânica. Mais do que a alta do nível de produção, portanto do nível de vida, ou do que a implantação do sistema de trocas num crescente raio de ação, ou ainda mais que o afluxo de dinheiro para o campo, o efeito capital será o do ganho de tempo, primeiro passo em direção a um ganho de liberdade.

Seria, entretanto, imprudente dourar o quadro ou projetar sobre aqueles tempos um "cientificismo" moderno. Os homens permanecem estreitamente confinados a níveis técnicos que não se enfraquecerão nos séculos

XIV e XV como se repete frequentemente, mas que não poderão suprir as necessidades de uma sociedade que se tornou mais exigente. Um exemplo, embora de detalhe, é esclarecedor: a videira pode ser plantada em todos os lugares, o vinho bebido em abundância, mas o estado medíocre das estradas obriga a realizar o transporte dos tonéis por via fluvial, limitando assim o vinhedo às margens dos rios. Ora, o que governa as necessidades dos homens em espaços dominados é o regime de alimentação. Sua estrutura, tão estranhamente arcaica e estática, é importante para nosso propósito: pão e assemelhados, grãos para os animais, são um peso exorbitante sobre o *ager*; mas também os produtos da caça, da pesca, da coleta, impossíveis de ser avaliados pelo historiador, a carne e os laticínios, em suma, tudo que exige que se explore o inexplorado. A luta entre a lavoura e a floresta é, enfim, uma questão de proteínas. Se acrescentarmos a necessidade de sal ou de outros produtos vindos de longe, além do couro, da lã e da madeira, podemos medir a pressão que se exerce sobre o grupo humano, as tentações que ele suporta, aceita ou repele, de acordo com seus instrumentos, com a clemência do tempo ou a pressão das novas gerações. A agricultura medieval é certamente policultural, mas frágil e desordenada, de nível inferior às necessidades.

A conquista dos solos

Assim estava o homem, consciente de suas necessidades, dotado de braços e de ferramentas, temendo menos a subalimentação do que a penúria inesperada, que nenhuma reserva ou comércio podem aliviar. Estamos então próximos ao ano 1000; ele dispõe, à primeira vista, de espaços necessários à sua subsistência? A imprecisão das fontes não permite avaliar, senão de forma muito aproximada, a parte do *saltus* em relação ao *ager* quando a necessidade de grãos torna-se urgente: talvez 60% na Germânia, 40% no arquipélago, um pouco menos no norte da França, talvez um quarto ao sul do Loire e do Danúbio? Porcentagens plausíveis, mas simples hipóteses. Contudo, era insuficiente, pois a conquista de novos solos tornou-se, de 1000 a 1300, um impulso capital da economia. Várias causas puderam entrar em ação conjuntamente: a fragmentação de um grupo familiar amplo pode ter sido a etapa inicial, levando à busca de lotes que escapavam ao clã;

a preocupação em dominar os homens ávidos por terras pode ter encorajado os guerreiros a apoiar o movimento; a Igreja, que nos legou tantos testemunhos disso, pode ter visto na conquista de novos solos uma forma de enriquecimento ou de libertação da tutela laica; ou, enfim, o "movimento browniano" que agita a sociedade medieval pode ter levado os jovens, os "hóspedes" – que são apenas os estranhos à aldeia –, a instalar suas cabanas em pleno bosque.

Sinais precursores no século IX? Talvez no sul da Europa, mas as fases essenciais, entrecortadas por pausas devidas à "digestão" desses ganhos, parecem ser 980-1050, 1130-1200, 1250-1320, com ondas que se propagam do sul para o norte e o leste. Quase não se conhecem as condições e a amplitude desses "desmatamentos" a não ser através de contratos que associam o arrendador do solo (a Igreja), que se reservava o dízimo, e o arrendador de braços (o senhor), que arrecadava os direitos sobre os homens. Inicialmente atacaram-se os terrenos baldios e matas, depois as extremidades dos bosques, criando clareiras. Os problemas técnicos seguiram os progressos dos instrumentos: queimada, desmatamento com machado, destocamento com bois, ervedo durante alguns anos, semeadura após nova queimada. A microtoponímia comprova amplamente que, na realidade aldeã, um homem ou um grupo de homens trabalharam espontânea e clandestinamente para si próprios, desafiando se preciso fosse a vigilância da guarda senhorial. Para defender esses "abridores de regos", a comunidade camponesa se unia facilmente. Ganhou-se entre 10% e 30% de solo de acordo com a extensão do antigo *saltus*? É possível, sobretudo se acrescentarmos as orlas marinhas que o recuo das marés libera entre 800 e 1200, ou as "margens" inundáveis dos rios. Os efeitos positivos sobre o volume dos produtos da lavoura, portanto sobre o nível de vida e mesmo sobre a simples resistência fisiológica, são evidentes, mas o *saltus* recuou, e com ele os produtos da criação, da coleta e da caça.

O parcelamento

Assim se estabelece, pouco a pouco, o parcelamento dos terrenos, desconhecido em sua forma acabada nos tempos antigos ou na Alta Idade Média, e que ainda era familiar aos homens do começo do século XX. Embora fundamental na história da Europa ocidental, esse fenômeno de ocupação do solo por dez séculos é um dos menos acessíveis ao historiador. Os "cadastros" são apenas esboços antes que aparecessem os da Itália, dos Alpes ou da Provença, datáveis entre 1410 e o final do século XV; a falta de precisão nas medidas dos lotes é uma barreira diante do parcelamento; as provas de remanejamento após 1250, presentes um pouco por toda a parte, ocultam as fases anteriores; por fim, e sobretudo, nossa ignorância a respeito da rede de estradas e de caminhos que servem o meio rural e que se estabelece no século XI impede-nos de realizar um esboço convincente. Seguindo Marc Bloch, mas talvez erradamente, deduziram-se as formas dos lotes a partir dos instrumentos utilizados (faixas nas regiões de charrua, quadrículas nas regiões de arado); invocou-se o papel das partilhas e portanto da pulverização dos bens, investigou-se a microtoponímia, infelizmente bem tardia.

Nós nos limitaremos, a contragosto, a indicar alguns pontos que parecem certos: o parcelamento mais antigo foi sem dúvida formado pela reunião de pedaços; depois, ao norte do Loire e do Danúbio, as faixas apareceram desde o século XII, mas não ao sul, que permaneceu fiel aos lotes compactos; entretanto, após 1280 ou 1300, em toda a parte ocorreu a dispersão, provocando um esmigalhamento em minúsculas parcelas de alguns acres (de 30 a 50 ares em média), ainda menores perto das cidades, evolução cheia de consequências. Outros traços, embora de detalhe, são ainda mais claros: a videira existe em minúsculas *hommés* de 100 m^2; em centuriação, ou seja, em zona de parcelas quadradas na Antiguidade romana (Languedoc, com certeza Lombardia, talvez em outros lugares), a armadura dos lotes cadastrados no século II pôde continuar a apoiar o parcelamento, ao passo que em toda a parte a discordância entre os restos antigos e o traçado medieval é flagrante. Os flancos escavados das colinas mediterrâneas foram então objeto (mas esta já não era obra antiga?) de um "titânico" trabalho de disposição em terraços (*orts*, *huertas*), ainda hoje perceptível, criando faixas sinuosas ao longo das curvas de nível. O desmatamento em plena floresta também originou, no noroeste e nordeste da Europa, aldeias em "espinhas de peixe" (*Waldhufendörfer*) prolongadas atrás de cada habitação por faixas cortadas no bosque.

Mas o problema de mais difícil compreensão é o do cercado. Se estimamos, com base em textos normativos existentes desde a Alta Idade Média, que as terras semeadas eram provisoriamente cercadas, como proteção contra o gado errante, sabemos também que existia paralelamente a cercadura estável, com sebes vivas ou com pequenos muros: nas terras frias incompletamente arrancadas à charneca (fachada atlântica), nas encostas inclinadas ameaçadas pela "agitação" do gado (montanhas hercinianas ou de idade alpina), nos solos onde a autoridade senhorial não conseguia quebrar o individualismo (zonas mediterrâneas)? Esse é o problema do aparecimento da paisagem de bosques cercados. Ela é "céltica" ou mesmo "lígure"? Foi formada somente nos séculos XIV e XV graças à desordem das estruturas senhoriais? O caso inglês é o único bem conhecido, por ter modificado completamente o aspecto de tantos "campos ingleses" presumivelmente ancestrais, e que na verdade provêm da especulação dos criadores de carneiros que queriam excluir suas terras do ciclo comunitário da aldeia, aliás nada sólido ali, começando sua fase principal após 1400 e desenvolvendo-se no início do século XVII.

Como assinalamos, os progressos do *ager* só podiam realizar-se à custa de um *saltus* produtivo. Sem que se possa afirmar, é possível supor que a preocupação em preservar a zona reservada ao grão motivou a prática, a nossos olhos pouco racional, da pastagem livre na floresta, pelo menos de porcos e bovinos em vez de carneiros e cabras, temíveis para os pequenos brotos, e de cavalos, muito preciosos para serem expostos a todos os riscos da criação livre: feridas, doenças, ataques de carnívoros, cruzamento de raças selvagens e domésticas. E entretanto é sob essa forma rudimentar que se pratica a pastagem: a carne, o couro e os laticínios exigiam-na, e além disso os progressos da estabulação datam apenas do momento em que uma organização mais equilibrada do *ager* permite reservar um lugar aos prados. Pois a pastagem livre, além de seus inconvenientes ao estado físico do gado magro e coriáceo, chocava-se com oposições muito firmes: madeireiros e lenhadores eram importunados, caçadores e guerreiros incomodados pelos entraves causados a seu trabalho e a seus esportes. O próprio bosque não podia ser corretamente conservado. Foi preciso "interditar" cantões inteiros, ou seja, proibir sua exploração e, nesse caso, a pastagem do rebanho, para permitir, a exemplo dos cistercienses, uma melhor regeneração da terra; os poderes senhoriais ou reais não intervieram antes do início do século XIV. E conhecemos as intermináveis querelas entre pastores e sedentários, pois elas ainda subsistem, nas regiões de transumância, então quase selvagens.

Os "rendimentos"

Ora, era necessário preservar o equilíbrio dos bens do *saltus* e do *ager*. Como atingi-lo se, ainda por cima, era preciso levar os animais ao *ager*, e sabemos que os documentos atestam centenas, milhares de cabeças em uma exploração mediana? A história da agricultura foi, portanto, a busca constante de uma utilização mais intensa da terra lavrada. O primeiro patamar foi o de um trabalho melhor do solo: a fertilização só podia ser feita com dejetos humanos e animais, com uma margagem aqui, uma irrigação ali. São provavelmente as "formas" que mais contribuíram para aumentar o rendimento; certamente, o emprego de um aparelho mais eficiente como a charrua, que traça um sulco profundo lançando terra para os lados, podia enterrar a semente com maior segurança, mas vimos que seu emprego não se generalizou; em compensação, desde o final do século XI, são atestadas a multiplicação das atividades de destorroamento do solo, três ou quatro semeaduras mais próximas umas das outras, uma gradagem regular. Evidentemente, a colheita permanece grosseira: os "grãos" são "ceifados" com a foice na altura da coxa para preservar os restolhos e a erva nova ou o broto das leguminosas semeadas no meio dos grãos. A batedura é feita com o pé, pois o malho só aparece no século XIV, e as perdas devidas aos longos períodos de estocagem não eram negligenciáveis. Entretanto, não havia métodos que permitissem acolher o gado que voltava do bosque: foi preciso aperfeiçoar procedimentos de rotação que reservavam a cada ano uma parte do terreno para pasto em terras vazias, chamadas "vãs", um terço no norte da Europa, metade no sul. Esse procedimento, evidentemente, tinha a vantagem, graças ao repouso de um ano, de enriquecer um solo que tendia a se cansar, pois o "alqueive" liberado era revolvido e fertilizado pela vegetação natural enterrada e sobretudo pelo enriquecimento causado pelos dejetos do gado levado ali para pastar. Mas, percebe-se, esse sistema amputava a superfície semeada: ele não podia então ser concebido enquanto não tivessem sido alcançados esses progressos. É por essa razão que não se devem confundir o alqueive ordenado que aparece nos terrenos mais ricos no século XIII com as zonas não cultivadas reveladas pelos textos mais antigos e que testemunham somente a permanência de uma cultura superficial e ainda itinerante.

Os séculos medievais não trouxeram alterações no leque das espécies cultivadas: os grãos panificáveis são conhecidos desde a Antiguidade e as evoluções que notamos são regionais e modestas; assim, a farinha branca tornou-se quase exclusivamente a de trigo; a cevada recua, exceto nas margens do Mediterrâneo; o centeio, "cereal do pobre", persiste em todo o lugar; a aveia progride ao ritmo do desenvolvimento do arrendamento de cavalos. Ervilhacas, ervilhas, lentilhas, são o acompanhamento do pão, e seu consumo crescente, muito energético, levará até as regiões mais evoluídas, como os Países Baixos, a tentar no século XV reservar-lhes um quarto quando não um terço do terreno. Pois tinha-se então generalizado a prática de uma rotação das culturas em função das necessidades alimentares: talvez no início para remediar um inverno desastroso, ou para aliviar a terra plantando um cereal menos exigente (a semeadura dupla é atestada no século IX), reservou-se uma parte do terreno para um grão de inverno (trigo ou cevada), outra para um grão de primavera ("março" ou "trigo tremês"; em geral aveia). O costume é atestado no início dentre os mais ricos, e os textos carolíngios frequentemente fazem alusão a ele. Mas só em meados do século XIII, em cantões fixos, mais ou menos agrupados, e em cantões mais favorecidos, temos provas seguras de uma divisão total e regular do terreno, com retorno periódico de tal ou tal grão após o alqueive.

Seria naturalmente necessário, para estimar os resultados dessa agricultura, obter os dados de volume e as estimativas de rendimentos. Os primeiros só podem vir de peças contábeis dos séculos XIV e XV, mas estas fornecem números relativos ou aos impostos anuais (o que não diz nada sobre quanto fica com o produtor), ou sobre os totais estocados pelos ricos. Buscar saber os rendimentos geralmente quer dizer chocar-se com a falta de elementos sobre as superfícies cultivadas e sua produção, com as extraordinárias desigualdades de uma região a outra, e mesmo de um ano a outro. Acredita-se, por exemplo para o trigo, em uma lenta progressão dos números do século IX – tão derrisórios (1,5 ou no máximo 2,5 grãos colhidos para cada grão semeado!) que foram objeto de intermináveis discussões – até os do século XI (em Cluny, 4 ou 5 para 1) e depois os das seis ou sete melhores terras do final do século XII, sem poder saber se eram frequentes os 10, 12 e mesmo 17 para 1 que se calculou para o noroeste da Europa no século XIV, cifras iguais e mesmo superiores aos da bem-sucedida França rural de 1900.

Seria imprudente, mais uma vez, generalizar esses dados. Nada é um "modelo" na Idade Média. Diremos apenas que, apesar das debilidades e das desigualdades que foram reveladas, a produção rural pôde alimentar os celeiros senhoriais, possibilitando a retirada ou, se preferirmos, a "renda" que é a contrapartida e a razão de ser da tutela senhorial. Pôde igualmente alimentar as cidades em pleno crescimento bem como os mercados rurais, onde eram oferecidos os excedentes da produção e das exigências do senhor, mas também os dos camponeses mais ricos. Em compensação, notamos que o comércio dos produtos alimentares provenientes do *saltus* ou nunca tomou uma grande amplitude ou simplesmente atingiu um lugar comparável ao que conhecemos: limitava-se ao grão e à madeira onde realmente fazem falta (margens do Mediterrâneo), à lã enquanto houve separação entre a tosquia e a tecelagem, ao sal e ao peixe de mar porque não são encontrados no interior das terras. O resto é superficial e exótico.

A sociedade rural

A exposição geral das práticas econômicas mostrou suficientemente que, tanto no plano dos progressos como das necessidades, não existe homogeneidade regional ou social no campo. Como lembramos anteriormente, possuir terra é o elemento primordial da riqueza e do poder. Seria então lógico abordar agora os problemas levantados pela organização social da produção, entretanto, essa exposição seria a do fenômeno senhorial estudado em outro verbete. É por essa razão que iremos nos ater aqui a algumas observações relacionadas com a própria terra. Assim, para nosso propósito não importa que o senhor seja um clérigo ou um guerreiro, que sua terra seja um feudo ou um alódio, que seus homens sejam livres ou servos, que ele mesmo seja um modesto fidalgo de província ou príncipe poderoso, habilitado ou não a cobrar uma talha. Mesmo o problema da relação entre a terra cuja exploração ele se reserva e a terra que ele arrenda, ou ainda sua forma de exploração, direta ou indireta, estariam fora dos limites do tema tratado.

Por outro lado, vê-se bem que a diversificação social está mais seguramente assentada sobre alguns dos elementos enumerados: primeiramente os utensílios, que provocarão uma ruptura, após 1250, entre os possuidores de atrelagem, os "lavradores" — que também são mestres da confraria, membros da fábrica da igreja,[1] almotacés da aldeia e assessores da justiça — e aqueles que têm apenas seus braços, os "jornaleiros". Em seguida, vêm as condições do aluguel de suas terras: um fazendeiro dono de sua produção valerá mais do que um rendeiro submetido aos caprichos dos rendimentos; um censitário que não é mais oprimido por um aluguel que se tornou fixo (limitado a um nível definido por um documento anterior) será mais livre que um hóspede arroteador sujeito a arbitrariedades. De forma que, definitivamente, é a possibilidade de suprir suas necessidades que determina a hierarquia camponesa. Dessa vez, o historiador, se quiser contentar-se com estimativas, pode propor uma hipótese aceitável. Levando em conta o que precisa, em espécie ou em dinheiro obtido com uma venda, para satisfazer as exigências senhoriais — o dízimo, a talha, as taxas de justiça, de habitação ou de guerra — para as sementes do próximo ano e o aluguel da terra, o camponês de 1250 com uma terra rendendo honrosamente 5 para 1 por exemplo, deve dispor de 4 hectares por família para viver corretamente. E como ignoramos a contribuição do *saltus*, mas conhecemos as desigualdades da pedologia e do rendimento, devemos prudentemente ampliar o campo das necessidades para entre 3 e 6 hectares. Ora, como temos condições de aferir a fortuna em terras em um grupo camponês no final da Idade Média, sabemos que apenas um terço dos camponeses atinge esse "mínimo vital";

---

[1] No original, *fabrique de l'église*: expressão que aparece no século XIV para designar o conselho formado por clérigos e leigos encarregados de administrar os fundos e os rendimentos destinados à construção ou à manutenção de uma igreja. [HFJ]

um segundo terço será obrigado a viver mesquinhamente à espera de um ganho inesperado e à mercê do bosque; os outros passarão fome.

A aldeia, uma criação medieval

Resta um último fenômeno ligado à terra: todos esses homens vivem no meio de uma trama mais ou menos densa de lotes. Em princípio, a história da aldeia, considerada um hábitat camponês qualquer, não deveria suscitar questões, e a maior parte de nossos contemporâneos está convencida de sua estabilidade várias vezes milenar. Por outro lado, se considerarmos que a aldeia é um corpo vivo, e que ela só existe na verdade no momento em que se estrutura em torno de núcleos de reagrupamento, onde se fixa por séculos no centro de um terreno dominado e de caminhos que o irrigam, onde ela toma consciência, psicologicamente, juridicamente mesmo, de sua existência, então a "aldeia" é uma criação medieval, e esse traço econômico e social é provavelmente o mais importante do milênio. Pressentem-se os problemas suscitados por esse reagrupamento de homens, e é preciso enumerar vários deles. A arqueologia rural, que progride a passos largos há uns cinquenta anos, mostrou os sinais indiscutíveis do abandono de sítios funerários, cultuais ou de hábitat, em benefício de um deles, reunindo uma população até então esparsa. Entretanto, se colocadas nos séculos VIII a X, essas observações são contrariadas pela existência de santuários da Alta Idade Média frequentados, sem descontinuidade, pelos problemas que trazem o eventual deslocamento de construções em pedra, tradicionais no sul da Europa, pela raridade de escavações arqueológicas de aldeias propriamente medievais, nas quais se distinguem mal os estratos mais antigos. Por outro lado, se a semeadura de *villae* antigas, lá onde passaram os romanos, parece discordante com o hábitat posterior, em compensação o "domínio" carolíngio certamente permitiu um desenvolvimento local do hábitat camponês anexo à casa do senhor. Enfim, a toponímia apresenta camadas antigas indicando um hábitat, inclusive nos lugares onde a arqueologia não deixa dúvida sobre o remanejamento que se seguiu: é preciso então admitir que esses vocábulos puderam se deslocar, como o atestam exemplos do século XX, mas isso surpreende à primeira vista.

Com essas ressalvas, e notando que essa evolução foi mais completa ao norte do Loire e do Danúbio, podemos propor o seguinte esquema. A Alta Idade Média conheceu um hábitat sem rigidez, formado de pequenos povoados que ocupam as vastas habitações em forma de galpões, próprias a uma estrutura familiar ainda ampla e a uma economia extensiva e superficial. As grandes *plebes* cristãs são sua face religiosa. O reagrupamento, que alguns historiadores supõem existir desde o final do século VIII, mas cujas provas são na maior parte um pouco anteriores ao ano 1000, anula as distâncias e leva a uma *congregatio hominum* (uma "aglomeração humana"). Podem-se discutir suas causas: estabelecimento por parte dos guerreiros do enquadramento senhorial? Dispersão das *plebes* e quadriculação paroquial por parte da Igreja? Ruptura do grupo familiar amplo? Desenvolvimento de um artesanato que de dominial torna-se aldeão? Aqui, no Mediterrâneo do *incastellamento*, ou seja, segundo o termo proposto por Pierre Toubert, do reagrupamento numa aldeia fortificada dominada por um senhor, os senhores impõem o reagrupamento ao pé do *castro* construído em posição elevada; ali, na fachada atlântica dos burgos e dos *castelnaux*, é a abertura de oficinas que atrai os homens; em outros lugares, do Loire ao Weser, o movimento é mais lento, mais espontâneo e de origem camponesa. Esse "encelulamento" geral está naturalmente ligado à estrutura senhorial e ao estabelecimento das condições de exploração que mencionamos. Quando elas tenderão a se modificar, nos séculos XIV e XV, ocorrerá uma mudança com abandonos e dispersões tradicionalmente atribuídas à guerra, visão muito curta e que aliás só tomou um caráter amplo e durável na Alemanha ou na Inglaterra.

Foi dito que a aldeia, nascida por volta do ano 1000 e adulta dois séculos mais tarde, só existia em volta dos núcleos que tinham fixado os homens. Dessa vez, só a arqueologia poderá estabelecer etapas e hierarquias, e é preciso que ela esteja preparada para isso. É o santuário que atrai os fiéis, ou o inverso? O cemitério, esse lugar de paz, de culto, de asilo e de reunião, não teria precedido a igreja? O castelo domina as cabanas e até a mais modesta das casas fortificadas do final da Idade Média, mas foi ele que suscitou o agrupamento, ou agregou-se a este mais tarde? Todos esses casos têm seus exemplos. O que dá à aldeia sua unidade talvez seja, enfim, a paliçada com fossos que a circunda, o espaço livre em seu centro onde se reunirá o rebanho comum, antes que os anciões escolham os pastores, o poço e o lavadouro, esses "parlamentos de mulheres", a forja e a taverna onde os homens se veem, mas não o moinho, aliás muitas vezes isolado, e onde o moleiro, agente do senhor, é suspeito de fraude e de espionagem. Essa valorização da vida exterior, tão diferente do que sugerem nossos vilarejos cegos e mudos de hoje, explica-se em primeiro lugar pela mediocridade das construções: a esse respeito, a arqueologia das aldeias, seja no norte (Wharram Percy na Inglaterra), no centro (Dracy na Borgonha), no sul (Rougiers na Provença ou Brucato na Sicília), revela técnicas muito medíocres, cômodos de alguns metros quadrados, raridade dos andares, falta de comodidade da lareira, aliás por muito tempo colocada fora da casa, situação que, dessa vez, não é diferente daquilo que revelam todas as escavações rurais antigas. Será preciso esperar o século XVII para que as comodidades urbanas ganhem a aldeia.

Mas talvez seja preciso indicar um outro aspecto que explicaria igualmente uma promiscuidade que não conhecemos mais: o espírito comunitário, cujas raízes psicológicas ou mesmo religiosas mereceriam mais atenção, é um dos traços mais marcantes da Idade Média rural. Quer se trate de um interesse coletivo de vigilância contra o estrangeiro, de coalizão contra o senhor, de colocar em comum as obrigações econômicas da pastagem e do afolhamento, as comunidades aldeãs atingiram muito cedo um plano que não abandonarão antes dos tempos modernos. Desde o século X na Espanha, em outros lugares sobretudo no XII, e sob múltiplas formas desigualmente favoráveis, os homens têm seus mandatários, obtêm garantias de pagamento, segurança quanto ao uso do *saltus*. Os textos são inúmeros, alguns até copiados nas cartas de franquias urbanas, mas sem que se possa ver nisso uma influência da cidade próxima.

Definitivamente, o mundo dos campos conheceu uma coesão e, em suma, uma estabilidade que as cidades ignoraram. As revoltas são surdas, episódicas; as dos séculos XIV e XV são mais vivas, a exemplo da *jacquerie*, mas provocadas pelos ricos, não pelos barrigas vazias, e elas atacam a aristocracia, não o senhorio ou o renascente Estado, porque o contrato tácito entre senhor e lavradores não é mais corretamente respeitado. Pode-se, para terminar, propor uma explicação para essa estabilidade. Como suas necessidades vitais estão intimamente ligadas à terra, como dominar a terra é a preocupação maior daqueles homens, eles sentiram pesar sobre si, e sem dúvida aceitaram o peso de seu meio ambiente: a água, a árvore, o retorno da fecundidade do solo, têm para eles mais importância que a Trindade ou o bailio real. A Igreja cristã, tão pronta a captar as pulsões secretas, fez tudo para canalizar os velhos cultos agrários que a tinham precedido: ela enquadrou, guiou, assimilou, os jogos e as festas ao ritmo das estações, as "árvores de maio" e os fogos de São João, mas não quis ir até o fundo do subconsciente camponês: a terra é Mulher, o homem a fecunda e os frutos são seus. Os padres que levaram Maria para diante dos altares não ousaram fazer dela uma deusa-mãe, uma Ceres cristã.

Robert Fossier
Tradução de Vivian Coutinho de Almeida

Ver também

Castelo – Cidade – Cotidiano – Natureza – Senhorio

Orientação bibliográfica

THE AGRARIAN LIFE OF THE MIDDLE AGES (Cambridge Economic History). Cambridge: Cambridge University Press, 1975.
BLOCH, Marc. *Les Caracteres originaux de l'histoire rurale française* [1931]. Paris: Armand Colin, 1988.
BOURIN, Monique; DURAND, Robert. *Vivre au Village au Moyen Âge*. Paris: Messidor, 1984.
CAMPAGNES MÉDIÉVALES: L'HOMME ET SON ESPACE (Mélanges Robert Fossier). Paris: Publications de la Sorbonne, 1995.
CHAPELOT, Jean; FOSSIER, Robert. *Le Village et la maison au Moyen Âge*. Paris: Hachette, 1980.
CLAVEL-LEVÊQUE, Monique; LEMARCHAND, Guy; LORCIN, Marie-Thérèse. *Les Campagnes françaises*. Paris: Éditions Sociales, 1983.
COMET, Georges. *Le Paysan et son outil*: essai d'histoire technique des céréales. Roma: École Française de Rome, 1992.

LES COMMUNAUTÉS VILLAGEOISES EN EUROPE OCCIDENTALE. Auch: Comité Départemental du Tourisme du Gers, 1984.

DUBY, Georges. *Economia rural e vida no campo no Ocidente medieval* [1962]. Tradução portuguesa. Lisboa: Edições 70, 1987-1988. 2v.

_____. *Histoire de la France rurale*. Paris: Points, 1975. t.I e t.II.

FOSSIER, Robert. *Paysans d'Occident (X^e-XIVe s.)*. Paris: Presses Universitaires de France, 1984.

_____. *Villages et villageois au Moyen Âge*. Paris: Christian, 1995.

GÉNICOT, Léopold. *Rural Communities in Medieval West*. Baltimore: Johns Hopkins University Press, 1990.

MEYNIER, André. *Les Paysages agraires*. Paris: Amand Colin, 1970.

RÖSENER, Werner. *Les Paysans dans l'histoire de l'Europe* [1985]. Tradução francesa. Paris: Seuil, 1994.

SLICHER VAN BATH, B. H. *The Agrarian Life of Western Europe*. Cambridge: Cambridge University Press,, 1966.

TOUBERT, Pierre. Frontière et frontières: un objet historique. *Castrum*, 4 *(Frontière et peuplement dans le monde méditerranéen au Moyen Âge)*. Roma: École Française de Rome, 1984.

VILLAGES ET VILLAGEOIS AU MOYEN ÂGE (Colóquio de Caen, 1990). Paris: Publications de la Sorbonne, 1992.

Trabalho

A palavra "trabalho", em seu sentido moderno, surge apenas no fim do século XV e ganha todo seu teor atual somente no século XIX. Existe um vínculo privilegiado entre a noção de trabalho e a de assalariado, que se transforma em realidade econômica e social importante no final do século XV, e também entre trabalho e industrialização, fenômeno do século XIX.

Na Idade Média, o trabalho é, no plano do vocabulário – e, portanto, do pensamento e das mentalidades –, designado por um campo semântico amplo e fluido que em geral oscila entre dois polos: o do seu aspecto penoso e, no sentido etimológico, ignóbil, não nobre, e o do seu aspecto positivo, honroso porque criador.

Em latim, na Idade Média, seu campo semântico desdobra-se em torno de três termos e três noções: *labor*, que significa inicialmente "pena", de onde *laborare* ("penar") e *laborator* ("aquele que pena"); *ars*, quer dizer, "arte", e daí *artifex* ("artesão"); enfim, *opus* ("obra"), da qual derivam *operari* ("criar uma obra") e *operarius* ("aquele que cria", mas que, por uma dessas inversões cujo segredo é mantido pela semântica histórica e revelado pela história global, acabará por designar em francês o trabalhador por excelência, o da indústria, o "operário").

Em francês, na Idade Média, o trabalho oscila entre *labeur* e *besogne*, que insistem no seu aspecto árduo, negativo, enquanto *ars* gera termos de valorização muito diferentes, como *artisan* ["artesão"], *arts et métiers* ["artes e ofícios"], *artistes* ["artistas"]. *Opus* dá origem a termos de densidade de significação bem diversa, como *œuvre* ["obra"], *ouvrier* ["operário"], *chef-d'œuvre* ["obra-prima"], mas também *main-d'œuvre* ["mão de obra"]. Na especialização do trabalho, fenômeno essencial da história medieval, *labor* evolui em direção ao trabalho agrícola, base da atividade econômica medieval: *labourer, laboureur* ["lavrar", "lavrador"]; *ars* evolui no sentido do trabalho urbano pré-industrial, *artisanat* ["artesanato"]; *opus* em direção daquela parte do trabalho urbano que passa do artesanato à indústria, ao mundo *ouvrier* (*operarius* tem esse sentido em alguns textos desde o século XIII).

No entanto, o mais notável é que a palavra que vai triunfar a partir dos séculos XVI e XVII – *travail* ["trabalho"] – venha do baixo latim *tripallium*, que designa um instrumento de tortura (composto de três estacas e que serve também para ferrar os animais rebeldes).

Em outras línguas vulgares que nascem na Idade Média, encontra-se a mesma oscilação ou tensão entre duas famílias de palavras, duas concepções do trabalho mais ou menos atenuadas nas línguas românicas atuais, como *lavoro/opera* em italiano e *obra/trabajo* em espanhol. Nas línguas germânicas, temos *Arbeit/Werk* em alemão, *arbeid/werk* em holandês e *labor/work* em inglês, língua germânica marcada pelo latim. Entre as eslavas, *praca/robot* (*pracownik/robotnik*) em polonês, e até em húngaro, língua fino-ugriana (*munka/dolog*).

A origem etimológica da palavra "trabalho" aparece com um sentido particular na locução "sala de trabalho", designando ainda hoje a sala de parto em uma maternidade. Recorda-se, assim, o texto do livro do Gênesis, no qual, como punição pelo Pecado Original, ao lado de Adão condenado ao trabalho manual da terra, Eva é votada à fadiga do "trabalho" de parto. A Bíblia estabelece tanto uma equivalência como uma diferença entre o trabalho masculino e o feminino. Em toda essa história, com efeito, se as heranças da Antiguidade pagã greco-latina e as heranças bárbaras tiveram sua importância, o essencial foi modelado pelo cristianismo.

A Idade Média, entre os séculos VIII e XV, é o período durante o qual o trabalho, sob seus aspectos modernos, isto é, a associação do homem à ferramenta, e a seguir à máquina, tomou forma na realidade material e social, bem como na consciência dos intelectuais e dos próprios trabalhadores. A Idade Média é um dos grandes períodos criativos do Ocidente, talvez o mais importante, o mais decisivo. O trabalho é uma dessas criações. Irei evocá-lo sob um triplo ponto de vista: técnico, social e ideológico.

Aspectos tecnológicos no campo e na cidade

Sendo a terra a base da economia na Idade Média, as transformações nas técnicas rurais têm grande alcance. A difusão da charrua assimétrica com rodas e aiveca, munida de uma relha, desencadeia grandes progressos. Esse arado remove a terra mais profundamente, dispondo-a melhor, permite trabalhar as terras pesadas ou duras, hostis ao arado, assegura à semente melhor nutrição e proteção, produz melhores rendimentos. Esse aumento da eficácia do trabalho e da produção é reforçado pela adoção do sistema de atrelagem moderna: coelheira de espádua para os cavalos e jugo frontal para os bois, que melhoram o rendimento desses animais, bem como a ferragem dos cavalos, a prática da atrelagem em fila, o surgimento da grande carroça com quatro rodas, e a invenção da grade de esterroar, cuja primeira representação conhecida pode ser vista no bordado chamado *Tapeçaria de Bayeux*, de fins do século XI.

Da mesma forma, o lento progresso do afolhamento trienal, à custa do bienal, permite elevar a porção produtiva anual do terreno e diversificar as culturas, com semeaduras no outono ou na primavera para colher cereais de inverno (trigo, centeio), ou aveia, cevada e leguminosas. A melhor alimentação do gado, elevando a quantidade e a qualidade da carne, acrescenta-se a esse progresso das culturas para aumentar a parte das proteínas na alimentação, assegurando um melhor nível e um maior equilíbrio alimentar. O afolhamento trienal, além das culturas forrageiras, permite desenvolver também os cultivos "industriais" (garança ou pastel para a tintura dos tecidos). A vinha conhece uma grande extensão, surgindo vinhos de qualidade (Borgonha, oeste da França, vale do Reno e, no fim da Idade Média, estimulada pela demanda inglesa, a região de Bordeaux). A multiplicação dos moinhos permite atender ao crescimento das superfícies cultivadas com cereais, ao aumento dos rendimentos, ao crescimento da demanda ligada ao impulso demográfico.

Os progressos da agricultura são, para dizer a verdade, sobretudo quantitativos. As ondas de arroteamento que no conjunto devem ter sido vigorosas, sobretudo nos séculos XI e XII, ampliam consideravelmente as superfícies cultivadas, e *labor* é, por vezes, sinônimo de arroteamento. Mas esse crescimento extensivo foi fortalecido por progressos qualitativos. O crescimento dos rendimentos dos cereais testemunha tal fato. O reaparecimento, pela primeira vez desde a Antiguidade, de manuais de agricultura manifesta também a preocupação com o cálculo, com uma certa racionalidade na exploração rural. Um sinal simbólico dos progressos na vida cultural talvez seja a introdução, em Arras, no século XIII, da fava no bolo da festa do dia de Reis.

No plano dos valores, parece emergir uma ideia de crescimento como um fenômeno positivo, mas ainda não existe a ideia de progresso, conceito que integra uma dimensão ideológica que surgirá apenas em fins do século XVII. Há, contudo, o sentimento de um aumento da produtividade do trabalho, de um melhoramento da agricultura pelo trabalho (contratos agrários indiferentemente chamados de *ad laborandum*, "para o trabalho", ou *ad meliorandum*, "para o melhoramento").

A nova fase de uma intensa urbanização, distinta daquela da Antiguidade, e sobretudo marcada pela afirmação das funções econômicas e culturais das cidades, traduz-se também em uma intensificação do trabalho urbano e uma introdução de progressos quantitativos e qualitativos importantes.

Dois setores conhecem um impulso que os alça quase ao nível "industrial", o da construção e o têxtil. O fato mais espetacular é a difusão de máquinas que não são mais curiosidades tecnológicas, mas instrumentos de trabalho. A mais importante destas é o moinho hidráulico, cujos usos artesanais ou industriais multiplicam-se: moinho de pisoeiro, que aparece em Saint-Wandrille em 1086-1087, moinho de curtume, conhecido em 1138 próximo a Chelles, na Champanha, moinho de cerveja, documentado em Montreuil-sur-Mer em 1091, moinho de ferro, mencionado na Catalunha desde 1104. Um invento técnico permite, com efeito, utilizar mais plenamente o trabalho do moinho de água: a "árvore dentada" (século XIII), que transforma um movimento circular contínuo em um movimento vertical alternado, ativando um martelo, maço ou pilão. O moinho de vento surge no Ocidente no fim do século XII (em 1181, no Lincolnshire).

Com a construção das muralhas das cidades, das igrejas e dos castelos, os canteiros de obra multiplicam-se. A Idade Média feudal passa da madeira à pedra. O carrinho de mão, o macaco e a serra hidráulica começam a mecanizar o trabalho da construção. Os progressos não são menos espetaculares no domínio do têxtil. Desde fins do século XII, Alexandre Neckam descreve a maneira de tecer horizontalmente, que substituiu nas cidades têxteis a velha forma vertical. Os liços horizontais, movidos por pressão sobre pedais e não mais por varetas acionadas à mão, transformam o tecelão em uma espécie de cavaleiro colocado sobre pedais como se fossem estribos. Esse novo ofício permite produzir um tecido mais belo e cerrado, e efetuar um trabalho mais rápido. No que se refere à fiação, a máquina de fiar, que surge em fins do século XIII, torna a produção cinco vezes mais rápida do que com os fusos.

A aparição de tratados técnicos ou de repertórios de modelos tecnológicos também sublinha a aliança entre saber e prática, entre reflexão teórica e trabalho. O primeiro desses tratados é, sem dúvida, o *De artibus*, do monge alemão Teófilo, do século XII, consagrado sobretudo às técnicas artísticas, dentre as quais o vitral. O caderno de desenhos do arquiteto Villard de Honnecourt, da primeira metade do século XIII, constitui um documento isolado, mas muito precioso em relação à atitude diante do trabalho técnico de um personagem que nós chamaríamos "artista".

A aceleração do trabalho, a sua divisão mais acentuada, além de um grau considerável de racionalização e laicização, levam a mudanças profundas na concepção e na prática do tempo do trabalho. O relógio mecânico, que recorta o tempo em horas iguais, mostrando-se, assim, apto a servir às novas regularidades do trabalho, surge em fins do século XIII, difundindo-se rapidamente no curso do século seguinte. Continua a ser, entretanto, uma máquina frágil, cujo funcionamento é interrompido por frequentes avarias, mas que afirma a emergência de um novo tempo ligado às inovações nas formas e condições do trabalho.

E é em torno do tempo do trabalho que se cristalizam os conflitos sociais, sobretudo nas cidades onde se desenvolve a indústria têxtil. Trata-se, antes de tudo, na perspectiva dos operários, de reclamar a redução da jornada. Mas as reivindicações, principalmente da parte dos artesãos, podem caminhar em sentido contrário. Visando ao aumento da produção e do lucro, eles podem pleitear, por exemplo, a autorização do trabalho noturno proibido pela maioria dos estatutos corporativos e comunais.

A crescente incidência dos imperativos do trabalho na mensuração do tempo evolui no sentido de sua laicização. Ao lado dos sinos dos conventos e das igrejas, destinados a soar e a impor as horas canônicas dos ofícios religiosos, aparecem os sinos laicos, sobretudo utilizados para a proclamação do tempo do trabalho (início, interrupções e fim). Nas cidades do nordeste da Europa, importante região têxtil, os novos sinos opõem à autoridade dos campanários da igreja a altivez das torres que os desafiam. Em face do tempo da Igreja afirma-se o tempo do mercador, senhor do processo de trabalho.

Aspectos sociais

Causa e ao mesmo tempo efeito da expansão quase geral do Ocidente dos séculos XI ao XIII, o crescimento demográfico teve importantes efeitos sociais que, ao combinarem-se com os progressos técnicos, desencadearam transformações fundamentais nas relações sociais de trabalho. Merecem destaque o crescimento da mobilidade da mão de obra e os progressos da "liberdade" do trabalho.

Essas transformações são, de início, sensíveis em um mundo rural no qual se aceleraram a redução e, a seguir, o desaparecimento das corveias e da servidão. O dinheiro difunde-se no meio rural, propiciando o aumento das rendas em espécies monetárias, o crescimento da parte comercializada da produção agrícola e o progresso do assalariamento entre os trabalhadores do campo. Resulta daí uma maior mobilidade camponesa e a política de atração exercida pelas cidades – particularmente sistemática por parte das cidades italianas – sobre a mão de obra rural propicia a urbanização do excedente dessa população, submetida ao mercado de trabalho urbano e às duras realidades ocultadas pela ilusão das "liberdades" citadinas e do enriquecimento, privilégios de um pequeno número de "donos do trabalho" que fazem trabalhar, trabalhando eles próprios cada vez menos.

A divisão do trabalho no meio urbano é extrema. As exigências de uma técnica na qual cada trabalhador é altamente especializado em uma fase do processo de produção (em especial no setor têxtil) ou na fabricação de um objeto particular (caso, principalmente, dos objetos de metal), além dos anseios de exercício do controle das atividades laborais – tanto pelas corporações quanto pela polícia urbana ou senhorial –, produzem uma surpreendente fragmentação do trabalho e de sua organização. Em Paris, segundo *Le Livre des métiers*, mandado redigir pelo preboste real Étienne Boileau em fins do reinado de São Luís (cerca de 1268), 130 profissões organizadas são repertoriadas, das quais 22 votadas ao trabalho do ferro.

Alguns ofícios agrupam-se, desde muito cedo, em associações que funcionam ao mesmo tempo como grupos de parentesco artificial (caráter especialmente manifesto nos banquetes) e como cartéis de autorregulamentação da profissão, segundo certos historiadores em uma perspectiva "malthusiana" dos instrumentos de controle do poder econômico pelo poder político.

O desenvolvimento precoce de burgos artesanais, impondo uma localização precisa e concentrada aos diversos artesãos (por exemplo, em Saint-Riquier), desempenhou um papel importante na gênese das associações que são atualmente quase sempre chamadas de "corporações". O sistema corporativo generaliza-se apenas nos séculos XIV e XV, e até, como em Lyon, no século XVI, desdobrando-se de um fenômeno religioso, o das confrarias, que mantém com ele complexas e obscuras relações.

Em uma sociedade na qual as estruturas verticais impõem-se, mesmo na cidade, às estruturas horizontais, a organização corporativa é fortemente hierarquizada. Essa hierarquia é dupla, sociojurídica de um lado, socioeconômica de outro. A primeira é a mais visível. Ela compreende os três estágios dos mestres, aprendizes e assalariados. Somente os primeiros gozam dos direitos corporativos completos: participação nas assembleias, eleição de novos mestres, voto dos estatutos e designação dos representantes e chefes da corporação, frequentemente chamados de "jurados". Os aprendizes são em geral entregues, por iniciativa de seus pais, a um mestre, ao qual ficam vinculados por contrato (que pode durar de 2 a 12 anos no caso dos ofícios parisienses de *Le Livre des métiers*, de Étienne Boileau). Ele os aloja e alimenta, conferindo-lhes uma formação técnica em troca do pagamento de consideráveis somas de dinheiro e da prestação gratuita de trabalho. A vocação dos aprendizes é tornar-se mestres. Os assalariados, por outro lado, contratados por um período variável, em geral de um ano, mas que pode reduzir-se a uma semana ou mesmo a um dia, recebem um salário, mas não podem adquirir os meios sociais e financeiros que lhes permitiriam tornar-se mestres.

Além dessa hierarquia sociojurídica existe uma outra, sancionada pelos privilégios jurídicos ou, simplesmente, de fato. O primeiro tipo de hierarquia concerne aos mestres, já que raramente são iguais entre si. De acordo com seu poderio social e sua riqueza, eles pagam, como em Paris, diferentes taxas de patente que lhes conferem privilégios desiguais. Entre os tecelões, por exemplo, distinguem-se os mestres "miúdos" (pequenos), que são trabalhadores ("que executam obras para outros"), e os "grandes", que põem a trabalhar os trabalhadores dependentes ("que mandam outros executarem suas obras").

Existe uma categoria superior de "donos de trabalho" da qual depende, sem proteção e sem controle, todo um conjunto de "empregados" e "dependentes", vizinhos humildes, devedores, fornecedores, domésticos, operários, pequenos patrões e empregados "trabalhando na sua empresa ou em benefício dela". É este o caso, em fins do século XIII, de um mercador de panos de Douai, sire João Boinebroke, acerca do qual possuímos uma documentação excepcional. Ele domina os trabalhadores, que dependem dele na medida em que detém o dinheiro, o trabalho, o alojamento e o poderio social.

Três grupos de trabalhadores não dispõem da proteção – desigual – do sistema corporativo: aqueles dos ofícios que não estão organizados em corporações, os que dependem de grandes mercadores que se situam fora ou abaixo do jugo corporativo, além dos que se alocam por tarefas ou por um período que escapa a toda organização e controle. Segundo B. Geremek, "no momento da contratação, a mão de obra é uma mercadoria exposta à venda de maneira direta, como os produtos agrícolas ou artesanais são mostrados sobre os balcões do mercado". Mas esse tipo de mercado de trabalho funciona apenas para as profissões em que é grande o número de assalariados e em que não há necessidade de qualificação.

Na época conturbada dos séculos XIV e XV, os assalariados desse setor são vítimas de um crescente processo de marginalização, que tende a transformar em delinquentes e criminosos uma parte desses trabalhadores "marginais". É este o caso das profissões de força (calceteiros, carregadores, serventes etc.) e, sobretudo, dos domésticos. Essas categorias de assalariados passam do meio artesanal para o dos irregulares ou "foras da lei" e, no que concerne às mulheres, para a prostituição.

A mulher não nobre cumpre sua parte no trabalho medieval. No campo, como testemunham as pinturas e esculturas dos trabalhos dos meses do ano, a camponesa não exerce as atividades de produção reservadas ao homem (sementeiras, lavra, corte de árvores), mas é sua auxiliar nos trabalhos de ceifa, colheita, vindima, e seu principal papel reside na transformação das matérias-primas oriundas da criação de animais (fiação, tecelagem).

Na cidade ou no castelo, a mulher é trabalhadora na oficina familiar ou patronal. Chrétien de Troyes, numa célebre passagem de seu romance *Yvain ou o cavaleiro do leão* (por volta de 1180), verdadeiro "canto da camisa" da Idade Média, apresenta as infelizes tecelãs da seda exploradas no castelo de Pesme-Aventure por "aquele para quem elas trabalham". Mas a mulher também pode se tornar patroa, "dona do trabalho". A viúva do mestre ocupa seu lugar na oficina, nas corporações, na sociedade urbana.

Quanto à criança medieval, se desempenhou um importante papel nas tarefas domésticas, familiares ou em outras casas, se foi frequentemente condenada à mendicância ou ao abandono por sua família, se precisou, no meio rural, concorrer com as mulheres nos trabalhos auxiliares da coleta ou da colheita, parece ter iniciado sua verdadeira aprendizagem de uma profissão apenas na adolescência.

Aspectos ideológicos e mentais

O mosteiro é o primeiro lugar de aplicação dos princípios da Bíblia relativos ao trabalho.

A sociedade cristã medieval herdou duas tradições opostas sobre o valor do trabalho: uma o valoriza, outra o deprecia. Essa dupla e contraditória tradição encontra-se tanto na herança greco-romana quanto na bíblica, mas esta última teve, evidentemente, maior importância na Idade Média. Um primeiro conjunto de textos bíblicos concernentes ao trabalho encontra-se já no livro inicial do Antigo Testamento, o Gênesis. No próprio momento da Criação, Deus parece ter executado uma espécie de trabalho, uma vez que repousou de sua obra no sétimo dia (Gênesis 2,2-3). Por outro lado, Deus havia previsto para o próprio homem, antes da Queda, a execução de um tipo de trabalho no Paraíso, onde estava destinado a viver *(Gênesis 2,15-16)*. Depois da Queda, o trabalho é apresentado pelo Gênesis como punição ao Pecado Original, tanto para Adão, sob a forma do trabalho da terra com o suor do seu rosto, quanto para Eva, no trabalho de parto. O conjunto desses textos poderia aparentemente fornecer as bases de uma teologia do trabalho, mas, como observou o padre Chenu, tal teologia não foi elaborada na Idade Média.

Em vários textos dos Evangelhos, surgem novamente as duas concepções contraditórias de trabalho: inicialmente, aquela em que Jesus refere-se ao exemplo dos pássaros do céu e dos lírios dos campos, que não trabalham, mas estão magnificamente vestidos; em seguida, a oposição entre Marta, a trabalhadora, e sua irmã Maria, a contemplativa, a ociosa, que Jesus propõe como exemplo àquela. A par desses textos que parecem rebaixar o valor do trabalho, Paulo, na Segunda epístola aos tessalonicenses (3,7-10), sublinha que sempre ganhou seu pão com seu trabalho e que "aquele que não trabalha não deve mais ter o direito de comer". Por outro lado, nenhum texto do Novo Testamento refere-se a Jesus trabalhando durante a sua vida terrena, fato que foi destacado na Idade Média.

O cristianismo primitivo e o da Alta Idade Média prolongaram essa oposição e esse equívoco. Se consideramos, por exemplo, o tipo de homem mais próximo da perfeição depois do santo, isto é, o monge, sua atitude em relação ao trabalho manual é ambígua. As regras monásticas – e este é principalmente o caso da mais importante e difundida de todas, a regra de São Bento – impõem aos monges um trabalho manual, e a atividade de cópia dos manuscritos no *scriptorium* é apresentada como um trabalho fatigante. De fato, o trabalho do monge é considerado uma penitência, e ele é, desse ponto de vista, desvalorizado, mas, como o monge é o mais alto modelo de vida terrena, seu exemplo confere uma eminente dignidade ao trabalho e ao trabalhador.

Por outro lado, a herança "bárbara", germânica e celta oferece à Idade Média o prestígio do artesão mágico e da metalurgia. Ferreiros e ourives surgem, então, como grandes personagens, como Santo Elói – cuja *Vida*, no século XVII, sublinha que sua habilidade de ourives explica seu sucesso eclesiástico e político – ou os ferreiros mágicos dos *Nibelungen* e da mitologia escandinava.

A valorização do trabalho

O período carolíngio conhece uma incontestável valorização do trabalho. É possível ver multiplicarem-se contratos rurais que exigem uma melhora do cultivo pelo trabalho. Por outro lado, a legislação carolíngia dos capitulares, retomando os textos dos códigos de Teodósio e de Justiniano, instaura a caça aos vagabundos que não trabalham. O respeito ao repouso dominical é vigorosamente proclamado e controlado, mas, em caso de necessidade, o trabalho supera os imperativos religiosos, mesmo no domingo, pois, em caso de chuva, é necessário abrigar a colheita; em caso de falta de pão, é necessário assá-lo. Enfim, a exigência do trabalho nos *scriptoria* monásticos também é reforçada.

Mas essa valorização do trabalho ainda é equívoca. Trata-se, inicialmente, em particular para o vagabundo saudável, de um tipo de trabalho forçado, e vemos delinearem-se as bases de uma alienação do trabalhador. A afirmação do repouso dominical, alusão ao descanso divino no sétimo dia da Criação, instaura uma hierarquia entre lazer e trabalho.

É entre os séculos XI e XIII que se afirma uma maior e mais profunda valorização do trabalho e dos trabalhadores. A reforma monástica situa a exigência do trabalho manual no primeiro plano dos ideais e das práticas de retorno às origens. Em particular, a Ordem Cisterciense, criada no início do século XII, afirma, em sua grande polêmica com a Ordem Cluniacense, o valor espiritual do trabalho manual fazendo uma releitura da regra de São Bento. Vê-se, igualmente, nos textos edificantes e na predicação, o esforço dos clérigos em reabilitar Marta em face de Maria. A iconografia leva o prestígio da imagem a essa valorização do trabalho. Nas esculturas das igrejas e nos afrescos, o tema dos trabalhos dos meses, de natureza essencialmente rural, proclama no recinto sagrado o valor das formas do trabalho agrícola. Ainda na escultura, como se pode ver no século XIII, em Chartres por exemplo, os temas da vida ativa fundados sobre o trabalho equilibram-se com os da vida contemplativa que repousam sobre a ociosidade. Jesus beneficia-se indiretamente, na condição de *filius fabri*, da promoção de São José, que de ferreiro em uma antiga tradição, torna-se definitivamente carpinteiro.

Da mesma forma, novos esquemas ideológicos relacionados à estrutura da sociedade revelam uma promoção do trabalho. Ao lado das artes liberais emerge, no século IX, para constituir-se no século XII, um conjunto de artes ditas "mecânicas" (agricultura, construção, têxtil etc.) que, embora não possam ser situadas no mesmo plano, formam um sistema comparável ao das primeiras. Por outro lado, conforme o esquema trifuncional indo-europeu estudado por Georges Dumézil, a partir do século XI, a sociedade cristã é frequentemente descrita como composta de homens que oram (*oratores*, os clérigos), de homens que guerreiam (*bellatores*, os guerreiros) e, enfim, de homens que trabalham (*laboratores*, na época, essencialmente camponeses). Mesmo que vários textos enfatizem que os *laboratores* são inferiores aos *oratores* e *bellatores*, o surgimento dos trabalhadores no esquema constitutivo da sociedade exprime a promoção do trabalho e daqueles que o praticam.

Vê-se igualmente aparecerem de novo profissões que, após terem sido mantidas sob suspeição durante certo tempo, são justificadas pelo trabalho. É o caso, em particular, do mercador e do intelectual urbano, o universitário. O mercador é inicialmente acusado de vender o tempo que pertence apenas a Deus, assim como o mestre escolar é acusado de vender a ciência que também pertence a Ele. Mas, na passagem do século XII ao XIII, as duas profissões são justificadas em razão do trabalho fornecido por uma e por outra. Surgem, ao mesmo tempo, as noções de trabalho comercial e de trabalho intelectual.

Um outro indício de valorização do trabalho é a diminuição das profissões ilícitas. Até o século XIII, elas são muito numerosas, completamente proibidas aos clérigos e projetam sobre os leigos que as praticam uma viva suspeição. Isso ocorre tanto com os ofícios que envolvem derramamento de sangue (cirurgiões, carniceiros), quanto com os que se mantêm em contato com a imundice (tintureiros, faxineiros), ou ainda os que envolvem relação com estrangeiros e prostitutas (albergueiros). A partir do século XIII, apenas duas profissões continuam verdadeiramente ilícitas: a das prostitutas e a dos jograis e comediantes. Ainda assim, alguns teólogos manifestam em relação a elas certa tolerância, com a condição de que tenham praticado o seu ofício, condenável em si, de uma maneira que demonstre, se é possível dizê-lo, uma consciência profissional do trabalho bem-feito.

Uma verdadeira moda do trabalho leva a que os membros da sociedade cristã mais afastados do seu universo acabem por reivindicá-lo. Todo mundo apresenta-se como trabalhador. O clérigo e o cavaleiro falam de seu labor. Vê-se surgir um provérbio, "o labor supera a proeza", que considera o trabalho superior ao comportamento do bravo, ao comportamento cortesão. Observa-se essa mesma evolução no que concerne aos príncipes e reis. Os espelhos de príncipes, manuais que definem o governante cristão ideal, demandam-lhes o cumprimento, acima de tudo, de seu "ofício" de rei. A santidade de São Luís será reconhecida nesse exercício imaculado da profissão real.

A grande clivagem

Se ocorre, a partir dos séculos XI e XIII, uma promoção do trabalho e dos trabalhadores, e se, a partir do século XIV, o herege será cada vez mais assimilado a um mendigo, a um vagabundo voluntário, vê-se novamente, no século XIII, cavar com violência o abismo que separa os trabalhadores manuais dos outros. O poeta Rutebeuf, formado na Universidade de Paris, e que se pretende, portanto, um intelectual, proclama, orgulhoso de sua pobreza: "Não sou trabalhador manual".

A valorização ambígua do trabalho também se manifesta no grande debate entre trabalho e mendicância, elemento essencial do conflito que opõe, em meados do século XIII, na Universidade de Paris, mestres seculares como Guilherme de Saint-Amour e os principais expoentes universitários pertencentes às Ordens Mendicantes, como o franciscano Boaventura e o dominicano São Tomás de Aquino. Os seculares, conscientes do valor e da excelência do trabalho, censuram os membros das Ordens Mendicantes por não trabalharem e por recorrerem à mendicância. Estes replicam que a pobreza e a humildade são superiores ao trabalho e que, aliás, os frades mendicantes, sobretudo por seu ofício de predicadores, também são trabalhadores. No último plano desse conflito situa-se o debate interior dolorosamente vivido por Francisco de Assis, que por muito tempo hesitou entre a prática do trabalho — prática da humildade e do respeito ao próximo na linha de São Paulo e do trabalho manual dos monges — e a da mendicância, forma suprema de pobreza.

Vislumbra-se, enfim, no século XIII, uma verdadeira reação contra essa promoção do trabalho que, transformado em um dos grandes valores do mundo feudal, reforça, de fato, a dominação das camadas superiores da sociedade, que o impõem às camadas inferiores. Uma ideologia hostil ao trabalho exprime-se nos mitos e utopias. É o caso, por exemplo, do mito da idade do ouro na segunda parte do *Roman de la Rose*, de João de Meung, e talvez ainda mais na utopia da Cocanha, que surge em um *fabliau* datado dos anos 1250 e evoca o ideal de um mundo de indolência, de um mundo de não trabalho em que todos os ociosos serão alimentados, vestidos e cumulados de todos os bens sem praticar trabalho algum.

Jacques Le Goff
Tradução de Mário Jorge da Motta Bastos

Ver também

Artesãos – Cidade – Guilda – Monges e religiosos – Tempo – Terra

Orientação bibliográfica

AGRICULTURA E MONDO RURALE IN OCCIDENTE NELL'ALTO MEDIOEVO. Spoleto: Centro Italiano di Studi sull'Alto Medioevo, 1975.

ALLARD, Guy H.; LUSIGNAN, Serge (eds.). *Les Arts mécaniques au Moyen Âge.* Paris-Montreal: Vrin, 1982.

AMOURETTI, Marie-Claire; COMET, Georges. *Hommes et techniques de l'Antiquité à la Renaissance.* Paris: Armand Colin, 1993.

ARTIGIANATO E TECNICA NELLA SOCIETÀ DELL'ALTO MEDIEVO OCCIDENTALE [1970]. Spoleto: Centro di Studi sull'Alto Medioevo, 1971.

CHENU, Marie-Dominique. *Pour une Théologie du travail*. Paris: Seuil, 1955.

CHERUBINI, Giovanni. O camponês e o trabalho no campo. In: LE GOFF, Jacques (ed.). *O homem medieval* [1989]. Tradução portuguesa. Lisboa: Presença, 1989. p.81-98.

DAVID, Marcel. Les *laboratores* du renouveau économique du XIIe siècle à la fin du XIVe siècle. *Revue Historique de Droit Français et Étranger*, Paris, p.174-95 e 295-325, 1959.

ESPINAS, Georges. *Les Origines du capitalisme*. Paris: Raoust, 1933. t.I: *Sire Jehan Boinebroke, patricien et drapier douaisien*.

GEREMEK, Bronislaw. *Le Salariat dans l'artisanat parisien aux XIIIe-XVe siècles: étude sur le marché de la main-d'œuvre au Moyen Âge*. Paris: Mouton, 1968.

HAMESSE, Jacqueline; MURAILLE-SAMARAN, Colette (eds.). *Le Travail au Moyen Âge*: une approche interdisciplinaire. Introdução e conclusão de Jacques Le Goff (Colloque de l'Université Catholique de Louvain, 1987). Louvain-la-Neuve: Institut d'Études Médiévales, 1990.

HEERS, Jacques. *O trabalho na Idade Média* [1965]. Tradução portuguesa. Men Martins: Europa-América [s.d.].

LAVORARE NEL MEDIOEVO. Introdução de Jacques Le Goff (Colloque du Centro di Studi sulla Spiritualità Medievale. Todi, 1980). Perugia, 1983.

LE GOFF, Jacques. Les métiers et l'organisation du travail dans la France médiévale. In: FRANÇOIS, Michel (ed.). *La France et les français*. Paris: Gallimard, 1972. p.296-347.

_____. *Para um novo conceito de Idade Média*: tempo, trabalho e cultura no Ocidente [1977]. Tradução portuguesa. Lisboa: Estampa, 1980.

_____. Arbeit, V, Mittelalter. In: *Theologische Realenzyklopädie*. Berlim-Nova York: Walter de Gruyter, 1978. p.626-35. t.III.

_____. Il tempo del lavoro: agricoltura e segni dello zodiaco nei calundari medievali. *Storia e dossier*. Florença: Giunti, 1988. (Dossier 22.)

_____. Le travail au Moyen Âge. *Cahiers de l'École des Sciences Philosophiques et Religieuses*, Bruxelas, 6, p.2-28, 1989.

OSTRÁ, Ruzena. Le champ conceptuel du travail en ancien français. *Études Romanes de Brno*, 5, p.1944, 1971.

STAHLEDER, H. *Arbeit in der mittelalterlichen Gesellschaft*. Munique: R. Wölfle, 1972.

WHITE Jr., Lynn. *Technologie médiévale et transformations sociales* [1962]. Tradução francesa. Paris: Mouton, 1969.

WOLFF, Philippe; MAURO, Federico (orgs.). *Histoire générale du travail*. Paris: Nouvelle Librairie de France, 1960. t.II: *L'Âge de l'artisanat (Ve-XVIIIe siècle)*.

Universidade

A universidade é uma das grandes criações da Idade Média. Configura-se como uma instituição de tipo corporativo ligada ao progresso urbano e destinada ao que denominamos atualmente ensino superior. Ela evoluiu até os dias de hoje conservando importantes traços de sua origem medieval.

Mesmo nos limitando ao Ocidente cristão, não podemos evocar sob a rubrica "universidade" todos os aspectos da educação e da escola da Idade Média. Essa época conheceu, anterior ou paralelamente às universidades, muitas outras instituições de ensino. Porém, ainda que tenham surgido tardiamente (as mais antigas no século XIII, as outras no XIV e no XV), as universidades foram, de longe, as mais complexas e mais elaboradas dessas instituições, aquelas que melhor representam os valores e as expectativas da civilização medieval no campo educativo. Isso explica e justifica, de certa forma, a atenção privilegiada que há tempos os historiadores lhes vêm dedicando. Também é verdade que elas deixaram arquivos muito mais abundantes do que qualquer outro tipo de escola.

Antes das universidades

Surgidas por volta de 1200, as universidades, mesmo sendo instituições originais e sem verdadeiro antecedente histórico, nem por isso foram menos herdeiras de um longo passado. A escola antiga, pública e laica, acabou por desaparecer nos primeiros decênios do século VI na Gália, Espanha e Itália. Em seu lugar organizou-se, muito lentamente, uma rede muito diferente de escolas eclesiásticas, instaladas junto das catedrais e mosteiros, fundadas e controladas por bispos e abades. Pouco importa que essa rede tenha ficado incompleta e instável, que só tenha escolarizado um efetivo irrisório e oferecido quase sempre um ensino de nível muito modesto. Em compensação, dois pontos essenciais para nosso propósito devem ser sublinhados. De um lado, foi nessa época que a Igreja estabeleceu seu quase monopólio sobre o ensino. Enquanto desapareciam todas as formas de escolas laicas, os concílios provinciais ou nacionais declararam obrigatório para todos os bispos e titulares das principais paróquias organizar uma escola; do Concílio de Toledo (527) ao Concílio de Latrão III (1179), essa disposição será incansavelmente renovada. No mundo monástico, foi por estímulo das instituições irlandesas e anglo-saxônicas que surgiu também o costume, a partir do século VII, de dotar os mosteiros de uma ou até duas escolas (a escola "interna" para monges, a escola "externa" para ouvintes seculares). De outro lado, paralelamente a esse controle da Igreja sobre o ensino, definiu-se o que seriam os métodos e programas dessas escolas. Eles foram concebidos diretamente da tradição patrística do *De doctrina christiana*, de Santo Agostinho, em que se tinha mostrado como alguns elementos do saber antigo, cuidadosamente depurados, poderiam servir a fins essencialmente cristãos, qual seja, o entendimento da Revelação e a explicação das verdades da Fé. Idealmente, o ensino nas escolas cristãs deveria, portanto, partir de uma iniciação às "artes liberais" dos pedagogos antigos, principalmente às artes literárias do *trivium* (gramática, retórica, dialética), para culminar na "leitura" comentada da Santa Escritura (*sacra pagina*). Por outro lado, as disciplinas "mecânicas" ou "lucrativas", vítimas do duplo preconceito dos antigos contra o trabalho manual e do cristianismo contra o dinheiro e a matéria, eram banidas da escola, deixadas para os leigos pecadores e "iletrados" (*illitteratus* quer dizer aquele que ignora o latim, que não estudou as artes liberais).

Durante séculos, o número e a qualidade das escolas eclesiásticas do Ocidente flutuaram ao sabor das sucessivas "renascenças" (Renascimento Carolíngio, Renascimento Otônida), que marcaram a história cultural da

Alta Idade Média. Mas as coisas só começam realmente a mudar por volta de 1100. O que comumente denominamos a Renascença do século XII foi, antes de tudo, uma "revolução escolar". Em um contexto global favorável (surto econômico, crescimento urbano, renovação do comércio e da circulação, reforma da Igreja, reestruturação dos poderes laicos, reabertura do espaço mediterrâneo), a rede escolar transformou-se profundamente. Sem desaparecer por completo, as velhas escolas monásticas passaram a segundo plano. Ao contrário, multiplicaram-se as escolas catedralícias. A estas se juntaram, também na cidade, as inauguradas junto das abadias das novas ordens de cônegos regulares (Saint-Victor, em Paris; Saint-Ruf, na Provença e no Languedoc). Cada vez mais, mestres isolados, geralmente clérigos atuando individualmente e mal controlados pela Igreja, abriram escolas "particulares" onde recebiam, mediante remuneração, os alunos que se lhes apresentavam. Assim, não só se transformou e se consolidou a rede de escolas, como também mudou totalmente seu papel e suas condições de funcionamento.

Seu público deixou de ser exclusivamente composto de jovens clérigos ou monges da região, acrescidos de alguns poucos filhos da aristocracia local. Desde então, todos os que, desejando fazer carreira ou por simples curiosidade intelectual, queriam aprimorar seus estudos, não hesitavam em pôr-se a caminho da escola, algumas bem distantes, onde recebiam ensinamento de alto nível, com mestre renomado e nova disciplina. Os próprios mestres, muitas vezes, passavam de uma escola a outra. O esquema antigo, diocesano, ruía por todas as partes e o novo mapa escolar organizava-se em torno de alguns polos de excelência, dentre os quais Paris e Bolonha já despontavam, em meados do século, como os mais estáveis e mais prestigiosos.

Também o conteúdo do ensino evoluía rapidamente. O velho esquema vinculando artes liberais e *sacra pagina* ainda era válido em teoria, mas mudava de significação. Mais que a renovação da gramática, fundada nos clássicos, é o estudo sistemático e profundo da dialética, essencialmente através da lógica de Aristóteles, que transforma ao mesmo tempo a forma e o conteúdo do ensino. Foi nas escolas parisienses, seguindo mestres como Abelardo ou Gilberto de la Porrée, que se impôs o primado da dialética. Esta tinha a dupla função de introduzir no ensino problemas propriamente filosóficos e de propor um método universal de explicação de textos e de exposição da doutrina, pelo viés da "sentença" e da "questão". Abelardo, o primeiro a fazê-lo, para estudar o texto sagrado não hesitou em substituir o comentário místico tradicional pela dialética, a fim de chegar a uma formulação tão racional quanto possível das verdades da fé cristã, à qual ele deu o nome de "teologia". A seguir, todos os mestres parisienses do século XII aderiram ao método. Sua adoção propiciou integrar ao campo dos conhecimentos escolares disciplinas até então desdenhadas, como o direito e a medicina. É da Itália, principalmente de Bolonha para o direito, de Salerno para a medicina, que veio a renovação. A partir de textos redescobertos ou traduzidos do direito romano ou da medicina greco-árabe, os mestres capazes de utilizar os recursos da dialética inauguraram um tipo de ensino cuja reputação atraía, desde 1120-1130, numerosos alunos vindos de além-Alpes. A maioria desses mestres era leiga e as escolas que dirigiam escapavam inteiramente ao controle eclesiástico. Desde meados do século, juristas e médicos formados na Itália aspiravam a ensinar, ao menos periodicamente, na França ou na Inglaterra.

A multiplicação das escolas no Ocidente no decorrer do século XII, o aprofundamento e a diversificação de seus ensinamentos atendiam, acima de tudo, a uma demanda social em plena expansão. Os mestres provenientes das escolas parisienses podiam esperar pela realização de belas carreiras no alto clero, os juristas bolonheses tornavam-se conselheiros procurados por príncipes e cidades, sobretudo nas regiões mediterrâneas. Mas esse progresso correspondeu também a uma verdadeira transformação cultural. Como duplo resultado da renovação da dialética e da ampliação do campo das disciplinas, possibilitada pelo afluxo de textos redescobertos ou traduzidos do grego ou do árabe, o ensino foi profundamente reformulado. A par da ambição social, a paixão desinteressada pela ciência certamente contribuiu para atrair os alunos às novas escolas e para fazê-los conscientizar-se de que, *magistri* e *scolares*, eles constituíam um grupo com vocação específica, ainda que, por todo lado, a maior parte deles fosse de clérigos. Dito de outro modo, começava a surgir uma certa aspiração à autonomia da instituição escolar. Os poderes públicos não lhe eram de todo hostis. Em 1155, o imperador Frederico Barba-Ruiva garantiu solenemente aos estudantes de direito, especialmente os de Bolonha, sua proteção pessoal. A Igreja, porém, preocupava-se em preservar para si o monopólio escolar. Criando e depois generalizando, em 1179, o sistema de "licença" (autorização para ensinar concedida pelo bispo ou seu representante), encorajando a fundação de novas escolas, o papado esperava manter sobre elas algum controle eclesiástico. Ao menos num primeiro momento, os mestres leigos de direito e de medicina escaparam-lhe.

De qualquer modo, o próprio avanço escolar suscitava novos problemas. Surgiam dificuldades práticas (alojamento, abastecimento, ordem pública) que muitos centros secundários, após brilhante começo, não foram capazes de enfrentar. Mesmo em centros maiores, como Paris, a multiplicação e diversificação das escolas eram motivo de confusão. As licenças eram outorgadas sem o critério necessário. Cada um ensinava ou estudava à sua maneira, misturando ao mesmo tempo as artes liberais e a teologia, o direito civil e o direito canônico. A concorrência entre mestres rivais derivava muitas vezes para conflitos abertos. O nível, e mesmo a ortodoxia, do ensino sofria, e mais ainda a hierarquia das disciplinas, garantia tradicional do primado da teologia. Do ponto de vista tanto dos poderes públicos como dos próprios mestres locais, fazia-se necessária uma revisão que os antigos modelos institucionais claramente não permitiam.

O nascimento da Universidade: Paris

Tal é, em linhas gerais, o contexto em que nasceu a Universidade. Em Paris, na primeira década do século XIII, surgiu a *Universitas magistrorum et scolarium Parisiensium*, agrupamento sem dúvida voluntário, mas rapidamente reconhecido pelo papa. Em 1215, um legado pontifical outorgou-lhe seus primeiros estatutos e privilégios escritos. Em 1231 (bula *Parens scientiarum*), o papa Gregório IX os confirmou e os ampliou com excepcional solenidade. Mais discreto, o rei da França, entretanto, concedeu e reconheceu que a jovem universidade dependia exclusivamente da jurisdição eclesiástica. Quanto aos poderes locais, ou seja, o bispo de Paris e o chanceler, apesar de alguma resistência perderam o essencial de sua autoridade sobre as escolas, exceto a concessão oficial de licença. Os privilégios outorgados à universidade asseguraram-lhe grande autonomia interna, colocando-a sob a tutela relativamente distante e indulgente do papado. Por volta de 1260, a Universidade de Paris tinha conquistado seu perfil institucional definitivo, que quase não se modificará até o fim do Antigo Regime.

No início, ela era uma federação de escolas, cada mestre mantendo autoridade sobre seus alunos. Mas essas escolas foram reagrupadas, por disciplina, em faculdades: faculdade preparatória de Artes, faculdades "superiores" de Medicina, de Direito Canônico (o Direito Civil, demasiado profano, foi banido das escolas parisienses a partir de 1219) e Teologia. Cabia às faculdades o papel de organizar uniformemente os estudos e de zelar pela ortodoxia do ensino. De longe a mais numerosa, recebendo os estudantes mais jovens, a faculdade de Artes tinha uma organização particular: os mestres distribuíam-se, segundo sua proveniência geográfica, em "nações" (França, Picardia, Normandia, Inglaterra). A própria universidade agrupava faculdades e nações; velava pela disciplina geral da comunidade de mestres e estudantes; defendia-os perante os poderes externos (rei, bispo, papa) e negociava com eles a outorga ou a confirmação de liberdades e privilégios (isenções judiciárias e fiscais, taxação de aluguéis etc.), que garantiam sua autonomia e sua personalidade moral. Em torno de 1250, apareceu à frente da universidade o reitor, procedente das nações da faculdade de Artes. Esse cargo prestigioso dava a seu titular, no entanto, uma autoridade limitada, pois era eleito apenas por três meses. Acrescente-se a isso que a primeira metade do século XIII viu agregar-se à Universidade de Paris um certo número de conventos e de priorados de estudos pertencentes às Ordens Mendicantes (dominicanos, em 1217; franciscanos, em 1219 etc.) ou monásticas (cistercienses, em 1245; cluniacenses, por volta de 1260 etc.), desejosos de proporcionar a seus melhores estudantes uma formação e diplomas universitários em Teologia. A integração desses *studia* regulares, cujos alunos dependiam somente de forma muito parcial da autoridade da Universidade, chocou-se com a viva resistência de certos mestres seculares, degenerando em crise aberta durante os anos 1250-1256; por fim, contudo, ela ocorreu sob a pressão decisiva do papado.

Mencionemos, enfim, que foi naqueles mesmos anos que apareceram em Paris os primeiros colégios (colégio da Sorbonne, em 1257); inicialmente simples estabelecimentos de hospedagem criados por piedosos fundadores para acolher estudantes pobres, os colégios tornaram-se, pouco a pouco, comunidades autônomas, com personalidade própria e vida intelectual específica, o que se tornou possível pela instituição de ensinos internos aos colégios e, sobretudo, pela instalação neles das primeiras bibliotecas universitárias.

Bolonha

Bem diferente foi a organização de outra grande universidade medieval, a de Bolonha, cujo nascimento foi estritamente contemporâneo ao da de Paris, talvez ligeiramente anterior. Aqui a disciplina soberana era o Direito (Direito Civil e Direito Canônico); houve também escolas de Artes (ensinando, principalmente, gramática e retórica) e de Medicina, que se agregaram à universidade ao longo do século XIII, mas só tiveram sua autonomia reconhecida pelos juristas no final do século. Quanto à faculdade de Teologia, monopolizada, aliás, pelas Ordens Mendicantes, será criada apenas em 1364. Por outro lado, a Universidade, ou melhor, as universidades de Bolonha, não foram uma federação de escolas como em Paris, mas uma organização comunitária só de estudantes. Os primeiros agrupamentos de estudantes ou "nações" estão documentados desde o final do século XII. A Comuna de Bolonha tentou em vão frear a emergência dessas associações autônomas. Energicamente apoiadas pelo papa, as diversas nações de estudantes acabaram por se reunir, no início do século XIII, em duas "universidades": a dos italianos ou citramontanos e a dos estrangeiros ou ultramontanos; à frente de cada uma, encontrava-se um reitor eleito anualmente. Os mais antigos estatutos conservados da universidade datam de 1252. À mesma época, a Comuna acabou por reconhecer a autonomia das universidades e seus privilégios fiscais e judiciários. Em troca de apoio, o papa impôs a Bolonha também o sistema de licença, aqui conferida pelo arquidiácono (1219), que estendia assim sua autoridade a uma instituição até então amplamente laica. Quanto aos professores, não faziam parte das universidades e simplesmente assinavam contrato com elas, mas não tardaram a se agrupar, de seu lado, em colégios profissionais.

Outras universidades do século XIII

Sem ter a reputação e o prestígio internacional de Paris ou de Bolonha, algumas outras universidades são praticamente tão antigas quanto aquelas: as escolas de Artes e de Teologia de Oxford constituíram-se como universidades desde os primeiros anos do século XIII; posteriormente, Cambridge nasceu do agrupamento de alguns professores e estudantes de Oxford (1209). Na França, as escolas de Medicina de Montpellier foram transformadas em universidade por um legado pontifical, em 1220. Quanto às escolas instituídas em Toulouse, em 1229, pelo Tratado de Paris, ao final da cruzada albigense, foram rapidamente transformadas em uma verdadeira universidade (1234); mas seus primórdios, por estar autoritariamente "plantada" em região hostil, foram árduos e precisou de meio século para que, finalmente aclimatada e doravante dedicada sobretudo ao ensino do direito, ela de fato deslanchasse. Na Península Ibérica, ao lado de várias tentativas infrutíferas, a única que conseguiu se impor foi a Universidade de Salamanca, inicialmente instituída pelo poder real (1218), depois confirmada pelo papa (1255). Na Itália, enfim, se desconsiderarmos alguns efêmeros grupos de estudantes e de professores de Bolonha, lembraremos, no século XIII, o aparecimento das universidades de Pádua (1222), também filha e cópia da de Bolonha, aliás, com começos difíceis, e de Nápoles (1224), se pudermos qualificar de universidades essas escolas criadas pelo imperador Frederico II, independentes da Igreja, mas em que a estrita tutela real impedia qualquer autonomia.

Em meados do século XIII, existia pois, no Ocidente, uma boa dezena de universidades ativas, e os contemporâneos tinham consciência da originalidade dessa nova instituição. Foi então que os canonistas inventaram, para designá-la, a expressão específica *studium generale*. Em que consistia essa originalidade, em relação às escolas do século anterior?

Características originais

De início, a originalidade estava na autonomia ou, como se dizia, nas "liberdades e privilégios" de que usufruíam mestres e estudantes (em Bolonha, apenas estes últimos). A comunidade universitária era, no começo, bastante diferente de outros ofícios urbanos e o estatuto de seus membros assemelhava-se ao dos clérigos. Entretanto, como qualquer corporação, a Universidade podia elaborar estatutos para organizar a disciplina interna e estabelecer regras de funcionamento; programas, cursos, exames, colações de graus sucessivos (bacharelado, licenciatura, mestrado ou doutorado), eram livremente definidos, em cada faculdade, pela assembleia dos mestres. A Universidade organizava, também, a confraternização entre seus membros, garantia-lhes a defesa e a representação perante as autoridades externas. Enfim, ela era dona do recrutamento, tanto no que se refere à matrícula de novos estudantes, quanto à eleição ou admissão de novos mestres. Em suma, a autonomia universitária era bem real e garantia, simultaneamente, um funcionamento interno bastante democrático e o exercício de uma liberdade eminentemente favorável à atividade intelectual.

Outra característica marcante da Universidade medieval era sua vocação universalista. Esse universalismo era o mesmo do saber transmitido pela Universidade. Extraído de dupla fonte, da ciência antiga (oportunamente enriquecida pelos árabes) e da Revelação cristã, esse saber era o mesmo em toda parte. Ensinado em uma língua também universal (o latim), apoiado em todos os locais sobre as mesmas "autoridades" (Prisciano, Aristóteles, Galeno, o *Corpus iuris civilis*, a Bíblia, as *Sentenças*, de Pedro Lombardo etc.), alheio, portanto, a qualquer particularismo nacional ou regional, era uniformemente encontrado em todas as universidades da Cristandade. Ao menos em teoria, essa uniformidade proporcionava a validação universal dos graus universitários, onde quer que tivessem sido obtidos, e o direito dos estudantes de escolher livremente sua universidade.

Ao mesmo tempo causa e consequência dessa vocação universalista, as universidades ligavam-se diretamente ao poder universal por excelência, o papado. Era o papa que confirmava seus privilégios, era em seu nome que o chanceler conferia a licença *ubique docendi* ("válida em toda parte"), era ele que protegia mestres e estudantes contra os "abusos" das autoridades locais, laicas ou eclesiásticas. Em troca, o papa esperava das universidades que fossem fiéis e ortodoxas auxiliares doutrinais do magistério romano e que acolhessem em seu seio esses agentes especialmente devotados ao papado, que eram os religiosos mendicantes.

Naturalmente, essa definição da Universidade medieval é muito geral e um pouco teórica. Na prática, a instituição universitária revestiu-se, na Idade Média, de formas muito variadas e essa diversidade cresceu à medida que apareciam novas universidades, do século XIII ao XV. Existia uma grande oposição entre as universidades das regiões mediterrâneas, do tipo bolonhês, ou seja, "universidades de estudantes" (ainda que a exclusão de professores da comunidade universitária raramente tenha sido tão marcante quanto na própria Bolonha), relativamente laicizadas, de predomínio jurídico e médico, e as universidades da metade norte da Europa, do tipo parisiense, "universidades de mestres", sob domínio filosófico e teológico. Havia também uma evidente separação entre as grandes universidades, que largamente ultrapassavam o milhar de estudantes, tendo recrutamento internacional, gozando de uma autoridade doutrinal reconhecida em toda a Cristandade, capazes, portanto, de afirmar verdadeiramente sua autonomia perante os poderes, e as universidades menores, que reuniam apenas algumas centenas de estudantes, com prestígio puramente nacional, às vezes regional, visando mais produzir acadêmicos corretamente formados do que contribuir para a inovação intelectual, muito mais submissas, consequentemente, ao controle e às pressões de autoridades locais; nesse caso, a dimensão universalista tornava-se bastante teórica.

Após 1250

É evidentemente a esse segundo tipo que pertence a maioria das universidades surgidas depois de 1250.

Até 1378 (início do Grande Cisma), o crescimento fez-se em ritmo moderado. As escolas de direito de Orleans e de Angers, em 1306 e em 1337, viram oficialmente reconhecido o título de *studium generale*, que na verdade já possuíam desde o século XIII. Mas foi sobretudo nas áreas mediterrâneas que apareceram novas universidades. Quase sempre de importância modesta, essas novas universidades, principalmente jurídicas, foram criadas não mais pela ação voluntária de mestres e de estudantes apoiados pelo papado, mas por iniciativa de príncipes ou cidades desejosos de se prover de um centro de formação de juristas, necessário à sua administração.

As mais bem-sucedidas dessas criações foram: na Itália, Perúgia (1308), Pisa (1343), Siena (1357), Pávia (1361); na França, Avignon (1303); na Península Ibérica, Lisboa (1290), Lérida (1300), Valladolid (1346), Perpignan[1] (1350). Por não corresponderem a necessidades reais ou não terem recebido financiamento adequado, algumas criações fracassaram (Trevisa, Grenoble) ou estagnaram em um nível modesto, tais como as universidades de Roma (1303), Cahors (1332), Florença (1349), Huesca (1354), Orange (1365). A Europa do norte parecia estar à parte do movimento universitário. Mais do que um "arcaísmo" global, devemos sem dúvida lembrar, para essa área geográfica, o desenvolvimento mais tardio das administrações públicas, as reticências de uma nobreza que havia muito tempo enviava seus filhos a Paris ou a Bolonha, a indiferença, enfim, de uma burguesia mercantil, sempre desconfiada da cultura clerical e latina. Somente em 1347 o imperador Carlos IV, príncipe de formação francesa, tomou a iniciativa de fundar a Universidade de Praga, mas seus primórdios foram penosos. Mais difíceis ainda foram os das universidades de Cracóvia (1364) e de Viena (1365), que, por imitação, o rei da Polônia e o duque da Áustria quiseram implantar em seus Estados. Essas três universidades só vingaram realmente após 1378.

A ruptura de 1378

Tudo muda com a ruptura de 1378. A cisão da Cristandade, obedecendo a rivalidades de papas opostos no quadro do Grande Cisma, comprometeu o velho universalismo cristão; a Universidade de Paris foi particularmente atingida, tendendo a não ser mais do que a universidade da metade setentrional do reino da França, cada vez mais submissa ao rei capetíngio. Acelerados pelo Cisma, a ascensão geral dos Estados laicos (Estados nacionais, principados, cidades independentes) e o desenvolvimento de burocracias provocaram a fundação de muitas universidades; cada um queria ter a sua.

---

[1] Embora geograficamente não seja uma cidade ibérica, Perpignan passou, em 1172, a pertencer a Aragão, logo se tornou a segunda mais importante cidade (depois de Barcelona) do condado da Catalunha e tornou-se francesa apenas em 1642. [HFJ]

Imitavam-se, teoricamente, os "modelos" parisiense ou bolonhês, solicitava-se a confirmação pontifical, mas, de fato, as novas fundações foram, em toda parte, adaptadas às condições locais e diretamente submetidas ao controle das autoridades fundadoras, quase sempre em troca de um financiamento generoso (que contrastava com a carência vivida pelas universidades do período anterior). Se, de modo significativo, foram raros os fracassos totais, essas novas fundações, com recrutamento principalmente regional, tiveram em geral tamanho modesto.

Não são encontradas nem na Inglaterra, nem na Itália (com exceção de Ferrara, em 1391; Turim, em 1404; Catânia, em 1444), onde a rede existente devia bastar. Foram numerosos, no final do século XV, os *studia generalia* criados na Espanha (Barcelona, Saragoça, Palma, Siguenza, Alcalá, Valência), mas com frequência muito modestos. Os da França, geralmente ligados a principados que tentavam então obter autonomia (Aix, em 1404; Dole, em 1422; Poitiers, em 1431; Caen, em 1432; Bordeaux, em 1441; Valence, em 1452; Nantes, em 1460; Bourges, em 1464), sobreviveram, entretanto, à completa integração deles ao reino. Mas a grande novidade do século XV foi a multiplicação e o rápido sucesso das universidades, de um lado, no Império (além de Erfurt, em 1379; Heidelberg, em 1385, Colônia, em 1388; Leipzig, em 1409; Rostock, em 1419; Louvain, em 1425; Trier, em 1454; Greifswald, em 1456; Friburgo, em 1457; Basileia e Ingolstadt, em 1459; Mogúncia e Tübingen, em 1476; Frankfurt no Oder, em 1498), de outro, nos diversos reinos periféricos, que assim marcaram sua verdadeira integração na Europa moderna (Saint Andrews, Glasgow e Aberdeen, na Escócia; Copenhague e Upsala, na Suécia; Buda e Poszony, na Hungria, não sobreviveram à invasão turca).

Declínio?

As tendências que caracterizam essas novas fundações reencontram-se nas próprias universidades antigas. Por toda parte, de bom grado ou não, elas tiveram que se alinhar ao modelo doravante dominante: recrutamento majoritariamente regional; multiplicação dos colégios que, graças ao internato, permitiam impor disciplina mais rigorosa; definição mais restritiva das liberdades e privilégios universitários; reformas impostas às instituições para reforçar a autoridade dos regentes locais e facilitar sua tutela pelos poderosos.

Essa integração à nova ordem política, cada vez mais ampla, de uma instituição outrora fundada sobre a autonomia e o universalismo, fez com frequência concluir que houve "declínio" das universidades no final da Idade Média. De início, a reaproximação entre poderes e universidades permitiu a elas desempenhar certo papel político: a Universidade de Paris tornou-se, no século XIV, conselheira do rei da França e do papa, depois do concílio; a de Praga é uma das inspiradoras da revolta hussita. Mas é verdade que, no século XV, essa margem de iniciativa política será reduzida a pouca coisa, com o rápido retrocesso da autonomia universitária (não necessariamente, por outro lado, dos privilégios pessoais dos professores).

Função social

Logo, podemos falar de declínio quando os números testemunham, ao contrário, um progresso contínuo? De uma dezena de universidades ativas em torno de 1250, passou-se a 28 em 1378, 63 em 1500. É impossível medir os efetivos totais reunidos por essas universidades, mas o crescimento é inegável. Se as universidades mais antigas puderam atingir, no século XV, um nível aliás elevado (cerca de 4 mil estudantes em Paris, 2 mil em Bolonha, 1.700 em Oxford), as novas criações acusaram em certos lugares desenvolvimento espetacular: na Alemanha, por volta de 1500, cerca de 3 mil novos estudantes matriculavam-se todos os anos. Esse êxito quantitativo pelo menos mostra bem que, do século XIII ao XV, as universidades não deixaram de atender, de modo julgado satisfatório pelos contemporâneos, a "demanda social", em parte delas próprias, em parte sob pressão das autoridades que as controlavam. Essa demanda social era a das elites cultas, capazes de exercer na sociedade, na Igreja, no Estado, as funções para as quais se requeriam uma sólida cultura erudita e o domínio de diversas técnicas intelectuais. Apesar de algumas críticas restritivas, os graduados provenientes das universidades – secretários letrados, médicos eruditos, pregadores cultos, enfim e sobretudo juristas, formados nos segredos do direito escrito – sempre gozaram de grande prestígio na Idade Média; particulares, cidades, Estados, apelavam a eles para um número crescente de negócios. Às vezes, ascendiam ao próprio exercício do poder (sobretudo na Igreja, particularmente à época de Avignon) ou dele se aproximavam bastante (no conselho de príncipes ou nos tribunais superiores). Embora com diferenças regionais, a porcentagem de graduados não para de aumentar na maioria dos organismos eclesiásticos ou administrativos no final da Idade Média.

Percebe-se, por aí, outra função social da Universidade. Ela foi uma via de promoção individual. É verdade que os estudos e os livros custavam caro, e a menos que se pertencesse a uma ordem religiosa ou a um colégio, eram necessários recursos para empreender e levar a bom termo os estudos universitários. Mas, mesmo limitada, é evidente a ascensão social de muitos graduados. De fato, parece que houve, no final da Idade Média e sobretudo nas universidades jurídicas e laicizadas dos países mediterrâneos, um certo "fechamento social", uma constituição de dinastias de médicos e de juristas buscando reservar para si o acesso ao saber. No entanto, mesmo assim e mesmo se muitos estudantes, principalmente dentre os menos abastados (infelizmente, não podemos determinar sua proporção), malogravam em seus estudos e deixavam a Universidade sem diploma, o fechamento nunca foi total. Aliás, isso não muda em nada o que é, sem dúvida, a principal transformação social imputável à Universidade, a saber, o reconhecimento da competência intelectual individual (mesmo que favorecida por um nascimento vantajoso) como elemento de definição da condição e da função sociais.

Pouco importa que essa competência tenha sido, com frequência, imperfeita, quer porque os estudos não foram conduzidos com a seriedade desejada, quer porque o próprio ensino universitário, por seu caráter abstrato, tenha se afastado bastante de suas proclamadas finalidades sociais. A Universidade medieval, incontestavelmente, está nas origens longínquas da moderna meritocracia do diploma. Na sociedade medieval, contam-se aos milhares os homens cujo destino foi conduzido, ao menos em parte e de modo geralmente positivo, pelos estudos que realizaram. E isso basta para justificar a atenção que os poderes, eclesiásticos ou civis, dispensaram às universidades desde o princípio.

Entretanto, não se poderia julgar a Universidade medieval tomando por única referência seu êxito social e político. Em última análise, é seu papel cultural que deve ser avaliado.

Papel cultural

Em boa parte, a Universidade nascera da mudança cultural do século XII. Por certo, ela logo refreou um pouco a inovação, encerrou em esquemas rígidos o saber esfuziante dos primórdios, impôs um controle de ortodoxia às vezes pesado. Como negar, no entanto, as consideráveis contribuições das universidades medievais em todos os domínios do ensino e da cultura erudita? Só podemos esboçar aqui um balanço sumário.

A Universidade, no início, levou à perfeição métodos de ensino cuja fecundidade foi por muito tempo encoberta pelas críticas tardias e injustas dos humanistas e filósofos das Luzes. A "leitura" atenta das "autoridades" permitia uma minuciosa exegese de textos, a "disputa" abria caminho a grande liberdade intelectual, assentada no rigor racionalista do raciocínio dialético. O conteúdo do ensino universitário também deve ser considerado: os "artistas"[2] de Paris e Oxford levaram a lógica formal a uma perfeição que os filósofos de hoje redescobrem; com Alberto Magno e São Tomás de Aquino, os teólogos reconciliaram no século XIII fé e razão, confiança na Revelação e redescoberta do mundo; nos séculos XIV e XV, os críticos de Ockham e de seus herdeiros "nominalistas" enfraquecerão essas sínteses poderosas, mas para recolocar em primeiro plano problemas que ocuparão a consciência moderna (liberdade, graça, salvação), livrando, talvez, o pensamento científico do entrave teológico. As ciências dos números e da natureza foram frequentemente negligenciadas nas universidades medievais. No entanto, são elas que, em alguns momentos privilegiados (meados do século XIV em Oxford e Paris; século XV em Pádua e Salamanca), darão forma a certos rudimentos da ciência moderna (astronomia, mecânica). Sua introdução na Universidade representou para a medicina, malgrado

---

2 No original, *artiens*: em sentido restrito, é o estudante da faculdade de Artes, isto é, o filósofo. [N.T.]

o peso das autoridades (Galeno, Avicena), uma verdadeira revolução, que a fez passar do estágio do saber empírico, se não mágico, ao de disciplina intelectualmente constituída por princípios racionais e reconhecida como tal. O direito finalmente encontrou nos juristas medievais, sobretudo italianos, tanto exegetas minuciosos como pensadores capazes de abstrair os princípios gerais de um sistema legislativo; por esse caminho e manifestando algum desdém pelo direito cotidiano, o do costume e o da jurisprudência, eles tiveram a função essencial de introduzir em nossa civilização uma imensa parcela de romanidade, sobre a qual se fundarão tanto a ciência política moderna quanto as noções que regem até hoje o direito privado.

E isso não concerne apenas aos grandes mestres e aos principais centros: ao menos por tabela, as universidades secundárias, os professores de rotina, até mesmo as escolas não universitárias ou os simples praticantes do direito e das letras, sem formação escolar, receberam algum eco enfraquecido das teorias dominantes e divulgaram-nas por meio de ampla prática social.

Com certeza, pode-se também fazer a lista dos impasses, dos limites e das lacunas do ensino escolástico. O método da autoridade fê-lo negligenciar os recursos da observação, da experiência, da quantificação; vãos preconceitos culturais e sociais fizeram-no marginalizar as belas-letras, a poesia e a expressão vernácula, a história e as artes, a economia e o imenso universo das técnicas aplicadas. É fora das universidades que, no final da Idade Média, esses patrimônios começaram a ser promovidos à condição de atividades culturais reconhecidas. Também é fora das universidades que nasceu, no século XIV, primeiro na Itália, depois na França, o humanismo moderno; as inovações que ele trazia, tanto no plano filológico (retorno aos clássicos, renascimento dos estudos gregos e da retórica) quanto filosófico (ênfase na moral prática e no fervor religioso), foram recebidas com algum atraso em determinadas faculdades, notadamente as faculdades de Artes italianas, e recusadas por outras. Também o ensino das disciplinas universitárias tradicionais padecia no final da Idade Média de tais distorções (desorganização de cursos e exames, ausência de professores), que somos tentados a ver aí um indício de esclerose dessas disciplinas, encerradas em uma pedagogia desatualizada e em aporias metodológicas. Mas isso não autoriza a ignorar no conjunto a considerável contribuição das universidades medievais à cultura europeia.

A figura do universitário

A mesma ambiguidade perturba a figura do universitário medieval, mestre ou estudante, enquanto "trabalhador intelectual". Já se quis ver em seu aparecimento a origem do "intelectual" no sentido moderno da palavra. É verdade que as universidades medievais deram a seus membros *status* pessoal, condições materiais e psicológicas de trabalho, sociabilidade, práticas quase profissionais que os tornavam um grupo específico, rompendo com as estruturas sociais antigas, caracterizadas, antes de tudo, por sua relação com a cultura erudita e com o ensino, e, podemos pensar, por um certo gosto desinteressado pelo saber tanto quanto pela consciência de sua utilidade social. Porém, ao mesmo tempo, os universitários continuavam a ser, de acordo com um termo significativamente equívoco, "clérigos": muitos viviam de rendimentos eclesiásticos e não de uma remuneração específica por seu trabalho intelectual. Sua liberdade de pensamento chocava-se com intangíveis imposições de ortodoxias, religiosas e políticas. Certamente não devemos exagerar a rigidez delas, nem a extensão das condenações doutrinais (mesmo as mais espetaculares, como a do aristotelismo integral, em Paris, em 1277), mas havia constrangimentos mais insidiosos: os preconceitos corporativistas; os antigos vínculos de família ou clã; a ambição aristocrática, presente desde o início, de servir à Igreja ou ao príncipe, o que fortalece a ordem estabelecida, atenua o espírito crítico e reconduz o intelectual à posição de "intelectual orgânico" que manipula um saber já constituído com a simples finalidade de controle social.

Com certeza, muitos cederam a essas imposições, mas nada permite afirmar que as universidades medievais tenham esquecido totalmente sua primeira razão de ser: "Afastar as nuvens da ignorância, dissipar as trevas do erro, colocar atos e obras à luz da verdade, exaltar o nome de Deus e da fé católica [...], ser útil à comunidade e aos indivíduos, aumentar a felicidade dos homens" (Bula de fundação da Universidade de Colônia, em 21 de maio de 1388).

Jacques Verger
Tradução de Lênia Márcia Mongelli

Ver também

Bíblia – Clérigos e leigos – Deus – Direito(s) – Escolástica – Medicina – Razão

Orientação bibliográfica

ASTON, Trevor H. (org.). *The History of the University of Oxford*. Oxford: Clarendon, 1984-2000. t.I: CATTO, Jeremy I. (org.). *The Early Oxford Schools*. Oxford: Clarendon, 1984; t.II: CATTO, Jeremy I.; EVANS, Ralph (orgs.). *Late Medieval Oxford*. Oxford: Clarendon, 1993.

BELLOMO, Manlio. *Saggio sull'Università nell'età del diritto comune*. Catânia: Giannotta, 1979.

BRIZZI, Gian Paolo; PINI, Antonio Ivan (orgs.). *Studenti e Università degli studi dal XII al XIX secolo* (Studi e Memorie per la Storia dell'Università di Bologna, n.s., 7). Bolonha, 1988.

_____; VERGER, Jacques (orgs.). *Le Università dell'Europa*. Cinisello Balsamo: Silvana, 1990. t.I: *La nascità delle università*, 1990; t.IV: *Gli uomini e luoghi, secoli XII-XVIII*, 1993; t.V: *Le scuole e maestri. Il Medioevo*.

BROOKE, Christopher (org.). *A History of the University of Cambridge*. Cambridge: Cambridge University Press, 1988. t.I: LEADER, Damian R. *The University to 1546*.

CLASSEN, Peter. *Studium und Gesellschaft im Mittelalter*. Stuttgart: Hiersemann, 1983.

COBBAN, Alan B. *The Medieval Universities*: their Development and Organization. Londres: Methuen, 1975.

_____. *The Medieval English Universities*: Oxford and Cambridge to c.1500. Berkeley e Los Angeles: The University of California Press, 1988.

COURTENAY, William J. *Schools and Scholars in Fourteenth Century England*. Princeton: Princeton: Princeton University Press, 1987.

FERRUOLO, Stephen C. *The Origins of the University*: the Schools of Paris and their Critics, 1100-1215. Stanford: Stanford University Press, 1985.

FRIED, Johannes (org.). *Schulen und Studium im sozialen Wandel des hohen und späten Mittelalters*. Sigmaringen: Thorbecke, 1986.

HAMESSE, Jacqueline (org.). *Manuels, programmes de cours et techniques d'enseignement dans les universités médiévales*. Louvain-la-Neuve: Institut d'eÉtudes Médiévales de l'Université Catholique de Louvain, 1994.

HISTORY OF UNIVERSITIES. Oxford: Oxford University Press, 1982 em diante.

HOENEN, Maarten J. F. M.; SCHNEIDER, J. H. Joseph; WIELAND, Georg (orgs.). *Philosophy and Learning*: Universities in the Middle Ages. Leiden: E. J. Brill, 1995.

LEFF, Gordon. *Paris and Oxford Universities in the Thirteenth and Fourteenth Centuries*: an Institutional and Intellectual History. Nova York: John Wiley, 1968.

LE GOFF, Jacques. *Os intelectuais na Idade Média* [1957]. Tradução brasileira. São Paulo: Brasiliense, 1988.

MAIERU, Alfonso. *University Training in Medieval Europe*. Leiden: E. J. Brill, 1994.

RASHDALL, Hastings. *The Universities of Europe in the Middle Ages*. Reed. por Frederick Maurice Powicke e Alfred Brotherston Emden. [1936]. Oxford: Oxford University Press, 1987. 3v.

ROUX, Simone. *La Rive Gauche des escholiers (XVe siècle)*. Paris: Christian, 1992.

RÜEGG, Walter (org.). *A History of the University in Europe*. Cambridge: Cambridge University Press, 1992. t.I: DE RIDDER-SYMOENS, Hilde (org.). *Universities in the Middle Ages*.

VERGER, Jacques. *As universidades na Idade Média* [1973]. Tradução brasileira. São Paulo: Editora Unesp, 1990.

_____. *Histoire des universités en France*. Toulouse: Privat, 1986.

_____. *Les Universités françaises au Moyen Âge*. Leiden: Brill, 1995.

WEIJERS, Olga. *Terminologie des universités au XIIIe siècle*. Roma: Dell'Ateneo, 1987.

Universo

"No princípio, Deus criou o céu e a terra [...] Deus disse: 'Haja luz!' [...] Deus criou o homem à sua imagem [.] Deus viu tudo o que tinha feito; e era muito bom" (Gênesis 1,1-4,27,31). A significação medieval de *universum*, a soma das coisas existentes, é fruto de uma interação entre a teologia hebraica da Criação, incluindo a criação do homem à imagem de Deus, e teorias filosóficas gregas sobre as origens e a natureza do *kosmos*, sistema harmonioso e ordenado.

A herança grega antiga

As raízes da cosmologia grega, tal como aparece, por exemplo, no pensamento órfico e iônico primitivo, estão entremeadas de ideias originárias do Oriente Próximo, em particular da Babilônia; ideias que persistem, até certo ponto, no dualismo do corpo e da alma que caracteriza uma grande parte do pensamento grego ulterior. Um problema capital colocava-se nesse contexto: como Deus, considerado puro espírito, poderia ter contato com a matéria? Platão imaginou uma solução que terá um grande futuro, admitindo que a obra da criação pode ter procedido de um princípio formador distinto do próprio criador.

O demiurgo não criou o mundo; aplicando "a arte da razão" (*Timeu*, 74e), ele impôs seu desejo moral aos materiais que "as leis do destino" já haviam posto na "natureza" (41e). O deus ordenou o Universo graças à geometria e aos números (53b), fazendo uma esfera na qual os quatro elementos terrestres estavam rodeados pelo círculo dos céus formados em proporções harmoniosas (35-6); simetricamente, a alma humana foi formada da mesma maneira (41-4). O deus da *Metafísica*, de Aristóteles (I, 2; XII, 6-10; XIV, 4), não é um criador, mas a primeira causa racional de onde emana eternamente o mundo; mas, ainda aqui, a perfeição divina obriga a produzir o melhor dos mundos possíveis. Além disso, a razão humana pode conhecer a razão divina e descobrir não somente a única verdadeira constituição do mundo, mas também a razão pela qual este deve ser necessariamente assim e não de outro modo, tanto moral como materialmente. Aristóteles também imaginava o universo como um sistema de esferas cujo centro é ocupado pela terra rodeada de água, ar e fogo, em seguida as esferas celestes da Lua, do Sol, dos planetas e das estrelas fixas, cujas revoluções complexas são controladas por inteligências animadas.

As esferas da cosmologia aristotélica têm uma longa história e encontram sua fonte imediata nas esferas homocêntricas de um contemporâneo de Aristóteles, o geômetra Eudóxio. Essa complexa organização pretendia explicar as irregularidades do movimento dos planetas em termos de movimentos regulares e circulares. De um ponto de vista empírico, só realizaram seu objetivo com relativo sucesso, mas a ascendência que exerceram ulteriormente as esferas homocêntricas sobre o ensinamento medieval não dependia nem dessa questão empírica nem do brio da técnica geométrica de Eudóxio. As esferas aristotélicas eram simples, de extensão limitada e reais. Prestavam-se à construção de modelos mecânicos simples representando o Universo como um todo; de fato, é muito provável que, de início, os modelos geométricos abstratos tenham sido inspirados por equivalentes mecânicos. A facilidade com que se podem apreender as linhas gerais do sistema de Aristóteles, ainda que complicado por Ptolomeu, permitiu sua sobrevivência em certas regiões até uma época avançada do século XVII, ou seja, quase dois mil anos depois de sofrer a concorrência de outras teorias astronômicas.

Para apreciar essa longevidade, é suficiente compará-la com o destino bem diferente conhecido pelas concepções infinitistas dos atomistas gregos. Apesar de sua popularidade, nem Diógenes nem Lucrécio influenciaram fundamentalmente o pensamento cosmológico medieval, pois estavam associados às ideias heréticas de um mundo eterno. Assim mesmo, acabaram por semear a dúvida quanto à finitude espacial do mundo. Percebem-se alguns traços de sua influência nos escritos de Nicolau de Cusa, mas o Universo de Copérnico, no século XVI, ainda era finito por essência.

O primeiro confronto sistemático entre as doutrinas gregas e hebraicas ocorreu no século I antes de Cristo, com Fílon de Alexandria. Último grande pensador de uma linhagem de judeus helenizados de Alexandria que tentaram associar a filosofia grega racional e a teologia revelada hebraica, Fílon iria, direta e indiretamente – através de Lactâncio, Santo Agostinho e outros –, afetar profundamente a formação do pensamento cristão, muçulmano e judeu sobre a relação de Deus com o mundo e a humanidade. Fílon aceitou a concepção grega de uma ordem natural determinada por causas imutáveis, mas encontrou alguma dificuldade em identificar a verdadeira fonte dessa ordem. Apoiando-se nas Escrituras, opôs-se às três principais doutrinas gregas. Deus não tinha feito o mundo, como pretendia Platão no *Timeu*, como um ato necessário emanado da perfeição de sua própria divindade, nem impondo uma ordem racional ao caos material preexistente. Contrariamente ao que Aristóteles tinha afirmado na *Metafísica*, Deus não é simplesmente a razão divina eterna, da qual o mundo emanou, também eternamente, como consequência necessária, a partir de causas que a razão humana é capaz de apreender integralmente. Deus nem é material, nem está no meio do mundo, como supunham os estoicos. Deus não procede de nenhuma necessidade; ele tinha agido com uma onipotência perfeitamente livre criando *ex nihilo* um mundo distinto dele mesmo, por razões que o homem não pode conhecer senão por revelação divina.

Fílon empregou o termo estoico *logos* para designar os princípios que Deus tinha seguido ao fazer a criação, tal como "uma cidade concebida previamente no espírito do arquiteto" (*De opificio mundi*, V, 20). Disso decorreram todas suas "operações, que são invariavelmente executadas em virtude das ordenações e das leis que Deus definiu como inalteráveis no seu universo" (XIX, 61). Deus criou o Universo, como havia escrito Platão, porque queria repartir sua bondade, mas procedera por efeito de uma livre providência que não era proporcional aos seus poderes ilimitados, mas às "capacidades dos beneficiários" (VI, 23). O *logos* existente na natureza velava, assim, pela harmonia desta em todos seus movimentos celestes e terrestres e pela perpetuação das espécies viventes. Mas, se tivesse sido da vontade de Deus, ele poderia ter criado um mundo diferente (*Quod deterius potiori insidiari solet*, XLII, 154), da mesma maneira que é livre para ultrapassar suas leis, como testemunham os milagres muito bem atestados nas Escrituras. Para Fílon, as Escrituras possuem sentidos literais e sentidos ocultos, a partir dos quais se poderia aplicar a Deus o conceito de lei como uma analogia, mas unicamente como uma analogia.

A concepção cristã

A cosmologia da Criação foi apresentada em contexto cristão no fim do século III, por Lactâncio, que também se distancia da cosmologia filosófica grega e, especialmente, recusa a hipótese epicurista segundo a qual a ordem da natureza é simplesmente fruto do acaso, sem qualquer desígnio providencial. Grande parte de suas críticas filosóficas vem de Cícero. Lactâncio insistia na analogia e na diferença entre a criação divina e a criação humana. Deus é o *fabricator*, o *artifex* de todas as coisas *ex nihilo*, formulando leis (*leges*) que elas seguem "com uma necessidade perpétua", para comodidade do homem. A ideia de os corpos celestes serem seres animados é desmentida por suas trajetórias fixas e inelutáveis. Deus, "criador do universo (*universi artifex*)", os inventara "com um cálculo divino e admirável" para marcar as estações, exatamente como Arquimedes os imitava com sua "imagem e figura do mundo em cobre oco" (*Divinae institutiones*, II, 5). Assim, "há um criador do mundo (*artifex mundi*), Deus, e o mundo que foi feito é distinto de quem o fez" (II, 6). E, graças a seu poder ilimitado, Deus criou todas as coisas *ex nihilo*, enquanto o homem só pode criar "a partir daquilo que já existe". Contrariamente ao que pretendia o "louco Epicuro", a ordem maravilhosa do mundo proclama ser obra "do espírito, da previsão e do poder". O homem, "obra última de Deus", veio no fim, como nos ensinam as Escrituras, "pois todas as coisas foram feitas por causa dele" (II, 9).

A concepção cristã da Criação reduzia o mundo natural a um mecanismo operando segundo um sistema de leis. Nisto não se distinguia da cosmologia grega. Um século depois de Lactâncio, Basílio de Cesareia rejeitava uma vez mais, nas suas *Homiliae in Hexaëmeron*, toda animação dos céus. Ele comparava a reação da terra sob comando de Deus fazendo-a germinar a vegetação, à reação de um pião sob o golpe do cordão. Pois, assim como o pião "gira em círculos sinuosos seguindo um trajeto curvo, [...] a lei da natureza (*ratio natura*), que tira seu princípio do comando procedente de Deus, atravessa a totalidade do tempo antes de chegar ao fim e ao objetivo comuns" (V, 10).

Santo Agostinho

Essas ideias iriam influenciar o pensamento, a astronomia e a filosofia medievais ocidentais tomando duas vias principais. Ptolomeu, sábio do século II, foi, certamente, o astrônomo mais influente do mundo antigo. Deve sua reputação ao *Almagesto*, um texto em treze volumes apresentando modelos geométricos complexos dos movimentos dos corpos celestes. Essa obra proporciona muito poucos comentários sobre a natureza física do Universo e deu a numerosos especialistas, medievais e modernos, a impressão de que tal tema não lhe interessava. Ao contrário, seu *Hypotheses planetarum* revela que ele desejava um Universo encarnando os princípios gerais da filosofia natural de Aristóteles. A visão de Universo que ele expõe não permite, portanto, nenhum vazio. Para isso, sugere que a distância máxima em relação à Terra atingida por um planeta em seus movimentos ao redor da excêntrica e do epiciclo é igual à distância mínima atingida pelo planeta situado exatamente acima dele. Esse método engenhoso influenciou a astronomia medieval por intermédio de sábios islâmicos, em especial al-Farrani (Alfraganus). Teve, por efeito singular, fornecer uma escala completa das distâncias em todo o Universo, a começar pela distância, supostamente conhecida, entre a Terra e a Lua.

As ideias filosóficas sobre o cosmos transmitiram-se à Idade Média através de uma via privilegiada, a de Santo Agostinho. Ele foi, de início, seduzido pela semelhança enganosa entre a cosmologia do *Timeu* e a do Gênesis; mas Platão, segundo ele, não havia compreendido a criação *ex nihilo*. Agostinho oferece, então, um modelo aos pensadores medievais, ligando a imposição de uma ordem geométrica sobre o caos, do *Timeu*, ao mandamento de Deus que aparece no livro do Gênesis quando da criação do céu e da terra amorfos: *fiat lux* (*De Civitate Dei*, VIII, 11; X, 31; XXI, 8). Ele encorajou o pensamento platônico através da mediação essencial de Plotino, por meio de uma restrição inquebrantável: em suas doutrinas fundamentais sobre Deus, a Criação e a alma humana, o platonismo diferencia-se essencialmente do cristianismo. De resto, seguia Fílon, fazendo da teologia escriturística da Criação um princípio cardinal de sua filosofia da natureza. Assim, fornece à cosmologia ocidental um modelo que permite uma exegese racional do Gênesis. Ao mesmo tempo, propõe uma concepção particular da criação do Universo e de tudo que este continha pela revelação das leis da natureza, as quais, à maneira do *logos* de Fílon, foram estabelecidas por Deus e modificáveis por seu autor, mas inexoráveis no seu funcionamento natural.

As leis da natureza eram as leis dos números, que os sentidos podiam apreender no tempo e no espaço através das proporções racionais dos sons musicais, do crescimento dos vegetais e da ordem geral do Universo visível. Todas as coisas que apareceram no Universo "foram, de fato, criadas na sua origem e primitivamente numa espécie de tecido de elementos; mas elas se manifestam apenas quando têm ocasião. Pois [...] o próprio mundo está cheio de coisas por nascer". Em condições oportunas, essas coisas ocultas "podem eclodir e ser criadas em aparência de uma maneira qualquer pelo desenvolvimento de suas medidas, de seus números e de seus pesos justos" (*De Trinitate*, III, 9, 16). Exatamente como em música, o desenvolvimento providencial da história da natureza e do homem não podia se fazer imediatamente. Seu modelo incluía o tempo de aparecimento e esse modelo racional estava sempre encarnado nas "leis naturais (*naturales leges*)" imutáveis que Deus ordenara. Assim, a partir "dessas origens (*primordia*) das coisas", ou "princípios seminais (*rationes seminales*)", e graças à sua sabedoria onipotente, Deus "permite à potencialidade que ele precedentemente guardara em cada coisa que desabroche no tempo desejado" (*De Genesi ad litteram*, IX, 17). Essa análise permite a Agostinho conciliar o conteúdo de Gênesis I com a versão de Gênesis II, segundo a qual tudo foi criado de uma só vez.

As outras ideias de Agostinho sobre a concepção das leis da natureza propunham um contexto diferente para o exercício e o desenvolvimento do conhecimento científico. "Além de uma demonstração das circunstâncias presentes", as leis quantitativas da natureza continham "um elemento próximo da narração histórica; com efeito, fundando-se na posição presente dos astros e sobre seu movimento atual, é possível retraçar pelas regras seu curso passado" e, portanto, entregar-se a "predições, feitas segundo as regras, concernentes ao futuro" (*De doctrina christiana*, II, 29).

A exposição de Santo Agostinho sobre a criação racional e providencial do Universo natural e do homem encorajava o gosto pela pesquisa científica. "Para descobrir Deus", escrevia, "alguns leem um livro. Mas existe um grande livro: a própria aparência da criação. Levantem os olhos, abaixem-nos, vejam, leiam. Deus, que vocês buscam descobrir, não criou as letras de tinta; ele põe sob seus olhos as próprias coisas que fez" (*Novos ex codicibus vaticanis Sermones, Nova patrum bibliotheca*, sermão CXXVI). Esse livro da Criação tem por linguagem os números, cujas proporções platonicamente harmoniosas encontram-se tanto no macrocosmo celeste quanto no microcosmo humano. Cícero, Marciano Capela e Macróbio tornaram-se seus intermediários latinos, à medida que Boécio lhes dá lugar na instrução medieval com seu *De musica*. A arte divina e a arte humana reencontram-se na música sob a forma de *musica mundana, humana* e *instrumentalis*.

À apresentação da cosmologia de Santo Agostinho, os filósofos do início do século XII, que buscavam as causas naturais, além das razões divinas, acrescentaram uma nova aplicação do *Timeu* à exegese do Gênesis. O *Timeu* era conhecido pelo Ocidente medieval graças à tradução e ao comentário em latim que Calcídio havia feito no século IV. A influência direta e indireta de Platão engendrou, especialmente nas escolas do norte da França, um estilo racionalista matemático característico, que Thierry de Chartres e Guilherme de Conches aplicaram à Criação. Este último propunha uma interessante associação entre Platão e o atomismo epicuriano. No seu *Tractatus de sex dierum operibus*, Thierry serve-se do *Timeu* para mostrar como a sequência dos seis dias bíblicos emana naturalmente da ordem inerente à criação inicial dos quatro elementos no primeiro instante de tempo. As matemáticas estavam no centro de toda explicação racional do Universo e dominar o *quadrivium* matemático poderia levar também ao conhecimento do Criador, pois "a criação dos números é a criação das coisas". Uma vez criado, o elemento exterior – o fogo – que envolve todo o resto imediatamente se põe em rotação, por causa de sua leveza e, havendo circulado o céu, ele completou o primeiro dia. Na sua segunda rotação, formando o segundo dia, o céu ardente e luminoso sublimou uma parte das águas circulando o globo terrestre central e elevou-a para formar o firmamento, sobre a concha de ar intermediário. Essa redução das águas cobrindo o globo conduziu o terceiro dia à emergência da terra firme, saída dos oceanos. O calor do ar e a umidade da terra engendraram as plantas e as árvores. Depois, no quarto dia, o calor formou as estrelas, aglomerando as águas do firmamento. No quinto dia, o calor produzido pelos movimentos consecutivos fez nascer os peixes e os pássaros nas águas terrestres. Enfim, no sexto dia, a própria terra recebeu o poder de engendrar os animais, incluindo o homem, feito à imagem de Deus. Thierry emprestou de Santo Agostinho também os princípios seminais estoicos que explicam a aparição de novas criaturas com o correr do tempo. Admite ainda a dominação de toda matéria por uma *anima mundi* divina.

Essa visão das coisas foi levada a um alto grau de refinamento no começo do século XIII por Roberto Grosseteste, um pensador da tradição cristã crítica herdada de Lactâncio, Basílio de Cesareia e Agostinho, dos quais conhecia bem os escritos. O contexto e a estrutura de seu pensamento eram teológicos; tratava-se de uma teologia da revelação desenvolvida através da exegese das Escrituras e da análise de ideias seculares de filósofos. E controlada pela observação e pelo raciocínio no que tocava à filosofia natural. Sua cosmogonia e sua cosmologia, tais como figuram no *De luce, De motu corporali et luce* e no *Hexaëmeron*, propõem uma exegese da primeira injunção de Deus quando da Criação: *fiat lux*. Postulava que a luz (*lux*) foi a forma e a energia físicas iniciais, capaz de se propagar em linha reta em todas as direções, sem perder substância. A luz foi o instrumento por meio do qual Deus havia produzido todo o Universo físico, desde o macrocosmo das esferas celestes, ao microcosmo do corpo humano. Deus havia criado, no início dos tempos, a matéria informe e um ponto de luz que, por autodifusão, havia engendrado primeiro as dimensões do espaço, depois as esferas celestes e elementares do cosmos aristotélico; estes adquiriam uma densidade maior aproximando-se do centro sob a forma de fogo, ar, água e terra, e de todas as coisas, inanimadas e animadas. A óptica era, pois, a ciência física fundamental e as matemáticas essenciais ao conjunto das ciências.

Certas passagens notáveis do *Hexaëmeron* mostram tudo o que a teoria científica de Grosseteste deve à doutrina fundamental da Criação. A Criação *ex nihilo* de um mundo inteiramente distinto de seu criador por uma divindade onipotente inteiramente livre, impenetrável para o homem, fazia deste mundo um sistema de leis naturais bem ordenadas, cuja existência dependia de Deus, mas que normalmente era movido por seus próprios poderes reguladores, sem intervenção divina direta. No entanto, a onipotência impenetrável de Deus expõe o conhecimento humano da natureza a uma contingência permanente, ainda reforçada, no tempo de Grosseteste, pela experiência científica. O homem tinha, assim, a liberdade de ação de distinguir os conhecimentos que estimava bem estabelecidos pela observação e pelo raciocínio daqueles que não o eram. O que lhe permitia propor livremente todos os tipos de teorias que o levavam a pôr em causa as hipóteses correntes a propósito dos céus e de seus motores e até dos movimentos observáveis dos corpos celestes, a existência de epiciclos e círculos deferentes e a revolução do firmamento estelar. Grosseteste julgava absurda a ideia de "certos filósofos" (Aristóteles e Avicena) que atribuíam o movimento dos céus a uma "inteligência" (I, XVII, 1). As "luzes celestes são apenas corpos e não seres vivos" (IV, XV, 2). Pode-se imaginar todo tipo de motores para explicar nossas observações do céu e talvez sejamos definitivamente incapazes de identificá-los. Malgrado as pesquisas minuciosas de numerosas pessoas concernentes à natureza do firmamento, "não sei se alguém descobriu a verdade, ou, se a encontraram, não sei se o fizeram por um raciocínio justo e certo". Pois, "como posso, na minha ignorância, dar uma resposta?". Desse modo, tudo o que Ptolomeu "diz e pensa haver demonstrado a propósito dos movimentos dos céus pode ser imaginado sem o movimento dos céus". Como saber se não existem "outros planetas, invisíveis para nós" ou, na Via Láctea, "como saber, senão por revelação divina, se não há mais estrelas desse tipo, invisíveis para nós [...]. Os raciocínios que se entrelaçam nessas questões são mais frágeis do que teias de aranha" (III, VI, 1; VIII, 3).

O averroísmo: Deus e as leis da natureza

A questão da onipotência inteiramente livre de Deus e de suas relações com o conhecimento e a liberdade humanos encontra seu término no século XIII, no contexto aristotélico do movimento averroísta. A teologia e a esperança cristã supunham a existência de um mundo cuja criação, pela vontade providencial de Deus, estabelecia o começo e a sucessão do tempo, no qual, sob autoridade divina, o homem é responsável e livre para cumprir um destino prescrito. Essa visão contrastava vivamente com a imagem do Deus aristotélico, primeira causa racional, de essência e perfeição manifestas e do qual o mundo é emanação eternamente necessária, sem começo nem fim. Esse contraste era ainda mais acentuado, uma vez que a metafísica aristotélica fez sua aparição no Ocidente latino acompanhado de paráfrases e comentários árabes que enfatizavam seu determinismo. Os teólogos muçulmanos, assim como os cristãos, haviam tentado defender a liberdade onipotente de Deus contra esse determinismo, mas quando os filósofos, sobretudo Averróis, introduziram a ideia de criação em suas interpretações da metafísica aristotélica, pareceram, assim fazendo, negar ao mesmo tempo a livre providência divina e a livre responsabilidade humana. Não somente a razão divina aristotélica era obrigada, por sua perfeição, a criar o melhor de todos os mundos possíveis como, além disso, a razão humana poderia apreendê-lo com perfeita certeza.

A reação cristã, em especial a de Alberto Magno e de São Tomás de Aquino, foi se interrogar sobre a existência de argumentos demonstrativos em matéria de revelação, tais como a criação em oposição à eternidade do mundo, ou a natureza do poder de Deus em relação a outros de seus atributos revelados, como a vontade, a razão, a bondade e a presciência. Esse exame levou à distinção entre a potência de Deus, considerada absolutamente (*potentia absoluta*) e sua potência ordenada (*potentia ordinata*), que age no seu plano de criação de acordo com sua bondade providencial. Assim, Deus limita voluntariamente sua potência absoluta, exceto nas circunstâncias extraordinárias em que escolhe transcender por um milagre a ordem natural que criou.

Em 1277, quando Estêvão Tempier, bispo de Paris, condenou uma lista de teses filosóficas, seu primeiro cuidado foi defender o poder absoluto de Deus contra qualquer tentativa de limitação pela filosofia aristotélica corrente. Certo número de proposições afirmava explicitamente o que Deus não podia fazer. Não podia fazer mais de um mundo (*Chartularium Universitatis Parisiensis*, 34), não podia fazer um homem sem a intermediação de um pai humano (35), causar um ato novo ou produzir qualquer coisa nova (48), mover os céus de maneira retilínea, pois causaria um vazio (49), mover o que quer que seja de modo diverso daquele pelo qual se move (50), produzir um acidente sem sujeito ou com mais de três dimensões (141), nem realizar aquilo que é absolutamente impossível (147). Outras proposições contradiziam ou contestavam a doutrina da Criação afirmando que o mundo é eterno (87, 90, 93, 98, 107). Outras atribuíam inteligência ou alma aos corpos celestes (92, 94, 95) ou afirmavam que é contraditório dizer que os céus podem existir sem movimento (100). Tempier condenou igualmente a ideia de que não existe questão contestável pela razão que um filósofo não deva contestar e regrar pela discussão (154). De fato, a consequência da afirmação teológica do poder absoluto de Deus parece ter livrado os filósofos naturais mais ousados dos limites do aristotelismo; ficaram livres para explorar pela especulação uma diversidade de mundos virtuais que Deus poderia ter criado se o houvesse escolhido, entre os quais a ausência, a infinitude e a pluralidade de universos. As proposições condenadas foram amplamente citadas no século XIV por pensadores tão inovadores quanto Tomás Bradwardine, João Buridan, Nicolau Oresme e Alberto da Saxônia. A doutrina do poder absoluto e impenetrável de Deus teria grande alcance: alargava o domínio do sobrenaturalmente e especulativamente possível, à custa das certezas admitidas pela experiência e pelas demonstrações da filosofia.

Deus usa de seu poder ordenado para limitar voluntariamente seu poder absoluto. Assim, preserva a ordem estabelecida da natureza e abre-a à pesquisa humana. Guilherme de Ockham afirmava que essa ordem segue "as leis ordenadas e estabelecidas por Deus (*secundum leges ordinatas et institutas a Deo*)" (*Quodlibeta*, VI, 1). Ele aplicava ao mundo criado, tanto material quanto moral, a metáfora de leis decretadas por um dirigente impenetrável. A humanidade só pode aceitar a ordem das coisas tal como se apresenta através da experiência e da revelação. Por seu poder absoluto, Deus poderia derrubar "a lei universal (*communis lex*)" da ordem moral existente, tornando más as boas ações e boas as más, "se elas estivessem desse modo conformes aos preceitos divinos" (*Questiones in librum II Sententiarum*, q.15). Do mesmo modo, nada o impediria de derrubar a ordem material existente se assim o decidisse. A única garantia de permanência, tanto moral quanto material, seria a bondade de Deus.

As leis da natureza, impostas do exterior pela vontade ordenada de Deus, ditam integralmente a ordem natural. Por outro lado, o conceito de natureza vê-se privado de todo princípio de racionalidade independentemente intrínseco que Aristóteles havia postulado. Essa visão das coisas implicava a tendência a assimilar a natureza a uma obra de arte. Era o produto de uma arte divina, opaca à razão humana, ao contrário do que havia pretendido Platão e Aristóteles, e o homem somente poderia apreendê-la exteriormente, através de seus efeitos. Aplicando a dinâmica do *impetus* ("ímpeto") às esferas celestes, Buridan especificava: "Pode-se dizer que Deus, quando criou o Universo, pôs em movimento cada uma das esferas celestes à sua vontade, impondo a cada uma delas um ímpeto que depois a movesse". Depois da Criação, resta a Deus apenas "dar sua aprovação a todos os fenômenos [...], confiando às coisas criadas suas causas e efeitos mútuos".

O homem e o relógio

Convém ligar essa visão à analogia entre a invenção do divino artesão, cujas razões o homem não pode penetrar, e as invenções inteligíveis para o homem, porque ele é seu autor. O relógio mecânico, acionado primeiro por água e depois (por volta de 1280) pela descida de pesos, tornou-se um objeto da vida cotidiana em meados do século XIV em numerosas cidades europeias. Um dos motivos mais poderosos que presidiu a produção de tais mecanismos foi o desejo de representar a marcha do Universo. O mais simples dos relógios não possuía mostrador e limitava-se a soar as horas. Os relógios providos de um ou mais mostradores quase invariavelmente apresentavam os céus na forma de um astrolábio, instrumento científico onipresente na Idade Média. O astrolábio, com sua placa perfurada sobre a qual estavam representados os astros girando cotidianamente acima de outra placa, a qual demarcava a posição terrestre do observador, simbolizava o Universo. Símbolo que permanece, é verdade que sob uma forma difícil de reconhecer, nos atuais mostradores de relógio.

Os relógios astronômicos mais elaborados superpunham os movimentos do Sol, da Lua e dos planetas sobre um fundo sideral. O mais antigo relógio inteiramente mecânico de que temos conhecimento detalhado foi construído no século XIV pelo matemático e astrônomo de Oxford, Ricardo de Wallingford, abade de Saint Albans. Ele mostrava inclusive os eclipses da Lua. Na Itália, pouco depois, João de Dondi fabricou um notável relógio astronômico num quadro hexagonal; em vez de apresentar o Universo num sistema integrado, ele tinha concebido mostradores distintos para o Sol, a Lua e os planetas. Esses dispositivos não ilustravam uma vaga metáfora filosófica, pois os indicadores dos corpos celestes seguiam invariavelmente as trajetórias definidas pelas versões mais avançadas da astronomia ptolomaica, com seus parâmetros tomados das tabelas afonsinas.

Quando o poeta inglês do fim do século XIV, Geoffrey Chaucer, enfeita sua poesia com metáforas cósmicas, procede, em geral, de cálculos meticulosos, ajudado por essas mesmas tabelas astronômicas. Chaucer cita, ocasionalmente, é verdade, os grandiosos paralelos arquitetônicos que Dante tinha popularizado no começo do século. Em um dos seus *Contos da Cantuária*, o "Conto do proprietário de terras", um cavalo de cobre que tem um papel central na história é certamente o equivalente de um astrolábio ou de um relógio-astrolábio e, portanto, em última instância, um equivalente do cosmos. No "Conto do cavaleiro", da mesma coletânea, o lugar em que se joga o destino dos protagonistas é um microcosmo tendo como modelo o próprio macrocosmo. Nessas como em outras passagens da poesia de Chaucer, encontram-se igualmente certas influências astrológicas, com o macrocosmo afetando o microcosmo. O que nos deve lembrar que, numa sociedade que leva a sério as influências astrológicas, o Universo possui uma realidade e uma imediatez muito superior àquelas que lhe concede nossa época objetivista.

Os relógios despertaram igualmente o interesse dos filósofos, pois se tratavam de mecanismos programados suscetíveis de autorregulação. Em 1377, sete anos depois de Henrique de Vick ter instalado um relógio no

Palácio Real de Paris, Nicolau Oresme terminava o *Livro do Céu e do mundo*. Essa obra havia lhe sido encomendada por Carlos V, no contexto de seu projeto de tradução francesa do conjunto da obra de Aristóteles, seguida de comentários. Oresme escreve ali que é inútil supor, como o fazem Aristóteles e Averróis, a existência de "inteligências" pondo em movimento os corpos celestes. Seria mais provável que, "quando Deus os criou, deu-lhes qualidades e virtudes motivas, assim como pôs peso nas coisas terrestres e pôs nelas resistências contra as virtudes motivas". Ele harmonizou mutuamente esses poderes e resistências, a fim de que os movimentos celestes se fizessem sem violência, "e, exceto a violência, é semelhante a um homem que faz um relógio e o deixa e este se move por si. Assim, Deus deixou os céus serem movidos continuamente segundo as proporções que as virtudes motivas têm em relação às resistências e segundo o ordenamento estabelecido" (II, 2). Deus respeita essa ordem mesmo quando, a título extraordinário, realiza um milagre, por exemplo quando alonga o dia de Josué. Oresme afirma que esse milagre seria mais econômico se supuséssemos que Deus suspendeu a rotação da Terra, em vez da de todos os céus. Em todo caso, "quando Deus faz um milagre, deve-se supor e sustentar que o faz movendo o menos possível o corpo comum da natureza" (II, 25).

A escolástica, Dante e o Universo

Os escritos medievais sobre o Universo são uma legião, mas eles concernem, mais comumente, à sua estrutura interna que a seu caráter de entidade em si. Os escritos sobre "a esfera", por exemplo, eram essencialmente concebidos como introduções à astronomia esférica destinadas aos estudantes. Apresentavam também alguns elementos de cosmologia aristotélica, mas sua profundidade filosófica era bastante reduzida. A mais célebre obra desse gênero foi o *De sphaera mundi*, de João de Sacrobosco, talvez escrita em Paris no começo do século XIII. Encontram-se também nesse autor fracos ecos platônicos, especialmente quando ele explica a esfericidade dos céus. A razão é apresentada como uma questão de *similitudo, commoditas* e *necessitas*: "A similitude vem do fato de que este mundo sensível foi feito à similitude do mundo arquetípico, no qual não há nem fim nem começo" (*De sphaera mundi*, I). À semelhança do mundo sensível, os céus possuem uma forma redonda arquetípica na qual não se podem distinguir o começo e o fim. Também aqui, no entanto, a maior questão só diz respeito à forma do Universo e não à extensão ou suas propriedades cosmológicas mais vastas.

Examinando os limites exteriores do Universo, o clero cristão da Idade Média buscava absolutamente – e isto é típico – ultrapassar as esferas da astronomia para atingir as do Empíreo. A hierarquia angélica do Pseudo-Dioniso (*c.*500) previa uma divisão entre três ordens de anjos, cada uma das quais subdividida em outras três categorias. O nível mais elevado é o mais próximo de Deus, o nível mais baixo, o mais próximo do homem. A representação espacial dessas ordens era quase sempre considerada uma única extensão das esferas da cosmologia aristotélica. Essa doutrina levava a marca muito nítida das ideias pitagóricas elaboradas pelos autores gnósticos e não estava muito longe dos escritos que associavam divindades aos planetas, divindades que podiam ser invocadas por hinos apropriados. Malgrado os perigos espirituais que implicava, a ideia de uma *musica coelestis* irá se revelar muito produtiva cientificamente. Na Idade Média, essa ideia apareceu em numerosas visões poéticas, das quais a mais memorável é a do *Paraíso* de Dante, no qual a *musica mundana* e a *musica coelestis* se associam numa ardente mistura de luz e som.

As concepções fundamentais do Pseudo-Dioniso difundiram-se primeiro por intermédio de Gregório Magno. Mas foi evidentemente *A divina comédia*, de Dante, que lhe deu sua maior publicidade. Esse poema não seria imaginável sem a influência do Pseudo-Dioniso. Embora atraído por essas imagens tradicionais como Dante estava, fala a seu favor haver repetido inúmeras vezes para seus leitores que o Empíreo, sede de Deus, dos anjos e dos espíritos bem-aventurados, não se encontra no espaço. Não é nem mesmo temporal. Essa ideia conduziu Dante a um paradoxo teológico, a saber, que a ressurreição do corpo liberta em definitivo a alma material do espaço e do tempo. Embora atualmente se tenha alguma dificuldade em perceber que essa questão tenha relação com a concepção de Universo, é inegavelmente o caso para um clérigo do século XIV. Isso nos lembra fortemente a dualidade corpo-alma que tinha inspirado tantos elementos da reflexão de Platão sobre a Criação, mais de dezessete séculos antes.

A questão da Criação inspirou na Idade Média menos comentários sarcásticos do que se poderia pensar. Indubitavelmente por medo de entrar em conflito com as autoridades. A ortodoxia exigia que o Universo tivesse sido criado *ex nihilo*, não por toda a eternidade, mas a partir de um momento preciso. Anselmo da Cantuária levara avante a discussão sobre esses temas no século XI (*Monologion*, IX). Sua solução revela seu platonismo: uma coisa não pode de maneira alguma ser criada sem que exista previamente no espírito daquele que a cria. Antes da Criação, as coisas existiam por toda a eternidade na forma de ideias, separadas de Deus e em Deus, como um exemplo, uma similitude ou uma regra da qual este haveria de ser criado. Em suma, o "nada" não era nada em relação com o Um, aquele que criava. Anselmo foi mais longe ainda no seu prudente contorno da ortodoxia, subentendendo que os seis dias da Criação talvez não fossem dias no sentido que damos a essa palavra (*Cur deus homo*, I, 18). Esse ponto foi longamente debatido por Alberto Magno e São Tomás de Aquino. Como a maior parte dos autores, eles chegaram à conclusão que o relato do Gênesis era um artigo de fé.

Em certo sentido, era uma negação da cosmologia científica. Mas, se não levarmos em conta a conclusão, o recurso final à fé, resta um modelo de debate cujo caráter é racional e amplamente científico. A astronomia não desempenhou um papel central, mas sempre fez parte do contexto. Essa situação contrasta claramente com as ideias sobre a Criação provenientes de seitas heréticas como os cátaros e os albigenses; estes recorriam a um pensamento grosseiramente analógico, saído em grande parte de fontes orientais muito antigas. Em seu espírito, a Criação era fruto da combinação do bem e do mal, princípios que existiam por toda a eternidade. A Baixa Idade Média assistiu ao nascimento de outras heresias do mesmo gênero, das quais algumas eram claramente panteístas. Começando por um raciocínio que se aproxima um pouco do de Anselmo, Mestre Eckhart termina por dizer que o Deus criador está presente na essência de todos os objetos visíveis criados.

A concepção de Universo inspirada pela visão escolástica da doutrina da Criação estabelecerá as características fundamentais e duráveis da filosofia natural ocidental. No século XVII, Descartes, Robert Boyle e Isaac

Newton consideravam que as leis implantadas por Deus na natureza, e totalmente dependentes do seu poder ordenador, eram ao mesmo tempo objeto de pesquisa científica e o caminho que conduz ao conhecimento do Criador. Quantificadas sob forma matemática, num processo começado no século XII, essas leis ofereciam um programa de pesquisa novo e incomensuravelmente mais poderoso que a concentração taxionômica aristotélica sobre substâncias específicas e suas propriedades. A doutrina da Criação inspirou igualmente a analogia entre arte divina e arte humana e a redução do mundo natural a um mecanismo inanimado funcionando automaticamente de acordo com suas leis, como no Universo inanimado e na máquina animal de Descartes, ou no exemplo do relógio de Estrasburgo de Boyle. Isso permite compreender melhor certos fenômenos naturais que conhecemos porque somos nós mesmos os autores dos modelos que nos permitem simulá-los.

ALISTAIR CROMBIE E JOHN NORTH
Tradução de José Carlos Estêvão

Ver também

Corpo e alma – Deus – Natureza – Ordem(ns) – Tempo

Orientação bibliográfica

BIANCHI, Luca. *Il vescovo e I filosofi*: la condanna parigina del 1277 e l'evoluzione dell'aristotelismo scolastico. Bergamo: Lubrina, 1990.

CROMBIE, Alistair C. *Histoire des sciences de Saint Augustin à Galilée (400-1650*. Paris: Presses Universitaires de France, 1959. 2v.

_____. *Robert Grosseteste and the Origins of Experimental Science* [1953]. Oxford: Clarendon, 1971.

_____. *Science, Optics and Music in Medieval and Early Modern Thought*. Londres: Hambledon, 1990.

_____. *Science, Art and Nature in Medieval and Modern Thought*. Londres: Hambledon, 1992.

_____. *Styles of Scientific Thinking in the European Tradition*. Londres: Hambledon, 1993.

GIMPEL, Jean. *A revolução industrial da Idade Média* [1975]. Tradução portuguesa. Lisboa: Europa-América, 1976.

GOLDSTEIN, Bernard. *The Arabic Version of Ptolemy's Planetary Hypotheses.* Filadélfia: American Philosophical Society, 1967.

GREGORY, Tullio. *Anima mundi*: la filosofia di Guglielmo di Conches et la scuola di Chartres. Florença: Sansoni, 1955.

_____. *Platonismo medievale.* Roma: Istituto Storico Italiano per il Medio Evo, 1959.

HARING, Nikolaus M. *Commentaries on Boethius by Thierry of Chartres and his School.* Toronto: Institute of Mediaeval Studies, 1971.

HISSETTE, Roland. *Enquête sur les 219 articles condamnés à Paris le 7de mars 1277.* Louvain: Publications Universitaires, 1977.

NORTH, John D. *Richard of Wallingford.* Oxford: Clarendon, 1976. 3v.

_____. *Chaucer's Universe.* Oxford: Clarendon, 1988.

_____. *Stars, Minds and Fate.* Londres: Hambledon, 1989.

_____. *The Universal Frame.* Londres: Hambledon, 1989.

OAKLEY, Francis. *Omnipotence, Covenant and Order.* Ithaca: Cornell University Press, 1984.

STOCK, Brian. *Myth and Science in the Twelfth Century*: a Study of Bernard Silvester. Princeton: Princeton University Press, 1972.

VAN STEENBERGHEN, Fernand. *Aristote en Occident.* Louvain: Éditions de l'Institut Supérieur de Philosophie, 1946.

Violência

A Idade Média seria, por excelência, o tempo da violência. Essa ideia está profundamente enraizada em nosso imaginário e é estreitamente associada às imagens desvalorizantes que a historiografia veicula dos costumes medievais. De fato, esse discurso tem um longo passado que extrai suas raízes dos escritos daqueles que, desde a Idade Média, condenam a violência, quer se trate da Igreja ou do Estado. Desde a época carolíngia, a administração judiciária nas mãos dos condes e dos *missi dominici*, sob o pretexto de fazer respeitar a ordem pública, se apraz em descrever os crimes horríveis cometidos pelos ladrões. Depois, no entender dos clérigos que no século XI defendem o movimento da "paz de Deus", em todas as partes do Ocidente só ocorrem incêndios, sacrilégios, estupros, raptos de virgens ou de mulheres casadas, roubos de gado e assaltos a mercadores, assassínios e homicídios. Um século mais tarde, na pena de Suger, a imagem toma corpo sob uma forma que ela empresta da Vulgata e de Santo Agostinho. Da mesma maneira que Jesus expulsa os mercadores do Templo, a civilização cristã deve fazer desaparecer a "caverna dos ladrões" onde a barbárie se deleita. No final da Idade Média, os imperativos do Estado nascente enriquecem essa imagem com uma nota coercitiva. Na França, por exemplo, desde o século XIV, o movimento humanista incita a purgar o "vasto refúgio de ladrões" em que se transformara o reino da França, e Nicolau de Clamanges não hesita a aconselhar o rei bem como seus justiceiros a exercer o rigor da justiça para com os criminosos que o poluem.

Esse discurso sobre a violência é retomado, sem uma efetiva discussão até os nossos dias, como testemunho de uma realidade social medieval específica e, consequentemente, como uma etapa anterior, mas necessária, para o processo de civilização que conduziria a uma progressiva modificação das formas da agressividade primitiva. Os estudos conduzidos sobre a "paz de Deus" e sobre as exigências dos Estados nascentes já tendem a matizar tal esquema. Eles mostram como o discurso das autoridades é uma arma política que pode ocultar a verdade. No século XI, o banditismo é ato de grupos muito bem escolhidos: os senhores saqueadores que são o ferro das lanças da violência, e é para eles que prioritariamente se dirige a preocupação da Igreja, ameaçada em seus bens. Depois, nos séculos XIV e XV, na França, o discurso sobre a violência torna-se um elemento da construção do Estado. O espaço de conhecimento dilata-se até as fronteiras que se fortificam e, para assegurar finalmente a existência de um conjunto coerente, o reino une-se pelo medo e pela consciência de suas diferenças. É muito significativo que, falando das fronteiras dos Estados, os discursos proclamem as violências sanguinárias cometidas por aqueles que são considerados impuros e que ali instalaram seus lugares predilectos. Essas zonas extremas são apresentadas como terras inquietantes, que se abrem para o desconhecido, domínio privilegiado de estrangeiros, banidos, bastardos, de todos aqueles que a sociedade rejeita em suas margens.

A imagem é produto do discurso e não resiste à análise dos fatos. O estudo serial das realidades do crime mostra que os lugares periféricos não parecem submetidos a uma violência diferente daquela que grassa no coração dos Estados. Mas o fantasma existe e faz parte do que se pode chamar, desde a Idade Média, de o imaginário da insegurança. Ele é tão eficaz que o auditório mostra-se ávido por crimes, mas só oferece uma imagem indireta das formas da violência medieval. Delimitar a parte que cabe ao discurso sobre a violência é, portanto, uma precaução necessária, mas que não basta. Para compreender o lugar ocupado pela violência na Idade Média, convém se desfazer de todos os lugares-comuns. Afirmar que na Idade Média existe uma agressividade latente ou uma violência deliberada testemunhada pelas guerras incessantes ou pelo fragor dos suplícios, e que tais impulsos exacerbam-se em tempos de crise, é, enfim, formular um julgamento perfeitamente anacrônico. A história deve se situar o mais próximo possível de uma descrição de comportamentos sem se referir aos nossos conceitos contemporâneos. Estes se baseiam em um postulado segundo o qual a vida humana deve ser salvaguardada a todo preço, o que não faz parte dos valores da sociedade medieval. Para ela, a violência é o resultado de um encadeamento de fatos necessários à manutenção da honra ou do renome, qualquer que seja a procedência social dos indivíduos, sejam eles nobres ou não nobres. A violência não está então ligada a um estado moral condenável em si; é o meio de provar a perfeição de uma identidade.

Um conceito intangível

As palavras que designam a violência na Idade Média permitem melhor definir os domínios concretos que ela ocupa. Os termos "violência" e "violento" são de emprego raro e se referem a um caso particular, o do estupro: faz-se "violência da virgem". A violência fundadora é essa, excesso condenado porque despreza as leis fundamentais da reprodução. "Cruel" e "crueldade", que poderiam designar os efeitos mais nefastos da violência, quase não são empregados num sentido moral e afetivo. Sua significação é, antes de tudo, política e qualifica quase sempre a ação tirânica. A opressão é *"crueuse"*. Ela se reconhece nos atos criminais que fazem começar o Inferno neste mundo e sua ação pede, enfim, a vingança do sangue injustamente derramado. O tirano é aquele que manifesta a mais extrema violência, devorando indistintamente homens, mulheres e crianças. Sua antropofagia inibe as leis da reprodução e só pode conduzir à morte total da humanidade, à anticivilização. O seu protótipo é Herodes, porque ordena a execução de crianças inocentes e projeta a imagem do lobo-tirano devorador de ovelhas. Com aqueles termos, fica-se na ação e na condenação dos abusos da força.

Os qualificativos psicológicos relativos à personalidade dos indivíduos raramente são empregados. No médio francês, o adjetivo mais preciso, *"rioteux"*, refere-se ao estado de alguém que se notabilizou de maneira repetida mas anárquica nas rixas e cujos excessos os contemporâneos guardam na memória. O mesmo acontece com aqueles que são considerados "vingativos", "injuriosos" ou suscetíveis de "falar frivolamente". As alusões aos temperamentos que se inflamam sem razão têm certamente tendência a se multiplicar ao final da Idade Média, como demonstra o impacto dos discursos da Igreja e do Estado para defender a paz a todo preço; em compensação, a agressão raramente é condenada quando resulta de uma causa considerada justa e quando se desenrola segundo as regras da vingança reconhecidas por todos. São os excessos da violência que são objeto de condenações, não a violência propriamente dita. Responder a injúria com injúria é do domínio do possível, até mesmo do necessário, mas acrescentar propósitos ou gestos que infrinjam as regras do combate é levar a discussão para um campo que lhe modifica o sentido e que se qualifica de "vilão", até mesmo de "desumano". Esses atos são considerados gratuitos e como tais são condenados. Assim se esboça a ideia de que pode haver uma violência lícita quando ela respeita as leis mais ou menos tácitas que obrigam a um combate claramente anunciado entre as partes adversas. O primeiro estágio da análise das palavras permite enfatizar o que faz a originalidade da violência medieval: ela obedece a um código e, como tal, não pode ser nem espontânea nem ilimitada.

Porque sabe usar a violência, a sociedade medieval pode integrar essa violência como uma energia necessária ao vínculo social. A violência permanece, em grande parte e durante toda a Idade Média, como o fundamento das hierarquias de poderes: violência de senhores entre si pela posse do *ban* de poderosos de todo tipo impondo suas exações aos rústicos. O poder, que se define inicialmente pela aquisição de privilégios, disputa-se pela exclusão de adversários iguais ou subalternos. Ele se justifica pela força que o fundamenta e pela proteção que dele decorre. Raptos, estupros e banditismos marcam a instalação das linhagens nobres no decorrer dos séculos X e XI. E, mais tarde, ao final da Idade Média, quando as coações estatais impõem um ideal de paz, são ainda aquelas formas de violência que se tornam privilégios da nobreza ocidental e contribuem para defini-la. De um certo modo, a nobreza toma consciência de si mesma confiscando a violência em seu proveito e escapando à obediência que o Estado ou a Igreja impõem. A violência é constitutiva da nobreza.

Assim se explicam as longas viagens à Prússia, a participação nas guerras privadas, o florescimento das ordens de cavalaria e o peso dos contratos ou das alianças que se mede pelo número de homens de armas colocados a serviço de uma ajuda mútua que funda a solidariedade nobiliária. O palácio das grandes famílias nobres é uma zona de turbulência. Ali estão lado a lado jovens mal posicionados e matadores de aluguel, esposas e prostitutas, filhos legítimos e bastardos. Essa exaltação da violência tem a mesma natureza da nobreza, que até o fim da Idade Média deve assegurar sua reputação para garantir seus privilégios. Para ser nobre é preciso ser violento, e só o nobre pretende ter o direito de sê-lo: assim se desenha uma sociedade dominada pela força. É necessário, entretanto, nuançar essa adequação entre violência e nobreza, pois a linguagem política fundada sobre a violência está longe de ser exclusiva. As formas do poder definidas pelo direito venceram, como as eleições preconizadas pelo direito canônico e retomadas pelas assembleias dos Estados, ou as formas que dão prioridade ao sangue e à hereditariedade, ou ainda as concedidas pelo saber. Tantas invectivas limitaram o triunfo da violência, inclusive nas camadas nobiliárias, que souberam, aliás, monopolizá-las e tornar-se o ferro da lança da paz.

Um fenômeno social onipresente

O estudo apenas das classes privilegiadas poderia, entretanto, conduzir a um contrassenso sobre o lugar da violência medieval. Se a nobreza tem, voluntariamente, comportamentos violentos e se ela os concebe como um privilégio que lhe é mais ou menos reconhecido, a violência está bem dividida por todas as camadas sociais. Pode-se mensurá-la graças aos arquivos judiciários e, em particular, às taxas de homicídios. Ele é o primeiro dos crimes recenseados para o conjunto da Europa, de Gand a Florença, de Colônia a Avignon, no reino da França ou da Inglaterra como na Península Ibérica. Só ele constitui de 50% a 75% dos crimes conhecidos. Os crimes contra os costumes, assim como os crimes políticos, são raros. Quanto aos crimes contra os bens, roubos ou pilhagens, não excedem um quarto dos casos recenseados. É provável que o roubo escape em grande parte à análise, pois ele não é sempre considerado uma violência contra os bens quando é cometido em caso de extrema necessidade; ele permanece, então, muito tempo como um crime desculpável, em nome do princípio da assistência mútua que o direito canônico codifica tal qual o definiu Graciano em meados do século XII. O homicídio é, então, a forma de violência mais bem vigiada pela justiça e, de fato, aquela que parece a mais difundida. O homicídio reagrupa todos os crimes de sangue. É preciso esperar até o fim da Idade Média para que a morte voluntária distinga-se dele pela premeditação e assuma então um sentido próximo de assassínio, palavra que, no sentido atual, não aparece antes do século XVI.[1]

Desde o século XIII, as coletâneas de direito costumeiro bem como os textos da prática jurídica preferem distinguir os homicídios considerados "belos feitos" daqueles que se colocam entre os "casos desprezíveis". Os primeiros respondem às leis da vingança honrada: eles ocorrem de dia, após um desafio, em público. Os segundos escondem-se privadamente, de noite, sem advertência feita à vítima, eventualmente recorrendo a um assassino profissional. Nos dois casos, o culpado arrisca-se à pena máxima, que em geral é o enforcamento ou o banimento, em virtude da lei divina que os juízes devem aplicar: "Não matarás". Mas a natureza do homicídio, quando se trata de um belo feito ou de legítima defesa, pode facilmente conduzir à indulgência e sobretudo à graça que as autoridades concedem. O rei da França, no final da Idade Média, agracia facilmente os autores de homicídios que lhe solicitam uma carta de remissão. A violência que pode conduzir à morte acha-se então legitimada, o que prova que não existe ruptura entre os valores que defendem a sociedade cometendo o crime e o poder que respeita o ato cometido absolvendo o criminoso. Podia-se esperar um

---

[1] O autor evidentemente se refere à língua francesa, na qual três palavras distinguem diferentes níveis desse crime: *meurtre* (palavra surgida em fins do século XI, vinda do latim) designa a morte voluntária de uma pessoa; *homicide* (surgida no século XII, também de origem latina) indica o ato de matar um ser humano, intencionalmente ou não; *assassinat* (aparece em 1547, vindo do italiano) qualifica a morte premeditada de alguém. Em português, "homicídio" (vocábulo de 1012) engloba também o sentido de *meurtre* por meio de adjetivação (homicídio culposo ou doloso ou qualificado etc.). A palavra "assassinato" procede do francês um pouco antes de 1670 e "assassínio", preferido pelos puristas, é de 1712. [HFJ]

poder coercitivo, respondendo à violência pela violência. É o caso para um pequeno número de crimes ou de criminosos, em particular os que atacam a própria essência do poder, como a heresia, a traição e a lesa-majestade, ou certos casos tratados voluntariamente de modo exemplar. O procedimento extraordinário que se propaga a partir do século XIII e que pode incluir a tortura utiliza uma repressão violenta. Mas, em face dos crimes mais numerosos que são os homicídios, o poder responde de preferência com o perdão, o que é uma maneira de aprovar a vingança privada que conduziu à morte do adversário.

Essa atitude do poder baseia-se na natureza do homicídio, que na maior parte dos casos apresenta-se como uma resposta a uma honra ofendida. A violência obedece, então, em todas as categorias sociais, a um encadeamento lógico dos fatos. Aquele que conduz da injúria ao gesto injurioso, dos golpes e feridas à morte. Certamente, as circunstâncias exteriores podem favorecer seu desdobramento, quer se trate das tensões ligadas à guerra ou à festa, dos efeitos da embriaguez ou do jogo. Mas esses são apenas os elementos que servem como reveladores dos conflitos internos nos quais está em jogo a reputação das mulheres, cujos homens são os fiadores, quer eles sejam pais, filhos ou esposos, e mesmo às vezes irmãos ou tios. Essa reputação das mulheres delineia o grupo das que têm permissão para o jogo amoroso ou que podem vir a tê-la, moças comuns, mulheres casadas reputadas fáceis, mulheres que uma condição social subalterna "predispõe" ao estupro ou que a viuvez fragiliza. Inversamente, convém defender como uma fortaleza o grupo de mulheres honradas que se arriscavam a perder tal condição com o menor insulto. A tarefa não é pequena, porque a reputação é frágil. Pode-se mesmo pensar que existe uma espécie de jogo de honra que contribui para a constituição do indivíduo, se bem que a reputação deva ser reatualizada aos olhos de todos. É possível que as conversas de taverna que passam em revista a honra das pessoas conhecidas servissem para atualizar reputações. Isso se deve à fragilidade da memória e ao peso das palavras nessa sociedade da tradição, em que o indivíduo é somente aquilo que parece aos olhos dos outros. As palavras ou os gestos pronunciados em público criam um estado irreversível se não são imediatamente desmentidos. Aquele que injuria trata seu adversário de "bastardo", a mulher ou a mãe de seu adversário de "puta". A ele cabe replicar o desafio, proclamando em público que o outro mentiu, tirando sua pequena faca de cortar pão ou qualquer outra arma disponível para evitar ser difamado. Assim se explica que a violência seja quase exclusivamente masculina: a honra das mulheres está nas mãos dos homens. E, nesse contexto, todos os homens são abrangidos, jovens ou velhos, casados ou solteiros, clérigos ou leigos. Sua violência tem por toda parte o mesmo perfil, o de uma luta para defender sua honra e a de sua parentela.

O principal risco: a honra

As altercações raramente se mantêm individuais. Rápido, elas tornam-se questão de pequenos grupos que se afrontam pelo jogo das solidariedades que protegem o indivíduo, quer se trate de laços de sangue, de aliança, de amizade ou do simples companheirismo que começa com o caminho percorrido junto ou o vinho partilhado. Inversamente, tais círculos protetores criam em princípio zonas de paz, já que a vingança normalmente está interditada a eles. Mas isso resulta em deveres de assistência que implicam a intervenção em caso de agressão, em nome do "amor natural". As querelas de honra alimentam-se também das clivagens que dividem as comunidades de vizinhos. Nesse universo urdido a pequenos passos, os "odiados" opõem-se aos "benevolentes". Quando um crime inexplicável é cometido, o juiz informa-se sobre aqueles que são os odiados da vítima para com certeza encontrar o culpado! Um desejo latente de vingança serve então de pano de fundo à violência, e a injúria surge como um pretexto para fazê-la explodir. Mas somente a vingança não explica a violência, pois ela não é um fim em si, mesmo se pode dar lugar a expedições punitivas particularmente cruéis. "Matem todos", tal é a palavra de ordem que torna a ação vingativa irreversível e que acaba em estupros, olhos vazados, massacres. É, portanto, uma violência desenfreada? Nos piores momentos do combate continuam a se manifestar as regras que dirigem a violência e podem colocar um termo a elas. No decorrer das guerras privadas, por exemplo, a expedição punitiva ataca o gado, os bens, depois os homens ou de preferência suas companheiras que a parte adversa tenta raptar e sobretudo violar. O estupro é na maioria das vezes fictício: a mulher é arrastada para o esterco e desfigurada. Os gestos não são anárquicos. Procura-se atingir o rosto, a parte visível de seu pudor, ou ainda arrancar seu capuz para a desonrar. Mas a violência tem limites que lhe foram tacitamente dados pela sociedade. Ela se choca, por exemplo, com a interdição da mulher grávida, que nenhum homem deve tocar, inclusive o carrasco, ou ainda com a da criança, considerada sagrada. Todo desrespeito a essas regras é um sacrilégio ou o sinal de uma violência selvagem que faz comparar o homem ao lobo.

A violência é um dos móbeis essenciais da sociedade medieval, menos porque ela opõe grupos *a priori* antagônicos, ricos contra pobres, jovens contra velhos, clérigos contra leigos, e sim porque ela funda a reputação do indivíduo e, consequentemente, prenuncia o seu reconhecimento e o intercâmbio entre os sexos. Ela não se situa, portanto, nas margens do tecido social, mas em seu coração. Ela não exclui a presença de profissionais do crime, ladrões, banidos, devassos, que mergulham mais explicitamente que os outros no estupro, na prostituição ou nas guerras, na pilhagem e que se fazem, havendo ocasião, matadores profissionais. Eles podem se organizar em sociedade paralelas, ter na chefia um rei, utilizar gírias, deslocar-se em bandos que são, sem dúvida, mais numerosos na Europa meridional do que no norte, nas grandes metrópoles como Paris ou Avignon de fins da Idade Média e não nas pequenas cidades do reino da França. Mas, no total, o "meio" só desempenha um papel quantitativo negligenciável na história da violência. A grande questão continua sendo as relações conflituais que homens comuns podem ter entre si, entre pessoas com perfis aparentemente iguais em riqueza, saber ou idade. Eles percebiam tais conflitos como uma forma de violência e julgavam-nos condenáveis? É extremamente significativo que os homens que convivem com a violência no cotidiano falem de bom grado em rejeitá-la para suas margens, para a cabeça daqueles que não pertencem ao seu horizonte habitual. Para os criminosos, reais ou supostos, mas na maior parte do tempo desconhecidos, eles adotam facilmente os discursos oficiais da exclusão e reclamam mesmo a pena de morte. Mas não falam nada de sua própria violência. Ela não pertence, aliás, ao âmbito criminal, já que é normal, até mesmo necessária. De resto, eles próprios tendem a resolver o caso por meio de transações. O homicídio entrou, enfim, muito tardiamente no campo penal. Isso não é sinal de que a vida humana não tem preço, mas que a vida humana não é nada se a honra é ultrajada. A maior parte dos reis compreendeu bem que fundavam seu poder tanto na coerção quanto no perdão de um crime do qual, em suma, eles reconhecem a razão de ser. Aquela sociedade não louva a violência por si mesma. Ela faz da preferência da violência um meio de combate ao serviço dos valores simples que fundam a ordem social, assegurando as leis de sua reprodução.

CLAUDE GAUVARD
Tradução de Flavio de Campos

Ver também

Cavalaria – Guerra e Cruzada – Justiça e paz – Marginais – Parentesco

Orientação bibliográfica

BARTHÉLEMY, Dominique. *La Société dans le comté de Vendôme de l'an mil au XIVe siècle*. Paris: Fayard, 1993.

BONNASSIE, Pierre. *La Catalogne du milieu du Xe siècle à la fin du XIe siècle*: croissance et mutations d'une société. Toulouse: Ass. des Publ. de l'Univ. de Toulouse-Le Mirail, 1975-1976. 2v.

CHIFFOLEAU, Jacques. *Les Justices du pape*: délinquance et criminalité dans la région d'Avignon aux XIVe et XVe siècles. Paris: Publications de la Sorbonne, 1984.

CONTAMINE, Philippe; GUYOTJEANNIN, Olivier. *La Guerre, la violence et les gens au Moyen Âge* (Congrès des Sociétes Savantes d'Amiens, 1994). Paris: Éditions du CTHS, 1996. t.II: *La Violence et les gens*.

GASPARRI, Françoise. *Crimes et châtiments en Provence au temps du roi René*. Paris: Léopard d'Or, 1989.

GAUVARD, Claude. *"De grace especial"*: crime, État et société en France à la fin du Moyen Âge. Paris: Publications de la Sorbonne, 1991. 2v.

GEREMEK, Bronislaw. *Les Marginaux parisiens aux XIVe et XVe siècles*. Paris: Flammarion, 1976.

GONTHIER, Nicole. *Cris de haine et rites d'unité: la violence dans les villes, XIIIe-XVIe siècle*. Bruxelas: Brepols, 1992.

GONTHIER, Nicole. *Le Châtiment du crime au Moyen Âge*. Rennes: Presses Universitaires de Rennes, 1998.

MARTINES, Luis. *Violence and Civil Disorder in Italian Cities 1200-1500*. Berkeley, Los Angeles e Londres: University of California Press, 1972.

NIRENBERG, David. *Communities of Violence*: Persecution of Minorities in the Middle Ages. Princeton: Princeton University Press, 1996.

RAYNAUD, Christiane. *La violence au Moyen Âge (XIIe-XVe siècle)*: les représentations de la violence dans les livres d'histoire en français. Paris: Léopard d'Or, 1990.

LA VIOLENCE DANS LE MONDE MÉDIÉVAL. Aix-en-Provence: Presses Universitaires de Provence, 1994. (Senefiance 36.)

VIOLENCE ET CONTESTATION AU MOYEN ÂGE. Actes du CXIV^e Congrès National des Sociétés Savantes (Paris, 1989). Paris: Éditions du CTHS, 1990.

ZAREMSKA, Hanna. *Les Bannis au Moyen Âge*. Paris: Aubier, 1996.

Índice onomástico[1]

A
Abbon de Fleury, 527
Abelardo, Pedro, 342, 384-5, 390, 414, 426, 548, 641
Adalberon de Laon, 81-2, 346, 448, 552
Adam, Jean, 336
Adão de la Halle, 101, 129
Adelardo de Bath, 301-2, 334, 336
Ademar de Monteil, 25

Adriano I, 487
Adriano II, 489
Adriano, 9, 486
Aelfrico de Eynsham, 265
Aelredo de Rielvaux, 414
Afonso II de Aragão, 249, 404
Afonso VI de Leão e Castela, 404
Afonso X, o Sábio, 35, 48, 306, 456
Agobardo de Lyon, 118

---

[1] Os nomes próprios sempre colocam problemas aos tradutores, com alguns defendendo o aportuguesamento geral e outros o respeito ao idioma de origem. Optou-se aqui por um triplo critério intermediário: manter no original os nomes de personagens históricos pós-medievais (com exceções consolidadas pelo uso, como Nicolau Copérnico) e os de estudiosos modernos; utilizar as fórmulas já consagradas em português para topônimos (Cantuária ou Estrasburgo, por exemplo) e antropônimos (como Rábano Mauro ou Godofredo de Bulhão); traduzir nomes que, apesar de inusuais, não colocam problemas eufônicos (caso de Agobardo ou Fulco) nem, sobretudo, de clareza na identificação do personagem (por exemplo, Bertoldo de Ratisbona ou Eustáquio Deschamps). Quando a tradução seria linguisticamente fácil, mas rejeitada pela tradição (quem associaria "Pedro da Francisca" ao grande artista Piero della Francesca ou "Jaime Coração" ao mercador Jacques Coeur?) ou potencialmente ambígua (o bispo Avito é de Vienne, cidade do sudeste francês e não de Viena, hoje capital austríaca), preferimos manter a grafia original. [HFJ]

Agostinho (Santo), 14, 47, 63, 73, 94, 102, 122, 144, 159, 161-5, 203, 227, 236, 269, 279, 287, 297-9, 310, 331, 372, 381, 385-6, 388, 404, 411, 426, 438, 508, 514, 525, 539-40, 555, 562, 576-7, 581-2, 585, 589, 596, 600, 604, 640, 660, 662-5, 676
Aimon de Auxerre, 345-6
Alain de Lille, 102, 418
Alarico, 483
Alberico de Settefrati, 489-90
Alberti, Leon Battista, 604
Alberto da Saxônia, 668
Alberto Magno, 308, 542, 585-6, 589-90, 592, 601, 653, 667, 673
Alcuíno, 203, 331, 333
Alexandre de Hales, 237
Alexandre de Paris, 125
Alexandre de Villedieu, 334-5
Alexandre II, 18-9
Alexandre III (Rolando Bandinelli), 516
Alexandre Magno, 118, 124-5, 435, 459
Alexandre Neckam, 628
Alexandre Nevski, 513
Alexandre VI, 500
Alfredo, o Grande, 346, 448
Alighieri, Dante, 96, 103, 332, 387, 439, 498, 592, 670-2
Amalário de Metz, 469
Ambrósio de Milão, 49, 159, 298, 508, 539, 583
André, o Capelão, 167, 548
Ângela de Foligno, 514, 517
Ângelo Clareno, 517
Anselmo (Santo), 236, 382, 433-4, 512, 673
Anselmo de Besate, 201
Antônio de Pádua, 176, 230, 417, 510, 514, 517, 581
Ápio, 144

Ariès, Philippe, 276
Aristóteles, 124, 164, 174, 252, 304-5, 308-9, 311, 383, 427-8, 575, 587, 589, 601, 641, 647, 659-60, 662, 666, 669, 671
Arnaldo de Vilanova, 186, 538, 585-6
Arnolfo de Ratisbona, 203
Atanásio, 257, 259
Averróis (Ibn Ruchd), 204, 305, 586-7, 589, 592, 667, 671
Avicena (Ibn Sina), 187, 204, 537, 586-7, 589, 654, 666
Avito de Vienne, 400

B

Bacon, Roger, 91, 134-5, 187, 290, 304-6, 309
Balduíno IV, 458
Barradas de Carvalho, Joaquim, 339
Bartolomeu de Romans, 336
Basílio de Cesareia, 662, 665
Beato de Liébana, 125
Beaumanoir, Filipe de, 67, 415
Becket, Tomás, 443, 517, 443, 517
Beda, o Venerável, 102, 333, 433, 584
Beleth, João, 465
Bento de Núrsia, 227, 260, 263, 268, 270, 432-3, 510, 633-4
Bento IX, 491
Bento VIII, 491
Benveniste, Émile, 453
Bernardino de Siena, 418, 514, 542
Bernardo de Claraval, 27, 40, 102, 226, 235, 413, 426, 493
Bernardo de Tiron, 268, 414
Bertoldo de Ratisbona, 213
Bevignate, Giunta, 514
Biscop, Bento, 401
Bloch, Marc, 225, 246, 253, 316, 469, 526, 610, 613

Índice onomástico

Boaventura (São), 300, 311, 345, 418, 514, 590, 636
Boccaccio, Giovanni, 96, 157, 509, 553, 592
Bodel, Jean, 91, 101
Boécio, 102, 329-30, 337, 346, 438, 664
Boileau, Estevão, 630
Boinebroke, João, 209, 213, 631
Bolland, Jean, 519
Bonatti, Guido, 306
Bonellus, 130
Bonifácio (Wynfrith), 261, 265
Bonifácio IV, 485
Bonifácio IX (Tomacelli), 499
Bonifácio VIII (Benedito Caetani), 290, 402, 416, 444, 457, 497
Bonvesino de la Riva, 338
Bóris I da Bulgária, 513
Bourdieu, Pierre, 278
Bourgain, Louis, 419
Boyle, Robert, 673-4
Bracton, Henrique, 143
Bradwardine, Tomás, 668
Brancaleone degli Andolò, 495
Brantôme, 552
Brígida da Suécia, 515
Bromyard, João, 542
Bruno de Segni, 512
Bruno, o Cartuxo, 268
Buridan, João, 668-9

C
Calcídio, 297, 664
Calisto II, 48
Calvino, João, 519
Canuto da Dinamarca, 402, 513
Carlos III, o Simples, 205
Carlos IV da Boêmia, 591, 649
Carlos Magno, 12, 30, 32n.2, 77, 126, 205, 239, 243, 246, 263-4, 344, 398, 401, 406-7, 411-2, 442, 445, 459, 471, 513, 516, 544, 582
Carlos Martel, 205, 318
Carlos V, 41, 446, 452, 456, 459-60, 592, 602, 671
Carlos VI, 63-4, 186, 458
Carlos VII, 239, 446
Carlos X, 469
Carlos, o Calvo, 79, 205, 248, 344-5, 406, 408
Carlos, o Temerário, 39
Cassiano, João, 258-9, 387, 584
Cassiodoro, 181, 267, 438
Catarina de Siena, 510, 515
Cesário (São), 411
Cesário de Heisterbach, 587
Chaucer, Geoffrey, 96, 387, 670
Chenu, Marie-Dominique, 633
Childeberto, 400
Chilperico, 142
Chrétien de Troyes, 82, 91, 97, 99, 133, 564, 632
Chuquet, Nicolau, 336-8
Cícero, 201, 372, 576, 661, 664
Clara de Assis, 514, 517, 562
Clara de Montefalco, 514, 517
Clemente III, 494
Clemente VI, 569-70
Clóvis, 406, 469, 471
Coeur, Jacques, 211-3, 215
Cofo de Salerno, 184
Cola de Rienzo, 498
Colombano (São), 142, 262, 406
Colombo, Cristóvão, 133
Comenius, 41
Constantino I, o Grande, 11, 18, 182, 257-8, 397, 471, 483-4, 487, 489, 582
Constantino, o Africano, 537
Copérnico, Nicolau, 660
Cosroes, 398

Coudrette, 133
Cristina de Pisano, 69, 96, 452, 552
Cunegunda, 513

D
Damásio I, 508
Daniel de Morley, 301, 303
Datini, Francisco, 209
Delfina de Puymichel, 514
Deschamps, Eustáquio, 90
Diocleciano, 243
Diógenes, 660
Dioniso, o Pequeno, 603
Dioscórido, 182
Dlugosz, Jan, 151
Domingos (São), 269, 408, 416
Doroteia de Montau, 515
Douceline, 514
Duby, Georges, 245, 316, 525-6, 529, 531-2, 537, 542, 548
Dumézil, Georges, 265, 345, 635
Dumont, Louis, 278, 344, 353, 356
Durand, Guilherme, 428, 477
Dürer, Albrecht, 213

E
Eckhart, Johannes (Mestre Eckhart), 673
Eduardo I da Inglaterra, 48, 199-200, 291
Eduardo II da Inglaterra, 455
Eduardo, o Confessor, 143, 265, 513
Efrem, o Sírio, 435
Egídio Romano, 448
Eginhardo, 264, 401
Eleonora de Poitiers, 552
Elias de Cortona, 239
Emich de Flonheim, 24
Erasmo, 273, 519
Escoto Erígena, João, 299, 331
Estácio, 94, 97
Estanislau de Skarbimierz, 146

Estêvão da Hungria, 451, 513
Estêvão de Bourbon, 238, 509
Estêvão de Muret, 234, 268-9
Estêvão IV, 489
Euclides, 301, 336-7
Eudes de Cluny, 14
Eudes de Déols, 16
Eudes de Sully, 415
Eudóxio, 659
Eugênio III, 414, 493, 496
Eugênio IV, 27
Eusébio de Cesareia, 603

F
Facio de Cremona, 401
al-Farrani, 662
Fernando II de Aragão (o Católico), 87
Fernando III de Castela, 517
Ferrer, Vicente, 417, 419
Fibonacci (Leonardo de Pisa), 335
Filipe de Hesse, 50
Filipe II Augusto, 406, 449, 453
Filipe III, o Bom, 547
Filipe III, o Ousado, 39, 460
Filipe IV, o Belo, 253, 444, 447, 453, 602
Fílon de Alexandria, 160, 660-1, 663
Flach, Jacques, 529
Flávio Josefo, 144
Formoso, 489
Forster, Max, 419
Francisco de Assis, 214, 238-9, 269-70, 399, 405, 415, 510, 514, 517-8, 591-2, 637
Frederico I Barba-Ruiva, 86, 322, 402, 457, 471, 513, 642
Frederico II, 50, 187, 243-4, 453, 646
Freud, Sigmund, 424, 576, 592
Fugger, Jacó, 212-3
Fulberto de Chartres, 413
Fulco de Neuilly, 415

Fulco III Nerra, 15-6, 199-200, 398
Fulgêncio, 483
Fusoris, João, 336
Fustel de Coulanges, Numa, 523

G
Galeno, 175, 187, 538, 647, 654
Galland, Auguste, 529
Ganshof, François L., 319
Gaudêncio de Brescia, 508
Gelásio I, 344
Genserico, 483
Geoffroy de Auxerre, 331
Geoffroy de Vendôme, 401
Geraldo de Aurillac, 14, 77, 265, 513
Geraldo de Barri (Geraldo de Gales), 135
Geraldo de Cambrai, 346
Gerberto de Aurillac. *Ver* Silvestre II
Gerson, João, 63, 184, 417, 518
Gersônido, 58
Gervásio de Tilbury, 117, 123, 132, 134, 456, 508, 583
Gilberto de la Porrée, 236, 641
Gilberto de Sempringham, 512
Gilles Li Muisis, 253
Giotto, 387
Glaber, Raul, 398, 585
Glanvil, Ranulfo, 86
Gleb (São), 513
Godofredo de Bulhão, 24
Goody, Jack, 362
Gossuin de Metz, 132
Gottschalk, 24, 197
Graciano, 49, 343, 372, 416, 681
Gregório de Nazianzo, 258
Gregório de Tours, 179, 228, 397, 406, 508, 512, 582
Gregório I Magno, 227, 236, 239, 260-2, 298, 387, 400, 411, 485, 512, 579, 582-4, 672

Gregório IX, 50, 237, 304, 416, 499, 516, 643
Gregório VII (Hildebrando), 18-20, 344, 346, 348, 492, 513, 516
Gregorovius, Ferdinand, 486
Grmek, Mirko D., 173
Grosseteste, Roberto, 187, 305, 665-6
Gualberto, João, 268
Guerric de Igny, 414
Gui de Arezzo, 330
Guiberto de Nogent, 23-4, 236, 249, 413, 509, 577-8
Guilherme de Aragão, 586, 591
Guilherme de Auberive, 331
Guilherme de Auxerre, 117
Guilherme de Beaumont, 415
Guilherme de Conches, 236, 301, 304, 664
Guilherme de Lorris, 103, 588
Guilherme de Machaut, 90
Guilherme de Malmesbury, 456
Guilherme de Ockham, 91-2, 347, 668
Guilherme de Rubroek, 404
Guilherme de Saint-Amour, 636
Guilherme de Saint-Thierry, 304
Guilherme I, o Conquistador, 15, 18, 446
Guilherme IX da Aquitânia, 167
Guilherme Taillefer III, 16, 398
Guilherme V da Aquitânia, 402
Guilherme, o Marechal, 466
Guilhiermoz, Paul, 316
Gunther de Bamberg, 398
Guy de Chauliac, 177

H
Haakon IV, o Velho, 95
Haiton de Basileia, 412
al-Hakim, 20, 398
Haroldo, 446
Heiric de Auxerre, 346
Helena (Santa), 11, 397, 401

Helgaud de Fleury, 460
Helmbrecht, 588
Henrique da Suécia, 513
Henrique de Lancaster, 178
Henrique de Vick, 670
Henrique I Beauclerc, 82, 321, 591
Henrique II Plantageneta, 97, 455-6, 513
Henrique III da Inglaterra, 50, 450, 457
Henrique IV, 20, 50, 402, 405
Henrique V, 402
Henskens, Godfried, 519
Hermann de Reichenau (Contractus), 330
Hilário de Poitiers, 259, 405
Hildegarda de Bingen, 157, 181, 267, 577, 586
Hilduíno, 414
Hincmar de Reims, 331-2, 526
Hipócrates, 586
Hipólito de Roma, 13
Hocart, 453
Honório I, 400
Honório III, 416
Horácio, 94
Hugo Capeto, 445, 451
Hugo de Lusignan, 527, 530
Hugo de Saint-Victor, 193, 197, 201, 210, 298-9, 331, 390, 413, 469, 473
Hugo Sanctallensis, 301, 303
Hugo, Victor, 224
Huizinga, Johan, 277
Humberto de Romans, 418
Humberto de Silva Candida, 349
Hus, João, 240, 419

I

Inocêncio II, 455
Inocêncio III (João Lotário), 48, 54, 145, 149, 237, 351, 415-6, 447, 495-6, 516, 585, 592
Inocêncio IV (Sinibaldo Fieschi), 53, 180, 351
Isabel da Hungria, 513
Isidoro de Sevilha, 63, 73, 102, 104, 134, 174, 229, 298, 300, 331, 560, 576, 579, 583

J

Jacopo de Varazze, 238, 518
Jacques de Vitry, 151, 418
Jerônimo (São), 11, 94, 133, 159, 168, 259, 396-7, 511, 517, 519, 539, 573
Joana d'Arc, 38, 407, 515, 517
João (Preste), 128, 459
João Bouteiller, 63-4, 69
João Crisóstomo, 159
João de Arras, 133
João de Bar, 186
João de Domrémy, 185
João de Gorze, 234
João de Mandeville, 126, 131
João de Meung, 103, 637
João de Murs, 337
João de Salerno, 235, 266
João de Salisbury, 448, 455-6, 576, 587, 589
João de Sevilha, 334
João de'Dondi, 670
João Sem-Terra, 456
João VIII, 18
João Villani, 335, 338
João XII, 490
João XIX, 491
João XXI (Pedro de Espanha), 181
Joaquim de Fiore, 332, 402, 600
Jonas de Orleans, 352
Jones, Ernst, 576
Jordanus Nemorarius, 337
José Hispanus, 334
Júlio II (Della Rovere), 500

Júlio Valério, 124
Justiniano, 425, 634
Juvenal, 168

K
Kantorowicz, Ernst, 461
al-Khuwarizmi, Muhammad ibn Musa, 334, 337
Kilwardby, Roberto, 601

L
Lactâncio, 661-2, 665
Lamberto de Hersfeld, 398
Latini, Brunetto, 90
Leão III, 401
Leão IV, 18, 488
Leão IX, 19
Leão X, 500
Lecoy de La Marche, Albert, 419
Lefèvre d'Étaples, Jacques, 330
Lenao, o Toscano, 588
Leonardo da Vinci, 135
Leutardo de Vertus, 585
Lévi-Strauss, Claude, 361, 469
Lisímaco, 144
Liutprando de Cremona, 490
Lombardo, Pedro, 347, 382, 385, 387, 390, 414, 647
Luca Pacioli, 336, 339
Lucrécio, 660
Luís de Anjou, 32
Luís de Orleans, 39
Luís IX (São Luís), 26, 40, 50-1, 176, 185, 239, 252, 291, 399, 406, 408, 442, 448, 450-1, 453, 455, 457-60, 513, 630, 636
Luís VII, 151, 405, 451
Luís XI, 408
Luís XIV, 461
Luís, o Piedoso, 263, 406

M
Macróbio, 297, 330, 576, 585, 664
Maimônides, 57-9, 185
Maiol (São), 235
al-Mansur, 403
Maomé, 10, 26, 552
Marcellus Empiricus, 177
Marciano Capela, 102, 297, 330, 664
Marco Aurélio, 495
Margarida da Escócia, 513
Margarida de Cortona, 514
Maria de Oignies, 514-5
Martinho (São), 110, 178, 230, 259, 405-7, 508, 510, 582
Martinho V (Odo Colonna), 408, 499
Marx, Karl, 424
Mateus Platearius, 182
Matilde da Toscana, 19, 404
Melis, Federigo, 115
Meyer, Paul, 419
Michelet, Jules, 47, 50, 224
Misch, Georg, 577
Moisés Sefardi (Petrus Alfonsi), 127
Mollat, Michel, 215
Mondino dei Liucci, 187

N
Newton, Isaac, 673-4
Nicolau de Clamanges, 676-7
Nicolau de Cusa, 437, 660
Nicolau III (Orsini), 497
Nicolau V (Parentucelli), 500
Nicômaco de Gerasa, 329
Nompar de Caumont, 109
Norberto de Xanten, 268

O
Odilon de Cluny, 263, 413, 513
Odo de Cluny, 234, 330, 512-3
Odo de Morimond, 331

Odo de Soissons, 414
Olavo da Noruega, 513
Omar, 10, 26, 438
Oresme, Nicolau, 253, 337, 668, 671
Oribaso, 671
Orígenes, 13, 570
Orósio, Paulo, 438
Oto I, 490-1, 513
Oto II, 490
Oto III, 467
Oto IV de Brunswick, 123, 456
Ovídio, 91, 94

P
Pamiers, 336
Paracelso, 188
Paris, Gaston, 128
Pascal, o Romano (Pascalis Romanus), 586, 591
Pascoal III, 513
Patrício (São), 259, 511
Paulo (São), 162-3, 342, 344-5, 353, 381, 395, 397, 400, 410, 435-6, 484, 491, 539, 574, 581, 633, 637
Paulo Diácono, 412
Paulo do Ábaco, 335
Pedro (São), 18-20, 229, 349, 351, 395, 397, 400-2, 484, 487, 488, 491, 492, 494-5, 497-8
Pedro Comestor (Pedro, o Devorador), 414
Pedro Damiano, 268, 298, 413
Pedro de Abano, 306
Pedro de Ailly, 133, 309
Pedro de Celle, 413
Pedro Mártir (de Verona), 517
Pedro, o Cantor, 414
Pedro, o Eremita, 23-4, 26
Pedro, o Venerável, 146, 151, 205, 235, 356, 404
Pegolotti, Francisco, 339
Peire Vidal, 81

Pelacani, Biagio, 309
Pelágio II, 400, 403
Pépin, Guilherme, 552
Pepino III, o Breve, 246, 263, 445, 471
Petrarca, Francesco, 96, 498, 592
Peyrac, Guilherme, 416
Piero della Francesca, 336, 339
Pio II (Enéas Sílvio Piccolomini), 408
Pirenne, Henri, 244-5
Pitágoras, 576
Platão, 302n.1, 588, 658, 660, 663-4, 669, 672
Plínio, o Velho, 124, 300
Plotino, 663
Plutarco, 145
Polidoro Virgílio, 34
Polo, Marco, 128, 131-2, 218
Préhoude, Mateus, 336
Prisciano, 647
Prudêncio, 102
Pseudo-Calistino, 124
Pseudo-Dioniso Areopagita, 299, 344-5, 437, 469, 672
Pseudo-Heráclito, 102
Pseudo-Metódio, 24
Pseudo-Odo de Cluny, 330
Pseudo-Ptolomeu, 301
Ptolomeu, Cláudio, 659, 662, 666

Q
Quintiliano, 102, 201
Quirino, 187

R
Rábano Mauro, 147, 186, 298, 331-2, 412
Rabelais, François, 37
al-Rachid, Harun, 12, 32n.2
Radegunda (Santa), 397, 513
Ramon Berenguer III da Cerdanha, 251
Ranulfo da Houblonnière, 418

Rashed, Roshdi, 337
Rathier de Lobbes, 315
Remígio de Reims, 469
Ricardo Cely, 213
Ricardo Coração-de-Leão, 135, 406, 457, 460
Ricardo de Saint-Vanne, 16, 398
Ricardo de Saint-Victor, 298, 413
Ricardo de Wallingford, 670
Richelieu, 529
Richer, 333
Roberto de Arbrissel, 268, 414
Roberto de Basevorn, 419
Roberto de Molesme, 268, 512
Roberto do Anjou, 417
Roberto I da Normandia, 398
Roberto, o Magnífico, 15
Roberto, o Piedoso, 265, 460
Rogério de Parma, 184
Rogério II da Sicília, 455
Romualdo de Ravena (ou de Camaldoli), 268, 512
Rosweyde, Heriberto, 519
Rotário, 149
Ruperto de Deutz, 157
Rutebeuf, 101, 178, 636

S

Sacchetti, Franco, 417
Sacrobosco, João de, 334-5, 671
Saladino, 27, 399
Salviano de Marselha, 523, 526
Sancho II de Portugal, 455
Sancho III, o Grande, de Navarra, 403
Savonarola, Jerônimo, 419, 514
Schmid, Karl, 321
Scholem, Gershom, 45, 57
Scot, Duns, 387
Scott, Walter, 224
Sérgio I, 401

Sérgio II, 489
Siboto IV de Falkenstein, 199-200
Sigeberto de Gembloux, 19
Siger de Brabante, 204, 309
Sigismundo (São), 400, 547
Silvestre I, 471
Silvestre II, 333
Silvestre, Bernardo, 302-3
Símaco, 401
Simão de Montfort, 408
Sinésio, 579
Sisto IV (Della Rovere), 500
Smagarade de Saint-Mihiel, 412
Sócrates, 588
Solino, 124, 300
Suchier, Hermann, 419
Suger de Saint-Denis, 433-4, 458, 676
Sulpício Severo, 406, 582

T

Tácito, 144
Tempier, Estevão, 667-8
Teobaldo de Langres, 332
Teodolinda da Lombardia, 400
Teodorico, 180
Teodósio II, 124
Teodósio, 582, 634
Teofilacto, 489
Teófilo, 628
Teofrasto, 168
Tertuliano, 13, 168, 174, 426, 576, 578-80
Thierry de Chartres, 236, 303, 331, 664-5
Thietmar de Merseburg, 472
Thorndike, Lynn, 185
Tito, 21
Tomás de Aquino, 38, 51, 149, 161, 164-5, 167, 204, 213, 237, 302, 308, 383, 385-6, 448, 514, 517, 542, 590, 301-2, 636, 653, 667, 673
Tomás de Cantimpré, 148

Tomás de Celano, 238
Tomás de Monmouth, 54
Trancés Pellos, 336
Trotula, 183, 537

U
Urbano II, 18-9, 21-6

V
van Papenbroeck, Daniel, 519
Veckinchusen, Sievert e Hildebrando, 209, 213, 220
Venceslau da Boêmia, 513
Verriest, Léo, 82
Vespasiano, 21
Victrice de Ruão, 508
Vilfrido (São), 400
Vilibrordo (São), 401
Villard de Honnecourt, 628
Villon, François, 101, 604
Virgílio, 94, 102, 124, 132, 572, 588
Vitório da Aquitânia, 333
Volkmar, 24
Voltaire, 224

W
Walley, Tomás, 419
Walter de Henley, 430, 432
Widmann, João, 336
Winthrop, John, 274
Wyclif, João, 240, 419, 518

Y
Yves de Chartres, 414, 512, 527

Sumário iconográfico

As imagens constituem um dos modos pelos quais os homens tornam presente seu mundo material e imaginário. Elas têm seus próprios códigos de funcionamento, diferentes dos da linguagem oral ou escrita, e preenchem funções sociais e ideológicas particulares. Os três cadernos de imagens, tiradas de manuscritos iluminados, de esculturas, de retábulos pintados, de tapeçarias da Idade Média, cruzam mais de uma vez os percursos próprios aos verbetes do Dicionário e pretendem sugerir um outro percurso possível através das representações da sociedade e do poder, das crenças, da visão da natureza e dos espaços que os homens daquele tempo buscavam dominar pela ferramenta ou pelo sonho.

Os estados da sociedade

Grupos sociais

– O casamento cristão assegura a reprodução da sociedade da Idade Média. Michael Pacher, *Casamento da Virgem*. Viena, Österreichische Gallerie. Século XV (Cl. Ritter).

– Os *oratores* – os que rezam – consideram-se no topo da sociedade cristã. São Bernardo pregando aos monges cistercienses. *Horas de Étienne Chevalier*. Chantilly, Museu Condé. Após 1461.

– Os *bellatores* – os que guerreiam – identificam-se na sociedade feudal com os cavaleiros. Soldados adormecidos diante do túmulo de Cristo. Issoire, abacial Saint-Austremoine, capitel. Século XII (Cl. Atelier du Regard).

– Armamento pesado e cavalo com armadura, brasões e divisa são os emblemas e o orgulho dos nobres. *Armorial Bellenville.* Paris, BnF, *c.*1380.

– Os *laboratores* – os que trabalham – são na esmagadora maioria camponeses. Ceifeiro e batedor. Margem de manuscrito. Oxford, Bodleian Library. Século XIV.

Poderes

– O imperador Oto III encarna na terra a "majestade" de Deus. *Evangeliário de Oto III.* Munique, Bayerische Staatsbibliothek. Século XI.

– O bispo e o rei: superioridade do espiritual, necessidade do temporal. Inicial H. *Decreto* de Graciano. Troyes, Biblioteca Municipal. Século XIII.

– Novas relações entre Igreja e Estado: São Luís ajoelha-se diante do papa, mas recebe sentado a homenagem dos bispos de seu reino. *Grandes crônicas da França.* Paris, BnF. Século XIV.

A cidade e as mercadorias

– As pontes de Paris, os moinhos e a navegação no Sena. Yves, monge de Saint-Denis, *Vida de São Dioniso.* Paris, BnF. 1317.

– Balcão de um açougueiro. Trabalho e comércio de tecidos. *Tacuinum sanitatis.* Viena, Österreichische Nationalbibliothek. Século XIV.

– O comércio de dinheiro. Inicial S. *Vidal Major.* Malibu, The Paul Getty Museum. Século XIII.

A cidade e o saber

– Os estudantes rezam e aprendem. *Estatutos do colégio Hubant.* Paris, Arquivos Nacionais. 1387.

– Ensino magistral e *disputatio* universitária. *Liber de instructione.* Toulouse, Biblioteca Municipal. Século XIV.

Sumário iconográfico

Crenças e representações

O Além

— O "Trono de Graça", figura mais frequente da Trindade. Excepcionalmente, o rosto do Pai está coberto. Saltério. Cambridge, Trinity College. Século XIII.

— O Diabo, contraponto sem dualismo da onipotência divina. Capitel. Issoire, abacial Saint-Austremoine. Século XII (Cl. Atelier du Regard).

— A Virgem salva das tentações do demônio. Milagre de Teófilo. *Saltério da rainha Ingeburge*. Chantilly, Museu Condé, c.1200.

— A prece aos santos: a monja assemelha-se a São Francisco, que recebe os estigmas da paixão de Cristo. Legendário dominicano. Oxford, Keble College. Século XIV.

— A criação do homem por Deus: Eva tirada do lado de Adão. *Saltério da rainha Branca de Castela*. Paris, Biblioteca do Arsenal. Século XIII.

— O batismo marca o verdadeiro nascimento do cristão. *Decreto* de Graciano. Baltimore, Walters Art Gallery. Século XIV.

— Na morte, a alma separa-se do corpo. Hildegarda de Bingen, *Liber Scivias*. Wiesbaden, Hessische Landesbibliothek (manuscrito perdido). Cerca de 1179.

— O Purgatório, terceiro lugar do Além cristão: as almas purgadas são puxadas para o Paraíso. *Livro de Horas de Branca de Borgonha* ou *Horas de Savoia*. New Haven (Conn.), Beinecke Rare Books and Manuscripts Library, Universidade Yale. Século XIV.

— Judeus e hereges encarnam as duas formas maiores de divergência religiosa. Cristo ultrajado pelos judeus "deicidas". *Speculum Humanae Salvationis*. Kremsmünster. Século XIV.

— João Hus conduzido ao suplício (Constança, 1415). Ulrich von Richental, *Crônica do concílio de Constança*. Século XV.

As imagens

— As novas imagens de culto em três dimensões. Crucifixo do arcebispo Gero. Colônia, catedral. Cerca de 970. "Majestade" de Santa Fé de Conques. Conques. Século X.

— O sonho e sua interpretação, modos privilegiados do imaginário. Sonho de Jacó. Berlim, Staatsbibliothek. Século XII.

— O retrato do doador. Rogier Van der Weiden, *Tríptico de Pieter Bladelin*. Berlim, Gemälde Gallerie, c.1462.

— O primeiro autorretrato devidamente assinado e datado. Albrecht Dürer, *Autorretrato com casaco de pele*. Munique, Alte Pinakothek. 1500.

— Inovação e controle das formas iconográficas. O tipo da "Virgem que se abre" contradiz o dogma da Encarnação. Paris, Museu de Cluny. Século XV.

Natureza e espaço

Um mundo criado

— A criação do mundo e dos animais. *Bíblia*. Oxford, Bodleian Library. Manuscrito. Século XII.

— O homem microcosmo. Hildegarda de Bingen, *Liber operum divinorum*. Luca, Biblioteca Statale. Século XIII.

— A terra é toda rodeada de água. Beato de Liébana, *Comentário do Apocalipse*. Paris, BnF. Século XI.

— Visão da Jerusalém celeste. Hildegarda de Bingen, *Liber operum divinorum*. Luca, Biblioteca Statale. Século XIII.

— A cidade de Jerusalém, centro do mundo. *Aviso diretivo para efetuar a passagem de ultramar*. Paris, BnF. Século XV.

— Ásia, Europa, África no mapa-múndi em T de Isidoro de Sevilha. Paris, BnF. Século XI.

— A previsão de um eclipse do Sol. *Imagens do mundo*. Paris, BnF. Século XIII.

— O astrônomo e seu astrolábio. *Saltério da rainha Branca de Castela*. Paris, Biblioteca do Arsenal. Século XIII.

O domínio do espaço

— O mar. A arca de Noé. Oxford, Bodleian Library. Século XIV.

– O mar: navios e galeras. *Tacuinum sanitatis*. Viena, Osterreichische Nationalbibliothek. Século XIV.

– O papel dos monges cistercienses nos desmatamentos. Gregório Magno, *Moralia in Job*. Dijon, Biblioteca Municipal. Cerca de 1111.

– A caça ao falcão. *Tapeçaria da rainha Mathilde*. Bayeux, c.1080.

– A caça na floresta com cães. Pol de Limbourg, *Très riches heures du duc Jean de Berry*. Calendário: mês de dezembro. Chantilly, Museu Condé. Século XV.

– A natureza "estetizada": bosquezinhos, flores e pássaros. *Série de nobres pastorais. A dança*. Tapeçaria. Paris, Museu do Louvre. 1551.

– A natureza domesticada: lavouras e cercados no castelo dos Lusignan. Pol de Limbourg, *Très riches heures du duc Jean de Berry*. Calendário: mês de março. Chantilly, Museu Condé. Século XV.

Lista de autores

Alexander MURRAY, University College, Oxford: "Razão".

Alistair CROMBIE, Trinity College, Oxford: "Universo".

André VAUCHEZ, CNRS (Centre National de la Recherche Scientifique): "Milagre".

Anita GUERREAU-JALABERT, CNRS (Centre National de la Recherche Scientifique): "Parentesco".

Carla CASAGRANDE, Universidade de Pávia: "Pecado".

Christiane KLAPISCH-ZUBER, École des Hautes Études en Sciences Sociales: "Masculino/feminino".

Claude GAUVARD, Universidade de Paris I (Panthéon-Sorbonne): "Justiça e paz"; "Violência".

Dominique BARTHÉLEMY, Universidade de Paris XII (Val-de-Marne); École Pratique des Hautes Études, IVe section: "Senhorio".

Dominique IOGNA-PRAT, CNRS (Centre National de la Recherche Scientifique): "Ordem(ns)".

Guy BEAUJOUAN, École Pratique des Hautes Études, IVe section: "Números".

Guy LOBRICHON, Collège de France: "Bíblia".

Hanna ZAREMSKA, Academia Polonesa de Ciências: "Marginais".

Henri BRESC, Universidade de Paris X (Nanterre): "Mar".

Jacques LE GOFF, École des Hautes Études en Sciences Sociales: "Além"; "Centro/periferia"; "Cidade"; "Maravilhoso"; "Rei"; "Sonhos"; "Tempo"; "Trabalho".

Jacques ROSSIAUD, Universidade de Lyon II (Lumière): "Sexualidade".

Jacques VERGER, Universidade de Paris XIII (Vincennes-Saint-Denis): "Universidade".

Jean FLORI, CNRS (Centre National de la Recherche Scientifique): "Cavalaria"; "Jerusalém e as cruzadas".

Jean-Claude SCHMITT, École des Hautes Études en Sciences Sociales: "Clérigos e leigos"; "Corpo e alma"; "Deus"; "Feitiçaria"; "Imagens"; "Ritos".

Jean-Michel MEHL, Universidade de Estrasburgo II (Marc-Bloch): "Jogo".

Léopold GÉNICOT, Universidade Católica de Louvain: "Nobreza".

Lester K. LITTLE, Smith College (EUA): "Monges e religiosos".

Marie-Anne POLO DE BEAULIEU, CNRS (Centre National de la Recherche Scientifique): "Pregação".

Marie-Christine POUCHELLE, CNRS (Centre National de la Recherche Scientifique): "Medicina".

Mario SANFILIPPO, Universidade de Roma: "Roma".

Maurice KRIEGEL, École des Hautes Études en Sciences Sociales: "Judeus".

Michel LAUWERS, Universidade de Nice-Sophia Antipolis: "Morte e mortos".

Michel PASTOUREAU, École Pratique des Hautes Études, IVe section: "Símbolo".

Michel SOT, Universidade de Paris X (Nanterre): "Peregrinação".

Michel ZINK, Collège de France: "Literaturas(s)".

Lista de autores

Patrick GEARY, Universidade Notre-Dame (EUA): "Memória".

Pierre BONNASSIE, Universidade de Toulouse II (Le Mirail): "Liberdade e servidão".

John NORTH, Rÿksuniversiteit Groningen: "Universo".

Robert FOSSIER, Universidade de Paris I (Panthéon-Sorbonne): "Terra".

Silvana VECCHIO, Università degli Studi de Ferrara: "Pecado".

Sofia BOESCH GAJANO, Universidade de Roma: "Santidade".

Thomas N. BISSON, Universidade de Harvard: "Moeda".

Tullio GREGORY, Universidade de Roma: "Natureza".

Lista de tradutores

Daniel VALLE RIBEIRO, Universidade Federal de Minas Gerais: "Corte"; "Direito(s)"; "Estado"; "Igreja e papado"; "Império"; "Justiça e paz"; "Rei"; "Roma".

Eliana MAGNANI SOARES-CHRISTEN, CNRS (Centre National de la Recherche Scientifique) – Auxerre: "Clérigos e leigos"; "Feudalismo"; "Masculino/feminino"; "Memória"; "Milagre"; "Monges e religiosos"; "Morte e mortos"; "Nobreza"; "Ordem(ns)"; "Parentesco"; "Ritos"; "Santidade".

Flavio de CAMPOS, Universidade de São Paulo: "Centro/periferia"; "Cidade"; "Heresia"; "Indivíduo"; "Jogo"; "Judeus"; "Marginais"; "Violência".

Hilário FRANCO JÚNIOR, Universidade de São Paulo: coordenação e revisão técnica da tradução de todos os verbetes.

José Carlos ESTÊVÃO, Universidade de São Paulo: "Além"; "Anjos"; "Corpo e alma"; "Deus"; "Diabo"; "Escatologia e milenarismo"; "Escolástica"; "Fé"; "Idade Média"; "Razão"; "Tempo"; "Universo".

José Rivair MACEDO, Universidade Federal do Rio Grande do Sul: "Bizâncio e o Ocidente"; "Bizâncio visto do Ocidente"; "Guerra e Cruzada"; "Islã"; "Jerusalém e as cruzadas"; "Mar"; "Peregrinação"; "Pregação".

Lênia Márcia de Medeiros MONGELLI, Universidade de São Paulo: "Amor cortês"; "Bíblia"; "Cavalaria"; "Escrito/oral"; "História"; "Literatura(s)"; "Natureza"; "Pecado"; "Símbolo"; "Universidade".

Mário Jorge da MOTTA BASTOS, Universidade Federal Fluminense: "Cotidiano"; "Feitiçaria"; "Liberdade e servidão"; "Maravilhoso"; "Medicina"; "Senhorio"; "Sexualidade"; "Trabalho".

Vivian Patrícia CARIELLO COUTINHO DE ALMEIDA, Universidade de São Paulo: "Prefácio"; "Alimentação"; "Animais"; "Artesãos"; "Assembleias"; "Caça"; "Castelo"; "Catedral"; "Flagelos"; "Guilda"; "Idades da vida"; "Imagens"; "Mercadores"; "Moeda"; "Números"; "Sonhos"; "Terra".

SOBRE O LIVRO

Formato: 16 x 23 cm
Mancha: 27,8 x 48 paicas
Tipologia: Venetian 301 12,5/16
Papel: Off-white 80 g/m² (miolo)
Cartão Supremo 250 g/m² (capa)
1ª edição Editora Unesp: 2017

EQUIPE DE REALIZAÇÃO

Edição de texto
Tulio Kawata (Copidesque)
Beatriz Freitas de Moreira, Nair Hitomi Kaio,
Tomoe Moroizumi, Tulio Kawata (Revisão)

Capa
Negrito Editorial

Editoração eletrônica
Eduardo Seiji Seki

Assistência editorial
Alberto Bononi
Richard Sanches

IMPRESSÃO E ACABAMENTO
Hawaií Gráfica e Editora